地方文献研究與分論

林天蔚 著

任继愈题签

北京圖書館出版社

圖書在版編目（C I P）數據

地方文獻研究與分論/ 林天蔚著 —北京：北京圖書館出版社，2006.12

ISBN 7-5013-2840-4

I.地... Ⅱ.林... Ⅲ.地方史：文化史—研究—中國 Ⅳ.K29

中國版本圖書館 C I P 數據核字（2006）第 137012 號

書名 地方文獻研究與分論

著者 林天蔚著

出版 北京圖書館出版社（100034 北京市西城區文津街 7 號）

發行 (010)66139745,66175620,66126153

66174391(傳真)，66126156（門市部）

E-mail cbs@nlc.gov.cn(投稿) btsfxb@nlc.gov.cn(郵購)

Website www.nlcpress.com

經銷 新華書店

印刷 河北三河弘翰印務有限公司

開本 787 × 1092 毫米 1/16

印張 40

版次 2006 年 12 月第 1 版 2006 年 12 月第 1 次印刷

書號 ISBN 7-5013-2840-4/K・1222

定價 130 圓

序一

来新夏

1993年，我和林天蔚教授相識於臺北。那一年的11月上旬，我應臺灣淡江大學之邀，赴臺參加第一届“二十一世紀海峽兩岸高等教育學術研討會”。會後，又到臺北的幾所大學作學術報告。中旬的某一天，我應政治大學歷史系的邀請，向該系師生作有關北洋軍閥史的學術報告。在報告結束後，有一位學生來邀我到某教室和一位教授晤面。到教室門口時，只見一位身材不高，但精神矍鑠的老教授，從講臺上下來迎候。他就是林天蔚教授。當時他正在爲歷史系學生講授有關方志學方面的課程。他向我解釋，因爲時間安排有困難，所以他讓出一課時，請我爲學生談談方志學中的史志關係問題。我深感林教授的真誠，也就不揣冒昧地講了講自己的觀點，向林教授請教，與同學們商榷。從這次締交以後，我們多次在國際性學術會議上見過面。彼此交流溝通，瞭解日深，特别是1997年底和1998年底，分别在天津和臺北召開的“中國海峽兩岸地方史志學術討論會”，是由我和林教授代表雙方主辦單位具體運作促成的。通過這兩次具體合作，我對林教授有了更進一步的認識。林教授在學術上有深厚的舊學根底與學術造詣；在爲人上非常熱心坦率，樂於助人；在處事上又非常幹練通達，的確是一位值得信賴的益友。

林天蔚教授涉及的學術領域很廣博，從他的著述考察，他涉及到歷史學、方志學和譜牒學，都有很豐富的論述。他治學謹嚴，所著無不遵循學術規範，一絲不苟。他勇於發表個人新見，善於與同道商榷而不相忤。天蔚教授好學深思，勤於筆耕，曾積30年之功力，於1995年匯其所著，成《方志學與地方史研究》一書，於臺北問世，對推動史志研究有所貢獻，頗得同道重視。而是時林教授方爲二豎所擾，自以爲尚未能臻於完美，頗引以爲憾，乃又以七年之功，訂正補益，終於2001年成《地方文獻論集》巨著，次年即在大陸海南出版，影響更爲廣泛。我辱承不棄，幸獲贈書，並囑撰寫書評。惟以當時先室正重病在床，心焦神疲，難以執筆，遷延多年，未能報命，深感愧疚。而林教授一本精益求精之旨，不僅對《地方文獻論集》續有修訂，復增入新作數篇，即於2004年10月間，在北京國家圖書館召開“地方文獻國際研討會”之際，將《地方文獻論集》增訂本（書名改爲《地方文獻研究與分論》）交由北京圖書館出版社重新出版，並面約我爲之撰序。我敬承雅命，謀補前愆，欣然允諾，乃盡月餘之力，讀竟全書（2001年南方出版社刊本），頗有所獲，爰就所得，略陳臆説。

《地方文獻論集》之命名，即已揭示林教授學術之本源，乃在於地方文獻。至其所致力之歷史學、方志學與譜牒學，無不源出於地方文獻之範疇，而各自成流。此於林教授自序中已闡明其義云：

“大概在宋之前，志書之修纂多撮取自國史之資料；宋以後，國史之編纂又多採自地方志書之史料，而地方志之資料多來自地方文獻，如族譜、方志、金石碑刻、文書契約、個人著作（如文集）等。文書契約與個人文集，雜而無章。大致而言，研究地方史却以族譜、方志、金石碑刻等項爲主，而此等史料可修纂而成地方志，或匯集而作專題研究。”

這一段論述，不止明示林教授之學術源流，亦且爲地方文獻之内涵、地位以及與史志間關係等，出一論斷。循此源流脈絡，順藤摸瓜，則讀《地方文獻論集》，若剥籜見笋，易得其窍要矣。

《地方文獻論集》共有五篇。分裝上下册。上册爲《方志篇》與《譜學篇》。

《方志篇》對方志之源流發展與功用，方志理論與方志理論家，新方志興起與新方志擬目，海峽兩岸之修志機構等，皆分别列章，有較詳之叙述，使讀者對中國方志事業得一完整認識，不啻爲一部中國方志史。此數章原刊於《方志學與地方史研究》一書，收入《地方文獻論集》時，略有增删，並增入新作二篇。一篇名《清代方志學名著知見録》，爲應同道建議而作，用以示有清一代方志學研究之盛况。另一篇則爲評介拙編《中日地方史志比較研究》。“中日地方史志比較研究”是1991—1992年間我與日本獨協大學齊藤博教授有關方志學的國際合作學術研究項目，分别組織、匯集中日學者有關史志研究成果。歷經兩年，彼此交换審定修改，至1995年，中文本由南開大學出版社出版。我曾舉贈林教授，請其評正。林教授非常認真地對待我的請求，他没有只寫點感想和簡評，而是對全書作了極爲詳盡的評説。他介紹了這本書的主要内容，又逐篇甚至逐段，加以按評，他更以專篇形式置入其《方志篇》中，作爲主要章節，其真情令人感動。林教授認爲《中日地方史志比較研究》雖然只是一部“兩國學者研究成果的匯編”，但“亦可窺知兩國學者在史志方面的成果及聯合研究的開端”。他對每篇論文都能實事求是地做出按評，如對拙作《略論地方志的研究狀况與趨勢》一文中所論辛亥革命後方志研究的四個方面即評稱：“此四項分類，十分具體而簡明，惟舉例方面……似乎詳北略南，尚可補充”，但對拙文中所提到的“今後地方志研究工作的淺見”，則肯定爲“這是作者多年經驗提出的意見，十分寶貴”，體現出一種實事求是的精神。對其他中日學者所著，亦多有中肯的按評，值得參考。

《譜學篇》是本書的另一重點，充分表明林教授在這方面的研究成就。他除了剖析源流，嚴加界説外，有若干獨抒己見之處，如對海峽兩岸之新舊譜學的剖析，總括了兩岸研究者與研究成果，均爲他書所未及。而最值得注意者，乃是作者經多年研究所提出的論題，即“方志與族譜之關係及其聯合研究之價值”（已編作本篇第四章）。作者在文中對方志與族譜二者之間提出六條相比較的内容，並得出結論説：“方志與族譜，均是地方性之資料，各有其價值。方志之研究，重點在‘地’；族譜之研究，重點在‘人’。當然兩者亦兼及其他各方面之活動，故若聯合研究，所得更大。”作者更以此方法親撰專文以實踐之，即《宋代徭亂紀事編年》、《譙國夫人事迹質疑及其嚮化與影響》和《十六世紀葡萄牙在香港事迹考》等三篇，並再次“强調聯合方志與族譜是研究地方史志主要途徑”。大陸志事之興，已逾半個世紀，而言及與族譜聯合研究者，尚乏其人，亦足以見林教授之好學深思也。

下册爲《金石碑刻篇》、《專題研究篇》和《附録篇》。

《金石碑刻篇》在本書中雖篇幅較小，但金石碑刻却爲地方文獻屬下之一大部類。林教授以敦煌索勳碑考索張義潮在敦煌與當地望族索氏共建歸義軍政權之史事，爲唐代西北歷史增一重要史料。嚴格説，敦煌寫卷本非金石史料，林教授或以其出於石室，遂將利用敦煌寫卷所作考證二文入於此篇，其中《敦煌寫卷之校勘問題》一文係林教授精心之作。他以半年時間檢閲瓜州資料（約爲全部寫卷之百分之五），便"感覺到寫卷中問題不少"，於是做出敦煌資料"固然是最寶貴的原始資料，却未必是絶對可靠的資料"的結論，從而大聲疾呼要校勘敦煌寫卷。這不僅有益於敦煌學之研究，亦爲校勘學增一新内容。其最引人注目的是《金石與中國歷史文化》一文，其中甲、乙兩部，附入金石圖片，做實物説明，而丙部雖文不滿千，但述搜集、利用金石之歷史，以及有關學者、著述，頗簡要可讀。他總括金石之重要性稱："金石學是研究地方文獻的'頭手'資料，價值甚大"。其言可謂得乾嘉諸老"金石证史"之餘緒矣。

《專題研究篇》係作者多年研究成果之結集，除對多種《廣東通志》有所評介外，對若干人物與史事，亦多有研究，資料豐富，論述精當，甚有裨於歷史研究；尤其是對南方民族史的研究，更爲時人所難涉及。《附録篇》爲本書之結尾，收入作者特約稿十一篇，前三篇爲西方學者介紹美國有關地方文獻之著作，後八篇爲兩岸學者對《方志學與地方史研究》之評介。此附録並非點綴全書之閑文，而是對作者原始著作《方志學與地方史研究》之拾遺補闕。作者對這些意見亦非全部包攬或不置可否，而是在本書自序中有所回應：有自承不足與錯訛者，有相與商榷者，令人感到作者虛懷若谷，又獨有見地的良好學風。

林天蔚教授在重新出版《地方文獻論集》增訂本時，又增入論文數篇，它們是《廣東文化之'危言'與改革之'微言'》、《香港文化與歷史——新的剖析》、《論錢賓四（穆）羅元一（香林）兩位史學大師對香港之貢獻》，以及在"地方文獻國際學術研討會"上的主題演講論文《地方文獻之新觀念與新分析》等，基本上以香港問題及地方文獻之研究、運用與整理之建議爲中心，頗具與時俱進之感。另收臺中中興大學黄秀政教授《評地方文獻論集》之《譜學與金石碑刻研究的創新》一文。黄教授爲臺灣資深教授，於地方史志研究，素爲兩岸學人所推重，所論林著中譜學與金石碑刻研究的三特點，即"比較研究，内容創新；資料豐富，引證詳實；立論平允，見解精闢"，實爲中肯之論。

讀《地方文獻論集》竟，深感於地方文獻研究方面，獲益良多，而若干創新之論，又甚受啓迪。從而粗窺林教授學術堂奥，不禁令人嘆服。不意耄耋之年，神昏目眊，猶獲進益，得不欣然！爰就隨手札録之心得體會，整理成文，以作愚者一得之貢！是爲之序。

二〇〇五年春節
寫於南開大學邃谷

序 二

邱樹森

吾師天蔚先生不幸於 2005 年 11 月 25 日仙逝於加拿大溫哥華，噩耗傳來，余悲痛不已。爲吾中華民族失去一位杰出的史學家、失去一位溝通海峽兩岸三地、溝通世界華人華僑學術交流作出過杰出貢獻的使者，不勝唏嘘。

天蔚先生於 1927 年 11 月 22 日出生於廣東茂名，1949 年畢業於廣東省立文理學院(今廣州華南師範大學)史地系，先後執教於香港諸高校，曾赴哈佛燕京學社、法國巴黎第七大學作訪問學者，後在臺灣政治大學任教。退休後僑居加拿大溫哥華，但仍在美國、加拿大諸高校中任客座教授。林先生終生獻給教學事業，孜孜不倦，培養了許多人才。

天蔚先生是一位著作等身的學者。他精於唐宋史、方志學、族譜學、民族學、宗教學、民俗學、敦煌學，在香港史、廣東地方史方面成績斐然。他的許多著作，如《宋代香藥貿易史稿》、《隋唐史新編》、《宋史試析》、《方志學與地方史研究》、《地方文獻論集》等享譽海內外學術界。余爲研究生開課時，天蔚先生的有些著作是指定學生的必讀專著。

關於天蔚先生的論著海內外史家均有公允評價，宋晞、Melvin P.Thatcher、王德毅、王爾敏、黃秀政、曾一民、侯月祥、韋慶遠、張仲熒、來新夏、馮爾康等名家均有好評，並對方志、族譜、金石碑刻在研究地方史中的重要價值作精闢的論述，余不再贅述。2004 年，天蔚先生告余，《地方文獻論集》出版後，頗受學界歡迎，他還有幾篇文章想補進去，再出一本《地方文獻論集（增訂本）》，補進他的新著《地方文獻的新觀念——對金石、碑刻、族譜、方志地方史料之研究及其運用與整理的建議》等數篇。後來蒙北京圖書館出版社協議出版，北圖出版社已發排完成，天蔚先生卻不幸謝世。新書尚缺一篇序言，林太太戴燕桃女士與天蔚先生之弟林浩增先生商談後，約我再寫一篇序言。南方出版社出版《地方文獻論集》，天蔚先生曾約余作序，余不揣譾陋，以學生身份勉強爲之。今新書出版在即，只能再次勉爲其難了。

地方文獻史料的重要性，諸位名家均有論述。余上次爲《地方文獻論集》作序時，亦有簡述。今可敘者，有兩件大事可告慰天蔚先生天堂之靈。一是目前政府對方志整理、研究給予的支持力度不斷加大，近聞廣東省政府撥資一千幾百萬元，準備選擇一批廣東省有價值的歷代方志影印出版。此項工程不謂不小，廣東方志（包括海南島）有歷代方志數百種，其中許多頗有史料價值，如能選擇其中大部分重新影印出版，對廣東地方史研究之推動極大。如果全國各省市均行動起來，可以毫不夸張地説，這是中國方志發展史上劃時代的大事，無論從保護、利用、研究等方面其效益均是不可估量的。二是目前海峽兩岸尋根認祖的風氣正盛，祭黃帝、炎帝、姜太公等活動深受海內外華人華僑歡迎，各地來賓趨之若鶩，規模空前，由此引發的編譜熱情亦異常高漲。國家檔案局、教育部、文化部均有《關於協助編好〈中國家譜目録〉的通知》，其中文化部辦公廳2001年2月7日辦社圖函〔2001〕29號《通知》中説："家譜是記載同宗共祖的血緣集團世系人物和事迹等方面的歷史圖籍，它與方志、正史構成了中華民族歷史大廈三大支柱，是我國珍貴文化遺産的一部分，家譜藴藏着大量有關人口學、社會學、經濟學、歷史學、民族學、教育學、人物傳記以及地方史的資料，對開展學術研究有重要價值，同時對海内外華人尋根認祖，增强民族凝聚力也有着重要意義。"以吾丘（邱）氏爲例，中國香港特别行政區政府批凖注册成立中華丘（邱）氏宗親聯誼總會，對團結海内外500萬丘（邱）氏宗親起了重要作用，據瞭解，在總會領導、資助下，全國各地和海外各地已成立分會數百個，已出版、正在付梓的分譜有500多部之多，《中華丘氏大宗譜》也在編纂之中。相信今後，新族譜的編纂將像雨後春笋一樣開展起來。

天蔚先生生前一直致力於研究地方史，指導海内外人士對地方文獻進行蒐集、整理，今天海内外對方志、家譜的重視豈不就是天蔚先生願意看到的嗎?天蔚先生臨終前一年，曾寫下遺言："午夜失眠，曾思及身後事，擬發訃聞'我去了，願在天堂再見!'"我們深信他必能在天堂安享永恒的生命，享受着人間正在努力實現他的遺願帶來的寬慰。天蔚先生，"天堂再見"！

二〇〇六年二月二十六日
於廣州暨南大學

自序

國史與地方史不同，地方史與方志又不同（本書第一篇第一章有分析）。國史與地方史起源甚早，但地方志至宋代始具典型。大概在宋之前，志書之修纂多擷取自國史之資料；宋以後，國史之編纂又多採自地方志書之史料，而地方志之資料多來自地方文獻，如族譜、方志、金石碑刻、文書契約、個人著作（如文集）等。文書契約及個人文集雜而無章，大致而言，研究地方史卻以族譜、方志、金石碑刻等項為主。而此等史料可修纂而成地方志，或彙集而作專題研究。筆者積三十年之興趣，於1995年出版《方志學與地方史研究》（臺灣編譯館出版之大學叢書），但付梓時，因心臟病發，故疏於校勘，以致錯誤百出。友好如王德毅、黃秀政、侯月祥、韋慶遠、張仲熒諸教授均已盡力校讀與更正，感激莫名。加上七年來補充及更正不少資料，深感"更正不如重寫"，且此書於臺北已難購買，在海外亦無代銷，故撰寫《地方文獻論集》刻版面世。

本書共分五篇：

（一）方志篇：基本理論與《方志學與地方史研究》大致相同，因每人思想即使受時代影響，只能"漸變"不會"突變"，如《方志之源流與功用》《方志之體例及新方志之擬目》及《海峽兩岸之修志機構》等，雖略有增刪，但多沿舊文，尤其是若干觀點如"方志二元論"、"方志之發展"等重復申論，目的在引起廣泛之批判，以啟茅塞。另增《清代方志學名著知見錄》凡數千項，表示清代修志之盛。然目錄繁雜，只宜檢查參考，不宜閱讀，故製成電腦光碟，以資參考，另作"分析"，附於本篇第六章內。又增新作，評介來新夏教授及日本學者齊藤博所撰《中日地方史志之比較研究》（1996年南開大學出版社），強調此乃"中日兩國方志學者之彙編"而已。筆者將每篇加以"摘錄"並予評論，藉此可了解兩國方志學之概況與比較。

本篇雖多舊文，然新增文字約八萬言，約佔舊文50%。

（二）譜學篇：世人往往將"姓名學"與"族譜學"合而為一，事實上兩者確關係密切。漢代之《世本》、《帝繫》今雖失傳，但無可否認，此乃"族譜"之最初型式。按：《世本》《帝繫》只敘"姓名""世代"，內容較為簡單，唐時之《元和姓纂》，明代之《萬姓統譜》等屬此類。但"族譜學"則詳記一族內之人物事蹟、官位、婚姻，及該族在國家、社會之地位、貢獻與影響。現雖難以找出該時代的代表"族譜"，按《揚雄家譜》今佚，但是只敘世系，未能稱族譜。但魏晉時代之"圖譜局"為"九品中正"制評審之根據，亦即士族升降之標準而構成"門第制度"。當時世家大族之譜牒，正是"族譜學"完成之階段。其發展："姓名學"主要是辨"姓源"：言得姓之由來；"族譜學"則重"族源"：言族之人物與興衰。隋唐以後，戰亂相尋，人民遷徙流離不定，譜牒或散失或不存，欲"追源""尋根"不易。於是撰譜者多附麗前賢，以示"系出名門"，以"誇大門楣""光宗耀祖"而已。故宋以後之纂"譜"者，補其弊病，採"小宗之法"，追述祖先以"五代"內為可靠而成族源，五代以上則列作"姓源"，以資參考。近代之族譜學更主張以"始遷祖"作可信之祖，而不重視更遠之祖先。

譜學篇有六章共七篇論文，其中屬譜學理論者達五篇，全是新增。如《論新舊譜之界別與譜學之二派三家》，標榜合方志與族譜為一之《盧氏族譜》，均屬"一己之見"，深知未必能為士林所認同，除敝帚自珍外，更企能獲各界斧正，以匡不逮。

另一篇《湛江博立村許國仁愛周公家譜之凡例與撮要》，由於該譜乃應其家屬所代撰，為"非賣品"，坊間未能流傳。當時未撰凡例，未能表達撰作之"準則"，故增添"凡例與撮要"一文，以表達本人試圖將譜學理論施諸著述之意耳。

（三）金石碑刻篇：共四章，其中"金石與中國歷史文化"，乃屬老生常談，以此述金石碑刻之起源與功用。另外三篇則是利用此等文獻作專題研究，且全與敦煌文獻有關。按古今之"金石錄"流傳甚多，除非如"索勳碑"可用之比較不同碑文，及與歷史事實有關外，若全用碑刻考證歷史、文物，殊非容易。筆者自退休後，所有藏書均已捐獻予美國楊伯翰大學（Harold B. Lee Library, Brigham Young University），手上無書參考，且屆衰耋之年，精力不足，未能再深入研究。幸本書名"地方文獻"，金石碑刻之內容雖較薄弱，然尚可納於一系統而已。

（四）專題研究：此為廣東史事專題，新增四篇，全是應用方志、族譜、金石碑刻之史料而作研究。筆者曾強調以客觀史實考證真相，如《唐宋時代廣東少數民族的分類及分家》，認為是時廣東仍是蠻區。《宋代的廣州為轉運港口與貿易港口有別》，指出當時廣州所謂繁榮，乃是史書"誇大及溢美之詞"；筆者雖為粵人，亦不敢"自我陶醉"、"夜郎自大"。至於《浪白滘再考》一文，實地考證"浪白滘"之所在地，均與時論不同，管窺之見，仍企博學之士有以正之。至於《論少數族群中的母權問題》，乃探討漢文化下某些蠻俗之遺跡，屬於大膽假設而已。

（五）附錄：由十一篇特約稿集成。共分兩部：前三篇為英文稿，由西方學者介紹美國有關地方文獻之著作；後八篇執筆者為兩岸學者，為對拙著《方志學與地方史研究》之評介。

英文稿包括：

1. Melvin P. Thatcher（沙其敏）著 Local History in the United States（美國的地方史）。

2. Richard E. Turley（杜爾卓）與Craig Foster（霍士達）合著History of Genealogy in America（美國家譜工作的歷史）。

3. Craig Fuller（傅爾樂）著Utah States Centennial History Project: A Report（猶他州百年紀念歷史專案：一份報告）。

筆者此書為研究中國地方文獻之著作，而以上三位西方學者則分別介紹美國之地方史、家譜及地方文獻，再配合本書第一篇第五章評介中日兩國之方志學與方志學家，不僅融匯中外學術，擴大中國讀者視野，亦為本書生色不少。上述三位均為美國漢學家，如沙其敏先生曾在美國馳名漢學中心柏克萊大學及華盛頓大學攻讀中國文史，成績卓著，後因教會之呼召，回教會服務幾三十年，專負責蒐集遠東地方文獻資料而成專家，其論文《美國的地方史》指出："早期的專業史學家，很少注意地方史，他們輕視業餘史學家作品鄉氣……自從二十世紀中期以來，專業史學家漸漸和業餘史學家合作，在這過程中，學到尊重以往的和現在的業餘史學家的工作，以及他們使用地方資料的方法。"此點與我國正史與方志之發展，不無類似之處，惟我國方志修纂之政治因素較重。杜爾卓教授為傑出譜學專家，現任猶他州家譜學會主席——該會乃全球地方文獻（包括族譜方志）之大寶藏，其與霍士達先生合著的論文《美國家譜工作的歷史》更介紹該會創立之大型數據庫："國際家譜索引"（International Genealogical Index）內有六億個別的名字，以及"祖先檔案"（Ancestral File）內有三千五百六十萬世系相連的名字。並舉出多個家譜網站，如Ancestry.com，Genforum.genealogy.com，FamilySearch.org，USGenWeb.com等，對全球電腦互連網（internet）用者，提供珍貴的資料。霍士達先生在研究摩門教及社會歷史有卓越成就，但其強調在工業革命後，西方產生中產階級，家庭傳統觀念提高，於是產生家譜之撰寫。這與我國之族譜源於貴族階級，標榜其特殊地位與平民有異，又有所不同。傅爾樂先生則對歐美史地有高深之造詣，其論文《猶他州百年紀念歷史專案：一份報告》介紹該專案撰寫的方法與經過，對我國地方文獻的編修，頗有參考價值。猶他州歷史學會乃民間學術團體，負責纂修猶他州地方史，此與我國方志由政府（省、州、縣）或半官方（文獻委員會、地方志辦）負責，略有不同。尤其是義務工作人員的參與（杜爾卓教授與霍士達先生於其論文中亦提及義務工作人員在家中替出生、結婚、死亡和其他對家譜有價值的紀錄做索引），更加值得國人效法。今輯錄三篇英文原稿，並加中文"摘要"，以供讀者參考。

其他八篇特約稿中，荷蒙友好學者對本人作品提出善意而富有建設性之批評，謹回應如下：

1. 筆者承認忽略對若干方志名家之介紹。如王爾敏兄謂：朱士嘉"自三十年代直至九十年代，志節不渝，無人能望其項背。"故與黃秀政兄均認為應專章介紹朱士嘉與傅振倫兩人。筆者所以重視李泰棻、黎錦熙、唐祖培，忽略朱士嘉者，以前者在"方志理論"有其"創見"，而後者則以編著"方志目錄"貢獻較大。至於傅振倫，筆者重視其在"方志的源流與功用"之意見，並屢加引用，且於《〈中日地方史志比較研究〉評介》一文中，對其著作已略有介紹，雖未有專章介紹其生平，但中國已有"中國方志學家"專書刊行，自問未能"超越"，故缺而不述耳。

2. 王爾敏兄提出方志起源有三：《周禮》《禹貢》外，應加上《世本》。筆者認為《世本》乃"譜牒"之雛型（姓名學），雖然方志與族譜亦是地方文獻之一，惟筆者強調"方志二源論"，故未言《世本》。然本書《譜學篇》亦承認《世本》在譜學之傳承價值，且此書已亡，資料缺乏，故未能具體介紹而已。

3. 黃秀政兄除指出大量校對錯誤外，並列舉史實方面如："唐室擒吳元濟……係在元和十二年（817），而非元和八年；且擒吳元濟者為宰相裴度，而非李吉甫。"此乃筆者治學粗疏所致，除更正外，謹此致謝及致歉。

4. 侯月祥兄輕描淡寫："林先生長期居住在港臺地區及美加等國，所以，他對大陸修志的一些看法還可以商榷"，而張仲熒兄提出"在一定程度上局限了作者對大陸方志學研究的全面掌握”；“近年又有學者主張方志起源於人類社會初始之口耳相傳，刻劃圖繪之時”；“現代大陸學者意見中，不少較有代表性的學者及其觀點未涉及”；“臺灣當代學者對新編方志的意見，特别是文獻委員會諸專家的觀點與實踐，書中比較薄弱，似可補充”等等。筆者承認《方志學與地方史研究》雖在1995年出版，但原稿卻於六十年代後期已開始撰寫，是時海峽兩岸對立，文化交流斷絶，欲遍讀大陸著作實不可能；掛一漏萬，在所難免。至於“口耳相傳，刻劃圖繪”，或如臺灣學者提出甲骨文所載之族系，乃譜學之起源，筆者認為此類説法有待確認，故缺而不述。況且世間著述汗牛充棟，任何人難以遍讀天下之書。筆者但求表達“一己之見”，對於“價值”如何，實不敢奢求。

本書之出版，首先感謝侯月祥、曾一民兄之鼓勵，暨南大學邱樹森教授之安排與推薦，籌備期間，譚松壽、侯月祥、黄可立諸兄悉心校對，譚蕙清女士代為謄錄及輸入電腦，而譚松壽兄對文句之潤飾，提出對若干章節不同觀點，反覆辨難而加修正，以及香港大學亞洲研究中心資助若干費用等，均感激不已，謹此致謝。

高凉　林天蔚
序於加國温哥華木舍
時維辛巳年深秋

目 錄

壹　方志篇

第一章 方志之源流、發展與功用

第一節 方志之源流

方志的起源有多說:有謂始於《周禮》;有謂源於《禹貢》;有謂《越絕書》、《吳越春秋》與《華陽國志》均是最早的方志;更有謂是一樁公案,難以決定①。其實方志有“史”、“地”兩源。“史”重“人”與“事”之記載;“地”重“物”與“地”之敘述。其經過漫長的歲月,“史”部發展而有“國別史”、“耆舊傳”與“人物志”;“地”則發展為“地志”、“地記”與“圖經”。隋代之“地理書”便是“史”、“地”的分途,但唐代開始便“綜合史地”而成“一統志”,至宋代始真正出現“方志”。本文僅就隋、唐以前論述方志的兩源及其發展。

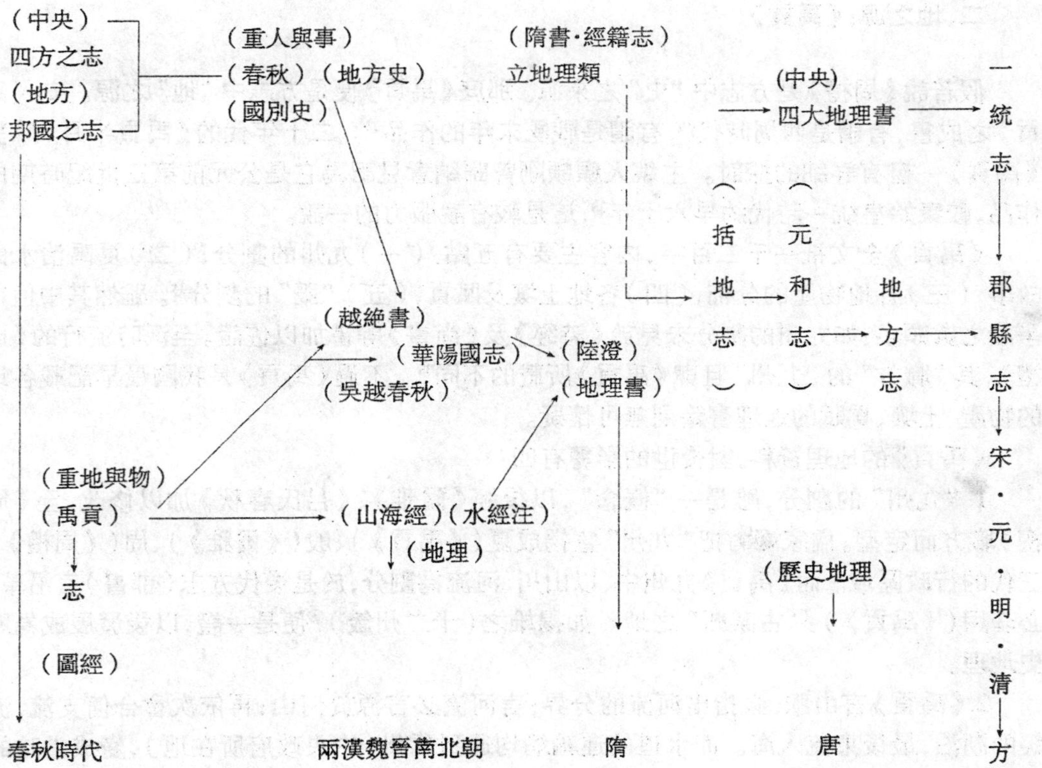

甲、方志二元論

一、史之源:《周禮》

中國的學術多源於史。王守仁謂“五經皆史”，章學誠更擴而曰“六經皆史也”[2]，六經中《周禮》的《春官·宗伯》[3]有外史,掌書外令,掌四方之志；另《夏官·職方》[4]掌天下之圖與天下之地，此皆與方志有關之資料。另《地官·土訓》、《地官·誦訓》，據賈公彥疏：掌地圖及方志之事[5]。故司馬光為宋敏求之《河南志》作序時，認為其源流即始於《周禮》[6]。而馬光祖為《景定建康志》作序時首句即云：郡有志，即成周《職方氏》之所掌[7]。元黃溍亦沿襲此說[8]。按晉之乘，楚之檮杌、魯之春秋雖是四方之志，嚴格來說，祇是“國別史”而已。即使章學誠認為“一國之史，乃是都府縣志”[9]但乘、檮杌今已不存在，魯之春秋則敘“人”與“事”為主。故謂《周禮》之“職官”所掌之事雖與後世方志的內容有部分相似而實不同。且學者們均認為《周禮》為先王典章制度之書，其中雖有若干地理資料[10]，但史之分量較重，是故祇能謂是方志的來源之一。

二、地之源:《禹貢》

假若說《周禮》是方志中“史”之來源。那麼《禹貢》便是方志中“地”之源。按:《禹貢》之成書,有謂是西周時代[11],有謂是戰國末年的作品[12]。二十年代的《禹貢半月刊》對《禹貢》一書有詳細的探討。主編人顧頡剛曾歸納意見認為它是公元前第三世紀時期的作品,較秦始皇統一時代約早六十年[13],這是較有說服力的一說。

《禹貢》全文祇一千二百字,內容主要有五點:(一)九州的劃分,(二)夏禹治水的故事,(三)各地物產的分佈,(四)各地土壤及賦貢,(五)“服”的劃分[14]。雖然其中值得爭論之處頗多:如九州的劃分未見於《詩經》及《尚書》等書加以佐證。至漢時流行的《周禮》,其“職方”的“九州”且與《禹貢》所載的不同[15]。不過《禹貢》是我國最早記載各地的物產、土壤、貢賦的地理書籍則無可懷疑。

《禹貢》的地理資料,對後世的影響有四:

1.“九州”的劃分,雖是一“概念”,以後經《爾雅》、《呂氏春秋》加以修改,至《周禮》職方而定型。儒家竭力把“九州”宣揚成夏(《禹貢》)、殷(《爾雅》)、周(《周禮》)三代的行政區域。而《禹貢》九州中,以山川、河流為劃分,於是後代方志(郡書)言沿革,必套用(《禹貢》):“古某州”之地。如揚雄之(十二州箴)[16]便是一證,以後發展成為歷史地理。

2.《禹貢》言山脈,必指出河流的分界;言河流必言源於何山;再依次會合何支流,流經的湖泊,最後東流入海。而水道的運輸網均通到冀州(中央政府所在地),變成當時的貢道。故其發展有《山海經》、《水經注》等地理書籍。

3.《禹貢》言物產,兼言與土壤的關係。土壤顏色有黃、黑、白三種;土質有泥、鹼、鬆黏之別。後世地志中言物產一切沿用之。如郭璞之《南山經》、《中山經》、《東山經》、《海外南經》等,均用此方法。

4.《禹貢》中"五服",按照距離帝都之遠近而有不同的賦貢,以定其與中央政府關係之親疏。唐、宋以後的方志,言位置必言與中央政府及省會之距離若干,即源於此。若謂《禹貢》是方志之始,不若謂是方志中"地"之來源更為恰當。

三、史源之發展

1. 國別史

《越絕書》、《吳越春秋》、《華陽國志》、《周禮》等敘四方之志。東漢袁康、吳平輯《越絕書》[17]記吳、越兩國之史事,應屬國別史之範疇。該書現存15卷,共十篇。可分"經"、"傳"兩類。"經"二篇,"傳"十七篇[18]。"傳"又有內外之分,有謂"內吳外越"[19],亦有謂"內""外"實無確實之劃分[20]。書名"越絕",其義不明。"外傳本事"曾有解釋,俞樾卻謂:"輾轉申釋而愈不明。"依其意見:"絕"字即絕筆獲麟之"絕"。越至勾踐之霸而絕,意謂是書止於勾踐而已(《曲園雜纂》第十九)。其書雜記吳、越事,下及秦、漢,且至建武廿八年(公元五二年)。《直齋書錄解題》謂此書詭不可讀(卷5)。是書被稱為國別史,然考其內容已包括方志"四要素"中之"人"、"事"、"地"三項。(缺"物"一項)。

(1)敘"人"的史事最多,如"荊平王內傳"(伍子胥父子)、"吳內傳"(闔廬)、"范伯"(蠡)、"陳成恒"、"計倪"、"吳王占夢"、"春申君"等。

(2)敘"事"的篇幅有"外傳本事"、"請糴內傳"、"外傳記策考"、"寶劍"、"計倪內經"、"內經九術"、"德序外傳記"。

(3)敘"地"則有"吳地傳"、"外傳記軍氣"等。

《四庫全書》以《越絕書》屬"載記類",即是國別史。然其書有頗多地理資料,如記吳、越的山川、湖泊、都邑、城池等,故明人已認為是書乃"志"之祖[21]。清洪亮吉云:"一方之志,始於《越絕》"[22]。近代學者如朱士嘉、傅振倫等,均以《越絕書》為方志之源[23]。但《越絕書》之篇幅以"傳"及"記事"分量最重,雖有"地理資料",分量不多,距離方志之體尚遠。若謂是方志之雛型,不若謂是方志中"史部"之發展更為恰當[24]。

東漢時,趙曄(煜)撰《吳越春秋》10卷[25],此書敘吳國(自太伯至夫差),越國(自無餘至勾踐)史事各10卷。有若干學者認為專敘本地掌故,開方志的先例[26]。惟《吳越春秋》僅載吳、越二國史事,資料來源多採自舊史(《國語》、《史記》)而增加若干民間傳說,當然可與《越絕書》同列"國別史"、"載記"一類。然《吳越春秋》僅敘人物,未及地理,更無都邑,而於人物一項,又祇限於春秋時代,勉強可列於"郡書"一類,當然亦是"史"之發展的一部[27]。

降至東晉,常璩撰《華陽國志》12卷,是繼承《越絕書》體例而增加了大量地理資料,其具方志的"型式"更加明顯。就內容而言,可分四部:

第一:卷1—卷4是"巴志"、"漢中志"、"蜀志"、"南中志",述四郡沿革、記事、都邑、氏族、風俗、物產[28],亦即後來"地志"的型式。

第二：卷5—卷9敘述統治人物的事蹟。有公孫述、劉二牧（劉焉、劉璋）、劉先主（備）、後主（禪）、"大同志"（晉統一時史事）、李氏（特、雄、期、壽、勢）。此書所述統治人物可分四類：如公孫述應是草莽英雄；如劉焉、劉璋是牧守。其他如劉備父子、胡族的李氏均是割據自雄的"諸侯"，甚至"大同志"記晉統一而至胡族入割四川的一段史事，顯然是"郡國"之史（書）。

第三：卷10—卷11是人物傳讚。其中卷10是敘晉以前之先賢事蹟，並加評論。如敘揚雄，其標題是"子雲玄達、煥乎弘聖"；敘司馬相如則稱"長卿彬彬，文為世矩"；卷11則是晉時人物傳記，共二十人，每一傳亦有論讚。

第四：卷12分兩部。前半為序志，謂其傳人物，則襲"耆舊"之例；言地理，則著重郡縣分建，地名改易，及辨物（產）知物力，並於每一卷之後附以"詩評"。後半部則敘梁、益、寧三州自先秦以來士女目錄，有類現代的索引。

《華陽國志》能將歷史、地理、人物匯合成編。故洪亮吉云："一方之志，始於《越絕》，後有常璩之《華陽國志》"[㉙]。嘉慶年間廖寅謂："唐以前方志存者甚少……惟晉常璩《華陽國志》最古……此書成於魏晉之間……後有修滇蜀方志者，據以為典則"[㉚]。梁啟超認為是"方志之祖"[㉛]。近代如李泰棻、傳振倫等亦同一論調（見㉙）。按：12 卷《華陽國志》中，言"地理"的分量雖較《越絕書》為多，但只佔4卷，其他8卷是敘人物、史事。故章學誠以此書屬"史"而歸於"雜史類"[㉜]，其實應是方志源流中"史"部之發展而已。

2. 耆舊傳與人物志

"史"之源中，以"地域"而劃分的有國別史；若以"人"而敘述，則有耆舊傳與人物志。按：自東漢起，由於累世經學與累世公卿的影響，漸漸形成若干"大家族"。至魏晉南北朝，由於譜諜與九品中正的互相影響，更形成了"門閥制度"。於是產生了大量專敘"人"與"事"的"耆舊傳"與"人物志"，雖然多已失傳，但畢竟屬於方志的人物。故張國淦的"中國古方志考"中仍輯有數十種，其中：

（1）東漢時開始有耆舊傳，如《三輔耆舊傳》（佚名）、《京兆耆舊傳》（佚名）、《漢中耆舊傳》（祝龜撰）、《沛國耆舊傳》（佚名）、《陳留耆舊傳》（有袁湯、圈稱、蘇林、陳英宗四套）、《豫章耆舊傳》（據《太平御覽》天部：太守陳藩臨郡二年，甘露降，引《豫章耆舊傳》。知應是東漢時作品）、（巴蜀耆舊傳）有四套（鄭廑、趙謙、祝龜、王商）、《益州耆舊傳》（陳術）、主要敘陝西、河南、四川三省的人物，因該三省是漢代的文化中心。

（2）人物志亦源於東漢，如《青州先賢傳》（佚名）、《濟北先賢傳》、《袞州山陽先賢讚》（仲長統）等。但分量較耆舊傳為少，而且地域以山東為主。

（3）自魏晉至南北朝，耆舊傳與人物志的撰寫大盛[㉝]。

（4）當時記述之人物，在形式上可分：

專傳：《高僧傳》、《列女傳》等。

地域性的傳：《吳先賢傳》、《三輔耆舊傳》、《陳留耆舊傳》、《交州人物志》等。

斷代性的傳：《正始名士傳》等。

所有耆舊傳、人物志，當然以敘"人"及"事"為主，後來逐漸加上地理資料，遂產生一新的"歷史地理"，再發展而為方志。

四、地源之發展

1. 圖經

古有“秦地圖”，見於《漢書·地理志》[34]。當時之圖似兼有文字，亦即《史記》所載蕭何入關先收秦之“圖書”，後世遂名之曰“圖（地圖）經（文字解釋）”。

（1）《山海經》：古傳禹撰《禹貢》外，又撰《山海經》。《四庫全書》言《山海經》為晉郭璞所注，其中“山經”據顧頡剛考證，成書於《禹貢》之前；而陸侃如則謂“海經”與“大荒經”較《禹貢》晚出[35]。明楊慎謂《山海圖經》其文為《山海經》，其圖則源於九鼎[36]，今圖已不存，衹存“經”而已。《山海經》最重要的“五藏山經”，天下名山經五千三百七十山……居其地也，言五藏（東、南、西、北、中諸山），即把全國山脈分為五大區域，每區除言其形勢、河流、物產外，兼言神話人物，（如“大荒經”）是地理書兼敘人物之始。此外，有“土地圖”，其後發展有“職貢圖”[37]。

（2）《水經注》：三國時代有《水經》（佚名），郭璞《山海經》中所引的河流即據此而加以注釋[38]。北魏時酈道元據郭璞之“注”旁徵博引而撰成《水經注》。《水經注》有“經”與“注”分撰之爭[39]。而一般學者認為“經”之成書較早，內容亦較簡，“注”則是酈道元所撰。流行本《水經注》共40卷，記敘全國1252支河流之源流、分支、改道及一切地理現象，地名變更等豐富資料。引用的書籍達437種，多種漢魏的碑刻，及酈道元親歷採訪的資料。有學者推崇其為我古代地理知識的總結。唐以後，郭注失傳，但酈注卻為歷代學者所重視，發展成所謂“酈學”[40]。按：《水經注》有“經”而無“圖”，純為地理資料，但後代的方志，言山川河流多引用之。

古代是“圖”、“經”並重，蕭何入關，先收秦之圖書（經）。1973年在湖南長沙馬王堆所發掘的漢（文帝）墓中，發現有三幅繪在縑帛上的地圖，是軍事上防區的地圖；為我國現存最古的地圖[41]。另有《三輔黃圖》，記載三輔（京兆、馮翊、扶風三郡，即長安附近）之秦漢宮觀、陵廟、明堂、辟雍、郊時等事。現存輯本1卷，為後漢人所繪，以後有“輿地圖”、目的是按圖分封宗室，或更正郡縣名稱[42]。至晉裴秀有“禹貢九州地域圖”、“地形方丈圖”[43]。曾應用“分率法”（計里劃方、每方百里或五十里）、“準望法”（辨正方位、如在某地之東或西）[44]，惜漢晉間的地圖，今多已失傳，甚至漢晉時各地多有“圖經”，今亦失傳，衹能於張國淦之《中國古方志考》及王謨所輯之《漢唐地理書鈔》存其書目而已。至唐宋以後，再有“圖”出現，但分量少且附屬志（經）之內而已。

2. 地記（志）

漢晉間除“圖經”外，又有“地記”（或“地志”）的流行，亦是方志體中“地”之發展之一。根據現存的書目，西漢有王褒之《雲陽記》，東漢有李尤的《蜀記》、朱瑒的《九江壽春記》、應劭的《十三州記》、楊孚的《臨海水土記》、盧植的《冀州風土記》等，今均已失傳。 根據張國淦的《中國古方志考》所載：兩漢的地記有六種，三國時增至十四種，兩晉時升至四十三種，南北朝時更增至五十種。所謂“地記”是記某一地之歷史地理，但以地理分量較重。試以晉《太康地記》為例，此乃記太康年間（280–289）之全國性地志，其內容包括[45]：

（1）敘天下州郡及其疆界和建置："太康平吳之後，天下一統，凡州十六：司、冀、袞、豫、荊、揚、徐、青、幽、并、雍、涼、梁、益、交、廣是也；又如司州，司隸校尉治，漢武帝初置，其界本西得梁州之地，今以三輔為雍州。"等。

（2）解釋地名之由來，如"徐州"取徐丘為名，周合其地於青州；"幽州"因於幽都為名，或云北方太陰，故以幽冥為號，二者相似也。

（3）敘古今統屬之關係，如"安城郡"屬荊州；又如"長廣郡"即故東萊；又如"交州"本屬"揚州"，取交阯為名。

（4）述產物，如雲間青嶺縣出碧，梓橦縣出傘子鹽。

（5）敘古蹟：如涿鹿城東一里有阪泉，上有"黃帝祠"；又如樂浪遂城縣東有碣石山，長城之所起。

（6）兼敘當地神話與傳說：如秦文公時，陳倉人獵得獸若彘，不知其名，逢二童子，童子曰："此名為媪，常在地中食死人腦，即殺之……二童子名陳寶，得雄者王，得雌者霸，陳倉人乃逐二童子，化為雄雌上，陳倉人比扳為石，秦祠之。"

按："圖經"與"地記"（志），都是始於漢專敘一地之地理書（《太康地記》則是全國性的地理書）。魏晉後，地記（志）較為盛行，計三國時有四種，兩晉時有十二種，南北朝時有九種[46]。圖經發展較慢，隋時之"地理志"，遂以"志"為主，而"圖"附之。雖然是時仍有"圖經"單獨撰作，但卻以文字敘述為主。如敦煌寫卷中的"沙州圖經"、"西州圖經"，只有文字而無圖，與漢晉時代之"圖經"，亦有別稱"圖志"不同[47]。

3. 風俗志

在漢代與圖經、地記同時興起，而專記一地之風俗習慣。有《東漢南陽風俗傳》、《地理風俗記》（應劭撰）、《關東風俗傳》（宋孝王傳）、《陳留風俗傳》、《冀州風土記》（盧植撰）、《陽羨風土記》（周處撰）、《會稽風土記》（朱育撰）、隋《諸郡物產風俗記》等。唐、宋以後的方志，必有風俗習慣一門，即沿於此。然亦有單獨成書，如莫休符之《桂林風土記》、周達觀之《真臘風土記》等，此亦是方志中"地"源發展的體裁之一。

4. "地理志"的出現

我國古代"史""地"不分，最初"地理"是"史"之一部，《史記》中有"河渠書"祇敘河流，《漢書》中有"地理志"一門，敘郡國州縣之山川、風俗、戶口、物產；《後漢書》易名為"郡國志"，將各地的地理資料作系統的整理。以後或名"地理志"或"州郡志"[48]均是屬於"史部"，即使單獨成書之"地志"、"地記"、"地圖"，在目錄學上仍屬史部。如荀勗之《四部》[49]，至王儉之"七志"，其七曰"圖譜志"，記地域及圖書。南北朝時地理資料始受重視，南齊陸澄將自《山海經》以來有關地理資料之書籍，凡160家共149 卷，統稱之為（地理書）（任昉曾加以增訂，稱為《地記》）[50]此書包括五類：

（1）山川河流：有《山海經》、《水經注》。

（2）地志、地記：有《三輔黃圖》、《洛陽記》、《吳興記》、《京口記》、《南徐州記》、《荊州記》、《豫章記》、《衡山記》、《婁地記》《巴記》、《珠崖記》、《鄴中記》等。

（3）風俗：如周處的《風土記》、《陳留風俗傳》、《遊名山志》等。

（4）邊裔地理：如郭緣生之《述征記》、戴延之《西征記》、法顯的《佛國記》、楊終之《哀牢傳》等。

（5）古蹟、物產：如楊孚的《交州異物志》、稽含之《南方草木狀》及《聖賢塚記》、《春秋土地名》等。

《地理書》是輯錄魏晉以前有關“地”與“物”的資料，其中以“地志”（記）及邊疆地理較多，唐初纂修《隋書·經籍志》，史部共十三項，其第十一項曰“地理”，專記山川、風俗、異物之書共百餘種。而將《越絕書》及《吳越春秋》，歸於“雜史類”，以《華陽國志》屬“霸史”。至於所有“耆舊傳”、“人物志”、“先賢傳”則稱之為“雜傳”，於是“地理”獨立於“歷史”的範疇之外，或名之曰“歷史地理”。至唐代，政府設局“官修地理”書，有《括地志》及《元和郡縣志》之出現，成為全國性之志書，且創造了方志若干體例，至宋代遂正式形成了方志[51]。

乙、綜合“史”、“地”而成歷史地理的階段

一、唐代官修地理書之背景與措施

地理，向屬史部。其源流，學者多認為始於《禹貢》[52]。《禹貢》之成長時代雖爭論不定[53]，然是地理作品無疑[54]。其後發展有“圖經”[55]，有“地記”[56]、“地志”[57]等。班固始創地理志名，然附於《漢書》之內，南齊時陸澄（425—494）聚古之地圖（圖經）、地記、地志，凡160 家之說編成“地理書”[58]，至《隋書》始另立“地理門”附於史部之內，下逮清代修《四庫全書》仍按此體例[59]。

唐代的地理學特別發達，故唐代修《隋書》時，別立“地理門”。按，唐代地理學之特別發達，與其武功鼎盛、國勢強大有關。如：

1. 邊防圖、州郡圖之撰寫

隋時，裴矩撰《西域圖》3 卷，與破吐谷渾及拓地數千里有關[60]。唐襲隋制，對邊防更為留意，故武功鼎盛，如賈耽效法裴矩，使夷狄者必詢其風俗、交通孔道，遂撰《貞元十道圖》、《海內華夷圖》及《古今道縣四夷述》[61]，後兩種作品，表示對邊防之重視，與統治四夷有關。前一種作品，目的是對國內州郡之瞭解，亦有助於統治。唐代三百年歷史中，在邊防方面的地理作品，重要的是各朝代的《西域圖》及《蠻書》[62]，在州郡方面，其代表則是各朝代的《十道圖》，其猶見於記載者有長安四年（704）之《十道圖》13 卷等[63]。甚至，唐玄奘自西域返國，太宗認為“堪公輔之寄”，因勸還俗；玄奘婉拒，及後太宗准其在弘福寺譯經[64]，門人譚松壽進而考證，太宗之交換條件為邀其撰《大唐西域記》[65]，目的是在取得西域資料，以為他日征伐突厥時所用。此外，如元載之《三輔圖》[66]、李德裕之《邊塞圖》、王玄策之《行記》、杜環之《經行記》[67]，目的均與軍事、國防有關[68]，因政府之重視與提倡，故地理學較前為發達。

2. 職方郎中搜集地理資料

因政府之重視與提倡地理學，於是設有“職方郎中”，專責蒐集地理資料與製圖。按，隋開皇初設“職方侍郎”，從五品上，其職責主要是督導各州郡三年一造地圖，（以及從臚鴻寺的資料中製成邊疆地圖），記錄都邑廢置情形，考證其今古名稱[69]，及至晚唐、州郡曾

一度改五年一造地圖[70]。甚至邊境之敦煌，亦有不少寶貴的圖經與地志[71]，雖是殘卷，但價值甚大[72]，因有專人蒐集，資料豐富，因而促進了唐代地理學的發達。按：《隋書·經籍志·地理門》所收的書目共一百卅九部，1,432卷，其中隋人所撰不及十種，前代留傳之書，多是隋文帝父子蒐集的功勞[73]。隋唐之際，天災人禍，圖書喪失甚多[74]，至貞觀初，魏徵、虞世南、顏師古等請購天下書，置弘文館，聚書只及隋代三分之二，即20餘萬卷[75]，玄宗時置集賢書院，廣收藏書，毋煚為之撰《古今書錄》，幾51,852卷，其中史部地理門，據《新唐書·藝文志》載有六十三家106部1,292卷，雖數量比《隋書》為少，但唐人作品卻佔一半以上[76]，由此證明，因政府的提倡及有專責督導的官員，故地圖、地理之著作大增，自然促進地理學的發達。

3. 駕部郎中與驛運制度

唐代在兵部之下有"駕部郎中"[77]，主管傳驛。按：唐代有驛站1,639所，三十里置一驛[78]，全國驛道約應有六萬里，以上都（長安）為中心，分為十六路[79]，各地驛站統轄於節度使或都督，以兵曹、司兵參軍負實際責任。每一驛站設驛長一人，驛丁三人，陸驛則配馬，水驛則配船。京師有驛館，地方有驛舍。除與軍事上、交通上、政治上有關外，外夷入貢必沿驛站及款待於驛舍與驛館[80]。驛站之距離及交通孔道，是以後方志的主要資料[81]，故驛運制度，豐富了地理學的資料，亦是歷代地理學發達的原因之一。（圖一）

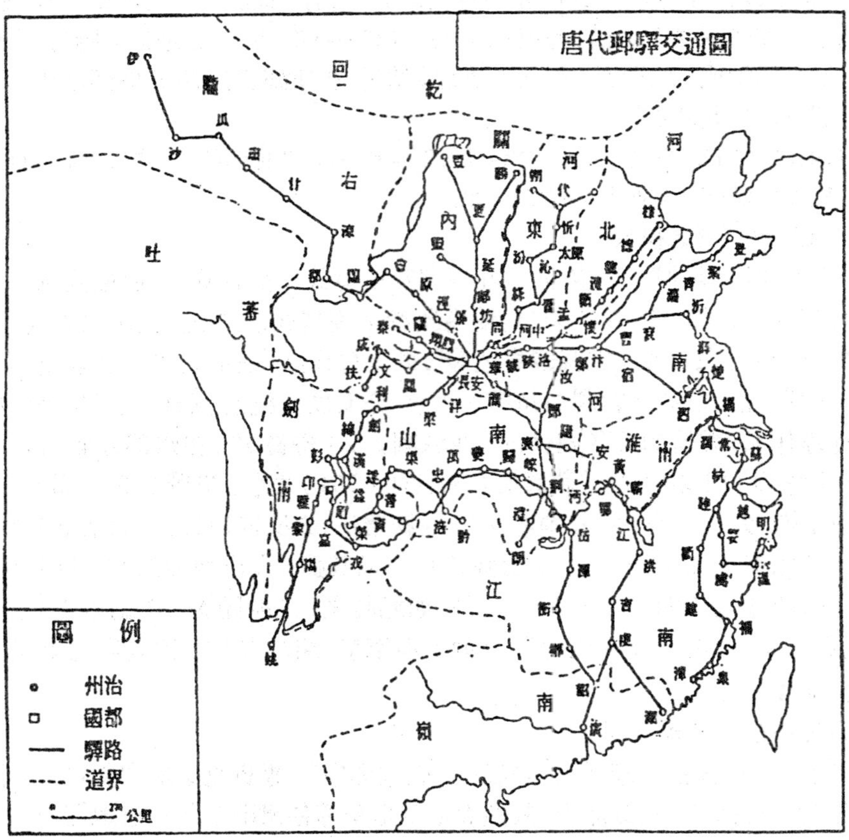

圖一　唐代郵驛交通圖

二、官修地理書之開始:《括地志》

《括地志》(又名《坤元錄》、《貞觀地記》、《魏王地記》、《括地象》),是官修地理書之始。

唐代開始設館修前代史,武德五年(622),命修魏、周、梁、齊、陳、隋六前代史[82],但歷數載,竟不就而罷。至貞觀三年(629)復詔令孤德棻修周、齊、梁、陳、隋諸史[83]。貞觀十年(636),諸史脫稿,由房玄齡、魏徵等上之[84],稱《五代史》,是為設官局修前代史之始。二年後(貞觀十二年,638),唐太宗第四子魏王泰於文學館內[85]辟學士蕭德言等纂修《括地志》,衛尉供帳,光祿給食[86],更重要的是向各州"披撿疏錄"幾四年,至貞觀十六年始撰畢[87]。所謂"披撿疏錄",是指引用各地方之文獻,包括所上的地圖、地志及有關的奏疏記錄等直接資料(檔案)。按:是書開始於貞觀十二年,據其"序略",是書藍圖是據"貞觀十三年大簿"[88],故《括地志》是政府官員利用政府經費與資料而撰成,可稱為唐代官修地理書之始。

唐代的史館,初設於門下省之南,開元年間改設中書省之北,凡修前代史或國史(實錄、本紀)必以他官入史館而工作。史館所蒐集資料凡五種,其中地理資料佔其二[89],如州縣廢置,其資料來自職方郎中;蕃國朝貢,資料來自鴻臚;蕃夷入寇,資料來自兵部。《括地志》開始利用此等資料,及歷代所修之《十道圖》、李吉甫所撰之《元和郡縣圖志》,都曾利用史館此等資料。

官修歷史與官修地理,均是唐代用以統治的文化工具。官修歷史是表達"大一統"的思想[90]。官修地理是"增加統治"的方法,但官修地理,利用檔案資料較多,比之官修歷史更為客觀。

《括地志》在宋以後失傳[91],嘉慶二年(1797)孫星衍曾從唐宋遺文,如張守節的《史記正義》、徐堅的《初學記》、杜佑的《通典》及《太平御覽》等輯出[92]。原書本有550卷,另"序略"5 卷,內分358州,四十都督府(次年平高昌,增二州六縣),今存者不及四分之一,僅得156州、447縣,諸州中僅存一、二縣,每縣有僅得一、二句而已。不過,根據"貞觀十三年大簿",將全國十道政區[93],全面地敘述其沿革、建置、山川形勢、河流溝渠、風俗物產、往古遺蹟及人物故事[94]。後來李吉甫之《元和郡縣圖志》便根據此體例而加上了"圖"。宋代樂史之《太平寰宇記》及元、明、清三代之《一統志》均脫胎於《括地志》而加添若干細目,其中除《太平寰宇記》外,均是官修之全國性地理書。

三、官修第二套地理書:《元和郡縣圖志》

"安史之亂"後,藩鎮割據,憲宗即位,首先採用杜黃裳之建議;整肅法度[95],元和元年(806),即出討劍南西川節度使劉闢及夏綏留後楊惠琳,並斬之於京師,翌年李吉甫為相,易鎮三十六[96],尤其是在元和十二年(817),裴度擒取強悍之吳元濟,重振國威,史稱"元和中興"[97]。按:當征伐藩鎮時,李吉甫雖未親掌兵符,然在德宗朝,久任江淮間地方官,平日留意地方文獻,元和八年上《元和郡縣圖志》時,其序言曾言撰書之目的,主要是為"政治"[98]。《元和郡縣圖志》共40卷[99],除敘沿革、形勢、物產、人物、古蹟外,兼附圖,似取自政府檔案資料為主[100]，但圖久佚，故《括地志》與《元和郡縣圖志》，均可稱之官修地理書[101]。

四、官修地理書之新內容：融合成歷史地理

1. 總結前代地理書之精華

官修地理書，因人力財力充裕，故資料豐富，容易總結前代地理書之精華，如《括地志》，孫星衍譽其"載六朝之書尤多，且多本古說"[102]；岑仲勉亦有相同的意見[103]；唐太宗譽為"度越前載，垂之不朽"[104]。至於隋唐以前之輿地記、圖經，今多散佚，惟《元和郡縣志》能保存，體例亦最完善[105]。此書引前人著作約百餘著，除儒家經典、諸子著作、文學名著外，地理著作五十多種，其中頗多為新、舊《唐書》所未載[106]，大概隋唐以前之主要地理資料，一部併入此二書中，此二書總結前代地理書之精華，其發展遂有新的內容而創立了新的體例。

2. 歷史地理之內容

凡是用歷史方法撰寫地理，或於地理書內引用較多的史實，均可謂之歷史地理。方志，據章學誠的意見，"乃一方之全史"[107]，當然亦是歷史地理之一種。按：方志應有歷史與地理二來源[108]。"史"之發展包括"人物志"、"耆舊傳"。"地"之發展包括"地記"、"地志"與"圖經"[109]，故隋唐以前之地理書，包括"史"與"地"兩種內容，均可稱為歷史地理。其發展在內容上更增加不少史實，如《括地志》與《元和郡縣志》之言萬年縣內之"霸陵"（漢文帝陵）與"杜陵"（漢宣帝陵），除言地理上的位置沿革外，前者兼引史書《漢晉春秋》及《朝記》，後者則以前人詩文證史[110]，這一來，豐富了歷史地理的內容。

在歷史地理的範疇中，此二者是詳述"行政區域"的劃分[111]，區域下的沿革、古蹟均有較詳的敘述[112]，為以前"地理書"所忽略[113]，而為宋以後方志所模仿。

（1）地理中的人文資料

地理中有自然因素與人文因素，前者如氣候、土壤、海洋、河流、湖泊等，後者如歷史、掌故、人物、人口、賦貢等，故又有自然地理與人文地理之分類。歷史地理是人文地理之一。但人文地理中範疇更加廣闊。不過，亦可歸納為"人"、"地"、"事"、"物"四類。唐以前之"地理書"，如南齊時陸澄之《地理書》輯錄了自《山海經》以來有關的書籍凡160家，共149卷，後任昉再加增訂，其內容大約可分為：（一）山川河流、（二）地記地志、（三）風習、（四）邊裔、（五）古蹟物產等類[114]。其中以敘"地"與"物"為主，而且分別為書。至《括地志》與《元和郡縣志》時，已綜合"物"與"地"，而及於"人"與"事"等四項[115]。如《元和郡縣志》，一方面繼承《括地志》與《元和國計簿》等檔案資料[116]，而纂成唐代第二套全國性的地理書；更繼承了唐初的《十道圖》及賈耽的著作[117]而賦予新的內容。如敘行政區域兼言軍事上的意義[118]。在地理景色方面，記載有河流五百餘條；河澤陂池130餘處，可窺知三百多年來農業的變化[119]。在經濟地理方面，各縣必列貢賦，包括各地的特產及若干地區的灌溉情形，可瞭解各地經濟之發展。在人口地理方面，是書記開元（盛世）與元和（中興）二種數字[120]，可知安史之亂破壞的情形。在歷史方面，除沿革、古蹟之注重外，引用今已佚失之古籍及金石碑記[121]。換言之，此二書豐富了地理中的人文資料，至宋

代遂發展成為方志[122]。

（2）新的體例

《括地志》、《元和郡縣志》，在《四庫全書》及新、舊《唐書》中均屬“地理類”；但在“方志學”的分類中，卻屬全國性的“總志”。再者，二套地理書，增加了豐富的內容及人文資料，進而促使新體例之產生，諸如：

A. “項目多”

如宋范成大的《吳郡志》，有三十八項[123]，施宿的《嘉泰會稽志》分項達一三七[124]。項目多，表示範圍廣闊，網羅萬有。明清以後的方志，細目纖微備至，故章學誠謂方志乃“一方之全史”。而西方學者謂方志乃一地之百科全書[125]，雖未必適當，然而在一定程度上，亦能突顯其特色。唐以後之地理書，項目多，資料豐富，尤其是重一方之人文資料，遂發展成“方志”的新體例。

B. “八到”

《元和郡縣志》首創“八到”，記各府（州）至上都（京師）、東都（洛陽），及分向東、南、西、北、東南、西南、東北、西北等八方的距離（宋敏求之《長安志》則簡化為四至）。其主要根據當然與驛運有關，後來的方志遂沿用此“八到”。如敘交通路綫時稱：經某路、渡某江、踰某山某嶺、何處是捷徑、何處最艱險等，故有稱《元和郡縣志》為“唐代之交通地理”[126]。當然，“八到”所言之方向與里數未必正確，但大體上能表示各地的差異[127]。宋以後的方志，多言各地與首都之間的距離，及至附近州縣的里數。其至如《天下郡國利病書》、《讀史方輿紀要》亦曾用“八到”的體例言各地的距離。

C. 增載“藝文”

正史之載文學作品，始於《漢書》[128]；地理書錄金石碑記則始於《元和郡縣志》。至宋以後之方志，大量引用碑文、詩與四六及其他藝文作品[129]，以顯示該地之“全貌”，故章學誠創“文徵”，而為“方志之三書”之一。地理書增載藝文，盛於宋後，此亦是方志新體例之一。

五、私人修撰之地理書，亦增加歷史地理的內容

1.《大唐西域記》與《大慈恩寺三藏法師傳》

隋唐開始，“地理”脫離“歷史”範疇而獨立發展，由於政治、軍事上的需要，為了鞏固其統一的大帝國，於是官修地圖、地理，遂促進地理學的發達。當時“地理學”的內涵，除“地”與“物”兩大因素外，尚有遊記式的資料。按：《禹貢》[130]有《穆天子傳》，是神話式的遊記；及後有晉代法顯的《佛國記》、北魏僧惠生等的《取經過程》（今佚），均是最著名的地理遊記，是研究中西交通史與邊疆地理的主要書籍。隋、唐是亞洲最強大的帝國，在陸路上有“參天可汗道”，通至長安。而玄奘之《大唐西域記》（玄奘口授，辯機筆錄）12卷，除記入印度的路綫和過程外，曾誇大了唐代統治西域的影響，故此書曾進呈御覽（唐太宗），備受重視。玄奘另一弟子慧立撰《大慈恩寺三藏法師（玄奘）傳》10卷，除詳記玄奘遊印度的路程和見聞外，並敘玄奘畢生之歷史與其譯書事業，故“記”與“傳”互相參照，得益較大。

《大唐西域記》敘述貞觀元年(627)至十九年(645)返抵長安時,沿途由西域至印度(包括巴基斯坦、斯里蘭卡)所經一百三十八國以上的事蹟。每國分別敘述,內容有疆域(如卷1記赭國時:周千餘里,面臨葉河,東西狹,南北長);有言物產及風俗(如卷11:僧伽羅國……土地沃壤,氣序溫暑,稼穡時播,花果俱繁,人戶殷盛,家產富饒,其形卑黑,其性獷烈,好學尚德,崇善勤福);有言沿革(如卷8摩揭陀國:兢伽河南有故城,周七十餘里,荒蕪雖久,基址尚在,昔者人壽無量歲時,號拘蘇摩補羅城(唐言香花宮城),王宮多花,故以名焉,逮乎人壽數千歲,更名波吒釐子城(舊曰巴連弗邑,訛也。);至於言人物者更多,如摩揭陀國之無憂王,外道摩沓婆,作《因明論》之陳那菩薩等。故王成組認為"《西域記》採用地方志的編寫形式"[131]。嚴格來說,《大唐西域記》的內容與宋明的方志相似,祇能算是地理書的一類,其後模倣者頗多[132],且部分亦為所引用的資料。

個人的遊記愈多,地理學的資料愈為豐富,亦是促進地理學發達的原因之一。

2.《蠻書》

晉常璩撰《華陽國志》,曾被稱為四川之最早"方志"。其實,《華陽國志》是"史"之部份較重(見上節)。至唐樊綽撰《蠻書》,亦被譽為"現存雲南的最古方志"[133]。按:樊綽,兩《唐書》無傳,生平事蹟不詳,懿宗咸通三年(862)為安南經略使蔡襲之幕僚,時南詔割據雲南,咸通年間曾三次進攻安南。樊綽在安南,對南詔曾作調查工作,並曾參考德宗時袁滋(冊立異牟尋為南詔王的使者)之《雲南記》。穆宗時奉使南詔之韋審規,其副使韋齊休所撰之《雲南行記》等書而成《蠻書》10卷,其中地理的成份遠比"歷史、人物為多"[134]。《新唐書·南蠻傳》主要取材此書。李昉的《太平御覽》、司馬光的《通鑑考異》等,採用《蠻書》的資料也不少。自宋以後,是研究雲南的主要書籍,因此,有稱為《雲南志》者(《宋史·藝文志》、晁公武《郡齋讀書志》)。《華陽國志》可被稱為四川省的"區域史",而《蠻書》始可正式稱為雲南省的"區域志"[135]。

3. 其他重要的私撰地理書

大概隋唐時代,私人撰述之地理書籍,為配合政治上的需要,多與邊疆及異域有關。除《大唐西域記》、《蠻書》外,有莫休符的《桂林風土記》、劉恂的《嶺表錄異》、段公路的《北戶錄》、陸廣徵的《吳地記》、李沖昭的《南嶽小錄》等。而賈耽之《皇華四達記》今已不傳,惟《唐書》卷43下《地理志》載其"邊洲入四夷道里",亦是唐代重要的地理著作之一[136]。此等私人著作除促進地理學的發達外,直接間接對方志(區域志)的形成亦影響頗大。

六、從歷史地理到方志的關鍵

"方志"之名,最先見於南北朝[137],乃"地方志"之簡稱,至章學誠始廣為應用[138]。清洪亮吉謂"一方之志始於《越絕》與後之《華陽國志》"[139],而章學誠則謂《越絕》與《吳越春秋》不外是雜史而已[140]。近代學者如李泰棻、傅振倫謂此三書均可稱為方志[141],但朱士嘉認為此仍為"地理書"[142]。大概學者早已公認地理書至宋代始發展成為方志[143]。由地理書發展成方志,蘊釀期是在唐代,其關鍵為:

1. 唐代官修《括地志》與《元和郡縣志》,至北宋始成為全國性的地理總志[144],以後元、明、清三代之《一統志》,是官修的方志。

2. 官修地理書,資料豐富。資料中特重政治、經濟等人文因素,將"史"、"地"匯合而為一[145],並增添"藝文",以顯示"一地之全貌(史)"。

3. 資料多,項目亦多,随之創立了新的體例。

因此,唐以前與唐以後之地理書,截然不同,於是別稱"方志"。嚴格而言,一方之志,應指郡縣與鄉土志,然則應盛於南宋,而其蛻變則在唐宋之間。

丙、從歷史地理到方志的完成階段

一、體例之完備

1. 四項並重

"方志"有"史"與"地"兩源,在南北朝之前"史"重於"地",至隋唐時,"地"的分量大增,於是脫離史的範疇而獨立發展"地理志"。按"史"與"地"之區分,是在歷史之內涵,以"人"及"事"為主;地理之内涵,則以"物"與"地"為重。若匯合"人"、"事"、"地"、"物"四者,至宋代便成"方志"。當然,仍是"地"的分量較多。如以《吳郡志》為例[146],每一卷中的細目,均包括"四項",如:

人(附藝文)	《吳郡圖經續記》三卷(北宋)朱長文撰)牧守、人物、碑碣、雜錄。	《吳郡志》五十卷(南宋范成大撰)人物、方技、牧守、題名、官吏、進士、浮屠、考證、雜詠、雜志。
地	封域、城邑、戶口、坊市、風俗、門名、學校、州宅、南園、倉務、海道、亭館、園第、塚墓、橋樑、祠廟、宮觀、寺院、山川湖泊。	沿革、分野、風俗、城廓、學校、營寨、官宇、倉庫、坊市、祠廟、亭園、山、虎丘、橋樑、川、水利、宮觀、府廓寺、郭外寺、塚墓。
物	物產。	戶口租稅、土貢、土物。
事	治水、往蹟、事志。	古蹟、封爵、祠、縣記、仙事、奇事、異聞。

雖然,如《華陽國志》共12卷,其中有4卷區域志(巴志、漢中志、蜀志、南中志),亦有"人"、"地"、"物"、"事"等四項,但每區域中,此四項並重系統敘述,更無細目劃分,故本人承認其衹為"後來所謂地志的模式"而已(第一章第一節)。由宋以後,此項之下,細目愈來愈多[147]。當然,區域之大小與細目之多少有關,但此種體制,由宋開始,至明清更為系統化、具體化。

2. 縱橫敘述

方志與地理書之不同,除匯合"人"、"地"、"事"、"物"四項外,每一地域必有縱橫之敘述。縱方面是地方與中央的關係,或綜合敘述沿革、風俗、疆域等,然後再從橫方面,每一"州"、"縣"敘述。試以現存宋代最早的北宋《長安志》(宋敏求撰)20卷為例。

卷1:是綜合敘述。內分(一)總敘、(沿革)、(二)分野、(三)土產、(四)土貢、

(五)風俗、(六)四至、(七)管縣(包括戶口)、(八)雜志。

卷2至20:是橫的敘述,分區敘述。按:長安古稱雍州,後為京都,於是卷2至卷10敘古雍州及京都之沿革、官職(京兆尹、府縣官)、宮室(歷代的宮室、宮城、皇城)、城坊、寺觀;卷11至20則分敘所隸屬的縣治(有萬年、長安、咸陽、興平、武功、臨潼、鄠縣、藍田、醴泉、櫟陽、涇陽、高陵、乾祐、渭南、蒲城、盩厔、奉天、好畤、華原、富平、三原、雲陽、同官、美原)。

這種體例,很明顯地為明清兩代方志所引用。如:戴璟《廣東通志初稿》:

卷1:分野、山川。卷2:山川:"廣東山川其大支有二"。這是綜合敘述,繼而分廣州府、韶州府……等及屬縣之山川。卷4:疆域、形勢:先敘省"西界蒼梧、北軼庾嶺、南濱大海",繼而分十府、六十縣治而敘述其疆域與形勢。卷5:封建古蹟。卷6:沿革坊都。卷7、8、9:秩官。卷10:公署。卷11:循吏、名宦。卷12、13:人物、宦績。卷14、15:人物。卷16:學校。卷17:道學。卷18:風俗。卷19、20:科貢。卷21:禮樂。卷22:恤典。卷23:田賦。卷24:課科。卷25:差役。卷26:均平。卷27:糧餉。卷28:倉廒。卷29:鹽法、屯田。卷30:珠池。卷31:土產。卷32:軍訓。卷33:軍器。卷34:營堡。卷35:外夷、海寇、傜獞。卷36:生黎、仙釋。卷37:祥瑞。卷38:橋樑。卷39、40:雜著。

以後,凡是有全省性的或共通性的則綜述,橫的方面有地方性的則分述。

至明代,《廣東通志》共三套,戴璟開始,黃佐、郭棐繼之[148],大致上都是沿此方法,縱橫交織敘述始能表現地方的全面性[149],由此發展而成"方志"。

按:方志是地方之史,而地方之史與國史之區別,在其範圍大小之不同,國史中所載的人物,是全國性人物,其未能影響全國的人物,則屬地方史的人物,此等人物有藝文(著作、碑記)、軼事(雜著、雜錄)。在隋唐以前之"人物志"、"耆舊錄"無此體例,《華陽國志》、《吳越春秋》無此綱目,至唐代之地理書,如《括地志》、《元和郡縣志》等,亦無敘述;至宋元豐七年(1084)朱長文撰《吳郡圖經續記》卷下始,列有碑碣[150]。至乾道五年(1169),張津等撰《乾道四明圖經》,始收集藝文[151]與碑碣,可窺知當地人士之文風,亦可補當地之史事。故藝文、碑碣之入於地理書內,是演變成方志的主要關鍵。

3. 碑刻、藝文顯示地方的特色

在南宋以後,地方志中增加碑碣、藝文漸多[152]。而王象之《輿地紀勝》,每一府、州、縣以下,必列"碑記"及"詩文"。不過其"詩文",並非錄當地人的著述,而是前賢吟誦該地景物、史事之詩與四六文而已,是別一種體裁。至明、清二代,所有方志都記錄當地人的藝文,包括詩文、書目及碑記。故章實齋主張方志應立三家之學(亦即三書):即志、掌故與文徵。按:章氏所謂"三書",是指方志之三種來源。所謂"文徵",源於《詩經》[153],其後之《昭明文選》、《宋文鑑》、《元文類》屬此例。然筆者從其效果而論,錄其人之著作,可知其人,論其世。正史自班固創"藝文志"以來,《隋書》有《經籍志》,然不及方志上之藝文,始發展成"方志",也是方志中的主要體例之一。

二、政治上的提倡

唐宋二代,政府都倡修圖經及地志,但動機各不相同。唐政府之倡修圖經地志,是基於政治、軍事因素較多，而宋代則與君主右文有關，太祖"杯酒釋兵權"，除掉百除年來武人擁兵自雄、軍閥割據之局面。太宗盡收江南舊臣，使修四大類書[154]而養成右文之風氣，歸納而言：

1. 官修圖經

沿襲唐之舊制，官修圖經，如《開寶圖經》、《景德重修十道圖》、《景德山川形勢圖》、《祥符九域圖》等，均是奉敕纂修[155]。真宗年間，全國圖經已有千餘種[156]。

2. 私人撰書之風氣

私人與地方政府所修圖經亦眾，如宋代規定閏年地方政府所上之《閏年圖》、鄭文寶之《河西隴右圖》、曹韋和張宗貴之《涇源環慶兩路州軍山川城寨圖》、趙珣之《聚米圖經》、王洙等的《地理圖》、宋祁《益部方物略記》、《元祐天下州縣圖》、范成大《桂海虞衡志》、馮拯的《番禺紀異》[157]。

3. 四大地理書出現"一統志"的芻型

唐代官修之《括地志》及《元和郡縣圖志》，是頗有價值的"全國性"的"方志"。宋代官修之圖經多已不存，流傳下來的全國性"方志"，主要有私人撰述的四大地理著作，分述如下：

（1）《太平寰宇記》

200卷，宋太常博士直史館樂史所撰。其事蹟，《宋史》附於其子樂黃目中（《宋史》卷306），太平興國中獻此書。自稱補賈耽、李吉甫之不足[158]，葛蘭廷譽此書採擇繁富，其記錄詳細，重視"人"、"地"、"事"之資料[159]。於地理之外，又增加了姓氏、人物、風俗。又因人物詳及官爵、詩詞、藝文，方志體裁更加完備。故來新夏認為這一重要發展，使方志最終從地理學分離出來，而在史學領域自成一類[160]。

《太平寰宇記》雖是全國性的"書"，但書成於宋初太平興國四年間，時尚未劃分為十五路，故仍以唐之舊十道而劃分，始於河南道之東京、西京，由近而遠，以迄於四裔。燕薊之地，雖未入版圖，但仍是唐之舊疆，故仍敘述之。

（2）《元豐九域志》

舊題王存所撰，《宋史·藝文志》謂是李德芻撰《元豐郡縣志》，其實是經多次修改。按：唐全國分為十道，故《十道圖》代表全國地志。宋稱"九域"，取義於《禹貢》九州之意。《宋史·藝文志》謂王曾撰《九域圖·文》，熙寧八年都官員外郎劉師旦言：大中祥符六年有《九域圖》，至今六十餘年，州縣有廢置，名號有改易，等第有升降，於是詔命重修，參予其事者有集賢校理趙彥若、館閣校勘曾肇、光祿丞李德芻等，最後由知制誥王存審其事[161]。

《元豐九域志》共10卷，內分四京、京東、京西、河北、陝西（熙寧時再分永興軍、秦鳳二路）、河東、淮南、兩浙、江南、荊湖、成都、梓州、利州、夔州、福建、廣南等。其中京東、京西、河北、淮南、江西、荊湖、廣南等路分東西或南北，為宋時疆域最廣的時代[162]。是書地理資料較多，歷史資料較少，如沿革、人物、古蹟、藝文等均缺，是純全國性的地志而已。

按：熙寧以來，政制及行政區域有很大的變動，於是有《元豐官制》及《元豐九域志》之撰著。《元豐九域志》所敘之疆域制度，實是元豐八年（1085）之制度。該書之刊印則在元祐元年（1086）以後，而且大觀中，似另有"新九域志"。據王文楚、魏嵩山之意見，似是

《元豐九域志》之續修,其中多古蹟一門[163]。

(3)《輿地廣記》

政和(1111—1117)中,歐陽忞所撰。按:歐陽忞、《宋史》無傳,事蹟不詳。《書錄解題》謂忞為歐陽修之從孫。《宋史·藝文志》記有《巨鼇記》5卷,作者亦為歐陽忞,未知是否同是一人。

《輿地廣記》凡38卷。卷1—卷4是歷代地理沿革,由《禹貢》九州而至舜十二州、七國(戰國七雄)、秦四十郡而至北宋的版圖,以下按次序分敘由北宋之四京而至二十三路府縣州軍。是書之特點:

A. 是着重地方沿革。如東京開封府,府治跨二縣,轄縣十四。由春秋時為衛、陳、鄭三國之境,以後歷代變遷均有,是歷史地理式敘述。顧祖禹之《讀史方輿紀要》便是採用此法。

B. 古蹟、人物,併而敘述。如屬東京府之酸棗縣(卷5):"戰國時,嘗為韓所都,刺客聶政為濮陽嚴仲子殺韓相俠累於此。秦拔魏置縣,漢因之,以其地多酸棗,因以為名"。又如海陽縣(卷35,廣南東路):"漢揭陽縣地,屬南海郡,東越王餘喜,請以卒八千連,南越兵至揭陽,以海風波為解,即此地也。"

C. 其前代州邑,宋不能有,或新闢之領域,遂以"化外州"敘之。如:

(a) 唐代都護府所轄之地。如河北路屬安東上都護府有八州。陝西路屬安西都護府及北庭都護府有十五州,河東路屬單于,安北、鎮北等大都護府有八州,廣南路屬安南都護府有十七州。

(b) 新開闢的羈縻州府:如荊湖北路三州,成都府路有十一州,和州路有一州、夔州路有二州。

嚴格來說,是書"史"的成分較多,可補《太平寰宇記》、《元豐九域志》之不足,《四庫題要》謂是書"亦輿記中之佳本"(卷68)。可惜物產、土貢、山川、人口等地理資料均缺,惟此三書(《太平寰宇記》、《元豐九域志》、《輿地廣記》)合併為一,則為北宋最佳"全國性地志",亦是開啟元、明後"一統志"的先河。

(4)《輿地紀勝》

南宋知江寧縣金華王象之撰,共200卷。王象之,字儀父,慶元二年(1196)進士,《宋史》無傳,《金華賢達傳》有載其事蹟。是書有李埴寶慶丁亥三年(1227)的序文,當是刻於是年或稍前,而書成於嘉定十四年(1221)。清修《四庫全書》時,總目未列是書,可知宋至清時,流傳不廣[164]。咸豐四年(1854)伍崇曜從陳儀部(其錕)之鈔本與海甯揚氏所藏影鈔宋本,互相校訂,翌年刊刻於《粵雅堂叢書》之中。北宋時,地理著作相當發達,郡縣有志,九域有志,寰宇有記,輿地有記,然王象之認為衹能供考查或遊談而已,不能"於一寓目之頃,而山川俱若效其左右"。於是除搜括天下之地理書、圖經之外,復採集異聞[165]而成是書。是書每郡(府州軍監為一卷)加"行在",共百卷,每一卷中包括:

A. 沿革

先是府(或州、軍)沿革,下為直轄之沿革,其敘沿革與《輿地廣記》不同,均有所根據。如嘉興府(卷3)云:"秀州嘉禾郡軍事(引《九域志》),《禹貢》揚州之域(引《晏公類要》)。春秋時,初為吳越(引《左傳》)。戰國時其地屬楚(引《通鑑》)。"其寫作之嚴謹,遠超過《寰宇記》、《九域志》及《輿地廣記》。

B. 風俗形勢

以文詞而敘述,盡引前人美詞。如敘嘉興府(卷3)云:"海濱廣斥、鹽田相望(引《吳郡志》),澤國之佳致(引張元成《嘉禾志、序》),今之嘉禾,密拱鳳城,若漢右扶風(同上),京兆之壯觀(同上),吳東有海鹽章山之銅、三江五湖之利,江東一都會也(引《漢書·地理志》,尤慕文儒,頗勤農務(引《右圖經》),秀澤之國,水濱之人,起居飲食,與水波相接。"(引《月波樓記》)等。

C. 景物

多敘名勝、山川、風物、寺院,亦有引據及考證。如嘉興府之"嘉禾"(註云:吳時有嘉禾生,改為禾興縣,避孫皓以名,改曰嘉興);又"鮑郎市"(注云:在海鹽西南二十五里;《南史》孫恩作亂,令鮑陋遣子嗣之,以吳兵千人為前驅,賊退,嗣之追奔,陷沒)。

D. 古蹟

多是舊城廓、前賢墳墓、祠廟等。網羅詳盡,惟名勝與古蹟多有相連關係,景物中若干名勝,可劃於古蹟之中。如海鹽縣北有孔宅(孔子宅),原屬景物,其實列於古蹟更佳,因古蹟門中卻有陸宅,是陸遜故居。劃分不一致,是美中不足之處。

E. 官吏

是後之"名宦",但非主觀撰寫,而是客觀引述。如嘉興府中沈演之(引《晏公類要》)、魯宗道(引《東都事略》),而且只敘其當地有關史事而已。

F. 人物

即後之"列傳",亦是重視與該地之關係,而非"傳記"。如陸遜,言其為海昌令,即鹽官,歿封華亭侯,葬於嘉興府之華亭縣等。

G. 仙釋

H. 碑記

以上二項,為宋以前地志、地記所忽視。北宋時朱長文之著作雖有碑記而無仙釋;南宋范成大之《吳郡志》列有"仙事"而無碑記,王象之始合而敘述。

I. 詩與四六

搜羅前代詠該地之詩文,雖是斷章,未若後代之藝文能錄全之,惟體例之創更能表達"一方之全貌"。

J. 特別敘述

如卷1"行在"全敘臨安之宮殿、宗廟、官署、宮觀等。與其他府(州、軍、監)的敘述不同,而沿海府州,有市舶司(臨安縣慶元府),每一路"監司沿革";建康府有"歷代宮苑殿閣"制度。

是書為南宋最完備之"全國性的方志"。南宋版圖祇在南方,故北方地域是書未有敘述[30]。

附、《方輿勝覽》

70卷。祝穆撰,事蹟不詳。《四庫提要》謂為朱熹學生。是書有嘉熙三年(1239)呂午之序,知是理宗時作品,但經子祝洙增刪(《萬姓統譜》)。至咸淳二年(1266)始刻版,故遲於《輿地紀勝》。是書特詳於名勝古蹟，而詩賦尤多，為登臨題詠之設，不為考證，名為地記，實為類書，價值遠不及《輿地紀勝》。

四大地理書，是從唐代的地理著作中，加重地方性的"全貌"。其所創的體裁，或為後代所沿襲（如《讀史方輿紀要》），或為後代所改良（如藝文），而全國性的敘述，比之《元和郡縣志》、《括地志》更為進步，而成元、明、清三代"一統志"的藍圖。

三、宋代出現的方志

宋代是地理學蛻變成"方志"的轉捩點，主要關鍵是：

1. 宋代"圖經"少而"志"多

北宋時曾有圖經千餘種（見⑮⑥）而流傳者仍有數十種，但至南宋卻減少了一半。而定型的"方志"，由北宋的22種，至南宋時卻增至206種[167]。圖經是地理成分較重，志卻是"史"、"地"兼重。因此，地理學至宋遂演進成為方志。

2.方志乃表現"一方的全貌"

方志除著重地理外，從"史"方面的科舉人物、事蹟，進而增加了姓氏、官爵、風物、學校、碑碣、藝文等。而且細目愈分愈多。不過，有其原則性，即能表達一方的"全貌"為主。

3.南方志書大量出現

宋代右文，至南宋時，偏安於南疆，受政治、經濟的影響，南方的方志更加發達。如[168]

浙江：有《乾道臨安志》、《淳祐臨安志》、《咸淳臨安志》、《乾道四明圖經》、《寶慶四明志》、《開慶四明志》、《嘉泰會稽志》、《赤城志》、《奉化志》、《永嘉志》、《淳安縣志》、《東陽志》、《剡錄》。

江蘇：有《建康志》、《吳郡志》、《毗陵志》、《吳郡圖經續記》、《鎮江志》、《丹陽志》、《雲間志》、《江陰志》、《儀真志》、《高郵志》、《六合縣志》。

安徽：有《新安志》、《合肥志》、《廣德志》、《宣城志》、《姑熟志》、《歷陽志》、《都梁志》、《桐汭新志》、《新浦志》。

江西：有《臨川縣志》、《太和縣志》、《鄠都縣志》、《上饒縣志》、《廣陵志》、《宜春志》、《南康志》、《潯陽志》。

湖南：有《岳陽志》、《長沙志》、《零陵志》、《滁江志》、《湘陽圖志》、《淳祐攸縣志》、《都梁志》、《寶祐平江志》。

湖北：有《武昌志》、《江陵志》、《荊門志》、《富川志》、《景陵志》、《齊安志》、《古沔志》、《富水志》。

福建：有《莆田志》、《三山志》、《泉州志》、《仙溪志》、《邵武志》、《上杭縣志》、《連江縣志》、《臨潭志》、《延平志》、《建安志》。

廣東：有《南海志》、《清遠志》、《臨封志》、《曲江志》、《保昌志》、《連州志》、《恩平志》。

廣西：有《桂林志》、《清湖志》、《龍城志》、《普寧志》、《玉林新志》、《潯江志》、《懷集志》、《建武志》、《容州志》、《遂州志》。

四川：有《成都志》、《南平志》、《涪陵志》、《廣安志》、《富順志》、《長寧志》、《夔州志》、《南浦志》[19]。

以上以地域分之，而以下則以時代分之：

高宗（紹興）：《吳興續圖經》、《東陽志》、《盱江志》、《吳郡志》、《新定志》。

孝宗（隆興）：《榮州圖經》。

（乾道）：《四明圖經》、《秋浦志》、《武陽志》、《臨安志》、《桂林志》、《建康志》。

（淳熙）：《嚴州圖經》、《楚州圖經》、《邵陽圖志》、《舂陵圖志》、《南康志》、《毗陵志》、《吳陵志》、《合肥志》、《三山志》、《潯陽志》、《新安志》、《姑熟志》、《豫章續職方乘》、《吳興舊編》。

光宗（紹熙）：《義陽圖經》、《富川圖志》、《廣陵志》、《旌川志》、《長沙志》、《都梁志》、《桐汭新志》、《莆陽志》、《永嘉譜》。

寧宗　（慶元）：《陵水圖志》、《清源志》、《齊安志》、《寧越志》、《歷陽志》、《餘英志》、《鄞江志》、《建安志》、《建康續志》、《盱江續志》。

（嘉泰）：《靜江府圖志》、《高源圖志》、《濠梁志》、《清湘志》、《都梁續志》、《會稽志》。

（嘉定）：《衢州圖經》、《徐州圖經》、《長寧圖經》、《富川圖志》、《廣安志》、《信安志》、《新吳志》、《清漳新志》、《赤城志》、《鎮江志》、《南海志》、《龍江志》、《鈴崗志》、《零陵志》、《連川志》、《宜春志》、《涇川志》、《景陵志》、《瑞州郡縣志》、《建康續志》、《永寧編》、《莆陽比事》《剡錄》。

理宗（寶慶）：《四明志》、《梅川志》、《會稽續志》。

（紹定）：《信安續志》、《赤城三志》、《澉水志》。

（端平）：《秋浦新志》。

（嘉熙）：《宜春續志》。

（淳祐）：《玉峰志》。

（寶祐）：《琴川志》。

（開慶）：《四明續志》。

（景定）：《建康志》。

度宗（咸淳）：《臨安志》、《玉峰續志》[20]。

漢唐以來的“地志”、“地記”、“圖經”，都是雜記式。至宋代，創造了“人”、“事”、“物”、“地”四項原則，每一項下細目繁多，但均以地方為限，全面（貌）的表達一地之“史”與“地”，故正式發展成為“方志”，而且數量之多，超乎漢唐以來的總和，故筆者認為宋以前衹有地理，或區域地理、歷史地理而已。

註釋

①林衍經《方志史話》第二章：“一樁公案——關於方志起源的爭議”（1983年中州書畫社出版）。

②章學誠《文史通議》內篇：“易教”上。

③《周禮》“春官·宗伯”有“大史”、“內史”、“外史”。按卷26“大史掌建邦之六典，以述邦國之志……小史掌邦國之志，奠世繫，辨昭穆……內史將王之八枋之灋，治詔王治……外史掌書外令，掌四方之志”。所謂“四方之志”，被認為乃方志之起源。又《尚書序》：“九州之志謂之‘九丘’，‘邱’，聚也，言九

州所有，皆聚此書也”。然《周禮》、《尚書序》之成書時代尚有爭論，故此項資料史家爭論頗多。

④《周禮》卷33“職方氏”：“掌天下之圖，以掌天下之地，辨其邦國、都鄙、四夷、八蠻、七閩、九貉、五戎、六狄之人民與其財用，九穀、六畜之數要，用知其利官，乃辨九州之國，使同貫利。”

⑤《周禮》卷16《地官·土訓》：“掌道地圖，以詔地事”。鄭註：“辨其物者，別其所有所無，其原生生有時也，以此二者告王之求也”。又同書同卷《地官·誦訓》：“掌道方志，以詔觀事……以知地俗。”鄭注：“說四方所識久遠之事以告王。”

⑥見《司馬溫公文集》卷66。

⑦《景定建康志》見（《宋元方志叢書》，大化書局出版）。

⑧元黃溍《金華黃先生文集》卷16，有“東郡志序”。

⑨章學誠《章氏遺書》卷14“方志略例”。

⑩王成組《中國地理學史》上冊，第一編第五章第三節“周禮的實際來歷與地理觀念”（1982年北京商務印書館本）。

⑪辛樹熾謂：“應在西周文武周公成康全盛時代，下至穆王為止，它是當時太史所錄。”（辛著《禹貢新解》1964年農業出版社）。

⑫許道齡謂：“禹貢應是戰國末年作品（《從禹貢治水之說不可信談到禹貢之著作年代及其目的》）。”載於1934年《禹貢半月刊》第一卷第四期。

⑬早在“古史辨”時代，顧頡剛已推定《禹貢》成書於戰國時代，見《古史辨》第一冊“論古今文尚書著作年代”。至1957年，逐漸擴充而成《禹貢的注釋》（收於《中國古代地理名著選集》第四項，科學出版社出版）。

⑭引自王庸《中國地理學史》第一章（商務印書館：《中國文化叢書》）。

⑮“職方”較《禹貢》少梁州、徐州，但另有并州、幽州，反映戰國後期東北方面的擴展（據王成組《中國地理學史》上冊，第一編第二章第四節“禹貢地理的歷史影響”）。

⑯揚雄的《十二州箴》，沿《禹貢》九州的舊名，以梁州為益州，而增加徐、幽、并，以後闞駰有《十三州志》，黃恭有《十四州志》，均本《禹貢》而增減。

⑰《越絕書》，隋唐的《藝文志》謂是子貢所撰：陳振孫之《直齋書錄解題》則署“無名氏”。但《四庫全書總目提要》據楊慎《丹鉛錄》認為是東漢袁康、吳平所撰。按：楊慎跋云：“以去為姓，得衣乃成（按：去，得衣乃袁字），厥名有米，覆之以庚（按：米，覆庚乃康字）。”是為袁康；“以口為姓，承之以天（按：口，承天乃吳字），楚相屈原，與之同名（按：屈原名平）。”近人陳喬驛之“關於越經書及其作者”一文，推翻四庫之說，認為乃戰國時人所作。“越絕”原是兵家之書，特其姓名不可考，於《漢志》不知屬何家耳。要之，此書非一時一人所作。（引自1977年杭州大學學報第四期）。

⑱經有二篇：即“計倪內經”、“內經九術”，傳則為“外傳本事”、“荊平王內傳”、“外傳記吳地傳”、“吳內傳”、“請糴內傳”、“外傳計策考”、“范伯”、“陳成恒”、“地傳”、“外傳計倪”、“吳王占夢”、“寶劍”、“軍器”、“枕中”、“春申君”、“德序外傳記”、“敘外傳記”。

⑲內傳必記吳國之事，即使“越絕外傳”、“記吳地傳”，內容亦是敘吳國之事。

⑳章宗祥注《越絕書》（商務版）謂：“如以為外傳非一人之所作，證以‘外傳記吳地傳’、‘越絕外傳’二篇，此例甚明。然其他如‘記范伯’、‘記吳王占夢’、‘記寶劍’等篇，即以為出一人之手，亦無不可，故此書‘經’‘傳’內外之稱，實非確實之辭。”

㉑明萬曆本《紹興府志》卷58“序志”；（吳）地傳敘形勢，營構始末，道里遠近，是地志之祖。

㉒洪亮吉《澄城縣志》序。

㉓朱士嘉《宋元方志傳記索引》序。傅振倫《中國方志通論》。

㉔來新夏認為《越絕書》與《吳越春秋》是春秋戰國時期別史發展而來的（《方志學概論》，頁52，1983年福建人民出版社）。

㉕《隋書經籍志》卷33;吳越春秋12卷。至宋史藝文志謂10卷。作者《隋書·經籍志》作趙曄,後漢書有傳(卷109儒林傳)。余嘉錫曾引《崇文總目》謂趙曄為《吳越春秋》10卷,其後有楊方者,以趙曄撰為繁,又刊削之為5卷,(皇甫)遵乃合二家之書考訂而注之。現流傳之10卷《吳越春秋》疑是皇甫之本(四庫提要辨正,卷7)。

㉖范文瀾《中國通史簡編》修訂本第二編第三章。

㉗黃葦《方志論集》頁39。

㉘如沿革、巴郡(卷1):元康六年,廣漢、益州,更割雍州之武都、陰平;荊州之新城、上庸、魏興以屬焉,凡統郡十一,縣五十八。

記事:巴郡(卷1):孝安帝元初三年,涼州羌人漢中,殺太守董炳,擾動巴中,中郎尹就討之,不克。益州諸將皆起兵禦之,三府舉廣漢王堂為巴郡太守,撥亂致治,進賢達士,貢孝子嚴永、隱士黃錯、名儒陳髦、俊士張瑞,皆至大位。

都邑:武都郡(卷2):本廣漢西部都尉治也,元鼎六年別為郡,屬縣九,戶一萬,去洛一千八百七十八里,下辨縣、武都縣、上祿縣、故道縣、河池縣、沮縣、平樂縣、脩成縣、嘉陵縣。

氏族:成都縣(卷3),大姓有柳、杜、張、趙、郭、楊、富先有程鄭郄公,後卑縣,冠冕大姓有何、羅、郭氏。繁縣,三張為甲族。

風俗:巴郡(卷1):其民質直好義,土風敦厚,有先民之流。

物產:平夷縣(卷4):山出茶密,鱉縣有野生薛可食。

永昌郡(卷4):土地沃腴,(產)黃金、光珠、琥珀、翡翠.....宜五穀、出銅錫。

㉙據李泰棻《方志學》第一章,傅振倫《中國方志學通論》第十二章。

㉚廖寅校刊《華陽國志》序。

㉛梁啟超《近三百年學術思想史》十四“校注先秦子書及其古籍廿四:《華陽國志》”。

㉜章氏遺書補遺《史考釋例》:“割據與霸國之書,初分二門,今合為一。亦謂如越絕書、吳越春秋,下至南唐諸家是也。惟華陽國志……非一國之記載,又非地志圖經。人於霸國固非,人於地理尤非,斯乃雜史支流”。

㉝三國時代有魏王基之“東萊耆舊傳”、吳陸凱之“吳光賢傳”(另有傳贊)、吳謝承之“會稽先賢傳”、徐整之“豫章烈士傳”、佚名之“豫章耆舊傳”、士燮之“交州人物志”、陸胤之“廣州先賢傳”、佚名之“南海先賢傳”等。晉時有白褒之“魯國先賢傳”、佚名之“魯國先賢傳贊”、佚名之“江表傳”、佚名之“徐州先賢傳”、華南之“廣陵烈士傳”、佚名之“廣陵耆舊傳”、賀氏之“會稽先賢傳贊”(另有“會稽太像贊”亦賀氏撰)、鍾離岫之“會稽後賢傳”、張方之“楚國先賢像贊”、鄒閎甫之“楚國先賢傳”、劉彧之“長沙舊傳贊”、高範之“荊州先賢傳”、習鑿齒之“襄陽耆舊記”、司馬彪之“零陵先賢傳”、范瑗之“交州先賢傳”、常寬之“蜀後賢傳”。南北朝劉義慶之“江左名士傳”及“徐州先賢傳”、吳切之“吳郡錢塘先賢傳”、劉芳之“廣州(河南省)先賢傳”、郭緣生之“武昌先賢志”。大概晉代的耆舊傳及先賢傳獨多,主要原因是晉代門閥制度盛行,故記敘耆舊及先賢之書籍特多。

㉞《漢書·地理志》“琅玡郡長廣條”有“秦地圖,曰……”又姚振宗之《漢書地理志拾遺》考證秦地圖東漢尚存。

㉟均見於顧頡剛的“五藏山經試採”(北京大學潛社出版的史學論叢)。

㊱楊慎《山海經補注》《序》。

㊲王庸《中國地理學史》第一章第三節。

㊳據鞠繼武《中國地理學發展史》(1987年江蘇教育出版社)。

㊴(1)《水經注》原為漢桑欽撰,郭樸注(隋書·經籍志);(2)《水經》為三國時代(221—279)人的作品,酈道元作注,注文二十倍於原文(侯仁之《中國古代地理學簡史》);(3)《水經注》內之“經”與“注”均出自酈道元之手(王成組《中國地理學簡史》)。而戴東原對“經”與“注”間之異同,更明顯

指出:(1)《水經》原文只云:某水所出,以下無庸再舉水名,《注》内詳及所納群川,加以採摭故實,彼此相雜,則一水之名,不得不更端重舉。(2)《經》文所敘,次所過州縣,如云:又東過某縣之類,一語實該一縣,而《注》則沿溯縣西以終於東,詳記所逕委曲,《經》據當時縣治《注》時縣邑流移,是以多稱故城。(3)《經》例云"過",《注》則例云"逕"不相混淆。(《戴震文集·水經酈道元注序》)。

㊵引自陳橋驛《水經注研究》(首集由天津古籍出版社出版,二集由山西人民出版社出版)。

㊶1975年《文物》月刊第二期和1976年《文物》月刊第一期有調查報告;而王成組《中國地理學簡史》上冊第三篇第一章有馬王堆出土的稀有帛圖,繪有"還原圖",可資參考。

㊷《後漢書》(明德皇后紀):"帝按輿地圖,將封皇子,悉半諸國"。晉裴秀撰禹貢地域圖序云:"古之九州,今之十六州郡圖,縣邑疆界鄉陬,及古盟會舊名,為地圖十八篇"。(《晉書》本傳)。

㊸王庸《中國地理學史》第二章《地圖史》。

㊹張國淦《中國古方志考》頁53—54。胡渭《禹貢錐指禹貢圖後識》。

㊺引自黃葦《方志論集》"地記與圖經考述"。

㊻三國時有陳述的《益州志》、譙周的《益州志》、李尤的《蜀記》、吳韋昭的《吳郡國志》、兩晉有常璩的《華陽國志》、何晏的《九江志》、常寬的《蜀記》、佚名的《永寧地志》和《會稽郡十城地志》。南北朝有劉宋的《元嘉六年地志》、童覽的《吳地志》、沈懷遠的《南越志》;齊佚名的永元元年、二年、三年地志、崔慰祖的《海岱志》、梁蕭繹的《荊南地志》、陳顧野王的《輿地志》。

㊼隋代仍有"圖經"六種,至宋更多,均以文字為主。見黃葦《方志論集》頁58—76。

㊽東漢以後,正史除宋書、南齊書、名"州郡志"、魏書有"地形志",新五代史有"職方考"之外,其餘各史均稱"地理志"。

㊾曹魏秘書監荀勗撰"中經薄",重分四部,以五經為甲部、史記為乙部、諸子為丙部、詩賦為丁部,而經、史、子、集之次始定。地理書籍均入於史部,如雜史、雜傳(《越絕書》、《吳越春秋》)、載記、霸史(《華陽國志》等)、舊事(耆舊傳)。至南朝劉宋時秘書丞王儉別撰七志,其七始有"圖譜志"。

㊿張國淦《中國古方志考》載漢朱贛撰地理書,晉皇甫謐亦有地理書,摯虞依禹貢周官作《畿服經》,均佚,未知其具體内容。但陸澄《地理書》149卷,王謨之《漢唐地理書鈔》曾有部分輯錄,從其目中,知是輯南朝以前之一切地理書籍之大成,及後陳時顧野王有《輿地志》30卷,遠略於陸澄之地理書,故以陸書為代表。

(51)可參考拙著《唐代官修括地志》:"元和郡縣志"與"方志學的長成"。載於《陶希聖先生九秩榮壽論文集》下冊。

(52)王庸的《中國地理學史》(以後簡稱王著《地理學史》,商務中國文化史叢書),及王成組的《中國地理學史》(以後簡稱王著《中國地學史》北京商務版)。

(53)有謂成於西周時代(辛樹熾之《禹貢新解》,1964,農業出版社)。有謂是戰國時代作品(許道齡之《從禹貢治水之說不可信談到禹貢之著作年代及其目的》,載於1934《禹貢半月刊》一卷四期)。亦有主張為秦漢間的作品(顧頡剛的《禹貢注釋》,1950年,科學出版社之《古代地理學名著選集》,推翻自己在《古史辨》中認為是戰國時之作品的舊說)。

(54)《禹貢》内容包括(一)疆域(如九州)的劃分,(二)夏禹治水的故事,(三)各地物產的分佈,(四)各地土壤及賦貢,(五)"服"之劃分。全書僅1,200字,但全是地理學之資料。

(55)《四庫全書》謂晉郭樸著《山海經》,其實是書有圖,唐時張彥遠之《歷代名畫記》已有《山海經》。宋王應麟之《玉海》載有《山海經圖》10卷。明楊慎之《山海經補注·序》曾言:《山海經圖》者,其文則為《山海經》,其圖則源於"九鼎"(九州),又兩漢時有"輿地圖"、"軍陣圖"、"地形圖"等,見王著《地理學史》第二章。1957年,在發掘的漢文帝墓中,有三幅繪在縑帛上的軍事地圖,是我國現存最古的地圖(見1975及1976年的《文物月刊》,與王著《中國地學史》,均有報導)。

(56)見於張國淦的《中國古方志考》,其中有王褒之《雲陽記》、李尤之《蜀記》、朱瑒之《九江壽春記》、佚名之《晉太康地記》、多是漢晉間的作品。

(57)"地志"與"地記"是同類異名。如陳術之《益州志》、譙周之《益州志》、何晏的《九江志》,記一郡(州)之事,故又稱"郡書"。

(58)見《隋書·地理志·序》。其後,梁人任昉(460—508)又補上八十四家著作,撰《地記》252卷。

(59)見鄭鶴聲之《中國史部目錄學》(商務版)第三:"史部源流"。

(60)王應麟《玉海》卷16《隋西域圖記》(應是圖志)云:"大業二年(606),西域諸國至張掖互市,令矩護視,乃訪諸商國俗、山川、險易、撰《西域國記》3卷,合四十四國,別作地圖,凡為三道……三年,矩說高昌、伊吾等入朝,後被吐谷渾、拓地數千里"。

(61)《舊唐書·賈耽傳》:"耽好地理學,凡四夷之使及四夷還者,必從容詢其山川、土地終始,是以九州之險夷、百蠻之土俗、區分指劃、究備源流"。又,《玉海》卷15謂:"《貞元十道錄》撰於貞元十四年,《海內華夷圖》則撰於貞元十七年,圖廣三丈,從(縱)三丈三尺,以寸為百里"與晉代裴秀同是地圖上用比例尺之始。

(62)《唐會要·安西都護府》:"西域既平,遣使分赴康國及吐火羅國,訪其風俗、物產及古今廢置,畫圖以進,因令史官撰《西域圖志》60卷。"又,《玉海》卷15:"天寶中、玄宗問諸蕃國遠近,鴻臚寺卿王忠嗣以《西域圖》對,纔十數國。"晚唐時,樊綽於咸通三年(823)為安南從事,將其調查資料,並參考袁滋之《雲南記》、韋審規之《雲南行記》,撰成《蠻書》,記載雲南境內民族、交通、地理、風俗等,為研究雲南之重要參考書。

(63)引自王著《地理學史》第二章,其資料輯自《舊唐書·經籍志》、《新唐書·藝文志》及《通志·藝文略》。

(64)引自冉雲華之《玄奘大師與唐太宗及其政治理想之探微》(載於《華岡佛學學報》第八期)。

(65)譚君撰《大唐西域記之研究》(港大碩士論文),引高揚之《玄奘與大唐西域記》(載於陝西人民出版社之《漢唐文史漫談》)、季羨林之《玄奘與大唐西域記》(載於《中印文化關係史論集》),提出貞觀十九年,太宗擬利用玄奘之邊塞知識,邀其參加征遼戰爭,為玄奘婉拒,玄奘希望譯經,太宗反要求其寫《西域記》的知識,以進攻突厥及征討西域。

(66)《舊唐書·元載傳》"大曆八年(773),番戎邠寧之後,朝議以為三輔以西襟帶之故,而涇州散地不足為守,載嘗為西州刺史,知河西隴右之要害……兼圖形以獻"。

(67)《新唐書·李德裕傳》"(時任宰相)及籌建邊樓,按:南道山川險要與蠻相入者圖之左,西道與吐蕃接者圖之右……乃召習邊事者與之指劃商訂,凡虜之情偽盡知之"。又,王玄策於太宗及高宗期間出使印度,著有《行記》,現可在《法苑珠林》中見其麟爪。杜環于玄、肅間往大食,著《經行記》,今書佚,但《通典》曾引用部分。

(68)《舊唐書·魏文忠傳》,"時左史盩厔人江融撰《九州設險圖》,備載古今用兵成敗之事,元忠就傳其術"。另一面,新開闢或新入版圖之地,必有地圖以獻,如張義潮於大中五年,以瓜沙等十一州地圖以獻。(見於《新唐書·吐蕃傳》),以此以證其與國防有關。

(69)《唐六典》卷5:"職方郎中,掌天下地圖及城隍、鎮戍、烽候(《舊唐書》作火堠)之數,辨其邦國都鄙之遠邇及四夷之歸化者,凡地圖委州府三年一造,與版籍皆上省,其外夷蕃客到京,委鴻臚詢其本國山川、風土為圖以奏焉,副上於省,其五方之區域,都鄙之廢置、疆埸之爭訟者,舉而正之"。

(70)《唐會要》、《職方》"郎中":建中元年(780)十一月二十九日,請州郡圖每三年一送職方,今改五年一造,如州郡有創造及山河改移,即不在五年之限,後復故。

(71)如藏於倫敦有《沙州地志》(P12005,P12695)、《西州圖經》(P12009)、《沙州地志》(P12691)。

(72)如P10367《沙州地志》、唐光啟元年(885)張大慶手寫,記伊吾縣東北九里有"祆廟",其祆主翟槃陁曾至京師,為研究祆教的寶貴資料;又如P12005之《沙州都督府圖經》,內載十九驛所通至瓜州,為研究邊疆交通之重要資料。

(73)隋滅陳之時，裴矩與高熲曾收陳之圖籍（《太平御覽》卷619），文帝時，牛弘上書請獎勵獻書（見《隋書·牛弘傳》，煬帝時遂聚書至37萬卷（見王明清之《揮塵錄》卷7），雖未知其中地理書有多少，但大部分書籍是隋文帝父子蒐集所得無疑。

(74)隋嘉則殿藏書十分豐富，然因寇亂而佚，王世充下東都，得書8萬卷而已，命可農卿宋遵貴盛圖書西行，至砥柱，所被漂沒，僅存十之二三（引見胡應麟之《少室山房筆叢》卷1，甲部《經籍會通》）。

(75)引見《少寶山房筆叢》卷1《經籍會通》，然《唐書·藝文志·序》謂武德中，收隋遺書8萬餘卷而已，及牛弘奏請捜訪遺書，著定書目，凡3萬餘卷（據《舊唐書》）相合僅11萬餘卷。兩者相差頗大，僅質疑於此。

(76)隋唐時代經籍流傳，以鄭樵《通志》為最詳細，其《地理門》（卷66），分十類（都城、宮苑、郡邑、圖經、方物、川瀆、名山洞府、朝聘、行役、蠻夷）存書456部共5，140卷，另《舊唐書》卷46《地理門》有1，782卷，但僅得93部為唐人作品；至於《新唐書》卷58，書目有一百六十部，1，292卷，其中唐人的作品幾佔七十部，佔百分之六十六以上，茲錄《新唐書·藝文志》中有關唐人作品如下：王玄策《中天竺國行記》10卷、僧智猛《遊行外國傳》1卷、僧法盛《歷國傳》2卷、《日南傳》1卷。《林邑國記》1卷。《真臘國事》1卷。《交州以來外國傳》1卷。《奉使高麗記》1卷。《西南蠻人朝首領記》1卷。裴矩《高麗風俗》1卷。鄧行儼《東都記》30卷（貞觀著作郎）。《括地志》550卷、又《序略》5卷（魏王泰命著作郎蕭德言、秘書郎顧胤等撰。記事參軍蔣亞卿、功曹參軍謝偃、蘇勗撰），《長安四年十道圖》13卷。《開元三年十道圖》10卷。《劍南地圖》2卷。李播《方志圖》7卷。《西域國志》60卷（高宗遣使分往唐國、吐火羅、訪其風俗物產，畫圖以聞。詔史官撰次、許敬宗領之，顯慶三年上）。李吉甫《元和郡縣圖志》54卷，又《十道圖》10卷。《古今地名》3卷。《刪水經》10卷。梁載言《十道志》16卷。又《皇華四達記》10卷。《古今郡國縣道四夷述》40卷。《關中隴右山南九州別錄》6卷。《貞元十道錄地名要略》4卷。《吐蕃黃河錄》4卷。韋澳《諸道山河地名要略》9卷（一作處分語）。劉之推、文括《九州要略》3卷。《郡國志》10卷。馬敬實《諸道行程血脈圖》1卷。鄧世隆《東都記》30卷。韋機《東都記》20卷。韋述《兩京新記》5卷。《兩京道里記》3卷。李戎實《戎州記》1卷。盧鴻《嵩山記》1卷（天寶人），馬溫《鄴都故事》2卷（肅、代時人）。劉公銳《鄴城新記》3卷。張周封《華陽風俗錄》1卷（字子望，西川節度使李德裕從事，試協律郎）。盧求《成都記》5卷（西川節度使白敏川從事）。鄭暐《益州理亂記》3卷。李璋《太原事跡記》14卷。張文規《吳興雜錄》7卷。房千里《南方異物志》1卷。孟琯《嶺南異物志》1卷。劉恂《嶺表錄異》3卷。余知古《渚宮故事》10卷（文宗時人）。吳從政《瀍沔記》3卷。張氏《燕行役記》2卷（宣宗時人，佚名）。韋宙《零陵錄》1卷。張密《盧山雜記》1卷、張容《九江新舊錄》3卷（咸通人）。莫休符《桂林風土記》3卷。段公路《北戶雜錄》3卷（文昌孫）。林諝《閩中記》10卷。裴矩《西域圖記》3卷。顧愔《新羅國記》1卷（大曆中，歸崇敬使新羅，愔為從事）。張建章《勃海國記》3卷。戴斗《諸蕃記》1卷。達奚通《海南諸蕃行記》1卷。袁滋《雲南記》5卷。李繁《北荒君長錄》3卷。高少逸《四夷朝貢錄》10卷。呂述《黠戛斯朝貢圖傳》1卷（字脩業，會昌秘書少監，商州刺史）。樊綽《蠻書》10卷（咸通嶺南西道節度使蔡襲從事）。竇滂《雲南別錄》1卷。《雲南行記》1卷。徐雲虔《南詔錄》3卷（乾符中人）。

(77)《唐會要》卷5“駕部郎中”：隋為“駕部郎”，武德三年加“中”字，龍朔中改為司輿大夫，咸寧元年，復為“駕部郎中”。又《新唐書·職官志》：“駕部郎中，員外郎各一人，掌輿輦、車乘、傳驛、廊牧、馬牛雜畜之籍”。又《舊唐書·職官志》：“駕部郎中一員，從五品上，員外郎一人，從六品上，主事三人，從九品上，令史十人，書令史二十人，掌固四人”。

(78)嚴耕望教授之《唐代交通圖考·序言》：“唐制三十里一驛，開元盛時，天下水陸驛一六三九所……驛距疏密無定準，交通繁忙大道不到三十里，邊遠地區，有疏距八十里以上者，平均距離當在四十里以上，則全國驛道踰六萬五千里”。

(79)陳沅遠之《唐代驛制考》（燕京大學《史學年報》卷1，5期）記由上都至各地之驛路為（一）鄯州驛路（二）益州驛路（三）興元驛路（四）襄州驛路（五）河東驛路（六）魏州驛路（七）汴州驛路（八）

揚州驛路（九）蘇州驛路（十）洪州驛路（十一）黔州驛路（十二）廣州驛路（十三）東都驛路（十四）天德軍驛路（十五）四川驛路（十六）庫谷路驛路。又陶希聖教授之《唐代之交通》（食貨出版社影印本）第15—27節亦有驛路資料。

(80)引自樓祖貽之《中國郵驛發達史》，及柳宗元之《館驛使壁記》（《柳河東集》、卷26）及陶希聖教授之《唐代之交通》。

(81)權德輿之《魏國公貞元十道圖略·序》："縣距州、州距四都，書其道里之數與四鄙所抵"，其資料便是根據驛站。

(82)嚴格而言，史館之設，與官修前代史是二事，早在周代，已有史官之設，後魏曾設修史局，北齊有史館監修國史的記載，見金毓黻《中國史學史》第五章。隋唐沿襲之，唐武德年間，重置史館，以宰相監修，據《唐會要》卷63，記武德五年，因令狐德棻上書，於是命修魏、周、隋、梁、陳五前代史，王溥注：修撰（官修前代史）之源，自德棻始，因後代設館，以宰相監修前代史，遂為定例。

(83)《舊唐書·令狐德棻傳》。

(84)《唐會要》，卷63"修前代史"。

(85)《唐會要》，卷64"文學館"："武德四年，太宗為秦王時，招賢納士之所，杜如晦、房玄齡等均以本官兼文學館學士"，閻立本"十八學士圖"即文學館諸人之像，諸人中多兼修前代史（房玄齡、姚思廉等），館內有一定的經費，故魏王泰於館中延攬學士助修《括地志》。

(86)《玉海》卷15"唐括地志，又名坤元錄"："魏王泰喜屬文，奏撰《括地志》，即付文學館，得自引學士，貞觀十二年，引著作郎蕭德言，秘書郎蘇勗，記室參軍蔣亞卿，功曹謝偃，蔣勉撰次，衛尉供帳，光祿給食"。

(87)《唐會要》卷36"修撰"："初魏王泰好學愛文章，司馬蘇勗勸泰請修撰，詔許之，於是大開館宇，廣召時俊，遂奏引著作郎蕭德言……等，人物輻輳，門庭若市，泰稍悟過盛，卻其速成，於是分道諸州，披撿疏錄，凡四年而成"。

(88)《括地志》早已散佚，現行流傳本為孫星衍的《括地志遺文》8 卷（岱南閣叢書），後賀次君有《括地志輯校》（中華書局1980年出版）其"序略"則錄自唐徐堅之《初學記》，岑仲勉有《括地志序略新銓》（載於中山大學《史學專刊》第一期），"序略"所言之"大簿"，應是"職方郎中"每三年一收集之地理資料（見註69）。

(89)據《唐會要》卷63"諸司應送史館書例"，可分：

（一）制度方面，如法令變改，斷獄新議，諸色封建。

（二）政治方面，如諸司長官及刺史、都督、都護、行軍大總營之除授、死亡。地方官之政績，各地方碩學異能，商人逸士、義夫節婦、及諸王來朝，公主百官定謚等。

（三）自然界變化，如祥異、飢荒、地震、水旱等。

（四）國防與地理：如蕃國朝貢、入寇與來降、州縣的廢置等。

(90)據《舊唐書·令狐德棻傳》：謂德棻語於高祖："竊見近代以來多無正史"，所謂"正史"；是合於政府立場之"官史"，與"私史"不同。又同書同卷記：唐高祖言："朕握圖馭宇，長世字人，力主典謨，永垂憲則"，此"永垂憲則"當是"統一思想"之意。此外《舊唐書·儒學傳·序》云："太宗又以儒家多門，章句繁雜，詔國子監酒孔穎達與諸儒撰定……《五經正義》"亦是統一思想之意。

(91)賀次君《括地志輯校·前言》謂宋以後此書經已失傳，雖然《輿地紀勝》、《玉海》、《地理考》、《通鑑地理通釋》、《路史》等宋代作品曾引《括地志》，實際乃從唐張守節之《史記正義》及宋人類書中輯出。

(92)據王著《地理學史》第三章《地志史》。

(93)《貞觀十三年大簿》分全國為十道，358州，41督都府，共1551縣，但據孫星衍的考證，《括地志》所載與《大簿》多有不同，恐是史之疏（引自《括地志遺文》），岑仲勉則認為其錯誤之處，是因《括地志》

是按“道”排列，若與《舊唐書·地理志》之沿革比較，可相互糾正（引自《括地志序略新銓》）。

㊉引自賀次君《括地志輯校·前言》。

95《舊唐書·杜黃裳傳》：“德宗自艱難之後，事多姑息……陛下宜熟思貞元故事，稍以法度，整肅諸侯”。

96《新唐書·李吉甫傳》：“德宗以來，姑息藩鎮，有終身不易地者，吉甫為相歲餘，凡易三十六鎮”。洪邁之《容齋三筆·六》疑此事之誇大。岑仲勉之《唐史餘藩》卷3“凡易三十六鎮”條曾辨之，謂易鎮幾近三十，《新唐書》之言，亦非誇張。

97據《新唐書·李吉甫傳》，吉甫於元和二年正月拜相，三年九月免，至六年正月再相，至九年十一月病逝於任內，最主要之淮西戰役（擒吳元濟）乃任內之事，故本傳稱吉甫為“中興名臣”。

98《元和郡縣圖志·原序》：“當今之務，樹將來之勢，莫若版圖地理之為切也……至於兵饟、山川、攻守利害、本於地理者，皆略而不書，將何以佐明主，握天下之吭，制群生之命、收地保勢之利，亦形束壤制之端，此微臣之所以精研，聖后之所宜周覽也”。史念海、曹爾琴亦認為：“憲宗之能討平藩鎮，加強中央集權、與此書有關”（引自《方志當議》1986年，浙江人民出版社）。

99原書序作40卷，另加目錄2卷，但《新唐書·李吉甫傳》與《藝文志》則作54卷，《舊唐書.憲宗紀》則作30卷，南宋時，“圖”已亡，僅存“志”，淳熙三年（1176）程大昌將該書授予襄陽張子顏刻板，今流行本乃嘉慶間孫星衍輯本，仍是40卷，但缺卷5（河南道）、卷18、19、20、23（山南道）、卷24（淮南道）、卷25（江南道）、卷 35、36（嶺南道）等9卷，後繆荃孫有《闕卷逸文》3卷，嚴觀有《補志》，均是從唐之《藝文類聚》、宋之類書及《太平寰宇記》、《輿地紀勝》等地理書中補已缺的州縣。

100按：李吉甫之地理著作，見於《本傳》有《十道圖》10卷，《兩淮地圖》、《元和國計簿》54卷，見於《新唐書·藝文志》有《刪水經注》10卷等，所有“圖”及“國計簿”應是政府檔案，宋程大昌云：“是書又其（吉甫）當國日久，乃始纂述，此乃唐家郡縣舊疆境、方面險要、必皆熟視按當時圖籍”（引自《元和郡縣志序》）、“當時圖籍”，便是檔案資料。

101來新夏之《方志學概論》（1983福建人民出版社）論隋唐時有官修志書出現，指隋代之《區域圖記》與唐之《十道圖》等。筆者認為此乃地理資料，有系統之官修地理書應始自《括地志》，而《元和郡縣圖志》則是第二套官修地理書。

102《括地志輯本·序》：“其書稱述經傳，山川、城塚皆本古說，載六朝地理書尤多，以此長於《元和郡縣志》。”

103岑仲勉之《舊唐書地理志舊領縣之表辭》（載《中央研究院史語所集刊》二十本，民卅七年版）：“初唐地理名著有二，一曰魏王泰之《括地志》……二曰梁載言之《十道記》，前者彙六朝地理學之大成，故司馬貞之《史記索隱》，張守節之《史記正義》常引之。”

104《玉海》卷15《唐括地志》：“太宗詔曰：博采方志，得於舊文，旁述教老，考於傳信，內彈九服，外極八荒，簡而能用，博而尤要，度越前載，垂之不朽。”

105《四庫全書·元和郡縣志》紀昀云：“輿紀、圖經、隋唐志所著錄者，率散失無存，其傳於今者，惟此書為最古，其體例亦最完善，後來雖遞相損，無能出其範圍。”

106史念海、曹爾琴之《方志當議》謂：敘山東、浙江、湖南諸州時，所引之《齊記》、《三齊記》、《上黨記》、《錢塘記》、《吳興記》、《鄱陽記》、《南康記》、《南岳記》、《沅陵記》、《武陵記》等，均未見於《舊唐書·經籍志》和《新唐書·藝文志》（頁173）。

107《章氏遺書》卷28，《外集》一“丁已歲暮書懷投贈賓谷轉運因以志別”。

108史之源乃《周官》（引自《司馬溫公集》卷66《河南志序》），地之源乃《禹貢》（引自王著《地理學史》）。

109如佚名《三輔耆舊傳》、《京兆耆舊傳》、《青州先賢志》、《交州人物志》等（引自張國淦的《中國古方志考》）又東漢有李尤《蜀記》、朱瑒的《九江壽春記》，記一州一郡之人物與地理，故又別稱“郡書”。

⑩如《括地志》卷1“雍州·萬年縣”:“壩陵、漢文帝陵,在雍州萬年縣東二十里,故芷陽也”。《漢晉春秋》云:愍帝建興三年,秦人發壩、桂二陵,珠玉綵帛以千萬記。帝問索琳曰:漢陵中物,何乃多耶?對曰:天子即位一年而為陵,天下貢賦三分之一供宗廟,一供客,一供山陵。杜陵故城,在雍州萬年縣東南十五里,漢杜陵縣,宣帝陵邑也,北去宣帝陵五里。《廟記》云:“故杜伯國也”,又如:《元和郡縣志》卷1《關內道·萬年縣》:“白鹿,原在縣東二十里,亦謂之壩上,漢文帝葬其上,謂之壩陵,王仲宣詩曰:‘南登壩陵岍(岸),回首望長安’即此”也。“杜陵,在縣東北、漢宣帝陵也”。

⑪《括地志》雖然是根據《貞觀十三年大簿》,但是時全國分為十道358州,諸州中包括四十一個督都府,共計1551縣。不過《括地志》並無“十道”之劃分,先關內道、河南道,由近而遠,每道由1卷(淮南道)而至數卷(最多者為“河南道”共7卷、江南道6 卷),最末則為隴右道,蓋是時隴右西川之地,已陷於吐蕃,故均是全國性的區域地理。

⑫如“長安縣”,兩書之記載雖不同,然彼此均重沿革、古蹟以及採訪,而加以考證,如:

甲、沿革之考證

《括地志》:“按史傳所載長安之名舊矣,又盧琯封之初,項羽之滅,蓋長安得名,非始於漢,但未詳所在耳。及高祖入關,乃取長安以名縣也,司馬遷云:‘長安,故咸陽縣,據當時之名因終其說,非封盧琯之日,改咸陽為長安矣’又按《史記》,趙有長安君,未詳趙取嘉名,將更有長安地名也。”

《元和郡縣志》:“長安縣,本秦舊縣,初,楚懷王封項羽為長安侯,則長安久矣,非始於漢,但非詳所在耳,及高帝五年入關,復置長安縣,乃取舊名以名縣也,至隋開皇三年遷,長安至長壽坊西南隅。”

乙、古蹟之考證

《括地志》:“秦阿房宮,亦曰阿城,在雍州長安縣西北十四里。”

《元和郡縣志》:“阿房宮,在縣北十四里、殿東西五百步,南北五十丈,上可坐萬人,下可建丈旗,表南山以為闕,為複道,自防房渡渭屬咸陽,庭中可受十萬人,又置銅人十二於宮前。”

丙、採訪之考證

《括地志》:《三秦記》云:御粟苑出粟,十五枚一升,大梨如五升,落地則破,其取梨先以布囊承之,號曰含消。臣泰按:其粟味甘而小,不如《三秦記》所說:含消梨,人間往往有之,其大不至,亦不出此川矣。

《元和郡縣志》:“酒池,在長樂宮中,武帝所作以誇羌胡,飲以鐵杯,重不能舉,皆低首牛飲,《西征賦》云:酒池監於商辛。”

⑬唐以前之“地理書”,亦敘沿革,但衹及前一、二代,如《隋書·地理志》,衹記五代(梁、陳、周、齊、隋)其他如《宋書》、《南齊書》之(州郡志),《魏書》之《地形志》僅敘當代,但《括地志》與《元和郡縣志》卻上溯數代,加以考證,其餘如古蹟及採訪所得之史實,均加考證,為宋以後方志所模仿。

⑭(一)山川河流,如《山海經》、《水經注》,是純(自然)地理書,(二)地志地記,如《三輔黃圖》、《洛陽記》、《吳興記》純是郡書,(三)風俗,如《陳留風俗傳》、《遊名山志》,亦是(人文)地理書,(四)邊裔如《佛國記》是交通地理及邊疆地理,(五)古蹟物產,如《南州異物志》、《聖賢塚墓記》,亦是(人文)地理書。

⑮“地”則言區域,如《括地志》之分358州,1551縣;《元和郡縣志》則分十道,道之下有州縣,每一州縣述其位置,山川、河流等。

“物”則言物產,如《括地志》所言較少,衹有藍田縣言“驪山之陽多異玉”,長安縣之含消梨等少量記載;《元和郡縣志》所言較詳,每一州縣均詳列土產、貢賦等。“人”則言“人物”、“古蹟”,如《括地志》所言陳含縣之“寶雞祠”;《元和郡縣志》所言上郡,為秦始皇使扶蘇監蒙恬於上郡即此地(引自關內道·綏州)“事”則言掌故及有關史實,如《括地志》在萬年縣言“壩陵多寶玉的原因”,韓城縣載魏顆夢父結草抗秦將杜回之事;《元和郡縣志》在延州膚施縣載:“趙武靈王滅齊,中山遷其民於膚施”。又靈州載：定遠城東，景龍中韓公張仁愿置管兵七千人，馬三千匹於此地。

大概《括地志》言人物、古蹟較多；《元和郡縣志》則詳述各地之貢賦、土產。至於"地"與"事"則二書都有豐富的資料。

⑯《元和郡縣志·原序》："當今之務，樹將來之勢，莫若版圖之地理之為功也，所以前上《元和國計簿》，審戶口之豐耗，續撰《元和郡縣志》辨州域之疆理"。

⑰貞元十七年（801）賈耽上《海內華夷圖》一軸，廣三丈，縱三丈三尺，率以一寸折成百里，另有文字言華夷各民族所在地及以朱墨二色表示今古之異同，《元和郡縣圖志》，原圖已佚，顯然曾受賈耽影響（引自王著《中國地理學史》上冊），賈耽另外著作《古今郡國縣道四夷述》40 卷，及《貞元十道圖》，出版早於《元和郡縣志》十餘年，雖然同是取材於檔案，但李吉甫留心於地理，而且《元和郡縣志》中所言之"沿革"、"八道"，疑亦曾參考賈耽之著作。

⑱《元和郡縣志》載各縣之下有"赤"、"畿"、"緊"、"望"，前二者直接間接屬於首都，後二者在各道居於特殊地位（引自王著《中國地理學史》頁49），極其細密，為行軍時之參考資料，又是書按十道敘述，實際上論證關鍵卻在當時藩鎮的防區，故是富有軍事意味之地理著作（引自史念海、曹爾琴的《方志當議》頁191）。

⑲《水經注》載河流一二五二，《漢書·地理志》載河流湖泊有三六一。自北魏至元和間三百多年，河流湖泊減少甚多，是否與河改道，填湖墾荒，干旱淤塞等有關，是一寶貴資料。

⑳戶口的記載始於《漢書·地理志》，是書祗記平帝元始二年（公元二年）數字，唐代的戶口統計，至少有三次記載，即開元、天寶、元和，《舊唐書·地理志》兼記開元及天寶的戶口，《新唐書·地理志》則僅記天寶戶口，一般而言，顯示出戶口下降，可窺知安史之亂破壞力之大，其中祗有秦嶺，淮河以南部分府州戶口，仍有所增加，又顯示出在唐時，經濟中心線已南移。

㉑《元和郡縣志》所涉獵之古籍與金石碑記，是很廣泛和豐富的，據初步的統計，它引用的書籍和碑記共一百多種，今多不存（引自王文楚、鄒逸麟的《我國現存最早一部地理總志——〈元和郡縣志〉》載於1981年出版之《歷史地理》創刊號）。

㉒唐以後所謂方志的內容，主要是人文的資料，除上述資料外，試以潛說友之《咸淳臨安志》為例，全書共100 卷，前15 卷全是人文地理（圖、行在之官衙、建置、官邸、宮觀等），後14卷是自然地理（疆域、山川、湖泊），最後60卷，敘詔令、職官、官屬、文事、武備、風土、貢賦、人物、祠祀、寺觀、古蹟、恤民、紀事、紀文、碑刻等，人文資料幾佔六分之五。

㉓《吳郡志》分三十八門，即沿革、分野、戶口、租稅、土貢、風俗、城郭、學校、營寨、官宇、倉庫（附場務）、坊市、古跡、封爵、牧守、官吏、祠廟、園亭、山、虎丘、橋樑、川、水利、人物（附列女）、進士提名（附武舉）、土物、宮觀、府廊寺、縣記、塚墓、仙事、浮屠、方技、奇事、異聞、考證、雜詠、雜誌。

㉔《嘉泰會稽志》共20卷，卷1為沿革、風俗及古蹟共二十三項，卷2及卷3為官爵共二十三項，卷4為軍營坊市共十四項，卷5為經濟及戶口共五項，卷6—9為陵寢、寺廟為九項，卷10—11為山川、湖泊共十三項，卷12為縣境及鄉鎮一項，卷13為前事共十三項，卷14—15為人物共十二項，卷16為藝文共四項，卷17為草木蟲魚鳥獸共五項，卷18為拾遺，卷15為雜記，卷20為古詩文。

㉕"方志"之英譯有三：Local History, Local Encyclopedia, Regional Encyclopedia,（引自薛虹之《中國方志學概論》，黑龍江人民出版社，頁3。及史念海、曹爾琴之《方志當議》頁5），其實，"百科全書"乃我國"類書"之屬，分類詳述，每類間無關連；方志所分門類雖多，但以"某地"之縱（歷史）、橫（地域）綜合敘述，彼此以某地為中心，與百科全書不同。

㉖李志庭謂："八到的標目，是李吉甫撰《元和郡縣志》的一種創造，所記的內容豐富，猶如一份唐代交通地圖的說明書"（引自1984年《史學史研究》季刊，第二期）。

㉗王成組謂"《元和郡縣志》標明八到，按八個方向，分別通到某地若干里.....未必正確，有些地區之間，單強調距離便掩蓋了關山阻隔之影響，但這說明，大體上表明各地部份的差異"（引自《中國地理學

史》頁48)。

⑫⑧《漢書》列傳中,如《賈誼傳》錄"治安策"。《晁錯傳》錄"教太子疏"、"言兵事疏"、"募民徙塞下流"。《賈山傳》錄"至言"。《鄒陽傳》錄"諷吳王謀逆書"。《枚乘傳》錄"諫吳王謀逆書"。《韓安國傳》錄其與王恢"論伐匈奴書"及《公孫宏傳》錄"賢良策"等文學作品,為《史記》所無。

⑫⑨如《景定建康志》有緒論、奏議、書、露布、表狀、詩賦、樂府等;羅願之《四明圖經》有古賦、古詩、律詩、絕句、長短句、記、碑文、銘、贊、傳、書等,皆錄當地人之文學作品。高似孫之《剡錄》卷5,更有當地人作品書目,繼承正史之"藝文志",錄當地人的文學作品,或前人歌詠當地的作品(如王象之《輿地紀勝》)均能顯示該地之"全貌"。

⑬⓪《穆天子傳》,據王庸的《中國地理學史》第一章,謂是"荒唐的旅行記",而且是"晉人雜集先秦散簡附益所成,其間固不無古代之材料,然大部分為晉人杜撰之文"(頁11);王成組指出《穆天子傳》和西方古希臘荷馬史詩中主要的神話一樣,不過,《穆天子傳》是出於三家的創作,全書6卷,前4卷敘述西遊,後2卷敘二次東遊。三次旅遊,都是發自南鄭,大概前4卷是一氣呵成的歷史神話,其地理背景類似《五藏山經》,5、6兩卷是狗尾續貂,寫作技術遠不及前者,是晉時出土的《汲冢書》一部,後荀勗以黃紙抄錄一份,連同竹簡(《竹書紀年》),藏入內府(《中國地理學史》上冊,87 – 88頁)。於是"附益"而成5、6兩卷。

⑬①王成組《中國地理學史》上冊第四篇第三章頁105。

⑬②如元代的長春真人《西遊記》、馬歡《瀛涯勝覽》、費信的《星槎勝覽》、《徐霞客遊記》及《小方壺齋地理叢鈔》所輯之遊記等。

⑬③來新夏的《方志學概論》(福建人民出版社,1983年出版)頁56。

⑬④《蠻書》10卷中,言地理成份有:卷1,雲南界內途徑。卷2,山川江源。卷5,六瞼,(瞼者,州之名號)。卷6,雲南城鎮。卷7,雲南管內物產。卷8,蠻夷風俗。卷10,南蠻疆界連接諸蕃夷國名。共佔十分之七;至於屬歷史沿革及人物者有:卷3,六詔。卷4,名類(民族分類)。卷9,南蠻條教(包括社會狀況及軍事,政治組織)。

⑬⑤《華陽國志》與《蠻書》,《四庫總目》均列於史部載記類。載記應是分裂國家的歷史。以《蠻書》作"南詔史志",其實兩者內容,一重歷史,一重地理,截然不同,故別之為"區域史"與"區域志"。

⑬⑥賈耽之"邊州入四夷道里",除為地理志所引用而得以流傳外;另有《海內華夷圖》,此圖撰於興元元年(784)至貞元十七年(801)始完成。據其表上說:"此圖廣三丈,縱三丈三尺,率以一寸為百里,別章甫左衽(指華夷各民族),莫高山大川,縮四極於紅稿,分百郡於作繪,宇宙雖廣,舒之不盈庭,舟車所通,覽之咸在目"。"古郡國題以墨,今州縣題以朱,今古殊文,執習簡易",這樣在同一幅圖上,表明古今兩種情況,便於對照,是我國製圖史上又一創舉。(王成組《中國地理學史》上冊頁76)。

⑬⑦酈道元之《水經注·渠水篇》有"因其方志所敘"。又左思的《三都賦》有"方志所辨,中州所羨"之句,都是一方之意。

⑬⑧《章氏遺書》有《方志略例》、《方志立三書議》等項目,並以"一方之全史"解釋"方志"。

⑬⑨洪亮吉謂:"一方之志始於《越經》,復有常璩《華陽國志》最古"。(引自《新修澄城縣志·序》),廖寅亦謂:"唐以前方志存書甚少……惟晉常璩《華陽國志》最古"。(引自廖寅校刊《華陽國志·序》)。

⑭⓪《章氏遺書補遺·史考釋例》:"割據與霸國之書,初分二門,今合為一,亦謂《越絕書》、《吳越春秋》,下至南唐諸書是也"。惟《華陽國志》,非一國之記載,又非地志圖經,入於霸國故非,入於地理尤非,斯乃雜史支流"。

⑭①李泰棻,《方志學》(1968年臺灣商務版)第一章,第三節:"《吳越春秋》、《越絕書》以及未能傳世之二百二十國《寶書》,皆可稱為方志,然最古以志名書者,首推常璩之《華陽國志》。"傅振倫之《中國方志學通論》(1966年臺灣商務版)篇三,章七:"《越絕書》後世方志實昉於此"。

⑭②朱氏認為"宋以前的方志,跳不出地理的範疇,到了宋代,始由地理擴充至人文歷史方面,人物志

與藝文志在地方志中始佔有重要地位”（引自《中國地方志淺說》載於1979年12月之《文獻》第一輯）。

⑭如張國淦之《中國古方志考·敘例》云：“方志之書，到趙宋而體例始備。”傅振倫之《中國方志學通倫》篇三，章八，云：“至宋始具方志之體。”洪煥椿之《南宋方志學家的主要成就和方志學的形成》（載於《史學史研究》1986年第四期）云：“終於在南宋時期形成一門新興學科一方志學。”黃葦之《方志論集》（浙江人民出版社）云：“方志定型於宋朝，更確切說定型於南宋。”（頁13）

⑭北宋時樂史之《太平寰宇記》200卷；王存之《元豐九域志》10卷；歐陽忞之《輿地廣記》38卷；南宋王象之《輿地紀勝》200卷，均是全國性的總志。

⑭如《元和郡縣志》卷26，載江南道越州的貢賦，謂貞元以後，貢吳綾、花紗等纖麗之物，但越州本無機織工業，但考證以歷史，據李肇之《國史補》卷下，謂寶應年間，薛承訓為江東節制，乃募軍中未有家室者，厚給貨幣，娶織婦以歸，歲得數百人，由是越俗大化，盛產綾紗等纖麗之物。

⑭吳郡，在江蘇省。宋元豐七年（1084）朱文長撰《吳郡圖經續記》3卷，是現存宋代最古的方志之一[另一本是熙寧九年（1076）宋敏求撰之《長安志》]。至南宋初，范成大撰《吳郡志》50卷（該書有紹定二年（1229）趙汝談序。朱士嘉的《宋元方志傳記索引》頁7，題宋紹定二年范成大纂。有誤。因范成大卒於紹熙三年，知是其逝世後三十餘年後始付梓）。

⑭南宋范成大的《吳郡志》50卷，共有40細目。至元代至順《鎮江志》，則擴至29細目，153子目。計（一）郡縣表（子目有州部、郡國、縣邑）、（二）官制表（子目有封君、刺史、太守、參佐、宰貳、司屬、學職、將佐、寓治）、（三）地理（敘郡、城池、坊巷、鄉都、橋樑、道路、津渡）、（四）風俗（歲時）、（五）戶口（土著、僑寓、卑貧、僧道）、（六）土產（穀、布帛、飲食、器用、花果、菜蔬、藥、草、竹、木、畜、禽、獸、魚、蟲）、（七）田土（總屬、官民、荒熟、輸復）、（八）賦稅（常賦、土貢、造作、孳息、寬賦）、（九）山水（山、河、峒、水、湖、港、浦、潭、洲、瀆、蕩、坡、塘、池、泉、井、海、潮）、（十）神廟（祠、廟）、（十一）僧寺（寺、院、菴）（十二）道觀（宮、觀、院、菴）、（十三）學校（蒙古字學、儒學、醫學、陰陽學）、（十四）兵防（教場、營寨、屯）、（十五）古蹟（園囿、居宅、陵墓）、（十六）宮室（宮、樓、觀、台、閣、亭、堂）、（十七）宮廨（壇壝、治所、倉、庫、務、驛傳、院、局、場、囹、圄）、（十八）廩祿（俸錢、祿米、職田）、（十九）公役（胥役、皂隸、戶役、力役、庸役、雜役）、（二十）封君（漢、後漢、晉、陳、宋）、（二十一）刺守（宋太守、元刺史）、（二十二）參佐（宋通判以下，元同知以下）、（二十三）宰貳（錄同事、丹徒縣、丹陽縣、金壇縣）、（二十四）司屬（元司獄以下）、（二十五）學職（蒙古字學、儒學、醫學、陰陽學）、（二十六）將佐（宋都統以下，元鎮守萬戶以下）、（二十七）寓治（宋總領以下，元行大司農以下）、（二十八）人才（科舉、仕進、節義、孝友、隱逸、方外）、（二十九）雜事（天文、祥異、地理、郡事、人物、姓氏、文事、武事、刑罰、談笑、考古、拾遺）。至明代的郡縣志，其細目更多，若省通志，因範圍較大，其細目達二百種乃是常事。不過，細目縱多，仍可歸納為“人”、“事”、“地”、“物”四大項。

⑭戴璟之《廣東通志初稿》40卷，撰於嘉靖十四年（1535）。二十二年後，兩廣總督談愷病《戴志》蕪雜，聘黃佐重修，於嘉靖三十六年（1557）成《廣東通志》70卷，其中圖經（卷1—2）先總敘全省，繼分述各府州縣、事紀（卷3—7）則按古至今而敘事、職官（卷8—10）、選舉（卷11—12）等，均是先總敘全省，繼而按府州縣而敘述，其中若是僅有地方性而無全省性，如古蹟、陵墓、姓氏等，則無此劃分。萬曆三十年（1602），郭棐之《廣東通志》72卷刊成，此種體例更加清楚，綜述性地稱“藩省志”共33卷，內有輿圖、分野、沿革、氣候、事紀、公署、學校、禮儀、兵防、秩官、名宦；地方性的分述則稱“郡縣志”，分“十府”（廣州、韶州、南雄、惠州、潮州、肇慶、高州、廉州、雷州、瓊州），一直隸州（羅定州），每一府州縣亦有輿圖、沿革、山川、城池、學校、戶口、古蹟、職官、選舉、名宦、流寓、人物等。

⑭來新夏論《四明圖經》，謂其先總述（州），次分論，是“先州後縣、從總體而及個別，這種分合而成的體例，即見州的整體，又顯示各縣的特點”。（《方志學概論》頁64）。

⑮《吳郡圖經續記》“碑碣”，列有九事，亦即指九碑衹朱氏墓碣，包山神景觀林屋洞院碑，報恩寺慧敏律師碑銘，三碑錄其殘文，餘外六碑書碑名而已。

⑮《四明圖經》卷8，有古賦、古詩、律詩、絕句、長短句；卷9及卷10有記；卷11有碑文、銘、贊、傳、書等。

⑯如淳熙二年（1175），羅願《新安志》有詩話。范成大有雜詠。紹熙楊潛《雲間志》有賦、詩、墓誌、記、序、說、銘、箴、祭文等。嘉泰施宿《會稽志》有翰墨、碑刻、詩文。嘉泰年間談鑰《吳興志》有碑碣。嘉定盧憲《鎮江志》有文事、雜錄；嘉定高似孫《剡錄》（《嵊縣志》）有書、文、詩。寶慶張淏《會稽續志》有詩文。開慶梅應發《四明續志》有吟稿、詩餘。咸淳史能之《毗陵志》有詞翰（表、書、記、詩）及碑碣。

⑰據《方志立三書議》："古無私門之著述，六經皆史也，後世襲用而或之或廢者，惟《春秋》、《詩》、《禮》三家之流別耳。紀傳正史、《春秋》之流別也；掌故典要，《（周）官》、《禮》之流別也；文徵諸選，《風詩》之流別也。獲麟絕筆以還，後人鮮能全識古人之大體，必積充然後漸推以著也。馬（司馬遷）《史》、班（固）《書》以來，已演《春秋》之緒矣；劉（秩）氏《政典》，杜（佑）氏《通典》，始演《官》《禮》之緒焉，呂（祖謙）氏《文鑑》、蘇（天爵）氏《文類》，始演《風》《詩》之緒焉，並取括代為書，互相資證，無空言也"。（《章氏遺書》卷14《方志略例》一）。

⑱王明清《揮麈後錄》卷1："太平興國中，諸降王死，其舊臣或宣怨言，太宗盡收用之，置之館閣，使修群書。始《冊府元龜》、《文苑英華》、《太平廣記》之類，廣其卷秩，厚其廪祿贍給，以役其心，多卒老於文字之間已"。按：王氏之說未必盡然。（一）《冊府元龜》乃真宗時所纂，太宗時纂《太平御覽》而已。（二）《御覽》與《廣記》同時纂修，時吳越尚未納土，北漢亦未歸降，然太宗素愛翰墨，而江南舊臣多善於詞章，加以"重文輕武"是兩大國策之一，而真宗克承先志，故養成右文風氣，無可置疑。

⑲據《玉海》卷14：

《開寶圖經》：為開寶四年（971）命知制誥盧多遜、扈蒙等重修天下圖經。六年（973）盡得江南諸州圖經始完成。

《景德重修十道圖》：景德四年（1007）命知制誥孫僅、龍圖待制戚倫重修《十道圖》。元禧元年（1017）書成，93卷。

《景德山川形勢圖》：景德四年（1007）詔翰林遣畫工分詣諸路、山川形勢、地理遠近、納樞密。

《祥符九域圖》：祥符初，命李宗諤修圖經，請約唐之《十道圖》以定賦役，命學士王曾修《九域圖》，六年（1013）成。

⑳《輿地紀勝》云："真宗時翰林學士李宗諤等承詔撰諸道圖經凡1,566卷，今其書存者止十之三四。"

㉑按：宋代亦是三年令各州郡貢地圖與版籍，初以閏年為限，故稱《閏年圖》，而事實上，五年有二閏，故未必盡是閏年貢圖。如《太平興國閏年圖》之後，有《淳化天下圖》、《咸平職方圖》等。

《咸平山川郡縣形勢圖》：左藏副使楊允恭等撰。

《咸平河西隴右圖》：鄭文寶所撰，《宋史》"本傳"淳化初掌漕陝右時搜集方志，及採訪資料而撰成。

《涇源環慶兩路州軍山川城寨圖》：大中祥符三年（1010）曹韋、張宗貴所上。真宗認為"戰守之要盡在是矣"，於是命別繪二圖，用樞密印，一付本路，一留樞密，令諸將按圖以計事。

《聚米圖經》：康定二年（即慶曆元年，1041）殿直趙珣所上，言西邊五路地之利害，為韓琦所荐。結果，趙琦轉為陝西巡檢使，授兵萬人，賜御鎧仗。

《皇祐方域圖志》：皇祐三年（1051）知制誥王洙，直集賢院掌禹錫上《新修地理圖》50卷、《圖繪要覽》1卷，詔賜名"皇祐方域圖志"。至和元年（1054），洙、禹錫上"皇祐方域續圖"。

《益部方物略記圖贊》：嘉祐二年（1057），宋祈鎮益州時所輯。

《元祐天下州縣圖》：元祐三年（1086），沈括所上。

《桂海虞衡志》一卷：范成大所撰，由廣西升為四川制置使，自廣右（西）入蜀時所記巖羽、金石、禽獸、花果、蠻夷等地方史實頗有價值。

《番禺紀異》：馮拯所撰。

⑱樂史上《太平寰宇記》表文云："自河南周於海外，至若賈耽之漏落，李吉甫之闕遺，此書收焉。"（文海書局出版之《宋代地理書》四種之一）。

⑲葛蘭廷之《太平寰宇記凡例》：如每州總序、《禹貢》某州之域下，必上溯唐虞至周、春秋戰國以迄秦漢唐宋六朝五代、紀年、紀地、紀人、紀事，必詳細臚列。如小醜野寇、里居姓氏、無一遺漏。

⑩來新夏《方志學概論》頁63。

⑪《玉海》卷15"熙寧九域志"條。

⑫《宋史》卷85《地理志》："元豐時，析為二十三（路）曰京東東西、曰京西南北、曰河北東西、曰永興、曰秦鳳、曰河東、曰淮南東西、曰兩浙、曰江南東西、曰荊湖南北、曰成都、曰梓利夔、曰福建、曰廣南東西。"至宣和時，又置燕山府及雲中府路，但為時甚短。

⑬《四庫提要》卷72，有《新定九域志》，認為即是南宋時所刻之《九域志》，錯誤頗多。古蹟一門，則是坊賈所增入。王文楚、魏嵩山的《元豐九域志的成書及其價值》，上海人民出版社之《歷史地理》第二輯（1982）即引此論證。

⑭元張鉉纂《至正金陵新志》所引用書目有《寰宇記》、《輿地廣記》，甚至有方穆《方輿勝覽》而無《輿地紀勝》，可知當時流傳不廣。1983年來新夏之《方志學概論》61頁，言《輿地紀勝》原書200卷，僅存4卷。實際上文海出版社於1963年刊印是書（《宋代地理書四種》）時，僅缺23卷，及若干殘卷而不全而已，知大陸未存此書。

⑮王象之《輿地紀勝》自序："世之言地理者尚矣，郡縣有志，九域有志，寰宇有記，輿地有記，或圖兩界之山河，或紀歷代之疆域，其書不為不多，然不過辨古今，析異同，考山川之形勢，稽南北之離合，資遊談而誇辯博則有之矣。至若收拾山川之精華，以借助於筆端，取之無禁，用之不竭，使騷人才士，於一寓目之頃，而山川俱若效奇左右，則未見此書，此紀勝之編，所以不得作也。"又曰："余目暇日，搜括天下之地理之書，及諸郡圖經，參訂會粹……其他如山川之英華，人物之奇傑，吏治之循良，方言之異聞，故老之傳記，與夫詩章文翰之關於風土者，皆附見焉。"

⑯南宋分十六路，版圖全在江淮以南，北宋有二十三路。缺京東東路、京西西路、京東南路、京東北路、河北東路、河北西路、河東路、永興軍、秦鳳路。北宋時之兩浙路，南宋時分東西二路。

⑰黃葦《方志論集》頁82。

⑱又吳其昌根據《宋史·藝文志》、《直齋書錄解題》及《郡齋讀書志》所錄的二百種宋代方志中：

（一）北宋作品僅15種，南宋卻佔185種，故假定之斷語云："郡志之學至南宋而特盛。"

（二）二百種地志中，長江以北佔10種，長江以南佔190種，而高郵、襄陽、郾城、無為雖在長江以北，惟皆貼近江漢。如此可下近似之斷語："宋代郡志，限於長江以南。"

（三）北宋輿圖多至2,000卷以上，至南宋輿圖（圖經不在此例），窮搜苦索，當在五十種以下。（轉引自王庸《中國地理學史》頁14—215。）

⑲所有統計資料，大部引自黃葦《方志論集》頁85—86。

⑳又青山定雄《唐宋時代の交通と地志地圖の研究》（吉川弘文館出版）第二編、第一章、第五節《宋代の地方志》輯錄南宋時。

第二節 方志之發展
（元、明、清三代的方志）

甲、量的發展

宋以後方志類別日增，略見下表：

	元	明	清	備考
全國性	《元一統志》（李蘭盻）	《大明一統志》（李賢）	《清一統志》（敕修）	
總志 通志①		《廣東通志初稿》 （戴璟）	《盛京通志》 《廣東通志》 （金光祖）	包括東北
郡縣志	（郡志）《河南志》（佚名，即洛陽府） （州志）《昌國州圖志》（馮復京） （縣志）《南海志》（陳震） （廳志）	《韶州府志》（符錫） 《德慶州志》（嘉靖本，佚名） 《興寧縣志》（祝允明）	《廣州府志》（史澄） 《嘉應州志》（王之正） 《南海縣志》（郭爾敦） 《佛國直隸軍民廳志》（龔耿光）	
都邑志	《長安圖志》（李好文）	《姑蘇志》（王鏊）	《羊城古鈔》（廣東）（仇池石） 《澳門紀略》（印光任）	
雜志②	（山志）明代山志特多（總目七十六）山川類九十七，900卷 （寺門志）	《羅浮山志》（廣東） 《嵩山少林寺志》（河南）（傅梅）	《峨眉山志》（四川）（溥蔣超及曹熙衡二套） 《重修曹溪通志》（廣東）（釋其樸）	
	（關志） （軍志） （書院志） （邊防志） （遊覽志）	《西關志》（河北）（王士翹） 《蒼梧總督軍門志》（廣東）（應檟） 《石鼓書院志》（湖南）（李安仁） 《籌海圖志》（胡宗憲） 《輿地名勝志》（曹學佺） 《汴京遺蹟志》（李濂）	《山海關志》（河北）（余一元） 《駐粵八旗志》（廣東）（佚名） 《白鹿洞書院志》（江西）（廖文英） 《皇輿西域圖志》（劉統勳） 《西湖志纂》（梁詩正） 《琅鹽井志》（雲南）	

	(鹽井志) (古跡志) (鄉土志)	《江漢叢談》(陳士元)	(沈鼐) 《江城》(南呂) 《名蹟》(陳宏緒)《八排風土紀》(李來章)	包括有鎮志、場志、坊志、里志
	(外志)《臘風土記》(周達觀) (圖志)	《東西洋考》(張燮) 《嶺海輿圖》(姚虞)	《海國見聞錄》(陳倫炯)	包括有土司志

根據朱士嘉之統計,宋代方志有二十八套凡537卷,元代較少,祇十一套124卷,但至明代卻增加至770套凡10,087卷,清代則增加至4665套凡76,800卷[③]。由此可比,方志至明、清二代,數量大增,而郡縣志外,更增加多種雜志。大概宋代的郡縣志較為發達,且創造體例。元祚較短,且塞外民族不重視文化。至明、清二代,不論全國性的,地方性的通志,郡縣志都有大量的發展外,雜志的出現與種類的繁多,是一大特點。所有雜志[④]大致上倣方志的形式,以"人"、"事"、"地"與"物"(如書院志則無物的記載)四項,分縱(時)橫(地)而敘述。故明、清二代方志的發展已達到頂峰時期。

乙、"一統志"的修纂

宋代四大地理書,雖是"全國性"的志書,上承《元和郡縣志》而加以改良,但因是私人著作,雖有"創見",但總比不上官修的"全國性"志書更為完備。因此,《元一統志》便具有其代表性,而《明一統志》、《清一統志》繼之。雖然"全國性"與"地方性"具有不同意義,但元、明、清三代因纂"一統志",要向各地方索取資料,於是命令與獎勵各地方自纂方志。故"一統志"的纂修,實是促進方志發達的一因。

一、《元一統志》

元世祖於至元十六年(1279)滅宋而統一。二十三年(1286)集賢殿大學士札馬拉鼎遂上書:"方今尺地一民,盡入版圖,宜為書以明統一"。是為修"一統志"之動機。根據唐宋以來的舊例,各地(州郡)必有圖籍上於職方郎中。於是札馬拉鼎與虞應龍遂以職方所藏之圖籍,加以編輯,歷時五年,於至元廿八年(1291)書成,名《大元一統志》。未刊,獲《雲南圖志》、《甘肅圖志》、《遼陽圖志》等,於是加以重修,由孛蘭盻、岳鉉等主持,至大德七年(1303)書成,凡1,300卷,但延至至元六年(1346)始由杭州刻版。但明以後,已無全本。現存至正本殘帙,僅得7卷。常熟瞿氏及吳縣袁氏各藏數卷至30多卷不等,其中當有重複,與原書篇幅相距甚遠。1944年,趙萬里加以整理,至1965年完成,共分10卷(中書省直轄山東、山西、河北及其他九處行中書省),但每卷殘缺不全,原書由上海中華書局刊行,旋即爆發"文化大革命",結果,由日本汲古書店影印出版,始能流傳海外。

《元一統志》之內容,分建置沿革、坊郭鄉鎮、里至、山川、土產、風俗、形勢、古蹟、宦蹟、人物、仙釋等項。顯然的,其體例與宋的"方志"相似,而與《元和郡縣志》不同。其細目且較之《太平寰宇記》為多。此書對於大都之記載最為詳細,為他書所未見,延安路之石油等條，可補《夢溪筆談》之不足；至敘延安路人物，如范雍、計用章、龐籍、狄青、韓琦等人事蹟，均出《宋史》，但與流行本《宋史》多不合。蓋《元一統志》所據，乃元初纂修本，今之流行本乃脫脫纂修本，故兩者不同[5]。

二、《明一統志》

明代十三大行政區（十三布政使司）均奉詔修纂志書，其名稱尚未統一，有稱"通志"者，如《八閩通志》、《廣東通志》；有名"總志"者，如《湖廣總志》、《四川總志》；有單名"志"者，如《陝西志》；或單名"書"者，如《閩書》；有名"圖志"者，如《九邊圖志》等[6]。地方普遍修纂方志，主要是供中央修一統志之資料。在成祖時，已開始蒐集天下郡邑圖籍，以修一統志[7]。永樂十六年（1418），命戶部尚書夏吉、翰林學士楊榮、金幼孜主理其事。結果，祗定了若干體例而已[8]。至景泰中（1450—56），陳循、高谷主理其事，於景泰七年（1456），成《寰宇通志》119卷。但英宗復辟後，認為是書繁簡失宜，於是命李賢改修重編，於天順五年（1461）書成，賜名"大明一統志"，共90卷。

《大明一統志》之內容分：建置沿革、郡名、形勢、風俗、山川、土產、公署、學校、書院、宮室、關梁、寺觀、祠廟、陵墓、古蹟、名宦、流寓、人物、列女。體例大致沿襲《元一統志》，而項目則比《元一統志》增加十項[9]，而流寓、列女兩項，更為明、清兩代方志的特殊項目，為以前方志所無；而書院與學校之分開敘述，更加表達明代的特色。最後2卷為"外夷"，更具時代性。

《元一統志》凡1，300卷，其分量遠比《大明一統志》的90卷為鉅，惟《元一統志》今存者祇是殘卷（每卷都不全），僅及全書十分之一。但《大明一統志》仍能保存"原書"，惟《四庫總目》謂是書"編次頗為疏舛"，似乎過於主觀。是書之編纂，有總裁、副總裁、纂修、催纂、謄錄各部，是明、清兩代官修"方志"的模型。總裁、副總裁名義上負責人，纂修才是真正的編輯者。惟清代"方志"之纂修，有"採訪"，似亦是明代纂修及催纂，謄錄則兼校對的責任。這種"志局"的規模，為清代大量修志時所沿襲，可說是受《大明一統志》所影響。

三、《清嘉慶一統志》

順治十八年（1661），河南巡撫賈漢復撰《河南通志》，康熙中成書後頒為"志書之式"[10]。康熙十一年（1672），保和殿大學士衛周祚奏請各省宜重修"通志"，以便匯成一統志及開館纂修《明史》。康熙二十二年（1683），禮部奉旨檄催天下各省通志，限定三月內成書。當然，各省又下令各屬下府、州、縣趕修方志，故一如元、明二代，因修《一統志》便促進了各地修"方志"的風氣日盛，無疑是方志發達的一主要原因。《清一統志》前後曾三修，歷時幾二百年，故資料特豐，成就也最大。雍正時曾下詔要"慎重採錄"，寧寬限完成，勿草率從事[11]，直至乾隆八年（1748）初修完成，凡342卷，上距初擬撰修時已達76年。乾隆中年後，有"十全武功"，先後開闢疆土二萬餘里，於是續修，中經41年，至乾隆四十九年（1784）完成，全書擴至242卷（連子目共500卷）。嘉慶十六年（1811），因有二十多年的資料需要增添，於是重修一統志，直至嘉慶二十五年（1820）完成，共560卷，這是最後的定本。故《清一統志》又名《嘉慶一統志》，而於道光二十二年（1842）進呈刻版傳世，計從初議而至問世達170年之久。

《清一統志》之內容共分廿八目，即（總目）、表、圖、疆域、分野、建置沿革、形勢、風俗、城池、學校、戶口、田賦、稅課、職官、山川、古蹟、關隘、津梁、隄堰、陵墓、祠廟、寺觀、名宦、人物、流寓、列女、仙釋、土產，比之《明一統志》多九項（總目，表、圖、疆域、分野、稅課、職官、仙釋、城池），但刪去書院，併於學校中，宮室衹列於"京師"之內，公署則分列於各"地方"；而橫的方面，國內十八行省及新疆、蒙古、外夷各佔1卷。每一府州、先立一表，表示所轄州縣，然後根據二十八目分次敘述。乾隆對"一統志"的要求相當嚴格，每次史臣以稿本進呈，都親自審閱，並提出意見，如松江府不載張照，即飭令補入[12]，這種力求詳盡的作風，保存了大量的史料，是《清一統志》的優點。

丙、方志理論的建立

明、清二代，因政治上的關係，如二代之修一統志，清之開明史館，需要大量的地方資料，所以飭令各省府州縣普遍修"方志"。如清初各州縣志書每六十年一修之例[13]，於是地方長官延聘文人學者，直接參與修志工作[14]。章學誠曾云："丈夫生不為史臣，亦當從名公巨卿執筆充書記，而因得論列當世，以文章見用於時，如纂修志乘，亦其中一事也。"[15]因從事寫作者眾，於是產生了不同寫作的方法，進而提出了方志的理論。

方志的三派：

1. 體例派

主張著重體例的分類，如順治間賈漢復的《河南通志》，全書80卷，共分43目[16]。康熙時更令各省修志，以賈志為標準，一時成為風尚。以後如錢見龍、吳朴的《泰興縣志》，章曾印的《常熟縣志》，尚新氏的《定興縣志》，王胤芳、邵秉忠的《文定縣志》都屬此類[17]。這樣並列門目，無所統屬，散而無系統，故發展至清中葉遂逐漸衰落；亦有歸併為三、四類體例者[18]，後亦衰落。

2. 考證派（地理派）

方志是有"史"、"地"兩來源，於是在內容上有重"史"與重"地"兩派。戴東原主張"夫志以考地理但悉心於地理沿革，則志乘已充，侈言文獻，豈所謂急務哉"[19]。是為地理派。

戴東原認為"方志"是"地理類"，但與宋以前之地理又不同。段玉裁對戴東原最為推崇，認為"國朝之言地理者……而先生乃至其上，蓋從來以郡國為主，而求其山川，先生以山川為主而求其郡縣"。其後段玉裁之《水經注》曰："因川源之派別，知山勢之逶迤，高高下下，不失地防"[20]。因此有列之為考證學派[21]。屬於此派者尚有錢大昕、孫星衍、洪亮吉等。

3. 史法派(歷史派)

與戴東原持相反意見乃是章學誠。章氏致書於戴東原而駁之曰:“古今沿革,非我臆測能為也。考以沿革者,取資載籍,載籍俱在,人人得而考之,雖我今日有失,後人猶得而更正也。若失一方文獻,及時不與搜羅,編次不得其法,去取或失其宜,則他日將有失難稽、湮沒無聞者矣。”[22]顯然地,章學誠認為“方志是歷史”,因為“傳狀志述,一人之史也;家乘譜牒,一家之史也;郡府縣志,一國之史也;綜記一朝,天下之史也”[23]。“史”與“地”雖然關係密切,而實有所不同。山川地理,方志固然不能不記,但非重點。故云:“方志乃一方全史也,而自來誤以地理圖經,為外史之方志 ,然則司書所掌之版圖,又是何物?”[24]

章學誠認為“志乃史裁”[25],主張修“方志”應以歷史文獻為主,而文獻繁複,需要審核,需要法度遵循,因此提出“三書”(倣紀傳作“志”,倣律會典例作“掌故”,倣文選、文苑而作“文徵”)、“四體”(紀、考、表、傳)、“五難”(清晰天度難、考衷古界難,調劑眾議難、廣徵藏書難,預杜是非難)、“八忌”(忌條理混雜、忌詳略失體、忌偏尚文辭、忌妝點名勝、忌擅翻舊案、忌浮記功績、忌泥古不變、忌貪載傳奇),而歸於“四要”(簡、嚴、核、雅),故章學誠被稱為“史法派”[26]。所謂“乘二便、盡三長、去五難、除八忌,而立四體、以歸四要”,便是章學誠方志學之理論。下章將再詳論之。

其實以上三派,體例派是屬寫作的技術,如廣分綱目,綱目愈多,包涵愈廣,其能表達地方之面貌愈為全面性,不過其缺點是散而無系統。考證派與史法派,其分別是:(一)在內容的重點有“史”與“地”之分,章學誠認為方志乃“史”;戴東原認為方志乃“地”。(二)在資料方面,戴東原重視舊史資料,“夫志以考地理,但悉心於地理沿革,則志事已竟”。用舊史中有關資料,當作修史的憑藉。但章學誠固注重舊史資料,除倣紀傳正史而作志,仿律會典例而作掌故外,還擴大搜集遺文作文徵;又注重實際的生活資料,詳近略遠,所謂“時近則跡真,地近則易覈”。故戴東原雖是方志著作家,而章學誠卻是方志理論家,方志至章學誠始建立其理論系統,詳見下章。

丁、乾嘉時代方志著作大增

根據朱士嘉的統計,現存的宋代方志僅得28套共537卷;元代11套124卷;至明代增加三分之一種,共770套,而卷數卻增加20部有餘,共10,087卷;至清代又增加六倍以上,凡4,655種,76,860卷。如下表[27]:

套＼卷	通志	道志	府志	直隸廳	廳志	直隸州	州志
宋			22 / 95				
元	1 / 6		8 / 110				1 / 7

明	28/1164		176/3818				113/1029
清	78/7795	1/28	411/13021	13/174	54/692	80/1644	472/5970
總計	107/1249	1/28	617/17444	13/174	54/692	80/1644	586/7056

套/卷	衛志	縣志	關志	鎮志	鄉土志	總計
宋		5/34		1/8		28/537
元		1/1				11/124
明	1/6	444/3994	3/49	5/47		770/10087
清	11/59	3345/46607	2/12	52/64	136/194	4655/76860
總計	12/65	4119/55498	5/61	58/119	136/194	5832/93287

而清代中尤以乾嘉時代(1736—1820)為清方志的極盛時代。其原因:

一、乾嘉學派的影響

乾隆時武功最盛,版圖最廣,乾隆自稱"十全老人",為清代的太平盛世時代。嘉慶襲其餘緒,是時社會富庶,文化輝煌,在經學、史學均有"乾嘉學派",是時之經史學者亦多兼修志書,故乾嘉時的方志學最為發達。根據朱士嘉之統計,乾嘉時代所纂的方志佔有清一代"方志"總數三分之一弱,見下表:(據朱士嘉統計)

清代地方志分類統計表

類/年	通志	道志	府志	直隸廳志	廳志	直隸州志	州志	衛志	縣志	關志	鎮志	鄉土志	總計
順治	1/50		18/323				17/146		134/938		1/0		171/1457
康熙	19/1042		132/2996		2/31	3/50	148/1411	8/49	969/9611	1/10	4/44		1286/15248
雍正	12/1398		11/291		1/4	3/24	23/278		98/997		1/4		149/2996
乾隆	14/990	1/28	104/3749	2/10	10/93	19/387	105/1416	2/0	760/10667		7/76		1024/17416

续上表

類／年	通志	道志	府志	直隸廳志	廳志	直隸州志	州志	衛志	縣志	關志	鎮志	鄉土志	總計
嘉慶	8／830		23／914	2／52	3／19	6／229	30／441		213／4050		9／98		294／6633
道光	7／1127		29／1079	2／36	12／158	8／169	42／733		304／5537	1／2	7／106	1／14	413／8961
咸豐			9／350		2／12	4／40	8／144		51／777		3／52		77／1375
同治			22／820	2／12	3／40	10／270	18／349		279／5443		1／14		335／8948
光緒	11／1678		50／2336	4／64	19／305	26／465	72／1016		477／7656		15／230	77／137	751／13887
宣統	4／588		4／24	1／0	2／30		4／20		34／647		1／10	15／28	65／1347
未詳	2／92		9／139			1／10	5／16	1／10	26／284		3／30	43／15	90／596
總計	78／7795	1／28	406／12993	13／174	54／692	80／1644	472／5970	11／59	3345／46607	2／12	52／664	136／194	4655／78860

二、地方政府以修志為業績

章學誠提出州縣設立“志科”，雖未為政府所採納，但清政府鼓勵地方政府廣修方志，且可利用地方經費提倡文教卻是事實。而地方行政長官以開局修志而“沽名釣譽”，亦是升遷途徑之一。縱使自己並非士林中人，也必忝居主修之名，而網羅學識宏博之士為之纂修，故署名主（監）修並不負實際責任。如清代三套《廣東通志》：

1. 康熙本，監修是總督金光祖，纂修莫慶之。
2. 雍正本，監修是總督郝玉麟，纂修是皇朝翰林院庶吉士魯曾煜。
3. 道光本，監修是總督阮元及巡撫李鴻賓，總纂是陳昌齊、劉彬華、江藩、謝蘭生。

其中僅阮元曾親與修志之事，阮氏為名學者，故其纂修的《廣東通志》價值頗高。其他方志監修者若未能延聘飽學之士主理纂修工作，多是重量不重質，故有貶之者云：“清代官修方志，大都成於俗吏之手，內容一般比較粗略。”㉘。當然仍有若干名學者纂修者，如顧炎武、章學誠、洪亮吉、毛奇齡、孫星衍、段玉裁、李兆洛、陸稼書、戴東原、杭世駿、姚鼐、俞正燮、李慈銘、繆荃孫等㉙。其所修方志雖為官方所延聘，卻有一定的價值。

三、地理輯佚與雜志的蓬勃

清代方志之所以發達，除了因有名學者提倡外，政治上為了修一統志及《明史》，鼓勵各地方大修方志，亦是一主要原因。不過官修方志一如官修歷史一樣，是有其政治上的目的，如乾隆三十年（1765）嚴禁私修志書，政府對現存的志書要加以審查，必要時加以刪除，甚至焚燬。新修方志，地方長官要負責任。因此，每一次新修方志，有監修署名，與纂修不同。在文字獄時代，有些與方志有關，如乾隆四十六年（1781）的葉廷推"海澄縣志案"，翌年又有高治清的"滄浪鄉志案"等[30]。至於明代方志，有大量被焚燬[31]，因此，若干"方志"及"地理學"家，一如清初學者，改而從事輯佚工作，其中重要的成就有：王謨《漢書地理書鈔》、馬國翰《玉函山房輯佚書》、王仁俊《玉函山房輯佚補編》、陳運溶《麓山精舍藏書》、畢沅《晉書地道記》及《太康三年地志》、孫貽讓《永嘉郡志》、張澍輯《三秦記》、《涼州記》及《小方壺齋輿地叢書》。雖然，以上的輯佚工作多是在康、雍、乾三朝文字獄之後，但輯佚是受三朝考據，輯佚風氣的影響是無可懷疑的。

此外，私撰志書因不及官修之經費充裕，人才充足，故多縮小範圍，從事各種專志，別志之撰寫，於是增加了不少"雜志"的體例。根據梁啟超的意見，可分七類：

第一、屬方志的體例而避其名。如師範之《滇系》、劉端臨之《揚州圖經》、劉楚楨之《寶應圖經》、許實華之《海州文獻錄》。

第二、專記一地之史蹟或編年。如汪容甫之《廣陵通典》、董覺軒之《明州繫年要錄》、馮蒿庵之《滇考》。

第三、專記人物。如潘力田之《松陵文獻》、劉伯山之《彭城獻徵錄》、馬通伯之《桐城耆舊傳》、徐菊人之《大清畿輔先哲傳》。

第四、專記風俗。如屈翁山之《廣東新語》、田綸霞之《黔書》、吳摯甫之《深州風土記》。

第五、原為全志之組而獨立成編者。如全謝山之《四明族望表》、孫仲容之《溫州經籍志》、劉尚瞻之《揚州水道記》、林月亭之《兩粵水經注》、陳靜庵之《補湖州府天文志》。

第六、參與局事而自行刊印者。如焦里堂之《邗記》、吳山夫之《山陽志遺》。

第七、州內析一局部地作專志。如張炎貞之《來青文獻》、焦里堂之《北湖小記》（32）。

故清代的方志，無論在質與量方面，都有若干的成就。

註釋

①元代雖有"行省（行中書省）"之設，但元代並無"省志"之稱。明代無"行省"之稱，大行政區設都指揮使、布政使、按察使三司統領軍、政及司法，三司互不統屬。大行政區不以"省志"相稱，而以"通志"為名，是"通三司所屬之志書"，如《廣東通志》、《廣西通志》等；亦稱"總志"，如《四川總志》、《河南總志》非轄二省以上之謂。徐謨《湖廣總志》至清始分為湖南、湖北二省。至《盛京通志》雖敘東北三省之事，然東北設省實是清末，且仍稱"通志"，故"總志"與"通志"是名異實同。

②朱士嘉《中國地方志綜錄》將方志分為通志、道志、府志、廳志（直隸廳與廳二種）、州志（直隸州、州二種）、衛志、市志、關志、鎮志、鄉土志等十三項（凡例）。筆者以道併於府（事實上"道志"僅二套；湖北之下《荊南道志》，是轄安陸、襄陽、鄖陽三府；察哈爾之《朔方道志》亦是民國修的《寧夏府志》而已）；衛志、鎮志、市志併於縣志；關志、鄉土志則列於雜志。

③以上數字根據朱士嘉《中國地方志綜錄》（1935）初版稱。至1958年再版時，已增加2,039套、21,535卷，即全國方志量達7,413套，109,143卷。尚未加上美國、日本、臺灣等地所藏方志。不過，以上三地除若干珍本外，餘多重複，故大致上數量增加不多。

④按：宋以前的"地理類"中已有若干"雜志"，如謝靈運之《遊名山記》即後之遊覽志；法顯《佛國

記》與外志相同。其他如楊衒《洛陽伽藍記》與"寺門志"同,李沖昭《南嶽小錄》與"山寺"同,莫休符《桂林風土記》與"鄉土志"等同。不過,明、清兩代之"雜志"顯然地已受"方志"體例的影響,具備"人"、"地"、"事"、"物"四類,而且顧及"全貌"的敘述,有中心主題,與以前之地理、地記不同。

⑤引自趙萬里《元一統志序》。

⑥詳見《千頃堂書目》及《明史·藝文志》。

⑦御製《大明一統志序》(天順五年五月十六日):"太宗文皇帝慨然有至於是,遂遣使遍采天下郡邑圖籍,特命儒臣大加修纂,必欲成書,貽謀子孫,以嘉惠天下後世,惜乎書未就緒"。

⑧參考《明太宗實錄》卷110。

⑨《大明一統志》增加郡名、公署、學校、書院、關梁、寺觀、祠廟、陵墓、流寓、列女。

⑩《四庫全書總目提要》卷68"史部地理類一":《河南通志》。

⑪《清世宗實錄》卷75。

⑫《大清會典事例》載:"乾隆四十七年上諭:'昨閱進呈《一統志》內,國朝松江府人物,止載王頊齡、王鴻緒諸人,而不載張照,其意或因張照從前辦理貴州苗疆,曾經獲罪,因而此次纂辦《一統志》,竟將伊姓名、里居、概從刪削,殊屬非是。''然其文采風流,實不愧其鄉賢董其昌,即董其昌亦豈純正之正人君子哉!使竟不登志乘,傳示藝林,致一代文人學士,不數十年竟歸滅歿,可乎?'。"

⑬《吉安府志》定祥序:"志例每六十年而一修"。

⑭如黃宗羲預修《浙江通志》,顧炎武預修《鄒平縣志》、章學誠撰《和州志》、《永清縣志》、《亳州志》、洪亮吉撰《淳化志》,戴東原撰《汾州府志》、姚鼐撰《廬州府志》、俞正燮撰《湖廣通志》、李慈銘撰《紹興府志》、繆荃孫撰《順天府志》等,體例嚴謹,均為一時之選。

⑮《常昭今志稿》卷末總序。

⑯分為聖制、輿圖、沿革、星野、疆域、山川、城池、禮樂、兵制、河防、水利、封建、田賦、戶口、漕運、鹽課、郵傳、風俗、物產、職官、公署、倉廩、學校、選舉、祠祀、陵墓、寺觀、古跡、帝王、名宦、人物、理學、儒林、忠烈、孝義、文苑、隱逸、烈女、流寓、仙釋、方技、藝文、辨疑等四十三目。(見來新夏《方志學概論》頁86)。

⑰來新夏《方志學概論》頁86。

⑱明代有所謂"三寶體"志書,根據《孟子》所云:"諸侯之寶三:土地、人民、政事"。而將全書分為三類或加文獻而成四類。如唐樞《湖州府志》,將全書分為土地、政事、人民三志;王一龍《廣平縣志》分為土地、人民、政事、文獻;康熙間趙弘化《密雲縣志》分輿地、官政、人物、典文四志,都屬此類,但四大類未能統攝繁複的內容,亦是其缺點。

⑲《章氏遺書·方志略例一·記與戴東原論修志》。

⑳段玉裁《戴東原先生年譜》。

㉑如李孝友《地方志略論》(四川圖書館學報,第三期,1979年9月)及來新夏《方志學概論》頁112。

㉒同註19。

㉓《章氏遺書·方志略例一·州縣請立志科議》。

㉔《章氏遺書》二十八。

㉕《章氏遺書·方志略例一·書武功志後》。

㉖《章氏遺書·修志十議》。

㉗朱士嘉的統計是以國內藏書為主,書成於1935,未包括海外。當然卷數會大大增加,但方志的種類,恐怕增加不多,因其中多有重複。據朱士嘉於1979年在《文獻》第一輯的(地方文獻簡論)一文中,提到海外方志的收藏。

㉘來新夏《方志學概論》頁82。

㉙見註⑬、⑭及洪亮吉《長武志》、孫星衍《邠州志》、《三水志》、段玉裁《富順縣志》、李兆洛《風台

縣志》、陸稼書《靈壽縣志》、杭世駿《西寧縣志》、《烏程縣志》、《昌化縣志》、《平海縣志》、毛奇齡《蕭山縣志刊誤》、《杭志三詰三誤辨》序。

㉚據《清代文字獄檔》:是年(1781)漳州府知府黃彬稿稱:有澄海縣民周鑑聲控告在籍知縣葉廷推纂輯縣志載人碑傳詩句,詞語狂悖。至於《滄浪縣志》,則由湖南巡撫李世傑從書中"摘出各種字句,指為狂悖"等。

㉛同註㉘,頁88。

㉜梁啟超《清代學者整理舊學之總成績》。(飲冰室全集)專集十七冊《中國近三百年學術史》第十三、十四。

第三節　方志之功用

方志,是地方歷史與人文地理、地文地理綜合體。主要內容是以敘述一地的政治、社會、經濟、軍事、文化、人物等為經;以地理環境、天然資源、自然現象為緯,進而分析該地的發展過程的史實。章實齋論"方志"謂乃"一方之全史",似嫌籠統。但其強調"地近則易覈,時近則跡真"[①]卻是事實。方志,便是以當時人、當地人而修當地的歷史,故最堪徵信。

我國所謂正史,以帝紀、列傳篇幅為鉅,故重點是敘人物的傳記及分析其對國家的盛衰關鍵而已。對民生利弊則簡而略之,而地方史敘述:

"由建置學校之興廢,可覘其地經濟文化之榮瘁,由族姓之分合,門第之隆替,可裨史事浮沈,由版圖之摹刻姓氏,可考當時藝術之高下,由捐資數目,可考其修志之用度,亦大有益於史事焉。"[②]

再如地方上的碑刻,可補正史的不足;地方上的賦稅,可知當時的社會經濟狀況。前賢之言方志價值者甚多,綜合而言,可分五項:

甲、可補正史之不足

正史中,"食貨志"衹言賦稅,"地理志"始言戶口。但前者衹言條例及重要史事,後者除地理沿革外,戶口衹言約數。地方志言戶口、賦稅則詳其數字、類別及言其增減之原因。如明廣東之雷州府轄三縣,在天順三年府戶有三萬四千三百一十六。繼而分三縣敘述,內有民戶、軍戶、灶戶、校尉、力士、道戶、醫戶、蛋戶、鋪兵、防夫、堠戶、各色匠戶等名稱。其中最值得注意的是"灶戶",表示有鹽場。"軍戶"、"校尉"、"力士",知其國防價值及軍屯狀況;"蛋戶"是知漁鹽狀況;至於"醫戶"、"道戶",更是正史所未載之資料,但歐陽保的雷州府志卻載之頗詳[③]。至成化八年(1412)"雷州府被猺殘破,人民蕩析,十存四五,里數損少,戶口無考",但《明史》並無猺亂之記載,即使是《廣東通志》亦只言:"成化元年,廣西大藤峽寇雷廉高肇等府。"[④]該次猺亂,於成化元年由廣西開始,歷時五、六載,蔓延二省,均可補正史之不足。

萬曆本曹志遇的《高州府志》載明代地方田賦，例輸送京都，但廣東因位於邊鄙地帶，准將田賦分為二部，一半以實物存儲倉庫，為本地官吏、學官、生員之俸廩及兵士之軍糧，餘一半則折成"金花錢"，解送京師[5]。此等資料亦正史食貨志所無而可加以補充。

正德本《瓊台志》，詳記海南島戶口，由西漢到元的六個朝代，以及明洪武廿四年（1391）、正德七年（1512）的數字排列成表，各縣的資料中，分記漢、黎戶口和田地，最後一次的記錄，還細分男、婦、軍民、雜役，對研究漢人的移居和黎族的概況，甚有價值，且亦是正史所未載的寶貴資料。

此外，如光緒《惠民縣志》附"賦役全書"，康熙《新城縣志》記明中葉風俗及物價[6]。此等資料均是正史所無而可加以補充。

乙、可考訂正史之錯誤

正史與地方史的關係頗為微妙，我國方志之修纂，始於宋代[7]。凡地方史之載宋代以前的史事，多採自正史，但宋以後的正史敘述有關地方史事，多採自地方官吏的奏摺、檔案甚至有採用地方的志書，不過全國性的正史，往往忽略了若干地方史書，或因距離關係，對地方性事蹟或得之傳聞，或未加審訂而產生錯誤，如《明實錄》及《明史》"佛朗機傳"載：

嘉靖二年（1523）（佛朗機人）寇新會之茜草灣。

其實，根據《新安縣志》[8]載陳文輔之都憲汪公記：

是役（茜草灣戰役），於正德辛巳（十六年，1521）出師，至嘉靖壬午（元年，1522）凱還。

按：汪公是指平定葡人（佛朗機人）入侵的主將汪鋐。大概汪鋐凱旋之奏摺到達京師，已是翌年（1523）之事，故實錄誤書於嘉靖二年，而茜草灣亦非在新會而在新安（後稱寶安縣，其地屬今日的香港境內）因"汪公遺愛祠記"清楚指出當日：

佛朗機（葡人）與諸狡滑之人，在屯門、葵涌等處海澳，設立營寨，大造火銃為攻佔具，占據海島殺人搶船，勢甚猖獗。

按：屯門、葵涌均在今日香港境內，即當日新安縣治，且"茜草灣"之名甚多，香港有三處地名為茜草灣，新會亦有茜草灣，《明實錄》張冠李戴，主要是"新會"與"新安"，一字之差而已，且同在珠江三角洲口岸，一東一西，史臣粗心，遂致錯誤而已[9]。

地方志之可靠與否，當然因修志人之學養而有別，不過，地方志是由當地人採訪與編輯，應是第一手資料，若加運用，除可考訂正史之錯誤外，更可糾正一般專門書籍中的訛誤。如顧祖禹之《讀史方輿紀要》，是顧氏耗終生之精力而成之巨著，是歷來被公認的權威著作，但張萬鈞氏卻提出若干與地方志所載有異，經實地考察後，則是顧氏之錯誤[10]。主要原因是顧氏不能走遍全國，一一進行實地考察，就難免因襲他書中的誤漏以訛傳訛。相反地，地方志之採訪，若是負責任作實地考察，其可信性自較遠在首都之史臣僅憑記載而可靠得多，如：

意大利漢學家衛匡國Martino Matini死後之葬地，徐明德據康熙的《仁和縣志》，參訂方豪、王治心、費賴之諸家之說，謂在仁和縣內的方井[11]，亦是考訂一般史書之錯誤。

丙、科技資料之增添

方志中頗多自然現象及自然變化之記載，往昔多為人所忽略，近世科學昌明，發現方志中所記載之資料，對科技的研究裨益甚大，如咸豐的《峨戎縣志》有地震的記載，並有"三十年一小震，六十年一大震"的記錄，而縣志記震前的徵候，如井水上漲，牲畜不進欄，烏鵲群噪，氣溫特別暴熱等，均有科學的根據[12]；又如"極光"，湖北的《竹溪縣志》曾有記載：

> 同治元年八月十九日（1862）夜，東北有星火如月，色似爐鐵，人不能仰視，初出則聲淒淒然，光甚閃爍，頃之，向北一瀉數丈，欲墜復止，止輒動搖，直至半空，突然銀瓶乍破，傾出萬斛明珠，繽紛滿天，五色俱備，離地丈餘沒，沒後猶覺餘霞散彩，屋瓦皆明。[13]

此外，如陝西《大荔縣志》、河北的《東光縣志》、湖北的《光化縣志》都有相似的記載。極光的研究涉及通訊、廣播、空間探測，宇宙航行等空間科學，意義十分重要。

此外，清代宋演著《勾股一貫述》、李滮著的《籌算注》，均已收入雲南叢書中。諸如日蝕、彗星、颶風、地震、旱澇和氣候變遷等，均在方志及其記載中有豐富的資料。

江蘇的《吳縣志》、《吳江縣志》和《震澤縣志》，浙江的《湖州府志》、《烏青鎮志》，描繪水田耕作的工具和技術[14]，纖細入微，可知當時農業技術之一斑。

嘉靖本的《彰德府志》載：

> 安陽縣龍山出石灰，入穴取之無窮。取深數十百丈必先見水，水盡然後灰可取也。灰有數品，其堅者謂之石，軟者謂之煤（煤），氣愈臭者燃之愈難盡。

石灰即是煤，王成組據此而強調在修此志前（1522），河南採煤已有豐富之經驗[15]。當然關於煤的利用，我國有更早的記載，不過，從方志中記載各地的礦產及科技資料，豐富了方志的內容，在研究上實有很大的價值。

至於土壤與物產的關係亦十分密切，嘉靖本《浦江志略》曾載："五穀"：

"邑土高磽，五穀多旱種乃有穫"；"桑"下注曰："浦民少植桑，故絲縷全無所出，或曰地不宜也，然亦視栽培之力如何耳"[16]。

四川巴郡人張因訓創制渾天儀，有木人能撞鐘擊鼓，自然報時之舉，將唐僧一行的理論加以發展，在古代科學史上留下光輝的一頁[17]。而陳正祥更提出"方志所含的地理學資料"[18]，因此，在方志中所蘊藏種種科技資料，可供後人有價值的研究。

丁、地方人物、史事與藝文之蒐集

國史中列傳，對人物的取捨，端視其影響性之大小如何；若其對全國性影響雖小，而對地方性影響卻大；對當時影響雖小，對後世影響卻大的人物，非在地方志中找尋不可。如清咸、同間四川南溪人陳溥，因家貧不能置儀器，便以笠寫天，但懸亭中，用證天象輒驗;稍晚的文學家郭賓俊,卻是位賣油的窮人。此外,在學術上著名的嚴君平,以賣卜為生;袁天綱以挑柴叫賣為業,濟下閎則長期隱於巴郡落下(地名),此等人的事蹟卻載於四川的方志中[19]。

廣東位於我國極南省份,唐末之時,雖稱蠻荒之地,然建大功,立大業者,唐有張九齡、姜公輔;宋有余靖、崔與之、李昴英等,均名列史冊。然廣東首位狀元莫宣卿,兩唐書均無傳,徐松之《唐登科記考》卷22雖有記載,然無事蹟可敘,惟黃佐之《廣東通志》、溫恭之《封川縣志》、王堉之《肇慶府志》均有若干記載,可資鉤尋。筆者即曾以方志資料為主,撰成《唐末嶺南狀元莫宣卿考》一文[20],敘其生平,考其著述,對廣東地方史事之闡揚,可略補一二。

南北朝末年,中原大亂,廣東大部為土著民族(溪洞酋長)所割據,嶺南五府經略使理所之設,主要是"綏靖夷獠",李吉甫《元和郡縣圖志》卷34載:其中較強大者為馮族(馮融、馮寶、馮僕),《舊唐書》謂馮氏"累為本部大首領"(馮盎傳);冼族,《北史》及《隋書》載:"譙國夫人冼氏者,高涼人也,世為南越首領"(本傳);及陳氏,《舊唐書》:"陳集原,瀧州開陽人也,代為嶺表酋長"(陳集原傳);廉州寧氏(寧純,新舊《唐書》:南海以西溪洞,自漢晉以來,寧族最大,世為俚師,蠻獠皆歸之。)後來冼氏女(譙國夫人),嬪於馮寶,兩大溪洞力量合併,轄地有二十餘州,地數千里,唐高祖時,馮氏降唐,據《新唐書》卷110本傳載,將其轄地分為八州,高(今茂名)、羅(今廉江)、春(今陽春)、白(今桂博白)、崖(今崖縣)、儋(今儋縣)、林(臨振)、振(今陵水),故云:"馮盎之降唐,廣東大部始入版圖而接受漢化。"馮氏、冼氏之事蹟,以《廣東通志》、《高州府志》、《茂名縣志》等載之最詳。筆者曾羅列方志資料,撰成《隋譙國夫人事蹟質疑及其漢化與影響》一文[21],鉤尋出不少地方史事。

陳忱為《後水滸傳》的作者,其生平事蹟,在浙江吳興的《南潯縣志》、廣東的《潮州府志》便有較多的記載,明代繼李時珍而作《滇南本草》的藥物學家蘭茂(子庵),在《松明縣志》便有傳記可考;與曹雪芹交誼頗深的周亦園,在《嵋峨縣志》亦有傳,可提供研究紅學與曹雪芹的間接資料[22]。

著名的《天工開物》作者宋應星,《明史》無傳,而《亳州志》及《分宜縣志》、《豐新縣志》卻有事蹟記載。

自唐宋以來,科舉為士人出仕的主要途徑,科舉人物之多寡,顯示該地文化水準之高低,而政府中亦以科舉人物為主要骨幹,正史中雖有"選舉志",然祇錄人數,未刊全部人名;登科記(錄)雖有全載人名,但明之前"登科記"所存者不多(祇徐松輯之《唐登科記考》較為完備),假若於地方志中尋找,資料便甚多,如楊燦之《四川通志》卷122載:

> 南宋建炎元年(1127)至咸淳十年(1274),南宋進士及第者16,666人,四川進士可考者1,402人,特奏名進士[23]151人,未可考者1,268人,合共2,821人,約占全國七分之一強。

筆者曾撰《南宋時四川特殊化之分析》一文[24],其中第二節:"四川類省試",更指出四川文風甚盛,與類省試有關,至於其他方志所錄的科舉人物,其名額必較正史選舉志更多,其事蹟必較正史為詳細。

至若地方志中的藝文,有金石碑刻、廟宇詞記與當地歷史有密切關係,如陳文輔的

《都憲汪公遺愛祠記》(《新安縣志》),可考見中葡首次戰爭的史蹟,是在地方志以外難找到的資料;張九齡開大庾嶺記,廣州都督嶺南按察五府經略使宋公遺愛碑頌(均載於黃,郭等《廣東通志》),為研究廣東史重要資料;又若當地人的著作,多為國史藝文志所忽略,或已經佚去,但地方志卻存在其目,以待後人輯佚,如黃佐的《廣東通志》卷42有:廣州牧宋記10卷,廣州市舶記2卷(趙諰撰,今亡),宋史520卷(原注今送南京國子監收藏),廣東西域錄1卷(不知名),南海諸蕃行記1卷(達奚通撰,今亡),儂賊入廣州事1卷(霍達中撰),東莞志15卷(劉存業撰),其書或存或亡,藉此均可窺知研究廣東史事之若干線索。

戊、有關宗教及中西文化交流史料的鈎尋

1961年先師羅元一教授撰《流行於贛閩粵及馬來西亞之真空教》一書,按:所謂"真空教",名為道教,惟不假修煉,不事醮齋,盡破迷惘,實一與佛教有莫大關係之新創宗教㉕。創教者為贛尋鄔之廖帝聘。及後流行於閩粵及北方,閩粵人士多遠至南洋、馬來西亞等地經營行業,於是真空教亦隨之傳入馬來西亞、新加坡等地。羅師根據之主要資料除真空教之經典外,在國內十三省㉖的傳播是以族譜及方志為主。如道光的《贛州府志》(李仁本修)、光緒的《長寧縣志》(沈鎔經修)、同治的《會昌縣志》(劉長景修)、同治的《即墨縣志》(胡瞰撰)、道光的《廣州府志》(陳觀國修),是研究海外華僑文化與社會的主要資料。

另一方面,外來的宗教影響我國者,亦可在方志中尋得不少資料,如先師羅元一教授於1958年撰《唐代桂林之摩崖佛像》與1960年撰之《唐代光孝寺與中印交通之關係》一書,引用達八種方志資料㉗。曾就自漢迄唐,佛教傳入時影響西北、中原與交廣二區域的佛教與藝術各有不同,如:

1. 西北及中原等區域,受北印度與中亞,如古大月氏、大夏等影響較鉅,交廣區域則受南印度影響較鉅。

2. 西北及中原等區域,以譯經事業為傳揚佛教之開端,而交廣區域,則如漢末牟融,乃先以撰文闢惑,為傳揚佛教之開端。

3. 自劉宋時,梵僧求那跋陀與達摩等經交廣地區,而至內地弘法,時會所趨,遂有由南而北之局勢,迄唐高宗時,六祖慧能,立即心即佛之禪宗南派,門戶敞開,中國的佛教遂全為南禪所籠蓋矣㉘。

4. 就藝術而言,北部自敦煌石窟而至大同、雲岡、洛陽、龍門等雕像,受犍陀羅派及中亞各種作風的影響,華貴宏偉。廣西桂林及伏波山,還珠洞等地的佛教造像,遠不逮前者,然其作風卻近於印度、南洋爪哇一帶,為另一系統之佛教藝術㉙。

此外,宋方信孺之《南海百詠》載廣州於唐時,建有懷聖塔(俗名光塔),是阿剌伯人(回教徒)之禮拜堂㉚,是唐代阿剌伯人來廣州的重要史料。明戴璟之《廣東通志初稿》更述及明成化四年,韓雍重建此寺以安置達官指揮阿朗剌等十七家房住㉛。按:達官,是指"達舍",即回教徒。韓雍當時曾利用回兵征討猺人,事後於廣州特置回營房供回教徒居

住，至清初則成回民的教堂。見于樊封之《南海百詠續編》，[32]而乾隆的《泉州府志》、《閩書》等記泉州有“祈風”習俗。方豪、宋晞等據之而論其與市舶司之關係，與海外交通的關係，與回教徒的關係[33]；而傅振倫提出：乾隆的《永清縣志》記北街賈氏以女真部族而漢化之事[34]；朱士嘉提出從唐開始，中國古籍、佛經、文物陸續傳入日本，日本精製的銅器到了宋代暢銷於明州（寧波）、明州設賓館以招待日本、朝鮮客人，從中亞細亞傳入中國的產物見諸方志的有婆羅樹……菠菜……等[35]；李孝友則提出《灤城志》有記載白蓮教事跡，《遼陽縣志》有載金丹道教的史料[36]。

不論本國宗教或外來宗教，與中西文化的相互關係甚大。此等史料，散見於方志中不少，若一一加以鈎尋，意義甚大。

註釋

①《章氏遺書》卷15“答甄秀才修志第一書”謂方志乃一方全史。臺北，漢聲出版社，1973年1月，頁307–309。又《文史通義》，外篇三，修志十議，提出有二便、三長、五難、八忌，其中“乘二便”即指“地近則易覈，時近則蹟真”。臺北，史學出版社，1974年4月重印四版，頁524。

②傅振倫之《中國方志學通論》，第二編第五章“方志之價值”，上海，上海商務印書館，1935年12月初版，1936年6月再版，頁15。

③明萬曆，歐陽保的《雷州府志》卷9。

④阮元的《廣東通志》卷187“前事略”，見臺北，華文書局股份有限公司，1968年10月，第五冊。及拙著《明代廣東之猺區與猺亂》，載《政治大學邊政研究所學報》（1983）。

⑤明萬曆曹志遇的《高州府志》卷3。

⑥傅振倫，《中國方志學通論》第二篇第五章：“方志之價值”，頁15。

⑦有謂方志始於《越經書》或《華陽國志》，但筆者認為始於宋代，詳見下節。

⑧據康熙本靳文謨《新安縣志》，卷12“記述”，與嘉慶本王崇熙之《新安縣志》，卷23“記序”。見臺北，成文出版社，1974年6月，下冊，頁267。

⑨拙著《十六世紀葡萄牙人在香港事蹟考》，原載“中華民國史料研究中心十週年紀念論文集”。臺北，中華民國史料研究中心，1979年11月。

⑩張萬鈞之《河南地方志淺論》（原文載於1980年《史學月刊》第三期）載：“讀史方輿紀要稱滎陽：縣東北四十里有大海寺，而《滎陽縣志》則稱：大海寺，在東郭外，經實地察看，大海寺離縣城應是四華里而非四十華里，縣志記載是正確的。”

⑪徐明德《意大利漢學家衛匡國墓地考》，載於1981年《歷史研究》第四期。

⑫李孝友的《地方志略論》（《四川圖書館學報》，1979年9月，第三期）。

⑬朱士嘉《中國地方志淺說》載於1979年《文獻》，第一輯。北京，書目文獻出版社，頁43。

⑭于乃義《地方文獻簡編》載於1979年《文獻》第一輯，頁48–61。

⑮王成組的《中國地理學史》上冊，第二編，《地理志和地方志的發展》，第五章，第三節，北京，商務印書館，1983年12月，頁61。

⑯嘉靖五年，毛鳳韶修《浦江志略·民物志》。見天一閣藏明代地方志選刊（七），台北，新文豐出版公司，頁182。

⑰同註⑫，（三）方志的價值。

⑱陳正祥，《中國方志的地理學價值》，第三，四章，香港，中文大學出版社。

⑲朱士嘉，《中國地方志淺說》，見註13。

⑳原文載《食貨月刊》，復刊七卷五期。

㉑原文載《中央研究院歷史語言研究所集刊》,第四十三本第二分册。

㉒見李孝友的《地方志略論》,同註⑫。

㉓"特奏名"是科舉制中遺材之恩科,凡士人參加正科及諸科凡十五次而曾經完場者,可特奏其名聞,恩賜進士或同進士出身,稱特奏名(《宋史》,卷155,選舉)。至南宋時改為:"八舉曾經考試,並年四十以上,進士四舉曾經御試,五舉曾經省試,年並五十以上……特於奏名"(《宋會要輯稿》,選舉四之二十)。

㉔原本載香港大學亞洲研究中心之《東方文化》卷18,期1、2合刊。

㉕在清初,江西為佛教盛行(臨濟宗)的區域,其中有一支派稱羅祖教或羅教(又稱三乘教),廖帝聘因聽羅祖經而悟道。見羅香林《流行於贛閩粵及馬來亞之真空教》,香港,中國學社,1962年6月,第二章,頁13–38。

㉖此十三省是江西、福建、廣東、湖南、湖北、江蘇、安徽、河南、陝西、四川、甘肅、臺灣、河北。同上註《流行於贛閩粵及馬來亞之真空教》第四章,頁82–98。

㉗此八種方志是1.《光孝寺志》(清,顧光修)2.道光的《廣東通志》(清,阮元修)3.同治的《番禺縣志》(清,史澄等纂)4.《白雲越秀二山合志》(清,崔弼撰)5.《廣州城坊志》(民國,黃佛頤纂)6.《臨桂縣志》(清,曹馴等纂)7.《嘉應州志》(溫仲銘修)8.《海南百詠》(宋,方信孺撰)。

㉘引自"交廣道之中印關係及唐代粵桂佛教與其藝術之新發現",載于《唐代廣州光孝寺與中印交通之關係》中第一章。香港,中國學社,1960年6月,頁23–24。

㉙引自羅香林《唐代桂林之摩崖佛像》,香港,中國學社,1958年9月,頁48

㉚趙立人在《廣州伊斯蘭教懷聖寺及懷聖塔之建築年代》一文,認為先建懷聖寺,後建懷聖塔,但均承認在初唐時代,見《中國社會科學》,1983年第五期。

㉛《廣東通志初稿》,卷36,寺院(據芝加哥大學圖書館的顯微菲林本)。

㉜《南海百詠續編》,卷1。"小東營";成化四年,排猺不靖,都御使韓雍奏調南京回兵來粵協剿,凱旋後,加其頭目羽士夫,馬黑麻等錦衣衛指揮使職銜,留戍廣州,建四回營以處之(注:四回營為大東營、小東營、西營、竹筒營);另同書卷2:"懷聖寺"更指出降至清順治間,此四回營已轉為回教四禮拜寺矣。

㉝方豪《宋泉州等地之祈風》原載於《臺灣大學文史哲學報》,第三期,1951年。宋晞《宋泉州南安九日山石刻之研究》提出泉州府志若干錯誤。

㉞傅振倫《中國方志學通論》第五章。

㉟朱士嘉《中國地方志淺說》同註13,頁46。

㊱李孝友《地方志略論》。

第二章 方志理論與方志理論家

第一節 章學誠及其方志理論

甲、坎坷的經歷影響其治學的重點

一、家學的淵源

章學誠，生於乾隆三年，卒於嘉慶六年（1738—1801），字實齋，號少岩，原名文斆，誕生於浙江省會稽縣（今紹興）。按：乾嘉是清代學術的黃金時代，尤其江浙一帶，大師輩出，如袁枚、戴震、汪中、孫星衍、崔述、方苞、全祖望、錢大昕、趙翼、洪亮吉等。實齋之治學與彼等相異，甚至可說不容於彼等，蓋與其坎坷經歷有關。

實齋祖父如璋，是一候補經歷小官，但"性嗜史學"①，有儒者之風。父鑣，乾隆七年（1742）進士，任湖北應城知縣，僅五年以事免官，因家貧不能歸，遂僑居於應城十餘年②。後主講天門、應城等書院，曾撰《天門縣志》，最後病逝於應城。實齋誕於應城官邸，後其父去職講學，所入菲薄，故實齋之童年家境已困，加以體弱多病，讀書亦十分遲鈍，年十四尚未讀畢《四子書》③，其父為其延師課以應試之文，但實齋畏其"刻板""困人"④，雖不喜應試之文，但已養成"好學"習慣，且受父祖的"家學"影響，尤嗜史學，自謂"於經訓未見領會，而史部之書乍接於目，便似夙所攻習焉者，其中利病得失，隨力能舉，舉而輒當"⑤，故《文史通義》雖兼重"文"與"史"而實際上實齋之貢獻在史學較大。

二、屢困場屋

章鑣是科舉出身，自然希望其子能克紹箕裘，實齋勉力為之，自然難達目的。自廿三歲（1760年）起應試，凡七次落第，落第原因，蓋與當時"學風"不合。1768年在順天鄉試中，僅中副榜，試官朱棻元（春浦），後閱其"對策"中言《國子監志》之得失，怪"六館師儒，安得遽失此人"⑥。倉修良指出"非出於其學識不具，而是他的學識不符合考官之所好"⑦，實齋既困於場屋，因家貧不能返鄉，於是羈留於京師，入國子監讀書。然生活困苦，曾乞其妻典當頭飾以抄書攻讀⑧，或充當貴官之食客，或賣文為活⑨。晚年曾自嘆："三十年來苦飢謀食，輒藉筆墨為生，往往為人撰狀誌譜牒，輒嘆寒女代人作嫁衣裳，而身不獲一試時服。"⑩其遭遇之悲，形成實齋個性乖僻，亦因個性乖僻不容於時，故坎坷一生。

實齋廿八歲（1765），由於沈既堂之介紹，學文於朱筠（笥河），是其一生轉變的關鍵，朱筠"一見許以千古"。實齋自1760年挫於科場後，自愧未精於"時文"，朱筠謂："足下於此無緣，不能學亦不足學也。"並指出"科舉何嘗必要時文，由子之道，任子之天，科舉未嘗不得，即終不得，亦非不學時文之咎也"⑪，實齋受影響，更致力於史學，以其所入盡以購史書，窮三年之積始能購得廿三史⑫，並強調"治經業史，其於舉子之業，不惟不相妨害，且有相資之益"⑬，加以自承自乾隆丁亥（1767）在朱筠家"得見當時名流及一時聞人所習之業"⑭，所謂一時聞人是指戴震、邵晉涵、汪中、黃景仁、洪亮吉等，彼此互相論學及切磋，由是學業大進。而是年實齋應國子監祭酒歐陽瑾、司業朱棻元之邀，協修《國子監志》，是為實齋從事"方志學"之始，是實齋生平一大轉變的關鍵。1772年更應和州知州劉長城聘編纂《和州志》，由是以撰"志"而知名。

三、流浪中的講學與著述生涯

乾隆四十二年（1777），實齋在順天鄉試中式，翌年舉進士二甲五十一名⑮，經長期生活折磨，加以自知"迂疏，不敢入仕"⑯，於是出而講學，但館穀所入有限，不得不為人撰寫方志譜牒以維持生計。故其講學與著述合而為一，計：

乾隆四十二年（1777）以周震榮薦，主講"武安書院"，並主編《永清縣志》。

四十六年（1781）受張維琪聘，主講肥鄉"清漳書院"，張維琪曾撰《大名縣志》，實齋為其作序，序文中顯示是書按實齋的方志理論而撰寫（序文收於《章氏遺書》卷14"方志略"）。

四十七年（1782）主講永平"敬勝書院"。

四十九年（1784）主講保定"蓮池書院"，至1784年辭去。

五十三年（1788）主講歸德"文正書院"，應畢沅（秋帆）之邀，開局編纂《史籍考》，共修者有洪亮吉、凌廷堪、武億等人。

五十四年（1789）畢沅調陞湖廣，實齋辭"文正書院"職，往依亳州知州裴振，為其纂修《亳州志》及協助安徽學史徐立綱輯宗譜。

五十五年（1790）應畢沅之邀至武昌，前後逗留五年，主修《湖北通志》、《荊州府志》、《常德府志》，續修《史籍考》及助畢沅編《續通鑑》。

五十六年（1791）應麻城知縣黃書紳之邀，纂修《麻城縣志》。

五十九年（1794）畢沅以"教案"獲罪，降補山東巡撫，實齋頓失所依，且與新撫惠齡意見不合，遂離武昌，以《湖北通志》稿交陳校訂，蓋陳曾撰《湖北舊聞》一書。

嘉慶元年（1796），畢沅回督湖廣，但因有白蓮教之亂，實齋未應邀往依。此後數年，遍遊長江中下遊諸省，全力致力於《史籍考》一書，以至逝世之時（1801）。

實齋之著述，收於《章氏遺書》中，而獨立成書只《文史通義》、《校讎通義》（嘉業堂版本亦將《校讎通義》包括在內），另外《史籍考》雖不傳，但存章目；而《方志略》雖附於《遺書》之中，但為章氏"方志學"理論之重要根據，故亦一併簡介如下：

1.《文史通義》共內外兩篇

內篇有六章五十八節，主要談理論，其中如“史德”、“史釋”、“史注”、“申鄭”是主要的史學理論，如“易教”、“詩教”、“禮教”、“經解”是經學的理論。“原道”、“原學”、“浙東學術”、“朱陸”等則是其學術思想，是實齋認為“皆前人所未言及”者[17]，是全書精華所在之處。

外篇只三章七十四節，全部是散論、評論、雜論及書信，可與內篇互相引證，其中有“與邵二雲（晉涵）論修宋史書”，知實齋曾有志修《宋史》，惜未果。

《文史通義》始撰於乾隆37年（1772），最後一篇《浙東學術》完成於逝世前一年（1800）。倉修良謂章實齋撰《文史通義》之目的[18]（應是分析《文史通義》之內容）有五：即（1）闡明史學之意義與史意。（2）為著作之林校讎得失。（3）有所發明。（4）論當時學風之流弊。（5）與當代學者論學。

2.《校讎通義》共三卷[19]

卷1：共九節，即“原道”（與《文史通義》之“原道”不同）“宗劉”、“互善”、“別裁”、“辨嫌名”、“校讎條理”、“著錄殘逸”、“藏書”。

卷2：共三節，“補漢書藝文志”、“鄭樵誤校漢注”、“焦竑誤校漢志”。

卷3：共二十一節，“吳澄野太史歷代詩鈔商語”、“代擬續通典禮典目錄序”、“天玉經解義序”、“陳東浦方伯詩序”、“元次山集書後”、“唐劉蛻集書後”、“王右丞集書後”、“朱崇沐校刊韓文考異書後”、“東雅堂校刻韓文書後”、“邁版韓文書後”、“朱子韓文考異書後”、“韓詩編年箋注書後”、“韓文五百家注書後”、“讀古道堂文集”、“讀北史儒林傳隨劄”、“論修史籍考要略”、“與邵二雲書”、“與胡雒君論校胡墀威集二簡”、“高郵沈氏家譜序例”、“與馮秋山論收譜書”、“宜興陳氏宗譜書後”。

《校讎通義》始撰於乾隆四十四年（1779），完成於五十三年（1788）。是書合刻於劉承幹之《章氏遺書》（嘉業堂本），但實齋死後三十一年（1832）其次子華紱刻《文史通義》及《校讎通義》（大梁本），可知當初是獨立刻本。《校讎通義》除敘尋求整理源流外，兼及分類、校勘，故擴大了目錄學而成校讎學。此外更旁及譜牒學，如《高郵沈氏家譜序例》、《與馮秋山論收譜書》等[20]，及索引[21]。

3.《方志略》與《史籍考》

實齋可稱“方志學理論之祖”，其要義全在《方志略》中（現收於《章氏遺書》卷14、15中）共分二十六節，其中：

（1）提出方志全面性的理論有《方志辨體》、《方志立三書》、《修志十議》、《州縣請立志科》等。

（2）直接提出方志的“例議”如《亳州掌故例議》、《亳州人物表例議》等。

（3）與友輩論修志之書信，如《記與戴東原論修志》、《報廣濟黃大尹論修志書》、《答甄秀才論修志一、二、三書》等。

（4）對已存方志的評議，如《書吳郡志後》、《書姑蘇志後》、《書武功志後》、《書潮邑志後》等。

（5）代人修志作序；如《為畢秋帆制府撰常德府志序》、《為畢秋帆制府撰荊州志序》等。

當然，若能再加上《文史通義》的"外篇"、《章氏遺書》的"文集"、"外篇"等書信，便可窺知實齋的方志學理論全貌矣。

《史籍考》是實齋仿朱彝尊之《經籍考》而作，書已佚，惟《章氏遺書》卷13《校讎略》中有"論修史籍考要略"一節，茲擷其目如下：

(1)古逸宜存　(2)家法宜辨　(3)剪裁宜法　(4)逸篇宜采
(5)嫌名宜辨　(6)經部宜通　(7)子部宜擇　(8)集部宜裁
(9)方志宜選　(10)譜牒宜略　(11)考異宜精　(12)版刻宜詳
(13)制書宜尊　(14)禁例宜明　(15)採摭宜詳

《史籍考》開局纂修於乾隆五十三年(1788)，是年實齋在歸德府主講文正書院，應巡撫畢沅之邀前往纂修。翌年，畢沅陞湖廣總督，實齋隨之去職，《史籍考》工作中斷。乾隆五十五年(1790)，實齋至武昌，重纂《史籍考》，至1798年始補修完成。原書已佚，馬敘倫從楊見心所藏《實齋未刊稿》中，有《史籍考》之總目如下[22]：

(1)制度2卷。

(2)紀傳部：正史14卷，國史5卷，史稿2卷。

(3)編年部：通史7卷，斷代4卷，記注5卷，圖表3卷。

(4)史學部：考訂1卷，義例1卷，評論1卷，求1卷。

(5)稗史部：雜史19卷，霸國3卷。

(6)星曆部：天文2卷，律曆6卷，五行2卷，時會2卷。

(7)譜牒部：專家26卷，總類2卷，年譜3卷，別譜3卷。

(8)地理部：總載5卷，分載17卷，方志16卷，水道3卷，外裔4卷。

(9)故事部：訓典4卷，章奏21卷，典要3卷，吏書2卷，戶書7卷，禮書23卷，兵書2卷，刑書7卷，工書4卷，官曹3卷。

(10)目錄部：總目3卷，經史1卷，詩文(即文史)5卷，圖書5卷，金石5卷，叢書3卷，釋道1卷。

(11)傳記部：記事5卷，雜事12卷，類考13卷，法鑒3卷，言行3卷，人物5卷，別傳6卷，內行3卷，名姓2卷，譜錄4卷。

(12)小說部：瑣語2卷，異聞4卷。

惜只見其目，未存其文，吳天任則推崇其"家法宜辨"，謂"把歷代所謂正史分別家法、源流，更見卓識[23]，亦祇就《論修史籍考要略》一文內論列而已。

四、實齋之學，重義理、輕考據乎？

實齋學術思想，近代學人論者甚多[24]。最具爭論性的是，實齋生於考據學盛行的乾嘉之世，但實齋畏科舉"困人"，大談"經世致用"，高唱"六經皆史"，未能適應潮流，以致屢困場屋，命途多舛。事實上實齋不得志於科場，並非不重視"舉子業"，他曾強調"治經業史，專門名家，與舉子業不相妨害，且有相資之益"[25]。當然，實齋重視"自我的發掘"[26]，不能隨俗違性，"夫世之所尚，未必即我性之所安；時之所趨，何必即吾質之所近"[27]。因此，其所撰之《校讎通義》自知與世俗之見不同，故不欲輕示於人，以錢大昕為知音遂與討論,仍強調"勿為外人道也"[28]。實齋之於經學,衹求其"通",考據次之,曾云:"稽古所以通今,然不通今亦不足以稽古。"[29]其與族孫汝楠論學書亦云:"不信古,安能疑經。"信古當然具有多少考據精神,如其助座師秦芝軒校《續通典》中的《樂典》曾強調"考據亦專門之業,不可忽也"[30]。不過,實齋自知"沈潛不足,故於訓詁考質,多所忽略[31]。故(樂典)亦中途放棄,不克完成。雖然現代學者余英時謂實齋與戴東原同是以"義理而又為整個考證運動提出一個清楚的方向"[32]。似亦同意實齋非不重視考據,然仍以義理為先。

五、孤立於學術界中的人

實齋治經重義理,談史重史意,一生不追名逐利,雖然窮困潦倒,仍不肯隨俗浮沉,其所治文史校讎之學"頗乖時人好惡",自稱"人棄我取"、"一時通人亦多不屑顧盼"、"而鄙性又不甚樂於舍己從時尚也,故浮沈至此"[33]。當代學者欣賞實齋者不多[34],然亦因實齋不同於俗,故對當代學者不滿者亦多,如對戴震、汪中、袁枚,皆有極深刻之批評,如:

1. 戴震(1723—1777)。"戴君不愧一代鉅儒,而心術未醇"(《文史通義》書朱陸篇後)。

"戴君經術淹博,名久著於公卿之家,而不解史學,聞余言史事,輒盛氣凌之"(《章氏遺書》卷14,記與戴東原論修志)。

按戴東原長於實齋十六年,功名較實齋低,(東原,乾隆時舉人,入四庫館始賜同進士出身),但因纂修《四庫全書》,能博覽群書,性又好讀書,實齋則流浪潦倒、無書可讀,加以性疏懶、讀書求其大意,治學方法與東原自不相同。余英時謂1766年,戴、章初晤時,東原已有時譽,實齋受其影響,瞭解不能"空談義理"、"先求徵實,再議擴充"[35]。但至1772年戴章再晤之時,東原名日盛,實齋學亦定型,兩人意見便分道揚鑣。郭斌龢云:當時東原惡實齋異說"不加深察,或心知勝己,故亦屏絕,是以寧波道署一晤(1772),彼此相輕"[36]。實齋有"朱陸"及"書朱陸後"二文專論攻東原,謂東原學出於朱陸,然"飲水忘源,及以攻朱為事,不合實齋之'義理',故批評頗為尖刻。

2. 汪中(1744—1794)。在朱筠幕府中,名士甚多,有王念孫、黃景仁、洪亮吉、邵晉涵等。實齋與汪中(容甫)是在朱家認識,時在乾隆36年(1771)左右,但實齋論汪中:"其中聰明有餘,而識力不足,不善盡其天質之良而強言學問,恒得其似而不得其是。"(《文史通義》外篇一《立言有本》)。

"汪中恬不知恥"(《章氏遺書》外篇卷5"讀書隨札")。章汪之矛盾似因朱筠死後,實齋曾致書於其子朱少白謂"先生家傳,不久定當屬草……淮揚間有從先生遊者,其才甚美,學問雖未成家,記誦則甚侈富,亦能為古文辭,尤長辭命,僕向以為畏友,近見於湖湘間,與之款談,一妄人耳"。按柴德賡認為此"淮揚間有從先生遊者"即汪中[37]。

孫星衍撰《汪中傳》稱其"自書當代名人姓氏,品核高下,人愈嫉之,以為汪中善罵人"。此當為重"義理"之章實齋所不滿。郭斌龢評汪章之交惡云:"汪容甫靈光奇氣,並世鮮儔,其識議時溢出考據家之上,實齋初以為畏友,及武昌相聚,容甫文名已盛,實齋悃愊無華,或非其所喜,因跡廢心,遂成齟齬[38]。"

3. 袁枚(子才,1716—1797)。袁枚比實齋長二十三歲,實是其長輩,以詞章馳名,自然與治史之實齋不同格調。郭斌龢謂“實齋既深惡子才，而子才盛負時名，亦視實齋無足輕重，兩人絕無虛懷論學之機”[39]。而袁枚集中並未提及實齋，可能實齋之攻擊子才是在子才逝世以後[40]。

在實齋著作中，對錢大昕、孫貽讓、段玉裁三人頗推為知己，尤其是段玉裁。曾云：“通人如段若膺，見余通義有精深者，亦與嘆絕。”（《文史通義》外篇三《與史餘材簡》）但在三人集中，未嘗於實齋有真賞之論，實齋固然未見重於當代學者，而當代學者亦多為實齋所不滿。推其原因雖多，但坎坷之經歷，養成怪僻的性格，既不合於時趨，亦不願捨己而從時尚，遂做成“孤立於當代學術界”的人物。

乙、建立了方志學的理論，未留下完整的著作

一、年輕時提出的方志學理論

章實齋的方志學理論，主要是見於乾隆二十八年至二十九年間（1763—1764），與甄秀才論修志及上胡明府（翼修）的“修志十議”（均載於《章氏遺書》卷14《方志略》），是時實齋僅廿六、七歲，未有任何名氣，此理念建立後，直至其逝世，僅憑此理念付之實行，或撰志，或代筆，盡是闡揚此理念而已。

實齋之“志”理論，根本是站在“史”的立場，提出“志乃史體”（《甄秀才一書》），再具體而言，在功用與修志時，便提出“二便三長、五難、八忌”（《修志十議》）在體例上，那便是“三書四體”，現謹分述如下：

1. 述志之例（方志十議，見於《章氏遺書》卷14方志略例）

議職掌：應設立“提調”，主斷是非，類今之主纂，“總裁”主筆削，類今之編輯。“投牒”類今之採訪。“參閱”類今之校對。各有職掌。

議考證：提出應用之書，應加意採訪或徵收，及錄其副本。

議徵信：主要是“傳”人物時，議其是否真實可靠。

議徵文：蒐集藝文的方法。除分類外，現存人的著作不錄，能成集者始錄。

議傳例：立傳之例。如不為生人立傳，有功於地方者始立傳，若已昇本省上官，及有統轄者，仍不立傳。

議書法：提出“考”以敘典章、“傳”以敘名宦。另立“歷任年譜”以記地方官而未有傳者，“科甲年譜”記有功名而無顯著事蹟者。

議援引：舊志所傳之人物，其文辭繁簡不倫，若必須援引，應用：“其略曰.....”引其重點。

議裁制：“傳”中所載文辭，除嚴格甄選外，應用“大書分注”之例。如若本舊傳而撰新傳時，舊傳所載之事，若未便遽刪者，可作雙行小字，一體附註本文之下。

議標題：舊志綱目繁多，動輒分為數十門類。故主張嚴分類別，如行狀碑版諸文，不隸本傳而隸藝文。又如天文則分星野、占候二志。於地理又分疆域，山川為數篇。標題不得史法，壞於史例。故主張以《史》、《漢》八書十志為例，以還正史體裁。

議外編：凡事屬瑣屑而不可遺者，如一產三男，人壽百歲，科第盛事，雖非史體所重，亦難遽以刊落，故主張於正傳之後，用雜著體、零星紀錄，或名“外編”，或名“雜記”。

按：李泰棻認為所議“十議”，一、乃權限之劃分，二、乃志料之蒐集，三、乃志料之審訂，四、乃藝文志之體例，五、乃入傳人物之標準，六、乃書事之慎別，七、乃引書之規例，八、乃節引成書或成文之規例，九、乃分目之意見，十、乃叢談之內容[41]。其實所謂“十議”，似是撰書前之“凡例”，用之於方志固可，用之於撰“史”亦無不可。雖然實齋提出“志乃史體”，但“史”與“志”究有不同（下文有論），而且“十議”中，固多有不當之處，如“議標題”，主張以“史（記）漢（書）之八書十志為例”，刪繁為簡。惟正史與方志不同，而且史漢時代至清間千餘年，社會進化，非細分類別，無法表達其“整體”，故近代方志，綱可大、但目必詳，李泰棻亦有“十議可議”之文[42]。事實上“十議”亦未能表達實齋在方志理論中的深度，可能是時年輕，尚未成熟之故。

按：《答甄秀才論修志》有二書，據《章實齋先生年譜》認為在癸未、甲申（乾隆廿八至廿九年，即1763—1764）第一書論六事，第二書論八事[43]，其內容與“十議”亦未盡同。不過，以後實齋為人撰志，或為前志作“書後”，多本“十議”之主旨引申而來。

2. 撰志之要（二便三長五難八忌）

實齋在“十議”中，另提出“二便三長五難八忌”，此乃撰“史”與“志”之“要”（點），前二項（二便三長）是言“史”與“志”之功用，後二種（五難八忌）是言撰“史”與“志”時應注意的困難。分言之。

二便：“地近則易覈”、“時近則蹟真”是強調當地人與當代人撰“史”與“志”時效果較佳。

三長：“識足以斷凡例”、“明足以決去取”、“公足以絕請託”顯然是受史家三長的影響。“斷凡例”是史識，“決去取”是史才，“絕請託”是史德（謂之史識亦可，下文有論史識與史德之難分）。

五難：“清晰天度難”、“考衷古界難”、“調劑眾議難”、“廣徵圖書難”、“預杜是非難”。按“天度”、“古界”之難，是指“方志”與“地理”書有別。“調劑眾議難”是指官修歷史與官修地理難成“一家之言”。“廣徵圖書難”可能是“才”、“學”有關。“預杜是非難”顯然是史識（德）問題。

八忌：忌“條理之混雜”、“詳略失體”、“偏尚文辭”、“粧點名勝”、“擅翻舊案”、“浮記功蹟”、“泥古不變”、“貪載傳奇”，此八忌指撰“史”與“志”之“忌”。

實齋提出“乘二便、盡三長、去五難、除八忌”，其除“二便”外，所有“難”與“忌”均可用三長類分之，如下表：

三長	史才 明足以決去取	史學	史德（識） 識足以斷凡例、公足以絕請託
五難	廣徵圖書難 調劑眾議難	廣徵圖書難 考衷古界難 清晰天度難	預杜是非難

八忌	偏尚文辭 浮記功蹟 貪載傳奇 粧點名勝	條理混雜 詳略失體	擅翻舊案 泥古不變

（按“才”與“學”有互相關係，“識”與“德”亦難以斷分。）

3. 論志之體（三書四體）

“十議”中，除言“乘二便、盡三長、去五難、除八忌”外，更具體的提出“而立四體，以歸四要”。“立四體”是指方志中四種體例，後來經三十年補充成為“立三書”[44]，指方志由三大部份組成。所謂“四體”是指“皇恩慶典宜作“紀”，官師科甲宜作“譜”，典籍法制直作“考”，名宦人物直作“傳”。其實“四體”均有所本，據黃葦的解釋[45]：

紀：用以論皇恩慶典……倣自《史記》的帝王“本紀”，為避僭史，故又稱“外紀”。

譜：記官師銓除，倣《史記》的年表及《漢書》的“百官公卿表”，為避僭史，故又稱“年譜”。

傳：用以載籍法制，倣自《史記》的《八書》和《漢書》諸《志》用以載人物，倣自《史記》《漢書》的列傳。

按：實齋自稱“既無僭史之嫌，綱舉自張，又無遺漏之患”[46]，黃氏據此加以闡釋而已。至於“立三書”，其文亦載於《章氏遺書·方志略》：

> 凡欲經紀一方之文獻，必立三書之學而始可以通古人之遺意也，倣紀傳正史之體而作志，倣律令典例之體而作掌故[47]，倣文選、文苑之體而作文徵[48]，三書相輔而行，闕一不可，合而為一尤不可也。

所謂“三書”亦有所本，本於《春秋》、《詩》、《禮》三家。紀傳正史，春秋之流別也；掌故典要，乃《周禮》之流別。文徵諸選，乃詩之流別。實齋將地方志由此三部份構成“志”乃主要部份，屬於“著述”。掌故與文徵，則是編纂或記注之類[49]。不論“三書四體”，但用之寫作技巧上，卻要歸於“四要”：“簡、雅、覈、嚴”，以表析之如下：

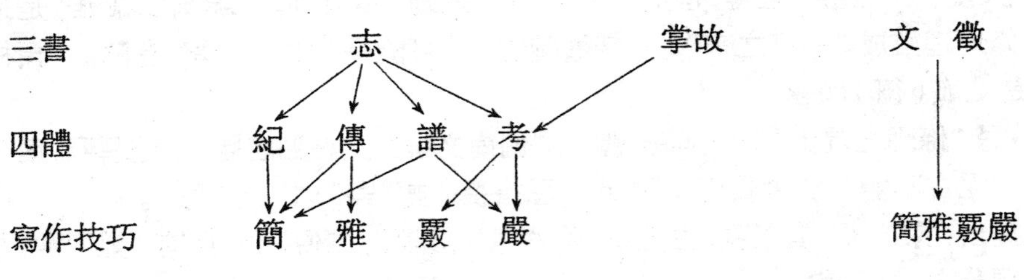

此外，在纂《和州志》時，在“傳”之下，主張從正史中的“宦績傳”、“名宦傳”獨立成一新的“體裁”，名為“政略”[50]，其與一般“列傳”有異。因（1）列傳之體縟而文、政略之體直而簡；（2）列傳包羅鉅細、政略之體取義嚴謹；（3）列傳首標姓名、次敘官閥，政略以官標首，又有“闕訪列傳”，因列傳中有（1）一事二傳；（2）舊著其文，今亡其說；（3）有慎書聞見，而不自為解者[51]。其實此乃“傳”之細目而已。另有“叢談”認為既不入於志的資料，棄之可惜，故附稗野說部之流而作叢誤，猶“經”之“別解”、史之“外傳”、子之“外篇”。

4. 論文與史之關係(六經皆史、文人不可修志)

實齋提出"六經皆史"、"文人不可修志",曾引起若干誤會,嚴格分析實齋以史家立場,謂六經乃是"史料",修志應有"史法",因"文筆"與"史筆"不同,文人不可用"文筆"修志而已。

"六經皆史"一辭:見於《文史通義·易教上》:

六經皆史也,古人不著書,古人未嘗離事而言理,六經皆先王之政典也。

"先王政典"乃是檔案,屬於"史料"。另一方面,實齋又提出"六經皆器也",後人誤會:所謂"經"乃載"道"之書:

易曰:形而上者謂之道,形而下者謂之器。道不離器,猶影不離形,後世服夫子之教者自六經,以謂六經載道之書也;而不知六經皆器也……。

三代以前、詩、書、六藝未嘗不以教人,非如後也尊奉六經,別為儒學一門而尊稱為載道之書者,蓄以學者所習,不出官司典守,國家政教,而其為用,亦不出人倫日用之常,是以但見其為不得不然之事目,未嘗別見的載之道也。[52]

所謂"六經皆史"、"六經皆器"、"先王政典"、"官司典守"、"國家政教"、"人倫日常之用"即現代所謂"史料"[53],倉修良更提出:所謂"六經皆史",此"史"固是"史料",其含義乃在矯正宋學空談義理的弊病,又具有"經世致用"的"史"的內容,以此反對乾嘉考據學派閉口不談義理的不正之風。實齋提出"六經皆史"並未說"六經皆史學"或"六經皆史意"[54]。蓋"史學"與"史料"大不相同,世人誤解實齋之意而已。

今天所謂"經",強半為古人之所謂"傳"也,實齋曾云:

古今所謂"經",乃三代盛時典章法度見於政教行事之實,而非聖人有意作為文字以傳後世也。[55]

"六經"不言"經","三傳"不言"傳",古代所有典籍,皆出於史官,易於混淆,故"六經皆史"非謂"六經皆史學",史學與史料有別,實齋本意乃是如此,且"六經皆史"的理論,並非創自實齋[56],早在明王守仁已提及,據《傳習錄上》:

愛(徐愛)曰:先儒論"六經",以"春秋"為史,史專記事,恐與"五經"事體,終或稍異?先生曰:以事言謂之史,以道言謂之經,事即道,道即事,"春秋"亦經,"五經"亦史,"易"是包羲氏之史,"書"是堯舜以下史,"禮"、"樂"是三代史,其事同,其道同,安得有所謂異?

以後王世貞也提出同一理論(見《四部稿》卷144》),故倉修良認為"六經皆史"的命題,既不是章學誠的創見,也不是到了章學誠才"大膽地提出"的。不過,章學誠針對時弊,又重新提出這一命題,並真正賦予"六經皆史"以充實的內容和系統理論[57]。

文人不可修史:實齋認為"千古多文人,而少良史"[58],而文人修史、修志,均未得達"史體",此是其主旨。

今所謂方志,非方志也。其古雅者,文人游戲、小說、短書、清言叢說而已耳;其鄙俚者,文移案牘,江湖游乞,隨俗應酬而已耳[59]。

主要原因,是"文人"撰寫,未得"史體"。

"志乃史體,原屬天下公物,非一家墓誌壽文,可以漫為浮譽,悅人耳目者"。"每見文人修志,凡景物流連,可聘文筆,典故考訂,可誇博雅之處,無不津津累牘,一至孝子忠臣,義夫節婦,則寥寥數筆,甚至空存姓氏,行述一字不詳"[60]。

實齋具體提出宋范成大有《吳郡志》、王鏊有《姑蘇志》,范氏以蘇州代表吳郡,已失其理,而《姑蘇志》亦多沿襲《吳郡志》,實齋批評曰:

> "如范氏、王氏之書,雖非史家所取,究於流俗惡爛之中,猶為矯出"。"王氏鏊號為通人,未必出其所撰,大抵暗於史裁,又浸浸於文人習氣,以表無文義可觀,不復措意,聽一時無識之流,妄為編輯,而不知其貽笑識者,至如是也。故曰:文人不可與修志也。"[61]

范氏、王氏乃甚負文譽者,然實齋仍未稱許,蓋認為未諳"史裁(體)",實齋認為"文人之書"、"辭家之書"、"史家之書"等,各不相同。

> 蓋方志之弊久矣,流俗猥濫之書,固不可論。而雅書拂拭,取足成家,往往有之。大抵有文人之書、學人之書、辭人之書、說家之書。惟史家得其正宗,而史家又有著作之史與纂輯之史,途徑不一。著作之史,宋人以還,絕不多見[62]。

文人與史家有別,蓋"文筆"與"史筆"有異。

> 余嘗謂"史筆"與文士異趨,文士務去陳言,而史筆點竄塗改,全貴陶鑄群言,不可私矜一家機巧也。[63]

文人好誇張,重主觀、感情,此與史家不同。

> 文士撰文,惟恐不自己出;史家之文,惟恐出於己。[64]

實齋雖提倡"文人不可修志(史)",但決非輕視文人,衹要求文人要明"道",此"道"便是"史筆":

> 文,虛器也;道,實指也。文欲其工,猶矢欲其良也.....文,可以明"道",亦可以叛"道",非關文之工與不工也。[65]

明代文人修志大盛,但明代以"八股取士",並無實學,更不知"實體",故實齋評前代方志極少稱許,如陳士元之《灤志》,曾被稱譽僅次於李滄溟之《青州志》,但實齋卻評之曰:

> 今觀其書,矯誣迂怪,頗染明中葉人不讀書而好奇習氣,文理致此竟不可復言矣。陳君以博瞻稱,而《灤志》庸妄若此,其他著作,不知更如何也。

其評康海之《武功志》:

> 今觀其書,蕪雜特甚,蓋緣不知史家法度,志乃史裁,.....苟於地理無關,例不濫收詩賦,康氏於名勝古蹟,猥登無用詩文,其與俗下修志,以文選之例為藝文者,相去有幾?

其評陸瓏其之《靈壽志後》:

> 陸氏理學名儒,何可輕擬,然不甚深於史學。

其評《朝邑志後》:

> 康(武功)韓(邦靖),皆能文之士,而不解史學。

其評《姑蘇備考後》:

> 細按其書,雖矜南、董之直,實乏班馬之裁。[66]

所謂"文人不懂史裁(體)",故不宜修志而已,至於"史裁(體)"亦即實齋所倡"三書四體"。當然"國史之體"與"方志之體"又有不同,則牽涉至"史"與"志"的關係。

5. 論"史"與"志"之不同

實齋力主"志乃史裁"[67],"志乃史體"[68]、"志為國史要刪"[69]容易被人誤解,"志"即"史"。黎錦熙提出"立兩標",針對實齋"志乃史體"的說法,認為:

方志為物,史地兩性,兼而有之。[70]

實齋亦曾云:

有天下之史,有一家之史,有一人之史。傳狀誌述,一人之史也。家乘譜牒,一家之史也。郡府縣志,一國之史也。[71]

方志乃一方之全史。[72]

雖然(地方)"志"是源於"史",然兩者應有分別,如:

從敘述方法而言:"志橫史縱"[73]

從敘述內容而言:"志詳史略"

從時間而言:"志近史遠"

從利用資料而言:"志繁史簡"

從層次而言:"家譜有徵,則縣志取焉。縣志有徵,則國史取焉"[74]

換言之,國史可取材於地方志。而地方志中,省志可取材於府州縣志,但決非集合府州縣志便可成為省志。實齋云:

如修統部通志(省志)必集府州而成,然統部自有統部志例,但非集諸府州志可稱通志,亦非拆統部通志之文,即可分散為府州志也。諸府之志,又有府志一定義例,既非可以上分通志而成,亦不可以下合諸州縣屬志而成。[75]

若以實齋所纂之《永清縣志》、《和州志》、《湖北通志》三者比較,知"省志"非集州縣志而成,蓋各有特點及義例:

	永清志縣[76]	和州志[77]	湖北通志[78]
紀	皇言、恩澤	皇言	皇言紀(存紀贊)
表	職官、士族、選舉	官師、選舉、氏族	職官、封建、選舉、族望、人物
輿圖	輿地、水道、建置	輿地(建置、營汛、水利)	
考(書)	吏、戶、禮、兵、刑、工	田賦、藝文	府縣、輿地、食貨、水利、金石
傳	(政略) 歷代名宦事蹟(不分目)列傳共十卷	(政略)共二十九人,列傳共二十三卷,八十二人,闕訪及前志各一卷	(政略)經濟略、循績略、捍禦、師儒,列傳五十三
文徵	奏議、徵實、論說、詩賦、金石	文徵(奏議、徵述、論著、詩賦)	文徵八集
掌故	缺	缺	掌故六十六篇、內分吏、戶、禮、兵、刑、工,共五十二目
叢談	缺	缺	叢談四卷(考據、軼事、瑣語、異聞)

譚其驤認為"史"(地方史)與"志"之不同是:(1)史以敘過去,而志敘現狀;(2)"史"記載以社會現象,"志"則兼敘自然現象;(3)"史"重實地調查與考察,"志"則重文獻之資料;(4)"史"用紀事本末體,"志"用書志體[79]。可以參考,但與實齋原意不同。

6. 其他(志科、志官傳、史德與史識)

(1)州縣立志科

實齋所謂"志科",類似現代所謂"檔案局",地方檔案是最基本的史料,由地方蒐集,而上於中央[80]。

> 天下政事始於州縣,而達乎朝廷。猶三代比閭族黨,以上於六卿……朝廷六部尚書之所治,則合州縣六科吏典之掌故以立政也。

六科吏典所掌之政府檔案,較為容易,但民間的譜牒傳誌則散處各地,且多溢美之詞,需加甄審。

> 譜牒散而難稽,而傳誌私而多諛。.....然則州縣志書,下為譜牒持平,上為部院徵信,實朝史之要刪也。期會工程、賦稅獄訟、州縣持有吏典掌故,能供六部之徵求,至於考獻徵文,州縣僅恃猥濫無法之志乘,曾何足以當史官之采擇乎?!

以往修史,主要是靠臨時採訪,固難完備,因而主張:

> 州縣之志,不可取辦於一時,平日當於諸典史中,稍明於文法者以充其選;而且立為成法,俾如法之所記載,略如案牘之有公式焉。

但實齋並未提出"公式"之內容,據梁啟超之解釋:

> 實齋之意,欲將此種整理資料之方法,由學者悉心考訂後,著為格式。……此誠保存史料之根本方法。[81]

至於筆削成書,那是秉史筆之史家責任;而"請立志科五議"亦未蒙政府採納,惟方志於之數十年則需更修,則後成定例(《與戴東原論修志》)。

(2)志官傳

實齋主張"志乃史之裁",修志應出本"史體",因此史家應立"專傳"。倉修良強調章氏立"史官傳",可稱"卓見"[82]。實齋提出:

> 夫經師有儒林之傳,辭家有文苑之篇,而史氏專家淵源有自,分門別派,抑亦古今得失之林,而史傳不立專篇,斯亦載筆之闕典也。[83]

其實章氏所謂"史官"乃"志官",前代國史中,所有"史官"已分入"儒林傳"或"文苑傳",實齋開始提出"史"與"志"不同,因此提出"志官傳",是篇所列舉應"傳"者,均是修"志"之官,如郭正域修《江夏縣志》、廖道南修《蒲圻縣志》、劉湘煃修《漢陽府志》、趙雪航等修《漢陽舊志》、董承敘修《沔陽州志》、顧天錫修《蘄州志》、盧紘修《蘄州志》等。而且此七人中,實齋似乎述其"志"多於述"傳",可否稱為"史官傳"尚待商榷,即使現存的《湖北通志檢存稿》僅有4卷,而"傳"者祇顧天錫、盧紘二人較詳,另袁宏道僅四十餘字而已,故若改為"志官(者)傳"更為恰當,但此為實齋之卓見,當無可懷疑[84]。

(3)史德與史識

唐劉知幾謂"史有三長:才、學、識"[85],而章實齋於《文史通義》中提出"史德"(內篇五),後世學者遂合稱為"史家四長"。然《章氏遺書》中,從未言過"四長",而實齋所謂"史德",其實乃"史識"之補充而已。據"史德"篇[86]:

> 才、學、識,三者得一不易,而兼三尤難。千古多文人而少良史,職是故也。

而"識"與"德"祇有程度上的差異,而無基本上的不同。

古人史取成家,退處士而進姦雄,排死節而飾主闕,亦曰一家之道然也,此猶文人之識,非史識也。

實齋最重"文"與"史"之别。"文人不可修志",蓋用"文筆"與"史筆"不同。同樣,文人之識與史家之識亦不同。史家之"識"與"史德"有關。

能具史識者必具史德;德者何?謂著書者之心術也……所患夫心術者,謂其有君子之心而所養未底於粹也。

所謂"君子之心"是:

當慎辨於天人之際,盡其天而不益以人也。蓋盡其天而不益以人,雖未能至,苟無知之,亦足以稱著書者之心術矣。

所謂"慎辨於天人之際,盡其天而不益以人",其意是著史時要本"天理"、"良心",決不以"懷亂臣賊子之心"、"假史筆以誹謗君主"大背名教,苟得其惡,即為"名教中罪人"乃"天理所當誅"[87]。

其實所謂"著史者之心術"與劉子玄之"史識"類似:

猶須好是正直,善惡必書,使驕子賊臣所以知懼,此則為虎添翼。善無可知,所向無敵矣。[88]

此"善惡必書"固然是"識",亦是"心術"而已。當然,"善惡必書"中,"善"、"惡"之别本乎"義",本乎"史意"。實齋另在《文德》篇中,提出"夫識生於心也",而"德"是"隨時檢攝於心氣之間,而謹防其一往不收之流弊也"。所謂"臨文檢其心氣,是以為文德之敬而已爾"[89]。"文"與"史"當然不同,但不論"文"與"史",其"識"昇華,始能成為"德",故"史(文)德"乃"史(文)識"之補充或擴大而已。

在章氏著作中,屢次斥劉知幾之"史識"為文人之"識",但從未將才、學、識、德四者並列。在《文史通義》的《雜説》、《説林》等篇,每提到史家的條件時,都是將才、學、識並稱"史家三長"[90]。梁啟超將其增為"史家四長"[91],其實非實齋之本意。

二、章實齋所纂修之方志著作

撰書時期	書名	纂修　代修	備考資料
乾隆22年(1757)	國子監志	歐陽瑾為國子監祭酒,朱棻元為司業,推實齋執筆	未成、僅見於《章氏遺書·文集一》"國子監司業朱府君墓碑"及文集四"庚辛間亡友傳"
乾隆29年(1764)	天門縣志24卷	父鑣總纂,實齋分纂	"與族孫汝南論學書"謂"(書)為俗人所改,所存十之六七",朱士嘉《地方志綜錄》謂此書藏於"上海東方圖書館"、"北平故宫圖書館"、"日本東京內閣文庫"
乾隆33年(1768)	順天府志(佚)	助朱筠纂修	姚名達《朱筠年譜》未列此書,《章氏遺書·外集》與"家守一書"言"筠河師被陷",撰《順天府志》,亦屬僕輩經紀其師

撰書時期	書名	纂修　代修	備考資料
乾隆38年（1773）	和州志42篇	應安徽學政朱筠之推荐、和州知府劉長城之聘而纂修。成42篇，朱筠去職，繼任者陳潮，認為“詳州而略縣”，意見不合，不予刊行，實齋乃刪為20 篇，名曰《志隅》	《章氏遺書·外編》存《和州志三卷》，實為《志隅》之一部，但卻存目錄，且首列“文徵”
乾隆42年（1777）	永清縣志10卷	知縣周震榮延實齋主其事	《章氏遺書·外編》“永清縣志”云：原書25篇，不分卷，今仿“檢存稿例”為十卷，是章氏方志著作中留下最完備的作品
乾隆54年（1789）	亳州志（佚）	代知州裴振修纂	《章氏遺書·方志略》存“二例議”“人物表，掌故”，而“掌故”成為“三書”中之最早的證據
乾隆54年（1789）（但至乾隆59年始完成）	湖北通志73卷	代總督畢沅撰	是書為實齋精心之作，但書成後有進士陳熷謂是書不當，故未刊行，今《章氏遺書》中，僅存四卷，雖有目錄可稽，己難見全貌，已知是“志”、“掌故”、“文徵”三書並列，且附“叢談”
乾隆56年（1791）	麻城縣志28卷	知縣黃書紳延實齋主纂	《麻城光緒志》重訂凡例云：“大抵舊志體例，雖本章君，而文義非其手訂”
乾隆58年（1793）	常德府志24篇48卷	應畢沅之邀，助知府李大霳修《常德府志》	書成未刻《章氏遺書·方志略例》為畢秋帆制府撰常德府志序云：是書有紀二、表四、政略一、傳七，嘉慶應先烈據此重修，恐保存原本者不多
乾隆58年（1793）	荊州府志	應畢沅之邀，助知府崔龍見修	佚，亦見於《章氏遺書·方志略》為畢秋帆制府撰“荊州府志序”，內分紀表、掌故、列傳、文徵，而無“政略”

此外，在《方志略例》中，有“與甄秀才論修志書”，曾言及助甄松年修《文安縣志》，“為張吉甫司馬撰《大名縣志序》，纂者張維祺似受實齋之影響，“報廣濟黃大尹論修志書”。“與石首王明府論志例書”中，知《廣濟縣志》及《石首縣志》亦曾送實齋參訂，可知實齋雖提出方志理論，但在實用上，所留下的著作，衹有《永清縣志》較為完整，但是書中，難以發現實齋能否應用志之例、志之要、志之體等理論，而實現其理想耳。

註釋

①《章氏遺書》（嘉業堂刊本）卷29，外篇《刻太上感應篇書後》。

②同註①，卷23《李清臣哀辭》。

③實齋自稱“幼多病，一歲中，銖積黍計，大約無二月功，資質稚魯，日誦纔百餘言，輒復病作中止，十四受室，尚未卒業《四子書》”。同註①，卷22《與族孫汝楠論學書》。

④實齋自稱“余不解，為舉子業文藝，畏其困人，法律若牛毛然”。同註①，卷18《陳伯恩別傳》。

⑤《文史通義》外篇三“家書六”。

⑥同註①，卷16《國子監司業朱府君墓碑》。

⑦倉修良《章學誠與文史通義》(1984年中華書局版本)頁23。

⑧實齋云:"官舍無他書得見,乃密從內君乞簪珥易紙筆,假手在官胥吏,日夜鈔錄《春秋内外傳》及衰周戰國子史"。同註③《與族孫汝楠論學書》。

⑨實齋曾館於沈既堂及梁國治、朱筠等家,《章氏遺書》中"文集"、"外篇"等,大部是代人撰寫之文章。

⑩同註①,卷29《與宗族論撰節愍公家傳書》。

⑪同註①,卷29《與汪龍莊簡》。

⑫實齋稱"戊子(1768)前未有家累(家人均在家鄉),館穀所入,自人事所需外,銖積黍累悉以購書,性尤嗜史,而累朝正史,計部二十有三,非數十金不能致,則層累求之,凡三年始全"。(同註①,卷22《滃雲山房乙卯藏書日記》)。

⑬《文史通義》外篇《與朱滄湄中翰論學書》。

⑭同註①卷18《任幼植別傳》。

⑮房兆楹、杜聯喆合編《增校清朝進士題名碑錄》。

⑯同註①卷17《柯先生傳》,但至五十歲(1787)時,又曾投牒吏部擬出仕,冬已知得知縣缺,忽又捨去,亦是"自知迂疏,不敢入仕"之意。

⑰實齋云:"至於史學義例,校讎心法,皆前人所未曾言及,亦未有可標注之名"。(《文史通義》外篇三,家書三)

⑱同註⑦,頁56—61。

⑲《校讎通義》原應有4卷,1781年遊河南遇盜,四十四歲前的文章全部散失,前3卷因友人存抄本得以保存,即今流行本3卷。

⑳盛清沂《論章學誠的譜學》(《第一屆亞洲族譜學術研究會會議記錄》,1983年臺灣聯合報的國學文獻館出版)。

㉑王重民《論章學誠的目錄學》(1963年7月17日《光明日報》)轉引自註⑦,頁33。

㉒轉引自胡適著,姚名達訂補《章實齋先生年譜》(1980年臺灣商務版)。

㉓吳天任《章實齋的史學》(1958年香港東南書局出版)194頁。

㉔黃兆強之《六十五年來之章學誠研究》一文,為作者在巴黎大學之博士論文,發表於臺灣東吳大學《文史學報》第六號,1988年1月。

㉕同註⑬。

㉖實齋強調"世儒之患,起於學而不思","苟果有自見而非一切庸俗所可幾,吾無責焉耳"。(《文史通義》内篇"原學下"),均是重視學而有所發明。"發明"者心得,即"自我發掘"之意。

㉗同註⑬,又近代學者郭斌龢亦強調"實齋論學不主時趨而主逆時趨,不主徇風氣,而主持風氣"。(《章實齋在清代學術史上之地位》1941年浙江大學文學院集刊第一集)。

㉘實齋云:"學誠從事於文史、校讎,蓋將有所發明,然辨論之間,頗乖時人好惡,故不欲多為人知,所上敝帚,乞勿為外人道也。"(同註①,卷29"上辛楣宮詹書")。

㉙同註㉗,郭斌龢謂"東原以考證,訓詁講經學,使經學成為一種考古學……,實齋使經學成為指導現實生活之南針……,東原之經學為靜的、考古的,而實齋之經學,為動的、實驗的、稽古所以通今,然不通今亦不足以稽古"。

㉚實齋云:"考索之家亦不易,大而(禮)辨郊社,細者(雅)註蟲魚,亦專業不可忽也。"(同註①,卷13《校讎通義》)。

㉛同註⑤,外篇三,"家書三"。

㉜余英時《論戴震與章學誠》(1976年香港龍門書店出版)頁2。

㉝同註⑤,《補遺續》,一《與孫淵如觀察論學十規》。

㉞據黃兆強意見："實齋生時，友好如汪輝祖、洪亮吉，老師輩如朱筠對他早有稱述。"（註㉔），但畢竟"譽之者少"。

㉟同註㉜，頁12。

㊱同註㉗。

㊲柴德賡：《章實齋與汪容甫》（刊於1982年中華書局出版之《史學叢刊》）。

㊳同註㉗。

㊴同註㉗。

㊵同註㊲。

㊶李泰棻《方志學》（1968臺灣商務版）頁48。

㊷同註①，第四章"章學誠之志例駁議"，除（十）"議外編"未有批評外，餘外每一議均有不當的批評。

㊸胡適著，姚名達訂補：《章實齋先生年譜》，頁13—14，指出第一書之六點是一：論義例，二：論藝文、三：論前志、四：論志之為體當詳於史、五：論"志"乃史體、六：論史志宜注重有裨風教之記載。第二書論八事（應是七事）。一、體裁宜得史法。二、成文宜標作者。三、傳體宜畫一。四、論斷宜守嚴謹。五、曲章宜歸詳意。六、文選宜相輔助。七、列女宜分傳例。

㊹章實齋認為"志"乃統稱，或著述之意。在著述中分出，另立"文徵"，最初見於參與撰《天門縣志》（乾隆二十九年，即1764），"掌故"則源於"考"，修《永清縣志》及《亳州志》（乾隆四十二年與五十四年，即1777與1789），始明確地提出"掌故"的體例。至纂修《湖北通志》（1790—1795）時，便三書並用《湖北通志》、《湖北掌故》、《湖北文徵》，前後相隔幾三十年。

㊺據黃葦《方志論集》（1983年人民出版社）頁161。

㊻《章氏遺書·方志略·答甄秀才論修志第一書》。

㊼"掌故"源於"禮"，發展為史部之"書"與"志"，然"書"與"志"各有專述，史文不能一概而收，據"方志略例""惜無劉秩、杜佑其人，別刪掌故而裁為典"，故實齋之"掌故"與"會要"體裁無異。

㊽實齋認為"文鑑"有意於政治，"文類"乃有意於政事，因而提出"欲以一方文物之盛，雖倍增其藝文，猶嫌其隘矣。不為專輯一書，以明三家。進退皆失所據也"。因而創"文徵"體例。

㊾傅振倫《中國方志學通論》第十三章。

㊿《和州志·政略序例》及《湖北通志·政略序例》（章氏遺書卷24及外編），其實"政略"內有經濟、循良、捍禦、師儒諸篇。前者與"考"相似，後者與"傳"類同，但強分之，似有強立名目之嫌。

51吳天任《章實齋之史學》頁92—94，及傅振倫《中國方志學通論》161頁。

52《文史通義·內篇·原道中》。

53魏應麒《中國史學史》（1941商務印書館版）頁272—273。

54倉修良《章學誠和文史通義》（1984中華書局版）第四章第七節。

55《文史通義·內篇經解上》。

56喻博文《兩則史料辨正》載於章學誠和《文史通義》註54，頁101。

57同註54，頁103。

58《文史通義·史德篇》。

59《章氏遺書·方志略例》"方志立三書議"。

60《章氏遺書·方志略例》"答甄秀才論修志第一篇"。

61《章氏遺書·方志略例》"書姑蘇志後"。

62《章氏遺書·方志略例》"報廣濟黃大尹論修志書"。

63《文史通義·補遺》跋"湖北通志檢存稿"。

64《章氏遺書·方志略例》"與陳觀民工部論史學書"。

⑥5《文史通義·內篇》,"言公中"。

⑥6其評《灤志》、《武功志》、《靈壽志》、《朝邑志》、《姑蘇備考後》均見於《章氏遺書》卷14"方志略例"。

⑥7《章氏遺書·方志略例》"書武功志後"。

⑥8《章氏遺書·方志略例》"答甄秀才論修志第一書"。

⑥9《章氏遺書·方志略例》"覆崔荊州書"。

⑦0黎錦熙《方志今議》(商務印書館版)。

⑦1《章氏遺書·方志略例》"州縣請立志科",亦見於《文史通義》卷4"說林。"

⑦2《章氏遺書卷二十八·外集》"丁巳暮書懷投贈賓谷轉運因以致別"。

⑦3《章氏遺書·方志略例》"答甄秀才論修志第一書"。

⑦4《章氏遺書·方志略例》"為張吉甫司馬撰大名縣志序"。

⑦5《章氏遺書·方志略例》"方志辨體"。

⑦6《永清縣志》有25,或26篇之爭,乾隆四十二年由實齋主纂,四十四年完稿,其間實齋曾上京應試,故疑中間有部份非實齋的作品,但全書無缺,最為完備。

⑦7《和州志》乾隆三十八年實齋修纂,今存於《章氏遺書》僅3卷,最早提出"文徵"體。

⑦8《湖北通志》完成於乾隆56—57年之間(據吳天任《實齋之史學》頁222),是三書並列,"通志"七十四篇、"掌故"六十六篇、"文徵"八集、"叢談"4卷。

⑦9譚其驤《淺談地方史與地方志》載1982年《江海學刊》第二期。

⑧0以下三段均引自《章氏遺書·方志略例》"州縣請立志科議"。

⑧1梁啟超《中國近三百年學術史》(飲冰室專集)"方志學"。

⑧2倉修良《章學誠和文史通義》第19頁。

⑧3《章氏遺書·湖北通志檢存稿四》"前志傳"。

⑧4實齋晚年云"當立史官傳,此皆當日舊論也,惟當時見書不多,故立說鮮有徵引目,其識之卓絕,則至今不能易者"(文史通義·外篇三)"家書五"。

⑧5《舊唐書·劉子玄傳》。

⑧6《文史通義·內篇五》"史德"。

⑧7許冠三《劉知幾的實錄史學》(香港中文大學1983年出版)第七節:"劉章史學之異同"。

⑧8同註⑧5。

⑧9《文史通義·內篇二》"文德"。

⑨0可參考姜勝利之《劉章"史識"論及其互相關係》(載於1983年《史學史研究》第三期)。

⑨1梁啟超《中國歷史研究法補編》載於《飲冰室專集》。

第二節 二顧、戴震及洪亮吉

清代方志學理論可分三派,即體例派、史法派與地理派。嚴格來說,祇有史法派與地理派,因體例派後與地理派合流,用體例派的分類(項目),用考據的方法,尤其是重視地理的沿革等,而史法派卻獨樹一幟。

體例派創於賈復漢的《河南通志》,首刊於順治十七年(1660),增補於康熙九年(1670)。全書共50卷,內有圖三十一,例二十,分三十類:即圖考、沿革、星野、疆域、山川、風俗、城池、河防、封建、戶口、田賦、物產、職官、公署、學校、選舉、祠祀、陵墓、古蹟、帝王、名宦、人物、孝議、列女、流寓、隱逸、仙釋、方技、藝文、雜辨等。康熙年間，頒天下以為式，以後不論戴東原、洪亮吉等所纂之志書，均按此等項目而增減而已。祇有“史法派”提出“三書四體”是另一體裁而已。

方志中，以考據地理而與章實齋分庭抗禮者，向謂始於戴東原。但東原誕於雍正十年（1723），早有百年前的顧祖禹，誕於1631年。顧炎武更早至1613年，比東原早一百至一百二十年之久，而江蘇兩顧，均用考據方法而撰寫《天下郡國利病書》及《讀史方輿紀要》。雖有學者稱兩顧為“歷史地理學家”，但方志本有“史”、“地”兩源，其發展成“歷史地理”，再發展成為方志，故筆者認為江蘇兩顧，是繼承一統志的體例，而開方志中“地理派”（考據派）的先河。何況，不論兩顧、東原、實齋、雖然寫作方法不同，但其目的均在經世致用，故敘方志流派，應先敘兩顧。

甲、江蘇二顧

一、顧炎武

誕於萬曆四十一年（1613），卒於康熙二十一年（1682），名絳，字寧人，明亡後改名炎武，學者稱“亭林先生”，江蘇崑山人。其先世曾仕宦於明廷，家中藏書豐富，沿襲傳統，參加科舉考試，年十四取得諸生資格，即與同里歸庄，參加“復社”①。關心國事，然不得志於科場。二十七歲再試，覆試時獲遺才二等②。時烽火四起，國事日非，他“恥書生之寡術”，遂退而讀書，通覽二十一史及天下郡縣志書、名人文集等有關史料③。找尋“經世致用”之術。三十二歲時，李自成陷京師，崇禎帝自縊，於是舉家遷常熟避難，準備往南京依福王，被委為兵部司務之職④，未到任南京已陷。唐王繼位，復被委為兵部職方司主事，亦未到任。亭林雖未親任明室官吏，惟矢志不仕清廷，甚至以死相拒，是其母遺命勿仕二姓的影響⑤。

唐王政府崩潰後，亭林於是盡鬻其產，扮作商賈，以馬或騾裝載書卷，漫遊全國名山大勝。“登危峰，探窈壑，捫落石，伐頹垣，畚朽址⑥”，考證金石，並以方志，古譜與之互相校證，積二十年而成《天下郡國利病書》。按：亭林早年曾有“軍制論”、“形勢論”、“田功論”、“錢法論”等切中時弊之文，準備上呈福王⑦。不遂。故《天下郡國利病書》乃本此意，探究各地之“利”與“病”，希望政府深悉“興利除病”，日臻富強，是“經世致用”之意，或亦可指出明代不重視各地之“利”與“病”，以致政治窳敗，民生疾苦，卒致國破家亡。

《天下郡國利病書》據《四庫總目》共100卷，但坊間有刻為120卷，上海涵芬樓版（已收入四庫三編）則分為三十四冊，其中第十四冊已佚，據“自序”云，“有得即錄”，似是筆記體，故凌亂異常，且缺乏系統。該書開始於直隸（河北），向南述蘇、皖（均以府分），再北述豫、魯、晉、陝、川、浙、贛、鄂（湖廣）、閩、粵、滇、黔（均以省分），最後則述交阯、西南夷、九邊、四夷等，是繼承《元和郡縣志》、宋代四大地理書，《元一統志》、《明一統志》等全國性的志書。

《天下郡國利病書》開始述直隸時，卻先有若干地名的考證。如：（1）布政司名與府州縣同名者。(2)府名與州縣同名者。(3)州名與縣名同者。(4)州名同者。(5)縣名同者。(6)衛名同者。(7)所名同者等,似應另立一章,以示其與“省、州、縣”之區域有所不同。又此書特重“利”與“病”,故輯錄不少前人言利病之作品。如“北直隸”曾引王士性《五岳游章》、徐問的《百川考》、周弘祖的《燕京考》等。廣東部份則錄有章如愚的《山堂考索兩廣論》。九邊四夷部錄有郭造卿《薊鎮方藥議》、《遼鎮通海議》等。

《天下郡國利病書》引用了不少地方性資料,可分為五類[8]:

(1) 地圖:是書特重視地圖。在郡縣方面,州郡必有圖,如“鳳陽府圖”、“和州城圖”、“華亭縣圖”等。在經濟方面,如“淮南水利圖”。在軍事、國防方面,如“海防圖”、“邊防圖”、“密雲形勢圖”等。另外,有特殊區域圖,如“鳳陽皇陵圖”等。

(2) 軍事國防上的考證。如所引的《嘉定縣志》的“兵防考”,有戰艦、兵器、火器等種類與用途,同時,分析險要地的國防價值,如劉家河為防海外諸夷及倭寇入侵之地。

(3) 農政:如所引《新風新書》,有“區田”之法,教民糞種、色水、澆稼,又利用塘水灌溉。一家五口可種十畝。同時,也指出豪強、地主等強佔民田等嚴重的政治問題。

(4) 水利:引佚名的《水利論》,分析全國河流、湖泊、池塘等水利灌溉的狀況,及利用水利的方法。同時,又引用元王仁發的《水利集》、元畢鍔的《關中水利書》、明鄭曾若的《太湖圖》、《淮南水利考》與《淮南水利總圖》等大量資料。

(5) 工業:我國社會經濟,自宋明以來,已由以農業為主漸變著重工商業的發展,是書曾引《徽州志》(按:疑是嘉靖四十五年何東序修注尚寧纂)內採礦、冶礦的情形。

《天下郡國利病書》所引用的志書、奏疏、文集、共12,000多卷,有大部份採自方志,此外,亭林在六十一歲(1674)避居於山東時,曾參修《山東通志》(疑即康熙十二年〔1678〕趙祥星主修錢江纂之刊本)。同時,利用所蒐集的資料,另撰《肇域志》6卷,共七萬餘言,以山東六府,每府1卷,府下為州,州下為縣,附廓之縣列各州之首,細目則分為郡邑、藩封、官守、山川、古蹟等。此書特點有二:(1)材料翔實、考證精當。如考證孟嘗君封邑不在淄川而在滕縣。(2)經世致用,如漕運咽喉之山東運河、沿綫水壑等,皆原委清楚,上接《元史》,下迄崇禎,清《嘉慶一統志》於山東部份,多取材於此。

亭林亦曾參加修正《鄒平縣志》、《德州志》,前者是順治十七年(1660)徐政修、馬驌纂;後者是金祖彭修、程先貞纂。梁啟超認為清代方志多成於俗吏之手,但列舉可觀者六十種,而《鄒平縣志》與《德州志》均與焉[9]。惜未考二書中亭林所佔之份量有多少耳。

二、顧祖禹

誕於崇禎四年(即1631),卒於康熙三十一年(1692),享年六十二歲。因景仰范祖禹而取名,字端午,號景范,因故居有宛溪,故別號宛溪。少於亭林十八歲,早於東原九十二年,江蘇無錫人,父柔謙,年青時入贅常熟譚氏,景范誕於常熟,遂自稱“常熟”人,柔謙精通史學[10],有志研究歷史地理,讀《明一統志》,認為:

> 古今戰守攻取之意,類皆不詳,於山川條例,又復割裂夫倫源源流不備。
>
> 今之學者,語以封疆形勢,惘惘莫知,一旦出而從政,舉山河天險,委而去之[11]。

故明室於遼東戰爭，每每失利，蓋主將未懂山河天險，故遺命景范"掇拾遺言，網羅舊典，發舒志意，昭示來茲"⑫。可知《讀史方輿紀要》之作，是繼承父之遺志，然此書有無柔謙之文，一如實齋父子之纂修《天門縣志》，尚待考證。柔謙卒於康熙四年（1665），是年景范三十五歲，據彭士聖序《讀史方輿紀要》云："創是書也，（景范）年二十九，柔謙尚在世，因早已有不滿《明一統志》之意，故推測當時柔謙即使未曾執筆，其書必有其意在焉。"

景范在《清史稿》無傳，李元度的《國朝先正事略》卷33有"顧祖禹"傳，姚椿有《顧處士祖禹傳略》，載於《晚學齋集》卷6。王德毅兄有《顧祖禹年譜稿》（載於《故宮文獻》卷2，第1、2期）記載較為詳細。按：景范高祖大棟，明嘉靖間官光祿丞，好談邊徼利病，躍馬遊塞上，撰《九邊圖說》，梓行於世，惜已佚。曾祖文耀，亦曾使九邊，熟悉邊事，祖龍章，為郡生，早卒。父柔謙、撰《山居賢論》一書，尤有志於歷史地理，故景范一家有志於輿地之學，已歷五世。

景范受父之影響，年29撰《方輿紀要》，"日草數條，或以事曠，必夜不眠以補之"⑬。歷時經二十載，何時完成，待考，祇知在康熙五年（1666）曾刊印"歷代州域形勢"⑭。據譚其驤、趙永復意見，"景范晚年編纂《紀要》，得到徐乾學很大的幫忙"⑮。按康熙十九年（1680），景范，入為徐乾學為客，後被邀參予《大清一統志》的工作（1686）。是時景范是50~56歲之間⑯，故推知《讀史方輿紀要》之完成應在是時，既符合趙士聖序所云，歷時二十載，且景范享年六十二，亦可稱"晚年"矣。

景范家貧，年二十即在里授村童以維持家計。以後來往於常熟、無錫等地，所交之友，如黃守中（庭）、范文嘉（賀）、魏凝叔（禧）等，均是安貧樂道，樸實無華之士，無心仕途，篤志於學，然卻富於民族大義。康熙十三年（1673），景范四十三歲時，三藩起兵反清，景范冒險入閩，疑曾投入耿精忠幕府，以從事"反清復明"的革命運動，結果"不用"，乃去⑰。後以"終身不仕"。康熙十九年（1680），景范五十歲，入為徐乾學幕客，二十五年（1686），景范五十六歲時，徐乾學以禮部侍郎充《一統志》、《會典》、《明史》館總裁，延聘景范及其子士行助纂，三聘始就，與閻若璩、黃儀、胡渭等十四人同在局工作。書成，乾學擬列景范之名上於政府，為景范堅決拒絕，"至於投死階石始已"。其民族氣節始終不渝。景范之著作，除《讀史方輿紀要》外，尚有《方輿書目》、《四書正旨》、《范溪詩文遺稿》等，在方志方面，自是以《讀史方輿紀要》為代表作。

《讀史方輿紀要》共130卷，另附圖4卷，可分四部：

（1）"歷代州域形勢"共9卷，由唐虞三代至明，先敘歷代能建國的地理因素，然後將當代的行政區域分別介紹，並考其沿革，最後以史實敘其滅亡的過程。

（2）卷10—卷123，按行政區域而分述，其次序是：先直隸（以京師為首），以尊王畿，繼而為江南、山東、山西、陝西、河南、浙江、江西、湖廣、四川、福建、廣東、廣西、雲南、貴州等省，省之下為府、州縣（其中山東附遼東行都司及朝鮮），每一府，又先敘其歷代沿革，府廓建置，以下則述其州與縣的山川、險要、城鎮、關隘、古蹟等。雲南、貴州則加敘羈縻州府。

（3）卷124—129，則述山川（禹貢山川起），河流（黃河、淮水、漢水、大江、盤江）及漕運、海道等，因水源於山、山附於水、於是述河流因山阻而分道，沿河道之險要（與山有關)以及漕河(運)之興衰。險要、海道則起自廣東而北,沿海之重鎮與港口,均有分析,每節末多引前賢的議論,如海道、曾引梁夢龍、王在晉之議論。黃河一節,則引漢之賈讓、宋之歐陽修等意見。

(4)卷30"分野",則引自《史記》之《天官書》、《地理志》及《漢書》之"天文志"等。

另有《輿圖》4卷附於書後,除"輿地總圖"外,所有圖又可分為四類:

(1)地方輿圖:有京師、江南、山東、山西、陝西、河南、浙江、江西、湖廣、四川、福建、廣東、廣西、雲南、貴州等,每一圖之前,先有總論沿革、疆域、戶口、賦稅、所屬的衛所等,圖後有"表",將屬下州縣列表述其四至八到及重鎮關卡等。

(2)邊防輿圖:有九邊總圖,遼東、薊州、宣府、大同、榆林、寧夏、莊寧、山丹、洮河、松潘、建昌、麻湯、虔鎮等,與地方輿圖一樣,圖前有沿革、賦稅、卻增加營保,官兵員額及邊疆官制,但圖後則無表。

(3)河道圖:僅黃河、海運、漕運三圖,其中黃河除圖外,有前人"黃河源說"、"古今治河要略"等文。海運圖後有"北海泊所"、"新河論"二文。漕運圖一如地方輿圖,圖前有"說"、圖後有"表"。

(4)藩屬圖:有朝鮮、安南、海夷、沙漠四圖。或述其與我國的關係,如朝鮮圖;或述其境內的行政區域,如朝鮮、安南二圖;至海夷及沙漠二圖,則述其國名及入我國的交通孔道。

《讀史方輿紀要》一書,筆者認為比《天下郡國利病書》更有系統,可讀性更高。景范自言其撰此書時:

> 禹之為是書也,以史為主,以志證之,形勢為主,以理通之,河渠溝洫,足備式遏,關隘尤重則增入之,朝貢四夷諸蠻,嚴別內外,風土嗜好,則詳載之,山川設險,所以守國,遊觀詩賦,何與人事,則汰去之,此書之立體者也[18]。

《讀史方輿紀要》之價值,學者論之頗多[19]。歸納之,有以下數點:

1. 為軍事地理著作

全書每一卷,或一城一鎮、一山一水、一關一隘、著眼點都在分析其在軍事地理上的價值,以及古今用兵成敗得失之上。在"歷代州域形勢"最為明顯,如其述宋之興,"先取荊湖、西滅蜀、南平廣、遂併江南.....吳越入朝,閩海內附,乃兼北漢,因襲前轍,定都大梁"(卷7)。此是"以史為主",繼而從地理觀點,評其不聽宋琪之言,以致失去北部屏障。

> (太宗)詔群臣上備戎策,宋琪言:國家取燕,於雄霸直進,非吾戰地。如今大軍於易州,循孤山,涉涿水,抵桑乾河,出安禮寨,則東瞰燕城,纔及一舍,此周德威助燕之路,下視孤壘,浹旬必克,山後八州,聞薊門不守,勢必盡降。時不能用。

按語:"自是河北諸州,盡被契丹寇陷"(卷7)。此是"以形勢為主"的批評,至於明代,遼東之患最大,景范於遼東之軍事險要,分析更為詳盡[20]:

> 按遼東為燕京左臂,三面瀕夷,一面阻海,山海關限隔內外,亦形勝處也。

遼東之險,首在寧遠:

> 寧遠前屯,乃遼之咽喉也,背山面海,一綫地耳。而高橋鋪,上刀屯瓦窯衝,雙墩鋪至於老衝等處,皆零賊潛伏截路處也,若三山營、靈仙寺、小團等處,則大舉之虜,

必由此以犯中前、中、右所東關一帶地方也，是可廢缺而不講歟？廣寧錦義共十九邊堡，俱平坦通虜，較有稍險者，如東之白雲山，西之九頂蓮花山，再西之紅螺山，其離邊皆四五十里，乃虜賊聚兵處也。如聚白雲山，則必自鎮安進犯廣寧一帶矣，聚蓮花山，則必犯義州迤東一帶及十三巖等處矣。

此從"戰略據點"而斷定敵人進犯之路綫，而若干小地名，即使"本地人"亦多不知，筆者成長於中日戰爭時代，風聞在湖南戰場俘擄日兵，在其身上獲有的《讀史方輿紀要》，是有關當時爭奪該地的片段，可知是書在軍事地理上的重要價值。故梁啟超譽該書為"極有別裁之軍事地理學"[21]。

2. 重視"人"與"地"的調協

地理形勢，固是兵家所重視的因素。若用"人"不善，則未能收效，景范論之曰：

夫地利亦何常之有哉？函關劍閣，天下之險也。秦人用函關卻六國而有餘，迨其未也。拒群盜而不足，諸葛武侯出劍閣、震秦隴、規三輔。劉禪有劍閣，而成都不能保也。故金城湯池，不得其人以守之，曾不及培塿之邱，汎濫之水，得其人，即枯木朽株，皆可以為敵難。

按：攻城奪池，固需名將，惟深入陌生之地，卻需當地之嚮導。蓋其熟識當地之地形，兩者需要配合，景范又言：

孫子有言：不知森林險阻沮澤之形者，不能行軍，不用嚮導者，不得地形[22]，或曰：審如子言，則嚮導於地形重矣，然則子之書可廢乎？曰：何可廢也！孫子言：不用嚮導者，不得地形，然不得吾書，亦不可以用嚮導。夫南行不可北轅，東泛不可西檝，此易知也。西北多山，而未嘗無沮洳之地，東南多水，而未嘗無險仄之鄉，此易知而不易知者也。

辨要害之處，審緩急之機，奇正斷於胸中，死生變於掌上，因地利之所在，而為權衡焉。此固大將之任，而非可問之於嚮導者也。凡吾之所以用多用少，用分用合，用實用虛之處，既已灼然知之，而後博求之於嚮導，從其何信，缺其可疑，以善吾地利之用。[23]

3. 詳於古今地名之沿革及古蹟的考據

此書每敘一府縣，必考其古今沿革，至於廢縣之考據、名勝古蹟，亦勾尋出不少史實，是此書一特色。如敘廣東省廣州府城[24]，先根據《吳越春秋》，謂之"任囂城"，趙陀為之擴大，稱"陀城"。漢平南越，改築番禺縣城為南海郡治，在今龍彎古霸間，而陀城仍舊，改稱"越城"。後漢時，"越城"就圮，乃廓番山之北為"番禺城"，又遷州治至此。至唐黃巢焚城，天祐間，劉隱更築，鑿平禺山以廣範圍，即現廣州城。宋慶曆時，築"子城"周五里，儂智高攻廣州時，為防禦，濬池為環城護河，以後增東、西、南三門甕城。元初毀天下城隍，但廣州子城及雁翅城（嘉定間於城南增兩翅以衛民房之謂）無恙。洪武間除修葺舊城，兼擴大而築府城，東北包粵王台山、北連馬鞍，至於白雲之麓……有門七，三面環濠，城周二十一里有奇。換言之，廣州古城應有三，即"南武城"、"任囂城與陀城"、"番禺縣城"。今之廣州城，乃自東漢開始修築之"番禺縣城"，而歷代擴建之。此等沿革，即使粵人知之亦不多，而景范卻考之甚詳。

此外，又有熙安廢縣、咸寧廢縣、陸賈城等考據，至於史蹟的考據，如廣州府新安縣

（今之寶安縣），有梧桐山，又名杯渡山，乃佛教名勝地，古名“屯門鎮”。唐天寶二載，海賊吳合光亂於此，府南三十里江中有琵琶洲，閩浙舟楫入廣者，多泊於此，為海道交通樞紐。東莞縣之梅蔚山，在縣南百里大海中。宋末二帝曾避元兵於此，均可補正史之不足。景范未曾履廣東，而考據之精湛，由此可知一斑。

4. 論建都

《國朝先正事略》評景范云：

其論之最精者，論天下形勢，視乎建都。

如秦漢之所以都關中，因秦漢以來“八川之流，環繞畿輔，用以便漕利屯之策，不斑斑可考歟？至唐人踵之，而渠堰之制益備”。至宋，改都汴京，“因宋以西夏之擾關中多故”。同時，關中灌溉之利去秦漢甚遠，而都汴者，以河汴流通挽輸便直為美談㉕。

梁啟超以徐霞客及顧景范相比，認為景范所親歷之地少。然其所記載乃極翔實而正確㉖。主要原因是景范“採舊聞，旁搜記載，規之正史”㉗。他曾撰《古今方輿書目》，蒐集了大量地理資料。平日又著重筆錄。“偶有所見，誤則正之”，故對是書之修纂有莫大的幫助。《國朝先正事略》評之曰：“據正史考證地理，於山川形勢險要，古今用兵戰守，攻守成敗得失之蹟，皆有折衷，雖荒僻幽仄之地，皆如目見而身履之。”

按：江蘇二顧，有兩相同之點：（1）同是在明室覆亡以後，復國無望之際，兩人均“矢志不仕”，亭林由於母之告誡。景范則遵父之遺志。（2）清修《明史》聘亭林入史局，亭林誓死不從。景范應徐乾學之邀，纂修《一統志》，書成不肯列名。至“投死階石乃止”。同具民族大義，富於愛國情操。其所撰兩部可“經世致用”的“地理考據學”著作，一如景范所謂“士君子遭時不幸，無可表見於也，惟有掇集遺言，網羅舊典，發舒志意，昭示來茲耳”㉘。然亭林自四十五歲後，盡鬻其產，來往河北、河南、山東、山西、陝西等地，“登危峰、探窈壑、捫落石、履荒榛、代頹垣、昝朽址”㉙，作實地調查，頻年足跡所至，無三月之淹。友人贈以二馬二騾，裝馱書卷㉚。一年之中，半宿旅店。但景范“獨身閉一室之中，心周行大地九萬里之內外，質之無疑”㉛。魏禧家於雲南，出入黔蜀者二十餘年，頗知其山川道理。而景范閉戶於苑溪，足不出吳會，而所論攻守奇正荒僻幽仄之地，一一如目見而足履之者㉜。因此，二人之寫作技巧不同，各有千秋，惟景范所用資料多來自“文獻”，間有因舊文獻有誤，失策而再誤。清嘉慶間，濟寧許雲嶠（鴻磐）撰有《讀史方輿紀要考證》一書，可資參考。

乙、戴震

戴震，誕於雍正元年（1723），卒於乾隆四十二年（1777），享年五十五歲，長於章實齋十五年，字東原，安徽休寧人。父弁，因貧，屢寄人為客，十歲始能言，“聰明蘊蓄”，就傅讀書，必求其義，富有懷疑精神。據云：塾師授“大學章句至右一章以下，即疑問：何以知為孔子之言，而曾子述之？又問：何以知曾子之意，門人記之？師應曰：此朱文公所說。即問：朱文公距孔子曾子幾二千年，何以知其然？”㉝因富於懷疑，進而求真，故易走上“考據”之路。

東原仕途不得志，但勤學深思。乾隆七年（1742），年僅二十歲，就教於大儒江慎修（永），學問日進。二十二歲起撰書，每年均有作品[34]。三十三歲（乾隆二十年）入京，結識紀昀、錢大昕、王昶、朱筠等，相與論學，始有譽於時。三十五歲，識惠棟於揚州，相與切磋，被譽為考據學中吳（惠棟）皖二派大宗師，東原始名重一時，然不得志於科場，鄉試屢落第。乾隆二十七年（1762），年四十，始舉於鄉，而會試卻四次不等[35]。至五十一歲時，得紀昀之薦，入"四庫館"為纂修官。五十二歲（乾隆三十九年），會試又不第，帝以東原已"名重一時"[36]，特開恩准予參加殿試，賜同進士出身，授翰林院庶吉士，為仕途中惟一履歷，惜僅二年便病逝，享年五十五歲。

東原的主要著作，大部分撰於"入仕"之前[37]（即五十歲前），及至"四庫館"主要是在"校書"，其所校訂之書有三類：

（1）算經：計有《周髀算經》、《孫子算經》、《張丘建算經》、《夏侯陽算經》、《王曹算經》。

（2）經：有《儀禮釋宮》、《儀禮集釋》、《大戴禮記》、《蒙齋中庸講義》。

（3）聲韻語言：有"方言"、"聲類表"。

至於纂修的地理書，以方志及功力最深的《水經注》亦在入四庫館前的作品，詳見於後。

東原以考據學的專長，從事纂修方志，故特重地理沿革，與章實齋分庭抗禮。章戴二人均不得志於"仕途"及"科場"，但東原畢竟曾食祿於"四庫館"。在文字獄"遺風"影響之下，從事於考據，以明哲保身。故實齋可以放言高論，創立了方志學若干理論；而東原在方志學上，卻以嚴謹考證而見長。

東原在方志學上，提出重視"地理沿革"，認為"古今沿革，作者首以為重"[38]，"志之首，沿革也，有今必先有古"，"沿革定而上考往古乃無惑"，"沿革不明不可以道古"[39]。重沿革，即重考據（證）。東原曾以聚珍版的《水經注》為版本，經八、九年的精心校勘，分別"經"與"注"的不同，補其缺漏者2,128字，刪其妄增者1,448字，正其臆改者3,715字。段玉裁謂："自先生校定後，宋以來舊刻必盡廢，更數十百年後，且莫知先生發潛之功。故聚珍版足貴，好事者當廣其傳也。"[40]此種重考據與沿革，曾遭章實齋之強烈反對。實齋反對戴氏提出"但悉心於地理沿革，則志事已竟"，認為"考沿革者，可取資載籍，載籍俱在，人人得而考之，雖今日有失，後人猶得而更正也"[41]，但近人黃德馨卻認為戴與章之論修志在乾隆三十八年（1773），而章氏追憶此事，卻在乾隆五十五年（1790）[42]，即十七年後，追記未必正確。且在東原遺文中，雖然有"重沿革"、"志莫難於辨沿革"之記載，但與"悉心於地理沿革，則志事已竟"的意義大不相同。因東原除嚴於考證沿革外，還主張"生不立傳"，"詳善而略惡"，"名宦必德澤於民，操持可法，流寓非名賢不錄"，"人物必大節卓然，義行必為善行足風，或一事之有益於人亦附焉"，"逸事異聞，涉鄙俚荒謬亦不錄"等，與實齋的"方志十議"亦頗有相同之處，故實齋謂東原"但悉心於地理沿革，則志事已竟"似是誤解。當然就方志理論而言，實齋能自成一家之言，比東原貢獻較大，且實齋之方志學著作留傳於今不多，但東原更少。《直隸河渠書》未完成，《文集》中有《水地記》一篇。最完整的是《水經注》，至所纂修的《金山志》已佚，餘下的《汾陽府志》、《汾陽縣志》、《壽陽縣志》，似是助修或潤飾，或代定"體例"而已，未能從該等方志中，一窺東原之理論與實踐是否合一而已。

東原的方志著作,主要有:

《金山志》乾隆二十二年,東原三十五歲,據段玉裁的《戴東原年譜》(以下簡稱《段譜》)謂:"先生有《金山志》一小冊,當亦此時鹽運使盧君雅雨屬先生渡江所為。"按此書今佚。

《直隸河渠書》乾隆三十三年,東原四十六歲,據《段譜》:是年應直隸總督方恪敏公(觀承)之聘,修《直隸河渠書》110卷,未成。會觀承八月卒於任內,繼任總督楊廷璋,對東原不能禮遇,遂去。東原逝後,其稿一藏曲阜,另一藏直隸總督周元理(繼楊廷璋於乾隆三十六年至四十四年任直隸總督)家。嘉慶己巳(十四年即1809),有王履泰者,其父乃周元理之甥婿,得其書,掩為己有,刪削幾半,益以乾隆己丑(三十四年)後事實,易名《畿輔安瀾志》。東原子中孚取"曲阜本"110卷欲辨正之而無效。黃德馨氏曾考據《直隸河渠書》乃趙東潛所草創,東原為之刪定而已[43]。

《汾州府志》乾隆三十四年,東原年四十七歲,汾州太守孫和相聘修《府志》34卷,兩年後刊刻,徐治序曰:

> 更聘戴東原先生襄其事,東原名士也,博覽群書,考訂精核,寰海文人皆知之,相與丹黃甲乙,首沿革,經藝文,為例三十,為卷卅四。

按今傳的《汾州府志》的目錄:

卷首,沿革

卷2,星野、疆域

卷3及卷4,山川

卷5,城池、官署、倉廒、學校

卷6,關隘、營汛、驛舖

卷7,戶口、田賦、鹽稅

卷8、卷9,職官

卷10、卷11,宦績

卷12,食封、流寓

卷13至卷16,人物

卷17,義行

卷18、19,科目

卷20,仕實

卷21、22,列女

卷23,古蹟、塚墓

卷24,祠廟

卷25,事考

卷26,雜識

卷27至34,藝文

從目錄的次序,一如徐治的序文所述,可知《汾州府志》的體例乃東原所訂,而全書中東原執筆者不多,纂修姓名未列其名,而《段譜》中謂"先生辨《元和志》","先生考子夏設教西河在龍門，不在汾州"等項，大概其中有若干考訂及筆削而已，該志另有曹學閩之序云："復延休寧戴東原孝廉、考證古今、筆削成書"。而段玉裁曾節抄府志"例言、圖表、沿革、星野、疆域、山川、古蹟，將付諸梓，以為修志楷式"，推測以上數部份，纔是東原的作品[44]。

《汾陽縣志》乾隆三十五年，東原四十八歲，但數篇序文均書"乾隆三十七年"，可能是年刊刻面世，是書纂修為知縣李文起。從李文起的序言云："東原助修《汾州府志》完成，即被邀共修《汾陽縣志》"。按時應是乾隆三十四年，因是年東原即入京應試，故推測原稿為李文起所作，而東原代訂"條例"及考訂若干（如沿革、地理等），試觀其目錄與《汾州府志》大略相同。

卷首，例言、圖表
卷1，沿革、疆域
卷2，城池、官署
卷3，賦稅、學校
卷4，名宦
卷5，職官、食封、流寓
卷6，人物、孝義
卷7，科目
卷8，文苑、仕實、列女
卷9，古蹟、壇廟、事考
卷10，雜識
卷11至14，藝文

黄德馨謂《汾陽縣志》今佚[45]，事實不然。

《壽陽縣志》，乾隆三十五年知縣龔道江纂修，東原四十八歲，因東原曾主講山西壽陽書院，故請辨正。該書體例一如《汾州府志》、《汾陽縣志》。

卷1，沿革、疆域、村莊、山川、形勢
卷2，城池、官署、學校、舖驛、兵防
卷3，田賦、戶口、徭役、起運
卷4，職官、題名、宦績
卷5，選舉
卷6，鄉賢、孝義
卷7，列女
卷8，古蹟、壇廟、風俗、祥異
卷9至卷10，藝文

該書中，東原主要仍是考證地理沿革方面，如辨正隋唐史"壽"、"受"二字之訛亂，並指出該縣"石坑地見於正史，應載入"[46]。

此外，洪榜之《戴先生行狀》謂東原曾撰《水地記》，按《段譜》是年曾撰《水經》一卷，載於《全集》中，另有《潯陽義莊志略序》（亦載於洪榜之《行狀》），今佚。至於東原在經學、音韻學、律算、考工記等均有甚大的成就，因與地理方志無關，闕而不述。

章實齋雖然未曾留下“完整的著作”，但從《湖北通志》及《和州志》中，仍可略知其理論系統。東原所修的方志比實齋少，在體例上沿賈復漢舊規，不過，特重地理沿革、地方考據與地方實用價值。如其在繪制汾州府縣地圖上，“村鎮必分八到，注明距縣治里數，舖驛則注明某舖至某舖，某驛至某驛等”，是上繼承《元和郡縣志》的遺風，與實齋之主張“經世致用”目的相同。不過，一從“史”立場，一立在“地”的觀點而已。

丙、洪亮吉

洪亮吉（1746—1809），字君直，一字稚存，號北江，晚號更生。另秦瀛的《原任翰林院編修洪君墓表》[47]，卻謂初諱蓮，又諱禮工。其先世於唐本為宏氏，始視（宏）察，祖居安徽歙縣，其孫有曾任宣歙觀察使，名經綸，始避唐敬宗諱，改為洪氏，以後事蹟不詳，至三十六代高祖德健為國子監生。曾祖璟，康熙戊寅拔貢生，山西大同知府。祖寀，亦國子監生，考授直隸同知，因贅於常州趙氏，遷居於常州。父翹，號午峰，亦國子監生[48]。乾隆十一年（1746），君直生於常州，又稱常州陽湖人。六歲丁父憂，家貧隨母僑居外家，由母親自督教。二十歲，出而授徒以餬口。二十一歲，初應童子試，不第。二十四歲，始補陽湖縣附生。二十六歲，齋科試一等第四名，補增廣生。是年至安徽謁學使朱筠，因朱筠關係結識汪中、邵晉涵、高文照、王念孫、孫星衍[49]及章學誠、吳蘭建、顧九苞等[50]名儒，學問大增。二十八歲，遂應聘入四庫館安徽局任事。二十九歲，於江寧府鄉試，為副榜第一。三十四歲，應順天府鄉試不第，至三十五歲始於鄉試中式為第五十七名舉人。三十六歲，因孫星衍之薦，入陝為巡撫畢秋帆（沅）之幕，凡三年。三十九歲還京應試，三次均不第。四十五歲始舉進士第二十六名，廷試則為一甲第二名。是年為乾隆五十五年，禮部隨即授職為國史館纂修。按君直自二十歲開始授徒，前後二十五年，或授徒，或為幕客，亦曾入四庫館校書（三十四歲），先後受知於朱筠、紀昀、畢沅等。直至進士及第，始進入仕途。四十七歲時，未散館即充順天鄉試考官，外放貴州學政被稱“異數”。五十一歲時，高宗內禪，仁宗即位，而君直亦任滿回家，為咸安宮官學總裁，在上書房行走，侍皇孫奕純讀書。五十三歲以弟卒請假回鄉。翌年，五十四歲，高宗崩，翰林例應奔喪，遂返京，派充實錄館纂修官。是年，因上書言事[51]得罪，發往伊犁，在伊犁僅百日遇赦，遂返常州，“歸於里門，雖蒙編管江左名士，過君講學問字者無虛日，盡心教士，其學大行”[52]。嘉慶十四年十二月病逝，享年六十四歲。

君直的著作見於《洪北江先生遺集》（光緒二年授經堂重刊本，華文書局影印），有經學、文學及史學。至於地理及方志方面的著作已刊者有《十六國疆域志》16卷、《東晉疆域志》4卷、《補三國疆域志》2卷、《澄城縣志》20卷、《淳化縣志》30卷、《長武縣志》12卷、《涇縣縣志》32卷、另卷首1卷、《懷慶府志》32卷、卷首及圖經各1卷、《登封縣志》32卷、《固始縣志》26卷、卷首1卷、《盧州府志》54卷（僅有跋1卷）。此外，據《遺集》尚有《通鑑地理通釋》、《寧國府志》則未見刊。

洪亮吉的方志學理論：

1. 輿地之書、重沿革。君直認為方志是“輿地之書”，首重沿革[53]，其所撰《固始縣志》

中，專詳沿革篇，而略其記事。其主纂的《涇縣志》有關地理部分，不惜重筆濃墨，旁徵博引，而沿革中，特重山水：

> 一方之志，山水最要，山則亙古不移，水則時有遷移，舊志於此未免簡略，分一一考其發源所在，及所入之大水，條分縷析，不使混淆。凡唐宋以前諸圖經地志所載者，無不錄入，並加考證。[54]

2. 君直與東原一樣，將考據學帶入方志領域中，故"言必有據"、"信載籍而不信傳聞"、"貴因而不貴創"，如其纂修《澄城縣志》時曾言：

> 此間方志有三：同州之澄城、邠州之淳化、長武是也。關中地大物博，又諸記錄自漢《三輔黃圖》以降，暨唐韋述《關中記》、宋敏求《長安志》、程大昌《雍勝略》等咸可準純……予為此志，一准昔賢，非苟求之異，實欲借茲成規示諸來祀。[55]

此《澄城縣志》所敘城廓、鎮堡、寺廟廨宇，均採自《十七史地理志》及諸地理書，若闕者始補以舊志，參以州志省志，且強調"傳聞之未信，方冊之難聞者，咸無取焉"[56]，既然是"信載籍而不信傳聞"，自然，刻板的"貴因而不貴創"了。

> 蓋撰方志之法，貴因而不貴創，信載籍而不信傳聞，博考旁稽，義歸一是，庶乎可繼踵前修，不誣來者矣[57]。

君直又云：

> 一方之志，苟簡不可，濫收亦不可。苟簡則輿圖疆域，容有不詳，如明康海《武功志》，朝邦奇《朝邑志》是也。濫收則或采傳聞，不搜載籍，借人材於異地，侈景物於一方，以致訛以傳訛，誤中復誤。如明以後，迄今所修府州縣志是也.....唐宋以來，輿地圖經，可依據者類皆登采嚴，而敘致未核。[58]

其所稱讚宋敏求之《長安志》、《洛陽志》、范成大之《吳郡志》，以其前者引用《三輔黃圖》敘三輔舊事，引《洛陽宮殿簿》、《西京記》、《洛陽記》，以迄唐韋述《兩京記》、《兩京道里記》等，後者引用《吳越春秋》、《吳會記》、張勃的《吳地志》等，均是堅守"載籍"之舊說，而不願"創新"的主觀條件。

王衛平有《洪亮吉的方志思想》[59]分析君直之方志學思想有四：(1)沿革最要。(2)信載籍而不信傳聞。(3)方志體例援引古法，突出地理內容。(4)方志內容，貴在簡繁適中。其實(3)、(4)兩點是同一內容，至於簡繁適中亦難有絕對標準，但其結論將章實齋稱為"創新派"、戴東原為"保守派"，並云：

> 創新派有很多方面意見新穎，具創造性，從而把清代的方志編纂引向一新的高度，但由於種種原因，這一派勢力單薄，以致章學誠編修幾部最具代表性的方志都未能完整地流傳下來。而保守派，雖然他們詳載地理沿革，並且考證精審，事事做到言必有據，所修志書具有信史的意義。但他門因循守舊，墨守成規，少於創造，所以方志未能更好地做到資治存史作用，從而大大限制了它們的價值。[60]

此項批評是泛指自戴東原以來的"考據派"的優劣，而君直比東原更為刻板，其信載籍而不信傳聞，其實傳聞經審核仍可得寶貴資料，史遷與顧炎武之著作，均採"故老遺聞"，故君直之主觀，實值得商榷。按君直之方志著作，均沿體例派，"詳分細目"，但細目中，頗多雷同。可知其刻板，茲列表如下：

		長武縣志[61]	澄城縣志[62]	淳化縣志[63]	固始縣志[64]	登封縣志[65]	懷慶縣志[66]	涇縣縣志[67]	盧州府志[68]
皇德						✓			
聖制									
地理	圖經						✓		
	星野						✓		
	沿革	✓					✓	✓	
	輿地						✓		✓
	縣屬	縣境✓	✓		✓			城池✓	
	鄉屬		✓						
	山川(水)	✓	✓	✓	✓	✓		✓	✓
	水利				✓				✓
	土地					✓			
	道里	✓	道里風俗✓	✓		✓			
	河渠						✓		
	風土			✓		✓			
建置	建置						✓		
	城池								
	宮殿			✓					
	伽藍(寺觀)				✓	✓		✓	✓
	壇廟	✓	廟屬✓	✓		✓			✓
	冢墓		✓	✓		✓		✓	
	衙(官)署			✓		✓		✓	城署✓
大事記	大事			✓	大事表✓	✓			
財經	食貨							✓	✓
	田賦				賦役✓		✓		
	物產					✓			
	地丁錢糧	✓							
	戶口			✓		✓			
	會計		戶口賦稅✓	✓		✓			
軍事	兵防						✓		✓
職官	職官(表)		✓	✓		✓	✓	✓	✓

		長武縣志[61]	澄城縣志[62]	淳化縣志[63]	固始縣志[64]	登封縣志[65]	懷慶縣志[66]	涇縣縣志[67]	盧州府志[68]
	秩官	✓			✓				
	封爵		封建神貢 封典✓						✓
	九品	✓			五等表 ✓				
選舉與學校	選舉（表）				✓	✓	✓	✓	✓
	學校		✓	✓	✓	✓	✓	✓	✓
	登科			✓					
	科貢	✓							
	封典								
書院								✓	
人物	人物	傳✓			✓		✓	✓	✓
	名宦				吏蹟✓			✓	✓
	循吏					✓			
	先賢					✓			
	聞人		✓						
	士(列)女	✓	✓	✓	✓	✓		✓	
	烈士					✓			
	逸人					✓			
	高僧					✓			
	彝行	✓							
	麗藻					✓			
名勝	名勝古蹟					✓		✓	✓
藝文	藝文	✓					✓	✓	✓
	金石		✓	✓		✓	✓	✓	
	文籍志								✓
	詞賦			✓				✓	雜文✓
雜錄	舊志源流			✓				✓	
	略序					雜錄✓	雜記✓	雜識✓	佚事✓
	故城今城	✓	城屬✓						
	橋寧鎮堡	✓							
	坊市驛遞	✓							

		長武縣志[61]	澄城縣志[62]	淳化縣志[63]	固始縣志[64]	登封縣志[65]	懷慶縣志[66]	涇縣縣志[67]	盧州府志[68]
	街巷坊表 津梁關隘				✓				
	鄉鎮里堡 市集村莊				✓				
	疆里古蹟 陵墓寺觀				✓				
	衙署倉徵 驛遞典禮				✓				
	歲時風土 禮俗物產								
	列傳藝文				✓				
	序 錄		✓			✓			✓
	辨 證							✓	

註釋

①吳映奎輯《顧亭林先生年譜》(掃葉山房本,1969中華文獻出版社重刊)。

②同註①。

③張穆《顧亭林先生年譜》。

④見於吳映奎《顧亭林先生年譜》。

⑤同註④。

⑥《亭林文集》卷2"金石文字記序"。

⑦陳祖武《顧炎武》載於1985年陳清泉等編《中國史學家評傳》中冊。

⑧節錄自朱士嘉《顧炎武整理研究地方志的成就》(載於黃德馨、傅登舟主編,1989出版的《中國方志學家研究》)。

⑨梁啟超《中國近三百年學術史》。

⑩江藩《漢學師承紀》。

⑪《讀史方輿紀要》總序一。

⑫同註⑪。

⑬據王德毅兄《顧祖禹年譜稿》引秦湘業無錫《金匱縣志》卷40"雜錄"謂年二十撰《紀要》恐有誤,按與景范深交之彭士望序《讀史方輿紀要》時云:"祖禹之創是書也,年二十九"較為可靠。

⑭譚其驤、趙永復《顧祖禹》載於中州出版社陳清泉等編1985年的《中國史學家評傳》中冊。

⑮同註⑭。

⑯雖王德毅兄《顧祖禹年譜稿》云:康熙十年(1671)謂《方輿紀要》130卷,全書初稿完成,恐另有所本,待考。

⑰此事頗有爭論,姚椿的"顧處士祖禹事略"(載於《晚學齋集》卷6)云:根據傳聞而已,但與景范深交的陸楣的《黃守中先生墓志銘》(守中即黃庭,為景范的諍友)云:"景范游海上,寄于先生,是時三方用兵,訛言日至,先生曰'我在,孺子勿恐',所謂'訛言',意將不利於景范,故王德毅兄之《顧祖禹年譜稿》即據之,言景范入閩藩幕凡三年,至是見大勢已去,知不可留,乃束裝歸里。"

⑱《讀史方輿紀要》彭士望序。

⑲如戈鋒之《顧祖禹之讀史方輿紀要》(載於黃德馨、傅登舟主編,1989年武漢出版社出版的《中國方志學家研究》),譚其驤、趙永復之"顧祖禹"(註⑭),他如梁啟超在其《近三百年學術史》、王維屏《顧祖禹之故鄉》(《方志》月刊卷9,期2)及王德毅兄之《顧祖禹年譜稿》等均有論及。

⑳《讀史方輿紀要》附"輿圖三、遼東"。

㉑同註⑨,"地理學"。

㉒同註⑪,"總序二"。

㉓同註⑪,"總序三"。

㉔《讀史方輿紀要》卷101。

㉕戈鋒之《顧祖禹之讀史方輿紀要》。

㉖同註⑨。

㉗同註⑪,"總序三"。

㉘同註⑪。

㉙《亭林文集》卷2,"金石文字記序"。

㉚《亭林文集》卷6,"與潘次耕"。

㉛同註⑱。

㉜《讀史方輿紀要》魏(禧)敘。

㉝節自段玉裁《戴東原先生年譜》及洪榜《戴先生行狀》、王昶《戴東原先生墓誌銘》(均收於《戴東原先生全集》,1978年大化書局重刊本)。

㉞二十二歲撰《籌算》1卷,二十三歲撰《六書論》3卷,二十四歲撰《考工記圖注》,二十五歲撰《轉語》二十五章,二十七歲撰《爾雅文字考》10卷,三十歲撰《注屈原賦》,三十一歲撰《詩補傳》(均引自段玉裁的《戴東原先生年譜》)。

㉟計四十一歲(乾隆二十八年)、四十四歲(乾隆三十一年)、四十七歲(乾隆三十四年)、五十歲(乾隆三十七年)。

㊱東原於乾隆二十七年,年四十為孝廉後,即負盛名,如乾隆三十五年修《汾州府志》,徐浩序云:"東原,名士也,博覽群言,考訂精核,寰海文人皆知之。"又乾隆三十七年,年五十,汾陽知縣李文起修《汾陽縣志》,延東原佐修,其序亦云"戴,固名士"等語。

㊲據《安徽叢書》輯之《戴東原先生全集》,東原之著作見存著共二十二種,另佚失者十七種,其中《汾州府志》今有存本,故佚失者應是十六種。

㊳乾隆三十四年(1769)為《應州續志》作序(《戴東原文集》卷6)。

㊴《汾州府志·例言》(引自商務國學基本叢書之戴東原文集)。

㊵段玉裁《戴東原先生年譜》,繫於乾隆三十九年事,時東原五十二歲。

㊶章學誠《方志略例》"與戴東原論修志"。

㊷葉瑛校注《文史通義·記與戴東原論修志》(註①),轉引自黃德馨《戴震方志學思想剖析》,載於1989年武漢出版社《中國方志學家研究》。

㊸黃德馨《戴震方志學思想剖析》(載於《中國方志學家研究》)。

㊹薛愈、王志華《乾隆《汾州府志》是否戴震所修》(載於1979年山西大學學報第四期)。

㊺同註㊸,第99頁。

㊻《戴東原集》"與段若膺論縣志"。

㊼《墓志》載於《洪北江先生遺集》(藝文書局影印授經堂刊本)。

㊽其世系引自孫星衍《清故奉直大夫翰林院編修加三級洪君墓誌銘》,載於《洪北江先生遺集》。

㊾《光緒重刊常州府志·人物傳》。

㊿據法式善撰《皇清奉直大夫翰林院編修洪稚存先生行狀》。

㉛據呂培等編《洪北江先生年譜》因陳川陝餘匪未靖，安徽尚須率己兵防堵，向例翰林非言事官，故呈成親王及吏部尚書朱珪、左副都御史劉公權代為上奏，但李元度之《國朝先正事略》卻云：權相和珅弄權，君直上書指斥"乘輿有群小熒惑，視朝稍晏"之語，觸怒於帝，孫星衍之"墓誌銘"亦有同樣記載。此較為合理，《年譜》恐是曲筆而已。

㊾同註⑲。

㊿新修《廬州府志》跋："一方之志，沿革最要"。

54洪亮吉《澄城縣志凡例》。

55洪亮吉《澄城縣志·序》。

56同註55。

57洪亮吉《涇縣志·序》。

58同註㉘。

59原載於《史學史研究》1988年一期，翌年，收於黃德馨、傅登舟之《中國方志學家研究》一書之內。

60同註59。

61《長武縣志》12卷，乾隆四十八年（1783）知縣樊士鋒序，洪君直曾參予發凡起例，主張寧繁勿簡，寧樸勿華。另外，李泰交亦曾參予考訂，全書以"表"形式為主。另一傳，每一"表"下有解釋，而"九品表"亦有簡傳。

62《澄城縣志》20卷，乾隆四十九年（1784），題為洪亮吉、孫星衍同撰，君直有序（見正文），又卷20雜序，是舊序而已：但未知洪、孫二人如何分工，修志時間長短如何，待考。

63《淳化縣志》30卷，原書題萬廷樹纂修，但乾隆四十八年畢沅卻云"適常州洪考廉稚存來客西安，余因以屬之。存廉精於史學，所修州縣志，皆一以史例編之，志成。凡18卷。而萬廷樹序亦云：洪稚存、客閩中，遂共襄志事。知加直確曾參與其事，惟畢序，當初祇18卷，但今本卻有30卷，除畢沅曾增十數條外，今本實非君直之原稿，是書"人物"列於"志"、藝文人於"略"與俗不同，該書以史料、記述、考證並重，盡述無遺，畢沅特稱譽之。

64《固始縣志》26卷，乾隆五十一年（1786）刻，有三序、即知州謝聘、河南巡撫江蘭及湖廣總督畢沅，三序均書君直曾參序其事，而畢沅更言明"予又以向所聞見，為增數條"，而是書體例又略有不同。由卷7"街巷坊表津梁關隘"合為1卷，以後有"鄉鎮里堡市集村莊"（卷8）、"疆里古蹟陵墓寺觀"（卷9）、"衙署倉徵驛遞典禮"（卷12）、"歲時風土禮俗物產"（卷14），但"典禮、驛遞與衙署、倉徵"各不類同，而合於一卷，"物產禮俗與歲時風土"亦各不相同，合為一卷，似有可議之處。

65《登封縣志》28卷，乾隆五十二年（1787）刻，題名洪亮吉、陸繼萼同纂，內分記、表、簿、志、傳、錄六大類。"記"有皇德、土地、山川、大事、道理、風土、壇廟、伽藍、冢墓。"表"有職官、選舉。"簿"有戶口、會計。"志"有學校、衙署、名勝、物產。"傳"有循吏、先賢、烈士、列女、逸人、高僧。"錄"有麗藻、金石、雜錄、序錄等。是書僅四閱月而成（畢沅序），未免倉卒成書。

66《懷慶縣志》32卷，乾隆五十四年（1789）刻，題名唐侍陛為總裁、知府布顏杜琮纂修，但唐侍陛序："並延暰城王君瑜、西蠡洪亮吉、海陵陳燮、雉皋江大健分輯之。"

67《涇縣志》32卷，嘉慶十一年（1806）題李德淦等修、洪亮吉等纂，據君直序，是書主要根據乾隆十八年錢人麟及乾隆二十年鄭相如二部《涇縣縣志》而纂修，認為二者有失之略者，於是補之；有失之鑿者，捄正之。其精力在於考究水道，故城等。如卷28"辨證"有（1）與左明經（暄）有五書辨陽湖古今地名（2）與吳通判（台），趙司訓（紹祖）論涇縣水道有三書（3）與吳通判（台）論銅山書一論。故自信較錢、鄭二志較詳。

68《廬州府志》54卷，嘉慶八年（1803）知府張祥雲主修、孫星衍纂，洪君直僅有"跋"一篇，似未參予其事。

第三章　新方志之興起與新方志之擬目

第一節　新方志之興起

自章實齋提出方志的理論，創所謂"史法派"，與戴東原之"地理（考據）派"分庭抗禮，至於"體例派"在發展過程中，溶於兩派之中，均條列綱目，或考據之，或理論之。清末民初梁啟超始正式命名曰"方志學"，然至現代，又產生所謂"新方志學"，新方志學產生的背景有三：

一、自西方社會科學傳入後，研究方志，已注重影響地方之各種因素，如社會學、人類學、語言學、經濟學等，與傳統撰方志時之注重"人""時""地""物"，均賦予新的內容。

二、清代方志三大派中，除"體例派"外，言義理的"史法派"在發展過程中遠不及言考據之"地理派"為盛，蓋因乾、嘉前的高壓政策，如文字獄等，深鎖着知識份子的智慧，知識份子為求自保自存，自然趨於考據學，雖然清代所修七千種以上的方志[①]，多成於俗吏之手，即使若干略有考證，而被稱許者為數不多[②]。清末國家多難，於是經世致用的思想，又為知識份子所趨騖，考據式之修志日漸式微，因此，在方志上的新要求乃在致用，如傅振倫在新修《北平志類》時，提出"側重現代"、"注重實用"、"注重物質"、"注重科學"等[③]，而黎錦熙提出"廣四用"等[④]，均適應新的潮流而有新的方法。

三、章實齋的"史法派"，強調"志乃史體"、"志乃史裁"、"志為國史之要刪"，因此，其提出之"三書"是源於《春秋》、《詩》、《禮》三家，其所謂"四體"："紀"、"譜"、"考"、"傳"，均蛻變自《史記》、《漢書》，乃二千多年的"史體"，時代在變，潮流在變，如"紀"、"皇言"需刪，"考"、"傳"亦應有新的體例。

故所謂"新方志"，應有"新的內容"、"新的方法"、"新的體例"。

但，新的方法，多是指在舊的內容中，強調若干點，使適合潮流而已，亦即所謂"新觀點"、"新方法"。此外，配合強調某幾點，於是體裁上也適應的調整，但"志館"的組織亦不同於傳統，於是產生新的組織與新的體例。此種組織與體例。又顯出"新的內容"，三者互為影響如下：

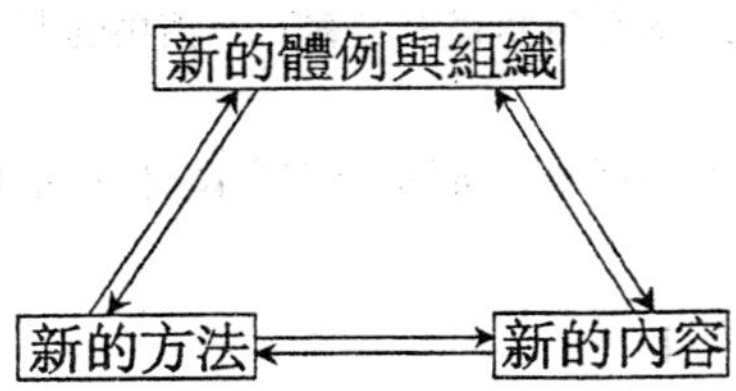

甲、新的內容

一、李泰棻的“三增”

舊的方志,多取材於文獻及採訪。一九三四年李泰棻氏之《方志學》,首先提出“新方志”內容應有“三增”:

(1)應增紀錄以前的史實:主旨是指考古資料,及從少數民族的風習,以推知有文字紀錄前當地社會狀況,強調不能專注意於紀錄時代,而需兼討論有文字紀錄前的人類狀況。

(2)應增社會經濟資料:社會經濟,在今日應為全志的骨幹。吾人之衣食住行、商工各業,經過先民若干努力,始有今日的文明,修志者應將以上各事,追述經過。

(3)應增貪污官紳之事實:按舊志雖有“貳臣傳”、“倖臣傳”(《南齊書》)、“佞幸傳”(《漢書》、《金史》、《明史》)、“二凶傳”(《宋書》)、“賊臣傳”《南史》)、“奸臣傳”(《新唐書》、《宋史》、《遼史》、《元史》、《明史》)、“酷吏傳”(《魏書》、《北齊書》、《北史》、《隋書》、《唐書》、《新唐書》、《金史》)等,而“貪官污吏則不問也”,“故今後修志,無論其為官為紳,與茲土民生、民智有關之善惡事實,一律同載,方合史例”⑤。

按:李氏之“三增”,顯然是受潮流“新學”所影響,而將舊志或改良、或補充而已。舊志有金石碑刻資料,為考古一類,且“史前”的紀錄,未必每地必有,但地下遺物之被重視與分析,是新方志中的新內容。又舊志中,亦有“蠻夷”一項,內有少數民族的風習。舊志中的戶口、田賦、礦冶等,乃為社會經濟資料,惜只是敘述而已。所謂“新方志”,是應着重分析與影響。至於增設“貪污官紳”的事蹟,本意在突顯社會上的特殊人物,如國史上的“游俠”、“刺客”、“酷吏”等。惟“修史”與“修志”不同,後人修前代史,可增“貪污官紳”、“酷吏”傳,無所顧忌。現代人修志,若貪污官紳仍在掌權,恐祇有“太史簡”、“董孤筆”始能為之而已。

二、黎錦熙的“廣四用”、

所謂“新方志”的內容,主要是在“創”(或增),能代表潮流及地方的若干項目而已。繼李泰棻氏之後,有黎錦熙氏於1938年,在陝西城固縣,被邀纂修《城固縣志》,撰《方志今議》,提出“新方志”應“廣四用”,其內容是:

(1)科學資源:重視地質、土壤、山勢、水文、氣候、生物,須作調查紀錄。

(2)地方年鑑:舉凡經濟情形、人事習俗、社會組織、政治進展、人物分佈,而作長編,按年紀之。

(3)教學材料:用作鄉土教材,使年青學子,對本土更加瞭解。

(4)旅行指導:坊間之旅行指南,應似《水經》之酈“注”及《東京夢華錄》之疇。

新方志的內容在“實用”,全是受潮流所影響,如“教學材料”是將方志由專業化變為教育化。黎氏撰此書時,在抗戰期中,故其提倡“教學材料”,可激發年青人愛鄉土、愛國家的觀念。至於"旅行指南",類似現代的"觀光事業",的確獨具隻眼。但"地方年鑑"之發展,將方志當作"百科全書",有資料而無史法,頗值得商榷。

三、唐祖培的"方志三學"

當黎氏撰《城固縣志》時,西北聯合大學教授唐祖培氏曾助之,唐氏撰《新方志學》⑥,提出"方志三學":

1.方志科學:以科學方法將方志分為五書。

(1)全志:方志之正編也。

(2)專志:方志之類編也,如掌故、文徵之類。

(3)叢志:方志之長編也,如姓氏譜、採訪冊之類。

(4)雜志:方志之附編也,如叢談、附錄方面。

(5)簡志:方志之約編也。

2.方志文學:根據章太炎之《文學論略》,文分"有句讀文"、"無句讀文"二列,"有句讀文"內分十六科,"無句讀文"有四,即圖書、表、譜、簿錄,唐氏推崇調查統計,與表譜為一體,為方志文學中最重要的資料。

3.方志哲學:談方志的義理,以實用為主,提出"自然"、"自治"、"自強"三綱領。

(1)自然方面:可分疆域、地質、氣候、地形、水文、土壤、生物等目。

(2)自治與自強方面:可分大事、人口、農礦、工商、交通、水利、合作、吏治、財政、保警、衛生、司法、文教、民族、人物、藝文等目。

按:唐氏之"方志三學",有巧立名目之嫌,所謂"方志科學"只是"方志的類別",難找其與"科學"的關係,"方志的文學"說是"方志的輔助學科",更為恰當。

四、現代大陸學者的意見

大概李、黎、唐三氏,對"新方志"與"舊方志"的分別,意見大致相同,都是注重社會各階層的基礎及地方的特性,甚至近年大陸方志學者,亦同意主"創",但其"創"卻有不同的內涵。

"創新"與"新創"不同。"創新"是推陳出新,將舊志中加以改良,"新創"則是另創一新體例,如倉修良氏認為"方志在長期發展過程中,所形成的體例,兼包紀、志、圖、傳、譜(即表)等體裁,可沿襲使用,方志記載的內容的廣泛性,必需保持與發展"⑦。另一方面,又強調"新的方志要比舊的方志增加科學性和現代性"⑧。當然,新方志少不免強調為政治而服務,如史念海、曹爾琴提出方志的創新是:

第一:用辨證唯物主義和歷史唯物主義進行科學分析。

第二:新方志不是資料的堆積,而是通過資料的科學分析,得出事物發展變化的規律。

第三:創新應該合理運用舊方志的資料。

第四:創新就是要創新方志,那麼應棄舊方志從遠古寫起,就是從人能夠從事生產勞動時期寫起⑨。

"從人類從事生產勞動時期寫起",那是社會史的範圍,且違背了"詳今略古"的歷史法則。更有甚者,提出方志創新的內容有"三新"、"三性"。

"三新":用新的觀點、新方法,處理新的材料。

"三性":是思想性、人民性、科學性,說具體一點,就是馬列主義的思想,社會主義的人民性和八十年代的科學性。

"三新"是表,"三性"是裏,"三新"是手段,"三性"是目的[⑩,⑪]。

所謂新方志既然是"為政治而服務",當然其"價值"便會引起爭論,幸而大陸的方志學者(同上書),尚承認舊方志仍有若干優點,如謂舊方志可繼承的有七點:

(1)修志之業,世代相沿,應予繼續。

(2)歷代修志,由中央提倡,地方官員主持;今日修志,亦應在各級黨政部門領導進行。

(3)方志自來為當代政治服務的,具有"存史"、"資鑑"、參考、教化、考核多種功能,應予繼續發揮其作用。

(4)我國為一大國,有二十九個省,兩千多個縣,四百多座城市,通過修志,才能掌握省情、縣情、市情,這是古人經驗,值得效法。

(5)方志具有地方性、時代性、資料性、綜合性的特點,新志要使之更鮮明、突出。

(6)舊志的編纂方法,新志可參考。

(7)新志的體例,雖與舊志大相異趣,但體裁方面,仍要借助紀、傳、圖、表。

大陸學者研究方志之風雖盛,且強調要建立新的方志,然其內容多屬空泛性,如:林衍經之新與舊的方志區分是:一、指導思想不同,二、研究範圍不同,新的方志應有四特徵:繼承性、科學性、階級性、實踐性等[⑫]。至八十年代後期,"左"風稍斂,於是張仲熒氏便評述"'左'傾錯誤細節的淺見",認為過於敘述階級性(鬥爭),令人陰森恐怖,毛骨悚然,讓人難以遵循[⑬]。又1988年,莫世全提出"志書撰寫"的要述有五:

(1)志要寓論於記。

(2)遵守特定時空範圍。

(3)方志記人(物),遵守生人不傳的原則。

(4)志書材料取捨原則,是詳今略古。

(5)志筆要實事求是[⑭]。

按:莫世全所論,雖無"特出"之見,但已摒棄"黨八股"作風,因廣東較為"開明","左"風較弱之故。

綜論所謂"新方志"的內容,共同意見是要"創"新,適合新的潮流、新的社會需要,及地方的新特性,其中李泰棻、黎錦熙、唐祖培等的論述,似較大陸學者具體得多。

筆者按:新方志內容中,應增設"家譜"一目,蓋方志與族譜,均是地方研究的主要資料,譜牒於我國起源甚早,有"慎終追遠"的意義,宋羅願的《新安志》有"姓氏"一目,章實齋於方志中,亦重視譜牒,惜重點是在"科甲"、"人物",其實族譜於地方史實,如民族的遷移、中西交通、外來的宗教、地方制度等,均有豐富的資料。先師羅元一香林教授之論已甚詳[⑮],毛一波之論"方志",有一章專談"家譜"之徵集[⑯],筆者曾提出《方志與族譜聯合應用的價值》[⑰],近年更蒐集得廣東新會盧氏族譜,發現其中有豐富的方志資料,評其為一本“合方志與譜系為一的族譜”⑱,故強調新方志的內容中應增“家譜”一目。

乙、新的體例

一、李泰棻

內容與體例,息息相關,有了新的內容,體例上自然或增或減,或強調某點,如李泰棻提出“三增”,那是沿襲舊志、新增三事而已,進而在“方志擬目”中,具體提出新的體裁。

(1)攝影:包括名勝、古蹟、金石、特產及其他類。

(2)附圖:包括疆域圖、沿革圖、山川圖、分縣圖、水利圖、省城平面圖、各縣城平面圖、各名市(如天津、漢口)平面圖、物產分佈圖、礦產分佈圖、其他。

(3)正文:

卷1 :地理〔疆域、沿革(附表)、山脈、河流、氣候(附溫度、雨量、節氣名表)、地蘊、土質、港灣〕。

卷2 :建置〔關隘、城市、津梁、衙署、館舍、街衢、學校、公共場所(如公園、劇院、圖書館、博物館、醫院)〕。

卷3 :勝蹟〔故都、故城(附表)、宮殿、陵墓、祠廟(附表,凡道觀、寺菴、以及公祠、私祠均屬之)、名勝〕。

卷4 :民族(漢、滿、蒙、回、藏、苗、戶口)。

卷5 :爵職〔封爵(附表)、職官(附表)〕。

卷6 :政治:

A. 財政:田賦、鹽榷、雜稅(附收支表)、銀行、貨幣。

B. 交通:驛站、郵電、鐵路、汽車路、駱駝路、木路、空路。

C. 建設:水利(附渠表)、工廠(附地點)、種類表、其他。

D. 教育:學校教育(附表)、社會教育(附表)、留學(附表)。

E. 墾務:歷年放墾之經過(附表)、放墾後已耕之數目(附表)、放墾後未耕之數目(附表)、未放墾之數目。

F. 軍政:省防之佈置、駐軍之沿革。

G. 警政:保甲、警察。

H. 司法:歷代司法情形、司法獨立時期、地方習慣法、監獄。

I. 自治:縣自治、市自治、村鎮自治、民團。

J. 儲恤:倉儲、養育、官渡、義園。

K. 選政:國會議員之選舉、省議員之選舉、其他類似之選舉。

卷7 :黨社(會社、政黨)。

卷8 :法團(農會、工會、商會、教育會、律師公會、其他法團)。

卷9 :議會(省議會、縣議會、市議會)。

卷10:產業〔農業(附農產物價表)、工業(附工業物價表)、商業(附商業物價表)、礦業（附礦業物價表）、漁業（附漁業物價表）、野產（附山產業物價表）、牧業（附牲畜物價表）〕。

卷11:禮俗（冠、昏、祭祀、卜筮、命相）。

卷12:生活〔衣飾、飲食、居處、娛樂、語言（附漢、滿、蒙、回、藏、苗重要語言表）、歌謠（附各地歌謠表）〕。

卷13:宗教（道教、佛教、喇嘛教、摩呵末教、基督教、多神教）。

卷14:人物〔仕宦、文苑、理學、忠義、德行、孝友、貞烈、方技、僑寓、隱逸、科第（附表）、議員（附表）、革命、劣紳、方外、游人（附表）〕。

卷15:學藝。

A. 學術:本省人之著作、外省人有關本省的著作、國外人有關本省的著作。

B. 藝術:書法、繪畫、雕刻。

卷16:古物（龜甲之屬、石刻之屬、磁器之屬）。

卷17:巡幸（恩遇、軍事、天災、人禍、徵發、怪異、其他）。

卷18:掌故（典則、陋規）。

卷19:文徵（散文、韻文）。

按:李氏的"方志擬目",顯然的是襲舊方志的"體例派",詳列綱目,而加上其"三增",如:

（1）應增紀錄前的史實,有卷12的"語言""歌謠",卷16之"古物"。

（2）新增的社會經濟資料,如卷六中"財政目"的銀行、貨幣,"交通目"的鐵路、空路,"建設目"中的工廠,"教育目"中的社會教育、留學,以及"自治目"、"選政目"。卷7、8、9的會社、政黨、議會等。

（3）應增貪劣官紳,主要在卷14中有"劣紳",卷18有"陋規",但未有貪官傳,可能列於"仕宦"之內。

此外,李氏之"方志擬目",有別於舊方志者,是特重"表",如氣溫、雨量、節氣（卷2）、雜稅、收支、教育的統計表、墾務表（卷6）、物價表（卷10）、各族的語言表、歌謠表（卷12）、議員表（卷14）等。當然,有些表在製作上相當困難,如歲出入的收支表、物價表,每年均不同,前後志之間,動輒相距數十年,即使修志時也有數年,然則採取何年作標準,值得商榷。

其次,李氏的"擬目"中有若干可以合併,如卷6中的"自治"與卷9的"議會"性質相同,卷7的"會社"與卷8的"社團",均屬社會組織,無需分為二目。此外,有若干項目,已失去時代意義,可以刪除或簡化,如駱駝路（卷6）,即使在西北的沙漠地帶,作用已不大,如卜筮、命相（卷11）在科學時代,似導人於迷信,"貞烈傳"已屬過去的倫理思想,"巡幸"（卷17）在民主時代,是不合時宜。

二、黎錦熙

黎錦熙之《方志今議》主張先明"三術",是撰"志"的三種型式。

"續",將舊志中"職官"、"貢舉"、"封爵"、"祀典"等門,續"前志"以後之事,或以"表"列之。

"補",將舊志中"人物"、"藝文"、"金石"、"古蹟"等門,新"獲"者固當"續",或有闕遺、或舛誤,均應糾正或補充。

"創",事類新增者,如地質、氣候、公路、衛生等,固應"創",而舊志有而與實際未相符者,亦應易名,或存其舊名,而換以新的"內容",如學校、風俗、方言等。

按黎氏之"三術","續"與"補"難以區分,實則相同,與李泰棻的"三增"意義相同,黎氏繼而提出"縣志擬目"作為方志"新體例"。

1. 全志的總綱

(1)疆域總圖。

(2)大事年表。

2. 關於自然方面

(1)地質志(附圖)。

(2)氣候志(附表)。

(3)地形志(附圖,山脈略說)。

(4)水文志(附圖,水道略說)。

(5)土壤志(附圖表)。

(6)生物志(植物、動物附圖)。

3. 關於經濟方面

(1)人口志(消長、移動、密度、籍貫、職業、附調查綱目)。

(2)農礦志〔農業、畜牧、蠶絲、蜂蜜、漁業、獵業、林業(附調查綱目)、礦產〕。

(3)工商志(工業、商業、經濟、市集,附調查綱目)。

(4)交通志(道路、航運、交通工具、運輸、郵電)。

(5)水利志(渠堰、壩井、水力利用)。

(6)合作志〔倉儲救濟(慈善機關、服務,附荒災表)、新合作事業〕。

4. 關於政治方面

(1)吏治志:縣政府組織、沿革考(附表)、職官表、行政紀略。

(2)財政志:省稅(田賦、稅契、牙稅、畜屠斗稅、煙酒稅)、地方稅(省稅附加、雜捐稅、公產)、金融貨幣(附度量衡)。

(3)軍警志:保安(附匪禍考)、警察、兵役。

(4)自治保甲志:選舉表、保甲。

(5)黨務志:縣區黨部、民眾團體。

(6)衛生志:人民體格及疾疫、醫藥、禁煙、纏足及廢辮。

(7)司法志:監獄(附要案附錄)。

5. 關於文化方面

(1)教育志:科舉教育、科第表、教育行政、經費、學校教育、畢業表、社會教育。

(2)宗教祠祀志:儒教及群治、道教及雜祀、佛教、回教、基督教。

(3)古蹟古物志:冢墓、建築物及傳說、石刻、銅器、陶磚及藝術品。

(4)氏族志。

(5)風俗志:衣、食、住、行及用具、職業、家庭娛樂活動(附調查表)、禮節(婚、喪、祝賀、歲時)、術數迷信。

(6)方言風俗志:方言、方言系統、諺語、通俗文藝(歌謠、雜曲、戲劇、雜耍)。

(7)人物志:列傳、人物品類表(附圖)、忠義表、節孝表。

(8)藝文志:總部(經學)、哲學(諸子、理學)、宗教、社會科學(統計、政治、經濟、財政、法律、社會、教育、軍事、禮俗)、語言文學、自然科學(數學、天文、物理、化學、地學、古生物學、生物學及博物學、植物學、動物學、人類學、解剖學、生理學)、應用科學(醫學、家事、農業工程、化學工藝、製造、商業)、藝術(建築、雕刻、繪畫、攝影、音樂、游藝)文學(總集、別集)、史、地。

附:本縣文徵及本縣叢錄。

按:黎氏的"體例"與李氏不同之點,顯著的是:

(1)李氏僅分攝影、附圖及十八目(卷)而已,但黎氏分四綱(總綱、自然方面、經濟方面、政治方面、文化方面)共二十七目,而且其中多為舊志所無,如人口志、黨務志、衛生志等,符合其"創"意,至於舊志所有的"目"亦多有"續"與"補",如沿革志中有分區概略,氣候志中增加氣溫表、雨量表等。

(2)黎氏已着重專家修志,如其提出"方志五書"中"全志"是正編,但以下二十九目均以"志"名之,均由專家擬定,如"自然全部及經濟一部分之篇題,均黃君國璋所擬,文化諸篇則何君士驥、羅君根澤、吳君世昌、龍君名等有所提供,至於政治諸篇,則從唐君祖培處假得漢口一區、城固一縣之行政報告表冊等,鉤稽歸納以成綱目"(19)。

(3)黎氏之《方志今議》提出:先明"三術"(續、補、創),是撰志三型式。

次立"二標"(地理之歷史化、歷史之地理化),是闡述國史與地志關係,似是撰志的目標。

次廣"四用"(科學資源、地方年鑑、教學材料、旅行指導),是志的新內容或新志的功用。"

終破"四障",似是撰志之新方法或體例,所謂"四障",其內容如下:

A. 類不關文:類者,方志之事類(目);文者,文章之體裁,反對章實齋之"紀、譜、考、傳"四目,各有不同的文體,而認為山川、田賦、人物均可加一"志"字,類相近者聚為部門,如"水文"下有河流與水道,"水利"則可包括渠堰,不以標題,但掇綱領。

B. 文不拘體:某一類(目)中,可有多種文體,如圖片、照片之類,即使不同文體,亦可插入文中,以便參覽,如今之檔案、章則等,凡足供某類之參考書,可附於某類之後,或注於某類之中,字分大小,別式高低,眉目分明,不違體例。

C. 敘事不立斷限,斷限有二,斷(始)自何時,限(終)至何時,若前志不廢,誠為續修,則斷(始)自前志所止之年,限(終)至擱筆之時。

D. 出版不必全書,無論何類(目),一俟定稿,即為印行,不列卷次,但標其名曰"某縣某志",每類(目)單行志,必撰"小序"(或名概述),全書小序,宜出一手,以一作風,迨及單行分志,先後出齊,依目排定,匯為一書,作為"總序"、"例目",並諸卷之首,便成全志。

按黎氏之"終破四障",是"撰志之法"固可,說是新志的體例與內容亦適合,而其中"類不關文",提出每一類可以用"志"名之。故其"方志擬目"中十七目,均以"志"名。

現代修志者,多沿此例,如1957年至1960年,王詩琅、王國璠主編《台北市志》共10卷,除一卷"雜錄"外,全以"志"稱。又,1959年林興仁主修、盛清沂總纂之《台北縣志》共17卷,均以"志"稱。至大陸方面亦然,歐陽發、丁釗編之《新編方志十二講》,內分十八"志"。最近大陸纂修《廣東通志》,據其送予筆者之資料,其內容亦是以"志"分[28],共分四十六志,預計千萬言,但均由業務機關負責,類百科全書體。當然,亦有以"篇""略"而代表"志",其目的是以專志(篇、略)而分類,與黎氏之意見相同。

又,"破四障"中,出版不必全書,因一方面需依賴專才,一方面若拖延過久,若干資料已失時間性,故先後出版,頗合時宜。按:《方志今議》附錄有《洛川財政志》、《洛川教育志》、《洛川方言歌謠志》三志的單行本,卷首語,即是"出版不必全書",先行印刷單行本的實現,但其他方志有無單行本先出,尚待調查。

第二節　新方志擬目芻議

目前"地方史"與"地方志"常常混淆不清,故新方志首先應辨"史"與"志"之不同(參考本編第一章第二節章學誠論"史"與"志"的不同)始能擬目。

"志"有"史""地"兩源,雖然章學誠曾言:志乃"史之裁"、"史之要",然新方志中應重"史"? 抑重"地"? 必須分辨清楚,始能突破章學誠與戴震之爭而擬目。

"史"重過去,引述以文獻為主,"地"重現狀、應兼用採訪,方志中談"史"部,應"略古詳今",談"地"雖以採集現狀資料為主,但亦應"考證"及以"史法"而比較與分析,否則堆砌豐富的地理資料,衹是"百科全書"與"地方年鑑",決非方志。

不論"史"或"地"的資料,應(一)重視現代性及地方特性,不能以傳統觀念及大一統的"中央"觀念處理資料,(二)地方"通志"應以"通"為主而非"專志"與"專論",雖然"專志"與"專論"有其學術價值,然決非"方志"的體裁,否則何謂"一方之志"。

因此,筆者提出新方志的擬目,內分五項:

1. 圖經:"方志"乃一方之志,故以地理(地方)為首,仿古之圖經為例,置於卷首。資料以現狀為主,其中"圖"部,可分攝影(現狀)、圖片(舊志資料)、地圖三部份。"經"部則是文字解釋,其中細目可分:

(1)行政區域圖,以現狀之行政區域(省市縣)製圖,用文字解釋每一區域之面積、人口等。

(2)地形圖,包括山脈、河流、平原、河谷等,用文字解釋山脈、河流的高度、傾斜度,山與河的關係(分水嶺)及水文、水利等。

(3)地勢、地質及物產圖:地形圖以平面顯示,地勢地質圖可用彩色分別,文字則解釋地勢與地質產生不同的物產。

(4)氣候圖:包括季節的氣溫、雨量,可製圖或製表示意,文字則解釋其變化、沿海地區兼可敘颱風狀況。

(5)交通圖:以圖顯示海陸空的交通網,若有國際性交通,亦可顯示於圖內,文字則解釋各種交通的起訖路綫及特別狀況。

（6）名勝古蹟觀光圖：今之名勝古蹟可攝影，並可採用舊志中的圖片，古今對照，文字則作介紹，以供觀光時之用。

（7）人口密度分佈圖，以顯示城鄉之別，亦可合併於行政區域圖之內。

（8）民族分佈圖，省內若有少數民族居住者（如苗傜壯山胞等），則增此圖，否則可刪。

2. 史表：了解"現狀"（圖經）後，繼而應述源流，故以"史"次之，因"史"部以"略古詳今"為主，故古代之事簡之以"表"，細目可分：

（1）沿革表：即歷代沿革表，以省通志為例，建省後之沿革應略詳，以前則簡述，若有錯誤則考辨之。

（2）大事表：亦即大事記，"記"乃詳述，今削為簡述之"表"，同樣以建省之後大事應詳，以前應簡，若有爭論之事，可附"考辨"。

（3）職官表：省通志衹列省級職官之姓名及任期，及其以下各級市縣首長之姓名與任期。市縣志則可省掉省級職官，所有職官，衹列"首長"，不錄幕僚。附屬機關則視其重要性而錄其首長姓名與任期。

（4）人物表：地方人物有貢獻者於"傳"中敘述，無大貢獻而有科舉功名或對地方略有影響性者亦列姓名於表中。

所有"史表"，若有爭論之"事"或"人"，均可加以"考辨"。

3. 史志：敘"源流"（史）後，繼之敘"現狀"，亦即"主體"，故以"史志"列於第三，其中細目可分。

（1）政治志：以制度為主，採訪現存的制度，述其運作與功能，更可進而比較與分析，使之合乎"史法"，項目甚多，如：

A. 各級行政組織，如省市縣等，大陸方面應增設"經濟特區"、"自治區"及"人民公社"（因公社曾代表鄉鎮組織）。

B. 各級民意組織

C. 各級警政及保防組織

D. 各級交通行政組織

E. 各級司法及審判組織

F. 各級衛生行政組織

G. 各級財經與外貿組織

H. 各級會計與審計組織

I. 各級外事與僑務組織

可視各地情形而增減，每一細目之下可增若干"項"。

（2）文化志：以敘述文化之內涵為主，細目可分：

A. 教育：敘各級學校教育、社會教育的目的及狀況，如普通教育、職業教育、特殊教育、人才的培養與訓練，學風問題、留學問題等，同樣著重分析與比較。

B. 藝文：分述文學、藝術等活動，電視、電台、報章、刊物等現狀及介紹其新趨向，加以分析及批評。

C. 文物：考古發掘的新資料，名勝古蹟的新整理及圖書館、檔案館、博物館等的狀況與特藏。

D. 科技:介紹科技的新技術、新產品及科技的機構、科技的研究等。

E. 文娛:如體育館、體育設備、體育的成就、戲劇的團體及其活動等。

F. 方言:本地方言的分析及介紹與研究。

(3)經濟志:敘述經濟的現象,分析經濟之發展,細目有:

A. 物產:包括農產、林產、礦產、漁鹽等產銷狀況。

B. 工商業及企業、敘其產銷,市場及比較歷年之增長或減縮的原因及狀況,與未來的發展,細目中應詳於分類,如製造業可分重工業、輕工業、電子電腦業、化工業等;商業可分百貨業、批發業、零售商等。

C. 交通運輸業。

D. 稅項:敘國稅、地方稅及直接稅、間接稅等,除述稅率外,歷年稅項的增減狀況及對民生的影響應加分析。

E. 財政與金融:分述銀行、投資公司、國貿、信託事業、股票、期貨及公債等。

F. 經濟的轉型:因經濟的發展,若干鄉鎮轉型為都市,若干地方由農業社會結構轉型為工商業社會的結構,應一一加以分析,此項亦可列於"社會志"。

(4)社會志:敘述社會各階層的結構,現象及流變:細目又可分:

A. 家族:述家族制度的變遷,介紹有影響性的當地豪族,及家族中男女人口的平均數、職業、婚姻、壽命等調查與分析。

B. 人口:述人口的流動,由人口而衍生的各種問題。

C. 族群:即少數宗族的介紹。

D. 社團:述各階層的社會,如專業公會、同業工會、財團法人、宗親會、同鄉會等,介紹其組織與活動。

E. 宗教與廟宇:述各宗教的分佈、現狀,所舉辦的事業如學校、醫院等,介紹其背景及貢獻。至於廟宇,從其節日活動以至建築上的藝術與風格均應介紹。

F. 風習:述傳統的風俗習慣及受外來影響的新風習。

G. 社會福利:如保險、醫療及養老院、兒童院、嬰兒院與殘疾救濟、貧窮津貼等。

H. 社會運動:如勞資糾紛、工潮、學潮及環保運動、婦女運動等。

4. 史傳:古今人物最難界定"古"、"今"之標準,有謂生存者為"今",已逝者為"古",但"現代史人物"其中亦有已逝世者,所謂"古",亦有"上古"、"中古"與"近世"之分。筆者提出:"舊志所載人物"與"舊志未載人物"而劃分,所謂"舊志":如阮元《廣東通志》為目前廣東所存最"近"的"舊志",民國以來所修的"省志"因未完稿或僅是部份完成,不予計算,所有"史傳",就其影響之大小而分"合傳"或"專論"處理,細目可分:

(1)舊志人物,又可分:

A. 宦績:仕於地方而有貢獻者,包括流寓。

B. 鄉賢:地方人物(刪)除舊志中忠烈、節婦、隱逸等項目。

此二項人物以簡述為主,若事蹟多影響大者,可註明"見舊志卷××"以供參考,但若有新評價則應評述之,以符合"略古詳今"的原則。

（2）舊志未載人物，記載於地方有貢獻人物，若仍生存者，則著重在本地的事蹟及貢獻者為主，細目可分：

A. 政治人物，以政府官員、軍事領袖、外交人物、黨派領袖等為對象。

B. 社會人物，以社會賢達、傑出人士、鄉賢耆老等為對象。

C. 財經人物，以企業及工商業等人物為對象。

D. 文化學術界人物，以學者專家為對象。

E. 宗教人物，以教會人士為對象。

人物中可能兼有數方面特長與貢獻者，難以分類，可就其影響較大部份屬之，或由編纂者主觀而分類。

5. 叢談：亦即舊志中"志餘"，細目可分：

（1）文獻：述本地學者的重要著作目錄及解題，重要的金石碑刻。

（2）掌故：述本地之掌故及傳說。

（3）災異：重大災異之記載。

近年大陸修志之風甚盛⑳，但其所修之"新方志"，難有"史筆"，更難達到章實齊所謂"史體"、"史裁"矣。

註釋

①梁啟超《中國近三百年學術史》（《飲冰室專集》）十七冊，列出清代方志可觀書僅六十種。

②李泰棻《方志學》第六章。

③傅振倫《中國方志學通論》第十八章。

④黎錦熙《方志今議》（四）。

⑤同註②。

⑥《新方志學》，1955年，臺灣華國出版社。

⑦倉修良《方志學通論·新方志的編纂》，頁592。

⑧同註⑦，頁593。

⑨史念海、曹爾琴《方志芻議》頁56—60。

⑩貴州省地方志編纂委員會1984年編《方志叢談》，頁22。

⑪同註⑩。

⑫林衍經《方志學綜論》，102—106頁。

⑬張仲癸《當代方志學探論》，237頁。

⑭廣東省地方志辦公室編《方志學八講》。

⑮羅香林《族譜學研究》。

⑯毛一波《方志新論》，第二十篇。

⑰1970年，美國猶他州家譜學會主辦"世界紀錄大會"（Conference of world records），筆者提出之論文"方志與族譜之聯合應用與價值"，英文發表於 Chinese Culture Vol. 12，No. 1，中文發表於《中華文代復興》月刊，14卷第6期。

⑱1991年臺灣國學文獻會主辦第五屆亞洲族譜學術會議論文集。

⑲《方志今議》序。

⑳據《廣東省志》編修工作具體要求材料匯編，1988年三月廣東地方志編委會辦公室出版，頁26。

（單位：萬字）

概述20	外貿志20	電子工業志10	華僑志30
大事記50	旅遊志10	輕工業志30	教育志30
地理志20	交通志35	紡織工業志10	醫藥志10
人口志20	郵電志20	城鄉建設志20	衛生志10
地震志10	勞動志10	建材工業志10	體育志20
地名志10	物價志10	政治制度志10	藝文志30
測繪志10	經濟特區志10	黨派志20	文物志30
地質礦產志20	農業經濟志40	群團志15	新聞事業志10
海洋海島志20	林業志20	司法志15	出版志10
珠江志10	水利志20	民政志15	廣播電視志10
氣象志20	畜牧水產志15	公安志15	科學技術志20
生物志20	冶金工業志10	外事志15	著述志20
經濟志40	電力工業志10	軍事志20	方言志15
財經志20	機械工業志20	社團志10	民俗志20
金融志20	交通工業志10	宗教志10	人物志50
商業志20	石油化工志10	民族志30	附錄20

㉑在1986年，據曾三在全國地方志第一次工作會議上報告：全國二十八個省自治區直轄市，均已建立"地方志編纂委員會及其辦事機構：辦公室"，全國300 多個市，已有三分之二，及2000多個縣中已有1800個縣（旗），設立了地方志編委會及其辦公室，出版了十多部縣志及若干初稿（引自中國地方志協會編：《中國方志研究》第一輯，頁15—40）。

第四章　海峽兩岸之修志機構

甲、現代大陸學者意見

大陸的學者，述撰方志之程序（步驟）與組織，必先有理論的指導，如林衍經所提出撰方志的意見：

（1）以組織和發動為內容的準備階段。

（2）以搜集和鑒別資料為中心的奠基階段。

（3）以分工撰寫志稿的草創階段。

此三步驟是形式，但內容卻充滿濃厚的政治氣氛，如其強調新方志應：

（1）指導思想不同：以馬克思主義、毛澤東思想為核心和靈魂。

（2）服務對象不同：通過新方志為社會主義建設事務而服務。

（3）研究範圍和內容不同：用新的方法和新的材料來編寫的方志[①]。

即使較為"開明"的黃葦，提出新方志編纂有五點，首點便是"指導思想問題"[②]。

乙、海峽兩岸的修志機構

至於組織方面，清代修志，由朝廷主動（約30–60年一修），地方首長監修，地方士紳協助，聘有功名或有名望學人擔任總纂，分纂多為本地知識份子（貢生之類）充當，不論總纂、分纂，多是文人，未必是專才。1929年民國政府頒"修志事例概要"，設立"志館"，惟詳細章程迄未明訂，茲參考傅振倫之意見[③]，列表如下：

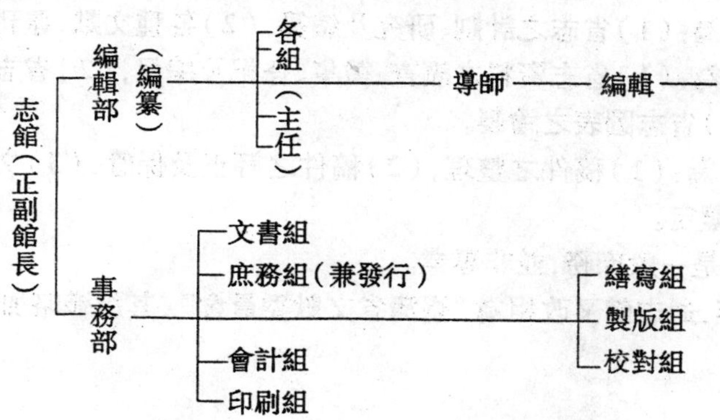

按：正副館長，由行政長官擔任，但以富有歷史知識者為佳，一如昔日之“監修”；事務部是普通行政官員，編輯部是專科部門，總纂應由史學家擔任。其下設若干組，如地理、財經、文化、教育等，其組長亦應由專家學者充當，各組綱目，由總纂釐訂，以示劃一。至於各組編輯及採訪，可由大學生或畢業生充任，而由其具相當教學經驗之導師指導，導師集中資料，整理編次，交各組主任考證（考同辨異、旁徵博引）、鑒定（勘誤正謬）、釐定（增略、刪繁、續脫、補闕、輯佚），前後由總纂劃一。

因總纂及組主任等均是專門人才，故多與當地的大學合作，如抗戰時之《城固縣志》，便與國立西北大學合作；抗戰前擬纂修之《廣東通志》，便與國立中山大學合作，借重各大學教授，以其專長，分擔各組編纂，利用各校學生擔任採訪，如是能發揮所長，當可事半功倍。

臺灣的通志館始設於1948年，由館長林獻堂等籌劃其組織如下[④]：

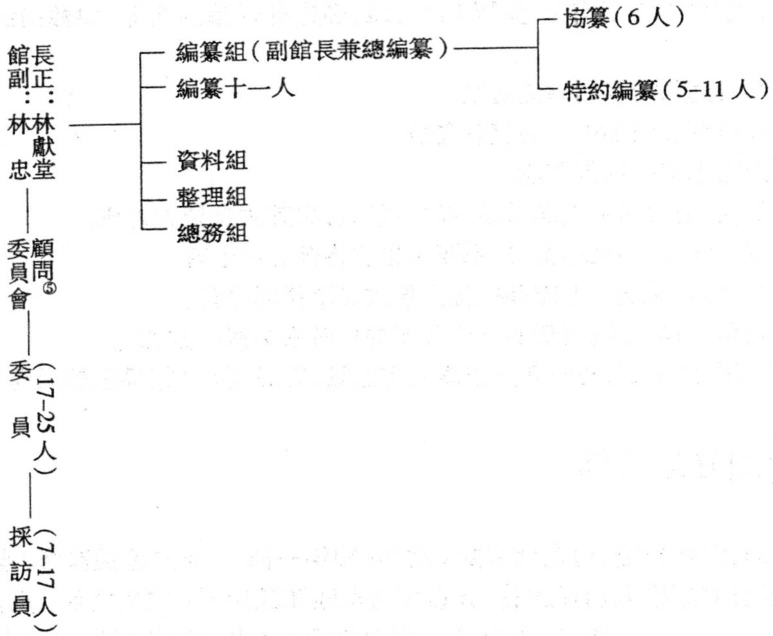

按：1. 除以上四組外，另有秘書二人，館員八人，雇員六人。

2. 編纂組之職掌為：（1）省志之計劃、研究及編纂，（2）各種文獻、專刊之編與校對。

3. 資料組之職掌為：（1）省志資料之調查、徵集、登記及編目，（2）省志資料之收藏、陳列、翻譯及攝影，（3）省志圖表之繪製。

4. 整理組之職掌為：（1）稿件之整理，（2）稿件之訂正及保管，（3）文獻、圖形之鑒定，（4）口碑、傳說之鑒定。

5. 總務組之職掌是一般庶務，並非專業。

但翌年，即1949年，通志館又改組為“臺灣省文獻委員會”，其組織略加改變[⑥]。

臺灣省文獻委員會（隸屬於省民政廳）
- 編輯組
- 採集組
- 整理組
- 總務室
- ——各縣市文獻委員會

（主任：林獻堂）
（副主任：黃純青）
- 顧問委員（會委員若干人）（後撤消）
- 專任委員五人
- 兼任委員三人

1. 委員會之職責有六：（1）省志之編纂與出版，（2）文獻資料之採集、整理與保管，（3）文獻書刊之編印，（4）史蹟、文物之研究及考證，（5）輔導各縣市文獻事務之推展，（6）其他有關文獻事項。

2. 各“組”職責與“通志館”大致相同。

臺灣由“通志館”進而至“文獻委員會”，其目標除了“修志”外，更重視平日文獻之收集與整理，亦即章實齋“設立志科”的原意。此外，臺灣文獻委員會又刊印了不少有關臺灣文獻的叢書數十種，如：一、舊志，清陳培桂的《淡水廳志》，劉良璧的《重修臺灣府志》，蔣師轍、薛紹元的《臺灣通志》，王禮的《臺灣縣志》，陳文煒的《恒春縣志》；二、專著，如李汝和的《清代駐台班兵考》，洪敏麟、陳漢光、廖漢臣的《臺灣堡圖集》，李汝和《臺灣文教史略》，林朝棨、周瑞燉《臺灣地質》，朱增璋《臺灣撫墾志》；三、氏族，如林衡道《浯江鄭氏家乘》，顏欽賢《顏氏族譜》，楊緒賢《臺灣區姓氏堂號考》；四、詩文，連雅堂《臺灣詩乘》，劉家謀《海音詩》，陳肇興《陶村詩稿》，陳漢光《臺灣詩錄》等，又有定期出版的《臺灣文獻》（季刊）。故從其組織中，窺知其與舊的“通志館”大不相同，其內容亦大有分別。目前出版的《臺灣省通志》已有146冊，每冊二百頁，凡1,800 萬言，內容豐富，為我國第一部篇幅最鉅的省通志。大陸學者華呂貴之《臺灣省文獻會與臺灣省通志》，特推崇《通志》有三特點：1. 資料豐富，2. 體例清晰，3. 注重統計資料（1988年湖北大學出版之《史志文萃》）。

至於大陸政府的修志事業，始於五十年代末期，曾成立“地方志小組”，由曾三主持，末見有具體的工作。至文化大革命時，一切停頓。至一九八三年四月⑦，始成立“中國地方志指導小組”，指導小組任務有五：

（1）指導研究，解決編寫新志的理論問題，探討學術問題。

（2）以各省市自治區的計劃為基礎，提出全國地方志規劃的建議，指導督促實施。

（3）制定編修新志的基本體例和工作條件。

（4）組織經驗交流。

（5）指導干部在理論上、業務上的學習與培養。

指導小組負責人仍是曾三，組員十三人[⑧]，各省市均成立“地方志編纂委員會”，下設“辦公室”為業務推動的機構，其組織如下：

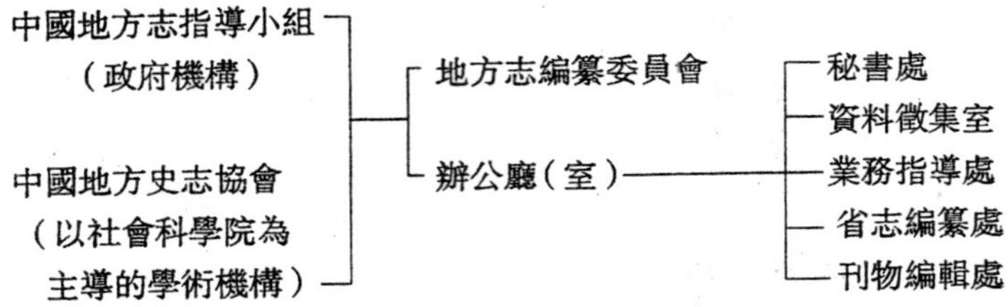

按：1980年胡喬木提出“新編方志”，至1983年成立“指導小組”，小組主要任務是“解決”新方志的“理論”，而中國社會科學院發予中央宣傳部的意見，則提出：

（1）編修地方志，一定要重視保密工作，中央和國務院有明文規定的保密條例，必須嚴格遵守，無論軍事、經濟和科學技術的機密，尤其是涉及黨和國家的核心機密，均不得載入志書。

（2）地方志編輯定稿後，必須經過審批手續，省、市、縣志經各級編纂委員會審定後，凡涉及黨的方針、政策、涉外等重大問題，必須呈報省市委批准，縣志或相當縣的市志，須報上一級黨委批准[⑨]。

註釋

①《方志學綜論》101頁。

②《方志學論集》。

③此是據《中國方志學通論》105頁改編，至民國三十二年（1943），浙江通志館規程通過，其內容如下：

按1943年是抗戰末期，浙江部份地區淪陷，故通志館分東（設於臨海）、西（設於昌化）兩辦事處，可知即使在戰亂期間，政府仍注重修志事業。

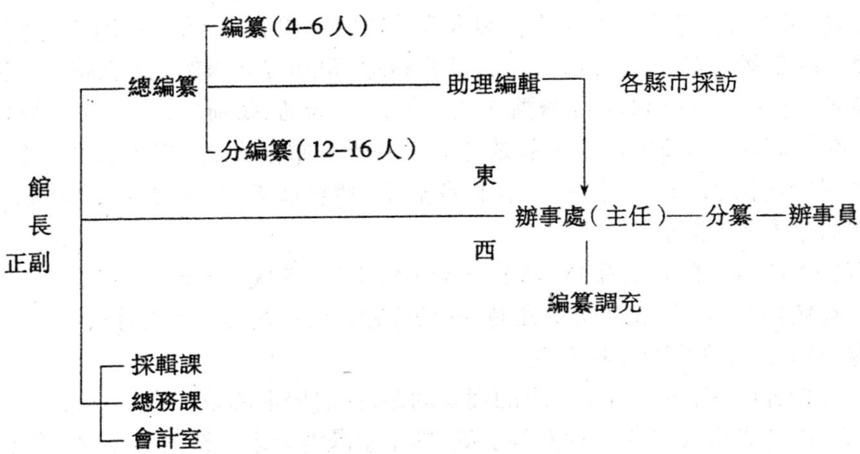

④據民1949年四月公佈“臺灣省文獻委員會簡介”，載於1985年臺灣中國地方文獻社團概要，頁364—368。又，1948年的臺灣省通志館人員據（莊金德之《臺灣省文獻委員會設立的沿革》一載於《臺灣文獻》）：

館長：林獻堂（正）、林忠（副）。

秘書：曾今可（主任祕書）、曾迺碩。

編纂：陳清金、陳旺成、蔡式穀、孫萬枝、謝國城、張文環、黃敦涵、洪輯治、吳承燕。

協纂：李孝本、謝連聲、高大毅、吳作樞、陳石、陳良豐、張金水。

⑤顧問委員會的任務為：

一、協助及計劃通志館進行事宜。

二、研究有關通志館進行事宜。

三、供給通志各種資料。

四、審議通志館編纂志稿。

引自1948年二月八日公佈臺灣通志館顧問委員會組織章程。

又，1948年的臺灣省通志館顧問委員會人員為（同註26莊金德引文）：

黃純青（主任委員）、吳槐、吳克剛、李友邦、李崇禮、杜仰山、林呈祿、林熊祥、曹秋圃、莊垂勝、連震東、陳文石、陳少棠、陳清金、陳逢源、陳滿盈、黃玉齋、黃德時、楊雲萍、蔡繼琨、魏清德、謝汝銓、李宗侗。

採訪員：林衡立、劉金狗、吳南生。

⑥1949年臺灣文獻委員會人員為：

主任委員：林獻堂、黃純青（副）。

專任委員：陳白村、林熊祥、李友邦、傅汝楫、楊雲萍、繆鳳林、陳振宗。

兼任委員：黃朝琴、傅斯年、朱佛定、蔣渭川、陳雪屏、劉真、吳克剛、陳兼善。

顧問：李宗侗、林呈祿、謝汝銓。

秘書：曾今可（主祕）、曾迺碩。

組長：孫萬枝（採集）、洪輯治（整理）、趙登（總務）。

編纂：衛惠林、蔡式穀、黃水沛、李騰嶽、黃敦涵、張文環。

協纂：吳承燕，林嘯鯤、施教堂、廖漢臣、林衡立、賴子清、陳世慶。

1968年的臺灣文獻委員會人員為：

主任委員：張炳楠、李汝和（副）。（按現任是簡榮聰）。

專任委員：毛一波、曾今可、黃玉齋、林衡道、莊東、黃得時。

兼任委員：錢思亮、林衡立、林輝、蔡章麟、朱佛定。

顧問：方豪、李煥、王履常、瞿韶華、侯暢、高拜石、顏欽廉。

簡聘編纂：張雄潮、莊金德、金成前、盛清沂、張奮前、陳漢光。

編纂：廖漢臣、陳世慶、洪敏麟、黃潘萬。

秘書：陳澤。

組長：王詩琅（編纂）、歐陽荊（採集）、王世慶（整理）、朱清福（總務）。

⑦據林衍經《方志學綜論》138頁：早在1981年，在山西太原已成立“中國地方史志協會”，並舉行首屆“地方史志學術討論會”（見浙江人民出版社1986年出版的《修志須知》頁23）。

⑧指導小組成員如下（引自《修志須知》第十六頁）：

組　長：曾三（國務院中央辦公廳主任，原地方志小組組長）

副組長：梁寒冰（社會科學院歷史研究所黨委書記）

韓毓虎（檔案局副局長）

組　員：劉大年（社會科學院近代史所榮譽所長）

嚴中平（原地方志小組組員）
牙含章（社會科學院民族所所長）
侯仁之（北京大學地理系教授）
朱士嘉（地方史志協會副會長）
陳元芳（陝西省委書記）
李志敏（山西政協副主席）
章夷白
另中國社會科學院地學部地理所代表二人，政協文史資料研究會代表一人組成。

⑨據《修志須知》十八頁，"中國社會科學院黨組1983年9月24日予中央宣傳部公文。"

第五章 《中日地方史志比較研究》評介

前言

近三十年來，我國出版的《方志學》專書及論文，汗牛充棟。然合方志與地方史（史志）而作研究者較少，尤其是以中日兩國的史志合而比較研究，恐以此書為首。此書由中日兩國資深的方志學家來新夏及齊藤博SAITO HIROSHI領導主編，集十三位專家、十四篇論文，共176頁構成。另中文序言三頁、目錄四頁。尚有日文本在日本印行《NITCHU CHIHO SHISHO NO HIKAKU KENYA（Tokyo，Gaku Bunsha 1995）》，原書首頁有介紹：

> 中日兩國地方史志，具有悠久歷史和豐富的積存。在世界文化寶庫中佔有重要地位。本書是中日兩國著名學者聯合研究的成果匯總，對總結與推動地方史志的發展，將有重要的參考作用。
>
> 這本論著標識着中日地方史志學者學術合作研究的開端，也反映了當代兩國地方史志的研究水平，可備地方史志研究者與實際工作者參讀。

筆者詳讀一遍後，深感此書若是"兩國學者聯合研究的成果匯總"，不若言是"兩國學者研究成果的彙編"更為恰當。因全書未能標出聯合研究的具體事實，而祇是在同一主題之下，集十四篇專文的論文集而已。當然，亦可窺知兩國學者在史志方面的成果，及聯合研究的開端。

本文分兩部：前者為分論，後者為綜論。"分論"是介紹十四篇論文的作者，使讀者了解其背景及該文的立論；同時以"筆者按"作為筆者的評論。"綜論"是綜合全書的內容，提出若干問題（比較異同、質疑某點及提出新的意見等）。由於筆者的日文水平問題，若有誤解，請讀者包涵。

第一節　分論

甲、《第一篇：中國地方史志的研究》

一、《中國纂修新方志工作的回顧與展望》

作者酈家駒：任職中國社會科學院歷史研究所副所長，1985年起，擔任中國地方史志指導小組委員會秘書長及地方史志協會副會長，是地方史志研究最高領導層的人物，屬“地方史志工作者”，除頗多指導性的演詞（講話）外，具體的論文較少①。

本章的內容：將建國後地方史志的研究分二期：

（1）從五十年代至六十年代是初興時代；

（2）八十年代是新史志的蓬勃時代，重點是在1983年設立地方史志指導小組，全力推行在地方省市成立“地方史志編纂委員會”及“地方史志辦公室”。此後十餘年間，已有可喜的成績，其間所修的省志，每部有達二千萬字，凡百卷之鉅。每一縣志平均達百萬言，而且以經濟部門為主。

作者在另一方面承認編纂者有部份是缺乏見識的冬烘人士，輾轉傳抄，不加考証，故提出要保證志書的質量。對於今後方志工作者的展望，作者似乎鼓勵綜合性的年鑑或概況的編纂，認為方志的延續發展是十分必要的，並力言從舊志中應輯佚若干重要史料。此外，新志應詳今略古等。

【筆者按】報導性論文應力求系統與詳實，作者是中央指導小組負責人，所言已達此標準。至言新方志已獲可喜的成績，其實亦是從政者的“政績”。幸而作者亦瞭解質量尚待改良。至於今後工作的展望，作者頗重“方志的理論問題，仍需繼續探討，對老的問題，將有新的認識，不斷提出新的問題”。筆者認為這是思想上的主觀問題，難以評論。至所列舉新志的省縣志，動輒達百萬至千萬字，似走上“專志”及“百科全書”的形式，與“方志”的涵義略異，後當論及。

二、《略論地方志的研究狀況與趨勢》

作者來新夏：浙江人，1923年出生。1946年畢業於輔仁大學歷史系，1951年執教於南開大學，凡四十多年。歷任歷史系教授、圖書館學情報學系主任、圖書館長、出版社長兼總編輯、校務委員，現仍兼南開大學文獻研究室主任、國家教委圖書情報工作委員會常委、古籍整理研究工作會委員、中國近代現代史料學會副會長、中國歷史文獻研究會常務理事、中國社科情報會理事、中國地方志辦理事，及美國哥倫比亞大學、日本獨協大學、香港中文大學訪問和客座教授。著作方面，屬於歷史部門有《林則徐年譜》、《北洋軍閥史稿》、《近三百年人物年譜知見錄》、《中國近代史論叢》及《古典目錄學》。隨筆方面有《冷眼熱心》

等二十餘種,方志學的著作更多,如《方志學概論》(福建人民出版社刊1983)、《中國地方志綜覽》(黃山書社刊1988)、《河北省地方志提要》(天津大學出版社刊1992)、《志域探步》(南開大學刊1993)、《中國地方志》(臺灣商務印書館刊1995)。方志論文更多,難以詳述②。

本章主要的內容有三節:

第一節:在源流方面,作者認為《周禮》所謂"四方之志"是地方史③。真正的方志是源於地理書,始於《禹貢》④。至於《越絕書》、《華陽國志》則兼具史志之規模⑤。大業年間,"普詔天下諸郡條其風俗、物產、地圖上之於尚書",是國家明令修志的開始。而《史通》分史籍為十流,其中有"郡書",表明當時地方史志並存。

【筆者按】"地方史"與"志"並存,但何時"分家",尚欠明晰敘述。這涉及"地方史與地方志"的不同,後當論及。又"大業年間,普詔天下諸郡條其風俗、物產、地圖上於尚書",筆者認為這只是表示當時地理資料豐富而已,仍未能直接蛻變成"方志"體例,極其至發展成史地融合的"歷史地理"階段而已。(詳見筆者本文"綜論"部)。

本節述及辛亥革命後,方志研究主要有:(A)續修方志,(B)方志體例源流、纂著方法的研究,(C)方志目錄的編纂,(D)對地方志的輯佚。全節敘述頗有系統而簡明,但若參考作者另一著作《方志學概論》中"民國時期的方志"(P.88—94) 更為詳盡。

【筆者按】此四項分類十分具體而簡明,惟舉例方面,即使包括作者另一著作《方志學概論》似乎詳北略南,尚可補充:如廣東方面續修的《潮州志》(饒宗頤)、《東莞縣志》(陳伯陶)、《廣東通志列傳》(徐甘棠)、《大埔縣志》(溫廷敬), 及臺灣方面唐祖培的《新方志學》等頗負一時之譽,可作補充。

第二節:"建國以來的研究狀況"分為五項(A)舊志的刊印,(B)舊志資料的類編,(C)舊志目錄的編制,(D)方志與方志學的研究,(E)創編新志。

【筆者按】此節將辛亥革命後與建國後兩階段的方志重刊,目錄及資料的整理,新志的出版等作綜合整理而已,其中《元一統志》應書明"殘卷",因原書共1300卷,至正刻本衹七卷,加上徐中舒、常熟瞿氏、吳縣袁廷檮等藏(手)本等,經趙萬里整理,亦僅得十卷而已。同樣各地方政府(省縣)重刊的舊志及目錄,亦可略為補充。

其次"方志與方志學研究",最重要的是提出"史"、"志"的區別,因與以下各章有若干雷同意見,下當再論。"創編新志"一點,是敘述在十年動亂後,續修新志的狀況,並以上海、山西、長江流域為主,是報導性質,無可評論。"對今後地方志研究工作的淺見"是作者多年經驗提出的意見,十分寶貴。

【筆者按】關於作者提出"撰寫論文與專著"一點,筆者實有同感。海峽兩岸的地方史志,重點多在"編寫"、"實務"方面,所以論文、論文集及某某地方史志等特多,除供交流而編寫目錄以資參考外,更應多鼓勵刊出"概論"、"專論"一類的專著,述方志的理論,分析方志學者的著作,應是當前的急務。

三、《地方史志不可偏廢,舊志資料不可輕信》

作者譚其驤:1911—1992浙江人,誕生於瀋陽,著名的歷史地理學家。1930年畢業於暨南大學歷史系及燕京大學研究院（1932）。初年從事於圖書館工作，後任教於清華大學、浙江大學及復旦大學，兼復旦歷史系主任、歷史地理研究所長、中國科學院地學部委員、歷史學會及地理學會理事、地方史協會顧問，長期研究中國歷史地理及地方志。1933年與袁同禮編成《國立北平圖書館方志目錄》四冊，二十年後，朱士嘉之《中國地方志綜論》及《中國地方志聯合目錄》（1985）相繼出版，故作者促進地方志的研究闕功甚偉。另一鉅著《中國歷史地圖集》共八冊（出版於1956—1988年），其精審考訂，更是傳世之作。其他史、地論文，多收於《長水集》兩集中（1987），故作者應是歷史地理學家或是地理考証學者⑥。

本章分二節：（A）地方史志不可偏廢，應該並重。（B）採用舊志的材料，必須仔細審核，不可輕信。原文是1981年在太原召開的"中國地方史志協會成立大會"的講稿，曾刊於《江海學刊》第二期，此是第三次刊，編者（葛劍雄）曾作一些文字上的修改。

在第一節，"地方史志不可偏廢，應該並重"，作者首先反對章實齋史志之分："我首先要對清朝著名的方志學權威章學誠（實齋）開一砲，章學誠有名的理論就是所謂'志'即是'史'，方志就是一方之史，我認為這種看法是迂腐之談，並不可取。事實上自古至今，地方史和地方志這兩種著作，一直是同時並存的，不能強求合併，統一為一種體裁"。

【筆者按】作者上面的一段話，是對章實齋的誤解。方志的起源，不論是屬地理的"圖經"、"禹貢"，或歷史上的"春秋"，均源於《周禮》，章氏提出"六經皆史"，雖然這是"史料"，實乃同源。其後發展不同而分家⑦。而且"史"與"志"的體裁亦不同⑧，即使作者在本節中亦論及地方史與地方志有不同之處（P.37–38）。事實上，章氏本意是史志同源，但並非同一體裁，作者誤解而已。

本節又提出：不論史與志，大體上源於漢朝，在宋之前祇有"地方史"與"圖經"兩類，南宋後，"圖經"始改稱"志"（P.36）。

【筆者按】隋唐以前，作者根據隋唐《經籍志》，將所有郡（國）書，"耆舊傳"、"先賢志"、"人物志"等均入於"史部"，稱為"地方史"，無可厚非。然地理書除"圖經"外，如《晉太康三年地志》、摯虞《畿服經》、王隱《晉書地道記》、劉澄《永初山川古今記》、陸澄《地理書》、任昉《地記》、顧野王《輿地記》、闞駰《十三州志》，未知是否稱為"地理類"而與地方史不同？（即使仍分屬史部中的地理類）。當然"圖經"可分二部，"圖"必附"經"（文字），但"經"未必附圖，即使有，仍是經詳圖簡，故有另立"地記"、"地志"、"國土記"，亦屬方志的源流之一。

作者亦又提出：唐宋以後地方史遠比地方志（即圖經、方志）少。

【筆者按】其中原因有三：（A）史多是官修，間有私人修史者，但動輒得咎，甚至陷於"文字獄"。（B）志是官（公）修，有人力、財力，而地方官以修志為"政績"之一，每為升官一條捷徑。（C）政府每修"一統志"，必先詔地方修志，是政治上的需要，故志盛而史衰。

關於"史"與"志"之分別，本章提出，即使"史中有志，志中有史"，但仍有別：

（1）地方史以敘過去，地方志則敘現狀。

（2）地方史是縱述古今人類活動之事蹟，屬社會方面的影響，地方志則偏於自然與社會並重的敘述。

(3)地方史主要靠史料的蒐集,地方志則重調查與採訪,兩者各有所長,不宜偏廢,應該並重。

此外,本節又指出在十年浩劫中,不少資料或多或少有"假話"、"大話"、"空話",顛倒黑白,許多重要資料被斥為"封"、"資"、"修",故需重新調查。作者這段話確是針對時弊。

【筆者按】"史志"三種區分,具體而扼要,但若深思,則:

(1)地方史雖重過去,但仍有近代(甚至現代)資料。如近代人物、制度等。地方志中的"沿革"、"大事記"、"藝文"、"金石碑刻"亦兼敘過去。

(2)地方史有自然災害等史料,地方志亦有民族(宗教)遷徙等社會現象。

(3)地方史雖以蒐集史料為主,但地方志的採訪,兼及過去的傳說,如名勝古蹟,何嘗不是過去的事蹟?

本節又提及:

> 編地方史工作,可由史學工作者擔負起來;編地方志則需要經濟學者、社會學者、史學工作者、地理學工作者,多方面的通力合作。

【筆者按】編地方史何嘗不是。如舊志,所謂"分纂",由不少"專門人才"合力而成?這與新志由各負責業務機關,通力合作編纂而成,大致上,並無分別。

第二節,"採用舊志的材料必須仔細審核,不可輕信",作者認為從"史志"的價值中,地方史一般是學者私人之著作,質量較高。地方志除幾部出於名家之手,多是一些鄉曲陋儒所修成(P.39),故作品往往夾雜許多錯誤,越修越錯。因此列舉(A)古城遺蹟的錯誤;(B)對地方建置沿革的錯誤;(C)對歷史上名人的附會;(D)關於災異、戶口的忽視等。作者因此強調,採用舊志的資料,要仔細地審訂,但舊志有豐富的資料,尤其是十年動亂期間,舊志大量損失、流散甚至毀佚,故強調:地方史志不可偏廢。

【筆者按】作者意見與梁啟超不約而同⑨。作者兼長歷史地理,對具史地二源的方志學有深刻的考証及獨特的見解。大體上,在方志的源流、價值及分析,均能成"一家之言"。惟對《禹貢》、《圖經》、《周官》等源頭如何轉變成"歷史地理學",再蛻變成"方志"?又舊志與新志如何劃分?若能再加補充及分析其關鍵,對一般讀者,獲益更大。

四、《再論歷史地理學與方志學》

作者史念海:1912年出生,1936年畢業於輔仁大學歷史系。從事歷史地理學研究多年,長期任教於陝西師範大學,為資深的教授及副校長,研究專題兼及唐史、歷史地理學及方志學,是中國唐史學會名譽會長,曾助張國淦編《中國古方志考》,由是走上方志學的研究。著作有《中國疆域沿革史》(商務1938),《方志芻議》(1986年與曹爾琴合編),《中國的運河》(1988年刊),《中國歷史人口地理和歷史經濟地理》(臺灣學生書局1991),《中國歷史地理綱要》(山西人民出版社1991)等。另有《河山集》五集 (1991年刊)及《中國歷史地理論叢》、《唐史論叢》等,是一位從歷史地理學觀點分析方志學的學者⑩。

本章原文是作者在"中國地方志協會舉辦之學術討論會"(1981年)所宣讀的論文,

刊於1984年《中國歷史地理論叢》（中華書局），後收入《方志芻議》，共分四節。

第一節是"方志的演變歷程的回顧"。作者一開始即言"無論歷史地理學還是方志學，其肇始都相當悠久"（P.50），似乎主張兩者同源。及後，郤指出"有關典籍始見於著錄的時候，也只是以地理相稱"⑪。顯然的指方志是源於地理。但在地理書中，別創記"人"之作，所謂"耆舊傳"、"先賢傳"皆其一類，所謂"郡國之書"或"郡國之志"都是源於漢，至隋之《隋書·經籍志》，以地理志來自"郡國地志"，二者彷彿有所區別，若稍一具體追究，恐《隋書》作者亦難於區別。

【筆者按】《隋書》作者確難將地理書與郡國志分別，其實兩者間亦有異同：

（1）漢武帝時，天下計書集於太史，於是不論全國性的地理書或地方性的"郡國志"，來源相同，內容祇有詳略之分而已。

（2）當初出現的"地理書"，如《洛陽記》、《樓地記》、《吳興記》、《京口記》等，可稱地記《志》，地理（包括風土記）資料較多，至於《魯國先賢傳》、《益部耆舊傳》等記人物，是部"郡國之書"，其盛行時代郤在東漢至魏晉南北朝之間⑫。而且人物志之盛行與當時盛行"門第制度"，與高門大族自炫家世有關。

本篇指出宋代乃"述地記人"匯合之時。如：（A）樂史之《太平寰宇記》為合"人"與"地"於一起的開始，後來方志必列人物、藝文者，皆始於史。（B）景德年間頒布重修圖經詔令，為方志撰著的一大變局。（C）朱長文的《吳郡圖經續記》及已佚亡之《祥符州縣圖經》增加了"人"、"藝文"的份量。（D）《剡錄》開始縣紀年，是"方志"發展的一個重要階段。

【筆者按】魏晉南北朝間及以後是方志發展上一大關鍵，此點無可置疑。惟是時在大量地理書中增加豐富的人文資料，應該是發展至融合史地而成歷史地理的階段而已。由歷史地理階段再增加地方的特點，如人物、藝文、金石碑刻、風俗等，再創新的體例而成方志⑬。當然，若以《太平寰宇記》、《吳郡圖經續記》、及《祥符州縣圖經》為方志體的分水嶺，是合理的根據，不過若擴大而言，方志中的"一統志"則似應推前至唐代的《元和郡縣志》及《括地志》，亦無不可。

第二節：歷史地理與方志學的關係續說。作者提出闞駰的《十三州志》、李泰的《括地志》、李吉甫的《元和郡縣圖志》，雖是當代地理，亦皆涉及前代，故可稱"歷史地理"。（P.611）。

【筆者按】：歷史地理學是近代一門"新科學"。王庸謂"當屬人文地理之一部份"⑭，大抵指沿革地理及古地理考証屬歷史學部份，至屬地理學則指自然地理之變遷及對歷史文化之影響為主。侯仁之亦概括而言："歷史地理學按其研究對象，還應該區分為歷史自然地理和歷史的經濟地理（在廣義上包括歷史人口地理和歷史政治地理）。"⑮因為是近代產品，無固定的涵義，所以王育民亦含糊地說："是介於歷史科學和地理科學間的邊緣科學。"⑯因古代之《禹貢》、《山海經》、古城鎮、運河湖澤、人口遊記、疆域志、沿革志，均是歷史地理學的研究範疇，作者之劃分當然有其根據。但筆者提出份量輕重的比較，在隋唐時代，所有地理書加上豐富的人文資料，或史地份量並重便可構成"歷史地理學"時代，可勉強劃分。

作者進而提出當代的地理或歷史地理學者，往往亦撰述方志，並列舉裴秀、王隱，下至賈耽,甚至清代的例子,從而說明"歷史地理"與"方志"的關係,並指出兩者間互相徵引,更是常見。

【筆者按】歷史地理學是近代合歷史地理而成的新學科,一如政治經濟學集政治學與經濟學而研究,文史並提一樣。《四庫全書》中的分類;與其他目錄學分類並不盡同。有些書籍的分類,因編著者的觀點而異,方志既含史與地兩種份量,史與地的學者互相引用,或兼而撰述,自是順理成章,惟筆者認為從來源與發展而言,應是:史地→歷史地理→方志,這三階段。下文有綜論可以參考。

第三節:是歷史地理學的繼續發展。此節的重點是為歷史地理下一定義:

> 中國歷史地理是探索中國歷史時期各種地理現象的演變,及其與人們的生產勞動、社會活動的相互影響,並進而探索演變和影響的規律,使其有利於人們的利用自然和改造自然的科學。(P.69)

【筆者按】近代所有研究"人"的學科,其下的定義不免有下列言語:

> 探索各種現象的演變及其與人們的生產勞動、社會活動的相互影響,並進而探索這樣演變和影響的規律。

作者上段假若抽出這數句,其闡述不及侯仁之等更為具體而簡明,同樣假若將主詞"歷史地理學"換為"政治經濟史(學)"、"地理史(學)"加上"……演變……生產勞動……社會活動……規律"等,似亦可適合。

第四節:歷史地理學可以配合方志學共同發展。作者提出歷史地理學與方志均共同探討:

(A)地理現象的演變過程

(B)人的生產勞動和社會活動的相互影響

(C)地理現象的演變和人們生產勞動和社會活動的相互影響

(D)探索這些演變和影響的規律

(A)是記地,(B)是記人。以前方志很少兼及(C)與(D),所以應共同發展。

【筆者按】歷史敘"人"與"事";地理敘"地"與"物"。其實不論史與地,均應兼顧當時環境(社會與國家),以及對"人""事""地""物"之影響,否則難稱"良史"、"良志"(誌)。均應包括(C)點在內,至於所謂"規律",是近代哲學名詞,未知有否類似"史評"、"論曰",用客觀的批判,而尋得其"規律"。筆者長期居於海外,也許亦是代表海外一些人的淺見。

誠然,作者此文提出方志的源流、方志發展的若干階段、歷史地理與方志的關係,確有獨到的見解。

五、《史志的語言》

作者傅振倫:1906年生,1929年北京大學史學系畢業。先後任教於北平女子文理學院、南開大學、瀋陽中正大學、東北大學及長白師範學院史地系主任、圖書館長等職,著作有《博物館學》、《中國史學概要》(據《中國地方志名家傳》),《中國方志學通論》(上海商務刊1935),《中國方志學》(河北大學刊1984),《中國史志論叢》(浙江人民出版社刊1986),《傅振倫方志文存》(黃山書社刊1988),《傅振倫方志論著選》(浙江人民出版社刊1992),《方志學綜論》(1987與林衍經合撰、華東師範大學刊)。在實際工作上,曾纂《新河縣志》(1928年刊),1933年為《河北通志》的特約編纂,1954年與顧頡剛主纂《北碚志》,1983年主纂《慶雲縣志》(山東慶雲縣內部發行)及《河北江蘇方志提要》、《新志述略》等(引自《中國地方志名家傳》)。對方志的理論及修志工作有精湛的造詣,因此被推選為中國史志地方協會的學術顧問、中國吐魯番學會、中國博物館學會、中國考古學會等名譽會長[17]。

本章內容共分六節。所謂語言,是表達撰史志之六要,有類似李泰棻"方志十議"中之書法。這六節是:

(1)文與質。史志之文以質樸為主。

(2)通俗流暢與澀晦怪奇。史志之文以通俗流暢為主,貴乎平易。

(3)駢體與散文。史志撰寫應以散文為妙。

(4)時文與古文及稱謂摹古。史志記事應用當代言語,不可摹擬古人、古文、古事;但若制度、官銜、事物等稱謂,古今不同,俱當從實。

(5)文詞繁簡與內容煩省。史志文需簡單,不過,文有繁簡,事有煩省,應因時制宜。"遷敘三千年事,五十萬言;固敘二百年事,八十萬言。"實在各有千秋。至於史書之繁文,則以"論贊"為甚,實同贅疣。

(6)直書與曲筆。其間大有妙用,若能玩味已往史學名著,則修志筆法必大有進益。

【筆者按】語言之六要,其實亦可用於文,用於史及用於志,不過若認"論贊"為繁文如同贅疣,則忽略"史論"之價值;若有史(志)文而無史(志)論,則無法顯示"史識",此章實齋有"千古多文人,而少良史"之嘆[18];且若無史論,亦無法達到"春秋之義"——"使亂臣賊子懼"耳。

至於本章的"直書與曲筆",作者謂"大有妙用",亦有可商榷的地方。作者承認"史之美德貴乎直道",歷史祇有"直書"、"直筆"。雖然作者舉《春秋》傳,提出"為親者、尊者、賢者諱",而所謂"諱",不書其事而已,並非書其事而"曲為之解說"。正如所舉《馮道傳》"于丑行穢言無一道及",假若"直書"其事,正如宋人所謂"詳其事,自知其善惡"。故若改為"直書與隱筆",似較恰當。惟於事有所隱藏而不書,亦非"良史";所謂"大有妙用",實值商榷。

作者對"史,志"之定義曰:

> 古代以記事的官吏曰"史",其後以史官直接、間接的紀錄曰史、曰志。(P.77)

換言之"史"及史官,乃名詞,"志"乃敘述之意,是動詞或副詞,故有人改"志"為"誌",頗有參考的價值。

六、《史志關係論》

作者林衍經,1929年生,1960年畢業於華東師範大學歷史系,任教於安徽大學,八十年代開始從事方志學研究與新方志的編纂工作。著作方面有:《方志史話》(中州書畫社刊1983),又與來新夏合撰《方志學概論》(福建人民出版社1983)及《中國地方志綜覽》

(為副主編,黃山書社刊1988),《方志學綜論》(華東師範大學刊1988)[19]。

本章共分四節:

第一節:評史志關係諸說,提出(A)志非史,史類也,認同來新夏之說:史志同源異體,殊途同歸[20]。(B)史志關係密切而有區別,提出譚其驤的三點不同,朱士嘉有三種分別,傅振倫有四種區分,此外,鍾志寧、王傳玉均有不同的看法。(C)志書非史,否認志書近乎"史"屬"史類",逸夫認為史與志在時空與研究方法都絕不相同,目的均在否定方志屬於歷史範疇。如章鈺纂《霸縣志》時將"志書"、"史書"、"政書"列為"經世之文",志書應分土地、人民、政事三項。

【筆者按】作者提出諸家之說,泛言"成一家之言",未能充分表示自己的意見,雖然古代六經皆史,隋唐之前,即使立"地理門",宋以後"地理門"下再分"方志",然均屬四部中的史部,故是時"史志不分"。至章實齋提出有"天下之史"、"一國之史"、"一家之史"、"一人之史"與力主"志乃史裁"、"志乃史體",於是才引起"史"、"志"分別之爭論。至梁啟超提出"方志學"之名稱,方志學與地方史爭論更烈,即使各家學說,羅列其異同,亦難具體劃分,所謂"方志為物,史地兩性兼而有之[21]","史志同源異體"等眾說紛紜,莫衷一是,在綜論時,筆者再有論及。

第二節:論史志的共同發展及其歷史關聯。

作者認為"志與史同源,史與志異流"。《史記·八書》和《漢書·十志》也是沿用歷史的紀、志、傳、表等體裁,且為歷代修志所沿用,其發展至魏晉南北朝,地方志書卻大量引用屬於史方面的人物傳記,及屬於地方面的"地記"。清至民國時期,不少學者都是兼長史與志,可見在發展過程中史與志的關係密切。

【筆者按】"史志同源,史志異流"被公認是可接受的分析,但至何時始分流?當代學者多未有明確而一致的意見,各家祇就發展中指出史志的有關資料,以致"史中有志,志中有史"而已,相連影響"地方史與地方志"便難以區分,略嫌美中不足耳。

第三節:比較——一種認識史志關係的有效手段。

作者列舉四本書,分析地方史與地方志的分別:

(A)《北京史》應是地方史。

(B)《西安歷史述略》,名為"史",實是"西安地理志"。

(C)《安徽歷史述要》有"史"亦有"地",其中"安徽地史一瞥"約五千字,佔全書百分之一,未言明屬"地方史"抑"地方志"。

(D)《安徽近代史》全是地方史。

因此,作者指出其分別在:(A)地方史下限比地方志為前,因此所載的內容不及現狀。(B)地方史也不及地方志之全面詳細。(C)地方史論說多,地方志寓"論"於記述中。(D)志書有地理學科之屬性,宋後的方志偏重於人文歷史,是歷史學科的屬性。

【筆者按】作者論史志的分別,比不上譚其驤、朱士嘉、傅振倫、來新夏諸家所言較為具體[22]。實際上亦不出以上諸家的範疇,惟指出"志重地理,史重人文歷史"可以接受,但志與地方志,史與地方史,應有分別。

第四節:由中國史志關係的討論說到日本國的藩志。

作者指出,江戶時代的《藩志》其記載內容限於地震、火災、職官等,因體例及內容方面與我國志書不同,甚至比之我國志書中資治、存史、教化等作用大為遜色。

【筆者按】日本的"藩"雖是地方的諸侯,作者認為《藩志》雖記一"方"之事,與我國的志書不同,筆者同意。何況日本古代的《風土記》、《名所圖會》等均屬方志的"別名"[23]。而從內容而看,《藩志》中反而類似"宗族史"(藩府大將軍的家族史)多於"地方志",此點在綜論中再作敘述。

七、《新方志與現代科學結合》

作者楊靜琦:1922年出生,少年時加入共產黨,畢業於晉冀邊區中學,長期從事黨務工作。1965年在中共中央黨校進修哲學畢業。1980年在河南省從事地方志編研及領導工作,主編《河南地方志綜錄》、《河南史志論叢》、《中國方志大辭典·河南部份》,及方志論文多篇,是資深的方志工作者[24]。

本章共分四節。

第一節:提高思想的認識。所謂"新方志"是指20世紀80、90年代,這是社會遭逢大變革的時代,新方志應堅持"三新":新的觀點、新的材料、新的方法與體例。所謂新的觀點是:"要以辨證唯物主義的立場、觀點,唯物辨證的方法,分析地情、認識地情,寫出地方的特色";所謂新的材料是:"要結合歷史學,各類專門學科等";所謂新的方法與體例是:"要吸取各有關學科的專家理論、觀點和研究成果……使百科走向方志,方志容納百科。"

【筆者按】所謂"三新",是響應政府的思想指導,1980年由喬木提出[25]。以後修志者,談創新均根據此說加以演繹而已[26]。這是思想的原則,若未附實例,易流於"空泛",至於"使百科走向方志,方志容納百科",亦易使方志陷於"百科全書",失卻方志本身的特性。

第二節:運用現代科學寫好地理志。內容分(A)地理志要寫好地理位置和境域反映本縣(市區)的條件。(B)縣(市區)地理志寫好當地的主要資源。(C)新編縣(市區)的地理志重視寫出建設的沿革。

【筆者按】所謂"運用現代科學寫好地理志",在八十年前,舊方志已注意及此。如李泰棻、傅振倫等著作中已明顯指出。不過,作者所舉的實例,卻是新的例證。

第三節:以現代政治理論為指導寫好政治等類專志。所謂政治理論是指辨證唯物主義、歷史唯物論,經濟學及文化、教育、衛生、社會生活、方言、人物等各專志,應結合有關學科。

【筆者按】這是思想上的政治性指導原則,見仁見智而已。不過,作者提出撰寫經濟部門有"一條主綫、兩個方面、四個環節、八個專志、三個層次"確一新耳目,成一家之言。

第四節:以現代科學的觀點研究論述新方志的功能與體例。主要是批判舊志中"存史、資治、教化"的功能,而提出要為"從政者決策而服務"。

【筆者按】新方志以"為從政者決策而服務",未知與舊志中"資治"在實質上有何不同?

八、《縣志的體例篇目設計和總纂》

作者費黑：1928年出生，英士大學歷史系肄業，長期在浙江修纂方志，是資深的地方志工作者，為浙江省地方志學會常務理事，曾主編《修志實踐》（1987）、《蕭山縣志》等[27]。

本章除前言外，共分二節。

第一節：縣志的修纂形式。強調"在設計篇目時，應做到：內容上體現地方特色和時代特點，在形式上基本符合縣志體例，並力求做到內容與形式的統一。"

第二節：縣志的編纂方針。其提出總纂基本任務，需注意的任務，與第一節所言多有雷同。惟應注意"體現時代特點，應寫『大躍進』、『人民公社』等教訓"，頗有膽色。統一統計數字時，應核實一些浮誇不實的數字。在履行時，便視乎修智者之才、學、識而已。

【筆者按】縣志的體例、篇目的設計和總纂，是一種建議。以《蕭山縣志》為例[28]，當然見仁見智各不同。如清代留存下來數千種方志，雖有一些原則，但個別各有不同。因各地之特點有異，視乎修撰者之專長與愛好而不同。本章第123頁謂"早期沒有'大事記'"，未知"早期"斷於何代？宋明時方志有"大（前）事記"者不少，又第126頁謂"過去受蘇聯的模式影響，把生產資料不作為'商品'而稱為'物資'"，似乎是"文字"之辨義而已。

九、《中國〈慈溪縣志〉與日本〈廣島新史〉的比較》

作者陳橋驛：1923年出生，抗戰末期肄業於江西中正大學，以後任教於杭州大學，兼歷史地理研究室主任。五十年代開始，在浙江師範學院講授"方志學"。八十年代開始發表方志學著作，並長期從事歷史地理的研究，所著《水經注研究》一、二集（1984—1987由山西人民出版社刊），《酈道元與水經注》、《黃河志》（編纂顧問）等最負盛名，是中國地理學會、歷史地理專業學會主任、中國地名學研究會學術顧問、中國古代學會副會長[29]。

《慈溪縣志》與《廣島新史》的比較，與本書的書名最為貼切。內容分《慈溪縣志》的編修、《廣島新史》的編修及"二者的比較"三節，具體簡明而有系統。

第一節：《慈溪縣志》的編修[30]。是書未列纂修人姓名，疑是1992年浙江人民出版社刊，因是書指出由市地方志編纂委員會直接指導，據作者強調，是書為"專志"與"通志"並舉，除"概述"、"大事記"外，全是"專志"性質。本章祗介紹"自然環境"、"成陸圍涂"、"農業"、"文化"四節，敘述慈溪縣（市）在自然環境中的特點，如"成陸圍涂"、"二白優勢"、"上林湖窑遺址"等。

【筆者按】《慈溪縣志》共28篇，今作者祗抽"專志"中四節加以評述，未知能否代表該志的"全貌"？若憑此與《廣島新史》比較，似亦欠全面。當然此四節在自然環境及人文方面確有獨到的介紹，無可懷疑，但若強調該書"專志"與"通志"並舉，為前志所"望塵莫及"，評價甚高。其實新刊的《蕭山縣志》內分五部：一是概述，二是大事記，三是分志各編，但評價與《慈溪縣志》比較如何，亦見仁見智而已。不過以後地方修志，卻分"專志"與"通志"兩部，已成風氣[31]。

第二節：《廣島新史》的修纂。此書由1975年廣島市的編纂室開始籌備，至1986年完成的“城市史”共十三卷,其中屬資料篇有三篇(卷),其中地理篇及地圖資料、統計資料餘外全是“人文部份”,故歸於“城市史”範疇。是書主題從回顧廣島人民由原子彈廢墟中站起來的生活,從而指出廣島以後生存之道,堅定對未來美好前景的理想。作者是歷史地理學家,因此,在地理篇、地圖篇、統計篇,均有深度的評論。

【筆者按】

(A)地方史與地方志應有分別,現雖仍爭論未決,然國內已合併地方史志的研究系統,故以《慈溪縣志》與《廣島新史》而作比較,殊可諒解。

(B)兩者均是“公修”的史志,不過《慈溪縣志》是合“通志”與“專志”為一,合併出版為單書;《廣島新史》則分別出版,而成十三種“專史”。

(C)作者在《慈溪縣志》中對地理篇的評介最多,但對《廣島新史》只概括的說“動員了歷史學家,及人類學、社會學、經濟學、行政學、地理學等專業學者”;惜在“人文科學”這一領域中未有評介。

第三節:兩者比較研究。這是本章的重點,也是本書的主題。作者具體地指出兩書的異同與特點:

(1)修志的組織是常設的方志編纂室所領導的公修方志(史)機關;

(2)《慈溪縣志》是採用通志與專志分纂形式,《廣島新史》則是通志形式。即使下分十三篇,但十三篇都各有獨立性,亦屬專志性質分別出版。

(3)《廣島新史》的主編、出版時間、出版社各不相同,《慈溪縣志》則全部在1992年出版,並有“概述”貫通全書。

另一方面,作者特製一“表”,比較兩者類別的雷同:

(A)兩者間相似的多,而差異的少。

(B)《廣島新史》較詳盡,而《慈溪縣志》較概括。

(C)《廣島新史》是敘一“城市”,而《慈溪縣志》是一“區域”,其中包括城市、集鎮、鄉村。

(D)《廣島新史》的特點在新,一切從1945年原子彈爆炸後的新建設開始,而《慈溪縣志》的特點在闡述新與舊的沿革及內容。

【筆者按】

(1)作者此文評論《慈溪縣志》與《廣島新史》相當深入,但祇就兩書作個別比較而已,未能全面性(或多方面性)比較中日兩國的史志。當然,這也許是一種苛求。

(2)作者認為《廣島新史》較詳盡,而《慈溪縣志》較概括,未知是否作者認為《慈溪縣志》是通史與專史並列而出版,篇幅較少,不若《廣島新史》以每一專史分別出版,故較為詳盡?如是,這僅是一個文字的問題,稍加補充或修改即可。

乙、《第二篇:日本地方史志的研究》

一、《地方史與民眾史》——從自我歷史角度的探討

原是地方史與民眾史討論會的紀錄,由齊藤博主持,色川大吉及芳賀登以自我經歷(角度)發表意見。

齊藤博SAITO HIROSHI,1934年生。早稻田大學政治經濟科畢業,在早稻日大學及獨協大學講授經濟學、日本經濟史。研究重點是質屋史、地域社會民眾史、地方豪商、農史等。著作方面1973年出版《近代日本の社會基盤》(東京蒼文社刊),1977年出版《民眾精之原像》(東京新評論刊),1978年之《日本民眾の構造》(東京新評論),1980年之《概說著作法》(東京一の社刊),1986年之《歷史の精神》(東京學文社刊),及《地域社會史之誕生》(東京新評論刊),1989年的《質屋史の研究》(東京新評論刊),1992年之《概觀日本社會經濟史》(東京學文社刊),1993年之《幻住菴史話》(東京學文社刊),他是本書日本部份的主編者,是資深的學者,不過他對地域史(地方史志)的研究,是偏重於社會方面的。

色川大吉IROKAWA DAIKICHI,1925年生,東京大學文學院國文系畢業,現任東京經濟大學短大部教授,著作有《明治精神史》、《明治之文化》、《近代國家之出發》等。曾獲每日出版文化賞,並充任日本研究會、地方史研究協會、日本社會文學會的會員,亦是資深的學者。

芳賀登HAGA NOBORU,1926年生,東京文理大學史學系畢業,現任東京家政學院大學人文學系教授。著作有《民眾概念の歷史之變遷》、《國家觀念の歷史的變遷》(三冊),《1986—987日韓文化交流史の研究》等。此外,尚有豪農古橋家/江戶町人/飛驒山脈の影響歷史研究等,為日本國俗史學會、飛驒史學會、地方史研究協議會會員。

【筆者按】所有日本學者資料,由卑詩大學亞洲圖書館日本部館長、權並恒治TSUNEHARU GONNAMI所供給,及參考(一)《現代日本人名錄》Published by Nichigai Associates Inc. 1987,(二)《研究者研究課題總覽》(日本文部省國際局監修1990),(三)《現代日本執筆者大事典》(天野敬太郎監修Published by Nichiga Associates Inc. 1978)等資料。

本章是日本部份的主題論文,共五章186頁,此章佔79頁,幾佔一半。據齊藤博的意見:日本戰後,史學發展可分四期(P.159),其中第三期(1963—1974)是芳賀登及色川大吉所創理論:民眾史理論,亦即本章的主題,據來新夏教授在本書序文上言:

"這篇文章所討論的內容遠遠超出主題,內涵極為豐富"。評論極其中肯。

本章共分四節:

(1)戰後民主化時代:實際是介紹戰後(1945)五十年來日本校園史學研究的論戰,包括色川、芳賀兩位在學時的校園風氣,宜作日本戰後史學發展的參考資料。

(2)戰後歷史學的展開與積蓄:1951—1962。這一時期,日本緬懷明治維新盛況,於

是有民族與民族文化問題重新提出檢討，如社會上富豪、富農、名家、地主、女性等研究。其爭論產生若干史學流派，如“和錞學”、“津田史學”、“柳田史學”等，及政治上的變遷與影響。

（3） 民眾史研究的觀點確立時代，1963—1974年間，由民族文化的檢討與覺悟中，提出社會下層（群眾）的歷史觀，以維新人物為主體，當時稱“民眾思想史”。

（4） 戰後歷史學，由超越到飛翔：1975—1978，提出中央與地方的關係，反對地方史研究成為中央學術界研究服務的“加工廠”，主張注重地域性外，並應宏觀地研究，如：（a）重視向外發展，如移民問題。（b）重視外來的影響；如國際關係的發展，因而創造“地域性的社會史”和“鄉土史”。

此外，色川為了想編出市民自己的市史，提出在士別市撰寫方志的方法，先是制定一“自我史年表”，由市民填寫每家的“大事記”、“地域動向”、“日本與世界的活動”，最後填入“自我史”或“家族史”；再交地方史編纂會，轉聘專家考訂資料，設計結構，然後執筆。

【筆者按】本篇大部談戰後日本史學史之發展，與地方史志關係較淺，因筆者對日本史學史未曾涉獵。日語水平亦低，難有較深的批評。惟（a）芳賀提出的“民眾史”、“地方史”、“地域史”、“鄉土史”，如何分別？抑或是同性質而異名？（b）若干名詞應加解釋，如“明治文明”、“德川文明”（P.236）、“阿爾納派”（P.238）等。若能加以註釋，對中國的讀者更易了解。（c） 若以“自我史年表”而編纂志書，恐衹通用於小區域（色川大吉教授所推行的士別市，是日本北海道的一個小市，全市只有七千多戶，人口約兩萬），若在大地域（縣市以上）施行此法，恐是浪費而不實際。

二、《近現代地方史的課題》——以地區農民士兵基本形象為中心

作者大濱徹也OHAMA　TETSUYA：1937年出生，東京教育大學文學院研究科修士課程修了文學博士，著作有《北海道開教史》、《近代日本之虛像與實像》（與山本七平合著）。現任筑波大學歷史人類學系助教授、地方史研究協會員。專長日本近代史日本宗教社會史，曾獲基督哲學會賞（1981）（資料來源與本篇第一章筆者按同）。

本章共分六節：

第一節：近代地方史的問題點：——編寫有特色的市史

作者提出近代日本地方史熱潮始於六十年代，這些地方史雖可說是一部讀物，但與市民自己的生活沒有什麼關聯，沒有什麼具體的內容。換言之，應寫出地方的特點。

第二節：市民親手創造的意義

作者認為表達地方的特點，不能衹靠“後門（里門）哲學”，即從“窗口觀看”或“從數窗口”進行調查（意不夠全面與注重檔案資料），不能“只從外邊大門就對屋子內部的家庭實情全進行評價，而是要從滲透於後門、里門的生活風氣來認識一個家庭”。（P.252）要像矢內原忠雄在臺灣調查，與市民交談，透過生活而蒐集資料。

第三節：作為“民眾”基本形象的士兵

作者提出近代日本民眾基本形象的改變：由天皇的神化、重大節日的祭祀與儀式、軍

國教育、尚武精神等改變，與一般士兵的生活與信仰的不同，把握這些轉變，始能真正了解“市史”的真相。

第四節：《農事日志》中的農民基本形象

作者在名古屋郊外的農家，看到在草紙上連續三年（大正12、13、14年）的日記；知道當時農業經營的具體情況，其中新興的養蠶業，必在荒地中，同時雇得起僕人的富農底副業，後來養蠶成為企業，更成為接觸新文化的媒介。

第五節：環繞孫子地區的“近代文明”

作者指出：當時養蠶的富農及官吏是最先接受基督教的人群，在明治維新時代，接受此新宗教是代表接受新的文明。因為當時人認為“文明”與“進步”同義，這裡舉出很多例子：由基督教的傳道與新文明而出現的社會主義諸問題，是孫子市史一重要課題。

第六節：“市”與“市民”——“市史編寫”與歷史意識

作者提出，由1916–1930，十二年間，孫子市發展成新的市鎮，其轉變的關鍵，便是撰寫《孫子市史》的特點。

【筆者按】地方史志要重視地方特點，中日兩國均同，而所謂“民眾史”是要求重視下層民眾的生活，因為這是社會中最大的一群，能代表一地之“全貌”。本章指出廣大的“民眾”由天皇的神化轉變至一般農民接受西方的文化，而產生軍國民教育的實況與過程，在原則上並無新意。不過就中國讀者而言，明治維新與同治新政時期接近，但日本在新文化（基督教）傳入時被認為“文明與進步”同義，而接受與推行新文明的富戶（養蠶者）與官吏，文化水準較高，思想較為開明，於是全力吸取西方文明，擺脫舊的文化包袱，不若我國士大夫，一方面主張“中學為體，西學為用”。一方面保守派的抱殘守缺，未能徹底改革，貽誤良機，足為鑑戒。

三、《市史編寫問題》——兼談地方史研究諸潮流的成果與缺陷

作者齊藤博，履歷資料見本篇第一章。

本章共分三節：

第一節：地域社會史的誕生，作者根據1974年《町田市史》作者大場磐雄的觀點，當時日本市史的編寫有三種方法：

（1）以傳統的本地鄉土史家為中心編寫；

（2）全部交給純粹的中央專家編寫；

（3）專家與鄉土史家協作共同編寫。

所謂鄉土史家，可能指熟識鄉土掌故的人，專家則是專業學者，其中以（C）項的寫作方式最為流行。

第二節：地方史研究的諸潮流。本節指出的潮流有五：

（1）採東方歷史觀，指明治後半期至大正期間，用中國傳統方法，以君主為中心，以警世為教訓的鄉土史家的作品，從而發現地域性的社會問題。

（2）作為學術問題的地方史研究，其中尤其是由學者及其學生，對農村、山村、漁村的調查，調查對象由“點”而“綫”，於是刺激戰後民主和平主義時代地主制的發展。

（3）對高度經濟增長期成為熱點的地方自治團體的調查與研究，促進了專業化的產業史、畜業史、交通史、金融史、文化史、神社、寺院史等著作大量產生。

（4）探討與分析各地域問題，結合全國性問題，加調查研究而編寫。

（5）全部由市民組織，自行調查研究至編寫，或由地方自治團體（編纂會）準備資金，聘請中央、地方的專家小組，承包式編寫市史。

第三節：市民創造的市史編寫

作者強調："由市民創造的市史編寫不偏不倚，不分內行外行，沒有上下之別。他們以冷靜地觀察認識地域、改造地域的地域居民精神的培養為基礎，具體而細心，認真地獨立挖掘地域歷史的形成問題。"

【筆者按】作者對"市史"的編寫"方法"，是主張由市民自由調查研究、編寫，認為這真正能代表該地域的真相。問題是：所謂"市民"是否指同一地域內不分知識程度、貧富階級，即"本地人寫本地史"，這當然在"認識"上比非本地的行政人員及專業人士更為了解"本地"。但同時，亦會由於感情上偏於主觀，是否因而有所偏袒，隱惡揚善，此其一；其次，不依靠政府及公家的人力、財力支持，是否有所不足，亦值得考慮。

四、《關於關東地方史志類中"史"與"志"的若干考察》

作者犬井正INUI　TADASUI：資料不詳，據1991年日本《國立國會圖書館著者名典據》第二段第一分冊載：犬井正曾著《現代の世界像》，現職東京都立清瀨高校教諭，似是一年青的學者。

本章除前言外，共分四節，另附五表二圖。

第一節：前言解釋日本奈良時代以來的"風土記"，便是模仿中國的方志。而"史"與"志"是難以劃分。後舉1991年刊的《天津簡志》為例，綜觀中國方志影響下的日本方志的傳統，最重要的仍是考察"志"與"史"的名稱、用法及二者的內容有何不同。

第二節：中國的方志學。根據來新夏教授的意見，由《禹貢》發展至清，所謂"舊志"是百科全書式的敘述，是為學術研究而修撰。1949以後的新志，更擴大範圍，匯集學術、行政的綜合性資料，繼而用七頁制一表，列出《天津簡志》的篇章目錄及頁數的百分比。

【筆者按】

（1）舊志屬"百科全書"式的敘述，是形式而已，其實未盡符章實齋的方志理論。

（2）清代學者修志為學術研究，這是部份原因；大部份志書是地方官藉此表示政績。

（3）所列《天津簡志》，祇列章目及百分比，未有意義，應加意見評述。而把原來的標題，改動成日本的詞語，如"長遠綜合經濟利益"，原是"宏觀結構利益"；"主要電子儀器工業"原為"儀器儀表工業"……等。似應尊重原著為佳。

第三節：日本地志類的傳統。本節較有系統的介紹日本地志的源流，大概在公元713年，元明天皇要求各地編《風土記》，是最早的方志形式，似受中國地志、地記的影響，以後幕府時代分別出版的"名所圖會"，亦是私撰的地志（風土記）。明治維新重視修史及地方志，1872年，太政官在正院內設"地志科"着手編《皇國地志》，通令各府、縣及村、町、郡修志，著重地理資料，用歷史敘述的方法。1877年，改由內務省負責，可惜至1899年中斷，但此類資料卻成以後道、府、縣、郡、市、區、町等地方自治團體編志的繼承方針。

【筆者按】日本的“風土記”是受我國地志、地記所影響，在時間上，晚了一千年（西漢時已有《雲陽記》，見拙著《方志學與地方史研究》P.18）。至於“地志科”的成立似與章實齋之設立“志科”不謀而合，不過日本的“志科”設立後，撰修的《皇國圖志》是全國性，類似我國的《一統志》，而我國的《一統志》出現於元代。再早在宋代的“四大地理書”及唐代的《元和郡縣（圖）志》及《括地志》，都是“一統志”的形式，而且因修“一統志”始促進地方志的發展，中日亦不謀而合。

第四節：關東地區一都六縣的市、區、町、村史志類出版發行狀況。作者從關東一都六縣，用四表一圖，表示發行“史”“志”的數量與百分比（包括使用狀況、發行狀況、章目、頁數的比例及分佈圖），統計出：

（1）用“史”的名義多於用“志”。

（2）內容以地理為主，其中以自然環境、現代生活、民俗產業等為主，至於“史”部的內容，則是民俗、文化、古蹟、人物、歷史等，不過“史”與“志”並無明顯的區分。

（3）一般日本人多喜用“史”敘述，因日本自治團體編纂的“志”是單一的、龐大的“百科全書”，不管多麼客觀、科學與一般市民、讀者的興趣相違反，追求表面的劃一化，卻形成羅列僵硬的資料，不若“史”給人的印象，有喜、怒、哀、樂，表達人生與情節的書籍。

【筆者按】以百科全書式所修之志，即使是“專志”，一如作者所云：是羅列一大堆僵硬的資料；“史”雖表達“人”之多姿多彩的生活情緒外，更有作者的意見，如“史評”、“史論”、“史識”有教育及鑑戒的價值。當然史家的意見，會趨於主觀，導人於錯誤的方向，亦是值得警惕。

第五節：結束語

本節綜述日本志書的發展由：

（1） A. 奈良時代的風土記

B. 明治時代的《皇國地志》的編寫

C. 市區町村編寫的地方志

（2）從書名使用“史”或“志”的狀況來看，其中關東地區，近80%用“史”的名稱，特別是“市史”最多，幾佔90%以上，至於下層的町村用“史”的比率較低，大約在60%左右，而用“志”者則較多。

五、《立足於地域社會史的原點》

作者齊藤博，履歷介紹見本篇第一章。

本章共分三節。

第一節：市史編寫的姿態與課題。作者似乎參加過《孫子市史》的工作。他一貫主張是“市民參預”編寫的“民眾史”或“地域社會史”，由地方自治團體的公務員作召集人，動員市民、專家參預，集體的各自發揮所長。

【筆者按】由地方團體的公務員做召集人，會陷於“外行人領導內行人”的缺點，筆者並懷疑能否動員“真正的專家”參加，所謂“集體”創作，由誰“主筆”？亦是一重要關鍵。

第二節：東方世界的歷史觀。在明治末期至大正時代，日本的地方史顯然受中國（所謂東方世界的歷史觀）所影響。至五十年代，日本開始提出“四史”（家史、村史、廠史、連史），通過四史，首次以歷史最基礎的人民勞動的歷史為主體，進行記載這是“地域社會史”。作者認為這與章實齋的理論一樣：

> 方志應成為詳細記載地區居民的民生、納貢、賦役、物產的寶庫。可以說他的目標就是要寫出農工商民眾的歷史。（P.333）

故強調《孫子市史》的編寫工作，源於章實齋的方志學，繼承“東方世界的歷史觀”。

【筆者按】日本在五、六十年代撰寫的“四史”，是反映工商業發展下的社會背景而撰寫的“專史”或“通史”，如“廠史”是“工業史（志）”，“連史”是“軍事史（志）”，“家史”及“村史”卻是“通史”形式，是“地域社會史”無疑。但引用章氏的理論，未知出自何處？若強調“其目標是寫出農工商民眾的歷史”，恐未必能為中國學者所認同吧。

第三節：與方志的關聯

作者認為日本的“四史”與中國的方志有兩個“關聯”（相同之處）。

（1）屬於“四史”中“家史”有《豪農井上佐兵衛家文書的研究》，與中國方志中家族、宗族甚至族譜性質相同。

（2）“四史”中的“村史”有《北總地方文人群像》、《近世地方名勝詩文的周邊》，與中國方志內的名勝、古蹟、人物傳記、先哲文人、賢人等資料相同。

所以說：日本的方志（地域社會史）是繼承十八世紀以來的先進中國歷史學——方志——的傳統。

第二節　綜論

本書評介開始時的“前言”曾提及：本書乃中日兩國方志學者各自研究的成果，其中有相同之處，亦有相異之處。而綜合本書十四章，筆者認為值得研究與解釋，並提出一己之見的，共有四點：

甲、源流與發展的比較

（1）在我國傳統方面，對方志的源流有單元說和多元說。前者又可分“史”、“地”兩源頭：史源方面謂起於《周禮（官）》，而地源方面有謂起於《禹貢》（包括圖經）；另亦有謂方志源於《越絕書》。後者如黃葦等的《方志學》第二章（復旦大學出版社1993），將《周官》、《禹貢》、《山海經》、《越絕書》、《華陽國志》均視為方志的起源。此外，黎錦熙之“方志之為物，史地兩性兼而有之”。（《方志今議》），均表示方志的源流是多方面的。

【筆者按】單元說太簡,多元說則太雜;而且古代"六經皆史",《漢書·藝文志》以史志同屬一類,荀勗創四部分類(丙部屬史),李充提升"史"屬"乙部"。故是時不論史、地均屬乙部,也因此可以說:方志源於史。即使《隋書》另立"地理門",仍屬史部。因此,宋代宋敏求《河南志》司馬光為之作序,馬光祖之《景定建康志》、元黃溍之《東郡志序》均主方志源於《周官》,認為方志源於"史",不過是時之"地"仍屬史。即使謂方志有"史"、"地"兩源,亦屬合理。至於《越絕書》、《華陽國志》、《山海經》等,不外是源流發展中"史"、"地"兩支而已。詳見後論。

(2)日本方面似較簡單。奈良時代的《風土記》是受中國地記、地志的影響,應純是源於地理。及後至明治時代編纂的《皇國地志》,再發展至明治末年及大正初年編寫的地方史志(大地域稱城市史,小區域稱町志、村志等)。

(3)由源流至發展,筆者提出"二元說"。第一階段的主源是《周官(禮)》,以下分"史"、"地"兩支流。第二階段是:"史"流發展有二:(1)郡書,如《越絕書》、《吳越春秋》、《華陽國志》。(2)"耆舊傳"、"人物志"。"地"流的發展亦有二:(1)《禹貢》、《圖經》。(2)"風俗傳"、"地理書"(即地志與地記)。第三階段則是隋唐時代的歷史地理。第四階段則是宋代的方志。如下圖:

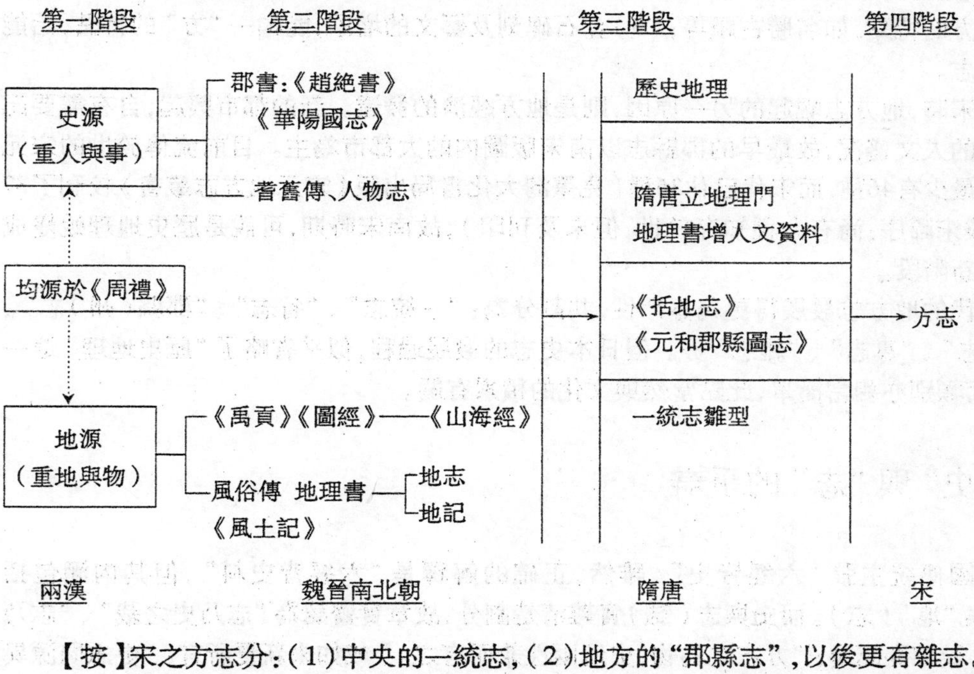

【按】宋之方志分:(1)中央的一統志,(2)地方的"郡縣志",以後更有雜志。

另外,歐陽發、丁劍之《新編方志十二講》(黃山書社刊1986)提出方志發展分三階段:(1)秦代以前偏重歷史,(2)漢唐時代偏重於地理,(3)宋以後則是"史志合一"的"史志體"。此說亦可參考。

乙、歷史地理與方志的分野

"歷史地理學"是近代的名詞,因為各種學科深入研究,則分若干"支流",如政治學中有"政治經濟學"、"社會政治學"、"政治心理學"等。所謂歷史地理學的定義,王庸、侯仁之、王育民等所下的界說亦相當模糊(見本文第四章第二節【筆者按】)。不過,筆者認為歷史學重人文(事與人),地理學重地與物。在發展過程中,魏晉南北朝時之耆舊傳、人物志、先賢傳等,當然重"人"與"事"的敘述,而地記、地志、風俗傳等,當然重"地"與"物"的記載。至於《華陽國志》雖綜合史地,兼敘"人、事、地、物",但敘人與事卻多於地與物兩倍(八與四之比)。直至隋唐時,官修地理書大量增加"人文資料",故擬將隋唐時代的志書另立"歷史地理"一階段。

歷史地理是屬人文學科,故《括地志》與《元和郡縣圖志》仍非方志。但發展至北宋,則產生四大地理書:《太平寰宇記》、《元豐九域記》、《輿地廣記》、《輿地記勝》,成為全國性的一統志的雛型。因修全國性的志書需要各地的資料,於是促進地方修志,故南宋時,正式產生方志(郡縣志)。當然,從歷史地理發展至方志的階段,需要(1)新的體例;(2)地方的特點,如名勝古蹟等;(3)金石碑刻及藝文的增添,能顯一"方"的特點,始能謂之方志。

南宋時,地方志崛起的另一原因,則是地方經濟的發達。新的都市興起,自有需要記錄當地的人文盛況,故最早的郡縣志以南宋版圖內的大都市為主。目前流傳於世的宋元地方志最少有46種,而宋代已佔36種(見臺灣大化書局出版《宋元地方志叢書》校刊了37種,另據宋晞序:尚有九種知存於世,但未及刊印),故南宋時期,可說是歷史地理蛻變成方志的新階段。

明代的地方志發展得更為專門性,共劃分為:"一統志"、"省志"、"郡縣(州)志"、"鄉土志"、"專志"、"雜志"等。但日本史志的發展過程,似乎省略了"歷史地理"這一階段,而類別亦相當簡單,此點當然與文化的積累有關。

丙、"史"與"志"的爭辯

中國傳統主張"六經皆史",雖然,正確的解釋是"六經皆史料",但其內涵包括"史"與"地"(志)。而史與志(誌)實難清楚劃分,故章實齋認為"志乃史之裁"、"志乃史體"。黎錦熙認為:"方志之為物,史地兩性兼而有之。"或如來新夏所言:"史志同源異體。"本書中對史志之區分有朱文堯、林衍經、朱士嘉、傅振倫(p.27)、譚其驤、鍾永寧(p.93–95)諸說,但始終難有明確的區分。筆者綜合諸說,提出"輕"與"重"、"詳"與"略",作勉強的區分:

(1)"史"重人文,"志"重自然。

(2)"史"重縱述,"志"重橫剖。

(3)從內容而言,"史"較略,"志"較詳。

（4）從時間而言，“史”較“遠”述，“志”較“近”述。

（5）從資料而言，“史”較簡而撮要，“志”較繁而詳述。

直至1949年後，中國推行的“新志”，似乎較有明確的分別：

用通史體裁編纂的則是“地方史”（某某通史），以專體裁編纂的則是“地方志”（如《廣東省志》；水利志，或如《梧州市志》內有87分志，《天津通志》中除《簡志》外，另有多種分志，如租界部等），或另刊“文物志”，其劃分較為明顯。

丁、中日史志的異同及新舊史志的比較

（1）日本志體源於1872年設立志科，修纂《皇國地志》，始具方志的體例；中國則自十至十三世紀，宋朝時代，漸由“歷史地理”的階段發展成為地方志體。

（2）日本在明治維新前，所謂“鄉土史”（方志）其實亦具“史地”兩性：在地理方面的名稱如“風土記”、“風俗志”、“某某（地名）志”；在歷史方面的名稱如“文書”（例如：某某文書）、“紀”（例如：《續日本紀》、《正統紀》）。其發展有“某某名所圖會”、《五畿內志》及家譜（如《本莊家譜》）、“藩族志”等。所謂“藩族志”是指幕府大將軍割據地的紀錄，內容有“藩政史料”、“歷代藩市家譜”、“日記”、“分限帳”、“區域”、“法制”、“村況”、“土地”、“貢租”、“戶口”、“治安”、“農業”等（據《豐橋市史資料》），由此得知當時日本的方志（鄉土史）包括大量族譜資料。

至於中國舊志的細目雖多，亦有宗族人物，但家譜資料卻較貧乏。

（3）在20世紀六十年代後，中國開始大量編纂新的地方史志，日本亦於同時代開始，撰寫《民眾史》、《地域社會史》等。

（4）中國的“新地方史志”是分“通史”、“專史”（文物志與企業史）二門，是分纂與分別出版；日本的新地方史是合“通”與“專”一起編纂，是“一書的兩部份”，但卻標榜“地域社會史”由地域群眾參與，又稱“民眾史”，是由該地域的人民直接調查與供給資料，由行政幹部或專家審訂而編纂。

（5）所謂“新”與“舊”的地方史志，中日兩國均有同一背景：舊志是農業社會下的產品，即使有工商業，也只是該地域的現狀分析，主要仍是著重倫理思想及政治上的“資治”而撰寫。

所謂“新的史志”是注重新社會下的經濟建設、社會結構的變化，注重社會風氣及國家的需要大於倫理思想的表達。

（6）在理論方面，中國的舊史志大致以章學誠的理論作指導及參考；在日本方面自稱所謂“東方世界歷史觀”，亦即章學誠（或儒家）的理論。但中國的新史志修撰，有“中央指導小組”作主導，有一定的思想與原則及服務對象；日本的新史志則強調“民眾史”，人人參與，人人表達，表達一地之“社會性”，所謂“地域社會史”。

（7）中國目前史志合一，中央與地方的業務機構均稱“地方史志協會”（民間的學術性組織）、“地方史志編纂委員會”（政府的學術機構）及“地方史志辦公室”（行政機構）；日本方面似由各地方自治團體自行組織，按範圍之大小而分稱：地方史或地方志的

編纂委員會。

（8）中國的"地方史"多是通史式的敘述，"地方志"則是橫述的專史（企業史或文物志），篇幅鉅大，少則數十萬言，多則千萬言，易流於"百科全書"式的參考資料，且分纂者皆各類專家，雖有專業知識，卻未必深懂"史法"，而總纂者更難有博學全才，未能"統之而成一家之言"。且專史（文物志、企業志）注重當代的資料，三數年間，建設更多，增設更繁，需要增訂改編，浪費人力物力，已出版者，仍是參考資料而已。

總括本書十四篇論文，可說是中日兩國學者在史與志方面的研究成果，及聯合研究的開端。惟"中國地方史志的研究"部份，中國學者似重用"歸納法"：羅列史實，從源流、發展、內容等分析史志的關係。而"日本地方史志的研究"部份，日本學者似愛用"演繹法"：着眼於基層民眾的觀念與需求，探索其轉變關鍵，從而創造史志纂修的方式與主題。不過，兩者都似未能或未作嘗試：

（1）全面比較中日方（史）志的異同；

（2）徹底解決——（A）史與志（B）歷史地理與方志的區分。

因此，筆者在本文的"綜論"中，嘗試提出：

（1）方志發展過程中的四階段，及史與志、歷史地理學與方志學異同的己見。但所言祇是一種"大膽假設"，卻未經"小心求證"。僅希望藉此以就正於大雅君子。

（2）中日兩國史志的比較。筆者謹以獻曝之忱，提一己之見。然因身處海外，參考書籍缺乏，加上本身日本語文水平低，而本書日本部份亦缺註釋，故所有"意見"，恐難免有資料薄弱、過份主觀的毛病。

正如筆者在《前言》裡說："中日史志的比較，恐以此書為首。"所以，《中日地方史志比較研究》一書，不但有其學術價值，更且兼具特殊歷史意義。故特加推薦，並作評介。

註釋

①資料參考《中國地方志大辭典》（浙江人民出版社1988）、《修志須知》（浙江人民出版社1986）及早期的《中國地方志》。

②資料參考林恒、李爽主編《中國當代方志學者辭典》（陝西人民出版社1944）。

③來新夏《方志學概論》（福建人民出版社1983）頁2，而宋敏求《河南志》司馬光之序、《景定建康志》馬光祖序，均主此說。

④按往昔學者多以方志源於"史"為多，至章實齋更力主此說。至於戴東原、洪亮吉等方志學家強調地理方面的效用及考證的方法，至清末民國之初，漸有方志多元論。近代朱士嘉序《宋元方志傳記索引》（上海中華書局1963）謂漢至唐方志反映各地地理，似是"地源"之說。而傅振倫在其《中國方志總論》（臺灣商務人人文庫）第七章"方志的起源"中，亦持此論。

⑤李泰棻《方志學》第一章、傅振倫《中國方志學通論》第十二章，均謂此二書乃方志之源。其實此二書雖具"史"、"志"（地）兩資料，但"史"之份量較重。《四庫全書》以《越絕書》屬"載記類"，顯是"國別史"，至《華陽國志》，章學誠歸之於"雜史部"。故拙意認為此二書是方志中"史源"發展之一，亦即所謂"郡國之書"。（拙著《方志學與地方史研究》第二章）（臺灣編譯館發行1995）。另外黃葦之《方志學》（復旦大學刊1991），則主"多元說"（詳見該書第二章）。

⑥資料參考《中國當代方志學者辭典》。

⑦本文第三編"綜論"中"發展"部份可以參考。

⑧據《章氏遺書》外篇“州縣請立志科”條：

“今天下之大計，既始於州縣，則史事責成，亦當始於州縣之志，州縣有荒陋無稽之志而無稽之令史案牘，志有因人臧否，因人工拙之義例文辭，案牘無因人臧否，因人工拙之義例文辭。”史與志固不同，即使方志體中，“通志（省志）亦與府州縣志不同”（參考《章氏遺書》“方志略，與方志辨體”條）。

⑨其見解與梁啟超不約而同，據《飲冰室專集》第十七冊，《中國近三百年學術思想史·方志學》（上海中華書局舊版）：

“方志中十之八九，皆由地方官奉行故事，開局眾修，位置冗員，鈔撮陳案，殊不足語於著作之林……方志雖大半成於俗吏之手，然其間經名儒精心結撰或參訂商榷者亦甚多。”

⑩主要參考《中國當代歷史學學者辭典》（西北大學出版社刊1993）。

⑪《中國地方史志論叢》（北京中華書局1984）P.21。

⑫拙著《方志學與地方史研究》（臺灣編譯館出版1995）第一篇第二章“史源之發展”註㉝。

⑬地方的特點能表達“一方的全貌”，而體例上將地理（自然）及歷史（人文）細分若干項目，加“四至”、“八到”，表示“地方”與中央的關係，可參考拙著《方志學與地方史研究》P.25。

⑭王庸《中國地理學史》（中國文化史叢書第二輯，1938年商務刊）P.259。

⑮侯仁之《歷史地理的理論與實踐》（上海出版社刊1979）P.7。

⑯王育民：《中國歷史地理概論》（教育出版社刊上冊1985）P.1。

⑰資料參考自《中國當代方志學者辭典》及《中國地方志名家錄》（林正秋主編）（黃山書社刊1990）。

⑱《文史通義·史德篇》。

⑲參考資料引自《中國當代方志學者辭典》。

⑳明《新昌縣志》（張元益撰）序亦有相同的見解。

㉑黎錦熙《方志今議》之“立兩標”（新本採自《方志學兩種：方志今議、方志商榷》，岳麓書社刊1983）。

㉒如第三章譚其驤論“史志關係”一段中，筆者曾提出若干質疑，表示“史”、“志”難以劃分。

㉓見本書日本部份第四章。

㉔資料參考《中國當代方志學者辭典》。

㉕中國社會科學院《關於恢復地方志小組工作的請示報告》由（鄧）力群提出轉中央書記處的文件，謂1980年胡喬木提出以新觀點、新方法、新資料編修新方志的任務。原文載《修志須知》P.12。

㉖如1985年出版之《方志叢談》（貴州人民出版社刊）談“創新”（P.22）便提出“三新”及補充“三性”（馬列主義的思想性、社會主義人民性、八十年代的科學性 ）。甚至1993年出版《新方志概說》（甄人著，廣東人民出版社刊）亦沿此說，強調“堅持以馬克思主義為指導編好社會主義新方志”。

㉗資料參考《中國當代方志學者辭典》。

㉘作者之《蕭山縣志》始修於1981年，其間九易篇目，四改志稿，於1986年始付刊，頗有時譽。

㉙資料參考《中國當代方志學者辭典》及《中國當代歷史學者辭典》。

㉚慈溪，唐時古縣名，明後改慈谿，建國後恢復舊名，最早的縣志是明天啟間李逢中所修，以後雍正、同治、光緒間均曾重修。

㉛其實1991年出版之《天津簡志》共三十篇，有“通志”亦有“專志”，譬如《天津簡志》中第三十篇“大事記”，但另有專史的《大事記》一鉅冊。其中上限及詳略各有不同，而《天津通史》中專史部份更有“租界”等均獨立成冊。此外最近編纂的《廣東通志》先刊專志有《農墾志》、《水利志》、《糧食志》等。《廣州市志》在編目中，屬“通志”部有“總述”、“大事記”、“人物”等專（分）志，已出版有《華僑志》、《農業志》及《軍事志》、《飲食志》、《家庭志》、《工藝美術工業志》等，各縣市或“通史”、“專（分）志”分別出版，或合而分二部，似已成定例。

第六章　清代方志學名著知見錄

（有關清代方志學家及其著作資料見電腦光碟）

附錄:清代方志學家與方志著作年表

（年表附於本書電腦光碟內,光碟內資料有查閱功能）

方志學著作,始盛於明,極盛於清,其作品汗牛充棟,主要參考書是:朱士嘉《中國地方志聯合目錄》（中華書局1985年出版）。《美國國會圖書館藏中國方志目錄》（朱士嘉編1989年中華書局出版）。王德毅編《臺灣地區公藏方志目錄》（1985年出版）及日本出版的東洋文庫、國會圖書館、內閣圖書館、靜嘉堂書目等,可惜以上的著作:

一、僅以書目為主,附編纂或監修姓名而已。

二、分纂、助纂等人員,於纂志功勞頗大,但姓名多付闕如。雖然,書目多可表示方志學之盛,然方志學能蔚為風氣則搜集從事方志著作家亦不容忽視。筆者在政治大學歷史研究所授課時,得數位同學（廖德修、陳祥雲、陳鴻圖、江泰明、劉信華、張世欣等）的幫忙,從以上諸書的資料外,添加:

（1）《中國方志大辭典》（浙江人民出版社1982年版）

（2）《中國地方志辭典》（黃山書社1986年版）

（3）《中國方志名家傳》（林正秋主編1990 黃山書社出版）

（4）各書目叢書

（5）各地方志中"卷首修志職官"及"人物傳"、"藝文志"等,但限於港台所藏者,故並不普遍

（6）天一閣藏書目錄

（7）李景新的（廣東研究參考資料敘錄）,（原嶺南大學叢書,臺灣學生書局,1970年重刊）

（8）廣東中山圖書館:（館藏廣東地方志目錄）（1986年出版）

（9）李默:《廣東方志要錄》（1987年廣東省地方志編纂委員會辦公室出版）

結果,搜集得清代方志學作家達九千人（相信因搜集未週,數目必不止此數,比諸朱士嘉、王德毅等著作中所列人數多數十倍,其原因,增列了:

1. 分纂人物:如《嘉慶一統志》中的胡渭、高士奇、方苞、齊台南、王昶、裘連、陳蘭森等

2. 重修、重校者，如譚瑩、陳灃重校《廣東通志》

3. "志"中某一類專書：如呂謙恒的《一統志萬姓統譜》等

4. 方志中某一項地理專書，如徐松《西域水道記》，梁廷楠《粵海關志》

5. 校注及考訂志書者，如張佩芳《平定州志考誤》，孫景烈《評註武功縣志》

6. 私修或未定稿者，如李兆洛《武陽合志》（注：未成），汪中《廣陵通志》（注：私修）

7. 地方掌故：如周春《海昌掌故集》，李來章《八排風土記》

8. 已佚者：如郭之奇《揭陽縣志》（注：已佚）

因此，篇幅雖鉅，然能顯示清代方志學著作風氣之盛，且海內外未見有人從事此類資料之整理，故先列表以供參考，末後再以表分析，以顯史志中"表"之效用。

一、清代方志學家統計表（朝代）

朝代	順治	康熙	雍正	乾隆	嘉慶	道光	咸豐	同治	光緒	宣統	總人數
人數	348	2370	310	1808	670	900	145	743	1690	147	9131

二、清代省通志省別統計表

省別	直隸	奉天	吉林	江蘇	安徽	山西	山東	河南	陝西
數量	2	2	1	1	3	3	4	4	4
甘肅	浙江	江西	湖北	湖南	四川	福建	台灣	廣東	廣西
2	3	4	3	3	3	2	1	3	4
雲南	貴州	新疆	蒙古	熱河	綏遠	青海	江南	湖廣	盛京
3	4	1	1	2	1	1	2	4	3

三、清代方志志別統計表

志 別	一統志	省 志	州 志	府 志	廳 志	縣 志	鄉土志
數 量	1	74	689	504	54	3693	271
志 別	採訪冊	道 志	風土志	志 略	志 餘	遊 記	
數 量	15	5	24	124	2	61	

在表一：方志學者以康熙、乾隆、光緒三朝人數最多，而清代十帝亦以康熙在位六十一年，乾隆在位六十年，光緒在位三十四年最久。康熙、乾隆為清之盛世，人才鼎盛，光緒朝雖在清末，然經自強運動後，一片更新現象，人才亦不少，恰可配合。

在表二：清代省志統計表中省志共七十四套，其中長江以南佔三十八套，黃河流域與邊疆地帶各佔二十套，蓋江南地帶，文風最盛，著述特多，但若干數字與朱士嘉的統計略異，如《河北通志》中包括"畿輔通志"，清之《湖廣通志》今已分為湖南、湖北兩省，清之《盛京通志》即今之遼寧，《回疆志》實指新疆者，至有若干省份之"紀略"、"識略"等，朱士嘉列為"省通志"類，此表不錄，但"補編"、"續編"，則有收錄。

在表三"志別"，因"縣"為基層組織，故數量最多，以次為州志、府志，全部共五五一七套，與第一編第三章第四節之統計表略有差異。因統計方法不同，如續編，補編因不同纂修之人，數目不同，而統計時間亦不同之故。

贰　譜學篇

第一章　中國譜學之源流及其分期之試探與新譜學建立芻議

中國文化有三特點:(一)農業社會;(二)儒家思想;(三)家庭觀念特強。其實此三特點亦互為影響。

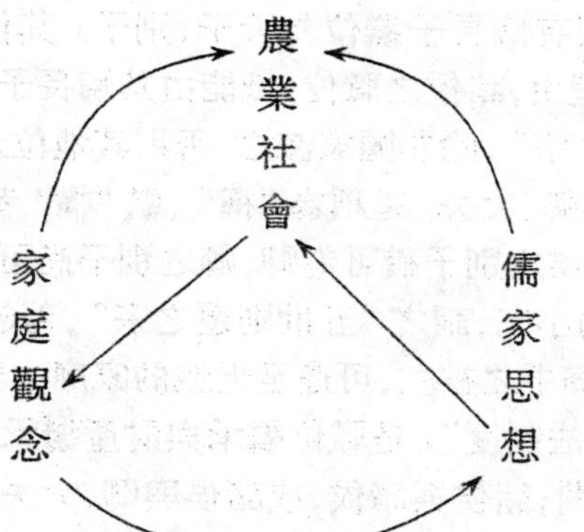

按:農業社會奠基於周代的封建制度。農業經濟,產生了富於保守性的儒家思想。儒家思想在政治上是吸取了農業社會中:春耕、夏耘、秋收、冬藏的固定規律,而主張"君君、臣臣、父父、子子"[1],以維持既存的政治制度。在經濟上是主張"有土斯有財,有財斯有用"[2],土是指耕地,故儒家是主"農本學說"。在倫理上,儒家是主張"忠與孝","夫孝者,始於事親、中於事君,終於立身"[3]。治國者始於治家[4],求忠臣必出於孝子之門。故儒家的倫理建設首重家庭,因而培養了濃厚的"家庭觀念",而家庭經濟又基於農業,耕讀是儒家的生活方式,同耕共產,更促進了農業的發展,如是循環的互相影響,遂構成中國文化上三大特點。

中國文化上的三特點,又與譜系息息相關。按:中國譜系的發展可分三期:

(一) 形成期:是指周代的宗法制度中的氏族社會。

(二) 鼎盛期:是指漢(嚴格來說,應是東漢末,但西漢既非氏族社會,而世族亦未完成,為行文方便,故亦歸之於此期)至魏晉南北朝時代的世族社會。

(三) 蛻變期:是指隋唐而至鴉片戰爭前的家族社會。

以後便是衰落期,是指海禁以後,受到歐風美雨的影響,我國家庭制度受到動搖的時

代,但又未能建立新的社會。現分述之如下:

甲、氏族社會

《禮記·大傳》:

別子為祖,繼別為宗,繼禰者為小宗,有百世不遷之宗,有五世則遷之宗。

清毛奇齡之"大小宗通釋",作者以下表解釋之:

```
天子——(嫡子)—天子—天子—天子—天子(宗主)
  └——(別子)⑤—諸侯—諸侯—諸侯—諸侯(別子為祖　大宗　百世不遷)
           └—(禰)—卿——卿——卿(繼禰者為小宗)　(五世則遷)
                └—(禰)—大夫—大夫(小宗)
                     └—(禰)—士—士(小宗)
```

按:天子之子可能有多人,祇有嫡長子繼位為天子,別子(其他嫡子與庶子)則分封為諸侯,別子為一族之祖。同樣理由,諸侯之職位,祇能由其嫡長子繼承,故"繼別為宗",是為大宗,大宗又稱"百世不遷之宗",除非國家滅亡,否則其地位永遠不變。至諸侯之別子(其他嫡子與庶子),祇能封為卿、大夫。是稱為"禰",繼"禰"者為"小宗"。小宗之地位,因"代"而改變其地位。如諸侯之別子猶可為卿,卿之別子尚可為大夫,大夫之別子可能已降為"士",這種地位變遷的小宗,謂之"五世則遷之宗",蓋超過五代,血緣日淺,已非近親。超過五代已無喪服,祖廟中之神主,可遷至近親的家廟中奉祀,故稱五世則遷。

此種"繼承制度",稱為"宗法制度",是職位繼承與財產繼承的制度。根據此制度,天子與天子之間,天子與諸侯之間;諸侯與諸侯,或諸侯與卿、大夫、士之間,若非父子、兄弟,必是叔(伯)姪,彼此必有血緣關係。至於異姓諸侯,必與天子及姬姓諸侯通婚,故亦有血緣關係。因宗法制度關係,周代整個政府(包括諸侯),便構成一大家庭。《詩》云:"普天之下,莫非王土,率土之濱,莫非王臣。"[6]而此大家庭中,嫡長子地位特別崇高,在喪禮中,"支子不祭"[7],在婚禮中,"支子則稱其宗"[8],蓋嫡長子為家庭中的家長,年幼的天子或諸侯,便以此種家長地位而統治年長的諸侯。故宗法制度,便構成中國嚴密的"家庭制度"。

周代的封建制度,構成中國的家庭制度,在封建時代中,"國之大事,在祀與戎"[9],祀是祭天與祭祖先;戎是指兵事。當時之兵事,主要是蠻夷之入侵,與不遵家長(天子)命令與制度之諸侯,故均與維持家庭制度有關。

另一方面,周代的封建制度,根本是農業的分封制度,周代八百年的農業社會,結果產生了儒家思想,儒家思想亦特別注重家庭觀念,儒家的治國方法,基於家庭中的成員:"家齊而後國治,國治而後天下平。"[10]儒家的倫理觀念特重"孝","夫孝者,始於事親,中於事君,終於立身"[11],"夫孝,德之始也"[12]。楊亮功認為周代的家長,有四種統治權:(一)有祭祖主祭之權;(二)對子女有懲罰權;(三)有管理家產之權;(四)家長視妻妾兒女為附屬品。因此,其結論:"中國倫理思想,是以家族制度為基礎"[13]。

周代之重視家庭制度的另一証明，便是有“小史”之設。按：《周禮》“小史”：“掌邦國之志，奠世繫，辨昭穆”。所謂“世繫”是指天子之世系，“昭穆”是辨父系、輩份的大小。故先師羅香林元一教授認為這是譜學之起源⑭。

由此可知，在周代建立宗法制度之際，同時建立中國的家庭制度。嚴格來說，是時之所謂“國”，實亦“家”。國是家天下，天下萬國，同是一家，故唐柳芳論之，有以國為氏，有以爵為氏，有以王父之號為氏，有以居地為氏，故統稱為氏族社會。而譜系是氏族的記錄，是家庭的歷史。換言之，周代的宗法制與譜系學息息相關。

乙、世族社會

魏晉南北朝因受九品中正制的影響，造成“上品無寒門，下品無世族”的門第（閥）制度。當時的政治統治者雖是皇帝，但社會卻是由若干世家大族所支配。其實，九品中正制之產生，是由於漢時“累世公卿”與“累世經學”所造成。按：自漢武帝獨尊儒術，設立五經博士及博士弟子員以後，儒家子弟多由此途而出仕，政府各級人員多是士人，故錢穆教授稱之為“士人政府”⑮，但儒家經典有今古文的不同，跟着又有“師法”、“家法”之分。漢時治經，訓詁句讀皆由口授，師之所傳，弟之所受，一字毋敢出入，是為“師法”。及後五經傳士共增至十三家，每家又有“家法”，如今文《易》，有施（讎）、孟（喜）、梁兵（賀）、京房四家，這是師法。施讎家有張（禹）、鄧（彭祖）、衡（成）之學，那便是“家法”⑯。大概“前漢重師法，後漢重家法”⑰。總之，能堅守“師說”、“家法”，即可憑此出仕，位至公卿。夏侯勝常謂諸生：“士病不明經術，經術苟明，其取青紫，如俛拾地芥耳。學經不明，不如歸耕。”⑱因此，產生了“累世經學”，如《易》有四家，《詩》有三家，《書》有三家，《禮》有二家，《春秋》公羊傳有二家，均設學官⑲，專主一家說。又如孔氏、伏氏世傳經學⑳，經學既為入仕之主要條件，結果，遂產生了“累世公卿”，韋平父子相繼為相㉑，于氏為二世三公㉒。東漢更盛，如桓氏㉓，一家三代為五帝師，楊震家四世三公㉔，袁安族則四世五公㉕，累世經學之家多產生累世公卿，遂造成士族特殊權力，積久遂成門第㉖。

門第制度產生了“世族社會”，魏晉南北朝時政府設有“圖譜局”主理譜系事宜。大族撰有“官譜”，政府任用官吏，官吏的升遷，憑中正的評定，而由吏部任命。所有“中正”官，便憑譜籍或簿狀而定等第。所有大族撰修之譜牒，必要送呈“圖譜局”，如有問題，“圖譜局”必按政府的記錄加以糾正。故每一大族必珍視其譜系，每一家族之凝結力甚強，階級性甚嚴，世代相傳，故名之曰“世族社會”。

當時的世族社會，對中國的政治、文化、社會，有若干肯定性的影響，現分述如下：

政治上，晉、宋、南朝等朝，大家族子弟起家即拜秘書郎、員外郎、奉朝郎、著作郎（均六品）、縣令、司徒屬掾（七品）。但不數遷，即可位至公卿㉗。既易於登進，便不屑竭智盡心，以邀恩寵。故趙翼感歎“江左世族無功臣”㉘。蓋當時士族，豐衣足食，不知稼穡艱難㉙，讀書不過二三百卷，交結名士，互相吹噓，便為名士㉚。此等名士，不辨馬與虎，體羸氣弱，膚脆骨柔，難經戰亂㉛。故當時上層人物，雖多為高門大族的士人所控制㉜，但難得統治者之信任，其任轉輕。相反，寮族小姓，力求上進，勇於任事，而忠於君主，君主多任予機要，權力較大[33]。因此,影響至政治制度上有一大轉變,三公宰相已無實權,於是皇帝親近的“錄尚書事”,可核閱一切公文,其次便是“中書舍人”,可代皇帝發佈詔令,至於“門下省侍中”,因為皇帝近侍,得其親信,其權漸大,當時大家族高踞三公宰相之職,尸位素餐,握權者為皇帝親近之非大姓華族[34],因此,至隋唐時,遂演變而成三省制原因之一。

文化上,永嘉之亂後,胡族入侵,許多以“經學傳家”,或世家大族,不甘於左衽,自動舉族南遷。如徐邈於永嘉之亂後,與鄉人臧琨率子弟并閭里士庶千餘家南渡江,家於京口(今江蘇鎮江)[35];祖逖率親黨數百家,避地淮泗,眾推為行主[36]。此外,尚有被逼遷徙,如後趙滅前趙時,徙關東流人,秦淮大族九千餘人於襄國[37],或移民墾荒,不論其為主動或被動,總之舉族遷徙,促進了文化的流動。如僑置州郡以處理遷徙之人民,宋徐州備有徐袞幽冀青并揚七州郡邑[38]。東晉時,計先後成立僑郡,可考者為八十一,僑置之縣,可考者二百三十六[39],此等南渡的家族,自成一體系,稱為“僑姓”,以別於原居土著的“吳姓”[40]。至於北方亦劃分為漢人之大族“郡姓”(以王崔盧李鄭為主),及“國姓”(鮮卑族)。當時“僑姓”與“郡姓”,自視為文化較高的優秀民族,以教育及開發當地為責任。很明顯的是王導、王敦,與江南的開發有關,林、黃、陳、郭、鄭、詹、邱、何、胡九族之開發福建有功[41],漢文化的南移,開闢了新的文化領域,與舉族南遷有莫大的功勞。甚至五胡亂華時,漢族能保存生機而不墜,實門第之功[42]。

社會上,當時的高門大族,為保持其優良地位,特重婚姻制度,大姓與小姓之間有嚴密的區分,於是“譜學”特盛。當時著名的有“賈氏譜學”與“王氏譜學”[43],士人之出仕與官吏之升遷,中正官多據族譜,而婚姻之締結亦必根據譜牒,社會地位之高低亦與譜牒所訂的門第高低有關[44]。社會地位之高低與政治上的職位無關,如王宏欲作士人而不可得[45],紀僧真之受辱[46],路瓊之為太后之外孫,詣王僧達,僧達不予語,去即焚其床。蓋士大夫非天子所任命,而寒門即使位居高位,亦自視微陋,不敢與世家相頡頏。如王敬則不敢與王儉相比[47],王道隆雖貴為右軍將軍,且權重一時,但因是寒門,在讌會時,大族蔡興宗在席,竟然不敢坐下,良久方去,興宗亦不呼坐。何敬容與到溉不協,謂人曰:“到溉尚有餘臭,遂學作貴人?! 以其祖彥之擔糞也。”各高門大族,各以門第自矜,崔悛嘗謂盧元明曰:“天下盛門,惟我與爾。”蘭伯子亦謂王融曰:“天下膏粱,惟使君與下官耳[48]。”在婚姻方面,力主門戶相對,這是保守門第的一大關鍵。如王源以家貧,嫁女至富陽滿氏,貪其聘禮五萬,至為沈約所彈劾。侯景請娶王謝,梁武帝謂:“王謝門高非偶,可於朱張以下訪之。”趙邕寵貴一時,欲婚范陽盧氏女,其母為保持家門盛譽,又不欲得罪權門,於是攜女逃避。南北朝末年,許多高門大族日漸式微,或因貪財而與寒門異族為婚,或因犯罪,其女兒為新興之權門(均小姓)娶為妻妾[49],門戶階級之嚴密,是魏晉南北朝時的一大特徵。甚至可云:研究此時期的高門大族歷史,便可窺知此時期的社會部份真相。

丙、家族社會

隋唐統一,鑒於世族社會的流弊,而且楊隋、李唐均非出自世族,於是推行科舉制,打破世族控制社會的局面。一方面又重修“氏族志”,以官品高低定新的“世族”。所謂新的

"世族",以耕讀為生活方式,以"科舉及第"而取得政治上與社會上的地位,與九品中正制所產生的貴族寒門不同,同是王謝大族,族中某一家以耕讀而及第,其取得政治、社會上的地位,純靠個人努力、家庭教育,已無圖譜局之鑑定。不似太原王氏、清河崔氏,凡屬該郡該氏,均列為"郡姓"或"甲姓",而且,新的"世族"在社會上的地位,局限於有政治上及經濟上的控制時期,並非世襲,有新陳代謝的作用,故別名之曰"家族社會"。

在這一時期,宗(家)族活動有一主要的影響,便是改變了農業生產方式,在工商業日漸發達的形勢下,而鞏固了我國農業社會的基礎。按:隋唐以前的農業社會,是注重分配上的平均(如以授田的數量為標準,施行的井田制、王田制;或限制田地的佔有,如占田制等)。及後,客觀環境的改變,人口作幾何級數的增加,而耕地卻無法作等量性的增加,不得不讓其作自由的兼併,結果,均田制根本無法推行[50]。國家改而以賦稅而維持社會上貧富均等的型式。因此,產生了土地大量集中的莊園制,莊園制多是新興的家族,憑着政治、經濟地位而形成的[51],莊園多以莊主的家族而命名,如高家莊、黃家莊(北方);李家村、陳家村(南方)等。當然,莊內還有佃戶、客戶,可能是別姓人家。此等莊園,增設許多小型工場,如碾米、紡織、陶瓷等。相連關係,又產生新的貨物集散地,如墟(南方)、集(北方等)[52]。莊園制始盛於中唐以後,正是藩鎮為禍之時,藩鎮爭奪城市。鄉間的莊園,既聚族而居,可以防守,經濟上又可自給,知識份子在此幽靜的環境中,以耕讀為業,不單有安定社會的功勞,且在工商業日趨發達的形勢下,維持了農業社會的形態。

另一方面,在此時期,有若干制度也影響至我國宗族活動與家庭制度,那便是累世同居的風氣。在農業社會中,本來便是聚族而居,不過,井田制開始,實施的是小農制,最多同居二三代而已。"同居聚財,分居析產",以此維持貧富的均衡。至魏晉南北朝時,因受戰亂的影響,若干富有的家族,便開始建造塢堡。平日在塢堡外耕作,有警便退居塢堡之內,塢堡內有豐富的糧食[53]。此等家族聚居的風氣,慢慢發展便成"累世同居"[54]。根據正史孝義、孝友傳;唐之張公藝九世同居,河東姚氏十三世不析居;宋陳昉十三世同居,李庭芸十二世同居。凡是"累世同居",必以家長一人統御一切。如《明史》所載鄭濂一家(族)三千餘人,以一人主家政,有家訓、家法。明太祖擬誅之[55],蓋家族凝固力大,團結之力強,最易為患。

累世同居雖然並不普遍,但此風氣卻加強了家族間的凝固力,所以范仲淹在家族中建立義莊[56],有家訓。又朱熹倡議建立學田,教育與賑濟族中子弟,使其成才。宋累有繼世為相,三世為相者[57]。楊播一門七郡守、三十二刺史;崔倕生六子,一居輔相、五任大僚;海寧陳氏,明清之際豪族[58],均與家庭教育有關。新的家族同時亦是鄉紳,當時為政者,主要是"不得罪於鉅室",所以紳權增大,地方上措施實際操於有影響力的家族手上,直至此世族衰落,已無新的繼承人,始為另一新家族所瓜代。

這一時期的新家族,特重家訓與家庭教育,故對家族的凝結力很強,家庭觀念很濃,形成一股力量。明成祖殺方孝孺時,誅其九族,表面上是鎮壓,其實是害怕濃厚的家族觀念,培養成反對的力量,故對不肖子孫可以斥(出)族。另一方面,兒孫顯達,可追贈祖先,可謂光宗耀祖,以此增強家族的凝結力,故構成近代宗親會的組織。根據恩師羅元一教授的意見,降至清代,政府恐懼家譜的著作會增強家族的力量,防礙其統治,所以當時家譜的撰寫雖仍然不絕,但清修《四庫全書》時,故意將"譜諜類"刪除[59],即此緣故。

大概自周武王建國，推行封建制度開始，直至晚近，三千餘年之間，我國社會仍是以家族（庭）為中心，家族的活動，對我國影響甚大。假若承認家庭觀念特強，是我國文化特點之一，那麼，敘述家庭活動的紀錄——譜系，亦應是我國文化的因子之一。縱使海禁前後，受西方工商業文化的衝擊，我國的家族制度受到莫大的破壞，我國倫理道德亦因家庭觀念薄弱而受到動搖。但筆者堅信，受衝擊而動搖是一時的現象，假若正本清源，瞭解動搖的原因，加以糾正，而欲維持中國優良的民族美德，方法雖有多種，但倫理觀念的重建與譜系學的提倡，亦是方法之一。

丁、家族社會的動搖與譜系學的建立及倫理建設的關係

從經濟史的立場來觀察，我國自隋唐以後，工商業已相當發達，尤其是宋代，西方史家認為是近世史的開始。有些學者更認為是時本可以產生工業革命，不過，海禁前後，我國的工商業顯然有以下的不同：

（1）海禁前多是小型的手工業及家庭工業。至於商業亦多是獨資，是非企業式的經營。

（2）海禁開放以後，已有機械生產的重工業，並將以前的"行會"擴大成技術性兼勞方為主的工會組織。商業方面，亦有資本集中的大企業出現。

因工商業發達，農業社會動搖，社會上的家庭制度與家族觀念亦大大改變。在這一時期中，家族受到社會上與思想上兩大衝擊。現分言之：

社會上：自列強勢力侵入我國以後，西方的工商業受到不平等條約的庇護，大力推銷成本較低的機械生產品。我國的手工業產品漸被淘汰，破壞了我國固有的農村經濟，大量勞動力流入城市，參加工廠工作。同時，新型的企業，集中資本，控制市場，亦摧毀了我國固有的家庭式商業，不少人離開了農村的家庭而進入城市，亦有不少的家庭隨着工商業的中心而轉移。一如近世歐美的工商業社會，父子兄弟各自謀生，相隔千里，接觸機會日少，家庭觀念日漸淡薄，破壞了家庭制度的凝固力與向心力。同時，西方的"個人主義"、"獨立精神"的影響，青年人以離開家庭而獨立謀生為榮，但過早地離開家庭，喪失了家庭的溫暖，缺乏了家庭倫常的薰陶，加上複雜社會的影響，所以青年犯罪率大增。

思想上：近世西學東漸，我國的倫理思想，如四維八德，被譏笑為封建的、迂腐的，一切以功利為目的，不擇手段，無親情，無友愛。再加上某些學說，違背我國倫理道德和優良的傳統。青年人以"反傳統"為進步。有識之士雖痛心疾首，高呼"道德淪亡"！"人心不古"！但究其根源，在於數千年來，以我國傳統文化為背景的家庭制度，被強調了其弱點，舊的受到破壞而動搖，新的文化、新的家庭制度又未能建立來，這是今天社會問題的根源之一。換言之，應怎樣保存優良的傳統，適應現代的潮流[6]，筆者因此提出建立譜系學以重建我國倫理道德，因為譜系是我國文化的因子之一，重建我國倫理道德，從家族、譜系着手，是一有效方法。

譜系是家（宗）族的歷史，是以家（宗）族活動為研究的對象，與民族學有所不同。有若干學者誤會研究譜系學是重家而不重國，易引起國家的分裂。其實"家"是"國"的基

礎,譬如國是由地方區域的"省"、"市"所構成,研究"方志",並不等於漠視國家與分裂國家。同樣理由,"族譜"與"方志"是民族史與國史的主要資料來源。亦可說:綜合研究各宗族活動結果,是民族學範疇之一,是全國性的、整體性的,而譜系學應是分析各宗族、各家族個別活動的情形,是單元的、地方性的。兩者當然有相互的關係。正如歷史學是研究人類社會中的各種活動,有經濟方面,有政治方面,有文化方面,但它與社會史、經濟史、政治史有所不同。

現在的我國族譜,其內容大約為(一)宗支世系;(二)祠宇墳塋;(三)科第仕宦;(四)家訓教育;(五)職業生計;(六)家族人物;(七)藝文著述;(八)遺文軼事[61],族譜資料在史學上的價值,恩師羅元一教授的《中國族譜研究》[62]及拙文《方志與族譜之關係及其聯合研究的價值》[63],均有敘述。大概族譜除了"族望"的誇大外,對民族的遷移、文化的流動、地方的開發、古代村落名稱、家庭教育與遺傳等資料,都可補正史的不足,但族譜與譜系學不同,族譜是史料,經過整理後成為譜系學。建立譜系學,至少要注意:

一、內容的擴大

(1)應擴大族譜的範圍,舉凡與家(宗)族活動有關的史料,如戶口、戶籍、土地契約、婚約、生死証明書、族與族間械鬥的碑記、祠堂內的功名牌等,均應在搜集範圍之內。

(2)家(宗)譜所敘世系,應由直屬的父系,擴大而至旁屬的母系、妻系、子(媳婦)、女(女婿)的活動事蹟。

(3)家族的盛衰應就其家族人物與時代的背景,進而論其事業的成敗因果。

二、認同的思想

譜系學的新目標,不光是敘述祖先來源,慎終追遠而已,主要是培養"認同"的思想。凡是同宗、同族、同文化系統的,都應加深聯繫與瞭解,因為譜系是文化的一部份。目前我國的社會與文化,正受到西方社會與文化的極大衝擊,我們需要將舊的文化加以批判,融匯新的潮流,始能生存與發展。近百餘年來,我國人不少崇洋、媚洋,失卻民族自信心,認為家庭是縛束,那麼,新的譜系學應從過去家(宗族)活動的史蹟中,加深瞭解我國的文化,去蕪存菁,一方面吸收西方家庭的獨立精神,一方面保持我國傳統的倫理思想。一如文藝復興,先要"再生"Re-Birth古希臘羅馬的文化,將其優良部份,發揚光大,產生新的文化,即所謂"新生"New Birth。

目前我國社會中,年青一代與年老一代的"代溝"日大,其實年青人受西方影響較大,銳於改進;年老一輩受舊倫理道德所薰陶,較為保守,距離自然較大,兩者並非不能調協,祇是缺乏具體方法而已。筆者認為:將我國倫理觀念重新評價,使之灌人家庭制度中。換言之,建立譜系學,使年青人認識自己祖先的優良文化傳統,恢復其民族自信心,中華文化始能長存下去。另一方面,僑居海外的炎黃子孫,更急需對年青一代,施以"認同教育",否則"數典忘祖","被髮左衽"矣。至於年老一代,對我國家庭制度產生的溫暖,更是懷念不已。筆者去年參加美國鹽湖城"第二屆世界載籍會議"時,不少不懂華語的第二、三代華僑前來詢問,自稱是某某省某氏,囑代查其祖先。這種尋根的精神,正表示出海外僑胞對譜系的歡迎,及對我國倫理思想的渴望。

三、方法的改良

(1)舊的族譜,其撰寫的重點在敘述源流及世系,墳墓的所在地而略於事蹟的敘述[64]。新的譜系學,世系衹以表列之,表之下衹列生卒年月,另撰小傳。

(2)小傳不應衹敘"人"的事蹟,兼應言及其人生存的時代背景,尤忌避諱,而蒙蔽若干事實[65]。

(3)撰寫譜系學時,應特別著重家族中的兩種遺傳:文化因子與體質因子。潘光旦的《明清兩代嘉興的望族》、王栻的《清代的漢族世家》是從家族中的嚴謹家訓,發現出若干望族,能歷二百年而不衰落的原因,這是文化的遺傳。故撰寫新族譜時,對每一家族的家訓、教育程度(包括妻族、媳婦的教育狀況),應特別詳細敘述,始可發現該族盛衰的關鍵。何者是優良的傳統,值得保存;何者是不合潮流,應予淘汰。其次,族人的體質遺存,也應特別注意。報載:美國佛羅里達州邁阿密附近的"邵思蘭家族",自一八四〇年以來,整個家族受困於癌症之中而不自知。假若譜系能記載每一人死亡的原因,或生存時有何痼疾,相信在醫學昌明的現代,及早預防及治療,可避免悲劇。至於體質、體能,若能紀錄下來,可增加優生學不少資料,從而對促進家族的健康及國民健康,功勞甚大。

(4)換言之,舊的譜學重"人物",人物的成敗是家族盛衰的關鍵,歷史的份量較大。新的譜學應從社會方面影響"人物"的成敗(包括教育的傳承),始是家族盛衰的關鍵。

方志與譜系,同是地方性的重要史料,兩者同源於二千年前。但方志至清章學誠時,提出"方志十議"[66],已建立系統的學問而成方志學。但譜系直至現在,仍未能獨立發展成一系統的學問。主要原因是:"方志"是政府協助修纂,自宋元以後,政府主動修纂一統志。同時,鼓勵地方官吏修纂地方志,蓋方志的修纂,可助國家的統一,官吏因修纂方志,可列為政績之一,故方志發展甚快[67]。但譜系衹是一家一族之事,實用價值未能立刻見效。其實譜系的功用,在培養對家族的愛心,對倫理觀念的愛護,是文化存續的關鍵。故方志有助於國家的統一,但譜系卻關乎文化的存亡,兩者同樣重要。今天我中華民族正處於東西文化衝擊之中,受到考驗,我們的人民,正處於濃厚的功利思想、道德淪亡的社會中,家庭觀念與倫理觀念日弱,筆者特提出建立譜系學,是倫理建設的具體方法之一。但如何確定譜系學的內容?如何樹立譜系學的理論與方法?尚待各界學者與有識之士,提出寶貴之意見[68]。

【按:本章關於譜學的分期經已更正,詳見下章《新舊譜學之界別與新譜學之兩派三家之評議》】

註釋

①《論語》:"齊景公問政,孔子對曰:君君,臣臣,父父,子子。公曰:信如君不君,臣不臣,父不父,子不子,雖有粟,吾得而食諸?!"

②《禮記·大學》篇。

③《孝經·開宗明義》章:鄭玄註:"父母生之,是以事親為始,四十強而仕,是以事君為中,七十致仕,是以立身為終也。"

④《禮記·大學》篇:"家齊然後國治,國治然後天下平。"

⑤程微君之《宗法小記》(《皇清經解》卷五二四)謂:"諸侯之公子,自卑而別于尊,曰別子。"與鄭

康成之意見不同，鄭《註》："別子，謂公子，若來在此國者，後世以為祖也。"按：來此國，當然是諸侯。又毛奇齡《大小宗通釋》雖曰："別子者，公子之通稱也。"但亦承認別子即餘子，《左傳》分子（穀梁）而召公奭封于燕，分"別"于王，稱分子，燕亦諸侯國，故作者以鄭註解釋為佳，不從程說。

⑥《詩·小雅》"北山"之篇及《孟子·萬章上》。

⑦《禮記·曲禮下》及《王制》篇。又周谷城之《中國通史》第一篇第四章謂國之（封建）政治與家族組織合一，即是此意。

⑧《儀禮·士昏禮》。

⑨《左傳》"成公十三年"。

⑩《禮記·大學》篇。

⑪《孝經·開宗明義》篇。

⑫《大戴禮記》。

⑬楊亮功《中國家族制度與儒家倫理思想》，《食貨月刊》復刊十一卷第四期。

⑭《中國族譜研究》（1971年四月香港中國學社山版）第十七頁。

⑮《國史大綱》（編譯館出版）上冊九十八頁。

⑯蔣伯潛《經與經學》（世界書局1956年版）、第十五章頁一八八。

⑰皮錫瑞《經學歷史》（四）經學極盛期。

⑱《漢書》卷七十五《夏侯勝傳》顏師古注："地芥謂草芥之橫在地上者，俛而拾之，言其易而必得也。"王先謙《補注》："漢丞相、太尉皆金印紫綬，御史大夫銀印青綬，此三府官之極崇者。"

⑲據《漢書·儒林傳》：《詩》有魯（申公）、齊（轅固）、韓（嬰）三家；《易》有施讎、孟喜、梁丘賀、京房四家；《書》有歐陽（和伯）、大夏侯（勝）、小夏侯（建）三家；《禮》有大戴（德）、小戴（聖）二家。另有慶普家不立於學官。《春秋公羊》分嚴（彭祖）、顏（安樂）二家，各立學官（博士），專主一家之說。

⑳孔子自伯魚子思以下，再五世孔順為魏相，順子鮒為陳涉博士，鮒弟子襄，漢惠時博士，襄孫武及安國，武子延年，皆為武帝時博士，延年子霸，昭帝時博士，霸子光，歷成哀平三帝，官至御史大夫丞相，安國後亦世傳《古文尚書》、《毛詩》有名。至於伏勝世傳經學，歷兩漢四百餘年。

㉑韋賢、玄成父子相宣帝、元帝（《漢書》卷七十三），平當、平晏亦父子相繼為相（《漢書》卷七十一）。

㉒于定國為宣帝時丞相，其子永為御史大夫。見《漢書》"本傳"。

㉓桓榮授經予明帝，桓郁授經予章帝、和帝，桓焉授經予安帝、順帝，又焉之孫彬，亦名經師。

㉔楊震為太尉，子秉孫賜為司徒，曾孫彪亦為司徒，四世皆為三公。

㉕袁安為司空，又為司徒，子敞及京、京子湯、湯子逢、逢弟魏，四世五公。

㉖漢代的世族，除由"累世經學"而引起"累世公卿"而形成外，許多宗室與開國功臣，亦是世襲豪（世）族。可參考金發根《永嘉亂後北方的豪族》（商務版）。

㉗毛漢光《兩晉南北朝士族政治的研究》（商務印書館1966年出版）上冊，第四章。

㉘趙翼《廿二史劄記》卷十二"江左世族無功臣"條："所謂高門大族者，不過雍容令僕，裙履相尚，求為王導、謝安柱石國家者，不一二數也。次如王宏、王曇、褚淵、王儉等，與時推遷，為興朝佐命，以自保家世，雖朝市革易，而我之門弟如故，是以世家大族，迥異於庶姓而已，此江左風會集尚之極也。"

㉙顏之推《顏氏家訓·涉務篇》："江南朝士……至今八九世未有力田，悉資俸祿而食耳。假令有者，皆信僮僕為之，未嘗觀起一撥土，耘一株苗，不知幾月當下，幾月當收，安識世間餘務乎？或治官則不了，營家則不辦，皆優閒之過也。"

㉚同上書《名實篇》："有一士族，讀書不過二三百卷，天才鈍拙，而家世殷厚，雅自矜持，多以酒犢珍玩，交諸名士，甘其餌者，遞共吹噓，朝廷以為文華。"

㉛同上書《涉務篇》："梁世士大夫，皆尚褒衣博帶，大冠高履，出則車輿，人則扶持，郊郭之內，無乘

馬者......及侯景之亂,膚脆骨柔,不堪行步,體羸氣弱,不耐寒暑,坐死倉猝者,往往而然。建康令王復,性既儒雅,未嘗乘騎,見馬嘶歕陸梁,莫不震懾,乃謂人曰:'正是虎,何故名為馬乎?'"

㉜毛漢光《兩晉南北朝士族政治之研究》上冊第十二章,統計三百一十五年中,能找到五品以上官吏共四千零二十一人,士族有二六九九人,佔百分之六十七点一。

㉝趙翼《廿二史劄記》卷八"南朝多以寒人掌機要"條。

㉞李俊之《中國宰相制度》(商務印書館)第二篇:謂魏晉南北朝時之宰相,多出自世家高門(頁六十四),但握實權者多為帝族(六十二頁)。按:魏晉南北朝之君主,多出自軍人與地方官吏,齊高帝遺詔亦曰"吾本布衣素族"(《南齊書》高帝紀),故多任用而親信者。

㉟《晉書·徐邈傳》。

㊱《晉書·祖逖傳》。

㊲《晉書·劉曜載記》。

㊳《宋書·州郡志》。

㊴程發軔之《中國歷史地理》頁廿四至廿五。

㊵僑姓以王謝袁蕭為主、吳姓以朱張顧陸為著。此種劃分,見於柳芳之《永泰譜》及柳沖之《大唐姓系錄》。

㊶據何喬遠之《閩書》及陳振孫之《書錄解題》載以上八姓入閩可以參考。又《晉書·王導傳》。

㊷何啟民《南朝的門第》(中華文化復興運動推行委員會主編,《中國史學論文選集》第一輯頁一九一)。

㊸晉賈弼撰《姓氏簿狀》凡七百十二篇,其子匪之,孫希鏡傳之。希鏡撰《姓氏要狀》十五篇,以後傳之為熱(希鏡子)、冠(希鏡孫),是為"賈氏之譜學",至梁王僧儒以賈氏舊譜多不實,據而考訂而成《百家譜》,是為"王氏之譜學"。據趙翼《陔餘叢考》卷十七"譜學條":賈、王兩譜學今已不傳。但何承天之《姓苑》、劉湛之《百家譜》、王儉之《百家譜》,均因賈弼原著撰成,據此而可知一二。

㊹據《陔餘叢考》卷十七"譜學":"江左凡郡上姓為右姓,太和以郡四姓為右姓。至於北朝之山東之郡姓,以王崔盧李鄭為大,關中則以韋裴柳薛楊杜為首,其中郡姓中三世有三公者曰膏粱,有令僕者曰華腴,尚書領軍而上者為甲姓,九卿方伯者為乙姓,散騎常侍大中大夫為丙姓,吏部正員郎為丙(丁?)姓,凡得入者為四姓,北齊因之,舉秀才,州主簿,郡功曹,非四姓不在選"。

㊺王宏為中書舍人,為宋武帝(劉裕)所愛遇,謂曰:"'卿欲作士人,得就王球坐,若往詣球,可稱旨就坐。'及至,球舉扇曰:'若不得爾。'宏還啟聞。帝曰:'我無為此何?'"(《本傳》)。

㊻據《陔餘叢考》卷十七:"紀僧真幸於宋孝武帝,曰:'臣小人,出自本州武吏,願就陛下乞作士大夫。'帝曰:'此事由江斅謝瀹,我不得措意,可自詣之。'紀僧真承旨詣斅,登榻坐定,斅命左右移吾床讓客,紀喪氣而還。帝曰:'士大夫固非天子所命。'"

㊼《陔餘叢考》卷七"六朝重氏族"條:"王敬則與王儉同拜開府儀同,徐孝嗣謂儉曰:'今日可謂連璧。'儉曰:'不意老子與韓非同傳。'敬則聞之曰:'我南沙小吏,徼倖與王衛軍同日拜三公,夫復何恨。'"

㊽《陔餘叢考》卷十七"六朝重氏族"條。

㊾趙翼之《廿二史劄記》卷十五"財婚"、"高門士女"條。

㊿拙作《敦煌戶籍卷中所見唐代田制之新探》——《斯》〇五一四及《伯》三三五三之研究(香港《珠海學報》十一期)。

(51)莊園制的形成,學者討論甚多,主要者如日本學者加藤繁、玉井是博、周藤吉之、森谷克己等。我國學者如鄧廣銘、陶希聖、尚鉞等。拙著《唐代莊園制問題》(《書目季刊》十一卷第三期)曾補充了職官田的數量,退休時遂變成大地主,因土地集中而成莊園,均是莊園制形成之原因。至於皇室的賞賜,信徒對寺院的奉獻田地,亦是莊園制形成的另一原因。所有大地主大部是新興的知識份子,在朝為官,退休為紳,有大量的土地。至其子孫,由耕讀而出仕,積累的田地更多,遂造成某家某族為主的"莊園"。

(52)加藤繁《唐宋時代的莊園組織及其成為村落而發展的情況》(收於《中國經濟史考證》中)。

(53)可參考金發根《永嘉之亂後北方的豪族》。

(54)累世同居開始於漢代,是時適為井田制破壞之後,土地自由兼併的開始,至唐宋而大盛,正是土地集中而成莊園制的時代(拙作《唐代莊園制問題》發表於《書目季刊》十一卷三期)。

(55)《陔餘叢考》卷三十九"累世同居"條引《明史》本傳而謂:"(太祖)退朝語馬后,后曰:'陛下以一人尚得天下,今鄭(濂)一家三千人,為患何難?'太祖悟,再召見,將誅之。問曰:'汝家何術能如是。'對曰:'無他,惟不聽老婆言耳。'太祖大笑,免之。"

(56)《清夜錄》:"范文正歸姑蘇,有絹三千匹,散盡予閭里親於朋舊。曰:'祖宗積德百餘年,始發於我,今族眾皆祖宗子孫,我豈可獨享富貴。'乃置田數千畝為義莊。"(轉引自丁傳靖的《宋人軼事彙編》卷八);又《宋史》"本傳"云:"好施予,置義莊里中,以贍族人。"

(57)見拙作《宋代權相政治的形成》(收入《宋史試析》中)。

(58)據王栻的《清代漢族世家》(《學思半月刊》三卷一、二期):"海寧陳氏,在元明之際,原以鬻豆腐為業,初無顯著,其後以特殊機緣,得納仕宦中落,血緣較遠之青年高諒為贅婿,於是引致子孫發達,由明中葉至清道咸間凡三百年,登進士者三十一人,榜眼及第者二人,恩拔副歲貢生七十四人,徵召十一人,秀才及監生數千人,曾任宰相三人,尚書侍郎,巡撫,藩司十三人,京官自卿寺以下,外官自道府以下三百人。"

(59)《四庫總目提要·總序》:"唐以後,王牒既不頒於外,家乘亦不上於官,徒存虛目,故說刪焉"。但羅元一師之《族譜學研究》四十二頁,則強調族譜內可寄託民族思想。

(60)美國鹽湖城世界族譜學會舉行的第二屆世界載籍會議World Conference on the Records,其主題便是"保存優良的傳統"Preserve our Heritage,蓋研究譜系,並不是保守的、封建的,要從"舊"的甄選出優良部份,加以發揚光大。

(61)羅元一師的《中國族譜研究》"結論"篇。

(62)《中國族譜研究》"緒論":《中國族譜研究之史學意義》。

(63)中文本發表於《中華文化復興月刊》十四卷第六期,英文本發表於China Culture Vol. XXII, No. 1。

(64)絕大部份的族譜,祇敘源流及始祖、開房祖等事蹟,如族中某人顯達,始有較詳細敘述。筆者搜集得香港《黃維則堂族譜》最為特別。該譜可分二部,一敘世系,一敘事蹟;凡世系所列的人物,均有小傳紀敘,史料豐富,為難得的族譜。

(65)蔣君章《戴季陶先生的生平與著述》(《傳記文學》三十九卷,一期)載:四川戴族,原居江蘇,為戴名世之後,為避文字獄而遷居四川,故其族譜中有數世空白。亦有些族譜,以其祖先因犯罪而遷徙,後世子孫,本"為親者諱",遂缺而不書。

(66)《章氏遺書》載:十議:(一)權限之劃分;(二)史料之搜集;(三)志料之審訂;(四)藝文志之體例;(五)人傳人物的標準;(六)書事的審別;(七)引言之規例;(八)節引成書成文之規例;(九)分目之意見;(十)叢讀之內容。

(67)拙文《方志與族譜之關係及其聯合研究之價值》,曾提出方志與族譜的比較。

(68)臺灣遠東出版社曾出版"家譜"樣本,內有"世系"、"自傳"、"表"。"表"之內有"學歷"、"配偶"、"親屬"、"重要記事"、"身後記事"、"海外親屬"、"遷徙紀事"、"血型"等,值得參考。

第二章 新舊譜學之界別及新譜學之兩派三家之評議

甲、新舊譜學之界別

譜學不論是族譜、宗譜、家譜，甚至家乘，都是源於血緣關係，擴大範圍而成家譜（乘）、族譜、宗譜。故嚴格而言，譜學應形成於周代封建社會之後①。

昔之學者認為秦漢間已有譜學，實際上乃是“世系”、“世表”、“玉牒”等紀錄而已，實非“譜學”②。至若合“姓氏與譜系”為一之學，似在東漢之後③。在魏晉至隋唐，譜學大盛，對政治社會各方面影響甚大。筆者曾將其間劃分為三階段④，此數階段謂之“舊譜學”，蓋全部是基於儒家的倫理思想⑤而撰寫。

由漢至清，儒家所影響下的譜學，前期多是姓名之學（姓氏錄），如摯虞、王僧孺、賈淵及柳芳《姓氏錄》⑥。及初唐《氏族志》以全國宗族為對象，繼而林寶的《元和姓纂》，以後鄧名世、凌迪知等著作及《古今圖書集成》的《氏族典》更是集其大成⑦。

至於譜學之內涵及理論，至宋更有大的改變。蓋自唐以來，因久經戰亂，加以官設立之“圖譜局”已廢，譜學遂絕，“私家撰譜”各以臆說成譜⑧。於是私家撰譜多有附會，因此，自宋以來，譜之內涵及理論已有改變，如歐陽修撰譜時斷自五世⑨及蘇洵（世合稱“歐蘇體”）的改良⑩。自宋至近代，千餘年來，譜學譜例多受二氏之影響，清之章學誠提倡“譜為家史”以彰譜之功用，但對譜之內涵及體例並無突破⑪。

及至近代，西學東來，譜學脫離儒家的倫理學的束縛，以社會科學之基礎從事譜學之研究，因此產生了“新譜學”。新譜學以社會學、經濟學、統計學、生物學、地理學、文化歷史學為基礎，以歸納法或演繹法而作譜學之研究，研究對象由個人為主體的“家族”推廣至由“家族為主體”，而探究其對社會及國家之影響。

乙、新譜學之兩派三家

一、新譜學之內涵

歐洲在文藝復興時代產生了“人文主義”Humanism ,以“人性”及“行為”為研究對象,同時代英國人羅哲·培根Roger Bacon(1214—1294)提倡科學的歸納法。三百年後,同是英國人法蘭西斯·培根Francis Bacon(1561—1626)更創實驗法,遂成後世科學之母。於是自然物質及其現象之科學如天文學、物理學、化學、動物學、植物學、礦物學、生理學等,劃歸為自然科學Natural Science,以別於以“個人”的“人性”及行為之人文科學Humanities。

【附表一】新舊譜學之界別

舊譜學

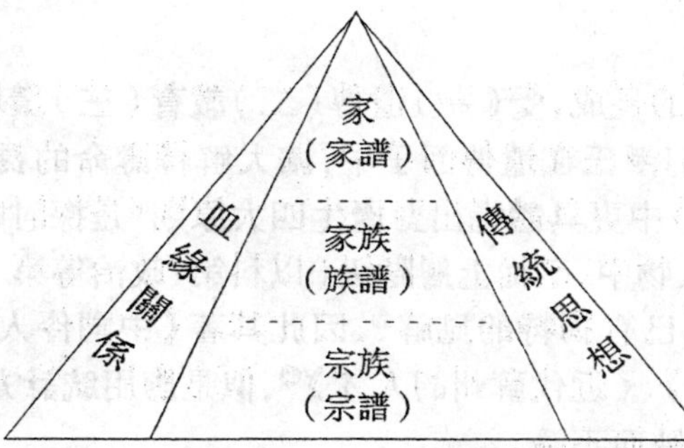

分期與分類		
	兩漢至南北朝	世族社會
	隋唐至北宋	貴族社會
	南宋至明清	家族社會

以家(族)的成員(個體)為研究對象,以分析每一族之盛衰及在社會上之地位。

新譜學

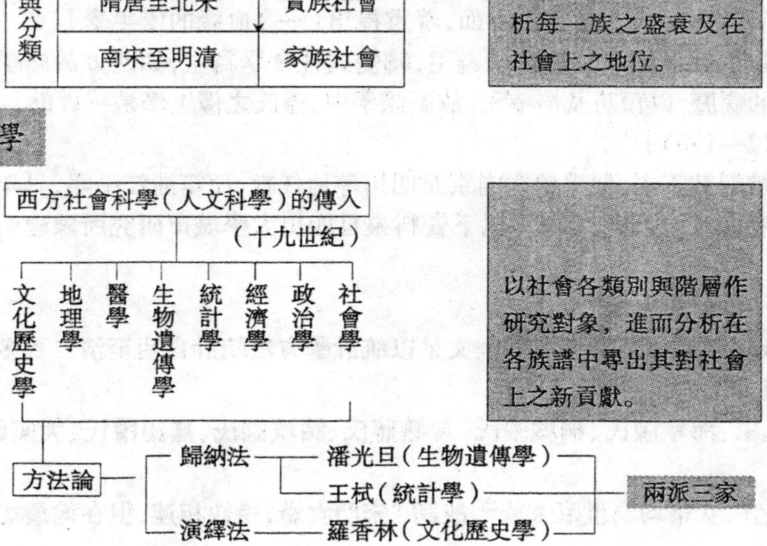

至英人瓦特James Watt （1736—1819）發明了蒸汽機Steam Engine，改良了動力，於是促進了工業革命，產量突增，社會轉型進入工商業社會，加上二位Bacon的影響，不論是人文科學或自然科學其研究對象，由個人轉至群體社會，由上層人物的研究而兼及社會基層各組織，於是中國傳統以倫理思想為指導的"譜學"亦進至用新的方法（歸納、演繹），從社會各層組織（如職業、婚姻、壽命及地理分佈、宗教信仰等現象）探討其對各族裔及當時的文化與社會之影響，故謂之為新譜學。

二、兩派三家[12]

1. 潘光旦（1890—1967）

（1）江蘇寶生縣羅家鎮人，在美國受教育[13]，在國內名大學任教心理學、優生學、遺傳學與教務工作凡40年[14]。1995年，其論文集出版（北京民族出版社），推崇其在"生物進化與遺傳、優生學、社會思想史、家庭制度史、儒家哲學、民族史、英文翻譯、漢文書法等有特殊的貢獻"。

（2）譜學的貢獻

A. 社會學論"人"的長成，受（一）遺傳（二）教育（三）環境三者影響最大，在舊譜學中以血統影響最大，但潘氏在遺傳因子中，擴大解釋壽命的長短，也是"望族"的興衰關鍵[15]，其所著《優生學》中更具體提出對優生四大原則[16]是探討中國譜系人物的新觀點。

B. 潘氏的論譜系人物中，已從上層階級（以科第、政治等第）的人物降至中下層人物的分析，因其論"人才"已有獨特的見解[17]，因此其著《中國伶人血緣之研究》[18]及《清代以前畫家的分佈與移植》、《近代蘇州的人才》[19]，似是應用統計方法而分析。筆者久居海外，未能找到後二書，故缺而不論。

C. 其他譜學的著作計有《中國家譜學略史》[20]，此外尚有《章實齋之家譜學論》、《通譜新解》[21]。

【評議】總括言之，潘氏在新譜學方面，着重提出（一）血緣的優生學，（二）着重社會低層的証據，其發展，將譜學由倫理學為主，轉變成社會學為主，如西方於譜學中已列明應着重死亡前的病歷，以預防及治療[22]。故新譜學中，潘氏之優生學是一貢獻。

2. 王栻（1912—1983）

（1）王栻事蹟記載不多，似乎曾在南京及四川等地任教，原籍浙江平陽，早年畢業於清華大學研究院歷史系，獲碩士學位（以下資料來自四川大學城市研究所陳建明教授所告知）。

（2）主要著作可分三大類[23]。

（3）代表作是《清代漢族世家》[24]，全文是以統計學方法統計自明至清二百多年的漢族世家，一門數相者[25]，如：

A. 拜相者七家：海寧陳氏、桐城張氏、常熟蔣氏、諸城劉氏、無錫稽氏、大庾戴氏、常熟翁氏[26]。

B. 長沙宋德宜，女婿均為世家大族[27]，故謂"宋門女婿，襟袂相連，俱在翰詹坊局清華之選，而宣麻者二，開府者三”。

C. 而海寧陳之遴，一門六子，三人翰林，一中進士，一中舉人，更是一時之盛[28]。按陳氏一門，自明正德歷至太平天國亂後，門第始衰，一門三百餘年間，登進士第者三十一人，榜眼及第者二人，舉人一百零三人，恩、拔、副、歲、優貢生七十四人，徵召者十一人，庠生及貢監生幾及千人，宰相三人，尚書侍郎、巡撫、藩臬者十三人，京官鄉寺，外官道府以下名登仕版者逾三百人。

D. 桐城張氏，其門第之盛不下於陳氏[29]，當其盛時，儼然為漢臣中心。有謂與鄂爾泰為敵體，滿臣歸鄂，漢人歸張。

E. 他如常熟蔣氏、苑平王氏、長洲宋氏亦一時世家。

（4）所謂清代世家，據王氏分析絕大多數是以科第出身為主，世亂時則略有不同，如三藩之亂及太平天國之亂，始有曾（國藩、國荃）、李（鴻章，瀚章）、岑氏（毓英、春萱）等新興的世家，打破以科舉傳承的結構。

【評議】：（1）王栻是用統計學（或量的分析）解釋世家大族構成的現象，但對世家大族能維持長久的內在因素，如嚴謹的家訓、婚姻與家庭教育的影響，在社會國家的貢獻與事蹟卻少有敘述，是美中不足之事。

（2）潘光旦有《明清二代嘉興的望族》（第99页）同樣用統計方法分析嘉興的望族[30]，不過王氏則擴大而至全國性的統計而已。

3. **羅香林（1906—1978）**

（1）羅香林是一位“事功學派”的史學家[31]，認為應“學以致用”，於是熱心於社會及政治活動[32]，四十餘年在政學二界頗為活躍。

（2）譜學之貢獻是以在譜系中找尋“文化資料”，如謂“各族姓各分子之活動與事功，又往往與國家之治亂有關，亦往往可為發現重大史實，而為正史與方志所失載”，“各族姓之遷徙與各民族之混合同化多未有敘述[33]”。於是具體提出四點：

A. 明初設立衛所制與移民實邊有關史實。

B. 自西域入華之回教徒及其遷移與衛所設置之史實。

C. 清初遷界與復界引起民族之遷移。

D. 族譜所見民族同化之史實[34]。

此外，《中國族譜研究》一書中有二專章特別值得介紹：

（1）“舊譜的源流與特徵”可與潘光旦、楊殿珣、王栻等專著相輔參考。

（2）“中國譜籍之留傳與保存”搜羅廣東、哈佛燕京學社及香港大學馮平山圖書館所藏的族譜目錄，可補日本多賀秋五郎所編之《宗譜研究資料篇》所不足，且有一節介紹“中國族譜擇要敘錄”，共22種及圖片34種，惜未能介紹美國猶他州家譜學會收藏族譜的著作。

【評議】羅氏之譜學研究，非如傳統以家族（個人）為出發點而研究，相反，是從文化社會各方面着眼，輔以譜學資料，而探究其在史學上各方面的貢獻，至於具體的譜學作品除《中國族譜研究》外，還有：

《國父（孫中山）家世源流考》（1941）

《蒲壽庚傳》（1955）

《蒲壽庚研究》（1959，由《蒲壽庚傳》增訂而成）

《客家研交導論》（1933）

《客家源流考》（1950）

其他著作有方志學、人物傳記、文化史、民族史、香港史等，詳見香港珠海文史研究所編纂之《羅香林教授著作目錄》，收於其紀念論文集中。故臺灣中央研究院院士陳槃教授推荐羅氏為中研院院士時強調羅氏"在譜牒學、香港史、中西交通、文化史開闢新的研究領域"，亦有學者認為羅氏畢竟是"傳統的儒家學者"，其譜學不免（一）隱惡揚善；（二）為親者諱的主觀；（三）基於中上層人物作研究對象。故論不及潘光旦受西洋科學的薰陶，着重於基層的分析，是另一種見解，可供參考。

【附表二】兩派三家

兩派

南學	北學	- - - - > 以地域分
演繹派	歸納派	- - - - > 以研究法分

三家

羅香林（廣東）	王栻（浙江）	潘光旦（江蘇）	- - > 代表人物
重文化歷史學	重社會統計學	重生物遺傳學	- - > 研究重點
受東方傳統方法影響	受東方傳統方法影響	受西方科學影響較大	- - > 研究方法

【按】1. 此表未能盡括所有譜學學者。

2. 南學、北學以三人籍貫而分，根本未能成學派，因傳承人亦未有資料。

3. 所謂歸納、演繹，兩派常有互用，亦難嚴格劃分。

4. 所有學者均有多方面成就，此處僅以其在譜學上重要貢獻而劃分。

5. 他日若有更多資料，將予更正。

丙、海峽兩岸之新舊譜學的剖析

海峽兩岸的譜學，大致而言：

一. 譜學之纂修，多採取舊譜之方法，以傳統的倫理思想為骨幹，以"木本水源"、"慎終追遠"為目的。至於"族源"、"姓源"混淆難分，蓋年代湮遠，族大枝繁，或因戰亂，因生計而遷徙，故難以"查根"、"追蹤"。於是以"同姓三分親""五百年前同是一家"的觀念，往往附會，將古代同姓的名賢拉上關係以炫耀門楣[35]。明以後雖行"小宗"之法，重視"始遷"之祖，但撰譜的目的仍以儒家的倫理道德為準則[36]。至於新譜學之倡議，始於受西方思想之梁啟超[37]。直至"五四運動"後，始粗略地發展成"兩派三家"。

二. 新譜學多是以專論式，探討社會上諸問題對宗族的影響，如：

A. 人口問題

劉翠溶《明清人口之增殖與遷徙》[38]

《河北三族的人口特徵》[39]

郭松義《從宗譜資料看清人口的遷徙》[40]

劉國偉《論古代家族人口過程及其觀念》[41]

辛法春《明代人口遷移政策——兼論譜牒在人口研究的重要性》[42]

陳捷先《從族譜中所見太平軍戰亂期間江浙死難人口舉隅》[43]

B. 宗族問題（及華僑史）

白壽彝、馬壽千《幾種回回家族中所反映的歷史問題》[44]

鄭敬裔《試論譜學與姓族文化》[45]

張耀宗《一部色目人後裔的宗譜——赤岸李氏宗譜》[46]

張錫祿《南詔大理城河蠻，名家大姓世系考——大理喜洲白族十大家譜研究》[47]

羅香林《西婆羅洲羅芳伯所建共和國考》[48]

林金枝《閩粵僑鄉族譜的研究》[49]

《閩南僑鄉族譜中華僑的史實》[50]

《福建僑鄉中有關南洋史若干問題》[51]

傅家麟《廈門海滄石塘："謝氏家乘"有關華僑史實》[52]

莊為璣、王連茂《從族譜資料看閩台關係》[53]

C. 族譜人物之新評議

羅香林《蒲壽庚研究》及《客家史料匯編》[54]引用蒲氏家譜及客家40姓家譜，鈎尋出各人物的史事及洪秀全的家世等。

馮其庸《曹雪芹家世新考：五慶堂重修遼東曹氏家世考》[55]

吳然　《岳飛後代與岳氏宗譜》[56]

王慶成《關於洪秀全族譜》[57]

姜亮夫《瓜沙曹氏世譜》[58]

王祥堆《新發現的朱熹家譜》[59]

鄭勉之《鄭和家族與家譜》[60]

姚永森《明季保台英雄沈有容及其所發現的"洪林沈氏宗譜"》[61]

張耀宗《東林堂人繆昌期的家譜"東興繆氏宗譜"》[62]

松浦章著（日本）、張正明（譯）《山西人范毓章的家族的譜系和事蹟》[63]

潘光旦《中國伶人血緣之研究》《近代蘇州的人才》《清代以前畫家分佈與移殖》[64]

王栻　《清代漢族世家》[65]

D. 其他方面

莊英章《族譜與童養媳婚研究：頭份陳家的例子》[66]

顏惠敏《明清浙西仕紳家族婚姻的研究：以海寧陳家為例》[67]

翟立偉《從二部家譜看吉林滿族祭祀舊俗》[68]

羅香林《族譜中所見基督教傳播與近代中國之關係》[69]

筆者近年棲遲海外，所有藏書於2000年已送贈美國楊伯翰大學BrighamYoung University, Utah的Harold B. Lee Library 的亞洲部,故僅能就所在的資料,粗略分類,自然掛一漏萬。而且,近年大陸不斷發現名族大家的家譜,亦未能參考,故無法查對有否"改良",及有社會性質的"新內容",姑俟他日補充。

簡介由舊譜學蛻變成新譜學的例子

一、《南海九江朱氏家譜》

1869年廣東南海朱次琦、宗琦兄弟撰《九江朱氏家譜》,楊殿珣譽之為"清代有貢獻之譜學",其實"朱譜"仍是"舊內容"而"略有改良與補充"的譜學而已。

《朱氏家譜》的內容,按馮爾康的分析[70]為:

A. 譜類的命名,要以地望稱,以區別同姓不同地、同姓不同宗之別。

B. 分類之例:分宗支、恩榮、祠宇、墳塋、藝文、家傳、雜錄七類。

C. 宗支譜之例,即辨姓源與族源。

D. 恩榮譜之例[71]。

大體而言,"朱譜"是沿襲舊語無異,不過,朱氏受清代學風的影響,重視考據實證,如反對攀附之風,資料不足,不必去探究族源。而"恩榮譜"中記族人的功名如進士,同時應注出該科的試題、典試者及該榜的會元、狀元、榜眼、探花的姓名,可以查考及輔証,家傳中要盡量忠實不誣,可說是舊譜學中的改良派[72]。

二、《新會潮連鄉蘆鞭里盧氏族譜》[73]

該譜是1947年盧子駿(湘父)所主纂,其大致依《朱氏家譜》而分:

A. 譜序。

B. 宗支譜:其宗支分佈粵桂兩省,湘父親自各地採訪,核對舊譜,此是"朱譜"所不及之處。

C. 恩榮譜:依"史"、"志"舊例,但增畢業(新制)恩例、封贈、頂戴、新舊並列,亦包括鄉賢、旌節、耆壽等。

D. 祠宇譜:兼及祠宇兼奉的民間宗教,亦錄有關的碑記。顯然已顧及社會諸問題與新譜學不謀而合。

E. 家傳譜:除盧氏家傳外,更增外姓的鄉賢,已將"族"範圍擴。

F. 藝文譜:除盧氏子孫的著述外,更增外姓人士撰述的有關盧氏人物及所居地作品。

G. 雜錄譜:此項大量搜集地方史料492項,不單敘述該族所居地的史事,兼及敘述社會的背景如:"珠璣巷史事"、"胡妃事雜考"、"康熙遷海移村"、"馬雄之亂"等等,為地方重要的史料。

故該譜雖是"舊體例"而增"新內容",這"新內容"敘事已由"族"擴至社會各方的背景,顯然是新譜學的雛型。

兩岸譜牒之蒐集與研究及發展

譜牒之研究與蒐集是兩回事，蒐集有如圖書館，儲存大量資料，供各方面及學者研究。譜牒之纂修又是另一回事。目前海峽兩岸對譜牒的蒐集與研究，成績卓著，但若論纂修一本新內容的族譜，尚有等待[74]。至於譜牒之蒐集與研究及發展，分述如下：

A. 譜牒之蒐集

（1）美國猶他州之家譜學會是最早蒐集中國族譜，而且是成就最大的國際機構，於1971年開始蒐集，香港、臺灣及中國均有分支及委託機關：如大學、圖書館、博物館、檔案館等代為蒐集。所有族譜攝製成"微型片"後送往猶他州"家譜圖書館"，原件則退還原主。現儲藏中國"牒譜"超過18000種[75]。

（2）北京圖書館，所藏的數量亦不少[76]。

（3）上海圖書館，所收譜牒是目前全國公共藏書機構在1949年前所編印的舊家譜的總和，約有17,000 種，近十萬冊[77]。蒐集的範圍近20省市328個姓氏譜。

此外，美國的哥倫比亞大學（紐約）、哈佛燕京圖書館、美國國會圖書館、日本的東洋文庫、日本國會圖書館及中國重點大學、社會科學院亦有不少珍貴的譜牒。

B. 譜牒學之研究與發展

（1） 臺灣方面有：

聯合報國學文獻館"亞洲族譜學術會議"之舉辦。由1983年開始，邀請日、韓、台、港、澳及中國的學者出席，並將論文出版成"會議紀錄"。前後共有七屆，後主持人陳捷先教授榮休，而文獻館亦因經費短絀而停辦。而該館影印美國家譜學所藏之中國家譜微型菲林，聞已轉送故宮博物院供人參考。

另外，臺灣有"文獻學會"、"宗親譜系學會"，均有定期的刊物，或與各宗親會聯合舉辦宗親譜系研討會。其論文散見於各大學的學報及該會的定期刊物中[78]。

（2）大陸方面

大陸方面，較為重要的學術刊物，如《歷史研究》、《中國社會科學》、《歷史檔案》、《中國檔案》等[79]，多有譜牒學的專論刊載。至各大學的學報，亦有地方性的譜牒研究，難以一一敘述。

註　釋

①周代封諸侯而錫姓，於是有以"國"為氏（姓），有以"官爵"為氏，有以"封地"為氏，有以"王父之字"為氏，此是言有"血緣"之"姓源"。至於民間修譜往往言祖先源出黃帝某某孫某某氏，此乃是含有政治意味之"氏族"，即所謂"族源"，周代分封諸侯而賜姓，同時建立"宗法"制度，同姓不婚，尊卑有別，此乃"家族"的起源，兩者不同（可參考鄭樵的《通志氏族略》、楊殿珣的《中國家譜通論》、潘光旦《家譜新論》1937及拙作《論中國文化中的譜系學》（1985香港大學中文系集刊）。

②《大戴禮》有"帝繫"，荀卿有"血脈譜"，秦末有"世本"多種，其實衹是"世系"之記錄，未有其他論述，而其書多已散佚，難見其本來面目。

又劉知幾《史通》"譜牒之作，盛於中古"。

③羅元一(香林)師《中國族譜研究》(1971)第10页。

④1935年拙文《中國文化中的譜系學》據譜學的影響將其分為(一)氏族社會(周代),(二)世族社會(魏晉南北朝),(三)家族社會(隋唐以後)。今擬更正為:

(一) 世族社會(兩漢至魏晉南北朝):是以受"九品中正制"的影響產生了"世族"(上品無寒門,下品無世族),世族以"族望"為標識,為社會的上層組織,即使南北分裂,政治權力握在胡族與寒族手上,但社會文化仍是高門大族所據有,而高門大族是世襲的故稱為"世族"。

(二) 貴族社會:唐以後,政府推行"科舉"制,新的《氏族志》(太宗時)不以舊的族望為標準,改以宗室后戚、宰相等掌現政權者為"上等",將天下的望族以科舉功名且能繼承數代者而劃分門第。所謂"甲第"是指"科第連綿"、"一家數相"或"數卿",家族中以科甲功名的高低為標準,故稱之為貴族社會,若子弟無科名,地位很快便淪為庶民。

(三) 家族社會:自明清以後"家族凝結力"日大,雖然科甲權力仍然支配族中的地位,但家長的權力日大,父權直迫君權,所謂"君令臣死,臣不得不死,父令子亡,子不得不亡";政治上有"封蔭"之制,可追贈上代的祖先,使之光宗耀祖。另一方面有"連坐"之刑,族中有犯罪者,可連株數族,故家長對不法的子弟為保護族人,可斥之出族,有家訓約束族子弟。又自宋以後,大家族"族田"、"蒸賞"救濟及獎勵子弟讀書,"家族"而成"社會救濟"的主力,故此階段擬稱之為"家族社會"。可參考徐揚杰《宋明家族制度史論》(1995中華書局)。

⑤周代之制度:(一)政治上有封建制度,(二)家族上有"宗法制度",(三)經濟上有"井田制度"。而儒家的思想便產生於此三制度之中。儒家的思想是忠與孝。

"夫孝者,始於事親,中於事君,終於立身。"(《孝經》)

故治國者始於齊家,《禮記·大學》擴而至治國平天下。

儒家的倫理建設首重"家庭",而家庭的經濟又重農業,故自周至清,社會經濟大致停留在農業社會中。即有改變,不外是"重農抑商"、"重農輕商"、"農商並重"、"農商放任"的略有改變而已。在清中葉以後,西方工業品輸入,經濟轉型亦不外是"農產工業化",改變不少"農業本位"的性質。參考本人之三篇經濟史論文:(一)《重農抑商的時代》,1982臺灣(中華文化復興月刊十五卷第五期)。(二)《隋唐至清為農商的放任時代》,1982臺灣《思與言》第十九卷第六期。(三)《鴉片戰爭後的社會經濟形態》,1985臺灣《東方新志》十五卷十一期。

⑥摯虞,據《晉書》卷五十一"本傳":撰《族姓昭穆》十卷。賈淵,據《南齊書》五十三與父匪之祖弼之三世傳學,著《十三州士族譜》。王僧孺,據《南史》59本傳撰《百家譜》。柳芳、柳沖據《新唐書》本傳著《姓氏錄》。

⑦《氏族志》唐太宗時敕修,打破六朝以來以門第而定氏族之高低,改為宗室、后戚、職官高低為等第,是由"世族"而轉至"貴族"的關鍵。

《元和姓纂》,唐林寶撰,原本久佚,今從《永樂大典》中輯出,其書以《唐韻》206部排比諸姓,各載受氏之源與諸家之譜系。按盛清沂之《〈元和姓纂〉非族譜辨》(臺灣第五屆族譜學術會議紀錄)是另一見解,可以參考。

《古今姓氏書辨証》宋鄧名世撰,原書久佚,今從《永樂大典》中輯出,效《元和姓纂》以韻隸姓,考訂頗精。

《名賢氏族言行類稿》,宋章定所撰,以姓氏分韻排編,而以歷代名人之言行,依姓氏分隸今譜牒記為一書,是譜學脫離姓名學、世系表而成譜學一大關鍵。

《萬姓統譜》,明凌迪知編纂,是書先敘歷代皇帝統譜,至明代帝王則略敘事功,其次則敘姓氏之源,至"氏族博考"隨之則按四聲韻母而敘各姓之人物及事跡。

《古今集書集成·氏族典》清敕撰,更是集譜系、人物、藝文為一爐,是舊譜學集大成的參考資料。

⑧據《四庫總目提要》"史部總敘":

“舊有譜牒一門,然自唐以後,譜學殆絕,玉牒既不頒于外,家乘亦不上于官,徒存虛名,故從刪然。”又陳捷先有“清代譜禁採微”(第一屆亞洲族譜學術研討會會議紀錄1983),指出當時所謂“譜禁”乃屬誤解。

⑨歐陽修之《歐陽修譜圖序》引自龔鵬程之《唐宋族譜之變遷》(第一屆亞洲族譜學會議錄1983)。(一)歐陽修譜圖斷自可見之世。(二)歐陽修譜圖依宗法,別自為世。(三)歐陽修譜圖有圖以紀世次,有行實而為牒紀,使譜牒互見親疏有倫,且以“家狀”為牒紀。(四)敕定歐陽君歷代舊譜于歷代先妣,于謹記其族望,均一律刪去。但歐陽譜例“惟書生男不書生女,而書婦不及所出,所書男子多仕宦,亦多高齡,不見書繼娶或妾,書善不及惡,為後世譜例所遵循”。

所謂“可見之世”,由己身而上,父、祖、曾祖、高祖,下及子、孫、曾孫、玄孫九代而已。九代上、下則服除,創旁行斜上之例,以明輩份尊卑。

⑩蘇洵《蘇氏族譜世系圖》自稱“小宗譜”標榜宗法,重點:(一)五世為圖,五世以外則親,盡而服除。(二)以宗法為則,詳近而略遠,尊近而貶遠。(三)主張睦族,恤族,化俗,當然亦有其自相矛盾之處。如蘇氏溯源,上起高陽,下迄宋代七十餘世;歐陽氏上推少康,下至立廬陵,斷續三千餘年(可參考盛清沂《試論宋元族譜學與新宗法之創立》(第二屆亞洲族譜學術研討會會議紀錄(1985))。

⑪章氏嚴分譜(旁行斜上,以明血緣關係)牒(表之注釋,又譜主之字號、生平、出仕、妻妾、塋墓方向等),表橫縱牒等項而已。

⑫兩派意指“歸納法”,“演繹法”,其實二者互有關聯。大概而言,歸納派是以“史料推出結論”;“演繹法”是先立主題,再以史料作旁證。但在運用上所有用史料作證,證明主題或以主題找旁證,既是演繹,也是歸納,難以區分。至于三家,作者以潘光旦屬優生學代表,王栻以社會學代表,羅香林以文化歷史學作代表。而事實上以上三位是多方面有成就的學者,此處謹在譜學方面,據其貢獻而言。

⑬潘光旦(1913—1922)在清華學校攻讀,(1922—1926)在美國長春藤大學Darkmouth及Columbia的研究院攻讀生物學、動物學、生物遺傳學,得碩士學位。

⑭1926—1934在(光華大學、大夏大學、暨南大學、滬江大學等講授心理學、優生學、遺傳學、進化論、家庭問題等),並擔任吳淞政治大學教務長、東吳大學法科及預科主任、光華大學文學院長、中國公學社會科學院長。及後北上清華大學任社會系主任,抗戰時任西南聯大教授,1949年任清華大學教務長社會系主任、圖書館長,1952年調中央民族學院教授兼研究部第三室主任。

⑮《明清二代嘉興的望族》(臺灣商務版)頁一一九。

⑯1947年輯成之《優生概論》內分(一)優生概論,(二)西化東漸及中國之優生問題,(三)答周建人之“讀中國優生問題”,(四)二十年來世界之優生運動,(五)生育限制與優生學,(六)合眾國絕育律之現狀。其中(三)答周建人信中提出的:

A. 我對舊制度的態度

B. 死亡率與嬰兒死亡律的淘汰能力

C. 階級與智力之相關

D. 天才與健康之關係

均是以西方科學的觀點探討中國譜系人物的新方法。

⑰潘氏引用法人孔德Auguste Comte所提文化級層,認為各科人才可疊成一梯子,越純粹的或愈基本的在下,越複雜的愈在上。從下而上:(一)數學與邏輯,(二)物理,(三)化學,(四)生物學,(五)心理學,(六) 一切社會科學。而美國心理學家郝爾盧Nathaniel D.Inttron Hirsch 所著的《天才論》Genius and Crestive Intelligence根據孔德的例子構成一梯子,由下而上是(一)美術的舞蹈與扮演,(二)建築,(三)雕塑,(四)繪畫,(五)音樂,(六)長歌的詩與戲劇。愈是下層愈具體……潘氏因此指出:在藝術上,一流的伶人可跨三級:(一)美術舞蹈與扮演,(二)音樂,(三)戲劇。(引自《中國伶人血緣之研究》緒論“伶人是不是人才”臺灣商務人人文庫重印本)。

⑱原名《近代伶人的血緣研究》先刊於"南京中山文化教育館",後由商務印書館出版,(1941)臺灣商務印書館收於"人人文庫"內,作者則為"潘光文",1995年收入"潘光旦文集",由北京大學出版社出版。是書由《史記》的"滑稽外傳"起,至歷代之"伶官傳"及唐宋以後之"伶人"外,更專章討論"伶人之地理分佈"、"伶人之地理移植"、"血緣的分佈"、"階級的分佈",而附錄則是統計資料,計有:繫年小錄中伶人的詳細籍貫、京劇二百年中伶人的詳細籍貫、"六十二個移植(入北平)的例子"等。

⑲《清代以前的畫家的分佈與移植》(上海鴻英圖書館人文月刊),《近代蘇州的人才》(清華大學社會科學季刊)《長洲文氏之畫才》(優生第一卷)。

⑳《中國家譜與略史》與楊殿珣之《中國家譜通論》(北平圖書館的《圖書季刊》),同時敘中國譜學的源流及論舊譜之得失,於新譜學涉獵不多,故缺而不論。

㉑均引自1995《潘光旦的民族論文集》附著作表。

㉒報載美國佛羅里達州的"邵思蘭家族"自1840年以來全家族受困於癌症之中而不自知,假若譜系能記載每一人死亡的原因或生時有何痼疾,相信在醫學昌明的現代,及早預防及治療可避免悲劇的發生。至於體質、體能若記於譜系中,对促進家族的健康與國民的健康裨益甚大,此亦優生學對譜學的影響。(引自拙作《中國文化中的譜系學》)。

㉓王栻著作有:

A. 人物傳記有:《嚴幾道》1935,《大公報》文史副刊

《嚴幾道先生年譜》,未刊稿約五萬字

《嚴復傳》,未刊稿約二十萬字

《慈禧太后傳》,南京正風出版社

B. 文化方面有:《西方文化的衰落》,載《書人月刊》

C. 政治史有:《甲午戰後的聯蘇政策》1936,未刊稿

《國恥史話》,已完成1 - 5,8章,1983 獨立出版社刊

《薄俸與陋規》1943,《文史新志》三卷一、二期合刊

D. 歷史:《漢代的官俸》1943,《思想與時代》廿五期

《老帝國與新世界》《文史新志》三卷七、八期合刊

《西漢時代的中書與尚書》載成都《學思》三卷十期

E. 族譜學有:《清代的漢族世家》成都《學思》

《清代八旗一個大世族》1943,金陵女大文科彙刊

《清代大臣身家考》,即清代漢族大臣家庭與身世的研究

㉔原載於成都《學思》半月刊第三卷一、二期(應是1943年一月十五日與一月卅一日)。

㉕明代世家並無一門數相者,但清代則有七族一門兩宰相。

㉖海寧陳氏拜相者有陳之遴,從子陳元龍,從孫陳世琯。

桐城張氏拜相者有張英,子張廷玉。

常熟蔣氏拜相者有蔣廷錫,子蔣溥。

諸城劉氏拜相者有劉勳,子劉墉。

無賜稽氏拜相者有稽曾筠,子稽璜。

大庾戴氏拜相者有戴均元,侄戴衢亨。

常熟翁氏拜相者有翁心存,子翁同龢。

㉗宋德宜(宰輔)之

長女適合肥相李天馥之子宮詹李菁。

次女適太倉相公王掞。

三女適海寧顧侍郎(?)

四女適海寧相陳元龍。

五女適長洲繆宮諭阮，後為侍郎。

幼女適陳氏者，僅以甲科知南充縣。

㉘陳之遴為宰相，子姪輩有：

陳論以庶常為侍郎。

陳銑以舉人為尚書。

陳敳永以進士為尚書。

而陳銑六子：長世博以進士知南昌府。

次世儼以舉人揀選知縣，先銑而卒。

次世仁檢討，先銑而卒。

次世倌，以編修而生拜相。

次世侃，檢討。

㉙桐城張氏起家：

於明代有張淳隆慶進士，官陝西布政使，孫秉文為山東布政使，秉貞以明進士為清尚書，秉彝以諸生終老，但其子英以編修官至大學士。英有六子：

長廷瓚以編修為少詹事，侍讀學士。

次廷玉官至大學士，與同鄉姚鼐世世為姻婭。

次廷璐以榜眼為禮部左侍郎。

次廷瑑工部左侍郎。

次廷珩，傳臚授檢討。

六未詳。

而張廷玉之長子若靄以傳臚為內閣學士。

次子若澄以編修為內閣學士。

四子若渟，官至尚書，子曾誼浙江按察使。

張廷璐長子若震，官至巡撫。

次子若需，官至侍講學士，其子曾敞以檢討官至少詹事；曾謙，官至主事。

次若潍，進士官至左都御史。

次若潭，官至檢討。

㉚據統計，明清二代，會元以上（包括進士三甲）。

明代科甲人物440人（嘉興府佔12人）。

清代科甲人物520人（嘉興府佔28人）。

其中分配：

狀元14人

榜眼11人

探花10人

傳臚11人

會元12人

㉛羅香林先生，廣東興寧人。1925年，廿一歲負笈上海，在吳淞國立政治學院攻讀理科。1926年北上就讀清華大學，習經濟，旋改讀歷史系。1930年畢業後在清華及燕京大學研究院攻讀（羅敬之《羅香林先生年譜初編》收於《羅香林教授紀念論文集》）。羅香林先生自1932年畢業後，在大學任教四十多年，先後講授方志學研究、隋唐史、民族學及民族史、族譜研究等，其生平治學有三階段。

（A）初期鑒於軍閥混戰，內憂外患，故民族意識濃厚，於是研究民族史及方志研究。出版有《廣東民族概論》(1929)、《民族與民族研究》、《古代越族考》(1932)。因民族研究必須涉及地理分佈,於是在1934年在中山大學主講“方志研究”。

(B) 中期自九一八東北事變起,是民族生死存亡的關頭,最易激起愛國的情操。於是講究“事功”,遂講授隋唐史。著《唐天可汗制度考》、《大唐創業起居注》、《唐書源流》,後合併為《唐代文化史研究》。同時為團結全民,非樹立一偉大人物為青年模範不可,於是有孫中山研究,著《國父家世源流考》,由家世源流而涉及族譜學的研究,於是有《蒲壽庚研究》。

(C) 晚期居於香港,其地乃“中西文化交流”的中心,於是治香港史及中西文化交流等。(拙作《羅香林傳略》,收於《羅香林教授論文集》1992珠海文史研究所出版)。

㉜曾任三民主義青年團中央監察、國民黨中央監察委員、廣東省政府委員、兼省立文理學院院長、廣東省文獻委員會主任等職。

㉝《中國族譜研究》(1971,香港中國學社出版)第一章《中國族譜研究之史學意義》。

㉞(一)以族譜資料敘袁氏、蒲氏、沙氏、馬氏、路氏等遷徙與實邊之例証(第5 - 6页)。

(二)中西交通與文化之交流,則引馬氏、蒲氏、楊氏(第101页)及鄭和家譜及泉州林、李宗譜(第111 - 118页),探究回教傳入中國及南洋諸地之考証。

(三)基督教之傳播與近代中國之關係,主要是以廣東若干族譜而輔以諸教會之歷史,敘其在中國之發展及對中國近代史之影響(第103 - 122页)。

(四)引用方志與族譜之聯合研究,探討陳元光一族開發潮、漳的史實,是為客人自寧化石壁人粵主要途徑之。筆者受其啟發曾撰《中原士族遷粵之二道及其史事考》(載臺灣政治大學歷史學報第十期)。

㉟如李、趙諸姓,多謂是唐宋帝室之裔,但中隔若干“代”難以根查,粵西許族謂是“許衡”之後(本書二編五節)。香港新界林氏宗祠有牌坊書“狀元及第”,謂是清林召棠之後,查林乃吳川人,未有後裔移居海濱,顯是附麗而已。

㊱如1928傅文鈺纂之《傅氏宗譜》,其始遷祖於南宋初遷至之上杭,該譜的內容是:

(一) 譜序,(二)凡例,(三)世系圖,(四)姓氏考,(五)祠記,(六)傳贊,(七)封典,(八)職銜,(九)節孝,(十)科名,(十一)神祀,(十二)公業,(十三)祠圖,(十四)基園,(十五)修譜名目。

全譜以一:族中人物的事蹟為中心(如傳贊、封典、職銜、節孝、科名)。

二:慎終追遠(神祀、祠圖、墓園)。

三:在經濟方面,如公業是族產。

西林岑氏族譜,是名人岑毓英於1888 年纂修,該譜除凡例外,分目為:

卷首:誥命、敕書、旌典

卷一:淵源、分族世表

卷二:系圖、世紀

卷三:祖訓

卷四:家傳

卷五:科名、仕宦

卷六:文藝

卷七:武備

卷八:諱名、定字

卷九:典禮

卷十:土田

該譜中“文藝”做自“武備”,雖與社會有關,然岑氏乃廣西土豪,有土兵,武功頗盛。

至於時代的背景、社會的概況,均缺而不述,與新譜學不同。再推前1883 之《東陽李氏宗譜》,其內容是:

卷二／卷七： 系圖（世系）

卷八／卷二六：行傳

卷廿七：墓園、墓圖、祀產

卷廿八：史傳、行狀、紀略

卷廿九／卷三十：傳記

卷卅一：墓誌、碑記、謚議

卷卅二：祭文、贊、跋

全部以家族的個人為中心。

再前溯至明代，族譜中“儒家思想”更加濃厚，如1530年“張氏統宗世譜”，其內容：

卷一：詔敕誥表

卷二：遺像別贊

卷三：忠孝別傳

卷四：功勳外傳

卷五：政事外傳

卷六：隱逸外傳

卷七：著作外傳

卷八：節義外傳

卷九：廟墓外傳

卷十：行狀、墓表、碑銘

卷十一：辭賦、紀序、詠題、詩章、祭文、嚴議、後序文

全譜以紀傳體而敘族中人物，而貫以忠孝、功勳、隱逸等儒家思想為骨幹。

㊲梁啟超之《中國近三百年學術史》：

“欲考祖制組織法，欲考各時代，各地方婚姻的平均年齡、平均壽數，欲考父母的遺傳，欲考男女產生的兩性比例，欲考生卒與死亡率之比較……恐除族譜、家譜外，更無他途可得資料”。

㊳刊於《中國史研究》。

㊴刊於第四屆《亞洲族譜學術研討會紀錄》。

㊵刊於1986《清史研究通訊》。

㊶刊於《族譜學研究》第二輯。

㊷見註39第四屆會議紀錄。

㊸同註39第四屆會議紀錄。

㊹1985北京師範大學學報第二期。

㊺1987華中師範大學學報。

㊻《文獻》21輯。

㊼《譜牒學研究》第二輯。

㊽是書據羅四所藏的家譜撰成，所謂“共和國”實乃“蘭芳公司”的“共和制度”，其首領稱“大總制”，由舉產生，其治權力，有如土裔的“小王國，如蘇丹等”。

㊾見註47第二輯。

㊿1983《福建論壇》第一期。

51 1982《南洋問題》第二期。

52 1984《華僑問題資料》第一期。

53 1984《中國史研究》第一期。

54《蒲壽庚研究》1949，《客家史料匯編》1969，均中國學社出版。

(55)1978《社會科學戰線》第一,二期。

(56)1981《旅遊》第二期。

(57)1981《學術論壇》第二期。

(58)1983《浙江學刊》第一期。

(59)同註(50),1985年第一期。

(60)1985《南京史志》第四期。

(61)1986《臺灣研究集刊》第四期。

(62)1987《文獻》第一期。

(63)同註㊼第一輯。

(64)同註⑱,⑲。

(65)同註㉔。

(66)同註㊴第三届會議紀錄。

(67)同註㊴第四届會議紀錄。

(68)1987《吉林師範學院》第二期。

(69)引自《中國族譜研究》中篇,包括引用“王氏家譜與信義宗關係”、“張氏家譜與王氏家譜與崇真會的關係”、“容氏家譜與公理會關係”。

(70)馮爾康《朱次琦的譜牒學研究》同註㊴,第六届會議紀錄。

(71)楊殿珣謂“朱譜”大半倣自紀(昀)氏序例而加詳,但馮爾康認為“紀序”無藝文與雜錄,顯然不及朱譜的完備。

(72)另曾讀臺灣盛清沂先生之《朱次琦譜學》一文,惜手上未此書,故不敘。

(73)拙著《一本合方志與譜系為一的族譜》同註㊴第五届會議錄。

(74)筆者曾代撰《湛江市博立村許國仁愛國公家譜》(見本書第二編第六章乙)並不按舊譜體例,而增加不少與譜立創業的圖片,將“姓源”與“族源”合一敍述,而刪去墓塋與家訓。家傳方面,注重社會的轉變,而影響該族之事業轉型,主要是掌握時代之脈搏與社會的背景。惜內容未充實,僅屬試筆而已。

(75)據該學會遠東部負責人沙其敏先生Melvin P. Thatcher于2001年一月告知,其中包括不少手抄本及契據等地方文獻。

(76)據1997《中國家譜綜合目錄》(中華書局版)及楊寶華之《北京圖書館藏家譜簡介》,見《譜牒學研究》第一輯,謂有2770種(1987)。

(77)據2001年5月出版《上海圖書館藏家譜的提要》主編王鶴鳴的“前言”,藏11700種,近100,000冊,共百餘姓氏,明刊本則有200餘種。

(78)《地方文獻學》於1985年出版,是年刊。《宗親譜系學會》(年刊),創刊于1970。以上二刊均是成文出版社刊印,其中《宗親譜系學會》連續出版數年,至1986(?),而台大、政大、師大等學報亦間有譜系學專文。

(79)《歷史研究》(雙月刊),中國社會科學院出版。

《中國社會科學》(雙月刊),中國社會科學院出版。

《歷史檔案》(季刊),中國第一歷史檔案館出版。

《中國檔案》(月刊),國家檔案局出版。

第三章　從族譜資料中淺論宋代中原士族遷粵之兩道及其史事

甲

吾粵諸族譜牒，均強調來自北方，乃華夏之族，與南方土著南蠻不同。南蠻乃統稱，或稱越族，範圍仍嫌太廣。狹義的廣東土著，應是峒、俚、僚（獠）、傜、峯、僮（壯）蛋等[1]。隋唐之際，譙國夫人內附，武德八年（622），將其地置八州治理[2]，始化左衽為衣冠[3]。唐初，在廣州設"嶺南五府經略所"，職責是"綏靖夷獠"，而蠻州仍有百數[4]，與內地州府不同，而唐宋之際，嶺南（以廣東為主），是中央政府流放罪人及謫宦之地[5]。雖然廣州當時為中西貿易的港口，然未見繁榮[6]，且廣州以外，仍是"夷獠雜處"。是時，北方經五胡亂華，南北對立，黃巢之亂，以至遼、金、蒙古之南侵，中原"士族"[7]遂南遷至粵；其中有由福建寧化縣石壁鄉入粵東，自稱"客家"，表示在此作為"客"而已[8]，"根"仍留在北方。另一支由江西入廣東南雄縣珠璣巷，巷本在北方[9]，亦示"不忘枌榆"之意，他日子孫可自此往北方尋"根"。此外，亦有由湖南入粵北，由廣西入粵西者。前者至粵北與珠璣巷各族南下分佈於廣州附近，再向四方散開，而相同之處，則均採廣州白話，稱為"廣府系"。至由寧化縣石壁鄉入粵東者，操"客語"，稱為"客語系"，成為吾粵兩大語言與族裔的系統。

由中原入粵，自唐宋以來有四道[10]，然粵中兩大不同語言的族裔南遷，主要是：（一）由福建寧化縣入粵東。（二）由南雄入粵北，再南下廣州平原一帶為主。而遷入時間，始於唐而盛於宋，至於由福建入江西再沿南雄入粵北及粵東，或由廣西入粵西南者，數量較少，而且時間多在宋代以後，不在探討之列。

由此兩道入粵之士族多沿古驛道或水路。遷移原因或由於政治上、經濟上，或出仕於粵而長留南方，各族不同，其中有若干有關史事，本文擬加探討。

乙

公元1933年先師羅香林教授撰《客家研究導論》語及客家先民南徙始於東晉，以後可分五期：（以後客家學者多襲此說）

（1）由公元317至879年。歷東晉、隋唐二代，因受五胡亂華影響，由中原遷至湖北、河南南部，及安徽、江西，沿長江南北岸以及贛江上、下游。

（2）由公元880至1126年。由唐末歷五代而至北宋亡，此時，因黃巢之亂，由安徽、湖南、湖北、江西北部的舊居，再遷至江西南部及福建、廣東邊境一帶。

（3）由公元1127至1644年。南宋開始，歷元明兩代，因宋高宗南渡，金人南下，蒙古人南侵，於是由江西、福建、廣東邊境再遷至廣東東部及北部。

（4）由公元1645至1867年。即清的建國至同治年間。因經張獻忠在四川大肆屠殺，事後招人墾荒，於是部份客家遷至四川、西康。途中有落籍於廣西、湖南；此外，臺灣鄭氏滅亡後，亦有部份客家（主要是閩省）東遷至臺灣墾荒。

（5）自公元1867年後，受太平天國事件及兩廣內亂的影響，一部份客家遷至廣東南部及海南島。

其中以第三期後，即唐宋之間，客人由贛、閩、粵邊界入粵者最多，即在此時，形成了所謂"客語系"。按古漢語分"北方官話"與"南方官話"兩大系，而南方卻可分五大語系⑪，均是歷代北方居民向南遷徙而發其端。

（1）吳語：可追溯至周時太伯仲雍的南遷。

（2）湘語：源於古楚語，與吳語有密切關係（按：因地理接近之故）。

（3）粵語：始於秦遣戍卒而留於嶺南者，而為今天"廣府話"的根源。

（4）閩語：由江南浙北移入福建者，因地理接近，故古閩語以吳語為基礎。

（5）客語：今江西地區稱"吳頭楚尾"，應是古吳語與楚語融合而成，故客語與粵語（廣州話），是兩種不同的語系。其中另有"福佬語"（與潮汕語同一系統），與福建漳、廈之閩（南）語相似，而海南島的"黎語"，又與福佬相似。而羅元一師亦指出："福佬、客家、本地（又稱廣府）諸名稱的起源，雖不在同一時代，然其民族特性的長成，則大體上是在唐末宋初。"⑫

民族之遷徙，多取道於陸路（古驛道為主）及水路。若有戰爭或政治威迫，多取陸路。（少數民族之遷徙更以陸路為主。如傜人，有"過山榜"及畬民的"祖先歌"，均有一山過一山的記載）。若是平日，因貧窮、墾荒等，多取海道或河道，以其運輸方便之故。按：粵東的"客人"多稱來自福建寧化石壁鄉⑬。按：寧化縣屬汀州府，內有化龍溪（武平縣為鄞江上游），鄞江入粵而成韓江，可至嘉應州（梅縣）。另有大洲溪（永定縣）入粵可至大埔縣⑭。故粵東客族，若由閩遷入，以此道最為接近。至於由閩入贛，亦可由三南（定南、龍南、全南）沿定南水而至東江及龍川、惠來一帶。證諸於各族家譜如：

《嘉應劉氏族譜》（劉國翔修）："祖翔公……黃巢之亂，攜子孫避居福建汀州府寧化縣石壁鄉"。

《興寧大坪羅氏族譜》（未詳撰人）："由寧化經長汀、上杭入廣東平遠、五華再至梅縣。"

《興寧廖氏族譜》（未詳撰人）："唐時我祖避亂，遷汀州寧化縣石壁鄉。"

《興寧何氏族譜》（何雲翔修）："大一郎（為遷閩祖）名旦，先於唐昭宗景福二年……龍德二年（公元922）選授寧化縣尹……任滿解組，次歲往梅，復由梅往潮。"

《興寧黃陂曾氏族譜》（未詳撰人）："宋元兵擾不能安居，由寧化徙長樂縣家島，現居興寧、梅縣、平遠、鎮平、五華、龍川、惠州、河源、和平、廣州、新寧等縣曾姓,皆為此祖之後。"

《崇正同人系譜》(賴際熙總纂)卷二:"饒氏四郎者,父為福建汀州推官,丁世變,因家汀州之八角樓,及四郎復遷於潮之神泉鄉,即今之大埔境。"

《崇正同人系譜》(同上)卷二:陳氏——陳魁者,率其族眾九十二人,移居福建寧化上杭。其曾孫有孟一郎、三郎,由閩遷粵東之程鄉(梅縣),逐漸散佈於大埔,興寧、長樂(五華)、龍川等地。

《梅州邱氏創兆堂記》(劉士驥撰):"祖文徵。文信國(天祥)參軍也,其先世由中州遷閩......信國北行,歸閩,道梅州北,今鎮平縣之文福鄉,因卜居焉。"

《和平徐氏族譜》(未詳撰人):"由寧化至平遠、五華。"

《巫氏聯修譜》(未詳撰人):"由寧化縣石壁鄉入廣東平遠、蕉嶺、梅縣、興寧。"

《溫氏族譜》(未詳撰人):"由寧化入粵,分二支:一入蕉嶺至梅縣,一入興寧至河源。"

《梅縣張氏族譜》(未詳撰人):"由寧化石壁鄉入廣東蕉嶺、梅縣、興寧。"

《興寧及梅縣吳氏族譜》(未詳撰人):"由寧化經長汀、上杭入廣東大埔、豐順、梅縣、平遠、五華。"

以上資料節自《客家源流考》。當然決不止此數,如薛氏、始興何氏、南雄邱氏、五華李氏、花縣洪氏、大埔楊氏,雖非全集中在粵東,但均自寧化石壁鄉遷入[15]。先師羅元一教授曾搜集得吾粵有四十姓均屬客家[16]。美國猶他州家譜學會,於1980年起在香港及臺灣、大陸等地廣泛搜集家譜及地方文獻。惜大陸在文革期間,"破舊立新",家譜被視為"封建殘餘"產品,多被禁燬。故1983年出版之《中國族譜目錄》[17],其中粵東十五縣僅五十種而已,且未言"遷自何處,遷自何時"。故相信遷移之家譜,決不止此數,但乏家譜證明,可待補充。

此外,日本學者中川學Nakagawa Menebu 認為先師羅元一教授指出的"客系"強調自中原南來,繼承中原文化,是一種"客家正統論",而忽略了"客家先民與土著非漢族間的關係(婚姻、文化等)"[18]。其實民族遷徙至某地,與當地土著混居,除了利用政治、經濟甚至武力將其驅逐外,若能安靜雜處混居,互相通婚及在習俗上互有影響是必然之事。譬如《客家研究導論》文中有"純客住縣"及"非純客住縣"二種,其中"純客住縣"在粵東有十二縣,粵北有四縣[19],而非"純客住縣"共四十四縣,且有與傜民(粵北)、福佬(潮州及海南島)、黎族(海南島)、畬(峰)[20]族(粵東)雜處。而粵江三角洲及北江沿岸,更是廣府客族、蛋民等雜居之地。不過,此等文化較低落的宗族被文化較高的"客族"所同化,故謂"客族正統論",為繼承中原文化並無不當。

丙

唐宋間中原士族入粵另一道則是廣東南雄縣珠璣巷,粵江三角洲諸望族均謂來自該地。按珠璣巷之名始於唐,然珠璣巷之史事,最先探討者乃中山大學教授黃慈博及先師羅元一教授，繼而有陳樂素教授[21]。至於維辛之《漫話珠璣巷》，大部沿襲黃、陳二說，另加《古巷的滄桑》、《石塔的來歷》兩段採訪文字。繼之莊軔之《梅嶺風采》一書中有《珠璣巷故事》，及范濟氏的《南雄珠璣巷》，均由南雄縣地方志辦公室出版，屬於《遊覽指南》類的小冊子。至一九九〇年臺灣聯合報國學文獻館舉行"亞洲族譜學術會議"，有譚棣華兄之《從珠璣巷史事聯想到的問題》、李德超兄之《粵東族譜所載南雄珠璣巷故事與宋季嶺南移民》二文，而筆者之論文為《一本合方志與譜系為一的族譜："廣東新會潮連鄉盧鞭里盧氏族譜"的評介》，其中有一小段與譚、李二文同是討論"珠璣巷"的史事，及由珠璣巷南遷與胡（蘇）妃有關之探究。譚、李二文以族譜資料為主，而筆者則將族譜資料與方志資料互證，雖各有不同的方法與觀點，但彼此均同意南雄珠璣巷為粵人南來之"北道"之一。

無可懷疑，由中原經江西逾大庾嶺（梅嶺）至南雄，沿北江南下至珠江三角州及其附近地帶是必經"珠璣巷"，也是諸族南遷的路線。但筆者願補充珠璣巷故事之背景，強調：

（1）珠璣巷與蘇（胡）妃本為二事。珠璣巷之事首見於明中葉黃佐之《廣東通志》[22]。譚棣華兄之文，則推前謂在明初[23]。其根據是東莞縣英村《羅氏族譜》中引用"南雄府引文"。因南雄府始名於洪武元年（公元1368），但《羅氏族譜》修纂於何時，未有明確的指出。筆者懷疑是後人追記，不及黃佐之記載較為可信。而屈大均之《廣東新語》所載珠璣巷之事，本於黃（佐）之《廣東通志》。至於蘇（胡）妃之故事，始見於宋末周密之《齊東野語》及佚名之《咸淳遺事》[24]，繼而《宋史賈似道傳》與元劉清一之《錢塘遺事》，則沿襲其說，然該說值得懷疑[25]。即使屈大均亦認為並無胡妃之事[26]，故疑自珠璣巷南遷與胡（蘇）妃之事無關[27]。

（2）將珠璣巷與胡妃之事合而引於家譜中，應是清代之事。據《珠璣巷民族南遷記》所引用一三八種家譜共三十三姓，修譜時均在清代[28]。雖然族譜中有"前譜"、"前事"，載有宋明之事，但罕有金石碑記等輔證（重修碑需小心考查）。其中更多是"鈔本"，須考究編譜者與鈔譜者之知識水準，始能定其"價值"。如《廣東李氏族譜》引舊譜（明代）《東坑李氏族譜》謂姓祖李棟，咸淳由南雄珠璣巷南遷，但新譜的修纂者李偉桐，卻謂其事不可信[29]。而朱次琦修《南海九江朱氏家譜》亦考訂舊譜多處錯誤可以證明。而譚棣華兄謂自光緒以後，諸家譜牒始將皇妃之事，當作是珠璣巷南遷之原因[30]，可以參考。

（3）中原士族由江西經大庾嶺而入南雄珠璣巷，而沿湞水、北江而至廣州，其事無可懷疑，然在時間上金人南下，在紹興年間應是首"批"，南宋末是第二"批"移民，學者早有定論。至宋以前，及以後，當然亦有士族沿此"古（驛）道"南下，因是個別例子，並非大"批"（集體），而且自宋以後，已由粵江三角洲分散於粵西之鶴山、陽江、廣寧及粵北之清遠等地[31]，他們遷徙與皇妃之事絕對無關，因來自珠璣巷，遂附會與皇妃故事有關而已。

丁

宋代，大批中原士族由東（寧化縣石壁鄉）及北（南雄珠璣巷）入粵，由於下列原因發展成為"客語"與"廣府（廣州）語"兩大系統。

（1）由於客族人文化意識甚重，重視其習俗與語言，客族人遵循祖訓“寧賣祖先田，不忘祖先言”，即使遷移至何地，盡量保留自己的語言與習俗。故粵東的客語與四川的客語雖有差別，然仍可溝通，自成一語系。

（2）粵東多丘陵地，土著為文化較低的作畲民，客族遷至粵東，同化了部份畲族，餘外則遷往其他山地，而為該地的“主”人。又因對外交通不便，少與外界聯絡，且客族文化亦較保守，抗拒外來的文化，故能形成一獨特的客語區。

（3）至於由珠璣巷南下的中原士族，多居於廣州附近的平原地帶。該區在秦代早已有來自北方的戍卒後裔，形成“粵語”區（見本文二）。自珠璣巷南下的士人，來自中原古漢語區域，與土著（越族）雜居後，遂形成“廣府（州）語”區，並向四週發展，通及全粵的大部（客語區例外）。

（4）除此二大語系外，吾粵有潮汕語區（受閩南語影響，包括福佬在內）、海南語區（黎語，受福佬語影響），但流通區域較少，至於滲雜兩大語系中的方言，則受地理區域影響而已。

中原士族南下入粵，當然非始於宋，但以宋時南遷者較多。南遷士族當然非僅有東（寧化縣石壁鄉）及北（南雄縣珠璣巷）兩道，但主要仍是以此二道為主。而自此二道入粵諸族均來自北方的古漢語區域。但因受文化及地理的影響，形成客語（古吳語與楚語溶形）及廣府語（古越語與漢語溶成）兩大系統，並非巧合，而是客觀條件形成。

註 釋

①據拙文《唐宋時代“廣東”少數民族的分類與分家》，載政治大學邊政研究所一九八五年《國際邊疆學術會議論文集》。

②據拙文《隋譙國夫人事蹟質疑及其嚮化與影響》，載《中央研究院史語所集刊》四十二本。

③顧炎武《天下郡國利病書·廣東·中》之：“隋唐之際，馮冼內屬，荒梗之俗為之一變。”雖然隋唐之前，偶有中原士人南下，如戰國時的梅絹、漢初的陸賈、三國時的虞翻，但數量極少，至若秦戍嶺南，樓船將軍下南越，留下戍卒不少，然因知識水準不高，影響不大。

④《唐書·地理志·廣州》諸蠻州九十二，未能具名者達五十八，又宋《太平寰宇記》敘廣州云“五嶺之南，人雜夷獠，不知教義”。

⑤唐代，除死刑外，流刑次之，貶典謫又次之。初唐以十惡不赦之罪犯流於嶺南，武則天時之酷吏來子洵、萬國鼎等二十七人，以殘害宗支，毒害良善，長流嶺南遠處，縱身沒子孫亦不許仕宦（據《通典》卷一七〇刑法，峻酷開元格），又據宋《皇朝類苑》卷六十一云：“嶺南諸州多瘴毒，歲閏尤甚，近年多還京朝官知州，及吏部三班使臣，生還者十無二、三，雖倖而免死，亦多中嵐氣，顏色變黑。”

⑥據拙文《論宋代對外貿易中廣州的繁榮問題》，中國文化大學國際宋史研討會論文集（一九八八年）。

⑦所謂南遷的士族，當時可能為農民，知識水準不高，其子孫成為知識份子，追記祖先來源，而成“士族”，嚴格而言，應是自中原南遷至客粵之士族。

⑧亦有謂（一）乃“主”（先來者）、“客”（後至者）之分。亦有謂乃“客族”清之，《四會縣志》屬苗蠻另支。羅師之《客家研究導論》第一章，則謂源於越族。亦有謂是“客家言語文化、民俗和愈情的心態，即客家精神”。李逢蕊《客家人界定初論》（一九九〇年《客家學研究》第二輯）。

⑨珠璣巷之名始於唐張（宗）昌。在祥符縣（開封府附近）有珠璣巷，在湖廣漢陽府亦有珠璣巷。

⑩據曾一民兄之《唐代廣州之內陸交通》（台中大學圖書供應社一九八七年出版），提供（一）虔州

大庾嶺路；(二)郴州騎田嶺路；(三)桂州越城嶺道；(四)循潮路和容州路。

⑪陳運棟之《臺灣之客家人》，台原出版社，頁四五。

⑫《客家源流導論》頁七一。

⑬同濟大學出版社之《客家研究》第一集，一九八九年出版有葉幸之及先師羅元一教授之《客家史料匯編》三七七頁有"寧化石壁村"可以參考。

⑭據《喜慶一統志·汀州府》。

⑮先師羅元一教授之"寧化石壁村考"(附於《客家史料匯編》中)。

⑯先師羅元一教授之《客家史料匯編》，一九六五年香港中國學社出版。又一九八六年廣東省中山圖書館出版《館藏廣東族譜目錄》統計粵東十縣有二十二姓家譜共四十二種。按一九三六年，先師任廣州市之中山圖書館館長(即後之省中山圖書館)搜集族譜，故《館藏廣東族譜目錄》實據此而編寫，及後補充成《客家史料匯編》，始有四十姓家譜之紀錄。

⑰《美國家譜學會中國族譜目錄》一九八三年由臺灣成文書局出版，統計粵東大埔有吳、郭、鄒、蒲五姓共六套家譜(以後簡稱"譜")。五華有甘、李、范、徐、張、陳、魏七姓七套譜。河源有李姓一套譜。梅縣有王、古、張、陳、黃、葉、廖、劉八姓八套譜。惠來有陳、廖二姓二譜。揭陽有胡、莊、陳三姓三譜。普寧有羅姓一譜。潮安有方、沈、饒三姓三譜。潮陽有吳姓一譜。澄海有余姓一譜。興寧有刁、毛、張、陳、曾、劉、練、蕭、羅九姓十二譜。蕉嶺有黃、戴二姓二譜。豐順有吳、張二姓二譜。至於散處粵中、西及海南之家譜，該書未言是否客族及遷自何處，故未錄。即使以上所列五十套家譜，雖未必盡是客族，不過，大部份是客族無疑。

⑱轉引自陳運棟之《臺灣的客家人》第二節"客家源流的另一觀點"。

⑲此十二縣是梅縣、興寧、五華、平遠、蕉嶺、大埔、豐順、和平、龍川、紫金、河源、連平，及在粵北有始興、英德、翁源、仁化，另赤溪及粵西海岸。另侯國隆之"關於客家人分佈情況調查"謂廣東七十九縣中，有客人居住者佔七十縣市，其中客語人口佔全縣96%以上有十五縣(興寧、始興、紫金、南雄、梅縣、大埔、蕉嶺、五華、平遠、和平、龍川、速平、陸(豐)河(源)、翁源、新豐)，此即"純客縣"。《廣東史志》一九九一年第三期。

⑳畲(峯)與傜族同源，發祥地在粵東潮安縣鳳凰山，據朱聯朱之《畲族》(一九八八年新華書店出版)，謂七世紀初居於閩、贛、粵邊界。至南宋末年，漢文始有"畲民"和"峯民"之稱，前者是指福州一帶的畲族，後者指廣東潮州一帶的"峯族"(按余峯上：)音"蛇"，惟"峯"乃廣東的俗字而已。

㉑黃慈博之《珠璣巷民族南遷記》是未刊稿，原為徐信符所有，黃氏逝世後，其遺稿為廣東省立中山圖書館所得。於一九五七年油印成冊，翌年，由南雄縣地方志辦公室油印再版。羅元一教授在其"寧化石壁村考"一文言及廣府人來自珠璣巷曾提及，但未有專論。一九八二年陳樂素教授於《廣東學術研究》第二期發表《珠璣巷史事》，一九八四年收載於《求是集》第二集中。後《南雄縣志》方志辦公室亦以單行本油印發行。

㉒嘉靖間黃佐的《廣東通志》卷十九"古蹟"言："珠璣巷在清水寺前(亦有稱沙水村、沙水鎮、沙水街)"。至萬曆間郭斐《廣東通志》三十二，則增加：前人世傳廣州梁文康(儲)、霍文敏(韜)俱發源於此。以後清代的金光祖、郝玉麟、阮元(均撰有《廣東通志》)都引用此文。至明胡黃門之《保昌縣志》，雖為諸家所引用，但該書疑佚，故待證。另黃佐《泰泉集》內所引的"象峰梁公墓表"及黃公輔、梁維棟等詩，均言及"珠璣巷"同是明中葉之人。

㉓見聯合報國學文獻館出版《第五屆亞洲學術研討會會議紀錄》頁二七四。

㉔《齊東野語》卷十九"明堂不乘輅"條言："咸淳壬子，帶御器御史胡顯祖於明堂大禮時忤賈似道，胡顯祖被謫，其女胡美人送妙淨寺為尼。"按咸淳無壬子，應是壬申(八年)之事。而《咸淳遺事》卷下記載大致相同，但胡美人則書為胡顯祖之妹。《新會潮連鄉盧氏族譜》、《李公吳祖族譜》(據李德超文引)、《番禺羅村岡邊倫敘堂族譜》(引自先師羅元一教授《中國族譜研究》均載其事，但胡妃轉為"蘇

妃”。

㉕胡(蘇)妃之事,見族譜稱胡妃者有:南海石灣陳氏、新會鷺古簡氏、中山小欖李氏、廣州黎氏、新會潮連盧氏、順德龍山鄧氏、新會白藤胡氏。稱“蘇妃”者有:塾頭陳氏、恩平馮氏、番禺倫氏、南海丹山謝氏、順德龍江黃氏、蓮邊麥氏。意見不一,可疑之點不一。

諸家譜牒引《齊東野語》謂胡(蘇)妃逃亡時,為南雄富民黃貯萬所收容,後皇室追究,藉口牛回坊珠璣巷亂,擬出兵圍剿,村民懼禍,相率南遷,明霍韜在《石頭霍氏族譜序》謂皇妃(姑)之事“語亦無所據”。(南海九江關樹德堂家譜)亦謂“徙自南雄,謂避妃難,說亦難通”。霍韜是吾粵名儒,認為此是無稽之言,豈可輕信。由南雄南遷,需向政府申請“路引”,據《珠璣巷民族南遷記》所錄,有“紹興元年”、“紹興八年”、“咸淳六年”、“咸淳九年”諸說,而“路引”乃署“南雄府”。按“南雄府”之稱始於明洪武間顯不符事實。

㉖屈大均之《廣東新語》雖載珠璣巷之事,但未言及“胡妃”。又《翁山文外存耕墜稿·序略》云:“予祖翰林誠齋公,當宋南渡時,從祥符珠璣巷來止南雄,其巷亦名珠璣,已而復遷沙亭,亦無胡妃之語。”按此事(一)宋室南渡,應是南宋初屈族已遷至珠璣巷,非宋末再由珠璣巷南下。(二)否認有胡妃之說,與南遷無關。

㉗諸家譜牒載申請南遷時,南雄府發有《本府引文》,有云:因“天災人禍,民不堪命”,但亦有云,“天災地劫,民不堪命”(赴岡州告案立籍編引詞及岡州知縣李叢芳批)。前者是南雄申請南遷的理由,後者是到達新會縣申請“立籍”的批示。“天災人禍”中人禍未必是指皇妃之事。“天災地劫”,更是與皇妃之事無關。假若真有皇妃之事,政府既有皇室查緝命令,豈可輕易給予“路引”,而“路引”署明是在紹興元年及紹定元年《小欖麥氏族譜》,而遷移之事始於咸淳九年,其中相距達四十五年至一百四十一年間,顯明南遷與胡妃之事未必有關。其次,“珠璣巷是時屬保昌縣,縣名始於宋仁宗時,與始興縣同隸南雄州,兩者不同”。且三十三姓九十七家集體南遷,近千人浩浩蕩蕩南行,地方史上一無記載,而文告中云正月初五日告縣申請,十六日出發,正值爲春節年宵時期,在傳統習俗上,非有特殊情況,亦不輕易離家及遷徙,值得懷疑。

㉘據多賀秋五郎TAGA AKIGORO 之《中國族譜之研究》下冊,列出在日本、美國、中國之族譜三三五〇種,祇有六十七種纂修於明代(日藏十種,美國藏十三種,中國藏四十四種),餘全是清以後纂修。

㉙據美國猶他州鹽湖城家譜學會所藏,廣東萬樹堂刊印《廣東李氏族譜》所引明隆慶舊譜,謂其始祖李棟於紹興初先遣三子奉母自珠璣巷入粵,而非咸淳中因胡妃之事南遷,曾列舉咸淳之說有“五不可信”而考證紹興之說“有三可信”,可知修譜者與抄譜者之知識水平與譜之可信與否有關。

㉚譚文云:“據《黎澤堂族譜》舊序記載:光緒年間(1875-1908)坊間有刻印題曰‘珠璣巷避難原由’的書籍出售,於是大大方便各編譜者將之抄入譜內。”(第五屆亞洲族譜學術研討會會議紀錄)二七二頁。

㉛據《珠璣巷民族南遷記》之統計,稱來自珠璣巷者:南海有三十四族、番禺有十一族、順德有十九族、新會有二十三族、鶴山二族、中山五十二族、東莞十三族、恩平二族,另廣寧、清遠、寶安、陽江、增城各一族,族譜份量太多,相信絕不止此數,如羅師之《中國族譜研究》香山徐氏宗譜,粵東簡氏大國譜,花縣洛陽莊鎮南江公家譜,南海丹山謝氏族譜,台山上川房甘氏族譜等,均稱來自南雄,或直言來自珠璣巷。而筆者亦曾為湛江許氏尋“根”,其譜亦云來自南雄珠璣巷,且族裔分佈在湛江高州、海康遂溪一帶。

第四章　方志與族譜之關係及其聯合研究之價值

中國是世界四大文明古國之一，而中國歷代最重史學著作，所以史料亦特別豐富，遠在二千五百年前，中國史學家已根據檔案與紀錄而寫成首本史學書籍《春秋》。當時之紀錄可分“記言”、“記事”二種，及後至二千一百年前左右歷史性紀錄遂發展成族譜與方志，二者之起源時間大致相同，但發展各異。不過，中國是世界上利用紀錄與保存紀錄最早的國家。

就族譜而言，應源於祖先崇拜與封建社會中的宗法制度，主要為記載其祖先來源及子孫之分佈與血統關係，770–255B.C.已有記述[①]。至漢劉向（77B.C.——6A.D.）撰“世本”敘黃帝以來的世系，或謂是我國首本“族譜”，但已不存在。以後揚雄（53B.C.——18A.D.）有《揚雄家譜》是我國首本“家譜”，且是時只有世系（繫）記載，仍未有譜諜。後漢時，班固、王符、應劭，晉代時之摯虞均有族譜學之論文[②]。魏晉以後推行“九品中正制”，特別重宗族之源流，國家設有機構收集及考訂全國各族系，於是族譜學特別發達與受社會人士之重視，王僧孺之《百家譜》、徐勉之《百官譜》、何承天之《姓苑》，便是當時之代表作，而族譜學亦發展成一專門學科。

至唐代，高儉（士廉，576——647）奉命修《氏族志》（凡293姓1651家）與稍後之《姓氏錄》（柳沖等），雖亦是全國性之族譜，且有一定的格式為後世所遵循。不過，當時之族譜，特注重政治上之地位，如先敘宗室與外戚，然後按等級之高低而敘官吏，與以前按族望而定社會地位之高低而不同，而且從唐開始，所有族譜有三特點：

（1）隋唐時開始科舉制度，不少寒門子弟從科舉出身，位至將相，為提高自己家族社會上之地位，於是附麗前代之大族，如香港掃捍笏之《李氏族譜》，云是唐皇室之後，與事實不符[③]。

（2）自北魏實行漢化，鮮卑族有百餘族改漢姓；唐宋以後有功於皇室之人賜予國姓，故姓李與姓趙未必是皇室後裔，血統不同。故唐開始，有韻譜出現，根據四聲而不是根據血統與族望。

（3）唐以前官吏之升遷、考績，士人之出仕全根據譜牒，婚姻之締結全根據家世門第，但唐以後則否，因此，鄭樵認為唐以後“譜牒之書不受重視，其學不傳”[④]。

其實唐以後譜牒之學並非不傳，如唐時之柳沖有《大唐姓系錄》二〇〇卷、韋述有《開元譜》、柳芳有《永泰譜》、張九齡有《姓源韻譜》、林寶有《元和姓纂》、邵恩之《姓解》[5]、李林甫之《天下郡望氏族譜》、何承天之《姓苑》；宋有鄧名世之《古今姓氏書辨證》、蘇洵之《蘇氏族譜》[6]；明代有凌迪知之《萬姓統譜》等；至於私人著作方面，宋代晁公武之《郡齋讀書志》、陳振孫之《直齋書錄解題》特列"譜牒類"，至鄭樵之《通志》有"氏族略"與明焦竑之《國史經籍志》有"譜牒類"更將族譜分為六類[7]。直至清修《四庫全書》時，始刪族譜類[8]。故可知唐以後，族譜之學並非不傳，只是不受重視而已。

唐以後，譜牒不受重視之原因，主要是南北朝時政府設有"圖譜局"，所有宗譜、家狀必送往該機構，政府除藏有全國之譜牒外，所有私家譜牒，若有懷疑之處，該機構必以官籍及其他書籍加以考訂。在"九品中正制"下之大小中正，有專掌族譜之官吏加以輔助，以決定出仕及升遷之標準，婚姻必據門第，社會地位亦據族望，故陳振孫感嘆，"當時譜牒之學所以貴於世也"[9]，所以當時之族譜以帝王、總譜、宗譜、官譜為主，如後漢時之《鄧氏官譜》、潁川太守聊氏《萬姓譜》等，唐以後，個別家族的族譜較多，不過，此等家譜不若唐以前之受社會重視卻是事實。

族譜與方志都是中國最具代表性之地方史料，同時均起源於二千五百年前左右[10]，但族譜發展至晉南北朝（265——589）已達最盛階段，唐以後，族譜著作雖不絕，但偏重於家譜，而且已不為政府所重視，當然家譜仍有不少寶貴資料。相反地，二千五百年前已開始的地方性歷史，及後發展成"國別史"與"圖經"。《越絕書》及《華陽國志》之出現，是地方性歷史書籍中，滲進大量地理資料，所以《隋書·經籍志》特創"地理門"以屬之。至宋代（960——1279）大量地理著作中，創立了"方志"的體例，直至明清二代，方志之著述始大盛，所以族譜與方志在隋唐時代為一轉變關鍵，彼此互相繼承，為研究中國歷史尤是地方歷史之重要資料，價值甚大。

自唐以後，族譜雖不受政府及社會之重視，但中國是農業國家，且特重家族觀念，故家譜之著述仍多，宋末，仍存一七〇種共二四一二卷[11]。至明代，據焦竑所錄有一九〇種凡二七六九卷[12]。直到現代，已無元代以上之家譜流傳。據多賀秋五郎教授之紀錄，元代《新安大族志》（陳櫟編）及明嘉靖間《新安休寧嶺南張氏會通譜》（汪泰、王璽編）為目前保存最古的家譜，以後全是明、清二代及近代人之所編，其數量與分佈大約是：

日本藏一二二八種[13]。

美國藏一〇五八種[14]。

中國大陸藏七五三種[15]。

香港大學馮平山圖書藏四百餘種[16]。

臺灣方面約藏數百種[17]。

當然，其中不少重複，如某譜在美國與日本均有收藏，或甲、乙、丙三圖書館均藏此譜，故其數目未必絕對可靠。

自唐以後，族譜之撰寫以"家譜"為主，按"總譜"及"宗族"之範圍較大，故所敘以源流、血統及分佈之史實較有價值，但"家譜"以範圍較小，故詳於敘事，如某族之遷徙及其影響[18]，文化之遷徙與地方之開發[19]，家庭教育與遺傳之關係[20]，社會經濟及禮儀之資料[21]，甚至中西文化交流之史實[22]。在家譜中均有大量值得重視之資料。

至於方志的份量比族譜為多。唐初，地理部書目有一三九種共一四三三卷，但譜牒祇有四十一種共三六〇卷[23]。至宋末，方志書籍已比譜牒多達十倍[24]。至明代，方志大盛，據焦竑所錄，書目達六二三種共九三八八卷[25]，但譜牒類不外存書一九〇種共二七六九卷[26]。直至現代世界各大學及公私圖書館所藏方志近萬種約八萬餘卷[27]，其中：

日本藏量最多，約萬種，其中明代方志已達五四九種[28]。

美國約藏三千多種[29]。

中國大陸藏六千多種[30]。

香港大學馮平山圖書館藏九百餘種[31]

臺灣方面約藏八百餘種[32]。

其他如法國、加拿大等亦有二千種[33]。

方志之價值在保存地方性之各方面資料，因對全國性有貢獻之人物及重要性之資料始載之於國史，次要的而祇影響及地方性的人物與史實則可見於方志，所以方志可補正史之不足，或糾正國史之若干史實。瞿宣穎提出方志之價值有六[34]，傅振倫則認為價值有四[35]，朱士嘉指出在方志中有許多科學之資料可供新的研究[36]。

若以方志與族譜相比較，可發現：

（1）方志之份量遠比族譜為多，主要原因是清代時各州郡每數十年必重修方志一次，因不論人物或經濟，數十年之間必有增添或改變，但族譜非遷徙，或百年以上無重修之必要。

（2）方志是以地方政府之財力，聘請積學之士修撰。如一五五八年，黃佐之《廣東通志》。主持者黃佐，《明儒學案》有傳，是著名之學者，而助修者如歐大任等，亦是積學之士，故其書價值甚高。至於族譜，因祇敍源流及族人事蹟，多由族內人士負責，當然，人力財力比不上方志，故一般而言，方志之價值較高。

（3）就範圍而言，方志敘一區域之政治、經濟、文化、軍事、外交、交通、建設、風俗、人物、物產等各方面，其子目可細分至百項，是全面性之敍述。但族譜祇敘源流、地理分佈、族內人物事蹟、族內之規章等，範圍窄而簡單，份量亦較少。

（4）修方志時有大量“採訪”，採集各地之遺文、事蹟，故方志中之傳記、碑刻、墳墓、廟宇、祠堂，頗多族譜內之資料，相反，族譜內引用方志之資料卻不多。

（5）族譜注重世系而不重時間觀念，如某世祖某人，祇言是某人之子，妻子兒孫是誰，生前事蹟如何，死時葬於何地，但未言生卒年月。故考究族譜內之人物，難定其年代，相連族譜內若干事蹟，亦無明顯之時間證據。而方志則略佳，如“大事記”必有年代，“選舉表”必有朝代，最可惜是“人物傳記”中亦多缺年代之紀錄，是研究上一大缺點。

（6）宋明後，政府有“族誅”及“追贈”的政策，宗族有族訓，約束子弟的行為，又有“蒸嘗”、“學田”等賑濟貧窮，使宗族間榮辱與共，凝聚力大增，成為社會的重要力量，故宗親會與方志影響而成的同鄉會成為近代社會一重要的結構。

不過，方志與族譜均是地方性之資料，各有其價值，方志之研究重點在“地”，族譜之研究重點在“人”，當然兩者亦兼及其他各方面之活動，故若聯合研究，所得更大。筆者曾作嘗試，先從方志着手，後加上族譜之研究，結果：

（1）一九七〇年筆者利用在美國所搜集得湖南、廣西、廣東三省之方志約二百種，撰《宋代傜亂紀事編年》，利用方志與正史互證，指出宋時湖南西部，廣東東北及湖南廣東交界之地，廣東與廣西交界之地均是傜區，以後，漢、傜因衝突而戰爭，漢人勝利，在傜區增設州郡管理，這是從方志中發現“地域中不同文化之衝突及其開發”之重要資料㉚。

（2）一九七一年筆者擴大地方史之研究，利用方志與族譜之資料追溯廣東早期之歷史，撰《譙國夫人事蹟質疑及其嚮化與影響》一文（載於《中央研究院歷史語言研究所集刊》四十三本第二分冊），主要是根據一九一〇冼寶幹之《嶺南冼氏宗譜》及林寶之《元和姓纂》、章定之《名賢氏族言行類編》、凌迪知之《萬姓統譜》與阮元之《廣東通志》、光緒間之《高州府志》、《茂名縣志》等資料，再與正史互證，認為隋唐時廣東之接受大量中原文化始於譙國夫人冼氏之降隋，及接受漢化，至唐將其所據之地分設八州管理。

（3）一九七九年筆者發表《十六世紀葡萄牙在香港事蹟考》，主要是根據明、清兩代之方志及香港現住居民之若干族譜，發現（一）中葡首次戰爭是在一五二一年而非明史所載之一五二三年，（二）中葡首次衝突之地點是在香港而非明史所載之新會縣，（三）十六世紀時葡人在中國最大的商埠浪白滘，筆者認為應在今日香港大嶼山之西部。

以上三篇論文，均是利用方志與族譜之資料作地方史之研究，其中第一、二兩篇可補充國史之不足，第三篇可糾正國史之錯誤。筆者深感凡是文化較低之區域，記載必簡，若聯合方志與族譜作深入研究，發現會更多，當然高文化的區域，亦有若干被人忽略之社會、經濟、地理等資料，可在方志與族譜中尋到，故筆者強調聯合“方志”與“族譜”是研究地方史之主要途徑。

註　釋

① 《周禮》有“帝繫”、“世本”，《史記》有“三代系表”，為最早之族譜形式。

② 羅香林師之《中國族譜研究》。

③ 見香港大學馮平山圖書館所藏手抄《李氏族譜》，云其祖為唐昭宣帝之子，避難南來，並無根據。又蘇洵之譜例曰：“蓋自唐衰，譜學廢絕，士大夫不講，而世人不載，於是由賤而貴者，恥言其先，由貧而富者，不錄其祖，而譜遂大廢。”

④ 鄭樵《通志》卷二五《氏族略序》。

⑤ 引自鄭鶴聲《中國史部目錄學》（商務版）五六——五七頁。

⑥ 引自《宋史·藝文志》譜牒類。

⑦ 此六類為帝系、皇族、總譜、韻譜、郡譜、家譜，其中《通志》所收譜牒共一七〇部二四一一卷。

⑧ 《四庫總目提要》史部總敘：“舊有譜牒一門，然自唐以後，譜學殆絕，玉牒既不頒於外，家乘亦不上於官，徒存虛目，故從刪焉。”

⑨ 陳振孫之《直齋書錄解題》卷八，據張九齡之《姓源韻譜解題》。

⑩ 方志的源流已詳見於本書第一編。

⑪ 據《通志》卷六六“藝文略”統計：（一）帝系存一九種共七三卷：（二）皇族存二〇種一五三卷：（三）總譜存四三種一〇七四卷：（四）韻譜存八種五八卷（五）郡譜存一二種八四九卷（六）家譜存六八種二〇五卷。

⑫ 據焦竑之《國史經籍志》（《粵雅堂叢書》卷三所錄）（一）帝繫存一九種五九卷，（二）皇族存二三種一六三卷，（三）總譜存五一種一四〇四卷，（四）韻譜存九種六三卷，（五）郡譜存一二種八四七卷，（六）家譜存七六種二三三卷。

⑬ 據多賀秋五郎之《宗譜研究》（一九六一年東洋文庫 Toyo Bunko 出版）第58頁。

⑭ 《宗譜研究》所錄哥倫比亞大學藏九二六種，哈佛燕京學社藏七種（頁370 － 450）。但羅香林教

授之《中國族譜研究》(1971年中國學社出版)統計,哈佛燕京學社所藏族譜卻有一二五種(頁一九一——二一〇)。

⑮《宗譜研究》頁三五五——四五二,列中國大陸七間主要圖書館共藏族譜約五百種,但《中國族譜研究》第172——189页卻增加廣東省立圖書館所藏共二五三種(大部是廣東地區之族譜)。

⑯《中國族譜研究》第211——240页載馮平山圖書館藏族譜一〇五種,其中大部是廣東與香港地區影印之手抄本,該書刊於一九七一年。十年來,該館繼續搜集,並得鹽湖城世界族譜學會(Genealogy Society, Salt Lake City, U.S.A.)之幫助,將該社所得之族譜製成微粒膠卷,均有副本一份送贈該圖書館。一九八〇年四月,該館收藏已達二二五種,另外已編目之微粒膠卷一七七種,未編目之膠卷約數十種。

⑰ 臺灣方面,以臺灣中央研究院之傅斯年圖書館、臺灣中央圖書館、臺灣故宮博物院、國史館等藏量較多,一九七五年國史館所編之目錄,其中族譜有八十多種,但多是舊譜新刊本。至於其他機構未找到其目錄,估計約有數百種,《臺灣公私藏族譜目錄初稿》(《臺灣文獻》二九卷四期),最近收到王世慶之一文,已達一千一百餘種。

⑱ 如羅香林教授根據紫金之《孫氏族譜》撰成《國父家世源流考》(一九四二重慶商務出版)。

⑲ 如羅香林教授之《客家源流導論》(一九三三年廣州希山書屋出版)。又門人潘繼宗之《清初遷界政策及其與香港之關係》(一九七八年香港大學之畢業論文),便是根據香港地域之族譜與方志,考證當時所謂遷界五十里,未必正確,而遷界後,大量客家人遷入香港,影響甚大。

⑳ 潘光旦集合浙江嘉興各族家譜及若干伶人之先世綜合研究,而著《明清二代嘉興的望族》(一九四七年商務),又王栻之《清代的漢族世家》(一九四三年成都之學思半月刊第三卷一、二兩期)發現海寧陳氏原為貧窮之小族,後與知識份子高氏締婚,三百年間,顯達者甚多,此是遺傳與家庭教育因素,其資料多採自族譜。

㉑《宗譜研究》第三部載族譜中有義莊規條、家訓、家規、家塾、祭祀禮儀等。

㉒ 羅香林教授之《蒲壽庚研究》(一九五九年中國學社出版)及《中國族譜研究》頁75—157有三篇專門論文,主要是根據族譜資料而寫成。

㉓《隋書》卷三三《經籍志》是時剛立"地理部",地理書籍仍以"地志"為主,而譜牒已是最盛期,但著述份量仍比不上"地理"。

㉔《宋史》卷一五七《藝文志》之地理部書目共四〇七種五一九五卷,但譜牒類衹有書目一一〇種共四三七卷。

㉕《國史經籍志》卷三分:(一)地理類錄書五七種三五九九卷,(二)都城宮苑類七四種共六一九卷,(三)郡邑類一六七種共二二三九卷,(四)圖經類四二種一七六六卷,(五)方物類二三種二五九卷,(六)川瀆類四二種共一九三卷,(七)名山洞府類六七種二一四卷,(八)朝聘類四六種一四一卷,(九)行役類四八種一三三卷,(十)蠻夷類五七種二二七卷,此十種分類,已與明代一般方志之子目相同。

㉖ 見註⑫。

㉗ 傅振倫之《中國方志通論》頁八二根據朱士嘉之統計,全球方志藏量僅五千餘種,但該書刊於一九六六年。直至一九七九年,宋晞之《論我國方志的流傳》,根據日本國會圖書館之統計,全日本十四單位所藏地誌及微粒膠卷達萬種以上。

㉘ 一九七一年山根幸夫編之《日本現存明代方志目錄》內載(一)北直隸有五一種,(二)南直隸有一三二種,(三)山東有三五種,(四)河南有三九種,(五)陝西有四二種,(六)江西有二六種,(七)湖北、湖南有三九種,(八)浙江有六五種,(九)福建有四五種,(十)廣東有二四種,(十一)雲南有四種,(十二)廣西有七種,(十三)貴州有三種。

㉙ 據美國國會所藏中國方志目錄(Index of Local History in Congress Library of U.S.A.1942)之統計,該館藏方志二九三九種共五六九八九卷,又據宋晞之統計一九五七年國會圖書館藏量已增至三五

〇九種，另哈佛大學（Harvard University） 有二九七七種，哥倫比亞大學（Columbia University）有一五六〇種，芝加哥大學（Chicago University）有一五四三種。又筆者根據一九六九年出版，何炳棣編之該大學所藏中國方志已增至一七六二種，華盛頓大學（Washington University 〈Seattle〉）有八八三種，耶魯大學（Yale University）有四〇五種，密芝根大學（Michigan University）有三七二種，普林斯頓大學（Princeton University）有一六六種。

㉚ 朱士嘉謂北京圖書館藏六〇〇〇種，上海市圖書館約五〇〇〇種，南京圖書館約四〇〇〇種（文獻），當然其中頗多重複。

㉛ 直至一九七八年八月底馮平山圖書館已編目之“方志”共八九四種，二年來再增加百餘種，但多是臺灣新刊之舊方志，善本較少。

㉜ 一九六七年昌彼得喬衍琯之統計，臺灣所藏方志約四六四種，若加上以前自美國國會圖書館代為保存前北平圖書館所藏“善本方志”（現已歸還）二百餘種共七百卷左右，現已藏於臺灣故宮博物院。此外一九六五年國史館出版之目錄，舊方志重刊的已達七六五種（善本猶未統計）。

㉝ 巴黎大學教授吳德明編有《歐洲各圖書館所藏中國方志目錄》（一九五七），全歐洲共藏中國方志二五九〇種，除去重復外，尚餘一四三四種。至加拿大則以University of British Columbia所藏較多，但未有詳細目錄。

㉞ 見瞿宣穎之《方志考稿》序。

㉟ 見傅振倫之《中國方志通論》第五章。

㊱ 朱士嘉曾用此方法研究民族遷移與開發之狀況，但可惜甚少利用方志資料。

㊲ 一九六七年Herald J. Wien's 著Han Chinese Expansion in South China（The Shoe String Press Inc.）。

第五章　廣東許族源流初探

——並論許族發展之兩類型

第一節　許氏之族源及其南移之探究

甲、許氏之族源

許氏姓源有三說：

史游《急就篇》"許經古"條顏師古註："許氏，許由之後也，太嶽之亂有姜信者，封於許國，其後為楚所滅，末裔亦姓許。"

淩迪知云："炎帝之後，姜姓，成王封裔孫太叔于許，以國為氏，又望出汝南。"①

《唐書·宰相世系表》云："許姓，出於姜姓炎帝孫伯夷之後，周武王封其裔孫於許。"

三說本是同源，按：伯夷，神農之後，佐堯舜有功賜姓姜，後周封其裔孫於許，遂以國為氏。雖然封於武王時抑封於成王時？姜信是否即太叔？年代湮遠難稽，待考。然以"國"為氏無可置疑，杜佑即採是說②。至於"許由"之事見於《莊子·逍遙遊篇》，王安石撰《許氏世譜》序云："其事不見於經，學者疑之"③。

許氏之封邑"許"，應在今河南許昌附近，許國後為鄭所併，終滅於楚。據劉恕謂自文叔至莊公九世，杜佑則謂十一世④。自莊公以下世系較為分明，據宋衷《世本注》：

（一）桓公（莊公弟）；（二）僖公業；（三）昭公錫我；（四）靈公甯；（五）悼公買；（六）斯（男爵被俘於鄭）；（七）元公成；（八）結（為楚所滅）⑤。楚滅許以後，宗族分散各地，至唐，許氏可分為六支⑥：

（1）高陽（今河北）許氏，始於漢許據，據子允，允孫式，式長子舨，舨子詢，詢元孫懋，懋孫善心，其子敬宗，討"高陽郡公"，其裔稱"高陽許氏"。按：兩《唐書·許敬宗傳》謂敬宗杭州新城人，《元和姓纂》則云："北新城縣，今入博陵郡。"

（2）汝南（今河南）平輿縣許氏，始於後漢許劭，居邵陵縣，漢太尉祭酒許慎，今並無聞。按：許雲樵云：汝南許氏，始於西漢時許商（《儒林傳》）。其後有許慎及許劭、許虔兄弟，汝南人譽"平輿淵有二龍馬"⑦；又東漢時有許靖，入蜀為廣漢太守，今蜀之許族奉之為始遷祖。又高陽支系有許德，曾為汝南太守，居平輿，故汝南與高陽兩系關係甚密。

（3）安陸（今湖北）許氏，源於高陽系許詢，其後有許紹，隋封安陸郡公，以破蕭銑有功，擢其子智仁為溫州刺史，終於涼州都督，安西大都護任內，弟圉師，龍朔中為左相，孫欽寂，武后時為隴山軍追擊使，契丹人寇殉難，贈蘄州刺史，故成望族[8]。

（4）太原（今山西）許氏，許劭之後，有官於太原者，唐有許太寶，貝州刺史。

（5）晉陵（今江蘇）許氏，漢有徐州刺史許聖卿，太子洗馬許叔牙，其後有許鳴謙，本高陽人。許詢之後，然則亦為高陽分支。

（6）中山（今河北）許氏，源於許兆，北齊有武川鎮將許標，唐有太府少卿許緒，工部侍郎許景先。按：鄧名世作"安陵"謂漢有許博，著《大博經》、《古今姓氏書辨證》卷二十三。按：中山今乃河北定縣，而安陵則是河南鄢陵西北，二者孰是，待考。

許氏之族譜，始於晉之元度公之《許氏譜》，失佚。唐龍朔中右丞相許敬宗奉敕修《氏族志》，今亦不傳，祇王安石的《許氏世譜》今為諸許族所引用。按王安石的《許氏世譜》與林寶的《元和姓纂》略有不同，認為"高陽之族，不見其始"，故始敘魏時之許據，安陸的許紹乃其裔孫，其世系如下：

（一）許據；（二）允；（三）遐；（七）詢——（八）？；（九）珪；（十）勇慧；（十一）懋；（十二）亨；（十三）善心；（十四）敬宗[9]。

另善心之族父即（十二）許紹（守夷陵，安陸之祖）；（十三）智仁[10]；（十四）圉師；（十五）欽寂、欽明（下略）。

又許敬宗之後，據《唐書·宰相世系表》：

（十五）昂；（十六）昱，星，果，景，彥伯；（十七）望；（十八）遠（與張巡守睢陽殉難）[11]；（十九）？；（二十）儒（自雍州入江南）；（廿一）稠；（廿二）規（葬於池州，為安徽許氏之祖）；（廿三）逖；（廿四）恂，怡，恢，元平四兄弟。

按：王安石似與廿四代許氏兄弟有交，故為之作《世譜》。又按：自漢至唐，許氏以高陽、汝南、安陸三系為主。然因宋以前世系難稽，故有若干參差之處，此支被稱為北支許氏。

南支許氏則始於隋唐時代的許天正，據《汝南漳南潮州許氏宗譜》（宋寶祐四年進士陳經國序）[12]：

（文叔之後），（一）商（西漢人，自文叔至商世系待考）徙河南為汝南系之祖；（二）綱；（三）端夫；（四）匡時；（五）廷謨；（六）（從弟）許劭，文休（靈帝時尚書令）；（七）選叔；（八）伯嶼；（九）師古；（十）正居；（十一）若瞻；（十二）事邦；（十三）延齡；（十四）乾德；（十五）孔孟；（十六）傑孫；（十七）治（助李世民征臨汾等郡）；（十八）克華[13]；（十九）陶；（二十）天正。

按：許陶與子天正於唐高宗時佐陳政、陳元光父子平定泉（閩）潮（粵），漳泉潮之許族均以陶及天正為始遷祖。因其子孫官於嶺南，世襲官職，可自置官屬，有都監二員，巡檢十員，兵馬二千三百人，儼然一方諸侯，粵東及漳泉一帶的許氏譜多載其事。

按：許天正之後裔稱"南支許氏"。

乙、廣東許氏諸族之分佈

中原士族入粵，主要的孔道有二：自閩南寧化縣石壁鄉入潮梅一帶，故操潮客語。自閩入贛，經南雄珠璣巷南下至珠江三角洲，再擴至粵南及海南島一帶，以操廣州白話為主[14]。廣東許族，主要亦由此二道入粵（例外者少數），其中可分：

一、漳潮地區

見於諸譜。謂來自閩省寧化縣者有：

《汝南漳州潮州宗譜》有宋理宗寶慶四年陳經國序。

《揭陽許氏族譜》見上書，謂咸淳三年有許君佐遷揭陽。

《宏安許氏重修譜》有永樂二十一年友斌序。

《潮陽宏安許氏修譜始末》有許先覺序。

《鳳城玉簡峰宏安等許氏族譜》有康熙許天鴻序。

《普寧許氏清芬堂詞記》有吳道鎔記。

此外，《圖書集成·氏族典》載粵東許氏名賢有許申（潮州人），祥符舉賢良，後知韶州，有直臣風。曾孫玨，尚德安縣主（太宗曾孫女）。五世孫居仁、居安、登元符進士。八世孫騫，登紹興二年進士，故潮州許族，名盛一時。

二、粵中、粵西區

據《福建廣東許氏同源家譜流傳次序總圖》[15]：

（一）袓（唐荊州刺史，立廟於莆田仁德里頭村，（二）欽（官司法參軍）。

（三）— 愈、全

（四）賓 —（五）— 銅、鐵

（六）— 侃、坦、憬

憬（七）— 十一公、十三公、十五公、十九公

(八)—麟—(九)—積
　　　　　　　—藏
　　　　　　　—德
　　　　　　　—華—(十)—珊
　　　　　　　　　　　　—瑲
　　　　　　　　　　　　—瑚
　　　　　　　　　　　　—玭—(十一)—洗
　　　　　　　　　　　　　　　　　　—浼—(十二)—峻
　　　　　　　　　　　　　　　　　　　　　　　　—毅
　　　　　　　　　　　　　　　　　　　　　　　　—秩
　　　　　　　　　　　　　　　　　　　　　　　　—峙(遷廣東南雄、為粵中許氏之祖)

(十三)—牧—(十四)—彥國
　　　　　　　　　彥先(番禺潭山始遷祖)—(十五)—安修—(十六)青
　　　—佐—(十四)　岩
　　　　　　　　　碧(居惠州)　(十五)?　(十六)澄(遷東莞)
　　　—寵—(十四)彥原(遷南海)
　　　—致—(十四)彥博(治平進士)

另許鴻禧之《許氏族譜》[16]謂許彥先為宋天聖三年進士,熙寧八年任廣南西路轉運使,定居於番禺縣壽山堡潭山鄉。另有彥原則遷南海九潭鄉,許碧遷惠州,許澄遷東莞,故粵中珠江三角洲附近許族,來自福建莆田,均同一源流。

三、海南區

海南區許族,是番禺潭山二世祖之分支,據《瓊山許氏族譜》[17]:

(遠祖逸)二十八傳至欽(遷自莆田,為番禺潭山二世祖),十二傳至
(一)輔(為瓊州通判)—(二)模(為瓊州始遷祖)

—(三)—金　(四)—其琪
　　　　　　　　—其檀
　　　　　　　　—其瑋
　　　—全　(四)—其毓—(五)子昌—(六)志惺—(七)—伯巧
　　　　　　　　　　　　　　　　　　　　　　　　—伯鈞
　　　—企　(四)—康運
　　　　　　　　—康國—(五)子文—(六)—志欽
　　　　　　　　　　　　　　　　　　　　—志大
　　　　　　　　　　　—子良—(六)—志順
　　　　　　　　　　　　　　　　　　—志和

按:許欽是唐代人,至明代約六百年,僅有七代世系可考,存疑。又,湛江許族(見下文)亦有一支遷至海南。

四、粵南區

粵南許族,亦自福建莆縣經南雄珠璣巷南下,分散於高雷欽廉一帶,但與粵中一族不同。其始遷祖許福,原籍福建莆田縣朱基(珠璣)巷大井村,正德三年為高雷廉鎮總兵,十四年寧王宸濠叛,參加征伐殉難,遂落籍於粵南[18]。詳見下節。

大概入粵的許族,從漳泉入潮梅為一系,以操潮客語為主,其中有因經商或他故遷至別處,而操該地方言者有之,如廣州高第街許族,原籍潮梅系,但現操廣州話。另一支自福建莆田縣經珠璣巷南下至珠江流域及粵西南部,以廣州白話為主,但在欽廉有言客語,在海南分支則用黎語等,當然亦有自粵中遷至粵東,自粵南遷至海南者。

第二節　兩大支系與兩種不同的發展

甲、廣州高第街許族

漳潮系中有一支,自唐入粵,至南宋時遷至澄海縣溝南村,但無世系可考。至清乾隆間,始遷祖許永,名穎園,在廣州經營小生意,居於廣州高第街,妻貧苦女黃氏,育有三子。乾隆四十七年(1782)穎園逝世,黃氏率子回澄海靠親,發現穎園已有髮妻,黃氏不甘作妾,轉回廣州謀生,長子拜庭販鹽而致富,為求進身於上流社會,督促子弟讀書,從事科舉業,第三代起,多有功名,在廣東近代史上產生不少喧赫人物,影響甚大,其世系如下[19]:

高第街許族,發跡於清中葉的農業社會,其發展科舉而入仕途,在廣東近代史上有三大影響。

一、清末的科甲人物

第二代拜庭先生致富後,第三代祥光為喜慶己卯(1819)舉人,道光壬辰(1842)進士,歷任廣西按察使及布政使,育八子,其中七子(應鏘、應鍒、應錮、應鑾、應鍇、應鎔、應鏞)均中式為舉人,時譽為"七子登科"。其侄應鑅(祚光之子)為道光癸卯(1843)舉人,咸豐癸丑(1853)進士,仕至按察使(江蘇)及布政使(江蘇及浙江)及護理浙江巡撫。侄應騤(禮光之子)官至工部與禮部尚書,為許族最喧赫人物,尤其是阻撓變法而深得西太后的信任,戊戌後,擢升為閩浙總督兼署福州將軍,為近代史重要人物。第五代仍能保持其在政壇上的餘暉,如炳耀(應鏘之子)為江西候補知府,其弟炳榛為安徽知府,駐美國舊金山總領事,為許族中最早接受西方文化的人。炳暐(應鑅之子)為山東候補知府,其

（一）穎園—（二）拜庭—（三）祥光—（四）（八子）應鏘、應錝、應駟、應鑾、應楷、應鎔、應鏞、應鎕
—（五）炳俊—（六）崇馥
—炳耀—（六）（三子）崇鎡、崇鎏、崇望
—炳照—（六）崇鋭
—炳榛—（六）崇基
—炳澄—（六）（三子）崇輔、崇卿、崇光
—炳圻—（六）（二子）崇矩、崇樞

—（三）祐光—（四）應鯤—（五）炳熙、炳銜—（六）崇儀、崇智
—（三）祚光—（四）應鏷—（五）（六子）炳燾、炳泉、炳杰、炳恭、炳澐、炳暐
（六）—廣平（女）
—崇清
—崇年
—（五）炳暐—（六）（五子）崇貴、崇科、崇儒、崇灝、崇濟
—（三）恒輝—（四）應霖—（五）（五子）炳瀛、炳櫂、炳熊、炳琪、炳理
—（三）禮光—（四）應騤—（五）（四子）炳璋、秉槐、秉琦、秉鑫
—應銑—（五）秉彝
—應源—（五）炳琨
—（三）禍光—（四）應鋐—（五）炳璦、炳瑤、炳璁、炳璐、炳繡
—（三）礽光—（四）應銘、應供、應鑌、應騏、應錩
—（三）祉光—（四）應棠—（五）炳韶
—（三）祿光—（四）應沂—（五）炳幹

弟炳杰為郎中，連續三世均得志於仕途。而高第街之許氏鉅室（名許地）始建於第二代祥光先生，後代陸續增建，總面積九百廿多井，包括有家廟、戲台、藏書室、集選樓，七十二晉磚吟館、兩個會客廳、兩口金魚池及若干假山，全宅五進深，三十六邊闊，古色古香，為廣州名勝之一。（附圖：許地房屋草圖。見下頁）

二、新的政壇人物

許族第四代恰是清末維新與革命並存時代，許應騤是保守派，反對維新，但其弟應鏘

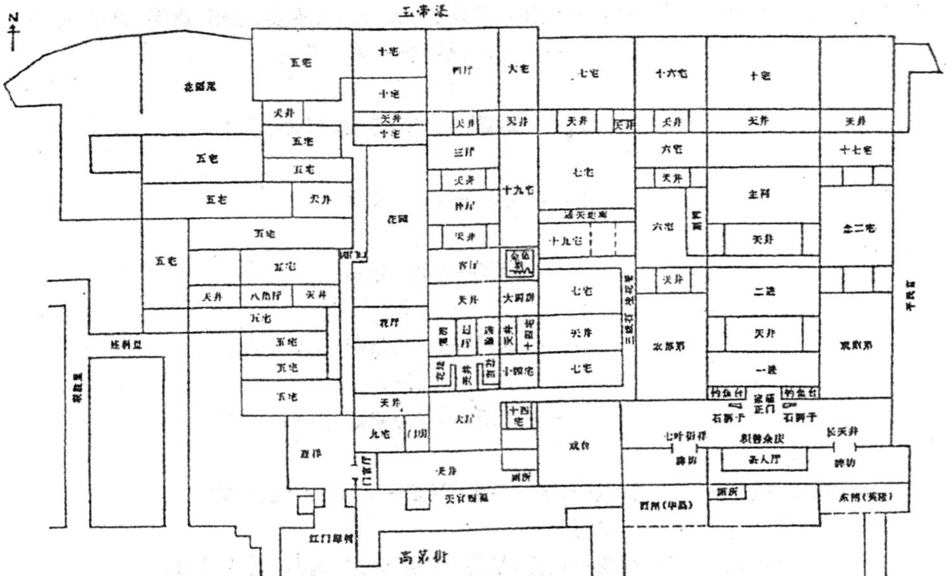

许地房屋草图

卻同情維新,得翁同龢的賞識,其所上的"萬言書",由軍機處呈光緒帝,但未收效[20]。其子炳榛,出使舊金山,受西方文化洗禮,具革命的新思想,其任崇智(炳衡之子)因應騤的恩蔭,與兄崇儀被保送赴日學習軍事,在日本參加革命。中華民國成立後,擔任建國粵軍總司令達十年之久,曾參加護法、討逆及東征、北伐諸役。其堂弟崇灝(炳暐之子)畢業於江南陸軍學堂,參加革命,隨國父南下,任粵漢鐵路警備司令及國府委員。弟崇清,留學日本時亦參加同盟會,回國後從事教育,屢任廣東教育廳長及國立中山大學校長。

三、姻親人物

許族第六代後,恰在清末民初以至北伐時代,前有革命運動與維新運動並存,後有國民黨中左右派之爭。許族人物中,如許崇清之妻廖六薇,為廖仲愷姪女。其弟許崇年之妻鄧不奴,是國民黨中婦女運動領袖之一,炳雲之女許廣平,婚名作家魯迅,晚年更為中共政協常務委員,故許族在近代國共兩黨中都有影響性的人物。許族第七代後,政治人物雖少,但專業人士如教授、醫生、工程師等亦甚多。崇年之子國華,是美國大通銀行副總裁,是華人在國際銀行首位決策人物。來往海峽兩岸的陳納德夫人陳香梅,是廖仲愷的甥女,亦是許族間接的姻親人物。

乙、粵南湛江市博立村許族

莆田系中有一支,經南雄珠璣巷而至粵南一帶的許族,發跡於三十年代,是時廣東的工商業由萌芽而繁榮,尤其是湛江、香港等港口因貿易與新興的工商業,產生了新的豪族，其中湛江市博立村許族是沿此路線而發展，與農業社會中高第街許族不同類型。

粵南湛江市博立村許氏世系如下[21]：

（一）許福【原籍福建莆田珠璣巷（朱基）大井村[22]，明正德三年（1509）為高雷廉鎮守總兵[23]，十四年寧王宸濠叛，參加征討[24]殉難。】

（二）—耆英：居吳川縣博立村—（三）義儒—（四）樂友、樂道、樂益、樂信、樂智、樂善

—世英：居吳川木棉，為木棉支系始遷祖。

—玉英：遷遂溪料村，為遂溪始遷祖。

—（五）誠慎—（六）—儲道—（七）以中、以純、以才、以偉（四子）

—嫩道

—（八）—紹宇

—照宇—（九）—繼卿

—繼周—（十）屏御—（十一）聯第—（十二）汝挺、汝璣、汝琰（三子）

—（十三）相陽、相唐、相乾、相湯、相文、相發（六子）—（十四）德璠、德明、心修、德華（四子）

—（十五）—佐廷

—敬廷——（十六）乃貞、乃英、乃晃、乃亮（四子）

—（十七）—國賢——（十八）壽彭——（十九）晉階、晉文

—國霖——（十八）—壽祺——（十九）晉勳

—壽禧——（十九）晉源、晉堯

—國怡——（十八）—壽南

—壽柏

—國仁（愛周）—（十八）—壽衡（字岐伯）—（十九）晉封、晉強、晉奎、晉和、晉平

—（十八）壽榮（字士芬）——（十九）晉義、晉廉

—（十八）壽貴（字世勳）——（十九）晉乾、晉亨

按：許福先生先世來自福建莆田，但世系不可考，莆田許族多源於許天正之後，許福征宸濠而陣亡，故後人遂定居於高州（高州新坡許族）。族譜雖載自番禺遷入，但似與許族有關[25]。其妻李氏恐宸濠餘黨報復，率三子離高州至吳川博立村（今湛江市）定居。長子著英，襲父蔭仕於廣西宣化營侍衛，離職後返回吳川務農，世代農耕。至十七世國仁號愛周，始改而營商致富。愛周先生誕於光緒六年（1880）時為五口通商之後，歐美的工商業藉政治力量侵入我國，我國農村社會受到衝擊，廣東因地緣關係，對外貿易發達，促進工商業繁榮。光緒廿六年（1900）法國租借廣州灣（今湛江），愛周先生二十歲，受時代潮流的影響，放棄傳統的農耕改而營商，其發展過程如下：

二十年代，愛周先生以三十壯年在家鄉（博立村）營雜貨店，後發展至廣州灣，代理在廣州灣的德士古汽油，奠立經濟基礎，進而作多方面的投資，在硇洲經營水產，在博立村設立油廠，外銷至美國，時廣州灣已是粵桂滇三省貨物運銷港口，日趨繁榮。愛周先生

高瞻遠矚。遂與友人合股向政府標投填海工程，在新填的土地上建商店，住宅樓宇，及建廣州灣首座新型的大寶石酒店，成為地產建築界的名人及當地的富商㉖。

三十年代，愛周先生以在廣州灣發展已達限度，遂改營航業，發展至廣州及汕頭、廈門、上海一帶，與國內“招商局”及英商怡和、太古分庭抗禮。

四十年代，由於1943年日本進佔廣州灣，愛周先生轉入廣西採礦，1945年戰爭結束，其長子岐伯先生兼程回港恢復航運，航線擴展至華中、華北，更向英國購萬噸級客貨輪。韓戰期間，順昌航運更發展至東南亞，故謂“三十年代是許愛周經營中國沿海航運時期，而四十年代是許氏從事遠洋貿易的開始”㉗，近代享譽全球的我國航業鉅子如董浩雲（金山輪船公司）、包玉剛（寰球輪船公司）在香港僅開始而已。

五十年代，香港因韓戰及容納大量從大陸南下的高級技術人員與大量資金，成為“亞洲四小龍”，土地房屋需求甚大，許氏家族以其在廣州灣的經驗，立刻改營地產及建築。1957年成立“中建企業有限公司”，購著名的“香港大酒店”，建為十七層的“中建大廈”，另購入“亞細亞行”建“亞細亞大廈”，均是香港“地王”地段的鉅廈。此外，在港九新界更購得大量土地，建築大量的住宅與商業樓宇，分租或出售。許氏家族逐漸轉變為地產建築界的鉅子。

六十年代是許家轉變的關鍵時代。1966年四月十四日，愛周先生以享年八十六而壽終，時歐美經濟開始衰退，大陸發生“文化大革命”，所有海外航運大受影響，於是將航業收縮，成立“周興置業”為控股公司，透過中建企業、士昌置業、福勳置業、仁興礦務等作多元投資。其長公子岐伯先生、次子士芬先生及幼子世勳先生，均能繼承家族企業，發揚光大獲得傑出成就。

愛周先生及其子孫，除有多元化的投資外，亦大力回饋社會及從事社會工作，如愛周先生早期在家鄉創辦周興書室、坡頭中學（在博立村）、益智中學（與陳學談等合作）、四維中學（在廣州灣），在香港捐助保良局義學建禮堂（愛周堂），復與香港名紳馮秉芬、蔣法賢、陳玉泉、盧湘父等成立“白沙文化教育基金會”，岐伯先生曾任香港保良局總理、元朗博愛醫院名譽顧問。士芬先生於1977年捐鉅款予香港大學建“許愛周科學館”及“許愛周信託基金”，資助地理地質、地球科學與環境科學的研究，又捐助大量獎學金予科羅拉多大學礦冶學院及英國皇家礦務學院，以培育後進，世勳先生常捐助各大慈善機構㉘。

高第街許族有“許地”以維繫家族成員，愛周先生在香港的物業亦安置先人靈位，目前家族成員三十多人，每週必至“祖堂”聚會，此種倫理思想，是我國家族制度的功能與力量。但此二族因時代不同，社會環境不同，遂發展成不同的類型。

註　釋

① 《萬姓統譜》卷76“許姓”。

② 《通典》卷26，並云“與齊同祖”。

③ 《王文公文集》卷23。

④ 劉恕《通鑑外記》云：（一）文叔、（二）德男、（三）伯封、（四）孝男、（五）靖男、（六）康南、（七）武公、（八）文公興父、（九）莊公。

⑤ 許男斯被俘後，宗族散於各地，在晉有許偃，楚有許伯，鄭有許瑕，均載於《通典》卷26。

⑥ 據林寶《元和姓纂》卷6“許”。

⑦ 同註①。

⑧ 據《圖書集成氏族典》“許”。

⑨《新唐書·宰相世系表》至許據自許敬宗僅十二世而已。

(一)據、(二)允、(三)殷(其姪)、(四)式、(五)販、(六)詢(其姪)、(七)元之(其姪)、(八)勇慧、(九)懋(其姪)、(十)亨德、(十一)善心、(十二)敬宗。

⑩《元和姓纂》卷23云:圉師乃紹之孫,其父名智仁。

⑪ 據《舊唐書·許遠傳》謂其曾祖為許敬,但《新唐書》則謂高曾祖為許敬宗,因世系分明,故採《新唐書》。

⑫ 轉引自許雲樵編:《許氏大宗譜》。

⑬ 據康熙十年許天鴻序《鳳城玉簡峰宏安寨許氏族譜》補充:克華授宣威將軍,子襲其職。

⑭ 拙著《從族譜資料中淺談宋代中原士族遷粵之兩道及其史事》載《政治大學歷史學報》第十期(1992年正月出版)。

⑮ 書藏於美國猶他州家譜學會圖書館顯微目錄1.130,799。

⑯ 譜藏美國猶他州家譜學會圖書館顯微目錄1.210,478。

⑰ 同註⑮、⑯,顯微目錄1.1211,906。

⑱ 據湛江市博立村《許氏宗譜》(未書編者)。

⑲ 引自《廣東高第街許氏家族》,李廷賢主編,廣州市越秀區地方志辦公室1992年12月出版。

⑳ 參考《番禺縣續志》,丁仁長、吳道鎔纂。

㉑ 據湛江博立村(舊名坡頭)《許氏家譜》(未書纂修人)。

㉒ 筆者曾親至莆田採訪,該縣縣城有古村(明代古村,內有大井六口土話名朱基,故為珠璣),待考。

㉓ 按:永瑢《歷代職官長》,明代地方設指揮所鎮守,有戰事時始加總兵銜而統兵。又,應檟《蒼梧總督軍門志》卷6,明初曾設鎮守總兵官一員,專治閩粵贛邊區之事,廣東各地設參將、守備諸職。又楊霽之《高州府志》,順治十二年曾設高雷廉總兵官,而無“鎮守”二字,後設高州鎮總兵官,轄地不擴至雷廉,疑許福在明乃駐守高州之守備(其上是參將),參加討寧王宸濠殉難而追贈總兵,修譜者誤將清制作明制。

㉔ 正德十四年七月,宸濠出江西入皖,御史王守仁檄諸郡兵先後至,疑許福即自高州應檄北上征討。

㉕ (一)高州新坡許族始遷祖文璧,弘治辛酉(1501)副榜貢生,但未言生平。許福逝於正德十四年(1519),生卒年亦不詳,時代相近。(二)許文璧墳在六羅村低峒,許福之墓在綠羅,同音疑字,且村人云:新坡許姓每年亦至許福墓拜祭。(三)《許氏大宗譜》“仕宦行實”首列許福,習文,與新坡祖許文璧事蹟同。另同譜有許武略,為高雷廉鎮守總兵,事蹟與博立村始祖,而最近重修之墓碑(1984),上書“武略府君”,一文一武,未知同是一人,抑或是兄弟?待考。

㉖ 參考林春繁《愛國愛鄉實業家許愛周先生生平紀略》,載於1991年湛江市坡頭區文史第一輯。

㉗ 引自蘇獻章《僑領許愛周海外事業的發展和對祖國的貢獻》載於香港大學亞洲中心1991年出版《亞太區地方文獻研究論文集》。

㉘ 節自《許愛周家族發跡史》,載於(1989)香港《資本雜志》Capital 第25期。

第六章　兩本新譜之評介

第一節　《新會潮連鄉蘆鞭里盧氏族譜》評介

甲、簡介"譜"與"纂修者"

《廣東新會縣潮連鄉蘆鞭里盧氏族譜》,自言以齊太公後文公子高孫傒食邑於盧,因以為氏。其言似引自凌迪知的《萬姓統譜》①,其始遷祖隆,號龍庄,於宋來自廣東南雄府保昌縣沙水村珠璣巷,遷至古岡州(今新會)潮連鄉蘆鞭里居住,至今已逾七百年。該族初修譜於明正德弘治間(1488—1521),再修於萬曆十二年(1584),三修於萬曆四十一年(1613),四修於天啟年間(1621—1627),五修於康熙五十二年(1713),六修於宣統元年(1909)。本譜乃第七次重修,時間為民國三十六年(1947),原書藏於香港大學馮平山圖書館,七百年來世系脈終相連,若干宗支也許已脫漏,但仍不失為古譜之一。

第六次及第七次的纂修者乃清貢生盧子駿,字湘父(1868—1970),幼年為廣州萬木草堂的學生,三十一歲(1899)東渡日本,為大同學校教席,與梁啟超、徐勤等隨康有為遊,翌年(1900)歸國。1901年參加廢科舉後之策論試,列為貢生。同時在澳門創立"湘父義塾",與陳子褒孝廉同稱香港、澳門早期的"新學"啟蒙者,1911年移居於香港。民國肇造,以"遺老"自居,與在香港之陳伯陶(撰《東莞縣志》)、桂坫、朱汝珍、江孔殷等太史組"千秋詩社"。又與葉恭綽、鄭洪年等遊,1970年卒於香港。終身從事教育,曾建湘父中學於澳門、孔教學校於香港,又與陳煥章博士創孔教會於北平及香港。清末民初,香港澳門所謂"新學",陳子褒與盧湘父實為啟蒙人,曾撰《三字書》、《四字書》、《五字書》三種兒童讀本,以新型式而表達儒學思想。韓國學者權道溶、李學魯認為有裨於"聖教"(孔教),曾重刊以資流傳②。其著述流傳者,尚有《季瑞堂家譜》及《潮連鄉志》,凡二十餘萬言,兼溶新舊學,體例雖多創新而內容卻遵守傳統,是新舊思想相衝擊下的人物之一。

乙、"譜"之創新

傳統式的"族譜"以世系、源流為主,兼教家傳、族訓、墓地、經濟(族田)等。盧湘父纂修之“譜”，無族訓、墓地及族田，祖先葬於何地則附於世系及家傳中。因長期居於中西文化交流點的香港、澳門，又曾任教於日本，其譜与傳統谱有若干改變。因此，其“譜”中採取“新形式、舊内容”，而“内容”中特多地方史料，以解釋對該族之影響，是合方志與族譜為一的新嘗試。按：該譜的内容分七部：

（1）卷首是《序記》，即《譜序》。按：“譜序”是“譜之源”，一族之發展均可在譜序中窺知其概。該族南遷至廣東，二百餘年後始撰修族譜，最早是弘治、正德年間第十世孫秉元所撰[③]，但無序文留傳，以後：

A. 首篇序文是萬曆十二年（1584），十二世孫孔獵所輯。據《家傳譜·孔獵傳》：“弘治、五德間之族譜，至是已殘缺不全，於是起而編輯之。”按：弘治至萬曆間，新會屢有饑荒，嘉靖、隆慶間又有傜亂，尤其嘉靖三十一年，海賊寇新會，蘆鞭是沿海鄉村，疑受損害[④]，故孔獵云：“（譜）已殘缺不全。”即此原因。

B. 萬曆四十年（1613），亦十二世孫夢禎所輯，據《家傳譜·夢禎傳》謂：“（孔獵）本第其間字號，多以己意附會，未免為信譜之累”。按：弘治、正德間本既已殘破不存，需要補輯，但孔獵非積學之士，據《家傳譜·中本傳》云：雖曾從其舉人伯父讓德遊，但未考取功名，未曾出仕，未見實學。其補輯之時，對殘缺不全之世系、事蹟及字號，“以己意附會”。而夢禎為邑庠人，讀書耿直，雖未出仕，但號“儒林文人”（據《家傳譜》），知識較孔獵為高。故加以修訂輯補，在體例上增圖說，為世系，為詞規，較前譜為完備。

C. 天啟間（1621—1627）第三次續修，為十二世孫九禮所輯。夢禎本既相當完備，故此次重修祇是“搜輯顛末，網羅遺佚”而已。據《家傳譜》云：“上以承萬曆二次續修之功，下以立康熙續修之張本”。

D. 康熙五十二年（1713），十世孫方申，十五世孫繼球，十七世孫九招作第四次續修。是時恰在明清鼎革之後，據《原序》：“自天啟至今，鼎革百年，舊譜出於蠹燼之餘，不免闕如致嘆。”於是以繼球為主纂。按《家傳譜》，繼球於康熙三十七年鄉試為第三十七名舉人，同修者雖有方申、九招，但凡例為繼球所撰，並訂下“始履華中和，繼芳應位育”十字為輩份命名，週而復始。但其子莪洲（康熙五十二年舉人）卻未遵輩份命名，不知何故。

E. 第五次續修則在宣統元年（1907），上距康熙修譜已二百年。按：康熙以後修譜之風頗盛，一般以三十年一修為例。此二百年中，盧族有三甲進士一名，舉人十三名[⑤]，非無人才，可能無修譜之志者。宣統元年四月，湘父發起重修，歷時二載有餘，據《序》云：康熙舊譜祇有宗支一門，湘父仿南海《朱氏族譜》，增入“思榮”、“祠宇”、“家傳”、“雜錄”四項。

F. 第六次續修在民國卅六年（1947），時湘父已八十餘高齡，在宣統時所修之舊譜因抗戰關係，族中已無保存。是年無意中在廣東省立圖書館中發現宣統舊譜，於是發起續修。所謂續修，不外增《藝文譜》一項而已，餘悉照舊，本文所引即民國卅六年本。

（2）卷2—卷21為《宗支譜》。即舊譜中之“世系”，其分十一大房[⑥]，分佈於粵中的南海、新會、中山，粵西之羅定、雲浮、鬱南，粵南之茂名、信宜及廣西之梧州、平南等地。在宣統元年修譜時，湘父曾親自作實地調查，自西江上梧州、平南、柳州，再南下歷中山、羅定等地，持族譜在各地相對照，遂尋得分散各地之宗支[⑦]。昔日司馬遷、顧炎武親歷名山大川而撰史，湘父千里跋涉尋“根”而撰“譜”，與傳統之修譜有別。故其譜中地方史料特別豐富,是合族譜與方志為一之“譜”。

(3)卷22是《恩榮譜》,是仿自國史之方志的體栽。如制誥則仿自“聖訓”,進士、舉人、文學、國學、畢業、恩例、封贈、頂戴諸項,是沿襲於“選舉志”。仕宦一項則沿於“鄉賢”,旌節、耆壽亦方志項目之一。該譜合而為一,名曰《恩榮譜》,頗有“光宗耀祖”之榮,是合方志與族譜為一的創新。

(4)卷23為《祠宇譜》,共蒐集得七十一間祠廟,祠廟中主要是記載列祖神牌名號,可助支族尋根及研究宗族遷移的根據。此外尚有民間宗教之廟,如華光廟、先鋒廟、洪聖廟等,亦錄有舊的碑記[8]。按:方志與地理書之別,主要是方志中增設藝文,尤其是金石碑刻,豐富了地方資料。一般族譜罕有全錄碑刻全文,此是該譜的特點,合家譜與方志為一。

(5)卷24為《家傳譜》,自始祖隆(龍庄)於宋末遷至廣東,至民國三十六年,凡七百餘年,有三十世[9]。有傳者僅三十三人,另附傳四人,其中有科名者,計進士一人,舉人而有傳者五[10];經商致富者有三人[11]。其中盧廉若一家,在澳明稱盛族[12]。仕宦最高者則為廿二世朝安,以軍功擢至兵備道,按察使司,加二品銜[13]。

(6)卷25為《藝文譜》,內分文集、詩集二部,兩部又分“本集”(盧氏子孫作品)、外集(外姓人士有關盧氏及所居地的作品),對地方史料及文學富參考價值[14]。

(7)卷26為《雜錄譜》,名為“雜錄”,然搜羅豐富的地方史料共有四十九項[15]。其中可供地方史參考的有:

A. 南雄珠璣巷(按:粵人南來多言始自珠璣巷)

我邑民族之始遷。多半本於咸淳九年由南雄珠璣巷者。今街巷談話。咸淳年三字。成為名詞。為最古遠之意義。與地球人類言上古必稱洪水同例。而南雄珠璣里。為先代起源之地。男婦咸知。幾同於人類初生之帕米爾高原矣。考宋南雄州。屬廣南東路。宣和二年。賜郡名保昌。元至元十六年。改南雄路。屬海北廣東道。明洪武元年。改南雄府。屬廣東布政司。清朝因之。保昌縣附郭。嘉慶十二年。降為州。省保昌縣。珠璣巷之得名。厥有數說。屈大均《廣東新語》曰。珠璣巷之名始唐張昌。昌之先為南雄敬宗巷孝義門人。其始祖轍。生子與。七世同居。敬宗寶歷元年。朝聞其孝義。賜與珠璣絛環以旌之。避敬宗廟諱。因改所居為珠璣巷。又按《翁山新語》曰:吾廣故家望族,其先多從南雄珠璣巷而來,蓋祥符有珠璣巷。宋南渡時。諸朝臣從駕入嶺。至止南雄。不忘枌榆所自。亦號其地為珠璣巷。如漢之新豐。以志故鄉之思也。按巷今零落。附近所居者大率皆騾夫小販。勞力食貧。無復衣冠之氣。惟尚存有珠璣古樓云。

B. 明妃事雜考(按:胡妃事與珠璣巷有關)

始祖龍庄公。自珠璣巷南徙之故。相傳以為因胡妃事。然正史不傳。大都據小說所談俳優所演。以為旁證而已。胡妃事。或又以為蘇妃。其說不一。世俗所傳。則謂胡妃得罪。出為尼。廷旨行查。有兵部張英桂者。訪得南雄奸民。運糧至京。藏匿載歸。奏聞。遂詭稱南雄逆寇為亂。擇地建築平寇寨所。時有指揮使喬輝在京。知其事。遣家人奔報。南雄人懼。相率而逃。在珠璣巷者。約遷廣州。恐人眾生疑。遂聯稟請給憑信。稟內九十七人。其餘不同稟者尚多云。

按黎氏春曦曰。我廣州各家族譜。始祖多自南雄珠璣巷來。相傳宋咸淳間。有胡妃逃死。珠璣巷人慮禍。相率結筏。挈家順流而下。胡妃事涉不經。或考咸淳六年。徙保昌民實廣州。則北江水淺。乘桴而來。事信有之。

又按羅氏天尺曰。子讀《廣州巨族譜》。多遷自珠璣巷。乾隆己未。計偕歇嶺下。訊土人。果有珠璣里。殊鮮衣冠族。何陵谷變遷。一至此也。隨閱胡黃門《保昌志》。紅梅司屬村有上北一郡。都有沙水街。近塘圳。想所謂沙水村。舊傳匿蘇妃即此地也。據黎氏則云胡妃。羅氏則云蘇妃。俗說不實。流為丹青。足證其事之淆訛。雖然。或者胡蘇音近致誤。亦未可知。其逃難貽累云云。決非無根之談也。考《宋史》咸淳八年秋九月。有事於明堂。賈似道為大禮使。禮成。大雨。似道期帝雨止升輅。胡貴嬪之兄顯祖。為帶御器械。請如開禧故事。卻輅。悉逍遙輦還宮。似道大怒曰。臣為大禮使。陛下舉動。不得豫聞。乞罷政。即日出嘉會門。帝因留之不得。乃罷顯祖。涕泣出胡貴嬪為尼。似道始還。諸譜所載。或即此事。按似道於咸淳六年。嘗因宮嬪言襄陽受圍。誣以他事賜死。胡嬪既得罪似道。懼誅而逃。亦情理所有。果爾。則事關宮禁。且與似道有關涉。無怪珠璣里民之挈族奔竄矣。

C. 康熙移村(按:康熙移村與閩、臺、粵間關係甚大)

煙山古廟之傍座。有王巡撫(來任)像。其下兼祀李周總督等三小像。蓋康熙移村之時。流離轉徙。艱苦萬狀。其後得以安居復業者。皆此諸公之力也。移村始末。多有欲聞其詳者。今縷述之。先有明末時。唐王聿鍵稱號於福建。改元隆武。以鄭芝龍為將。清兵入閩。芝龍降。芝龍子成功。逃居海上。起兵踞金廈二門。屢寇閩浙。及順治十七年。自江南敗回。乃取臺灣為巢穴。潛與內地奸民通市。資接濟。十八年。朝廷遂下移海界之令。詔沿海居民。距海五十里者。盡徙內地。禁漁舟商舶出海。以杜構煽。康熙元年二月。詔書至廣東。命內大臣科爾坤介山巡視督徙。且賑貧民之不能遷者。康熙二年癸卯。番禺蛋目李榮周玉叛。李榮周玉。以捕魚為業。所轄繒船數百。設樓櫓。列器械。三帆八棹。衝濤若飛。平藩尚可喜。以其能習水戰。委以遊擊之任。遇警週遣。水上賴安。自奉有海禁之旨。於是盡掣其船。分泊港澳。玉等遂反。焚汎哨廬舍。獨於居民一無騷擾。自稱恢粵將軍。破順德縣。執知縣王允而去。十月。突入我邑之江門。遊擊張可久死之。既而平藩遣兵破其眾。玉就擒。餘黨潰散。康熙三年春。續遷番禺順德新會東莞香山五縣沿海之民。因懲於李榮之亂。恐遷民仍通海舶。故畫界事特嚴。其法先畫一界。以繩直之。其間多有一宅而半棄者。有一室而中斷者。濬以深溝。別為內外。稍逾跬步。死即隨之。時當道臨縣勘定海界。會潮水大至。稻田彌望皆巨浸。而署縣與都司。欲因以為利。民無以應。遂逼城為界。近郭腴田。悉為界外。民皆老攜幼。流離載道。惟都司耿光。日於鍬界處所。置酒為樂。遷民貧者行乞街市。露宿衢道。往往餓死。然門有死者。則署縣婭歷李肇豐。又藉查究死者原因為名。由是連逮保甲鄰右。貽累多人。闔城民畝不安枕。此邑城遷海之慘狀也。我潮連鄉四面皆海。亦在遷徙之例。維時顛連辛苦。亦殆類是。康熙四年。巡海使者至廣東。設沿海墩臺。自元年以來。大臣歲來巡界。以臺灣未平故也。是年前。總督李率泰遺疏。請寬邊界。其略曰。臣先在粵。粵民尚有資生。近因遷移。以致漸漸死亡。十不存其八九。為今之計。雖不復其家室。第乞邊界稍寬。則耕者自耕。漁者自漁。可以緩須臾死。瀕海居民至今德之。二月間。遷海貧民流散失業。飢殍蔽道。棄兒塞路。生員余開臨等。請知縣金爽發冊募捐。存活者數千人。康熙七年戊申。遷民結黨為亂。三月。巡撫王來任上展界之議。其略曰。東粵負山面海。

疆土原不甚廣。今概於海濱之地。一遷再遷。流離數十萬之民。歲三年餘之賦。地遷矣。又在設重兵以守其界。築墩臺。設樁柵。歲必修葺。所費不資。錢糧工力。皆出之民。其遷者已若仳離。未遷者又愁課派。欲民生不困。其可得乎。請即弛禁。招民復業。腹內之兵。撤駐沿海。以防外患。則國家可以漸補。土地不輕棄。而民生更大有裨也。如謂遷棄之事小。而防禦之事大。臣思設兵之意。以捍封疆。以資戰守。今海寇侵略。乃縮地遷民。棄門戶而守堂奧。臣未之前聞也。臣撫粵二年有餘。亦未聞海寇大擾。所有者。仍被遷逃海之民。相聚為盜。今若展其邊界。則盜亦可弭矣。先是遷者委居捐產。流離失所。而周李餘黨。乘機剽掠。巡撫王來任安插賑濟。存活甚眾。以病卒於粵。遺疏極言其狀。及御史楊雍建條奏。詔可之。遣都統特某。副都總魯某。戶部侍郎雷某等。會同平藩尚可喜。總督周有德。巡勘。議撤排柵。改設各汛墩臺。康熙八年己酉二月。詔頻海遷民復業。以巡撫王來任遺表。又總督周有德疏繼之故也。於是元年所遷百姓。得反鄉土。潮連海邊。有洪聖廟。素著靈驗。移界命下。鄉人在廟求神乩卜。書一香字。解云。千八日也。計鄉民流徙至復業。果符其數云。

D. 馬雄之亂(按:馬雄之亂與後三藩有關,可補粵桂地方史之不足)

廣西丹竹房迺烱公一支。實因康熙間馬雄之亂。始由城西瀧水都之樓墩。倉皇出走。同時遷居者有十八姓。初至廣西潯州府平南縣之武林鄉。立有十八姓祖社。後乃分居丹竹。故馬雄之亂。於吾族殖民之故。頗有關係。數典者所宜知也。先是康熙十二年冬。平西王吳三桂據雲南反。廣西提督馬雄叛應之。十二年。新會官田鄉賊李山官七梁經玉等。群盜復起。焚劫村堡。十月。平藩左翼總兵班際盛。水師總兵張偉。率兵至新會。勦官田賊。不克。以李山官七祖籍六洞。遂屠六洞村。以梁經玉所棄之妾在河村。遂屠河村及馬洞。張偉又乘機掠數小村。虐甚於賊。十四年。三桂遣賊將董重民。連馬雄兵犯廣東。雄遂自廣西陷高州。與總督金光祖相持於余峒。新會群盜。四起響應。及余峒兵潰。賊勢漸逼。城中洶懼。城外居民逃徙。自東關至江門水南。皆無煙火。冬十月張偉班際盛先後率兵入城防守。(《丹竹譜》有謂十四年乙卯。班總爺率兵征開平。各圖拈冊。我潮陽潮居兩都。幸無賊匪。所謂班總爺。殆即班際盛。其征開平。則因開平賊首余村余富潤聚眾數千。欲過平逕東掠羅坑小岡城西諸鄉之故)。十二月。土寇李山官七梁經玉等。以馬雄將至。遂攻邑城。是時賊眾未集。十五夜。其黨張斌等遽以數百人從實城踰城入西山砲臺據之。插紅旗城上。賊黨充塞街衢。把總陳龍德守馬山。首刃一賊。千總林達繼之。殺賊甚多。復居西山。千總張雄等率兵巷戰。賊不支。乃逾城出。十六日總兵張偉大掠城中。開門出奔。百姓見偉走。亦爭挈家出。偉盡驅其妻子北去。至江門。遇總兵孫繼宗。詰之。偉誣城內盡叛。遂之以出。時匪尚屯分水江。待眾賊至。將復攻城。知縣王家啟。謀往江門請援。乃夜遣舉人李英陳英昌武舉譚福梅等數十人縋城。趨江門。哭請於孫繼宗。張偉猶在座詈請援人為賊。孫不直之。乃發馬甲三百馳救。時賊已合圍。不意兵至。遽前擊之。賊大敗。斬首百級。城獲全。張偉復入城。殺無辜數十人。十五年正月十六日。馬雄至杜阮。耀兵於圭峰。二月。江門兵叛。先是藩下水師參將趙天元。卒師扼江門。是月十五日。天元劫諸將。降於雄。十六日。平藩子尚之信。遣兵援新會。出自韋涌。聞江門水師已變。踉蹌步還。未幾。之信與總督金光祖并叛降吳三桂。新會援絕。張偉與城守遊擊芮夢龍。亦以城降。三月一日偽糧道耿文明。遣役至邑催餉。民不肯輸。文明因指諸村民為逆。馬雄遽發兵殺擄七堡小岡大凹潭墩等數十村。新化遵名石碑潮陽潮居諸都。男婦被殺者數千。被擄者數萬。丹竹迺炯公等兄弟。暨十八姓人衆。殆即此時出走矣。有天台村民。以大義相鼓勵。築壘禦賊。相持者十日。殺賊數百。賊憚。呼為蓮花寨。後力竭。村陷。殺擄百餘人。又潭墩鍾姓。有處女九姑色美。賊將欲得之。話鐘姓曰。送九姑來。吾保全而村。父老不可。九姑慷慨請行。賊將喜。乃使鍾姓於村後山上。積土為塍。以自識別。遂免焚掠。賊去後。九姑不知所終。父老哀之。遞年為之設齋。名曰九姑醮。至今不廢云。雄旋撤去。往肇慶。復歸廣西。據柳州。病死。其子承廕。領父衆。封偽懷甯公。後見吳氏勢削。乃詣巡撫傅公宏烈請降。

E. 張保仔之亂(按:張保仔之亂影響廣東沿海甚大)

嘉慶九年二月二十二日。外海陳明剛通海賊。劫掠外海鄉。守備曾守仁觀望不進。在藉侍郎陳大英。督鄉人捍禦。二十四日賊始去。外海之與潮連。盈盈一水。匪氛猖獗。我鄉之震動可知。自是海寇之禍。時時悚惕。嘉慶十四年。有張保仔之亂。我潮連鄉雖幸未遭劫。然鄰近各鄉。其焚掠之慘。耳不忍聞。至今父老。偶述一二。猶有談虎而色變者。當時我鄉之戒嚴。人情之讋慄。實為族中一重要事。不可不有以紀之。我廣東地勢。洋面分為三路。惠潮為東路。廣肇為中路。高雷以下為西路。大海環其外。東西洋海舶。叢集沓至。自群寇陸梁。海道的梗塞。其初起也。大率是疥癬之疾。不以介意。無何而船日益夥。黨日益衆。而寇氛遂不可制。先是乾隆末年。安南國阮光平父子竊國。師老財匱。乃招誘沿海亡命。資以兵船。誘以官爵。陰令入中國劫內洋商舶。以濟兵餉。夏至秋歸。蹤跡飄忽。大為粵患。繼而內地土匪附之。遂深入閩浙。三省洋面。皆為蹂躪。會安南為農耐王阮福映所滅。謹守朝廷約束。盡逐國內奸匪。由是各賊在閩者。為漳盜蔡牽所併。在粵者亦分幫行劫。維時著名者六股。曰郭學顯(亦名郭婆帶)。曰張保仔。曰梁保(亦曰總兵保)。曰麥有金(亦稱烏石二)。曰李尚青。曰吳知青。其小股不計焉。郭學顯張保仔。同事巨盜鄭一者也。學顯番禺蛋家子。轡業漁。為鄭一所執。并擄其父母兄弟。遂脅從。鄭一死。即率衆自為一股。領船百餘號。船各七八十人。或百人。旗幟色黑。曰黑旗幫。張保仔踵鄭一之餘孽。以事鄭一之姪安邦。安邦耎儒無能。聞砲聲。輒掩耳。張保仔實左右之。張保仔每劫掠。衆有不前者斬之。得財悉瓜分。不事蓄積。擄人不妄害。仍聽命於鄭一之妻石氏。或曰保與石氏。陽稱主僕。實為夫婦也。船領二百餘號。船各七八十人。或百人。旗幟色紅。曰紅旗幫。梁保一股附之。旗幟色白。為白旗幫。三股分據東中兩路。有急相救援。互為首尾。西路則吳知青李尚青麥有金三股。有金兄有貴(亦曰烏石)。大弟芝吉。世居海康之烏石鄉。曾受安南偽封。迨阮氏滅。始為。海康生員黃鶴者。以事褫衣巾。輒投有金作謀主。為佈偽檄。脅鄉愚。斂財物。歲計得銀不下十萬兩。而潿洲硇州孤懸海外。遂為賊巢穴。李尚青吳知青朋比以益其勢。由是東中西三路俱擾。先是總督百齡蒞粵。政令嚴明。群盜屏跡。會擢去。吏治復弛。盜風益熾。至是百公再來。講求治盜之策。以為盜之所賴以抗士卒者火。所賴以縻黨羽者食。所賴以為藏身之固者舟。然不有接濟之者。安能取用不窮。乃遣幹員分赴海口。譏調米艇及禁物之出洋者。其要隘則戍以重兵。賊於是不得食。始困。又準鄉紳呈首岸匪。嚴詰潛縱。其武弁則不敢庇瓜牙。通線索。且穀米騰貴。每石值銀二兩至三兩。出口亦無所漁利。洋盜益阻飢。五月甲寅朔。遂率幫船五百餘號。闖入內河。初九日。鄭一嫂張保仔將犯新會縣境。署縣沈寶善親往江門堵禦。我潮連鄉先已戒嚴。巨砲林立。賊不敢犯。時洪聖殿以靈顯著名。賊託言不畏潮連人。但畏潮連神。遂揚帆而去。一無所犯。時潮連對海之荷塘鄉舉人李大成。白石鄉人唐寅亮等。亦招丁壯。築砲壘。晝夜禦守。并請兵於縣。賊乃遁。鄉人安堵。十三日。賊轉入沿滘口。沈寶善衣短後衣。督紳士軍民。悉力禦之。賊道長沙。是役也。參將孟某怯儒不出。人心恇搖。莫不慄慄危懼。而沈寶善獨坐筍輿。晝夜巡詢。各鄉立砲臺。設水柵。練鄉勇。為功甚鉅。十四日。賊劫牛渚灣復興墟。沿途殘破。尸積填河。署總兵許廷桂。砲傷郭學顯父。賊黨死傷甚眾。許總兵亦以失機陷陣。可惜也。亦月。總督百齡。至新會開平長沙。勘驗匪被劫處。其所以賙卹難民者甚厚。十六日。張保仔等。復由崖門入泊銀洲湖。八月。賊從蕉門入。沿河村莊。遍遭荼毒。惟東莞風俗勇悍。以敗賊聞。而黃連鄉為南順下游門戶。軍火素具。又水陸交通。龍江山勒樓甘竹九江河頭河清古勞諸處。各鄉率勇赴援。相持月餘。僅而獲全。其餘雞洲烏洲大洲上直下直熹涌紫泥瀾石等處。被難之家。奔告制府。登聞鼓至為擊碎。總督百齡。乃大集舟師。困賊於赤瀝角之大嶼山。欲縱火焚之。將聚而殲焉。賊懼。乘夜潰圍而逸。或謂有流兵元戎。久在行伍。庇賊。與賊有連。當賊闖入時。遣子勸止。為所留。恐玉石俱焚。故逸賊以免子。未知其審。弗敢決也。先是郭學顯有乞降意。因制府銳意剿賊。且恐無以取信。故當張保仔困赤瀝角時。求援於學顯。學顯弗許。乘其敗。縱擊之。擒三百餘人。奪大船十六艘。赴歸善縣之平海獻捷。乞降。制府受之。收其眾六十餘人。船百十有三。大砲五百。其黨馮用發郭就喜張日高等數十船。水手鋒銳千人。散處於陽江新安者亦降。事聞。獎學顯把總。餘各留遣獎敘有差。時嘉慶十四年十二月也。十五年庚午二月初十。賊毀虎坑水棚。直入長沙。燒鋪戶二百二十餘間。時新會沿海村鄉。燒劫甚眾。九如鄉及慕山等處。死者擄者尤多。十四日。張保仔等劫掠三達東頭等。時小岡村鄉勇救援。傷賊數十人。賊劫始沮。四月。張保仔自敗於赤瀝角後。有投誠之意。百文敏令日者張飛鴻之。許其立功自效。是年四月。助殲烏石二(即麥有金)於儋州。乃與鄭一嫂蕭雞爛等俱歸正。總督百齡親蒞香山撫之。張保仔受千總銜。領兵捕餘寇。自是沿海民始得安枕。(旋署順德協副將。以怨仇多不自安。調福建水師。又阨於提督王得祿。怏怏而死。其妻一嫂。攜保子回粵。僦居旗房。像祀百文敏於中堂。一嫂雖閒住。猶擁厚貲。延旗人教其子與馬。冀廕襲。而子不肖。以瘵卒。後竟凌替)。

F. 紅巾之亂(按:此乃太平軍之餘波,正史及地方史多忽略)

咸豐四年紅巾之亂。闔邑騷動。江門白石外海荷塘等處。均遭蹂躪。我潮連雖小有劫掠。然尚無大幫之外匪竄入。故稱幸免。而當時人心惶惶。不免風鶴之驚。每鄰近有警。輒呼喊至。則扶老攜幼。潛匿於山谷間。維時我鄉亦有匪首。以巢穴所在。恆悉力以禦外寇。然其中魚肉鄉里。嚇詐財物。或世僕積忿於主人。乘機報復。如順治二年社賊故事者。亦多有之。其圍攻邑城。糜爛鄉堡。不可不詳記顛末。使後世知當日賊勢貔猖。乃祖乃父狼狽避亂。卒苦墊隘。而後知今日太平之幸福也。先是道光三十年。洪秀全肇亂於廣西。旋踰嶺涉湘。絕長江。踞金陵為窟穴。東西各省。先後蹂躪。至是廣東莠民。聚眾拜會。黨羽潛布各州縣。約期同反。遙相應附。咸豐四年甲寅。五月十三日辛亥。會匪何六。踞東莞之石龍。庚甲。攻陷東莞縣城。省會震動。乙丑。新會營參將衛佐邦。及其麾下戴朝佐湯麒照等。俱奉督院調護省。知縣陳應聘深以為憂。大集邑紳團練。開局岡州書院。議者仍狃於承平。謂可其文訖事。諸生陳殿蘭致書陳應聘。語極危急。在籍江西永豐營都司梁英忠。自鄉間得耗來。謂亂象已成。克日堵禦。非勸捐召募。官紳為倡不可。因首捐銀三百兩。籲應聘加至五千兩。舉人何琯力贊成之。議始定。集戶開捐。張榜募勇。二十八日乙未。為壇北較場。陳兵誓眾。七月初八日乙巳。陳松年呂萃俊糾眾蹂江門作亂。十五日壬子。逐圍縣城。知縣陳應聘。會守備馮瑞林吳元陞舉人何琯等。悉力拒守。至八月十四日庚戌。省援兵至。擊敗之。圍解。松年。潮連岡頭人。眇一目。萃俊。範羅岡人。六寮更目。素蓄異謀。互相煽結。至是鄰屬順德鶴山相繼陷。刑牲糾眾。屯狗山。號召諸匪。元陞卒快蟹四艘。剿豬頭山。不克。退保江門。悉狀。益以眾寡不敵。引還。初十日丁未。弁紳登陴防守。四鄉賊雲集響應。城内一日數十驚。知縣陳應聘以局務委成於何琯。其餘弁紳。分任戰守事宜。部署定而外圍合。鏖戰屢日。連敗賊眾。而賊以邑城地勢。扼省會西南尾閭。陷之可聯省賊為一氣。以控制高廉。故九江佛山諸股。紛紛蝟集。附城名匪。復聚眾策應。北街崖門兩砲臺各砲。均為所掠。遂奮力再攻。而城中死守不可拔。時刑幕唐廷楨。間道赴省請援。適省圍燕塘大捷。新會營卒頭仗。功稱最。僉以鄉井淪沒。無心戀戰。讙譁督轅。會寓省舉人英三俊等。呈請捐餉助救。於是師期乃定。八月十四日。省援至。賊大披靡。圍遂解。當是時。四鄉賊目。豎旗聚眾者。所在多有。如黃協成起杜阮。黎與漢起都會。陳協槐起外海。盧位取起潮連。李俊起荷塘。施連福起裹村。朱津起丹灶。何倫正起白沙。趙志盛起皋頭。張鏞德陳萃確起禮樂。伍從第起麥園。李安起麻園。梁世輔起東甲。蘇淑成起岡背。林祥起北洋。黃連起張村。李象能李德炎起七堡。譚振綱起南坦。張龍李嗣想起河村。陳尚起天湖朗。黃植三起水背。其餘不知姓名者。不可悉數。而附城各匪之嘯聚者亦夥。如鍾賢起沙隄。李聚起泗沖。陳士忠起五福里。黃瑞起大塾。馮桂起紫竹里。陳巨芳起渚灣。楊松起帝臨堂。余存起四塾。他如德滋里東關頂花橋亭等處。婦孺為賊守望。凡從賊者裹紅巾。服梨園衣冠。造洪順堂洪義堂印。署置將軍元帥先鋒軍師等偽號。稱官兵曰白兵。賊為紅兵。八月十七日癸丑。餘賊復聚於都會。丁巳。聚於江門。官兵均擊散之。九月初一日。邑之東北方紳士。唐金鑑、黃駒、尹萃、盧文盛、黃鶯鑣、呂遇鴻、唐金華、陳濟清、李乾元、李星煇、林潤芳、容銑等。集議於景賢書院。請知縣陳應聘亟開練局。以防後患。其經費取諸東北民田市肆。即書院旁舍為局。以晨夕聚謀。各備資糧。召募出守。初七日癸酉。呂萃俊窺東北局草創。諸戰具猝未備。糾餘匪數十艘。橫行鯉魚山外。聲言再犯江門。時省援尚未旋師。聞信。遽揚帆乘夜去。十二日戊寅。外海賊陳協槐。勾引餘黨入外海。大肆焚掠。燬房舍一千餘間。祠宇三十餘座。火數日不滅。死傷虜亡者百數十人。老幼男女。扶攜號哭。終繹赴城避亂。庚辰。賊復入江門。官兵擊退之。時呂萃俊竄聚外河。松年結沙坪賊馮坤。盤踞瓦窯將復煽擾。十月初一日丙申。守備吳元陞等。官兵攻瓦窯。敗之。其後松年卒為新會營參將所部獲於新造。檻送省局正法。十一日。東北局勇。再敗賊於瓦窯。擣其巢穴。瓦窯肅清。棠下一帶。始獲安堵。十一月二十日乙酉。吳元陞等擊賊於白石。敗績。弁紳兵勇陳亡二百八十三人。十二月初二日丙申。岡州公局何琯等。以西南勁旅六百名。添衛江門。初東北各鄉所召勇。多未習戰。自由石敗後。人心洶洶。而西南各鄉所募兵勇。迭次得力。至是撥勇添衛。聲勢復振。己丑。陳應聘親駐江門犒軍。賊水陸齊犯。麾眾奮擊。逐大破之。自是賊不再犯江門。其後萃俊諸匪。為岡州局以次購獲正法。五年乙卯二月二十九日。荷塘賊李俊。招引紅旗賊船大小數百。駛至蠕步渡頭。蜂擁入村肆掠。猝不及防。劉容李三姓居邊隅者。雞犬一空。容姓遭害尤甚。虜去數十人。所不被劫者僅三家。次日復大至。容姓鄉勇力戰卻之。多所斬馘。賊劫新樓容姓各家而去。潮連鄉守禦嚴密。故雖與荷塘相隔僅一衣帶水,而賊不敢犯,亦云幸矣。

丙、"譜"之評議

《新會潮連蘆鞭里盧氏族譜》與傳統式的家譜一樣,篇幅最多的是《宗支譜》,但體例上因纂修者曾接受"新知",所以有所革新。如將族源及譜序併於卷首《序記》中。仿方志內若干項目而創《思榮譜》,將傳統的墳墓刪去另立《祠宇譜》。而譜中仿方志增碑記,以增加地方的"特色"。"家傳篇"僅將若干有貢獻的祖先作詳細敘述,與方志中的"鄉賢"、國史中的列傳一樣。最有價值的則是《雜錄譜》,其中載有大量地方史料,可補方志之不足。該譜不單是一族的記事,兼敘該族居地之史事,著重社會之背景,是難得一見的合方志與家譜為一的"譜"。但該譜的纂修者似乎是"文勝乎史",有若干史事未能加以考證與分析,有若干著作未加引用等。局限於史學的涵養,未能深責。但無可否認,其記載之地方史料,卻可補方志之不足。僅略舉數例如下:

(1)"南雄珠璣巷",引用"恩平盧氏族譜紀事"與"瀧水都蓮邊里麥姓家譜家事"[16],二者內居相似,未有加以分析[17]。雖有南雄府引文及若干公文,甚至列有遷徙之三十三姓九十七家姓名[18],但卻亦有謂多至五十多姓或百餘家[19],未知其真相如何?至其舉族南遷之原因,據其呈予南雄府之文謂"天災人禍,民不堪命"。所謂"人禍",可能含胡妃之事,但在縣主李叢芳之批,則僅言"天災地劫"而已,無所謂人禍[20]。學者對珠璣巷史事,論者頗多[21]。按:中原民族之南來廣東,雖有南宋初或宋末二說[22],事實上卻是兩次,不論是南宋初或南宋末南來,多是先集中在珠江三角洲附近[23]。故其南遷應是受戰亂影響,且與珠江三角洲的經濟條件宜於開發有關,是地方史主要資料之一。

(2)"胡妃事雜考"。最早言胡妃之事,為周密之《齊東野語》及《咸淳遺事》[24]。而《宋史·賈似道傳》與元劉清一的《錢塘遺事》六,沿襲其說,但該事殊可懷疑,胡妃[25]其人亦有書為蘇妃者。

按:"珠璣巷"與"胡妃"本扯不上關係,方志中有敘"珠璣巷"之事始於嘉靖[26]。而文集中言"珠璣巷"則始於正德時[27],"珠璣巷"所在地亦有不同之說[28],且記載珠璣巷南遷根本未言及胡妃之事。二者合而為一,祇見於清後之族譜,且亦多疑點[29]。顯然是,先有南遷之事(宋),後有胡妃之傳說(宋末元間),明代志書以南遷之事繫於"珠璣巷"。清時之族譜[30]始合二事為一,然始於清代何時?始於何譜?何譜隨之引用?則尚待考查。

(3)"康熙移村"。正史記載,鄭成功據臺灣,清廷設海禁,沿海村落內撤五十里(一云七十里),歷時八載,房舍為虛,人民流離失所。於是李率泰(總督)、王來任(巡撫)、周有德(總督)先後為民請命,請撤海禁,准民復業,此事地方史有簡敘,然此譜中載:

A. 沿海被逼遷之慘狀極詳，可補地方史之不足。

B. 海禁之設與番禺蛋目李榮、周玉之叛有關，亦可補地方志之不足。

C. 順治十年新會饑饉，康熙初繼之。家家多不相保，有棄兒於道中，有心人加以收養而易姓，及至貴顯始請復本姓[31]。對康熙年間廣東沿海之社會狀況之描述，可補地方史之不足，且亦為研究"譜牒"之重要資料。

D. 其他。例如："馬雄之亂"，因馬雄響應吳三桂叛於廣西及其進犯廣東，遂影響至高之信與兩廣總督金光祖叛降吳三桂。其事不僅影響廣東、廣西，且與清史有關，可補正史之不足。"張保仔之亂"，雖僅及廣東沿海數縣，《廣東通志》固未載，而《新會縣志》、《東莞縣志》、《中山縣志》、《寶安縣志》等亦言而不詳，正可補地方史之不足。至於"紅巾之亂"，乃太平軍之餘波。治太平天國史多忽略此事，而地方史之記載亦不及此"譜"之詳盡。

《盧氏族譜》不單載一家族之事，且擴大而旁及地方社會，是合方志與家族為一的新"譜"。且譜之體例亦有所"革新"，雖是"新型式、舊內容"，但格於時代背景，未可深責耳。

註 釋

①明凌迪知《萬姓統譜》，盧姓"范陽商音，齊太公之後，至文公子高之 孫傒，食采於盧，因氏"。（臺北，正光書局有限公司，1971年九月），卷11，頁344下。

②該"譜"中《藝文譜》自稱："乃撰《童蒙書》三種，然未敢自信，因與陳博士（煥章）商榷，而朱聘三（汝珍）、區徽五（大典）兩太史復為參訂，南海譚荔垣大令、四川徐子休孝廉、浙江蔣彬侯太史又多指正。印行後，嘗郵寄朝鮮友人權道溶、李學魯等，均謂有裨聖教，學魯為三韓耆宿，且將拙著印刷五百本分贈朝鮮各小學。英國劍橋大學漢文老教授翟理斯（Giles） 年八十餘，固西人中篤信孔教者，因以拙著郵贈之，承以中西文覆我一函，欣然嘉許。"

③該譜首頁，載歷代譜序，首列"明弘治正德間十世孫秉元（介所）初輯，無序文"。但第二篇孔獵的序文內稱："（秉元）襲先人之遺錄者輯而明之。"又該譜《家傳譜·十世介所公》載："成化丁未（二十三年即1487），宗祠成，公乃集諸家記載，輯成族譜，此今日族譜之權輿，實為弘治正德間事。"可見秉元之譜，必有所本，并非初修之譜，惜未能留傳耳。

④據明黃淳的《新會縣志》（萬曆三十七年即1609）卷1《紀事》"由弘治、正德至萬曆初，有地震記錄（嘉靖卅九年），饑饉（正德十三年）、戰爭（嘉靖卅一年賊寇，歷時二年，卅三年何亞伯之亂，卅五年大征傜人，隆慶三年，夷泊崖山，拐擄人口）"等。蘆鞭里均受蹂躪，損失必大。

⑤進士為十九世文起，為乾隆五十三年（1788）三甲第一百二十二名，曾任貴州、湖南的百里侯。晚年在詔州府任教授凡二十餘年，時上距康熙修志已七十四年，太史公（進士）應以修譜修（地）志為己責，可能文起因遷至中山上柵已十二世（七世祖遷上柵），未能搜集舊譜（潮連鄉蘆鞭里），懷疑因此未從事修譜工作。

二十世椽，廿一世文盛，同治時有二十世炳華，光緒時有廿一世元嘉、臣清、宗璜、宗縉、誦芬，廿二世熙，廿四世景怡等。

⑥十一大房是：（一）元白房，（二）襟江房，（三）隱南房，（四）松嶺房，（五）梅墅房，（六）雲潭房，（七）敬所房，（八）平台房（內分霞山、崑山、岐山三支），（九）東逸房（內分南懷、華峰、奇峰、侶樵、東山、南窗六支），（十）古崖房，（十一）隱所房，共十一大房。

⑦據卷首有"宣統元年增修蘆鞭里盧氏族譜始末記"稱："宣統元年六月，湘父偕族叔育榮，兄袞榮

前赴廣西調查，經梧州至平南縣，查其譜牒，知為十四世的分支，始於平台房第二子，該族亦有分居於柳州，囑其聯繫，然後南返。再往香山（今之中山）知其始遷祖為七世祖，其他如南海、羅定、雲浮、鬱南等，乃四世祖之後，再由粵中往粵西，事後均去函，然後攜族譜往查對。"用社會學之調查方法，是該譜特點之一。

⑧《盧氏族譜》有碑記，共有二十九項，計：

華光廟："光緒五年重修碑記"
盧夢齡："竹柵盧公暨陳孺人墓誌銘"
（以下均載於《藝文譜》）
盧百朋："乾隆十年煙山古廟碑記"
盧數武："嘉慶X年煙山古碑記"
盧性存："重修香山上柵盧公廟碑記"
盧大琛："平南丹竹重修盧氏宗廟碑記"
盧煥椿："光緒五年重修華光廟碑記"
盧乾初："香山南大涌遷建祖祠碑記"
盧萬基："香山上柵重修萬福祖祠碑記"
盧汝森："二十世贊亭公暨李氏太夫人墓表"
"廿二世溥泉公暨李淑人家傳（墓）表"
"盧觀察曉亭公家傳（墓）表"
盧全沛："茂名平兜馬盛公祠記"
盧晉勛："茂名平兜和盛公祠記"
盧子駿："重修盧氏宗祠碑記"
"重修東華盧公祠記"
"宣統元年修譜碑記"
"民國三十六年修譜碑記"
梁文蓮："竹明官涌橋記"
張汝霖："上柵官涌橋記"
劉仕焜："香山南大涌遷建祖祠碑記"
宋　湘："盧鞭新義倉碑記"
吳步韓："盧曉亭公宰郯城德政碑"
"盧鞭義倉碑"、"盧鞭新義倉碑"：二者俱盧族公立，無撰者姓名。

⑨湘父為廿一世，但《恩榮譜》中有廿七世觀雲，在清末有補用千總，世襲雲騎尉。又"國學"項有二十八世宜言，"畢業"項有二十九世學斌，故推算約三十世左右。

⑩進士乃十九世文起，當然有傳，舉人十三人（見注⑤），有傳者僅：（一）十五世繼球，（二）及其子莪洲，（三）曾孫數武，（四）十八世百齡，曾為潮州府澄海縣教諭，（五）十六世夢齡，曾主講岡州書院，課士有法，科第多出其門。

⑪致富者有：（一）十四世慶雲，經商於肇慶，積貲甚厚，時人稱為"盧十萬"，卜房於肇慶東門火攻營，一名泥鬧，當時"泥鬧盧"為一時望族。（二）十五世縱慧，業銅鐵於南海縣佛山鎮，明末練餉加於舊賦之上，故富家巨室，田連阡陌，至是罄諸租人，猶不足以償賦稅，因此不願名田，咸以脫稅為幸，輒賤值售之。縱慧少有積蓄，戚里咸以田廉之，初猶略給代價，居無何，催科益急，則匆匆委棄，不復索值。縱慧所蓄幾罄，恐負重累，恆閉戶不納，比啟門，而契據纍纍積於門隙中矣。既而清朝定鼎，凡前明苛斂悉蠲免，縱慧由此暴富，雄甲一方。（三）二十世華紹，號焯之，弱冠至澳門業銀錢找換，稍有積蓄，設寶行銀號，類今之銀行，以善於經營，為澳門大富商，葡萄牙曾授予一等爵士銜。

⑫盧華紹之子源翔,號廉若,為廩貢生,繼承父業,雄於資,捐為浙江補用道(疑是候補道之誤)。事父甚孝,築"怡園"以"怡親",面積廣闊,亭臺樓閣,仿自蘇州亭園。即使後來出售部份予培正中學,猶是澳門名勝之一,俗稱"盧廉若花園"。廉若兄弟十七人,其弟宗璜為辛丑(1901)鄉試解元,曾任知府。三弟宗縉,六弟誦芬,同為壬寅科(1902)舉人,兄弟舉人傳為佳話。四弟興元受新學影響,留學英國,得法學碩士,又考取大律師資格,民國後歷任審判廳長,法院院長。八弟光忠亦留學英國,習兵馬科,曾任團長。盧氏為澳門一豪族。

⑬廿二世朝安,為道光二十年(1840)武舉人,咸豐三年攝山東郯城縣篆,剿捻匪有功,咸豐四年(1854)知河南單縣。太平軍由皖入豫,進逼單縣,率軍大敗之,積功升登州知府,握兵備道,簡放按察使司,加二品銜,為盧族中仕宦最高者。

⑭《藝文譜》中外姓的作品,如:張汝霖《上棚官涌橋記》、劉仕焜的《香山南大涌遷建祖廟碑記》。與香山(中山縣)有關地方史的"詩",更多名家作品,如朱汝珍、江孔殷二太史是香港、澳門的清遺老,對港澳當時的文風影響頗大,故其詩文饒有參考價值。

⑮(一)蘆鞭開族瑣記,(二)南雄珠璣巷,(三)胡妃事雜考,(四)康熙移村,(五)馬雄之亂,(六)張保仔之亂,(七)紅巾之亂,(八)新舊義倉,(九)蘆鞭義倉碑,(十)蘆鞭新義倉碑,(十一)盧溪兩等小學堂,(十二)敦本小學堂,(十三)公善堂義學,(十四)盧溪義學,(十五)釋古義,(十六)盧公廟,(十七)七弄公,(十八)兩蒙師,(十九)二老爸與番鬼仔,(二〇)盧友章,(二一)上柵盧氏開族記,(二二)丹竹盧氏族譜記事,(二三)北甯盧氏族譜記,(二四)小欖盧氏,(二五)南雄盧氏,(二六)平南盧氏,(二七)新寧海港房,(二八)盧代家世,(二九)信宜盧氏茶亭記,(三〇)南大涌街市亭記,(三一)煙山廟大鐘款識,(三二)禾母廟香爐款識,(三三)聘賢杯,(三四)銅雀臺瓦,(三五)潮連八景,(三六)龍庄公故居及胡井,(三七)水井頭,(三八)泥砲台,(三九)蚌吐珠,(四〇)道路,(四一)石基嘴渡頭,(四二)通津橋,(四三)廟前新市,(四四)更館,(四五)圍基,(四六)水泵,(四七)園林,(四八)潮連書畫記緣起,(四九)風俗記。

⑯附錄《恩平盧氏放譜紀事》:宋宮人蘇氏。貌美性淫。貪欲無厭。有夜上遊宮舍。失調雅樂。上怒。不許入宮。時季宋宮法不嚴。紀逐自潛逃別遁。無人知覺。然後自度不可復返。及扮作遊婦。混作京都。密蹤飄泊。隨寓輒投。時有富民黃貯萬者。係南雄府給興縣牛田坊人。奉公運糧上京轉回。至關口市下泊船。備豬酒酬神。見一女人歌舞近前。大有獻媚之態。萬慕其美色。以意挑之。女即下船與萬言。娓娓不已。願託終身事。萬因載歸。後上怒。行敕復取蘇氏。不意蘇妃已出逃久矣。上怒。敕兵部尚書張英貴。欽命行文各府州縣。嚴行緝訪。經年不獲。誰知貯萬所收之女子。即是蘇妃也。改姓張。禍因家人劉莊。反主出走。揚洩弊根。傳溢官知。此詐民犯法。惟恐上怒降罪。於是會大小官僚。隱掩前因。密行計議。滅其蹤跡。以始興縣牛田坊有賊作亂。流害平民冒奏。上大怒。行取南雄府始興縣牛田坊地面。建築興良平寇營。庶幾國泰民安。梁喬輝在京都任職治事。聞知。即遣家人走報。未經詢曰。札行府縣。嚴迫遷徙。斯時始興縣牛田坊五十八村民居莫不怨嗟。惟珠璣里居九十七家互相通透。團集議曰。自古相傳。聞南方煙瘴地面。土廣人稀。必有可處。曷若向南而行。但遇其岡山融結。田野寬平。及無勢要把持之所。眾相開闢。共同住址。則朝夕相見。仍如今日之故鄉也。咸相嗟曰。斯非正道及民。乃君之無道。臣之不忠。君有曲法。臣有狂言。君不察。臣不憐。偽法乃行。生民無賴。於是簽名赴縣陳告。准立文案。求批文引。仍赴府告准立案給引。立號編甲。陸續向南而來。其案卷文引。詳載於後。

附錄《瀧水都蓮邊里麥姓家譜紀事》:宋度宗咸淳九年癸酉。先是宮妃蘇氏以事忤旨廢居。尋逃出宮。易服為丐婦。時南雄保昌縣牛田坊有富民黃貯萬。以船裝糧。至臨安灣泊。蘇氏下船丐食。黃悅而匿之。不知其宮人也。挈歸為妾。後悉其由。改稱張氏。未幾。上怒解。召妃。則不知所之。密敕兵部尚書張英貴求之。逾年無跡。英貴覆奏。已得旨免究矣。黃貯萬家僕劉莊憾其主。走京師。詣英貴告其事。英貴以前事已寢。難於復奏。乃偽稱保昌縣牛田坊民肇亂。流害遠近。應行府縣嚴查。牛田坊珠璣村民有羅貴祖者。其姑夫喬輝仕京為指揮。知其事。先馳報之。同坊萬眾。煌駭奔进。貴祖與其村民九十七名議曰。聞南方地廣人稀。不若結侶南行。擇寬廣便地。開闢住址。朝夕相見。長如今日故鄉也。遂赴縣求給文引。詳府准發。立號編甲。公挈眷屬南行。以竹結簰。浮水而下。至連州木口。遇風簰散。溺斃男女無數。至廣屬香山縣黃角大良。各投土人草屋安歇。分尋居住。成聚落焉。後亦有轉徙別縣別鄉者。麥氏有五弟一妹。及同族二百餘人。始居黃角。經三遷至明初。定居新會蓮邊里。

⑰蘇妃之說,除以上所引之族譜外,尚有《東莞英村羅氏族譜》、《南海丹山謝氏族譜》、《三水李氏家譜》、《南海冼氏族譜》、《粵東簡氏大同譜》、《香山小欖何氏族譜》等,光緒間《南海九江關樹德堂家譜》已懷疑其真實性(轉引自黃慈博《珠璣巷南遷記》)。但盧湘父卻謂:"按蓮邊里麥氏譜所載恩平南堂盧氏譜所記,雖小有出人,而大致相同,則其俱為實錄可知。"如是推斷,似嫌武斷。

⑱按咸淳九年,珠璣巷居民赴始興縣請遷之理由及名單如左:

附錄赴始興縣告遷徙詞:

牛田坊十四圖珠璣村貢生陳猷、麥秀、羅貴、李福榮、黃福愈等團為乞引逃離亟救生靈事。猷等歷祖僻住珠璣村。各分戶籍。有丁應差。有田賦稅。并無虧缺違法。向惡背良之心。惟因天災地劫。民不堪命。十存四五。猶慮難周。今又奉旨頒行取土築設營所。嚴限批行。下民莫敢不遵。猷等思得近地處無地堪遷。遙闢南方煙瘴地面。地廣人稀。堪闢住址。未敢擅專。今備簽九十七名。瀝訴大人階下。伏乞立案阤准。經渡關津崖陸。早得明路遷移。有地安生。曷勝戴思。

名單如右:陳猷、羅貴、麥秀、李福愈、吳孟魁、鄭一元、胡漢卿、黎孔照、何大參、趙世澤、吳國禮、黃大挺、伍元露、何鵬宇、譚文廣、黎無滿、黎聖俊、譚廣孚、黃聖水、陳龍、譚君可、周彥休、高譽思、何一理、曹汝瑞、黃可問、周君美、湯大化、尹中奇、麥金、譚廣信、吳仲賢、陳世卿、梁孔益、黎仁傑、高子啟、吳永奇、區以信、葉三齊、梁淳化、盧明達、李聖悅、周伯道、區孔道、廖德舉、陸榮澤、李子牙、曹一常、黎文達、劉兆熊、劉沙亭、湯左、劉俊、馮三才、謝中卿、馮元昌、黃考三、馮彥彩、陸世英、黃義、羅元弼、麥信可、黃悅中、高易思、馮元澤、黃仲貴、羅文綺、周觀達、李子龍、文可大、馮文澤、李德裕、湛英奇、陸聲遠、葉春澤、李伯宋、李英元、何汝祥、郭子交、馮元俞、羅悅秀、伍顯才、張汝、周子達、黃吹笙、馮思德、梁維、胡勝章、吳士禮、黃裳、陸德、盧元輔、盧遠祥缺三名。

按稟內之盧明達。即雲陽公。為始祖龍庄公之嫡堂兄。例用家長領銜。禮統於尊也。盧元輔盧遠祥二名。據香山上北上盧氏譜補入。上北山盧氏。即為盧元輔之後云。

知縣嚴統化批準申詳府。又赴南雄府告案給引詞。周赴縣詞意。按:宋代南雄稱州,至明洪武元年始稱南雄府,北"文引"顯然非宋代之"公文"。當時南雄(府)有批文如下:

南雄府為給引逃難事。本年正月十五日。據始興縣牛田坊十四圖珠璣村住民貢生陳猷等聯呈前事。內開為天災人禍。民不堪命。十存四五。猶慮難周。今奉明旨頒行。取土築設營所。思得近處無地堪遷。遙聞南方煙瘴地面。土廣人稀。堪闢住址。未取擅專等情到府。據此案查陳猷等九十七人。并非惡孽民氏。為此合就給引。批限起程。凡經關津岸陸。比照通行。毋得停留阻禁。稟到止處。合應前赴該府縣屬立案定籍。繳引造冊。轉報施行。

按:南雄於宋時稱州,明洪武時始稱府,故"南雄府"之文引顯非事實。

⑲此譜中九十七家,共三十三姓。但黃慈博文中卻多溫、蔡、阮、冼、司徒、丁、蕭、朱、梅、房、韓、封、簡、容、袁、飽、繆、任、嚴、侯等姓,共有一百九十二家。先師羅香林教授則謂有一一二家,未知孰是?

⑳據《雜錄譜》引之開禧元年五月十三日蒙縣主李叢芳批"(陳)猷等,原係南雄府始興縣牛田坊十四圖氏,住珠璣村,本因天災地劫,民不堪命,及奉明旨頒行……批准給引遷移"。

按:珠璣巷人民南遷前是咸淳九年事(1273),今引用之縣主李叢芳批,卻謂是開禧元年(1205),提早了六十八年。且牛田坊應在保昌縣(南雄州沿),非在始興縣,其錯誤未有糾正。

㉑最早應是黃慈博之《珠璣巷民族南遷記》,1957年廣東省立圖書館油印(非賣品),1985年南雄縣地方志編委會翻印(亦油印本非賣品)。先師羅香林教授之《中國族譜研究》下篇亦有論及。陳樂素之《珠璣巷史事》,原載1982《廣東學術研究》第六期,後收於《求是集》第二集(1984年廣東人民出版

社）。維幸的《漫話珠璣巷》（1985年南雄縣地方編委會油印本）。范濟民《南雄珠璣巷》（1987年《廣州史志》第一期）。

㉒按《三朝北盟會編》記建炎三年，金人南侵，高宗請隆裕太后奉宋室神主及宗室南下至洪州、虔州，其中部份軍民不能或不願北遷，遂南渡至廣州。至南宋末，蒙古人南侵，中原知識份子不願受異族統治，相率南下避難。時珠江三角洲，宜於農耕，宜於開墾，不論南宋初或南宋末，南來者多集居於此。

㉓據黃慈博引用來自珠璣巷的多種族譜中，分佈地點是南海有三十四族，番禺十一族，順德十九族，新會二十三族，鶴山二族，中山五十二族，東莞十三族，恩平、賓平各二族，廣寧、清遠、陽江、增城各一族。大部份是在珠江三角洲附近，再分向西北及西方發展。故珠璣巷人民的南遷，是因戰亂及珠江三角洲的經濟條件，宜於開發有關。

㉔《齊東野語》卷19"明堂不乘輅"條言：咸淳壬子，帶御器使胡顯祖，於明堂大禮時忤賈似道，胡顯祖被謫，其女胡美人送妙淨寺為尼。

按：咸淳無壬子，應是壬申（八年）之誤，而《咸淳遺事》卷下記載大致相同，但胡美人則書為胡顯祖之妹。

㉕正史中載南宋一朝十后八妃，胡妃其人可能是宮人。宮人，是奴婢而已。"削髮為尼"殊為可疑。

㉖嘉靖間黃佐的《廣東通志》卷19"古蹟"言"珠璣巷在清水寺前"，至萬曆間郭斐的《廣東通志》卷32則添"前人世傳廣州梁文康（儲），霍文敏（韜）俱發源於此"。以後清代三套《廣東通志》（金光祖、郝玉麟、阮元）均引用此文。

㉗陳璉為洪武時舉人，其《琴軒集》謂其先世南雄人，尚未提及"珠璣巷"。至正德九年（1514），進士梁焯以先世為客戶自南雄珠璣巷來，嘗訪求其地，言於郡守樹坊表識之（錄自《泰泉集》之《象峰梁公墓表》）。隨後萬曆進士黃公輔有《過沙水珠璣巷詩》（見《北燕岩集》），天啟時西安府同知梁維棟亦有《珠璣巷懷古詩》（見《水閣詩鈔》），至屈大均之《廣東新語》卷2遂稱："吾廣故家望族，其先多自南雄珠璣巷來。"

㉘珠璣巷所在地有三說：（一）周密《廣東新語》謂在南雄。（二）范濟民《南雄珠璣巷》一文則謂唐之張昌（宗）為湖廣漢陽府人，故珠璣巷應在湖廣，南渡時，朝臣駕踰嶺而至南雄，其中有張昌子孫，為不忘枌榆之所自，亦號其地為"珠璣巷"。（三）清李星輝有《過珠璣巷有懷詩並敘廣州鼎族》，謂相傳"珠璣巷"乃汴京里名。（轉引自黃慈博《珠璣巷民族南遷記》）。

㉙三十三姓將近百家，至少千人，浩浩蕩蕩地南遷，地方史無一記載，可疑之一。文告中云正月初五日告縣申請，十六日出發，正值春節年宵時期，在傳統習俗上，非有特殊情形，是不會離家或遷徙，是可疑之二。

㉚據黃慈博所引用百餘家族譜，全是撰自清人，其中且多"抄本"，抄寫者水準不高，錯誤在所不免。

㉛據家傳譜十七世淡川公：康熙四十一年壬午鄉試中三十五名舉人，榜姓楊，領荐後，乃復本姓，其初時易姓之故，莫知所因。考康熙數十年間，我邑諸孝廉其以他姓得第者，不一而足。如譚幾榜本姓張，梁偉仁本姓張，莫興蛟本姓容，湯命夔本姓梅，張國祥本姓馮，王心吾本姓勞，吳孟嶙本姓梅，陳吉本姓黃，譚昌光本姓岑，尹雪生本姓何，王帝本姓尹，梁廷相本姓關，毛永清本姓鄺，陳韜本姓譚等。

第二節 《湛江市博立村許國仁愛周公家譜》之凡例與撮要

本人以族譜與方志資料研究地方史逾二十寒暑，除已出版《方志學與地方史研究》（臺灣編譯館大學用書，1995年出版）一書外，在族譜方面，只有《新會潮連鄉蘆鞭的盧氏家譜評介》一文，但從未執筆將自己的譜學理論應用於"家譜"的撰寫。八十年代末期，愛周先生的文孫晉義兄本"木本水源"之意,"彰先世之德",邀約本人代撰"家譜"。時筆者適在香港大學退休,轉而受聘於臺灣政治大學歷史研究所,常奔走於港臺之間,難以集中精神蒐集資料及專心寫作,直至1995年時完稿,1997年付梓。當時因急於成書以完成責任,故於家譜中未附"凡例",有乖史法;固未能表達筆者撰著時的本意。且該譜乃非賣品,一般譜學同仁難獲此書。因擬拋磚引玉,用以郢政,故特補撰該書的"凡例與撮要",附於新撰《地方文獻論集》之內。

一、該譜的目錄

湛江市博立村許國仁愛周公家譜

序編

甲　圖片

一、開國始祖許文叔公神像
二、高陽始祖許據公神像
三、開閩粵始祖許文正公神像
四、博木料始祖許福公墓碑
五、許愛周公遺像
六、粉嶺許愛周公墓園
七、許士芬公遺像
八、愛周公在湛江之事業圖片
(1)天和油行　(2)廣源泰油行
(3)周興書室　(4)寶石大酒店
(5)順昌航業公司　(6)育才學校紀念碑
(7)重建之育才學校　(8)愛周公舊居
(9)愛周中學

乙　大宗祠門聯

丙　許晉義、晉廉序

第一篇　許氏源流

甲、以國為氏(自文叔受封至亡於晉均居於河南境內)

乙、許國亡後,宗室"不能庇於本支,故適他國",至唐代已分六支

丙、許氏六支(據《元和姓纂》):

(一)高陽許氏
(二)安陸許氏
(三)汝南許氏
(四)太原許氏

（五）晉陵許氏
（六）中山許氏
附:王安石之《許氏世譜序》

第二篇　入粵之許族

甲、中原士族南遷至福建
乙、許天正為閩粵許族之祖
丙、許族入粵之兩途
丁、粵省許族之分佈
（一）潮梅區之許族（嘉應州、潮州）
（二）中區之許族（南海、番禺、新會、東莞、開平、台山）
（三）粵西之許族（海南、湛江、茂名）

第三篇　博立村許族之入粵與考異

甲、寧王宸濠之亂與許族之入粵
考異一:明代無"高雷廉鎮"總兵之職,疑許福乃殉國後追贈總兵銜
考異二:宸濠之亂時徵調勤王之兵,許福應徵而殉國,其家人落籍於高州
考異三:移居高州之由來
考異四:朱基巷與珠璣巷
乙、許衡之後是否南遷至粵之質疑
丙、太始祖許衡之質疑
丁、許福、許宏澤、許武略
戊、許福與許文壁（茂名許族始遷祖）是否有關
附錄:
（1）博木料許氏碑記
（2）高州府許氏碑記【附考異五種】
（3）新坡《許氏族誌》主編來函
（4）林天蔚教授補記

第四篇　博立許族舊譜序及近代之世系

甲、博立許族舊譜序
（1）行知公序
（2）大有公序

(3) 日晃祖、德厚祖序
(4) 世奕祖、岳祖序
(5) 遠代列祖世系

乙、博立許族之世系

(1) 許氏世系概況
(2) 博立村之許族世系
附:大宗楹聯

第五篇　掌握時代脈搏之巨人

——湛江、香港之發展與許國仁公之事業

(一) 二十年代
(二) 三十年代
(三) 四十年代
(四) 五十年代

第六篇　許愛周公傳

第七篇　克承箕裘者列傳

甲、壽衡公傳(待補)
乙、許士芬博士傳
丙、壽貴公傳(待補)

第八篇　文獻

甲、周興書室
乙、順昌航業有限公司
附:"譜傳"空白紙

二、該譜的凡例

凡是編纂之書必有"凡例"、"序例",書明編纂之目的、過程及介紹每篇之內容,若是重編、續編、增編,亦書明與原書之異同及增刪之原因。方志若是,族譜亦若是;如林士琦之"林氏宗譜"其序例中①便指出:

一、譜法原於歐蘇（大宗、小宗法五世一提，上至高祖，下至玄孫；自始遷祖為一世）。

二、生卒年月，備者書之，缺者略之，山向必書。

三、譜傳首重德行。

四、祀田、公業必三年稽查一次，防侵佔也。

五、先人名諱，子孫慎不可犯。

六、與舊譜比較（或刪或改，言其原因）。

另外，趙宗壇、天賜的《浮石趙氏族譜》[2]因纂修時在清光緒年間，但需上溯至宋之建國，有關天水郡的族事，不厭其詳，光耀宗族，於是增設：

一、遠世記

二、鄉境記

三、鄉俗記

四、前事記

五、遺文記

六、雜說記

此是有異於普通之"譜系"。

本文之"凡例"在序編中：

甲、圖片：分人像、圖、事業照片，前者許氏得國而成"姓源"，因年代久遠，難以稽考，僅從文獻中錄取"開國始祖"、"高陽系始祖"，南遷至"閩粵之始祖"以至"博立村開族始祖"四幅，一脈相承。至於譜主許國仁及其子，能採集者均具備，餘則待補。至於在世者，按"史例"不予錄像。

至於事業照片，舉其犖犖大者，證之創業之艱辛過程，使其子孫知所訓勉。

乙、大宗祠門聯，則是農業社會之家訓、家風，原書錄之，但現代工商業社會以此訓誨後輩恐產生代溝，故缺而不述。

內文中第一篇：許氏源流祇能從隋唐敘起，內分六系，主要根據王安石的《許氏世譜敘》。王安石是宋人，去古未遠，亦祇能敘其分佈而難以述每支之傳承。至於許族之南遷主要根據"歷史上士族南遷"之史實，再從地理背景，輔以宗族，族譜考查其分佈。此是從總體上分析，至於個別宗族的遷移與分佈反異，未能一一敘述。

第二、三篇：博立村許族之入粵與考異，是本文之重點，如許福事蹟之考證有誇大之嫌[3]。許族並非許衡之後[4]。許福、許宏澤、許武略，一人三名，證之修譜者未審慎考訂，或採之於道聽塗說[5]。至於許福與許文壁是否有關，是茂名與湛江兩族風水之爭[6]。

第四篇之舊序有四，本來從譜序可知族原、族事，可惜此四序均未書歲次年月，祇書幾世孫修撰而已。最後一序是十五、六世孫，緊於道光十九年（1839），若以三十年為一代，那麼始祖應在1359—1379即明洪武年間，比之許福時代早二百年，故矛盾甚大。且序一之"行知公為九世祖，但再序則謂行知公雖為九世祖，七世祖則為大有公，於是九世祖修譜在前，七世祖修譜在後，值得存疑"。故本家乘重點在始遷祖許福及在創業者許國仁二人。按許國仁誕於1881年，屬十七世孫，那麼上溯五百年與許福時代相接近，故許國仁之前代，祇列世系而已。蓋略古而詳今，史法而已。

第五、六、七篇是"人物"傳記，按舊譜學以個人倫理思想為主，故強調德行、避諱[7]。

至於“隱惡揚善”更是普遍,先人之惡行,不忍錄下,尚可理解[8]。唯“揚善”若無一定的限度,則誠信受到質證,其譜之價值低。

至新譜學與舊譜學之不同,是非以“個人”為中心[9],但新譜學卻以“社會”為中心[10]。社會的背景及潮流,影響個人的成就和族群的盛衰。本文敘許國仁先生,則從湛江的開埠,由農業社會的小商業,發展至工商業的社會,於是旅館業、工商、交通、運輸、地產隨之發展。許國仁先生以能“掌握時代脈搏”而致富,若子、若孫亦從事潮流的工商業而有所成,不單是述個人的傳記,亦記時代潮流的概況。

第六篇許愛周公傳,是林春繁先生所撰,發表於前。及筆者修譜時,雖加改寫,但林先生與許家世誼甚深,知之最詳,不敢掠美,故效法歐陽修與宋庠之例,標明撰者以負責任。

第八篇文獻,若干史料,無類可歸,或遺文軼事,足以助證或足資參考甚至鑑戒者,在方志上有“志餘”,在族譜有“雜說”[11]。筆者以“文獻”識之,蓋文獻乃史料,本文所錄之周興書室誌許國仁先生不忘教育文化,目光遠大;順昌航業有限公司,是許國仁先生最成功的事業,此二文均是林春繁、鄧華壽二先生的作品,附於此以助了解許國仁先生的事業耳。

三、該譜的撮要

A、圖片

是書首列圖片。舊譜圖片除祖先圖像外,主要是墳墓所在地。筆者認為現代多公墓,私人墳地與墓園,因發展交通與物業,多被鏟除而不存在,且子孫分散國內外,難有拜祭的機會,故只留二類遺像。甲:姓源,有開國始祖許文叔,為得姓之祖。乙:高陽始祖許據。丙:閩粵始祖許文正,應是博立村許氏的直接系統,如樹之根,但枝葉太多,無法一一考查。

至於博立村的始遷祖亦無法找得圖像,譜主許國仁愛周先生已是十七世,十八世只有士芬博士(晉義、晉廉之父)及歧伯先生二像。至於三子世勳先生,因事務繁重,書成之時未及送來,又急於付梓,故缺而待補。

此外,愛周先生創辦的事業照片有八幅,幾經艱難蒐集而複製成照片,足以顯示當日創業的過程,應以流傳。

第一篇許氏源流

許氏,炎帝四獄之後,或謂源出於許由,乃太獄之孫。後有姜信者,封於許。

按:我國所有姓氏,均謂炎黃之後,殊不可信。因是時乃部(氏)族政治,各部(氏)族共推炎黃為共主;共主者,“君父”也,故認炎黃之後出於此。及至周滅商紂,大封諸侯各部(氏)族領袖,均有功而分封。於是有以“國”為氏(姓),有以官爵為氏(姓),有以封“地”為氏(姓)。諸侯又可再分封其子孫,於是有以“王父之字”而為氏(姓)。且是時婚姻制度確立,有“嫡庶”之分,於是以“血源”定姓氏,是為“姓源”。許氏之姓源始於分封許國之“許文叔”,其地在今河南許昌附近,故尊之為“開國始祖”。

許國後為楚國所滅,其子孫分散各地,計有:

高陽系:漢時,分佈今河北新城縣附近
安陸系:在湖北
汝南系:在河南
太原系:在山西
晉陵系:在江蘇
中山系:在河北

以上分佈,據王安石《許氏世譜敘》一文,今世難得一見;為敘許氏先世的珍貴資料,故附錄於下供世人參考:

附:王安石《許氏世譜敘》

伯夷,神農之後也,佐堯舜有大功,賜姓曰姜。其後見經者四國:曰申,詩所謂申伯者是也;曰呂,書所謂呂侯者是也;曰齊,曰許,春秋所書,齊侯許男是也。周衰,許男常從大侯征伐會盟,竟於春秋,及後世無復國,而子姓以其封姓。然世傳有許由者,堯以天下讓由,由不受,逃之箕山,箕山上蓋有許由冢焉。其事不見於經,學者疑之。或曰:由無求於世者耳,雖與之天下,蓋不受也,故好事者以云。而由,伯夷,其生後先,所祖同不同,莫能知也。漢興,許氏侯者六人,柏至侯盎,宋子侯瘈,嚴侯猜,此三侯者,其始以將封,而史不書其州里;平恩侯廣漢,博望侯舜,樂成侯延壽,此三侯者同產昆弟也,以外戚起於宣元之世,昌邑人也。盎孫昌,嘗為丞相,延壽及廣漢弟子嘉,嘗為大司馬,至王莽敗,許氏始皆失其封云。後漢會稽有許荊者,循吏也;許慎者,以經術顯;許峻者,為易林,傳于世;許楊者,治鴻隙陂,有德於汝南,汝南之民報祭焉;許靖著,避地交州,後入蜀,先主以為太傅,與從弟邵,俱善論人物,劭兄虔,亦知名,世稱平輿淵有二龍焉。慎、峻、楊、靖皆汝南人也,許褚者,家于譙,以忠力事魏,封侯牟卿:許慈者,家南陽,入蜀,父子為博士。司馬晉時有許孜者,東陽人也,德行高,察孝廉,不起,老於家。其子曰生,亦有至性焉。初,許氏爵邑於周,子孫播散四方,有紀者猶不乏焉。至昌邑,姓大著,間興於汝南,其後祖高陽者為最盛。然高陽之族,不見其所始,有據者,仕魏,歷校尉郡守,生允,為鎮北將軍。允三子,皆仕司馬晉;奇,司隸校尉;猛,幽州刺史;奇子遐,侍中;猛子式,平原太守,自允至式,皆知名。允後五世詢,司馬晉常召官之,不起。詢孫珪,為旌陽太守於齊。珪生勇慧,齊太子家令。勇慧生懋,篤學,以孝聞,卒於梁,為中庶子。懋生亨,為陳衛尉卿,嘗領史官,次齊梁時事,有子善心,為之卒業。是時,有許紹者,善心族父也,通守夷陵,治有恩,流戶自歸數十萬,卒有勞於唐,爵安陸郡公。圉師,欽寂,欽明其後也。圉師,紹少子,寬博有器幹,別自封平恩侯,與敬宗俱為龍朔中宰相。欽寂謂紹曾大父也,萬歲中,帥師當契丹,為所敗,執以如安東,使說守者降。至安東,曰:賊今且破滅,公勉守、無忘忠也。契丹即殺之。是歲,弟欽明亦遇殺。欽明為涼州都督,案行,卒與突厥遇,亦執使降。至靈州,顧為廋言,告守者所以破賊。兄弟將兵、一旦同以身殉邊鄙,賢者榮之。敬宗者,善心子也,始以公開郡于高陽,與其孫彥伯,以文稱當世。

天寶之亂,敬宗有曾孫曰遠,與張巡以睢陽抗賊,自以不及巡,推巡為將而親為之下。久之,食已盡,煮茶紙以食猶堅守,賊所以不得南向,以睢陽幣其鋒也,卒與俱死者皆天下豪傑義士云。唐亡,遠孫儒,不義朱梁,自雍州入於江南,終身不出焉。儒生稠,沈毅有信,仕江南李氏,參德化軍事。稠生規,好道家言,不以事自恩,常羈旅宣歙間,聞旁舍呻吟,就之，曰：我某郡人也，察君長者，且死，願以骸屬君。困指橐中黃金十斤，曰：以是交長者。規許諾，敬負其骨千里，並黃金置死者家，家大驚，愧之，因請獻金如亡人言，以為許君壽。規不顧，竟去。于是聞者滋以規為長者。卒，葬池州。後以子顯，贈大理評事。生遂、逖、迴三子，遂喜事母，里母勵其子，輒曰：汝獨不漸許伯通乎，祥符中，天子有事于泰山，加恩群臣，逖當遷，讓其兄遂，天子以遂試將作監主簿。遂子俞，字堯言，名能文章，大臣屢荐之，有與不合者，官以故不遂。嘗知興國軍大冶縣，縣人至今稱之。俞兩子，均為進士。逖字景山，嘗上書江南李氏，李氏嘆奇之，以為崇文館校書郎，歲終，拜監察御史。後復上書太宗，論邊事，宰相趙普，奇其意，以為與己合。知興元府，起贊侯廢堰，以利民，治澧荊揚三州，為盜者逃而去。其事兄如事父，使妻事其長姒如事母。故人無後，為嫁其女如己子。有子五人：恂，黃州錄事參軍；恢，尚書虞部員外郎；怡，今為太子中舍簽書，淮南節度判官廳公事；元，今為江淮荊湖兩浙制置發運使；平，秦州海陵主簿。五人者咸孝友如其先人，故士大夫論孝友者歸許氏。元以國子博士發運判官七年，遂為其使，待制天章閣，自天子大臣莫不以為材，其勞烈方在史氏記，余故不論，而著其家行云。迴字光遠，其事母伯通之孝，事其兄如景山之為弟也。慷慨有大志，少常仕李氏，後不復仕，與其兄俱葬顏村。有子會，為進士，方壯時，亦慨然好議天下事，今為太廟參郎。臨川王某曰：余譜許氏，自據以下，其緒傳始顯焉。然自許男見于周，其後數封而有紀之子孫多焉。考是論之。夫伯夷之所以佐其君治民，余讀書未嘗不喟然嘆思之也。傳曰：盛德者必百世祀，若伯夷者蓋庶幾焉，彼其後世忠孝之良，亦使之遭時沐浴，舜禹之間以蓋其材，而與夫夔皋熊虎之徒，俱出而馳焉，其孰能概之耶。

第二篇入粵之許族

按王安石的《許氏世譜敘》，謂汝南系許姓，有許天正者，唐初自汝南入閩，是為閩粵許族之祖。唐四門博士歐陽詹為之傳（原文載泰國許氏宗親會1920年大宗祠落成二週年特刊），亦附錄於下：

許天正為閩粵許族之祖

閩、粵、台之許族，多謂始祖乃許天正，原籍河南，屬汝南支裔。據唐進士四門博士歐陽詹為之傳（轉引自泰國許氏宗親總會，大宗祠落成二週年特刊1920刊）。

天正，字允心，號雲峰，汝南人。世習儒業，尤精於孫吳（兵法）。大父克華，起汜水，以應諸豪，後屬我太宗皇帝，翊贊陳克耕，討臨汾等郡，斬朱銳等，以功援（授）京兆別駕、宣威將軍。父，補前職，天正年十五，擢明經為紀善，總章己巳 （699） 奉敕副陳克耕之子政，出鎮泉，潮。政沒。陶亦卒於兵，政子元光，襲左郎將。見泉鎮禮讓風微，暴横襲起，遂與天正謀，表泉潮之交置漳州，百務旁午，悉付天正，籌理綽如也。是時遼寇（疑有誤）竊發，集眾萬餘，朝命政兄敏、敷領兵來援，敏、敷卒，政母魏代領兵至閩。嘉天正方壯，博學能文，命軍中諸兒悉從就學。魏本元光以支孫承重，天正代領泉潮事，以儒術飭吏治，以忠勇偶士卒，平泉、潮、虔、撫之寇，置堡三十六所，泉潮蒙其教訓，扞禦受椎髻而復倫序。嶺海輯寧，表陞中奉大夫兼嶺南行長團練使，元光凡所申請，必天正討而後定，嘗平潮洋寇，元光提詩來云："參軍許天正，是用紀邦勳"，天正次其韻曰"抱磴從天上，驅車還嶺東。氣昂無愧虜，策妙屈群雄。飛絮隨風散，餘氣向日銘。長戈收百甲，聚騎破千重。落劍惟戎首，遊繩繫協從。四野長堅壁，群生未化融。龍湖膏澤下（元光號龍澤），蚤輓適枯窮"。裴采訪見之，評其辭謂可飾絲綸，乃老於戈方。我輩之罪，因與張燕公論列於朝，掄掌史館，天正表辭曰："父沒南方，愁縈懷抱，子趨上國，疏遠慈顏，惟肅王鈐，軍紀之嚴，少酬金門，原養之德，苟躐文階，恐貽鰥曠！"裴，張得報益重之。請於朝以宣威將軍兼領外府。博學文事，軍政之暇，未嘗釋卷，軍中之別駕秀輾。又不加點，點須成典，示我邦憲，為魏制銘半經墓，元光稱慮決辭贍，尚令其子珦受學天正曰："經史之學，吾與汝父僅窺一斑，得處不在文字，然當於文字中之玩味之耳。"元光沒珦嗣爵，政事每決於天正，人稱翰墨世家之至。高祖武德二年（絕對有錯，按高宗總章二年即669，天正年已十五，武德二年則是619，相差50年）歷官泉潮團練副使、宣威將軍兼翊府記室，所作詩文多刻《陳龍湖譜集》。壽七十，葬香州之馬欄橋頭（在漳州市北二十五里座，土名樟公墓，以墓下有一大樟樹而名）。

據上文許天正，於總章二年（669）時年十五，則上溯應誕於永徽六年即655–享年七十，應是卒於玄宗開元十三年（725年）。許天正父子輔陳政、元光開闢泉潮，四代（陳政、元光、珦、邦）歷一百年，"辟地置屯，招徠流亡，營農積粟，通商惠工"（《漳州府志》），對福建、廣東及江西的繁榮貢獻甚大，故閩粵台陳族尊之為"開漳聖王"。當陳政南下時，率副將許天正等120員，及後其兄陳敏、陳敷率固始58姓軍校前來增援，故今分佈於福建泉、漳、汀、興化、福（開元十三年始自泉州分析福州與汀州等地）陳姓、許姓等來自河南者，似屬此時期的移民。

廣東許族多云：來自福建莆田。按莆田，隋唐時均屬泉州，宋時始改興化軍（州），明代則屬興化府，故疑乃屬許天正之裔。近代商業鉅子陳嘉庚自稱："我始祖自唐由河南光州固始縣遷來（閩地），我為十九世……（何光岳、聶鑫森著《中華姓氏通書·陳姓》 1991年三環出版社），而菲律賓前總統Aquino夫人（Cojuangco）祖籍則是同安（亦屬泉州）人。許氏之裔於1897年移民至菲律賓【Roland Bayhon; Conjuangco Genealogy: Collected Essays on Local History of The Asian-Pacific Region: Contribution of Overseas Chinese Published by Centre of Asian Studies, University of Hongkong（1991）】

雖然未能確信是許天正之直接血統，自隋唐至明清之間，相差幾達千年，其間譜諜失傳，或因遷徙而流失、缺記大宗之事跡而已，然農業社會多聚族而居，既聚居於泉州附近，似必有血緣關係。

粵省許族之分佈

本篇根據歷史文獻記載中原士族入粵的途徑，配以各地許氏族譜而分析：

甲：由福建寧化縣石壁鄉入粵東潮梅一帶，多分佈於嘉應州、潮州一帶，均許天正後裔，由潮、梅再分散至東江各地。

乙：由福建經江西至粵北南雄縣珠璣巷入粵，是宋代開始南移，再由粵北南下至粵中、粵西各地。

丙：獨立入粵，如經商、仕宦而至粵省各地，入粵途徑仍不出寧化縣石壁村與南雄珠璣巷二地為主。

第三篇博立村許族之入粵與考異

博立村的始遷祖許福，為明中葉武官，仕於高州府（今高州市）。寧王宸濠之亂時，被徵北上而殉國，其家人落籍於廣東，其子孫分佈於吳川遂溪（今湛江市）廉江一帶。

【考異一】據博立、木棉、料村的許氏族譜，均謂乃許衡之後，殊非可信。

太始祖許衡的質疑

按《許氏族譜》云：

“顯太始祖，考集賢大學士，魏國公文正魯齊府君，妣誥封正一品夫人和睦淑周氏夫人。”

【考異】：許衡字仲平，號魯齋。我國名儒，《元史》有傳，元代人記敘（包括神道碑、傳記、名臣事略等）亦甚多，《宋元學案》有“許魯齋學案”自撰的有《魯齋全書》，鄭士範有《許魯齋先生年譜》。近人袁國藩有《元許魯齋評述》本籍懷州（今河南沁縣）河內人，父通，以逢亂世避地於河南新鄭，許衡於1209年誕於新鄭。卒於1282年，享年七十三歲。妻敬氏、李氏、賀氏三人。似與博立族譜所云“妣李氏夫人”雖同，且福建許族大部稱乃許天正之後，故疑所謂“太姓祖許衡”乃同名同姓之另一人，而籍取魯齊之事實而附麗之而已。

據歐楊玄的許衡《神道碑》（引自《圭齋文集》卷九），其世系如下：

許衡世系圖表

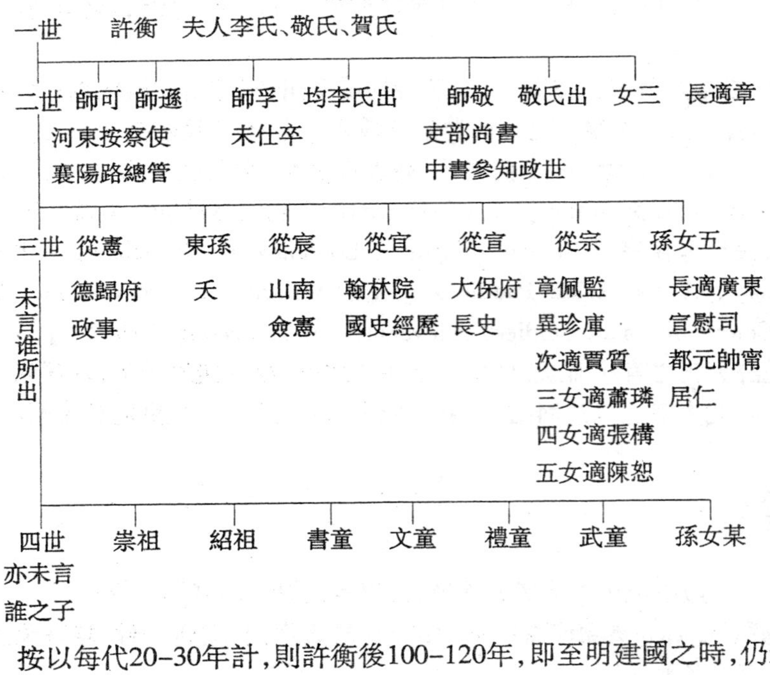

按以每代20–30年計，則許衡後100–120年，即至明建國之時，仍未能確定有否後裔遷居至福建或廣東，故存疑。

【考異二】始遷祖許福，或謂許宏澤，或謂許武略，是否三人？

許福、許宏澤、許武略

《許氏族譜》所記許福之事略，與許化周主編《許氏大族譜》（1968年刊，參考猶他州家譜圖書館膠卷929.251/H.85983H）之"歷代名人傳"所載大致相同。但名字已改為武略。

"武略，字宏澤，許衡之嫡裔。明武宗時欽命廣東高雷廉鎮守總兵，封金吾將軍。於正德年間來粵，即卜居高州府吳川縣博立村。德配李氏（按墓碑則稱周氏）誥封一品夫人，合葬於高州城外之博羅坡。子孫祭掃不輟，子三：長名耆英，居博立村；次名世英，遷居木棉；三名玉英遷居遂溪縣之料村而開族焉。現香港宗親會永遠名譽會長愛周先生，即武略十七代裔孫也"。

按此段顯是探訪之記載，但始祖名已易為武略，按其事蹟，"武略"似是"謚號"，但未言及參予征討宸濠之事，但同書"仕宦行實，科第出身"，首列許福之名，但事蹟卻完全不同。

許福，字堯錫、號西浦。正德壬申（1512）補邑庠生，習詩經。嘉靖戊子（1528）以稟生鄉試中式第六名登乙未（1535）會魁《登科記》，廷試二甲第十五名，隨乞歸養。建始祖祠堂，拓祭田以充歲祀，頒胙肉以優年結，鄉社平斗斛，俱得閭里歡。丁艱，服闕授江南監察。"使將入仕，以大可施，未竟，於嘉靖間同邑修西安橋，係公作記，全文載在邑志中。不過其葬地在高州博（絲）羅坡，顯是許福，因墓碑有載。

按：此段記載之許福，乃福建同安縣人，據朱保炯、謝沛霖編之《明清進士題名錄》（1981年文史哲出版）記嘉靖十四年（1535）韓應龍榜，二甲，九十二名進士許福，乃福建泉州府同安縣，軍籍。

再按林學增等纂《同安縣志》（台北同鄉會據1929年重刊卷十五），記許福於嘉靖七年（1528）鄉舉，乃縣屬翔風，十九都後浦人。十四年（1535）進士，同書卷三十"武功人物"補記乙未（1935）進士。歸家養親幾二十年，值倭寇警，圖結鄉社，邊方無虞。未仕卒（注云引舊志），可知《許氏大族譜》乃據此而加採訪其後人所追述，錯誤自然難免。如廷試二甲第十五名則非，至"所修之西安橋，公作記，全文載邑志中"。但民國《同安縣志》則未見，但未知是否載於舊志中，待考。至於授江南監察使，亦非事實，按《明史·百官志》設有十二道監察御史，指浙江，河南、山東、北平、山西、陝西、湖廣、福建、江西、廣東、廣西、四川，各設御史五人或三、四人。秩正九品，並無"江南監察使"之名，且縣志已明載"歸來養親"、"未仕而卒"，故其事不可靠。

如是推測，博立之始遷祖，既是武宗時平寧王宸濠之亂的武官，似非嘉靖年間之許福，正名應是宏澤，武略亦是謚號。其錯誤原因可能是同安與莆田在明代均屬泉州府，且是軍籍。許宏澤後人追述，記憶或有錯誤，於是張冠李戴而已。

【考異三】許福，非高雷鎮守使，疑是下級的武官，殉難後追贈較高級的官銜，其家屬未能北返（非高級官吏，難有遷葬的能力），遂寄寓於高州。

博立村《許氏族譜》（未書纂修者）敘其始祖云：

始祖許福，字宏澤，原籍福建興化府莆田縣朱基巷（珠璣巷）大井村。明正德三年（1508）任高雷廉鎮守總兵，攜眷遷高州任所，此為自莆田遷高州之始。正德十四年（1519）寧王朱宸濠在江西南昌起義謀奪帝位，時許福在京朝覲後，仍為高雷廉總兵，回任所經江西遇同宗許逵參加明室鎮壓朱宸濠之戰爭，戰死沙場，身首異處，得家將黃進、黎澤康收其首、遺物，送至高州見夫人李氏，敘福戰死狀。李夫人以原籍路遙，且恐宸濠餘黨為難，多有不便，乃招魂葬福於高州府城北十一里博羅坡（今名綠羅坡，在附城彭村垌尾灣村右邊。另1994年博主新修《許家族譜》則云：許福殉國後家將攜許之"血指甲七片，血汗衫一條，頭髮……奔回衙"，但未云根據似不可信。

【甲】：明代之總兵、副總兵總鎮一方（省），率以公侯伯都督充之，有戰事始設。嘉靖四十五年（1566）於廣東總兵分設潮州府協守副總兵一人，故正德年間，無可能設高雷廉鎮守總兵一職。又清制設高雷廉道，駐高州府，故疑許福乃明代高雷廉之參將、遊擊，甚至更下一級的都司守。及後因殉國，遂追贈至"總兵"而已。

【乙】：寧王宸濠於正德十四年六月稱亂。按武宗乃孝宗之唯一子（另一子早夭），為太子時已放蕩不羈，即位後即寵信宦官劉瑾，廣設廠衛，增建皇莊，民怨沸騰，故正德五年，即有安化王寘鐇以誅劉瑾為名稱亂，後為楊一清討平。寧王宸濠初黨劉瑾，劉瑾被誅後，心有不安，而兵部亦請革寧王衛，宸濠懼。宸濠以武宗無子，欲以其子入繼，不果。遂藉口稱奉太后旨，以孝宗誤抱民間子，祖宗不血食省者十四年，而稱亂。時王守仁奉命勘福建之亂，行至豐城（今江西）奉詔往討。急兵趨吉安，並檄調各路兵勤王都督許泰將邊兵，劉暉、桂勇將京兵四萬，湖南秦金、兩廣楊旦各率所部合十六萬（前來）。疑許福當時乃高雷廉之將官，隨楊旦至贛。按宸濠之亂前後僅四十三天（《明史·寧王傳》）或三十五天（《王守仁傳》），許福之殉國即於是年。又許福在高州（1508）凡十一年（1519），若是總兵，已連續三任，必已升調，故推知乃是總兵以下之屬員。

【丙】：正德時宦官權大，導帝冶行，十四年二月，即以鎮國公朱壽假名南巡，寧王兵敗時諸嬖倖欲令守仁縱宸濠於湖中，待帝自擒之。守仁不允，上書請獻俘，諸嬖倖誣守仁弟子冀之亨與宸濠論交，逮之處死，並矯旨召守仁。守仁初不到，諸嬖倖僭之帝曰："守仁必反。"幸宦官張永暗示之，守仁始赴京師。《許氏族譜》云，李夫人恐宸濠餘黨為難，實指宦官以許福乃守仁之黨，故避禍留於高州而已。

【丁】：許族"原籍莆田縣，朱基巷（珠磯巷）大井村"，按筆者親至莆田縣考察，據該縣地方志辦公室人員帶領，城內有明代古村，內有數口大井，可能即博立村許族原居之地，但該縣並無"朱基巷"。《許氏族譜》附注云：即"珠璣巷"，恐受《廣東新語》等書影響，"南來士族，多謂遷自珠璣"。且由江西南下至粵，南雄珠璣巷乃古道，故有此附會。

【考異四】許福與許文壁之爭

高州市六（綠）羅村有一古墳，1984年筆者親往勘察時，墳上明書"許福"之墓，其後裔分佈博立（今湛江）、木棉（今廉江）、料村（今遂溪）三地。但1990年再往勘察時，墓碑已改為"許文壁"之墓，遂引起兩地許族之爭，筆者為之考異如下：

"許福與許文壁"是否有關

博（立）木（棉）料（村）始祖墳，位於高州縣（現改為市）綠羅村低峒嶺。墳重修於一九八四年，一九九〇年筆者親往採訪，亦錄有照片，其碑文抄錄如下：

附錄：（1）博、木、料許氏碑記

公元一九八四年，歲次甲子年四月十六日重修。公名福、字宏澤，於明正德時宦遊至粵，卜居博立村。生三子：長子耆英，居博立村；次子世英，遷居木棉；三子玉英，遷居遂溪料村。公婆同葬高州綠羅坡。

本山坐辛向乙秉戌辰分金

考欽命廣東高雷廉鎮守總兵金吾將軍寧宙武略府君

之墓

顯始祖

妣誥封從一品夫人淑順清操李氏老夫人

吳川木棉村　煥業、順興

裔孫　湛江博立村　才興、增禮　禮合眾孫承心奉立

湛江料川　國榜、國奇

但筆者1993年重訪時，同一地點之墳地已被改為新坡許氏始祖許文壁之墓，筆者親至茂名市訪問新坡許族人許光漢及在廣州之許為浩兄，據云：許氏祖墳遠在清朝經已發現，立碑為記。及至文化大革命時，新坡許族受害最深，知識分子多被"掃地出門"，此墳久無拜祭。及後湛江許氏來此立碑，新坡許族人並不知情。及至1992年，經族譜記載及墳地之方向互相對照，確認此乃其始祖許文壁之墓。據許光漢云：當時新坡許族代表許耀基、許光漢、許家奎等至湛江，與三族代表會才、曾才、勝華會同共認，此乃新坡許文壁之墳，而許福乃許文壁七世孫子扳之後，族譜記載子扳遷雷州，其後不詳，故立"許文壁公墓碑"時湛江三族代表簽名者有曾禮、廣智、國題等人，其碑文如下：

附錄：(2)高州府許氏碑志

於公元一九九一年歲次辛未年十二月十七日重修。祖世居廣州東莞縣茶園墟北上近鄉，祖於明季四十二年派任高郡儒學，茂之許族自此始焉。初居郡城北關，祖妣曾孺人生五子：喬羽、翀、翊、翎、翅俱安居於高郡六邑。後因丁口發展迅猛，而內遷散居於高州，茂名、化州、電白、雷州、湛江、遂溪、吳川、廉江、陽江等地。

本山向高州六羅村低垌嶺辛兼戌

考文壁號心齋明副榜貢生高郡儒學

顯始祖　合墓

妣　曾　氏　儒　人

耀荃　曾禮　光漢

經辦人　崇俊　祿文　鍾強　合眾裔孫等捐資誠心敬立

家奎　許彥

廣智　國題　廣聲

【考異甲】:《新坡許氏族譜·茂名許氏源流篇》云：

"心齋公者姓許氏，諱文壁，心齋其號也，入茂名始籍祖也。前明弘治辛酉(1501)科副榜貢生，原籍廣州府東莞縣，茶園墟北上近鄉……，祖任高郡儒學，祖妣曾孺人偕來……。"

按墓碑記載：許文壁於萬曆四十二年(1614)(編者按：碑文未言萬曆，只稱明等，此

處言"萬曆四十二年"似有誤)派任高郡儒學，而上譜則云其於弘治辛酉年為貢生，即1501，兩者相差百餘年，即使為貢生僅十五歲，至任高郡儒學時已128歲，殊不可信，兩者必有一錯誤。

【考異乙】:即使許文壁十五歲為貢生，應誕於1486年，與許福年代相近，許福殉國時是 1519 相差僅 33 年，設若許福乃許文壁七世孫，則許福應誕生於許文壁後百餘年，亦不會因參與宸濠之亂而殉國，兩者必有一錯誤。

【考異丙】:許福乃自福建莆田遷來，許文壁乃來自東莞，雖然同自明代遷來，但似不屬同一族群。且許福為武臣，許文壁乃文士，文武殊途，恐並無關係。

【考異丁】:兩族祖墳均謂葬於高州(以前之茂名)六(綠)羅村低峒嶺。四百年前之高州，為多未開發地區，當日風俗祖墳與風水有關，同一地區，可能有多座古墳。族侄林元群專治風水學，親至低垌嶺代為查勘，據其告知:

附近另外一口許家祖墳碑文，正碑文被當地農民毀壞了，這墳共有二個碑文。其中完整一個，碑文曰:

奉天承運
皇帝制曰:壼教凝祥，懋
嘉猷於朝寧國常布
乂播休命於庭闈
何氏迺捐職詹事府
主簿加四級許清俊
之母，勤慎宜家、賢明
訓後，相夫以順含內
美於珩璜鞠子有成
樹良材於楨幹茲以
覃恩封爾為宜人於
戲昭茲令善之聲榮
施勿替食爾劬勞之
報展典攸隆
誥
道光貳拾陸年拾貳月
之　寶

這是許清俊為母何氏請旌之制文，另有貞節牌坊於附近，頒於道光二六年(1846)。許清俊為新坡許族十一世孫，因致富而捐官(捐職詹軍府主簿加四級)。至清代，湛江許族之祖墳多葬於附近，據族侄云:自解放後，鮮有子孫來拜祭，墳遂荒蕪，低峒嶺同有二座許氏古墳，因年久失修，尤是在文化大革命時，因破除封建與迷信，子孫不敢往拜祭，墓碑被破壞。近年平反，糾正偏差，傳統習俗恢復，於是兩族對"祖墳"認知不同，雖主墳有二，但風水則不一，而有爭執，各有理由。惟兩族一來自福建，一來自東莞。遠祖可能同是一家，但近支卻不相同。

【考異戊】:1990年筆者至六蘿查勘時，許福墳之兩翼，刻有:

裔本高陽,當年綠羅毓秀、脈正來龍光族祖;
江繞垌尾,此日冷水迴環,主遵太極遠朝宗。

按:"綠羅"即"六蘿"

此聯曾載於料村許氏族譜中(按料村族譜據本博立祖簿),但新坡許氏族譜似未有此聯(因新修未能全閱)。1993年再次到達綠羅時,許文壁之墓上兩聯已侵蝕至不可全讀。

附錄:(3)新坡《許氏族志》主編來函

日貴宗兄,博立、木棉、料村宗親父老昆仲們:

你們好!

為了溯本思源尋宗問祖,1993年編修《茂名許氏史志》編印了林天蔚歷史學教授寫的《廣東許族源流初探——並論在近代史上許族發展的兩種類型》。這篇文章原稿,我作了修改,不符合我族的部份刪去,族中有些現實史料作了補充寫上,不是林教授的原稿。其中關於高州六羅低垌嶺文壁墓,文革時墓碑被毀壞,1984年曾立為許福墓碑,到1991年又改立為心齋字文壁墓碑。這件事說明六羅低垌嶺這座古墓是葬那個祖的呢?族中人還有疑團。我們子孫應該弄清這件事,作為編修史誌者更應該注力研究這些歷史資料,以免弄錯祖先,力求歷史的準確性。花了數月時間,收集歷史資料,查訪新坡、六安壙、竹坑、許氏老父,及六羅當地老人,根據族譜資料、歷史資料、各地的世代相拜山子孫情況、父老們傳述,加以按理推算。按語我寫上三點,推算文壁與許福同是一家,按時間先後許福與文壁是父子關係,不是林天蔚教授稿內載,特此說明。

宗親兄弟父老們,為了弄清自己的祖先,不至世代拜錯墓,望共同努力。如你們認為我推算按語不正確,有新史料證實材料批評指正我,在《茂名許族史志》上改正。並向你們道歉。

此致

敬禮

茂名《許氏史志》主編
十六世孫　　國欽

附錄:(4)林天蔚教授補記

筆者按:茂名市新坡許族,於一九九三年刊印《茂名許氏史志》之前,曾參考拙文《廣東許族源流初探——並論近代史上許氏發展的二種類型》(文載《臺灣政治大學歷史學報》十一期),事前未得本人同意引用,且斷章取義,將文中《許福墓之考異》一段刪掉一切"考異",而主觀的"作了修改,不符合我族的部份刪去"。(見《新坡許族覆信》)筆者曾提出強烈的反應,主編許國欽先生覆信,謂:"推算許文壁與許福同是一家。按時間先後,許文壁與許福是父子關係,不是林天蔚教授稿內所載,特此說明。"(見《新坡許族覆信》)。

筆者不敢苟同之處頗多,舉其要者有二:

《茂名許氏史志》以主觀論斷:"許文壁與許福乃父子關係",並未有具體論證,很難令人信服;而根據一九九一年許光漢先生等重修"許文壁公墓碑"時稱:"許福乃許文壁七世孫子扳之後"。前後矛盾,更令人無所適從。

按一九九一年重修之"許文壁公墓"碑文上載"許文壁於萬曆四十二年(1614)派任高郡儒學",而許福殉國時是1501年,兩者相距一百年以上;加上許福為武臣,許文壁乃文士,文武殊途,恐並無關係。

而拙文主旨在解釋:一九八四年綠羅村古墳之碑記書"許福之墓",但一九九一年該墳即改為"許文壁之墓"。筆者受託調查,故提出五點考異,說明許福與許文壁兩人可能全無關係。但許國欽先生來信,謹澄清所引用之文,非筆者原意,但許福與許文壁是否一家?此古墳數年間易主,各立碑記,未有充份證據作合理之解釋,筆者本學術考據立場,提出"考異"。但墓碑為何易主?非筆者受託研究之範疇,恐各方仁人君子,誤會筆者之原意,特此補記。

第五、六、七篇　人物傳記

舊譜敘人物,以"個人"為中心,兼及其事蹟與影響,新譜以"社會背景"(潮流)為中心進而影響個人事業的成就。許愛周先生崛起時的湛江,仍是一個農村社會,於是經營民生日用的小生意以維持生活,及後湛江發展成為商業城市,於是從事工商業(汽油、煉油等)。其後湛江日趨繁榮,向外發展,人口增加,於是從事房地產及旅遊業、航運業,因而致富,資金豐厚後再向外發展至香港、東南亞,被稱為"香港第一代船王"。1949年後,香港已成亞洲重鎮,於是投資地產業、建築業,是為新工業社會成功人士的典型,是以筆者以"掌握時代脈搏的巨人"而作傳,敘其卓越的事業成就。

愛周先生的子孫,均能克紹箕裘,事業有成。惜除士芬先生(晉義、晉廉之父)有較簡略的事蹟送來外,其伯父(岐伯)、叔父(世勳)及其子孫各有龐大的事業集團,未能整理送來,故暫缺以待補。

甲、掌握時代脈搏之巨人

——湛江、香港之發展與許國仁公之事業

"湛江"(1945年從法國收回後之命名)在法屬時稱"廣州灣"(1899年十月廣西提督蘇元春與法國簽訂《廣州灣租界條約》後而得名),原是吳川縣之廣州灣村坊(今坡頭區南三島)法租借時,擴大兼及遂溪縣海龍汎(今霞山)及硇洲、東海兩島。其範圍是:東至黃坡,西至縣舊村,南至大海(包括島嶼)即遂溪、吳川、廉江三縣部份陸地及兩縣間的麻斜海(今湛江海),海陸面積約 2130平方公里,其中陸地面積518平方公里。

在1899年之前本地區原為荒涼之地,因靠海故時為海盜流劫之所。如1849年有張十五活動於瓊州海面,而陸上亦常為草寇活動中心;如1855年有刀仔會之淪劫,1865廣西博白三點會曾佔縣城(今廉江若干鄉村)進而佔硇洲島。是時其居民多是水上人家。有竇振彪(1785—1850),硇洲那光村人,早年投入水師,從水手升至水師提督,曾參與鴉片戰爭,因抵禦沿海的英國海軍立下戰功,為本區早期水上人家的輝煌人物。

另一方面,此區瀕海,對外貿易亦盛。據《遂溪縣志》載赤坎港埠"商船蚊集"。考其年代,應在法租廣州灣前後, 1889 年四月十日法正式要求將廣州灣村坊的島嶼作為停船躉煤之地(《清季外交史料》131卷),可知在此年之前,已有法國商船來往此區(在法租此區前,北海是來往中南半島的對外貿易港和航運中心)。法租此區之後，開發海頭港(即西營港原稱Fort Bayard以紀念最初登陸的戰艦Bayard)，並在硇洲島上建立當時遠東最大照射距離最遠的燈塔。設立種種導航的設備,廣設碼頭,可容大噸位的港輪,並宣佈開闢為無稅的自由港(沈榮嵩《法國統治時期的廣州灣港》,載於《湛江文史資料》第五輯),由是"商船蚊集"。法國人更修築與港口相連的公路,使港口的經濟腹地擴至雲南貴州、四川及兩廣、湘南諸地。二三十年間,廣州灣遂成為繁榮的都市及粵西南的航運中心。

1880年許國仁公愛周先生誕生於坡頭坊博立村之農家,十八年後,法人租借廣州灣,目睹該地由農村而轉型為工商業社會,於是立志經營商業。其一生由營商進而發展工業及貿易。及至香港則轉而從事航運及地產,均能掌握時代之脈膊與之俱進。遂成一方鉅富。僅分述如下:

(一)二十年代

法國人銳意經營廣州灣似開始於1912年,興建東西兩海岸(東西營)的港口碼頭及船舶停泊所,始帶動商業與貿易。此時期愛周先生初出社會,於是以舊式經營方法在坡頭開設"福泰號",出售日用食品與雜貨。未幾轉至吳川縣的梅菉鎮開設"仁和號",經營黃麻、蒜頭等貨運銷香港,贏利較佳,遂返赤坎開設"廣宏泰"號,在西營開設"天元號",同時開始注意外銷,在香港開設"廣宏泰"號和赤砍總店互相呼應,出口土特產,及經香港轉運至上海的貨物,積累了經驗,曉得各地之需求。時廣州灣一帶盛產花生,於是在坡頭開設"天和油行"、"廣源泰油行",在麻章開設"天泰油行",其成品色味俱佳,故暢銷至美國三藩市一帶,由商業進而向製造業發展,其中尚有一重要因素,是代理美商德士古煤油。按煤油是工業與交通必需的燃料,在新興的廣州灣煤油的用途甚大,獲利亦甚豐,愛周先生由"德士古"煤油的專利,積累較多資金,故能從雜貨式的商店發展至炸油的工業,以及向外拓展至香港及美國。

(二)三十年代

廣州灣已發展成一都市,都市除發展工商業外,在貿易上特重出入口的運輸業。早在1904年,法國郵船"于愛"號每二星期往返香港-廣州灣-海口-北海-海防。1925年廣州灣每年出入口貿易總值為越幣1000萬元。1926年法國東方匯理銀行設立廣州灣分行,資助工商業的發展(據《湛江二千年史》)。愛周先生能掌握時代的趨勢,善用銀行提供的資源,分別向航運及地產置業方面發展,事業始盛。

A.航運業:於三十年代初成立順昌航業公司,購得一艘數百噸的貨輪取名"寶石",航行於廣州灣與香港之間。後來又購一艘遠洋客貨輪,取名"大寶石",航行同一航線。按:航行香港路線多為英商"太古"、"渣甸"等所控制,華商難與競爭,幸而愛周先生經營有方,加以人際關係良好,極有信用,故以托運貨物為主,獲利不鮮。及至抗日戰爭爆發,進出入口貨物處於封鎖狀態,廣州淪陷後有的船主把輪船出賣。時廣州灣屬法租借地,愛周先生得地利,大量擴充船隊來往廣州灣與香港,先後購有台山輪、泉州輪、大寶星、大寶山、大順康(合股)及租用巴拿馬及挪威輪船等。此外又主持與友人合資經營大安航業公司、太平洋航業公司、泰豐航業公司、廣利航業公司,奠定其在航業上的地位。

B.地產物業:當廣州灣在法人經營之下,日漸繁榮。赤坎是廣西、雲南、貴州等貨物出入口的港口,經商者日眾。但赤坎面積少,地產需求日甚。愛周先生高瞻遠矚,先集資組織填海公司,將新填地的陸地建築四十多間商店,並在該地建當時最華麗的寶石大酒店,為來往客商的高級住所,而酒店又帶動商店的繁榮,市場繁榮帶動了地產業的興旺。

此時的愛周先生已成一方鉅富,不外二十年時間而已,其發跡與廣州灣的發展息息相關。當然,在主觀上,愛周先生能掌握時代的脈搏,與時代潮流相配合,實乃成功的一大關鍵。

(三)四十年代

1937年抗日戰爭爆發,中國經濟大受摧殘,但廣州灣是法租借地,反之成為敵後物資的供應地。廣州灣的繁榮,也是愛周先生事業的發展原動力。1941 年,太平洋戰爭爆發,愛周先生之愛國精神顯示出壯士斷腕手段,將台山號、泉州兩輪沉於海底,將大寶山輪租於英政府,遣散員工,隻身取道澳門返回廣州灣。1943年三月,日軍進佔廣州灣,但在1941—1943兩年間, 廣州灣空前繁榮,愛周先生在香港事業雖有損失,但幸而廣州灣的事業得以繼續發展。1945年八月日本投降,愛周先生兼程返回香港,恢復順昌航業公司,時復元最重交通,故此時期,順昌航業全力發展,除廣州灣與香港航線外,更發展至沿海口岸,計有:

台山輪:(自日本收回)恢復廣州灣至香港,次次航程滿載

大寶山輪(自英國發還)

大中山輪及大金山輪:新購入。

以上四輪航行於廣州灣、海口、汕頭、廈門、上海一帶,與國內"招商局"及英商怡和渣甸分庭抗禮。故蘇獻章云,二十年代是愛周先生經營中國沿海航運時期,而四十年代為許氏從事遠洋貿易的開始,但其發展待至五十年代,達於高峰,尤其是韓戰爆發以後,被稱"香港第一代船王"。

(四)五十年代

戰後,百業待興,愛周先生事業向多元化發展。其中仍以航業最為主要。1952年,順昌航業公司在香港改為"順昌航業有限公司",其時航線擴至十一個港口。在新加坡、曼谷、金邊、庇能、湛江等港設立分公司,由總公司直接派人主管一切事務,廣州、廈門、上海、汕頭、天津、海口等港即委託代理商代辦各項事務。當時冠以"大"字的船隻有大寶石、大寶山、大中山、大金山、大順康、大華山、大福山,以"興"字命名有民興、華興、安興、居興、樂興、業興,此外還租用若干船隻以供應某一航線作臨時之用,享譽全球的我國航業鉅子如董浩雲(金山輪船公司)、包玉剛(寰球輪船公司),當時在香港僅開始而已,屬於"晚輩",故 Capital 雜誌譽愛周先生為香港"第一代船王"。 另一方面,香港自割予英國後,遂成為轉運港與避難港(見拙著:《香港之過去現在與未來》)。至五十年代因政治劇

變,大量資金及高級技術人才從大陸流至香港,於是香港發展成為工商業大都市。愛周先生卻順應潮流,從多方面發展,其次子士芬先生任光復後湛江之市議員(郭壽華:《湛江市志》38頁)。士芬先生又是留美礦物學專家,抗戰時曾在廣西採礦,勝利後回香港成立"仁興礦務公司",曾在馬鞍山開採鎢礦,向工業方面發展。但香港礦藏不多,自韓戰後香港成為東南亞及大陸華人集中地,資金集中,人口驟增數倍,但地狹人稠,地產及建築業渴求至甚,愛周先生以其在廣州灣的經驗,立刻改營地產與建築。1957年成立中建企業有限公司,購著名的"香港大酒店"改建為十七層的"中建大廈",另購入"亞細亞行"改建"亞細亞大廈",均是香港"地王"地段的鉅廈。此外,在港九新界更購得大量土地,建築大量的住宅與商業樓宇,或分租或出售,遂兼成物業地產界的鉅子。

一九六六年四月十四日愛周先生壽終於香港,享年八十六。綜其一生,發跡於湛江而大展鴻圖於香江,達至顛峰,其事業發展與地方背景、時代潮流息息相關。如利用湛江港而發展航海事業,利用香港之工商業發達而發展地產與物業,可譽之為能掌握時代脈搏之巨人而無愧。

乙、許士芬博士生平事略

許士芬博士,一九一二年六月十三日出生於中國廣東省湛江市。中學畢業於香港拔萃男書院,曾在上海聖約翰大學修讀土木工程,後轉往美國科羅拉多州礦冶學院繼續學業,取得採礦工程師及地質工程師兩個專業學位。1940年學成返國,曾在中國廣西省開採煤礦、錫礦及滑石礦,其後在許氏家族之船務、礦務、置業公司擔任經理、董事及董事長等要職。過去四十餘年,積極促進探測、開採及礦冶業務,並大力資助及推廣地球科學及環境科學之學術研究及培訓。先後捐助興建香港大學許愛周科學館,在本港之香港大學、香港浸會學院、美國之科州礦冶學院母校及英國之倫敦大學帝國理工學院設立獎學金,供中國、香港及臺灣之華裔學生在礦冶及地球科學方面作更深入之學術研究及探討。

許博士樂善好施,且一生好學不倦。曾榮獲科州礦冶學院頒授礦務工程優異獎章、香港大學名譽法學博士、美國科州礦冶學院名譽工程學博士、英國倫敦大學帝國理工學院名譽院士。歷任香港大學校董,並為香港及國際多所知名專業學會之資深會員。此外亦是周興置業有限公司、仁興礦務有限公司、士昌置業有限公司之董事長以及香港多間商業機構之董事。

許博士與夫人感情彌篤,育有兩子一女,均學有所成。許博士不幸於一九八九年十一月廿一日在香港港安醫院息勞歸主,享壽七十八歲,但其仁風義骨以及一生對礦冶及地球科學方面之貢獻,將長留於各親友心中。

第八篇 文獻

甲、周興書室

愛周先生雖未受高深教育,但深知教育的重要。而立之年,經商稍有所獲,即與當地殷商陳學談、林昌慶等創立"益智中學",並獨資於1912年建立"周興書室",建築面積達

1300平方米，足見其目光遠大，可譽之為"儒商"，子貢之流也。

古色古香的周興書室
——許愛周書房簡介 □ 鄧華壽 林春繁

許愛周先生的書房——"周興書室"，是許愛周先生仗義疏財、興學育才的歷史記錄，是許愛周先生愛國愛鄉的碑記，故有必要作專題的概述。

"周興書室"建於一九一二年，佔地面積約二千三百平方米，其中建築面積約一千三百平方米，分上中下三座。四周是花園，用磚牆圍起，顧請專人打掃庭園，培植花卉。書房內配備名貴酸枝家具多套。庭園內陳設之花盆都是名貴瓷器。書房內有精緻巧雅的雕刻工藝品和油畫。雕刻主要是木雕，分陽雕與通雕兩類：陽雕有雙面雕刻的花卉小品及雕有翠竹、梅花的裝飾窗十六扇；通雕有屏風門二十四塊，大型穴門二塊。這些工藝具有結構嚴謹、布局講究、疏密相宜、深淺適度、層次分明、刀法精確等特點。其中以前廳上的大型穴門"雙鳳朝陽"為最精緻：穴門高三米，長四米。兩側分別嵌於一塊雕有"松鶴延年"通花的五米高的裝飾門上；穴門的畫面以"雙鳳朝陽"為主體，上方補以數片白雲，兩側佐以蒼松；在連理穿插的枝杆上，兩側各有一隻雄鷹，下面輔以牡丹。整幅畫面十分和諧、壯觀。其他木雕如蝙蝠吊花籃及字畫結構的屏風門，亦生動逼真。每扇屏風門上均雕有"如意吉祥"四字，而每個字都由兩個蝙蝠展開的翅膀圍繞起來，可謂別具一格。上廳、中廳兩邊的金字架都是用木雕製的"八仙之寶"托起來。

愛周書房有數塊橫匾，尤其顯眼。正門巨匾"周興書室"四字是譚延闓親手所書；上廳懸一巨匾"俠義可風"，是當時吳川縣長曾昭聲所贈；中廳所掛巨匾"今之卜式"，匾文出自一個典故：據《辭海》記載，卜式生於我國西漢時代，河南人氏，他是當時的大畜牧主，由於他屢以家財捐助朝廷而聞名遐邇，曾被漢武帝先後任為中郎、關內侯、御史大夫等職。送匾的有識之士根據許愛周先生的仁行義舉而譽他為當今之"卜式"。可見許先生愛國愛鄉、慷慨仁慈、樂善好施、重義疏財的精神，是素來如此的，因此贏得"俠義可風"、"今之卜式"等美譽。

許先生書房建成之後，感到農村較窮，子侄外出讀書不易，便把書房騰出來作私塾。并延聘文化高、學歷深的教師來教育村中子弟。對入學者均不收費。為了充實教材和給學子們創造更好更有利的學習條件，還設立了圖書室；除備有一般的書籍和辭典外，許先生還出巨資購置了《萬有文庫》一部，陳於室內，以備老師和學子們參閱研究。

由於年久失修及經"十年動亂"，書房僅存一個"外殼"。家具、書籍、各種陳設和三巨匾均不知何處而去；書房也因缺乏專人管理，致使帶有藝術性結構的家具和藝雕都大部份損壞；院內花卉、盆景均已凋謝、打爛；小部份橫條，桶子腐爛，屋頂穿孔漏雨。

湛江市政府和坡頭區政府為了緬懷許愛周先生，於去年七月決定全面修復"周興書室"。由坡頭區政府負責具體修復事宜，至十一月修葺一新，原貌基本復原。現在，書房大院、內部花圃、藝術雕刻製品和三大匾均仿原樣修復。在原庭院花卉的位置上，亦已全部種上名花；并正在繼續補種果樹，綠化全院。被拆的圍牆和約七百平方米的工人房、倉庫也已重建。桁條、桶子應換的換，并漆上色油；瓦面應補的補。書房內也適當添置了一批家具，安裝上了電燈。整間書房煥然一新，古色古香，令人心曠神怡。

現在，每臨"周興書室"，目睹匾文，深感許愛周先生騰書作學堂的精神，實在是難能可貴的。實至名歸，當之無愧，由此更增加人們對許愛周先生的緬懷與敬仰。

乙、順昌航業有限公司

愛周先生被譽為“香港第一代船王”，其航運基業始於二十世紀三十年代初，購下一艘幾百噸的貨船，取名“寶石”，掛法國旗，航線來往於湛江、香港之間。至五十年代，業務擴大，遂成立“順昌航業有限公司”，航線在國內達十一個港口，另外在東南亞設有代理，惜未能拓展至歐美，致為後來的包玉剛、董浩雲等經營的航業所代替。

順昌航業有限公司　　　　　□ 林春繁

順昌航業公司是湛江市殷商許愛周先生獨資創建的公司。成立之初，公司設於香港干諾道西六號二樓，業務擴大後遷至干諾道西二十四號二樓。

清末民初，軟弱無能的政府和英、法、德、日等簽訂了賣國條約後，各帝國主義國家對我開展廣泛的經濟侵略。在賣國條約的庇護下，各帝國主義國家在我國沿海口岸和內河都享有航行權，英國的“渣甸”和“太古”兩公司更壟斷了中國沿海和長江的航運。許先生眼見利權外流，心實不甘。在當時一片實業救國的浪潮中，許先生斷定開發航運事業乃是利國利己的最有益的業務。

三十年代初，許先生從他所經營的榨油業和進出口業的各商號中，抽調資金，成立了順昌航業公司。買下一艘幾百噸的貨船，取名“寶石”，掛法國旗，當時俗稱“寶石仔”，航行於廣州灣（湛江市）至香港航線。許先生的友好和進口業的商家都極力支持，因此，生意蒸蒸日上。隨後賣掉“寶石仔”，買入一艘遠洋客貨輪，取名“大寶石”，仍然掛法國旗，航行於廣州灣至香港線。當時適值經濟不景氣，並且席捲全球，人民的購買力急劇下降，航運業亦死氣沉沉。幸得許先生為人俠義爽直，深得友人擁護，各友好商號的進出口貨物，如廣州灣的利興昌記等，都留貨給大寶石輪載運，因此在航業不景氣中，順昌航業公司尚能穩步發展，不受影響。

一．第一個黃金時代

“九一八”事變之後，到一九三九年，大連、天津、上海、福州、廈門、汕頭、廣州都相繼被日本佔領。能間接運物資入川和西南各省而又能輸出物資的，只有仰光和廣州灣兩個港口，因此香港至廣州灣航運非常繁忙。順昌航業公司的業務亦突飛猛進，每一艘船的每一航次都滿載。自一九三七年至一九四一年，除原有“大寶石”輪之外，又先後購進了“大寶星”輪（掛英國旗）、“大寶山”輪（掛英國旗）、“大順康”輪（掛法國旗），並把這些購進的海輪，全部投入到香港至廣州灣航線中去。又還訂購了兩艘巴拿馬貨輪，但在交接過程中遇上太平洋戰事發生，被日軍掠走。以上各輪載重量約三至五千噸。另外又購入了航行於香港至廣州航線的兩艘客輪“台山”號和“泉州”號（因廣州淪陷於日本而停航於香港深水埗海面）。除購置了以上各艘輪船外，又還租用了兩艘挪威船，以解決當時香港至廣州灣航線擠載的需要。那時我國最大的航業公司是招商局（官商合辦），其次是天津的政記公司和重慶的民生公司。三者都是合股公司　。而順昌航業公司卻是獨資公司。許先生可算是當時中國人中經營航業的嶄露頭角的強者。許先生除了獨資經營順昌航業公司之外，還有為了適應某一時期的航運需要而臨時與友人組合的公司。這些公司是：大安航業公司、太平航業公司、泰豐航業公司、廣利航業公司。這些航業公司雖然是與友人臨時組合的，但業務部由許先生掌管。

二. 日寇橫行，沉船棄產返回廣州灣開闢廣州灣至海防航綫

一九四一年十二月某天凌晨，香港居民在夢中被大炮聲、飛機聲、炸彈聲驚醒。許愛周先生從家中趕回公司，得悉中、英、美已聯合對日宣戰後，許先生憤慨地說："打得好，委曲求全不能存。"並立即與伙伴商議部署應變措施。由英國派來的以"威爾斯皇子"號為旗艦的救援艦隊，被炸沉於瓊州海峽外，香港這個無援孤島陷落於日寇手中就已成為定局了。為了"堅壁清野"，許先生把"台山"號和"泉州"號兩輪鑿沉於海底。經過二十日抵抗之後，香港終於淪陷於日本。兩艘在途中的巴拿馬輪被日寇擄於香港海外，大寶山輪亦被英政府租用，不知去向。銀行帳戶被凍結，倉庫物資被封存，公司已經癱瘓了。只好遣散職工，留下主要者辦理善後事宜。許先生取道澳門，於一九四二年春節年初二返抵廣州灣，以僅存的"大寶石"輪開闢廣州灣至海防航綫。一九四三年冬，日寇鐵蹄正式踏入廣州灣，接管法政權。"大寶石"輪亦被日寇徵用，不少殷商富戶被蹂躪，日寇官員的敲搾勒索，使人窮於應付，人人自危。一些人為了適應環境和保持自身利益，甘受利用，與日偽同流合污，為日寇奔走效勞。而許先生則遠遠避開，毅然離開廣州灣到廣西去開礦，為發展抗戰後方的工業而努力。

三. 第二個黃金時期（全盛時期）

一九四五年八月，日本投降。英國接收香港後，順昌航業公司立即遷回香港干諾道西二十四號復業。首先收回被日本掠去的"台山"輪，恢復湛江至香港航綫。老主顧、老關係戶都備貨以待，次次航程滿載。後來又收回了被英國徵用的"大寶山"輪，繼而又買入了"大中山"、"大金山"輪。這幾艘船都是遠洋輪船，因此航運業務就不只限於香港至湛江航綫，而是逐步擴展到華中、華北一帶去了。為了適應現代化的要求，一九五二年，許先生將"順昌航業公司"改為"順昌航業有限公司"，總公司設於香港。業務逐年擴大，船隻逐年增加。隨着市場的變化，原來以轉口為主的香港逐步變成了生產城市和金融貿易中心，因此帶動了房地產業的蓬勃發展。許愛周先生掌握形勢的變化，於一九五七年組織中建企業有限公司，任董事長。接着買入了原香港大酒店的舊址，改建為中建大廈，於同年八月二十九日奠基。大廈落成後，順昌航業有限公司即遷入該大廈十七樓，此時，航運業務飛躍發展，航線擴展到十一個港口。並在新加坡、曼谷、金邊、庇能、湛江市設立了分公司，由總公司直接派人主管一切事務，至於廣州、廈門、上海、汕頭、天津、海口等城市，則委托代理商代辦各項事務。冠以"大"字的船隻計有""大寶石"、"大寶山"、"大中山"、"大金山"、"大順康"、"大華山"、"大福山"，共七艘。以"興"命名的船隻計有："民興"、"華興,、"安興"、"居興"、"樂興"、"業興"，共六艘。除"華興"、"民興"兩船較小外，其他的都是遠洋船。除自置船隻十二艘外，還經常租用船隻，以應付某一航綫的急載需要。同時還代理法國船公司的船隻十餘艘，航綫遍及歐亞。

“大寶石”、“大寶山”兩輪在順昌公司的發展史上貢獻較大,具有發家的意義。“大寶石”在被徵用期間沉沒,“大寶山”因殘舊賣掉,並購回新型的萬噸級的客貨輪以代替原船,並以原名命之,航行於汕頭——新加坡——庇能的三角航線。新裝的“大寶山”輪則循環航行;新裝的“大寶石”輪則專綫循環航行於香港——新加坡——海口之間,以方便華僑返回祖國,並輸出祖國的貨物到南洋各地去。

抗美援朝時期,外國禁止物質進入中國,沿海口岸亦被封鎖。順昌公司之華北、華中航綫受到威脅;但並不因此而縮減航次或停止航行。“大中山”和“大金山”輪曾被扣於臺灣,扣留時間最長達數月之久。六十年代印尼排華時,順昌公司亦派出船隻為祖國接運難僑,兩次在湛江市登岸。

四. 光榮歇業

許先生是在一九六六年仙遊的。早在許先生撒手紅塵之前,就已把精力和資金逐步轉移到房地產業方面去了,並已由航業強人變成了地產巨商。七十年代後期,世界航業不景氣,順昌公司的生意受到影響。公司決定不再經營航業,並打算將船隻逐步賣去。一九八四年四月十五日,順昌公司正式歇業。公司把全部的公積金按職級、按工齡進行分發。各伙伴都得到了相當可觀的金額,最高的竟達一佰餘萬港元。

丙、舊序五篇

五序均引自料村譜,但料村譜云引自博立譜。古博立譜今已不傳,未能對照。

A. 前代祖行知公序
B. 七世祖大有公序
C. 十三世祖日晃序
D. 十五世孫世奕及十六世孫士岳序

各序間頗多矛盾,需要考證,故存原文待考。

甲、博立許族舊譜序

【按】所錄五序引自料村譜(但料村譜引自博立譜,今博立譜已不傳。)

(一)原序

從來譜書之設所以記世次分昭穆俾世代相傳宗支不紊計甚善也我族始祖諱衡公居閩地隸長亭始入翰林官陞祭酒髦教東門楷模多士越三代祖諱曰修公方置業遂溪南陸五代祖諱 雍公移居瓊府白沙七代祖諱 宗公復回雷地職受郡鐸更收田業遺我先考燕翼貽謀際遇何其隆也傳至我身兄弟分縣各附各籍煙火不相連圖甲不相合若不記其世係後來子孫亦如木之有葉而不知其根水之有流而不知其源爰是篤孝思之誠切追遠之念誌其芳銜遂執筆而書諸簡。

前代祖行知公序

【按】再序稱九世祖為行知公，但序文撰者稱大有公為七世祖，次序不倫，未知是否行知公屬庶房，大有公為長房，待考。

（二）再序

竊聞祖宗之功莫大於開業子孫之職莫大於繼承我九代祖行知公修譜遺後固知根深而葉茂源遠而流長矣復思祖宗營域未有登記本本族冬祭未置田畝且近來功名亦未大遂有授遺蔭得膺知縣反躬自維抱愧良多茲歸田之日與兄弟各人共立先祖佳城碑銘加設祭田又建賢產業並記祖考昭穆世系庶幾少伸孝思之誠以迪前人光於施我後嗣也於是序矣

七世祖大有公序

（三）又序

我族譜書之傳由來久矣始有行知公創之於前繼有大有公述之於後累葉相傳昭穆有序刻銘勒碑祭掃益烈且幫養書賢功名弗替炳炳鱗鱗固可繼也但近代以來宗祠傾圮先靈未有神棲養賢產稀人文亦未有甚蔚起族屬公叔子侄相與肇建宗祠以妥先靈加設田條以勵文風庶幾肅廟雍宮罔時怨而罔時恫騰蛟起鳳曰彌熾而曰彌昌也遂拜手而為之序

十三世祖日晃　同修並序
十四世祖德厚

（四）今又修序

我許氏本炎帝之後姜姓也至周武王封四岳姜太叔於許國遂因國以為氏焉迨後高陽衍派則代有偉人在漢則邵公表月旦之公評在晉則詢公齊大名於王謝降至隋唐之紀許渾擅詩賦之芳聲許遠守忠精之大義其所為流光史冊赫濯塵寰者實難為枚舉矣然此皆世遠而難稽也惟念我太始祖諱衡公發祥於南宋之季為元朝集賢大學士封魏國公從祀聖廟越元及明百有餘年歷世有十三代而如如來公始遷料村居住則其創業垂統燕翼貽謀者初則有行知公創其譜牒嗣是而大有公續之又嗣是而日光公德厚公續之累世相承皆緣舊譜之記載詳其世次其由來誠甚遠矣然而宋歐陽公論圖譜之法惟斷自可見之世故作歐譜僅及高曾祖五世而止明紀高皇帝自序朱氏世德碑亦僅及高曾祖五世而止何也其意殆以譜書之作惟錄其所知闕其所不知始為慎重耳所以今之修我族譜者從歷代而考訂之其勢實難焉者既已知其為難曷不斟酌而變通之惟因耳舌相承文獻可考而以如來公為我族創業之祖則必以如來公為第一世抬頭來公以上雖諸亦記其銜芳而歷世已遠其世次不敢多為排列也爰以立法以為圖計書以九部凡部蓋內字字合同語語的確一橫一縱各相表裡詳略互陳務歸誠信斷無敢以蔑視前人自用自是也昔程子曰收宗族厚風俗須是明譜系蘇子曰觀之譜孝悌之心可油然生矣益明譜書使知兄弟殊於路人二子之意也我族自祖宗開創業以來凡讀者耕者皆雍雍乎有相親相愛之風況譜書既明從此而世派有定尊卑有等親疏有分內外有別俾觀斯譜者自可因書以生孝悌而風俗可厚也瑾　叨蒙祖宗之蔭庇幸掇芹香爰集父老稟告先人以修輯乎譜牒固無非欲以族人之名字徽號冠昏喪祭墳墓碑碣諸大事詳著於簡篇其有所疑似者則加以考訂然後書諸譜冊若夫採訪失登記者差或遺或濫則有分任

其責焉夫亦本先輩議修族譜之法耳後有繼起而作者亦將有感於斯文是以為序

道光十九年歲在已亥孟春之吉十六世孫遂溪縣學附生秉瑾拜序並修

十五世孫郡庠士世奕 參訂
十六世孫邑庠士 岳

丁、許晉義、晉廉兄弟前後序

愛周先生三子均能克紹箕裘，為香港鉅富；文孫二十餘人，亦各有所成，享譽香港各界。惟獨晉義、晉廉兄弟，有乃祖遺德，能知木本水源，不忘文化教育，追述先祖創業艱難，獨資纂編家譜，並於前後兩序謹記其修譜的動機與感言。

前　序

吾族自明正德年間遷至粵南，於今四百餘年，族裔分佈於湛江、遂溪、吳川、茂名及瓊島一帶。然因各處一方，兼之明末清初禍亂相尋，兵荒馬亂之際，各地互不往來，遂至各譜世系。雖各有世次，昭穆有序，然事蹟出於後代追記，疏略無據，未能考究各族彼此之關係，難以溯本追源，使枝葉相連，慎終追遠。即使吾族開村於博立，譜載與料村、木棉同源，然彼此世次已難互證，更遑論茂名、瓊島許族與吾等血脈相連之關係。今世工商業發達，四海一家，為職業、為事業，家族遷徙無定，分散全球，若不修譜立牒。後世子孫，固不知血源之所嗣，更未明我中華文化尊祖敬宗之美德，晉義以木本水源之意，彰先世之德，故擬修吾族譜牒，然限於學與力，先修"家乘"以俟他日耳。

吾族建村於博立，本有舊譜，於戰時喪失，幸增修之料村許氏族譜，言明爰引自舊譜。按：舊譜有"前代祖行知公"、"七世祖大有公"、"十三世祖曰晃公、十四世祖德厚公"、"十五世祖世奕公、十六世祖岳公"四序，雖有世次，未有紀年，不知最後修譜於何時何日，甚至次序亦有疑問。據譜云："吾族於正德年間，自福建莆田縣朱基巷（珠璣巷）大井村遷入。"本人曾委託林天蔚教授親至莆田調查，據縣地方志辦公室資料，許族乃莆田盛族之一，然無朱基巷或珠璣巷之名。按：自宋以後，中原士族南遷多經南雄珠璣巷入粵，疑修譜者認為吾族始遷祖許福公（？）殉國於贛南，自贛南入粵必經珠璣巷，然涉及修譜者之文化水準，據音而訛為"朱基"而已。至於大井村，今雖無其名，然城內仍有大古井一只，為明代村落聚居之地，可證吾族自莆田入粵尚有所據。

吾族自莆田入粵之前如何由中原許州南遷，年代湮遠無譜可稽，然根據歷史發展趨勢，唐宋之間許族南遷之可能性，亦有脈絡可尋。宋歐陽修倡譜學，深感歷經戰亂，宗族遷徙頻繁，大宗之法已屬不可行，故建小宗之法，斷自可見之世，自宋至今又達千年。故今之修譜者，因世系難稽，多重"血源"，凡前代同姓名賢，均列於譜內，如《古今圖書集成·氏族典·許姓》，由陶唐氏時之許由至明末，許氏先賢共收二六八人，其中如許劭、許慎、許靖、許衡，均歷史上之名學者，許敬宗則為名相，許遠則是忠義之士，彼等雖非直屬支裔，然均同一血源，故各族修譜，多據引為遠祖或先賢，似有掠美之嫌，然五百年前同是一家，在世系失考之際，遽引為遠祖亦未可厚非。

吾家自許福公開基後，歷代多以農耕為業，至先大父愛周公，棄農為商，來往於湛江、香港之間，始立基業，以敬業精誠勗勉兒輩，是以先父士芬公、先伯岐伯公及世勳叔父，均能克承箕裘，各有成就，光大祖業，及余與諸侄、侄孫等輩，已傳二十一世。今得林天蔚教授之助，先修《家乘》，以愛周公二房（先父士芬公）為主，一、三兩房諸兄弟叔侄，因事業分散全球各地，資料未能及時收集，故先付梓，容後補入。至許福公之前代資料，則據族譜，並旁及史籍，美國家譜學會所藏之資料，與訪問本省各許族耆英加以互證，稽其源流，並附若干考異，以明吾家、吾族，甚至吾粤許族之源流與發展。

語云："若無前者，雖美不彰；若無後者，雖美不傳。"此《家乘》之作，願彰列祖列宗之美德，冀後世若子、若孫，知創業固艱，守業更艱之深意耳。

十九世裔孫

晉義晉廉敬撰

書於愛周公逝世三十週年紀念

丙子年三月二十日

後　序

清儒龔定菴云："讀一國之史乃愛其國，讀一家之史乃愛其家。"故家譜之作，除使子孫知木本水源之義，尊祖敬宗之心外，應理解祖先創業之艱，啟後代子孫奮發之精神，始能從事光宗耀祖之事業，乃其本意耳。

晉義等笤齡曾侍　先大父愛周公左右，深受庭誨。愛周公以前，列祖列宗之事蹟，無文字足徵，難以稽考。然太史公云："先人之業不可不述，祖宗之德不敢不彰。"故擬纂修家譜，幸得高涼林天蔚教授之助，奔走海內外，勾尋古今典籍，博採父老傳聞，加以考異審訂，纂成此譜。天蔚教授講學上庠四十餘載，在香港大學、臺灣政治大學歷史研究所、東吳大學等講授族譜學、方志學，學有專精，士林所重，得其相助，能完成此譜，刻板之日，謹致感謝之意。

十九世裔孫　晉義　晉廉　謹識

丁丑（一九九七年）春三月

註　釋

①引自臺灣聯合報文化基金會出版《中國族譜序例選刊》。

②光緒癸卯本。

③如寧王宸濠之亂與許福之殉國，可補族譜之事蹟。"朱基"與"珠璣"之混淆。高雷廉鎮守總兵，非明代兵制，知許族於明代並非大族。其譜牒是後人追述，頗多張冠李戴，可靠性不大。

④以許衡之"神道碑"、"許氏族譜"未載有子孫遷至廣東之明證，可知唐宋以後，許家修譜多附麗為前代名人之後，以增光門楣。

⑤大族修譜自然"文徵可信"，小族修譜衹能重點在始遷祖及顯達一代之記載，為示追源，於是採取

先輩之傳聞,“惡則隱之,善則揚之”。古人有名、有字、有號,修譜者不察,於是一變為三,將三事集於一人,或三事分載於三事,故修譜之風雖盛,然可信者,可觀者之譜少。

⑥舊族譜特重祖墳之風水,新族譜雖並非不重視(見本書),但在新舊時代交替之間,仍有爭風水之事,故特附之,以表示意氣之爭而已。

⑦如林土琦的《林氏家譜》序例。

⑧儒家認為“其父攘羊,其子證之”(《孔子家語》),為儒家所不齒,蓋儒家以孝行為立身行道之鵠的,終身奉行而不踰矩。

⑨農業社會,以儒家思想為準則。儒家主張人治,從個人修身開始而至家齊國治天下平。國之治繫於有賢君賢相,“人”而影響政治、社會經濟與制度。

⑩見本篇第二章“新舊譜學之界別與新譜學之兩派三家之評議”。

⑪如《西湖遊覽志餘》(曹國荃的《湖南通志》)有“雜志”;趙宗壇、天鴻的《趙氏族譜》有“雜記”。

叁　金石碑刻篇

第一章　索勳碑史事研究

一、碑文三種版本之比較

“臺灣中央研究院”傅斯年圖書館藏有“索勳紀德碑”之拓本(01150),僅能看出二六六字,另有二抄本流傳,即張淮之《隴右金石錄》錄有五〇二字,徐松之《西域水道記》卷三共錄五〇九字,全文則有六〇五字,其中《隴右金石錄》與《西域水道記》兩書所錄頗有出入,可互補數字。

碑立於敦煌縣内黌舍櫺星門内土壁,碑之上首共四行,每行四字,書“大唐河□道歸義軍節度索公紀德之碑”,碑文共廿三行,每行廿四字至卅一字不等[1]。下書“節度推官,權掌書記□□□□□□□□□丞賜緋魚袋南陽張景　撰”[2]及“節度押衙□□□□”等字。

碑之原文如下:(以《西域水道記》為主,缺字用□,“中研院”之缺字底用“_”《隴右金石錄》缺字用“*”,若兩抄本有出入或可互證者則用注文)

□□□□□□□□安邦柱石[3]分憂誕賢材而膺用固有提綱罩俗封長策而□□

□□□□□□□□□□□□[4]地中興聖運彼有人焉公王裕[5]稱諱勳,字封侯,敦煌人也□□□□

祖靖,仕魏晉位登一品,才術三端,出入兩朝,功名俱遂,曾祖諱□□□□□□□□□□[6]鍾慶於茲,來暮[7]之謠,既著捐駒之詠益深,乃保龍沙永固,城□□□[8]分竹□□父琪[9]前任敦煌郡長史,贈御史中丞,早承高蔭,皆顯材能,儒雅派衍[10]弓裘不

□宣宗啟運,乃睠西顧,太保東歸□平□義河西[11]克復,昔年土宇一旦光輝,沒□□□□□□□公則河西節度張太保之子(婿)也,武冠當時,文兼識達[12]得探囊之上策

□□□□□□明主皇王之□□□韜鈐而五涼廓靖,布列而生擒六戎

□□□□□□姑臧復[13]擾□□□□□□□□□□□上褒厥功,特授昭武校尉,持節瓜州諸

□□□□□□墨釐軍押蕃落□□□□□□□(夫)[14]繼先人之伐閱,不媿于荀彧效忠烈於

□□□□□□□牢落□天□□□□□□□□□□外乏金湯之險。自從蒞守葺以完[15]全築巍

□□□□□□□□□□煙布□疆[16]□□□□□□□□以部厥田,惟上周迴萬頃沃壤肥□溉用[17]

□□□□□□□□□□□□積為□□□□□□□□□(通渠)[18]流頓絕洎從分竹,乃運神機,土宇宏張[19]

近堤□□□□□□□□□□□騰飛□□□□□□□[20]功俄就布磐石□雲浮[21]川響波瀾眾□[22]

輻湊□□□□□□□□□□西成□□□咸感如神靈[23]蹤□應水流均布,人無荷鍤之[24]勞鼓腹□□□□□□□□□□

□日設法以濟人,摧圮樓臺置[25]功而再活,城内東北隅有[26]古昔龍□□□□□□□□□□[27]壁[28]猶存,模[29]儀尚宛重[30]以風摧雨爛,尊象塵濛,棟宇疏廊[31]空餘基址□□□□□□□□□□[32]貿土,于時改作四廂,枊立八壁,重修南建門樓,北安寶殿,徘徊聳伢[33]□□□□□□□□□□□□階墀,古樹卻吐鮮芳,玉砌流泉莓苔復點城隅之

下，別刱衙（廂）□□□□□□□□□□□[34]儼尒光輝，于時景福元祀，白藏無射之末，公特奉絲綸就加□□□□□□□□□□□□□（也）[35]軍中投石，爭誇[36]拔拒之能，幕下吏民，悉展接梟之勇□性□□□□□□□□□□□□基之術，材兼文武，次亞夫以當年[37]幸遇昌時，繼□營之（輕）[38]□□□□□□□□□□□□□□□（正）[39]欽崇於[40]大漢，洋洋政聲，翔于闕[41]下（功之于）□□□□□□□□□□□□□□□□竟千古（而不朽）[42]

按：以上三種拓本，以時間而言《水道記》最早，徐松自稱道光癸未（三年即公元一八二三）得之於“都門書肆”[43]，故存字最多。張溎之《金石錄》刻於一九三八年五月，兩書相差幾達百年，但徐松未至敦煌，張溎於戰時曾為甘肅省參議會議長[44]，為當地人，應曾到敦煌考察過，故有若干字可補《水道記》之不足。中研院之拓本不知拓於何時，衹知向達曾於一九四三年隨中研院及中央博物院合組的“西北科學考察團”的“歷史考古組”在敦煌工作二年[45]，拓有若干碑記。一九四四年，“敦煌藝術研究所”（常書鴻主持）成立，亦曾拓有若干碑記，但上距張溎的《金石錄》不足十年，而碑之拓本缺字特多，不可理解，疑是抗戰時或戰後，曾經破壞過的拓本而已。

二、歸義軍政權的分析與爭奪

自從大中年間張義（議）潮崛起敦煌建立“歸義軍”政權後，其統治人物可分二群，前期是張、索、李三姓聯合控制，晚期則是曹氏的天下。昔賢論者頗多，其中以羅振玉、蘇瑩輝、藤枝晃的著述最為詳盡[46]。此外王國維、蔣斧、謝稚柳、向達、王仁俊、唐長孺、饒宗頤、陳祚龍等亦有重點的研究報告發表。張、索、李三姓均有婚姻關係[47]，在建立歸義軍政權之時，以張義潮及索琪（索勳之父）二人功勞最大，而此二姓，可能是“新來”氏族與“土著”氏族的結合。亦可能是“文人”與“軍人”的結合，因為張義潮是“新來敦煌”的文人氏族，而索琪家族，則是“久居敦煌”的將門世家。及後，索勳之弒張淮深與李明振之妻弒索勳而擁立張承奉，又顯示出“正統派”與“實力派”之爭奪，故特分析如下：

按：張義潮的家族，標榜是南陽張氏[48]，其實“南陽”乃是郡望而已，藤枝晃疑張義潮出自張孝嵩之後[49]。但由張孝嵩至謙逸（義潮父）則世代未明，尚有存疑之處。又，敦煌張氏有謂出自開元七年沙州刺史張嵩之後，即所謂“龍舌張氏”[50]。張義潮姪孫女的墓誌銘則謂原居長安萬年縣，其後居於沙州，遂為敦煌人。但源出於“張羅氏”[51]，故疑張氏非敦煌原居民，即使來自中原，亦在開元之後，為時不外百年左右[52]。

蘇履吉的《敦煌縣志》卷五，以“名宦”傳張義潮，卻以“鄉賢”傳索勳及其先世，可知張氏乃敦煌“新來的氏族”，與“久居”敦煌的索氏家族不同。

索氏則是敦煌的望族，巴黎所藏《敦煌名族志殘卷》[53]有陰氏、索氏兩大族，其中陰稠，隋唐時始居沙州，其子仁幹曾為沙州武將。但遠在漢武帝時，索撫自鉅鹿之北遷至敦煌稱“北索”，另一支索駿，在王莽時由鉅鹿之南遷至敦煌稱“南索”，故索氏乃敦煌望族，此卷中有索靖其人，即《索勳紀德碑》中所謂“祖靖，仕魏晉，位登一品”，當時被稱“敦煌五龍”之一，《敦煌縣志》[54]而五龍中，索氏佔其三，可知索氏在敦煌有悠久歷史，是有潛勢力的“土著”。

按：敦煌位於西陲，居於該地或移居該地者多是軍人，故P.2657卷中所載敦煌縣戶籍，多是屯兵戶籍，如衛士、翊衛、柱國子、輕騎等或白丁。又S.0514、P.3354、P.3877等卷中，受田者多是軍人，田則是軍屯，池田溫教授指出敦煌籍帳中有不少具有軍人勳階[55]。而敦煌的索氏，更是將門世家，如天寶年間的索奉珍，當吐蕃內侵時，力拒強敵，"全孤壘於三危，解重圍於百戰"，索清為沙州防城使，索忠顗曾助張義潮"攻五涼而剋獲"，後歿於武威，其弟忠信"投戈從事，每立殊勳"，後隨張義潮晉京[56]，而大曆年間之索如玉、索思禮、索仁亮、索遊鸞等均是"上柱國、別將、折衝"等軍勳階[57]，而索勳之父索琪，任敦煌郡長史，疑曾助張義潮奪取政權。據"索勳紀德碑"：

父琪，前任敦煌郡長史，贈御史中丞。早承高蔭，皆顯材能，儒雅派衍，弓裘不□□，宣宗啟運，乃睠西顧，太保東歸，□乎□義，河西克復，昔年土宇一旦光輝，沒□□……

而索勳本人亦"武冠當時"（碑文），故知索氏乃敦煌土著，將門世家。索琪可能助張義潮收復沙州有功，張、索二氏因此締結姻親，張義潮之妻為索氏，索勳則是張義潮女婿，故疑歸義軍政權之建立，是張氏結連地方有武力的家族（索族）而建成。

另一方面，張氏比索氏後至敦煌，可能胡化尚淺，保持較高的漢文化，P.3620有《無名歌》末題：

辛未三月廿五日學生張義潮寫

按：饒宗頤教授的意見[58]：辛未為元和十年（815），是時張義潮應是十七歲[59]，恰是學生年齡[60]，知張義潮是學生身份。又S.3392《張氏修功德記》曾謂張義潮"講兵論劍，蘊習五經"[61]，當是知識份子。P.3500卷載義潮建功立業後，"休兵罷甲讀文書"，表現出書生氣習，故羅振玉謂"義潮雖生長虜中，而心繫本朝，陰結豪傑，未有當"[62]。按："報國之心"是傳統知識分子的責任感，但有此心未必有此力，因此，不能不與地方勢力聯合。索氏具此條件，索琪適任敦煌郡長史，而族人索清（沙州防城使）父子（忠顗、忠信）握有軍力，因此，當大中年間，吐蕃內亂，沙州別將尚恐熱，自號宰相，與鄯州節度使尚婢婢搆兵，連年不決，沙州空虛。據史稱：（義潮）"一日眾擐甲噪州門，漢人皆助，虜守者皆走，遂攝州事[63]。"其實事前必有預謀、有組織、有內應，否則，"噪州門"祇是騷亂而已。內應者是索氏家族，擐甲者索氏家族，索氏有武力而乏知識，號召力不足，張義潮恰當其選，二族聯合，遂創立歸義軍政權。

歸義軍政權的第一代應是張義潮、議潭兄弟及索琪叔姪，據《張淮深修功德記》[64]：

皇考諱議潭……入陪龍鼎（龍鼎者，大唐寶鼎也，在天子大殿之前，非重臣不得見，意謂議潭入京為質之事），出將虎牙（節度使之榮名，政權建立時，議潭為沙州刺史），武定文經、語昭清史，推夷齊之讓，戀荊樹之榮，手足相扶，同營開闢，先身入質，表為國之輸忠。

觀"同營開闢"一語，知議潭兄弟共同驅逐吐蕃，"推夷齊之讓"、"手足相扶"表示議潭之功不下於義潮，不外讓位而已。當時，為取得唐室的信任，議潭遂以領袖之資格，於大中三年，率義潮之婿李明振及其兄明達、押衙吳安正等二十九人入京告捷（入質）。至於索琪，在吐蕃時代任敦煌郡長史，族兄索清，在吐蕃時期為沙州防城守，均握有兵權，清之子忠顗，"毗贊司空（義潮），為前茅之爪牙，作後殿之耳目"，顯然是驅逐吐蕃的先鋒，其弟忠信為押牙，"登鋒利刃，猛氣超群，鐵壁鑽鎗，先衝入陣"[65]，可知歸義軍政權建立之時，除張氏兄弟外，索氏叔姪之功亦不可滅。此外，尚有李明達，據《唐李氏再修功德碑》：

亡兄河曲節度衙推（官？）兼監察御史明達……有張賓之策謀，破虜擒姦，每得玉堂之術，曾朝絳闕，數奏金鑾，指劃山川，盡縱橫於天險。

顯然李明達隨張議潭赴京"朝絳闕"、"奏金鑾"之前，曾"策謀、破虜、擒姦"，是參與驅逐吐蕃、建立歸義軍政權的人物之一，大概張、索、李三家族於大中之前已締結婚姻，所以能結合一起共同驅逐吐蕃。

歸義軍政權的第二代人物則是張淮深、索勳與李明振，其中張淮深是議潭之子，義潮之姪，索勳與李明振均是張義潮的女婿。據《李氏再修功德碑》（《西域水道記》卷三）：

府君春秋纔弱冠……時妻父……張公諱義潮，慕公之高望，籍公之文武，于是乃為秦晉。

按：若李明振於歸義軍政權建立時已婚，則年當在二十左右（弱冠），明振之妻為義潮第十四女，至於索勳是李明振之襟兄抑或是襟弟，不得而知，相信年齡不會相差十載。至張淮深卒於大順元年（890），享年五十九[66]，上溯應誕於太和五年（831），如是，在驅逐吐蕃克復沙州之時（848—850），張淮深亦是弱冠之年，與李明振、索勳年齡相若，並是第二代。

當張義潮於大中二載（848）破吐蕃攝州事時，五年（851）春遣兄義潭率李明達、明振兄弟等二十九人赴京告捷，是年十一月，遂置歸義軍，以義潮為"節度使兼沙甘瓜肅鄯伊西河蘭廓岷十一州觀察處置押蕃落營田支度"等使，可知由大中二年至五年間，曾四出征討，拓土達十一州，所謂：

四面蕃人來跪伏，獻施納焉莫停時，甘州可汗親降使清（情）願與作呵耶兒。[67]

此是歸義軍版圖最鼎盛時代[68]，以後，議潭留於京師，李明振返回河西任"涼州司馬，檢校國子祭酒，御史中丞"，隨張義潮父子拓土有功，所謂"歸戎幕二十餘載"[69]，建功立業。至於索勳，當然亦隨乃岳東征西伐，"紀德碑"曾指出先後參與收復涼州之役，抵禦吐蕃[70]等有功，故知張義潮拓土之時，李明振及索勳均有功勞。在收復涼州之後（863）張義潮入京之前，索勳已"持節瓜州"[71]，李明振歸沙州後二十餘載，卒於敦煌府第，享年五十二，似在沙州政變（890）前後逝世，官職不詳。至於張淮深，當其父議潭入質京師時，即繼父刺沙州及後義潮入京，即以"張氏繼承人"而為歸義軍留後，索勳則遙領河西節度[72]，張淮深為留後凡五年（867—872），咸通十三年（872）張義潮病逝長安，淮深順理成章地便繼為節度使，掌權凡二十二年（867—890）[73]。是時索勳在瓜州擁兵自雄，對同輩之張淮深未必心服，故S-1156《進奏院狀》翟理斯（Giles）及蘇瑩輝教授認為是索勳請授節度使之父[74]，此文更顯示張淮深未逝之前，索勳的野心經已暴露，旌節是否已頒，未知，但四年後即大順元年（890）張淮深即暴斃，疑為索勳所弒。僅二年，李明振之妻（張義潮第十四女），率其子李弘愿、弘定、弘諫（似亦握有兵權），以"重光嗣子，再整遺孫"之口號，起而誅戮索勳，"義立姪男"張承奉（時為歸義軍副使）[75]，故論沙州政變，應是歸義軍政權第二代所謂"實力派"與"正統繼承人"的爭奪而已。

三、回鶻與張、索二氏的關係

張義潮於大中二載從吐蕃手中奪得沙州後，在歸義軍時代，張義潮及張淮深均曾"大"敗吐蕃與回鶻[76]。但在咸通十四年（873）之前的回鶻是受吐蕃所控制，而是時的吐蕃，亦因內亂而日漸衰弱[77]。在咸通四年（863）之前，張義潮為使河西走廊暢通無阻，曾出兵甘州、涼州，擊敗吐蕃與回鶻當是事實，但此二地當時雖屬歸義軍，但蕃胡雜處[78]，散兵游勇，故張氏易於擊敗，並非"大勝"。及至咸通十四年（873）回鶻大酋僕固俊斬吐蕃大將論尚熱，盡取西州輪臺等地，回鶻大盛，甘州回鶻乘機脫離吐蕃的控制，於是回鶻分為"西州回鶻"與"甘州回鶻"兩部[79]，其中居於新疆之"西州回鶻"最強，甘州亦受其控制。唐長孺認為在張淮深掌權初期，已不能控制甘州及涼州的回鶻[80]，歸義軍勢力因之日弱。

P.2826卷《張淮深札》為于闐王[81]賜白玉一團予張淮深，原文謂"賜沙州刺史男"，另P.2709《賜張淮深收瓜州敕》內云：

敕沙州刺史張惟（淮）深省（？）所奏，閱□甲兵再收瓜州。

以上二卷寫卷雖未列年月日，但同時是有關張淮深的史事，相連觀察則意義重大。按張淮深為沙州刺史應始於大中七年（853）左右，時歸義軍節度使治沙州，淮深當隸於張義潮之下，及後咸通四年（863）收復涼州，似乎另析置涼州節度使，淮深專治沙州，權力較大。是時（863）的瓜州節度使應是索勳[82]，疑在咸通十四年（873）"西州回鶻"勢力大盛時，而沙州、瓜州兩當權者勢不相容，於是張淮深引"西州回鶻"（于闐）之力與索勳對抗，甚至向"西州回鶻"稱臣，故有"賜沙州刺史男"（P.2826）之寫卷。同時張淮深請求以"甲兵再收瓜州"（P.2709）以驅逐索勳，似是僖宗晚年至乾寧前之事，索勳既有不臣之心，張淮深擬借外力奪取瓜州，索勳不能忍，遂弒張淮深而產生沙州政變，自立為歸義軍節度使。

索勳自立年餘，便為另一實力派李氏（李明振之妻及其兒子弘愿、弘定、弘諫）以繼正統為名，殺戮索勳擁立張義潮之族孫張承奉（時為歸義軍副使）[83]，李、張二族，疑亦曾借助"西州回鶻"（包括于闐）之力量。張承奉之繼位在乾寧元年（894）左右，六年後（光化三年即900）唐室的任命始到達，再五年即天祐二年（905）張承奉便自立為"金山國白衣天子"[84]，時距索勳之被弒僅十年而已，金山白衣天子，亦是藉回鶻之力而建立。P.3633"金山國文件：沙州百姓一萬人上回鶻可汗書"，雖書明寫於辛未（後梁乾化元年即911）時歸義軍已為曹義金所代替，但值得注意者是卷中所云：

甲：張義潮逝世後，回鶻勢力已擴至張掖（甘州），而且關係良好，原文：

（太保）……後疾□□疾，帝里身薨，子孫便鎮西門，已至今日，中間遇天可汗居位張掖，事同一家，更無貳心。

按：張義潮晚年至張淮深統治時代，回鶻勢力轉盛，歸義軍已被包圍，故P.2826稱張淮深為"刺史男"，可能是時已向回鶻稱臣。

乙：稱回鶻為"主"、為"父"，原文：

伏維

天聖回鶻天可汗為北方之主,是蒼生□□□□□……可汗是父,天子是子,和斷若定,此即差大宰人,僧中大德,敦煌貴於耆壽,賫持國信,便到甘州……。

按:張淮深時代既已向回鶻稱臣子(刺史男),則曹氏之向回鶻稱臣自有歷史根源,而張、曹二族之結連回鶻,與索勳之被弒,亦有頗大的關係。向之論者謂張義潮叔姪曾敗吐蕃與回鶻,其實是前期之事,晚期不單受制於西州回鶻,而且西州回鶻對張、索、曹三姓之爭奪政權有莫大的關係。

註 釋

① 《西域水道記》謂碑共二十五行,行三十四字,但《隴右金石錄》則謂共二十四行。檢查實得二十三行,每行從二十字至二十九字不等,若覆檢則有多至三十一字者。碑之高度,兩書的記載亦不同,有三尺二寸五分(《西域水道記》,以後簡稱《水道記》)及五尺三寸(《隴右金石錄》,以後簡稱《金石錄》)的不同,而廣(闊)亦有二尺二寸五分(《水道記》)與二尺八寸(《金石錄》)之異。

② P.2568《張延綬別傳》卷末題作者為"張俅",其官銜為"河西節度使判官權掌書記朝議即兼御史中丞,柱國賜緋魚袋",末題"大唐光啟三年(887)閏十二月十五日",未知此"張俅"是否即"索勳紀德碑"之作者"張景"。又蘇瑩輝教授的《敦煌學概要》下編第一章第三節有"張俅",提出五個卷子(P.4660,P.2568,P2913,P.2537及本碑)的作者職銜相同,但均書"張景球或張球、□球"等,但未加斷語。

③ 《金石錄》,"柱"作"社"疑有誤,同時無"石"字。

④ 《金石錄》第二行開始僅缺二字便下接"聖運中興"。

⑤ 《金石錄》作"玉"裕。

⑥ 《金石錄》第四行開始並無缺字。

⑦ 中研院拓本作"來慕",與二手抄本不同。

⑧ 《金石錄》"城"字下僅缺一字。

⑨ 《金石錄》第六行開始缺三字始是"父琪"。

⑩ 《金石錄》"儒雅"後為"流□"。

⑪ 《金石錄》"河西"之前作"正(平)□□",《水道記》多一"義"字。

⑫ 《金石錄》作"文兼識遠","遠"字疑有誤。

⑬ 《金石錄》作"寇"。

⑭ 《金石錄》在"繼先人"之前多一"夫"字。

⑮ 《水道記》作"皃"。

⑯ 《金石錄》缺"疆"字。又《水道記》之"煙"字僅得一半"垔"。

⑰ 《金石錄》作"西部厥田"及"海壤肥濃","以"、"沃"二字不同,又補"濃"字。

⑱ 《金石錄》有"通渠流頓"可補《水道記》"通渠"二字。

⑲ 《金石錄》作"土宇宣張","宣"字乃"宏"字之誤。

⑳ 此行中研院拓本在"功"前有"成"字,合起來應是"成功"二字。

㉑ 《金石錄》作"擁雲漢",《水道記》"漢"字作"浮",當以《金石錄》為是。

㉒ 本行出入頗大,開始"近堤"之後均缺十字,《金石錄》在十個缺字後有"則"字,再缺一字便接"功俄就布"。而《水道記》在十個缺字後有"騰飛"二字,再缺五字始是"成功,俄就……",而最末二字《金石錄》作"茲為"二字,與"眾□"不同。

㉓ 《金石錄》作"威感",並無"如"字。

㉔ 本行"幅湊"以下《水道記》缺九字,始是"西成"。但《金石錄》僅缺二字便是"西成",以下再缺四字便是"威感□神靈",比《水道記》多缺一字。

㉕《金石錄》"腹"字下僅缺四字,《水道記》則多缺五個字。《水道記》"摧圮樓臺","樓"字可補《金石錄》之缺。又,《金石錄》"置"字前並有"悉"字。

㉖ 最後一字"有",《金石錄》缺。

㉗ 開始《金石錄》作"古寺,龍",似較《水道記》之《古"昔"龍》為合理。

㉘《水道記》"壁"字前存一殘字,但餘"木"旁。

㉙《金石錄》"模"字作"損"。

㉚《金石錄》"重"字作"在"。

㉛《水道記》"廊"字作"廓",較《金石錄》近是。

㉜ 第三字《金石錄》作"陛"字,與《水道記》之"址"字不同。

㉝《金石錄》開始"徘徊聳觀"似較《水道記》之"聳仞"為合理,以下《水道記》缺十字,但《金石錄》僅缺五個字便接下文。

㉞《金石錄》補"廂"字,以下《金石錄》僅缺五字而《水道記》卻缺十字,又《水道記》"儼尒光輝"補"尒"字為《金石錄》所無,《白藏無射之"末"》,《金石錄》卻作《白藏無射之"春"》。

㉟ 本行第三字後《水道記》缺十一字,《金石錄》僅缺七字,且可補"也"字。

㊱《金石錄》"誇"字作"跨",非是,中研院本亦作"誇"。

㊲《水道記》之"當年",中研院的拓本作"當事"。

㊳《金石錄》補"輕"字。

㊴《金石錄》補"正"字。

㊵《金石錄》"於"字作"杓",非是,中研院本亦作"於"。

㊶《金石錄》則是"門"字與"闕"字不同。

㊷"立功于"三字為《金石錄》所補,最後"而不朽"三字亦《金石錄》所補。

㊸ 原文載《煙畫東堂小品》收於《星伯先生小集》中。

㊹ 為蘇瑩輝教授所面告。

㊺ 引自《敦煌考古工作展覽概要》,收於"北京大學五十週年紀念特刊"。

㊻ 羅振玉之《補唐書張義潮傳》,蘇瑩輝之《瓜沙史事》、《張義潮》、《論晚唐統治瓜沙二州的張索李三姓政爭始末》,藤枝晃之《沙州歸義軍節度使始末》。

㊼ 參考蘇瑩輝教授之《論晚唐統治瓜沙二州的張索李三姓政爭始末》;1981年中研院國際漢學會議論文集抽印本。

㊽ P.2913《張淮深墓誌銘》及P.2568《南陽張延綬別傳》,按:張淮深乃張義潮之姪,張延綬則為張淮深之子。

㊾ 藤枝晃的《歸義軍節度使始末》(《東洋學報》十二卷3,4及十三卷1,2期)。

㊿ P.3721《瓜沙兩郡大事記》云"開元年間刺史張嵩......為龍舌張氏",按張孝嵩,開元七年至九年為安西節度使,可能同為一人,S-5448《敦煌錄》云:"神龍中(705 - 706)刺史張孝嵩......敕號龍舌張氏。"

51 P.3556(B)《周故南陽娘子墓誌銘並序》云:

"娘子者,其先著姓張羅之後,因以氏焉。家本長安萬年縣,子孫因官寓于沙州,遂為敦煌人也。高祖皇逸諱謙......洎(伯)祖諱義潮......皇祖議潭.....皇考諱淮深。"

52 張、索、氾是河西豪族,可參考池田溫教授之《八世紀初敦煌之氏族》(《東洋史研究》24-3 P.87-90)及白须淨真之《在地(敦煌)豪族,名族社會》(敦煌講座三,大東出版社)。

53 P.3625。

54 蘇履吉的《敦煌縣》卷五"**鄉賢**":

"靖少有逸群之量,與鄉人氾衷、張甝、索玠、索永俱詣太學,馳名海內,號稱敦煌五龍"。

(55)《中國古代籍帳研究》第三章註㉜。

(56) 以上記載均是見於P.2021《索法律修功德記殘文》,及參考石璋如《敦煌千佛洞遺碑及其相關的石窟考》(載於《中研院史語所集刊》第34本上冊)及蘇瑩輝教授《論莫高、榆林:窟供養人題名之有裨考史》(《敦煌學》第7輯)。

(57) 池田溫教授之《中國古代籍帳研究》第三章註㉜及表七,與原文表十一。

(58) 見於《敦煌書法叢刊》第十四卷(東京二玄社出版)。

(59) 據S6973《張義潮別傳》,義潮卒於咸通十三年(872),年七十四,應上溯誕生於貞元十五年(799)。

(60) 陳祚龍教授認為P.3620卷除《無名歌》外,另有《封常清謝死表》及《諷諫今上》,其字蹟與《無名歌》不同,但未指出《無名歌》抄錄者張義潮是否學生身份。

(61) 原文:

"叔故前河西節度諱(下文曾云大中二載表題修牋,紆道馳函,上達天聞學語,當指張義潮無疑)......龍鑲虎步,講兵論劍,蘊習五經"。

(62) 引自《補唐書張義潮傳》,今收於《羅雪堂先生全集初編》,(學生書局出版,冊二)。

(63) 均見於《新唐書》卷二一六《吐蕃傳》。

(64) 見P.2762卷。

(65) 見P.2021《索法律修功德記殘文》及《索法律窟銘》。

(66) P.2913《歸義軍節度使檢校司徒南陽張府君墓誌銘》。

(67) P.3500背之《頌張義潮》之七言詩句。

(68) 雖然咸通年間張義潮曾再敗吐蕃與回鶻,但版圖從不回復至十一州,參考蘇瑩輝教授《沙州歸義軍節度使領州沿革簡表》,錄自《敦煌論集》P.437。

(69) 蔣斧之《沙州文錄》(載於《羅雪堂先生全集》第三編冊六),李明振碑載明振上京,蒙宣宗召見,敕授涼州司馬……後云:"乃歸戎幕二十餘載,河右麾戈......殄勍寇于河蘭,馘獯戎于瀚海"。

(70) 碑文云,"五涼廓靖"、"生擒六戎"、"姑臧復擾"……即指其戰功。

(71) 碑文云"五涼廓靖,布鶴列而生擒六戎",當指咸通四年(863)張義潮克復涼州之後,因此"上褒厥功,特授昭武校尉,持節瓜州……"可知自克復涼州(863)後索勳已領瓜州,又蔣斧之《瓜州牒狀》(沙州文錄)亦可參考。

(72) 蘇瑩輝教授之《瓜沙史事》(《敦煌學概要》第91页)。

(73) 唐長孺《關於歸義軍節度的幾種資料跋》(載於《中華文史論叢》第一輯)內(一)"沙州進奏院上本使狀",根據S1153卷是張淮深請授旌節,因張淮深自為節度使二十餘年,唐始終未曾正式任命,此事不確,下文再論。但張淮深握沙州政權二十餘年是無可懷疑,可參考吳廷燮之《唐方鎮表並考證》(《廿五史補編》)卷五。

(74) 翟理斯之意見,錄於王重民《敦煌遺書總目索引》,後來唐長孺(見註62)認為此狀非索勳而是張淮深請授旌節之文,蘇瑩輝教授之《唐僖宗光啟三年求授旌節者為索勳論》(《大陸雜誌》五十七卷第三期),對唐文表示異議,而維持翟理斯之意見,其實唐文強調《進奏狀》中"本使一門,拓邊效順,又論節二十年之久,非張淮深莫屬"亦非實況,索勳持節瓜州已達二十年,而由索琪而至索勳及索承勳(勳之子)三代,亦是"拓邊效順",故唐文之論斷尚待商榷。

(75) 詳見蘇瑩輝教授之《沙州政變》(《敦煌學概要》)及《瓜沙史事系年》(《敦煌學論集》)。

(76) 見P.2962張義潮變文、P.3451張淮深變文、P.2762張淮深功德記殘卷等。

(77)《新唐書》卷二一六下《吐蕃傳》。

(78) S0367卷《光啟元年寫沙州志殘卷》云:

"大中四年,張義潮收(復)後,因沙州冊戶居之,差□龍雜處,約1300人",又《資治通鑑》卷二五○

記咸通三年：是歲，嗢末始入貢。嗢末者，吐蕃奴也。吐蕃每發兵，其富室多以奴從，往往一家至十數人，由是吐蕃之眾多，及論恐熱作亂，奴多無主，遂相糾合為部落，散在甘肅瓜沙河渭岷廓疊宕之間。

⑲ 参考李符桐之《回鶻史》（文風出版社）第四章第二節“甘州回鶻與西州回鶻”（第78页），及藤枝晃《歸義軍節度史始末》中“西州回鶻與甘州回鶻”節。

⑳《關於歸義軍節度的幾種資料跋》四“歸義軍節度和甘州涼州的關係”引S2889卷“張勝君狀”而推論載於《中華文史叢刊》第一輯（第290页）。

㉑ 蔣斧之《沙州文錄》有《故大朝大于闐金玉國天公主李氏供養》（《羅雪堂先生全集》四編十二冊），王國維跋之：李氏有國，自在唐之季氏矣，爾時回鶻實雄長西域，東自甘州，西訖龜茲，皆為其部落所據，而沙州西于闐東之仲雲族，其官有宰相都督等亦與回鶻同俗，疑李氏得國，本藉回鶻之助，且疑聖天其王名（李聖天）亦回鶻人……李氏出於回鶻，特以于闐佛教根柢至深，又自尉遲氏以來，世效忠於唐室，故稱唐族。

㉒ 蔣斧之《沙州文錄》有“瓜州牒狀”，但書名是“澣（瀚）海索中丞”、“請守使持節瓜州刺史，仍便交割印文表次聞”等語，惜未署年月，若参考“紀德碑”：“五涼廓靖”之後，便持節瓜州，顯是咸通四年（863）之後，索勳之持節瓜州，是“上褒厥功”。《沙州文錄》是正式“交割印文表次聞”，王仁俊的《敦煌石室真蹟錄》（國粹堂寫本）內有“索中丞舉瓜州刺史交割印文牒狀”謂是張淮深遺表所舉，有誤，以共美曹公謂是曹義金，按曹義金，同光間（923—925）始為沙州長史（《冊府元龜》卷980）離索勳之刺瓜州相差幾六十年，離張淮深逝世亦三十多年，蓋狀文之“曹公”指曹参、王仁俊有誤。

㉓ 蘇瑩輝教授之《論晚唐統治瓜沙二州張、索、李三姓政爭始末》（1981年中研院《國際漢學會議論文集》）。

㉔ 同参考王重民之《金山國墜事零拾》（《北平圖書館刊》九卷六期）。

第二章　敦煌寫卷S.0514與P.3354有關軍屯制與均田制之别

甲

《敦煌寫卷》中，有關戶籍者約五十多卷[①]，此等戶籍寫卷，可作研究唐宋間戶籍、地理、田制等重要資料[②]。而其中以《斯坦因編號〇五一四》（唐大曆四年即公元七六一年沙州敦煌縣懸泉鄉宜禾里手實）及《伯希和編號三三五四》（唐天寶六載即公元七四七年敦煌縣龍勒鄉都鄉里戶籍殘卷），兩卷最為完整，亦最為詳細[③]。

所有戶籍卷子，差不多是同一型式，先列田地分佈、永業田若干畝、口分田若干畝、位於何處、四至如何，次列戶主姓名、年歲、職級、家屬人口，最後述應授田若干、已授若干、未授若干[④]。如《伯希和編號三五五七V》

戶主　壽壽　五十六歲　白丁　課戶見輸
　　家屬三人（略）
　　應授田壹頃參拾壹畝，一畝居住園宅
　　八十七畝未受
　　一段陸畝永業，城東三十里兩支渠　東宋孝行　西邯婆　南張善貴　北荒
　　一段伍畝永業，城東三十里兩支渠　東劉相　西曹石生　南自田　北索仲謙
　　一段伍畝永業，城東三十里兩支渠　東荒　西自田　南索仲謙　北劉海相
　　一段伍畝（四畝永業）城東三十里兩支渠　東樹生　西屯屯　南索仲謙　北索仲謙
　　　（一畝口分）

其中有些殘卷祇得部份，如有田畝無人名，或僅有人名而無授田數目等等。《斯坦因編號〇五一四》（以後簡稱《斯〇五一四》）及《伯希和編號三三五四》（以後簡稱《伯三三五四》）最為完整，計《斯〇五一四》共有二十四戶，《伯三三五四》共有十七戶，現就每卷舉二例，附以旁證以論其影響。

一、《伯三三五四》

（唐天寶六載敦煌縣龍勒鄉都鄉里戶籍）。

曹思禮:載伍拾陸歲,隊副（開元十一載九月[5]授甲頭和智恭,曹公祖廓父建）,下中戶、空、課戶、見不輸

母孫,載陸拾歲,直（寡）:（天寶五載帳後死）[6]

妻張,載伍拾捌歲　職資妻[7]空

弟令休載貳拾捌歲　白丁（天寶五載帳後死,空）

男令璋載壹拾捌歲　中男[8]（天寶四載帳後死,空）

亡弟妻王載貳拾伍歲　寡（天寶四載帳後漏,附,空）

女娘娘載參拾壹歲　中女,空

女妙音載貳拾壹歲　中女,空

女妙仙載壹拾柒歲　小女,空

女進進載壹拾伍歲　小女,空

女尚真載壹拾參歲　小女,空

弟思欽載肆拾貳歲　白丁（開天十五載沒落[9]空）

亡兄男瓊璋載貳拾參歲　上柱國子（取故父德建上柱國蔭,景雲元載十月二十二日授甲頭、口元爽,天寶四載帳後漏,附:曾高,祖廓,父達,空）

亡兄男瓊玉載壹拾柒歲　小男（天寶四載帳、漏,附,空）

妹妙法載肆拾壹歲　中女　空

合應受田參頃陸拾肆畝（陸拾貳畝已受）六十一畝永業,一畝口分,一畝居住園宅

（二頃二畝未受）

一段拾伍畝永業　城西十五里高渠　東渠　西曹智　南鄭黃福　北舍

一段陸畝永業　城西十里白土渠　東自田　西渠　南渠　北渠

一段玖畝永業　城西七里高渠　東渠　西曹智　南渠　北趙嶷

一段拾壹畝永業　城西七里高渠　東張從教　西渠　南渠　北坑

一段肆畝永業　城西十里高渠　東官田　西渠　南路　北渠

一段肆畝永業　城西十里高渠　東渠　西高神通　南高神通　北渠

一段拾貳畝（十一畝永業）城西十里高渠　東自田　西董突厥　南渠　北渠

（一畝口分）

一段壹畝居住園宅

程仁貞:載柒拾柒歲,老男翊衛（景雲二載二月三日授甲頭張玄均,曾智祖安父寬,下下戶,空,不課戶）

妻宋載陸拾玖歲,職資妻,空

妻安載陸拾壹歲,職資妻（天寶五載帳後漏,附,空）

男大璧載壹拾歲,小男（天寶三載籍後死,空）

女勝先載肆拾伍歲,中女,空

女放純載肆拾參歲,中女,空

女妙果載肆拾壹歲,中女,空

女法力載參拾參歲,中女,空

女妙果載參拾壹歲，中女，空
合應受田伍拾參畝，參拾壹畝已受，十七畝永業，十四畝勳田，廿二畝未受
一段玖畝永業，城西十里平渠　東程智意　西渠　南渠 北渠
一段柒畝永業，城西十里平渠　東自田　西程智（意？）　南岸　北渠
一段拾畝勳田，城西七里平渠　東渠　西舍　南路 北渠
一段肆畝勳田，勳田十里平渠　東渠　西（程？）什住　南程什住　北路
一段壹畝永業，城西十里河北渠　東岸　西岸　南坑　北荒

按：日本學者多據以上之戶籍而研究其給田制度，進而推定所行之乃是均田法[10]，不過，據《唐六典》卷三：

凡給田之制有差，丁男，中男以一頃，中男十八以上者亦依丁男給，老男篤疾廢疾以四十畝，寡妻妾以三十畝，若為戶者減丁之半，凡田分二等，一曰永業，一曰口分，丁之田二為永業，八為口分……凡天下百姓給園宅地者，良口三人以上給一畝，三口加一畝，賤口五人給一畝，五口加一畝，其口分永業不與焉。

若據日本學者之計算方法，曹思禮一家十二口，其受田應為：

（戶主）100畝+（亡弟妻）30畝+（二丁即亡兄男及弟）200畝+（住宅地十一人）3畝 = 333畝（參頃參拾參畝）

如是，可懷疑之處：

（1）寫卷上受田參頃陸拾肆畝，但按以上計算衹得參頃參拾參畝，兩者不符。

（2）按唐代均田之令：永業田應佔百分之二十，曹思禮之永業田應是十二畝四，而實際上已受六十一畝。口分田佔百份之八十，應是四十九畝六，但實際上衹受一畝口分，兩者距離甚大。雖然，仁井田陸曾有解釋[11]，唯一可能是"狹鄉問題"，曹思禮所受之田均城西近郊七里至十五里之間，應是人口稠密之狹鄉，受田較均田令較少，不過，永業田遠比口分田為多，始終是違背均田制之精神。

（3）《敦煌戶籍寫卷》中所受之田衹是部份，而"未受者"超過"已受者"甚多，如曹思禮應受田參頃陸拾肆畝，已受者衹六十二畝，佔應受數目百分之六左右；程仁貞應受田伍拾參畝，已受者十一畝，亦不外佔百份之二十而已。其他任何戶籍寫卷，大致都是已受者佔很少的百分比，這與北魏時均田之本意亦不相同。據《魏書》卷一一〇《食貨志》。"受田者恒從所近，若同時俱受，先貧後富。"

貧者應先受田，這是解決"貧富懸殊，土地佔有不均，為民制產"的均田制精神，曹思禮是下中戶，程仁貞是下下戶，全屬貧民，既屬貧民，為何尚有"大量未受之田"？而且貧者應先受"口分田"（計口授之），但敦煌戶籍卷中永業田常超過口分田，故思其間必另有原因存在。

筆者按：均田制主要行於北魏，自太和五年（公元四八五）頒均田令後，根本未有徹底實行過[12]。隋唐制度大致沿襲北朝，故雖屢頒均田之令，而實際上衹是有限度之推行[13]。蓋隋唐時人丁滋長，而政府授於官吏之職官（分）田、公廨田、勳田又多，官無"閒田"，故雖有均田之令，而無法實行均田之制[14]。因此，筆者認為唐之田賦制度在"稅"（租庸調法）而不在"田"（均田制），以田稅，口稅以"均貧富"，後世誤認"有田始有租"之具文，

其實所謂“田”是泛指一切官私之田（有田者），而非“受田者”。而且，均田制之破壞是因永（世）業田之得以出售，結果引起兼併；戶籍之喪失，逃戶之眾多亦是由兼併而引起。徐德嶙氏認為均田制之破壞開始於永徽時代（公元六五〇至六五五）[15]，其實遠在北魏時代經已開始，至唐初而益烈[16]。而在敦煌寫卷中有“自田”、“官田”，如《伯三三五四》中，曹思禮之永業田，位於城西十里白土渠及高渠有“自田”及“官田”，程仁貞在西十里平渠中，有屬於永業田的“自田”，此等“自田”與“官田”，筆者認為是“私田”與“公田”，據《唐律疏議》卷二：“戶婚”：

“其賜田欲賣者，亦不在禁限，其五品以上，若勳官永業地亦聽買。”

同書卷十三：“戶婚”。

“諸盜耕公私田者……。”

“諸妄認公私田，若盜貿賣者。”

“諸在官侵奪私田者。”

既然公私田都可買賣，兼併自然更加劇烈，何況史家已公認武后、開元間均田已開始破壞，那麼天寶六載的敦煌戶籍資料中“官田”、“私田”的存在[17]，是表明在敦煌推行的並非“均田制”。

二、《斯〇五一四》

（唐大曆四年沙州敦煌縣懸泉鄉直禾里手實）[18]：

索思禮：年陸拾伍歲，老男，昭武校尉，前行左金吾衛靈州武略府別將上柱國（官天寶十三年十一月廿七日授甲頭張思點勳，開元十九年四月十八日授甲頭王遊仙，曾祖貴，祖滿，父運，下中戶，不課戶）

母氾年捌拾玖歲，寡（上元二年帳後死）

妻氾年伍拾玖歲，老男妻

男遊鸞年参拾柒歲，丹州通化府折衝上柱國（大曆元年　月　日授甲頭李季札）

鸞妻張年参拾参歲，職資妻

鸞男齊岳年壹拾貳歲，小男（大曆二年帳後漏，附）

奴羅漢年肆拾陸歲，丁

奴富奴年貳拾玖歲，丁

奴安安年伍拾参歲，丁（乾元三年籍後死）

婢寶子年貳拾玖歲，丁

合應受田陸拾壹頃伍拾参畝（貳頃肆拾参畝已受，卅畝永業，十九畝勳田，十四畝買田，一頃六十七畝口分，三畝居住園宅，五十九頃一十畝未受）

一段壹頃拾玖畝（卅畝永業，十九畝勳田，卅六畝口分，十四畝賣田）城東十五里瓜渠　東安璟　西澤　南宋璋　北渠

一段貳拾陸畝口分　城東十五里瓜渠　東渠　西渠　南渠　北坑

一段拾壹畝口分　城東十五里瓜渠　東仁亮　西渠　南渠　北澤

一段参拾参畝口分　城東十五里瓜渠　東安璟　西路　南渠　北路

一段玖畝口分　城東十五里瓜渠　東渠　西渠　南路　北渠

一段玖畝口分　城東十五里瓜渠　東楊絢　西渠　南渠　北澤

一段捌畝口分　城東十五里瓜渠　東渠　西荒　南索楚　北渠
一段拾伍畝口分　城東一里支授渠　東張奉（節）　西路　南和雅　北路
一段拾畝口分　城東十五里瓜渠　東李方　西渠　南渠　北安壽
參畝居住園宅

按:索思禮應受田（陸拾壹頃伍拾參畝）與已受（貳頃參拾參畝）加未受（五十九頃一十畝）之數目並不符合,可能是抄錄卷子之人有錯誤[19],但最嚴重的一點是仁井田陞及若干日本學者,用給田形式而解釋作為均田制的內容,如本卷所錄之索思禮,其計算方法如下:

6000畝（上柱國二人,勳田3000畝x2）+ 50畝（戶主老男口分30畝 + 永業田20畝）+ 100畝（丁男口分80畝,永業20畝）+ 2畝（良人五人之居住園宅）+ 1畝（奴婢四口之居住園宅）= 6153畝（即六十一頃五十三畝）[20]。

無疑,索思禮所受之田數目是口分田多於永業田,是根據均田制的規定。但仁井田陞誤以職分田作勳田,其實兩者並不相同。按:索思禮之官銜是"昭武校尉"（正六品上）行"左金吾衛靈州武略府別將上柱國"（正七品）,據《唐天寶令殘卷》〈斯二五0四〉,正六品之職分田是五頃（五百畝）。《唐會要》卷九二:正六品職分田則是四頃（四百畝）。至於七品之職分田則是四頃（《天寶令殘卷》）或三頃五十畝（《唐會要》）,均比仁井田陞引用者之三十頃（三千畝）為少。遊鸞之官職為丹州通化府折衝（下府折衝）,應是正五品下,職分田則為七頃（《天寶令殘卷》）或六頃（《唐會要》）,亦不同仁井田陞所引用之數目。其實,職分田是在職時之薪俸田（另有祿田）,不在職時則退田。相反,有功時則授勳田,並無一定數目,且是永業田,可以出售[21],索思禮之勳田祗有十九畝,當然顯示出仁井田陞之計算方法與事實不符。

一九七九年十月,筆者參加在巴黎舉行之"敦煌西域文獻研究會第一次國際會議" Manuscripts Et Inscriptions De Haute Asie Du Ve Xie Siecle 時,日本山本達郎教授 Prof. Tatsuro Yamamoto 曾宣讀Deux problem Concernant Le Juntianfa（均田法）一文,大意與仁井田陞相同而加以補充,筆者即以《斯〇五一四》向其請教[22]。他認為索思禮為一特權人物（Powerful）其擁有龐大的土地非由政府所授予,而是由兼併而來。同時,承認此卷已顯示出均田制漸漸崩潰（Collapse）,此點筆者深有同感,不過筆者認為在《敦煌戶籍卷》中,雖可略窺均田制之給田型式,但在敦煌附近似未有實行均田制之可能。

乙

土地之兼併日烈,貧富懸殊愈大,這是均田制被破壞原因之一,所謂戶籍之喪失,逃戶之眾多,不外是土地兼併後的現象。另一方面,租佃制度的出現與盛行,亦應在均田制之後,《唐律疏議》卷二七、"雜律":

"問曰:官田宅私家借得,令人佃食,或私田宅有人借得,亦令人佃作。"

唐長孺根據這點,認為"私田租佃制度早已合法化"[23],而租佃制度興起,產生佃戶、客戶、莊客等，是土地大量集中的莊園制度現象[24]。莊園制是均田制破壞後產生的新制度，在《敦煌戶籍卷》中，便發現“租”的字句，如：

《伯三八七七》（開元九年帳後戶籍殘卷）

曹仁備，年肆拾捌歲，衛士上柱國（開元八年九月十日授田頭康大昭、下中戶、課戶，見不輸）。（下略）

合應受田及勳田參拾壹頃捌拾貳畝，一畝居住園宅，卅一頃十九畝未受。

按：租二石下中戶而可受田三一八二畝，殊屬可疑，衛士上柱國，應是七品至九品，極其量職分田不會四頃（四〇〇畝）；恒諸常理，低級衛士勳田亦不會太多，而曹仁備已受者不外七十二畝[25]，其中竟有“租二石”之記載。此外有“計租”，卷子有：

《伯三八七七》戶主董思勗　計租二石
戶主余善意　計租二石
戶主杜客生　計租二石
《伯二六八四》戶主王萬壽年　計租二石
《斯〇六一三》不知名　合租捌拾捌升（斗）參年（升）其中伍拾斗三升輸租
不知名　租稅兩拾肆升（斗）其中陸拾石伍升（斗）輸租
鄧延天富　計租三石五斗（二石輸租）
王皮亂　計租三石五斗（二石輸租）
白醜奴　計租八石七斗五升（五石輸租）
劉文成　計租四石（二石五斗輸租）
侯老生　計租六名（三石七斗五升輸租）
不知名　計租六石四斗五升（四石二斗租，三石一斗五升糧，四斗五升賤）
不知名　計租四石三斗（二石八斗輸租，二石五升糧，三斗中）

按：唐行租庸調制。《唐六典》卷3“戶部”：

“課戶，每丁月租粟二石。”

於是敦煌卷子中之“租”、“計租”可作課戶解釋，不過

（1）曹仁備有丁三口（其中一小男），董思勗有丁二口（其父於開元二年帳後死亦可謂一丁），余善意有丁二口（戶主是老男），杜客生有丁二口，可知若是課戶，輸租應不止二石。而且以上四人所受之田，均有“自（私）田”、“官田”之記載，推測此“租”及耕“官田”或“私田”中請人佃作所收之“租”。

（2）王萬壽，於神龍元年全家沒落，開元九年帳後再回歸，全家二人（與其中女），受田僅十畝，但租二石，因一丁受田百畝始租粟二石，今受僅十畝，因此田可能是“官佃”之田，而納予官租二石而已。

按筆者意見：以上二卷之“租二石”，若解釋作“課戶”，未必盡然，因其他五十多卷之戶籍中，均無“租二石”之記載，蓋“有田必有租，有丁必有庸，有戶必有調”，既是規例，毋須特別書明，何況《斯〇六一三》卷中所列九人，很明顯有“租”與“輸租”之分，而且“租”均超過二石以上，“輸租”則少於“租”，這表示耕種“私田”或“官田”，收租後將其中部分“輸租”予政府。

筆者向來懷疑唐代雖有均田之令，但卻未徹底實行均田之制[26]。所謂均田者，當時是佔田或限田之意，而以租、庸、調為均貧富之主要根據，在邊遠地區如敦煌一帶，地廣人稀，效均田之法而行墾田（屯田）之實。蓋以上所引之敦煌卷子，全是開元至大曆年間，當時均田制早已破壞，史有證據，而敦煌是邊防重地，既有駐軍，當亦有軍屯[27]，據《通典》卷二"屯田"：

取荒閑無籍，廣占之地……其屯官取勳官五品以上及武散官，并前資邊州縣付鎮戍八品以上文武官內堪充者充。

而敦煌戶籍中之戶主，多是軍士，勳官或武散官，如《斯·三三五四》

戶　主	職	勳	受田數目（以應受田數目為主）
曹思禮[28] 兄瓊璋	隊　副	上柱國子	應受田三六四畝[29]
曹懷瑀	翊　衛		
劉智新	（白丁）		（男丁二）應受田一六三畝
陰襲祖	（老男）		應受田五十一畝（未受）
陰承光	（白丁）		（男丁二）應受田二六二畝
徐庭芝	（小男）		應受田一一二畝
程思楚 （弟）思忠 （弟）思太	衛　士 衛　士 （白丁）	武騎尉	（三男丁）應受田三六五畝
程什住 （弟）大信	翊　衛	上柱國子	（二男丁）應受田一五五畝
程仁貞	翊　衛		應受田五十三畝
程大忠		上柱國	應受田三一四畝
程大慶		武騎尉	應受田一六三畝
程智意	衛　士	飛騎尉	應受田一八六畝
劉感德	（老男）		應受田五十一畝（未受）
令孤仙尚 杜懷奉 （兄）崇真 崇賓	（中女） 衛　士 （白丁）	上柱國 武騎尉	應受田五十畝 （三男丁）應受田三三二五畝
卑二郎 （父）思亮	（白丁） 衛　士		（缺）
斯一〇五一四			
趙大本 （男）明鶴 （男）思祚 （男）如玉	（老男） 會州黃石府別將 （白丁）		應受田四五三畝

李如真	（中女）		乾元三年籍後死
李仙仙	（中女）		乾元三年籍後死
張可真	（中女）		應受田八十一畝
張介介	（老女）		乾元三年籍後死
宋二娘 索藝	（寡） 翊衛		應受田五十一畝 乾元三年籍後死
索思禮 （男）遊鸞	校尉別將 折衝府	上柱國	（男丁四）應受田六一五三畝
索遊仙	（小男）		
安遊璟 （叔）承嗣		上柱國	應受田三一〇一畝
安大忠	（白丁）		應受田一〇一畝
令狐朝俊	（中男）		應受田一三一畝
令狐海賓	（中男）		
令狐進堯 （父）懷忠	上輕車都尉	上柱國	應受田三一〇一畝
令狐娘子	（中女）		應受田八十一畝
索仁亮 （兄）思楚 （侄）元亮 （侄）元暉 （侄）元俊	別將 翊衛（伯三三五四 分有戶籍）	品子 品子 品子	應受田三三二畝
索如玉	別將	上柱國	應受田三一〇一畝
楊日展	（白丁）		應受田一〇一畝
李大娘 （翁）楊義臣 （亡弟）朝宰	（寡） （中男）	武騎尉	應受田五十九畝
樊黑頭	（白丁）		應受田一〇一畝
王山子 （男）老生			武騎尉
唐元欽 （兄）遊玉	（老男） （白丁）		應受田一五一畝
唐大昭 （父）元嗣	（白丁）	武騎尉	

以上四十一戶中，屬武職及有勳（軍功）位者佔二十三位，而且其中所謂“白丁”者可能是“軍士”，應受田最多如三頃以上（三百畝）者可說全是有軍職之人。首位歸義軍節度使張議潮統治敦煌時，亦是“且耕且戰”[30]。按：墾荒時，多以人力及官職之等級為標準，人力多可受田多，官職高，奴婢多，故授田亦多。以上雖僅根據“二卷”而作統計，不過此二卷最為完整，其他五十多卷戶籍筆者亦略為涉獵，大概以有軍職及勳階之戶主受田較多，無可異議。因此，筆者認為均田制在唐有名無實，在武后開元之間，兼併之風已烈，戶籍散失者眾，逃戶日多。今在敦煌戶籍卷中，雖發現有“給田”、“退田”等均田制遺風，實際上是墾荒之屯田制而已[31]。

註　釋

① 主要是藏於倫敦及巴黎兩地，據中國科學院歷史研究所資料室所編之《敦煌資料》第一輯（一九六一中華書局出版，日本大安重刊本）共三十六種，另外，巴黎國立圖書館藏伯希和寫卷附卷及日本龍谷大學等公私所藏者約二十卷左右。

② 如西鳩定生之《吐魯蕃出土古書見均田制施行狀態》，西村元祐之《唐代吐魯蕃均田制意義》（一九五九年日本法藏館出版之《敦煌吐魯蕃社會經濟資料》第二輯），玉井是博《敦煌戶籍殘卷考》，羽田亨《唐光啟元年所寫沙州伊州地志考》（收於商務萬斯年輯譯《唐代文獻叢考》），仁井田陞之《唐宋法律文書研究》十五章（一九三七大安出版），鈴木俊之《敦煌發見唐代戶籍均田制》（《史學雜誌》四十七編七號），池田溫之《敦煌發見唐大曆四年手實殘卷》（《東洋學報》四〇九二、三）。

③ 英國倫敦大英博物館所藏“斯坦恩敦煌寫卷”，東洋文庫曾攝成照片，香港大學馮平山圖書館曾藏有一套，本文所引用資料即根據此照片。而巴黎國立圖書館所藏之“伯希和寫卷”，現仍未有副本，中國科學院之《敦煌資料》第一輯曾有伯希和編號三三五四之全文，筆者亦在巴黎親抄該卷全文與之校對。

④ 亦有先列住戶姓名、受田若干，再下始是田畝分佈及四至等，主要是看所受田之數目是否與已受田之數目是否相同或相近而定。

⑤《敦煌資料》第一輯多“十六日”三字。

⑥ 唐代每歲一造帳，三年一造籍（《唐六典》卷3戶部，《中唐會要》卷85），天寶六載籍，向上推則天寶四載、五載均造帳，造帳時仍生存，故造籍時特此注明。

⑦ 職資妻是指其丈夫有官職（隊副）。

⑧ 凡年十八至六十稱中男、中女或丁男，六十以上稱老男，十八以下稱小男或小女。

⑨ 沒落：沒於蕃之意，即為蕃人（吐蕃或回鶻）所擄去。

⑩ 如玉井是博之《敦煌戶籍殘卷考》（附於萬斯年輯譯《唐代文獻叢考》，商務一九五八年再版頁十四）：

“唐代敦煌戶籍的受田數，依當時實行過的均田法的規定來計算是不錯的，所以衹有與這實際計算一致的記載，纔一定是正確地傳下來的均田法的規定。”

⑪ 仁井田陞之《唐代法律研究》頁七二六曾提出思欽於開元十五載沒落（于蕃），可能無田授予（減百畝），另曹思禮為隊副，應有職分田八十畝，如是應受田參頃參拾畝，亦是與唐之均田令不符，況且隊副職是從九品下。據《伯二五〇四》《唐天寶令殘卷》及《唐六典》卷3，九品之職分田應有二頃至二頃五十畝，比實際受田數目更多，加上永業田太多，口分田太少，與均田令規定不符合。雖然武德七年及開元廿五年之受田令有“諸永業田皆傳子孫，不在收授之限”，如是可以累積，但另一方面，子孫亦可均分永業田，除若干戶因子嗣少或可增加永業田之數目，但畢竟非常態，不足為例。

⑫ 王治來之《均田制的產生及其實質》（東方學社出版之《中國歷代土地制度問題討論集》頁三七

八)。

⑬ 拙著《隋唐史新論》(東華書局一九七八年出版,頁二八七)。

⑭ 王應麟之《困學紀聞》卷16"歷代田制考"謂唐時受田倍於周,按當時戶口,雖可實行,但為異日計,則守法難矣。王文甲之《中國土地制度史》(臺灣編譯館一九六五年出版)頁二二六便據此而論定:"(唐)田制(指均田制)為空文。"

⑮ 徐德麟《均田制之產生及破壞》(《中國土地問題討論集》頁四五三至四五四)。

⑯ 陳登元《中國土地制度》(商務一九三一年出版)第七章、第四:"綜言之,自北魏以來,地主之買地與貧民之賣地,業已隱隱為之限制,至唐而土地之買賣,雖有限田,等於無限制。"

⑰ 西村正夫有《敦煌發現唐代戶籍殘簡現自田》(《史學雜誌》六十四)一文,惜未能找到該書加以參考,歉甚,但《伯二五九二》(天寶六載敦煌縣龍勒鄉都鄉里戶籍,王重民注與《伯三三五四》同卷)戶主鄭恩養有十二畝"買田"《伯〇五七四》之索恩禮有十四畝"買田",安遊璟有三畝"買田",李大娘有二十五畝"買田",顯然這是"私田",同樣,別人購買之"私田"而非政府授予的則為"自田"。

⑱ 《唐會要》卷85開元十六年十一月敕:

"諸戶籍三年一造,起正月上旬,縣司責手實計帳",換言之,由戶主自具田宅丁口之實,謂之手實,縣官按手實每年一造帳,每三年根據手實及帳而一造籍,故手實是最基本的戶籍。

⑲ 敦煌寫卷因抄錄者之知識程度有別,常有錯誤,未必絕對可信,見拙著《敦煌寫卷之校勘問題》(一九七五年臺灣中國文化學院《史學彙刊》。)

⑳ 仁井田陞之《唐宋法律文書研究》第十五章戶籍,列有二十六例證,其中索思禮在頁七六六。

㉑ 《唐律疏議》卷12"若勳官永業田並聽賣"。

㉒ 筆者日語程度不深,未知有無誤解,故一切由筆者負責。

㉓ 《中國歷代土地制度問題討論集》頁三七五,唐長孺的《均田制度的產生及破壞》。

㉔ 加藤繁《唐代莊園制的性質及由來》,楊杰譯、加藤繁著,《中國經濟史考證》,(一九五九商務出版)頁一七五。

㉕ 原卷謂已受陸拾叁畝(其中三十畝永業,廿二畝田分,數目不符),但所列田畝四至,計永業田五十畝,口分田廿二畝,共七十二畝,故疑陸拾參畝有誤。

㉖ 朱伯康、祝慈壽著之《中國經濟史綱》(商務)頁一五四:"唐代之均田制並非均田實為佔田。"

㉗ 《通考》卷7屯田:"唐開軍府以捍要衝,因隙地置營田","天下屯收百九十一萬三千六百六十石……隴右四十四萬九百二石","元和中代北墾田三百頃"。

㉘ 每戶中之人口,若是籍後死則仍列名於內,因應有丁田,若籍前(帳後)死,則省去,蓋未必受田之故。

㉙ 原卷中若以"頃"為單位則改為畝,唐制百畝為頃。

㉚ 道光本《敦煌縣志》卷5"人物"。

㉛ 唐長孺《均田制的產生及其破壞》一文提及:在北魏時代邊境的(軍)屯田便是與均田制一樣受田;給耕牛,故強調"不管怎樣,大量面積的屯田和均田制是並存的"。(《中國歷代土地問題討論集》頁三五八)。

第三章 敦煌寫卷之校勘問題

一九〇七年,英國斯坦因爵士(SIR AUREL STEIN)載運了二十四箱在敦煌所發現的寫卷回國[1],存放於倫敦大英博物館BRITISH MUSEUM。翌年,法國伯希和(PAUL PELLIOT)亦滿載敦煌寫卷而歸[2],後存於巴黎國立圖書館NATIONALE BIBLOTHEQUE。當時,伯希和為徵詢我國學者之意見,曾將其中若干寫卷抄錄或攝影,分贈羅振玉等,於是敦煌寫卷遂為研究我國中古時代文史等學之寶貴新資料。然"敦煌資料"分散各國[3],學人研究不易,故初期學者,多是編印部份目錄及加以題跋而已[4]。及至英法等國所藏的敦煌目錄次第出版[5],世人對敦煌所知漸多,於是始有專題之研究[6]。此等專題多是據已出版之目錄、題跋或個人拍攝之影片或抄本鑽研而成,因是時在英法之藏卷尚未絕對公開閱覽,且國人能遠涉重洋,翻閱寫卷,更不容易[7]。直至一九五三年,日本東洋文庫 TOYO BUNKO 得大英博物館之同意,將全部六千餘寫卷,委託英國R. B. FLEMING & CO. LTD. 製成顯微影片,當時以每套壹萬元美金售與各國學術機構。一九五七年,王重民及劉銘恕遂據之而出版"敦煌劫經錄"(中國科學院出版),其中若干卷子並附原文[8],於是東方學者之研究敦煌資料,尤其是倫敦方面的寫卷,不必遠渡重洋,可惜巴黎方面的寫卷仍未普遍開放[9]。筆者雖講授"隋唐史"及"宋史"十有餘年,然於敦煌學知識,涉獵不多。去年在香港大學享有較長的假期,因擬探究唐末瓜沙與迴鶻吐蕃之交替影響。事前雖在馮平山圖書館將顯微影片有關瓜沙部份細閱一遍,然未能滿意,於是親赴倫敦、巴黎;將:

(1)顯微影片中有關部份與原卷對照。

(2)英法兩國所藏寫卷互相對照。

(3)英法兩國所藏寫卷與以前學者所發表之資料互相對照。

結果,發現:

(1)顯微影片未必"全真",有若干部份照不出來,或模糊不清,故劉銘恕之目錄中有若干錯誤。其中部份是寫卷的錯誤,經劉銘恕所更正的。亦有部份是影片與原卷不相符合。中外學者若單根據顯微影片而作研究,可能引起若干"錯誤"。

(2)不少寫卷因當時抄錄人的知識程度關係,重複者有之,不通者有之(見下文),故所謂"敦煌資料",固然是最寶貴的原始資料,卻未必是絕對可靠的資料。

"敦煌學"已成學術界之專有名詞[10],因敦煌資料豐富而範圍廣闊[11],但敦煌資料未必絕對可靠。筆者在半載中,蒐集者只限於史部瓜沙資料,數量僅及全部寫卷之小部(約百分之五),已感覺到寫卷中問題不少,若能全面細心檢查,相信發現問題更多。年前,蘇瑩輝兄曾提出校勘敦煌卷子,筆者深有同感,茲謹就個人所知提出,以響應蘇瑩輝兄之提議，冀能使治敦煌資料者，略為了解，俾有助於他日全面性之檢查。

甲

根據劉銘恕之《斯坦因劫經錄》（收於《敦煌劫經錄》內，一九五七年商務印書館出版），與倫敦大英博物館所藏之寫卷對照，至少下列各卷可以補充及更正：（S）代表斯坦因編目：

S–526“武威郡夫人與和尚書”

錯誤者八字⑫

可補充者三字⑬

應更正者三處⑭

S–1523“通義大夫使持節沙州諸軍事沙州刺史兼豆盧軍使上柱國李光庭莫高靈巖佛窟之碑並序”

錯誤者二字⑮

S–2241“君者（者）與北宅夫人書”

錯誤者二字⑯

S–2241（2）“瓜州水官王安德狀”

錯誤者一字⑰

S–2263“歸義軍節度使押衙兼参謀守州學博仕（士）將仕郎張思賢集”

錯誤者六字⑱

可補充者九字⑲

應更正者一處⑳

S–3329“張氏修功德記”

錯誤者四字㉑

可補充者十二處㉒

此卷與巴黎P–2762同為“張氏修功德記”可互相參考研究

S–3565“曹元忠布施疏”

錯誤者一字㉓

應更正者二字㉔

S–3565（2）“潯陽郡夫人布施疏”

錯誤者一字㉕

S–4274“歸義軍節度左都押衙銀青光祿大夫檢校國子祭酒兼御史大夫安懷恩並州縣僧俗官吏兼二州六鎮□老□□□退渾十部落三軍蕃漢百姓一萬人上表”

錯誤者二字㉖

可補充者一字㉗

S–4398“曹元忠獻硇沙狀”

錯誤者一字㉘

S-4400"敦煌王曹鎮宅疏"

錯誤者三字[29]

補充七字[30]

更正三處[31]

S-4473(4)"集賢相某遭母喪盡七後辭起復表"

錯誤一字[32]

S-4673"唐律"

錯五字[33]

可補充者六字[34]

應更正者一字[35]

S-5394"宰相兼御史大夫張文徹上啟"

錯誤者一字[36]

S-5448"敦煌錄"

錯誤者廿二字[37]

可補充者三字[38]

可更正者七字[39]

羅振玉之"敦煌石室碎金"曾收此卷,可更正劉文處頗多。

S-6342"張義潮進表"

錯誤者七字[40]

可補充者九字[41]

可更正者二處[42]

按:倫敦所藏之敦煌寫卷約七千卷(編目是6980,內頗多附卷,故約稱七千卷)。劉銘恕編《斯坦因劫經錄》時,按其卷之價值,分別附有:

(1)本文:即將卷中全文照錄

(2)題記:將卷中重要題記抄錄出來

(3)說明:是劉銘恕個人對該卷之考辨或解釋

大概在七千卷中,附有"本文"、"題記"的約三百多卷,約佔全數二十份之一左右。以往學者未能遠涉重洋,多是根據此種"附文"或私人手抄本而作研究,本文雖僅提出十餘條,亦僅及"附文"二十份之一,當然是"掛一漏萬"。不過,亦可強調非與原卷對照,或小心校勘不可。

乙

倫敦所藏之寫卷,因顯微影片"技術"問題,致若干部份與現存寫卷不大符合,須要互相對照。至於巴黎所藏之寫卷,原屬伯希和私人所有,一九二九年始送予法國政府,藏於國立圖書館,非有學術團體介紹,不能借閱,直至一九六〇年始公開准人借閱[43]。四十年來,翻閱者因不知保重,以致磨損而缺字頗多,筆者根據現存的寫卷,再上溯四十年以前各學者所發表之寫卷內容,互相對照,發覺現存寫卷磨損甚多。

P代表伯希和編目

張淮深變文(P–3451)[44]

尚書見賊□降伏[45]
莫遣波逃星散去[46]
蒙塵首領陳辭曲
奉命歸來非本意[47]
今朝死活由神斷
鳥入網中難走脫
迴鶻既敗,當即生降[48]
歸乞所來為寇非[49]
實慮　尚書徵兵來伐[50]
為遊軍何期天道助
乞首領而已　尚書
業累致逃亡使安西
之窟奈何先陳降
非一二據汝猖狂盡
且留性命首領等
離鼎上當則收賊戈
首尾相連俘諸丁
寫表聞天處若為[51]
尚書神算運籌謀　　廓清龍[52]
破卻吐蕃收舊國　　黃河
諸蕃納質歸唐化　　盡欲輪[53]
敢死破殘迴鶻賊　　星馳羽[54]
初言納款投旌戟　　續變
早向瓜州欺牧守　　今朝此處[55]
黃天不許辜神德　　敗績橫[56]
生降不可全坑卻　　且放嚴[57]
首領馬前稱萬歲　　言終泣下
尚書見賊已歸降[58]　　蹔假威容駐道傍
念汝失鄉淪落眾　　那堪更遣負寒霜
中軍分收弓□[59]　　表進戈矛奉大唐
然後收軍遮逆虜　　陌刀生擁入敦煌[60]

尚書既擒迴鶻,即處分左右馬都虞侯,並[61]令囚縶遂請幕府修牋,述之露布,封函結款[62]即□□□不逾[63]旬月之間,使達京華,表人鳳墀[64],帝親披覽延　天朝[65],帝謂群臣曰:□□□□表[66]奏獲捷匈奴千餘人[67],縶于囹圄。朕念□□□□□舊懿,曩日曾效赤誠[68],今以子孫流落□□河西[69],不能堅守誠盟信,任諸下輒此猖狂,朕聞往古義不伐亂,匈奴今豈謂[70]

矣,因而厚遇之。群臣皆呼萬歲,乃命左散騎常侍李
眾[71]甫,供俸官李全,捧品官楊繼瑀等上下九使。
重[72]齎國信,遠赴流沙,詔賜尚書,兼加重錫金銀
器[73]皿,錦綉瓊珍,羅列毬場,萬人稱賀。詔曰:卿作鎮龍沙
威[74]臨戎敵,横戈大漠,殄掃匈奴,生降十角於軍前,對
敵[75]能施七縱。朕聞嘉嘆,□更勉懷,尚書捧讀
詔[76],東望帝鄉,不覺流涕[77],處若為陳說

皇[78]華西上赴龍庭　　馹騎駢聞出鳳城[79]　　詔命貂蟬加九錫
虎[80]旗龍節曜雙旌　　初離魏闕煙霞靜[81]　　漸過蕭關蹟路平[82]
蓋為[83]遠銜天子命　　星馳猶戀隴山青　　行歌聖日臨荒壘
土勒[84]相摧倍去程　　遙望敦煌增喜氣[85]　　三峗峰翠目前明[86]
到日毬[87]場宣詔諭　　敕書褒獎更丁寧[88]
尚書既[89]覩絲綸誥　　蹈舞懷慚感聖聰[90]　　微臣幸遇陶唐化
得復[91]燕山獻御容　　報國願清戎落靜　　煙消萬里更崇墉
今生豈料親[92]臨問　　特降天官出九重　　錫賚縑緗難捧授[93]
百[94]生輪骨誓輸忠

尚書授　敕已訖,即引天使入開元寺,親拜　我玄宗聖容,天使睹
往年御座,儼若生前,歎念敦煌雖百年阻漢,沒[95]落西戎,尚敬本
朝[96]餘留帝像,其於四郡,悉莫能存[97],又見甘、涼、瓜、肅,雉堞彫
殘[98],居人與蕃醜齊肩,衣著豈忘于左衽[99],獨有沙州一郡,人
物風華[100]一同內地,天使兩兩相看,一時垂淚,左右驂從無不
慘愴[101]安下既畢,日置歌筵,毬樂宴賀,無日不有,是時也
日[102]藏之首,境媚青蒼,紅桃初熟,九醞如江,天使以王程有
限[103],不可稽留,修表謝恩,當即進發,尚書遠近郊外,拜表
離[104]筵碧空秋思,去住愴然,躊躇塞草,信宿留連,握
手[105]途中,如何分袂處,若為陳說:

一[106]從收復已多年　　萬里西門絕戎煙[107]　　去歲官崇總馬政
今秋寵遇拜貂嬋　　無何玁狁侵唐境[108]　　引旆奔衝過大泉
聖主遠憂懷軫慮　　皇情頒詔虜庭宣　　丹霄內使人難見
玉嶺風沙塞草寒　　跋涉金河勞俊騎　　深慚常侍降樓蘭
歸[109]程保重加餐飯　　張掖姑藏在目前　　到後金鑾朝奏日
沖融敷對為周旋　　感戴鴻恩何日報[110]　　權兵靜塞□龍顏[111]

天使既發,分袂東西,尚書感　皇帝之深恩,喜朝廷之
天過[112]應是生降迴鶻,盡放皈迴,首領蒼惶,感謝萬歲,豈
料蜂蠆[113]有毒,豺性難馴,天使纔過酒泉,迴鶻王子領兵西來,
犯我疆場,潛於西桐海畔,蟻聚雲屯,遠偵烽煙,即擬為
寇[114]先鋒遊奕使白通告,深知有賊當即申上,尚書既聞迴鶻□
□□諸將點銳精兵,將討匈奴,參謀張大慶越班啟曰,金[115]□
□□兵可不妄動,季秋西行,兵家所忌,尚書謂諸將□
□□失信,來此窺閫,軍志有言,兵有事不獲而行之,□
□□事不獲矣,但持以壓王相,此時必須剪除,言訖□
□□軍誓其眾曰,迴鶻新授詔命,今又背恩,此所謂□

□理合撲滅，以雪朝廷之憤，將士勉懷書節，共掃
□搶[116]傳令既訖，當即胤兵，鑿兇門而出，風馳霧卷，不
逾信宿，已近西桐，賊且依海而住，控險為營[117]，以拒官軍。尚書
乃處分諸將，晝令臥鼓倒戈，人馬銜枚，東[118]風獵□微動[119]
塵埃。六龍纔過，誓不空迴，先鋒遠探，後騎相摧，鐵□
千[120]隊，戰馬雲飛，分兵十道，齊突穹廬，鞞鼓大振，白
刃交麾，匈奴喪膽，　鼠周諸，頭隨劍落，滿路僵屍[121]
迴鶻大敗，天假雄威處，若為陳說：
尚[122]書聞賊犯西桐　　便點偏師過六龍　　總是敦煌豪[123]俠士
□曾征戰破羌戎　　霜光用苦光威日　　虎豹爭奔煞[124]氣濃
征鼙鬧裡紛紛擊　　戞戞聲齊電不容　　恰到平日兵裡合[125]
始排精鋭拒先衝　　弓開偃月雙交羽　　斧砍□□立透胸[126]
血染平原秋草上　　滿川流水變長紅　　南風助我□威急[127]
西海横屍幾十重　　是日尚書[128]心膽壯　　天恩從□□□公告[129]
兒郎氣勇　膽顫肉飛　陌刀亂揊　虎鬥□□　□□陣敗[130]
賊透重圍　骨擿側　寶劍揮　俘諸生□　疋騎無遺[131]
獫狁從茲分散盡　□□歌樂卻東□
自從[132]司徒歸闕後，有我尚書獨進奏。
□節河[133]西理五州，德[134]化恩沾及飛走，天生神將[135]
□英謀，南破西戎北掃胡，萬里能令烽煙滅
百城黔首賀來蘇，幾迴獻捷入皇州。天子臨
軒許上籌，卿能保我山河靜，即見推輪拜列
侯，河西淪落百餘年[136]，路阻蕭關雁信稀　賴得
將軍開舊路，一振雄名天下知，年初弱冠即登
庸[137]　疋馬單槍突九重，曾向祁連□□□[138]
幾迴大漠虜元凶，西取伊□□□□[139]，□□□□
復舊疆。鄰國四時□□□，□□□□□□□
唐。退渾小醜□□□（下缺）

此卷“張淮深變文”缺字最多，大概：

（1）首尾缺字最多，顯然是翻閱時不小心或保存不得法，以至磨損。

（2）楊文保存字數最多，其中若干字與周文不同，可能是王重民或向達等抄錄時之疏忽或以意改之。

（3）最奇怪的是插圖1與插圖2，中間一大片空白，未知因何磨損（可能是加製砂紙時發生問題），幸而在周文與楊文中可以補充大部，本來面目依稀可見。

白雀歌（P2594與P2864）[140]

伏以
金山天子殿下，上稟虛符，特授玄黃之冊，下
副人望，而南面為君，繼五涼之中興，擁[141]八
州之勝地，十二冕旒，漸睹龍飛之化，出
警入蹕，將城　萬乘之彝□，八備蕭韶

以像　堯階之　,承白雀之瑞,膺周
文之德,老臣不才,輒課白雀歌一首,每句
之中,偕以霜雪潔白為詞,臨紙惟汗,伏
增戰悚　三楚漁人張永進上
白雀飛來過白亭　　鼓翅翻身入帝城
深向後宮呈　寶瑞　玉樓高處送嘉[44]聲
白衣白鞍白紗布　　白馬銀鞍佩白纓
自古不聞書不載　　一戰能御百萬兵
王母本住在崑崙　　為貢白環來入秦
漢武遙指東方朔　　朕感白霞天上人　　紫亭南嶺白
狼遊,為效[44]　　禎祥屆此州　　　昔日周王呈九尾　爭
似如今耀斗牛　　白旗白絨白旄頭　白玉雕
鞍白玉鳩　築壇待拜天郊後,自有金星
助　冕旒　白巖聖跡俯　王都　玉女乘虛定五
湖　白廣山顛雲繚繞,人歌聖德滿長衢,金
鞍山上白犁牛,擺撼霜毛始舉頭,逸泉百
匝騰空去,保　王社稷定徽猷,白山堤下白
澄津,一道長河夾岸春,白雪梨花連萬朵
王向東樓擁白雲,東苑西園池白莛,白渠流
水好陽春,六宮盡是名家子,白羅綽約玉顏
新,平河北澤白龍宮,賀拔為王此處逢,昨來
再起興雲雨,為贊　君王瑞一同,嵯峨萬
丈聳金山,白雲凝霜古　聖壇,金鞍長掛
湫南樹,神通日夜助　王歡,山出[45]西南獨
秀高,白雲為蓋繞遇遭,山腹有泉深
萬丈,白龍時復震波濤,白樓素殿白
銀鉤,砌玉　龍墀對五侯,雉尾扇移香案
出,似月如霜複殿幽,白牙歸子白鐐鑪,倚障
虬蟠銜白珠,青衣童子攜白絨,宮官執持(以上P. 2594卷)
銀　盂應須築殿,白金欄上稟金□
方[46]頂蓋圓白玉　壘,階為蹬道工輸化,出大羅
天白衣殿下白頭臣,廣運籌謀奉
一人,白帝化高千古後,猶傳盛　德比松筠,白
衣居士寫金經,誓弼　人王不出庭,八大
金剛持寶杵,長當護念我王城,白壇白獸
白蓮花,大聖攜持萬一家,太子福延千萬
葉,王妃長降五香車,樓成白壁鈷珠
珍,五部龍軒倚桷新,萬拱白平紅鏤頂,
白龍行雨灑塵埃[46],白旄神纛樹　龍墀,白
象銜珠盡合儀,春光駕幸東城苑,雅樂前
臨　明旗,百官在國　酋豪,白刃交馳未
告勞,為感我王洪澤厚,盡能平虜展戎韜,白

裙曳履出眾群，國舅溫恭自東身，羅公
挺拔摧兇敵，按劍先登渾舍人，白雲山嚴
漸[148]海清，六戎交臂必須平，我　王自有如神
將，沙南委付宋中丞，白屋藏金鎮國豐，進達
偏能報虜戎，樓蘭獻捷千人喜，敕賜紅袍
與上功，文通守節白如銀，出入王宮潔一身，每向
三危修令得，唯祈寶壽薦　明君，窠　詞陳
白未能休，筆勢相催白汗流，願見
金山明聖主，延齡滄海萬千秋，頌日：
白銀槍懸太白旗　白虎雙旌三戟枝　五方色
中白為上，不是我王爭得知，樓成白壁聳儀形
蜀地求才讚聖明，自從湯帝昇霞後，白雀無因宿
帝庭，今年報降瑞報成康，果見河西再冊王，韓白
滿朝謀似雨，國門長鎮在敦煌
乙丑年二月敕歸義軍節度使押衙陽音久銀青（下缺）

此外，“沙州百姓上迴鶻天可汗書”（P-3633），王重民亦錄於《金山國墜事拾零》（一九三五出版，見128），與現存寫卷相對，可補三字[149]、錯二字[150]、漏書一字[151]。又如“張延綬別傳”（P-2568），羅振玉曾收於《鳴沙石室佚書》中（一九一三），亦可補遺三字[152]。其他或錯或缺一二字者甚多，難以盡列，大概在巴黎之寫卷因借閱不易，抄錄者匆匆完成，間有錯誤，殊屬難免。其實若與原卷對照，尚可更正。而借閱者不知保重，收藏或整理者未有方法，以致磨損日多，如“張淮深變文”等，若不效法倫敦大英博物館將其製成顯微影片，則數十年後磨損更多，“面目全非”，對學術界之損失實不堪設想。

丙

其實敦煌寫卷的價值，姜亮夫言之頗詳[153]，過去學者如羅振玉、王仁俊、劉師培，現代學者如向達、王重民、蘇瑩輝等，多用敦煌資料作專題研究。至於寫卷本身諸問題，祇有藤枝晃有敦煌寫卷紙的研究發表。至於寫卷本身的校對、辨偽、別字[154]等，似尚未引起學者之普遍注意，於是令人誤會“敦煌資料”是最正確的資料，其實：

（1）所謂寫卷，即是手抄本。因抄書人的知識程度高低不同而可靠性亦大有分別，寫卷中佛經最多，大都是字跡端正，大概是恭錄佛經以作功德，錯誤較少，可靠性較大。同時蓋有印信，如

P-2177“佛說馬有三相經”

P-2318“摩訶般若波羅蜜經第二”

P-4681“佛說盡有三相經一卷”

以上三卷蓋有“瓜沙大王”之印，可能是“瓜沙節度使”藏品，或是代“瓜沙節度使”恭錄之佛經，錯誤較少，可靠之程度較高。

P-2413“大樓炭經卷第三”，鈐有“瓜沙大王”印，末題“大隋開皇九年四月八日皇后為法界眾生敬造一切經流通供養”，很明顯地是抄錄隋代流通的大樓炭經。

P-3348“殘佛經”,鈐“豆盧軍”印,是豆盧軍恭錄之佛經,錯誤亦少,較為可信。

相反,若干寫卷中字跡潦草,毫不經意,有如小孩練習千字文,如:

S-2104(2)“神沙鄉百姓狀”,雜有初學戲書。

S-2703(2)夾有兒童習字一百行。

S-5139“涼州節度使押衙劉少晏狀”,其中書體拙劣,文理亦較艱澀,錯誤較多自是意料中事。

P-3102“敕河西節度使牒”等文件,其字跡不能辨識。

P-3276背面之雜文,字跡潦草,有如兒童習字。

此等寫卷引用時必須小心校對,引用旁證,不能盡信。

(2)寫卷中有不少檔案,如“敕”、“牒”等、如:

S-0076(2)“長興五年陳魯修牒”

S-0330“南贍部洲娑訶世界沙州三界寺授戒牒”

S-0347“南贍部洲娑訶世界沙州三界寺授戒牒”

S-0515“敕歸義軍節度使牒”

S-1563“西漢敦煌國聖文紳武王敕”

S-4291“敕歸義軍節度使牒”

S-4363“敕歸義軍節度使牒”

P-2657“天寶年間敦煌縣戶籍”有“敦煌縣”印,是敦煌縣所存的戶籍。

P-2826“賜張淮深札”,上鈐“大于闐漢天子制印”。

P-3347“師義軍曹授張員進衙前正十將牒”

P-4631“宋惠信改官敕”

按一般敕令是正式公文,是最直接的檔案,可信程度較大。

(3)一般卷子,如若整篇抄錄同一類文章,如佛經、政典、變文等,可靠性較大,如一卷中雜有三四類文章,彼此性質不同,則可懷疑之處甚多。尤其是藏於倫敦的卷子,如:

S-4473附卷有八[155]

S-4652附卷有十一

S-6631附卷有十四

S-6537附卷有十五

最長的是S-6417附卷竟有二十五[156]

此等附卷有時僅得數句,有時卻很長。同樣情形,在巴黎所藏之寫卷中,有許多“雜文”,如P-2642,2930,3097,3114,3556,3765等,中間竟然雜有兒童練習之千字文。(P-3114),當然可知其抄錄時,遠不如恭錄佛經時那樣專心,於是需特別小心辨別,不過,亦有若干附卷是裝裱時合起來的,那麼情形又不同。

(4)許多外國文字大部份藏於巴黎,衹有少數藏於倫敦,如:

栗特文有:P-2021,3511,3512,3515,3516,3518,3520,3521

于闐文有:P-2855,4089,4091,4099

梵文有:P-2928,2929,2933,2936,3510,5632,5633

迴紇文有:P3071,3072,3509,4637

羯磨文有:P3357

西域文有:S-0095,4243,6878(2)

這等文字或早已失傳,或流通不多,仍是最寶貴之資料。至於其中有無錯誤,要待專家整理後發表。總之,敦煌資料是最寶的資料,但並不是最可靠資料,須加校勘與辨別[55]。筆者因在倫敦巴黎的逗留時間不長,僅就所知提出,願就正於各博雅君子。

註 釋

①斯坦因著,向達譯《西域考古記》"ON ANCIENT CENTRAL-ASIA TRACKS"第十三章。"當時得有滿裝寫本的二十四口箱子;另外,還有五口,內裡很仔細地裝滿了畫、繡品以及其他同樣美術上的遺物,平安地安置於倫敦大不列顛博物院"。

②見羅振玉《敦煌石室書目及發見之原始》(《東方雜誌》第六年第十期)及姜亮夫之《敦煌——偉大的文化寶藏》、蘇瑩輝之《敦煌學概要》等書。

③一九〇七— 一九〇八年,斯坦因、伯希和在敦煌獲得大量寫卷後,一九〇九年,學部始派人前往敦煌搜集,但在運回京途中,被地方官吏及護送人員盜劫不少,以高價出售,輾轉流傳於國外,但現仍存八千餘卷於北京。一九一一年,日本大谷光瑞所派遣的橘瑞超和吉川小一郎也到達敦煌,向王道士買得古寫本三百多卷,故今日的日本、瑞典、俄國、美國都有若干寫卷收藏。據王重民的意見:"英國所藏數量最多,但法國卻得其菁華。"(《敦煌古籍序錄》"述例")。

④羅振玉先後刊印:(一)《敦煌石室遺書》(一九〇九冬),(二)《敦煌秘寶十五種》(一九一〇),(三)《鳴沙石室佚書十八種》(一九一三),(四)《鳴沙石室古籍殘卷三十種》(一九一八)。據其兒子羅福頤"先府君行狀":

"先府君既從伯希和教授得景本,乃分別已佚,未佚編印……各數十卷,每書為跋尾、提要、鉤玄,洞厥源委。"

當然,從其題跋中也有很多重大的發現,如:"張義潮傳補"、"敦煌本張延綬別傳"其在《敦煌零拾》中所介紹之"佛曲"、"瓜沙曹氏世家年表",亦可補史。以後學者仍本此路線研究,如:

王仁俊:《敦煌石室及其真蹟八集》(一九〇九)。

劉師培:《敦煌新出唐寫本提要》(一九一〇)。

劉復:《敦煌掇瑣》(一九二五)。

陳寅恪:《敦煌本十誦比丘尼波羅提本叉跋》(一九二九)。

《敦煌本維摩詰經文殊師利問疾品演義跋》(一九三〇)。

許國霖:《敦煌石室寫經題記與敦煌雜錄》(一九三六)。

日本方面:狩野直喜、內籐虎次郎、羽田享諸氏均抄錄景印若干種,王國維之《觀堂集林》曾加以引用,一九三七年神田喜一郎之《敦煌秘籍留真》尤為寶貴。

⑤大英博物館所藏之寫卷,有小翟理斯在一九一四年所編之目錄LIONEL GILES "GUIDE TO AN EXHIBITION OF PAINTING MANUSCRIPTS AND OTHER ARCHAEOLOGICAL COLLECTED BY SIR AUREL STEIN IN CHINESE TURKESTAN"。

巴黎國立圖書館所藏之寫卷,有伯希和自編之書目COLLECTION DE PELLIOT - MANUSCRIPTS DE TOUEN-HOU-ANG ,中文譯本先有:

羅福萇之譯本(《國學季刊》一卷四號(一九二七),陸翔之譯本(一九二九年《北平圖書館刊》七卷六號)

至於我國所藏者有:

陳垣之《敦煌劫餘錄》(一九二九年中研院史語所專刊)

至於日本之目錄有：

橘瑞超之《敦煌藏經目錄》，石濱純太郎之《敦煌石室遺書》，羽田亨與伯希和合編之《敦煌遺書》，先後於一九二五——九二六年出版。

又抗戰前，國立北平圖書館曾委託倫敦及巴黎影印全部寫卷，僅運來二批便因戰爭而停止。見袁同禮之國立北平圖書館編"敦煌學目錄"。

⑥孫楷第之《敦煌寫本張淮深變文跋》，陳寅恪之《斯坦因KHARA-HKOTO所獲西夏文大般若經考》，王靜如之《西夏研究》，向達之《莫高榆林二窟雜考》、《羅叔言補唐書張義潮傳補正》、《記敦煌石室出晉天福十年寫本壽昌地境》、《莫高窟年表》。周一良之《敦煌寫本雜鈔考》。他如方豪、石璋如、王叔岷、陳鐵凡、蘇瑩輝、費海璣、羅香林師、潘重規、饒宗頤等均有專題發表。至於日本學者研究者更多，如仁井田陞之《敦煌出土唐公貳仮寧兩令》（一九三二），鈴木俊之《敦煌發現唐代戶籍與均田制》（一九三五），玉井是博之《敦煌戶籍殘卷》（一九三七），羽田亨之《唐光啟元年寫本沙州伊州地志殘卷考》，白鳥庫吉之《西域史研究》（一九四一），籐枝晃之《沙州歸義軍節度使始末》（一九四二）等最為著名。

⑦一九二五年，劉復曾至巴黎鈔錄一〇四種卷子而成《敦煌掇瑣》，且曾將"孟姜女"（P-2809）寄予顧頡剛作專題研究（掇瑣序）。

一九三五年，國立北平圖書館派王重民赴英法從事敦煌卷子的整理和研究，兩處所藏卷子和圖畫都儘量攝影。

一九三六年，向達亦往英法觀看敦煌寫卷，其所著之《敦煌卷子經眼目錄》（載於一九三九年《北平圖書季刊》一卷四期）內云"我在不列顛博物館閱讀敦煌卷子，因為小翟理斯博士的留難，一年之間，看到的漢文及迴鶻文卷子一共纔五百卷左右"。

一九三七年，姜亮夫亦曾在英法翻閱敦煌卷子。以上四人是在倫敦巴黎逗留較久之學者。其他如路過二地，而略加逗留的中日學者更多。

至於留居巴黎倫敦之我國學者如吳其昱、左景權、陳祚龍等，更是容易利用寫卷而作種種專題研究。

⑧《斯坦因劫經錄》為劉銘恕根據顯微影片編成。《伯希和劫經錄》為王重民所編，根據羅福萇之編目。神田喜一郎之《敦煌秘籍留真》及其他日本編目，加上王重民在巴黎所鈔錄輯成。

⑨巴黎之寫卷藏於國立圖書館之東方部，須有學術機關推荐或社會上有名望之人介紹始能入內借閱，如需覆印若干卷子，手續更是麻煩，申請者應同時申請XEROX及Microfilm，然後由主事者考慮，按需要而給與何者。有時申請覆印十種，衹予八種，即使答應，手續亦煩，動輒需要一月以上。曾有人提議效法大英博物院將全部寫卷製成顯微影片，以免"天災人禍"時受到損害，但不為當局所接納。

⑩日本首先提出敦煌學名詞，東洋文庫初成立"敦煌文獻委員會"，出版資料及論文很多，如：（一）《敦煌文獻研究論文目錄》（一九五九），（二）《西域出土文獻分類目錄初稿》（一九七二），又日本法藏省於一九五八年出版《西域文化研究》，內分：（一）敦煌佛教資料，（二）古代語文獻，（三）佛教美術，（四）敦煌吐魯番社會經濟資料，（五）歷史與美術之諸問題，共數巨冊，主要資料均來自敦煌。

我國蘇瑩輝著有《敦煌學概要》（一九六四）、《敦煌學論集》（一九六九）。又法國國立圖書館由謝和耐教授PROF. JACQUES GERNET與吳其昱合編之《（巴黎）敦煌寫本目錄》第一冊（P-2201—2500）於一九七〇年出版，每一卷之下均附有解釋及參考資料。一九七四年，吳其昱潘重規在臺灣出版之《敦煌學雜誌》，均為治敦煌學之重要刊物。至於其他學術機構之"學報"，如《國立北平圖書館館刊》、《圖書季刊》等有關敦煌學之專門論文更不可勝數。"敦煌學"已被公認為一學術名詞。

⑪據姜亮夫意見：敦煌除藝術資料外，寫卷內容有佛教、道家、儒家、史地、語言文學、科學等門（見《敦煌——偉大的文化寶藏》）

⑫本文（應是劉銘恕之劫經錄。以下同）

第二行第十及十一字"慈母"應是"戀切"之誤。

第三行第二字"期"應作"斯"字。

第七行第十九字“來”應是“今”字。
第八行第十四字“安州”應是“甘州”。
第十一行第二字“煩惱”應是“愁惱”。
第十二行第四字“五毒”應是“三毒”。
第十二行第廿一字“修矣”應是“終矣”。
⑬劉文與顯微影片缺三字,據現存寫卷均可補上:
第三行第十五字應是“迷”字。
第四行第十三字“不□也”應是“不是也”。
第六行第二十字“□不善”應是“慣不善”。
⑭第三行“已後諸官人□說和尚去時”,多一□字,應是“已後諸官人說和尚去時”。
第九行“不同別僧行腳師僧”,多一“僧”字,應是“不同別行腳師僧”。
第十一行“伏希和尚要假迴還”,缺一“歸”字,多一“還”字,應是“伏希和尚要假歸迴”。
⑮“李光庭”應为“李庭光”之誤。
⑯第三行第十八字“倘切不堅”,寫卷作“倘劫不堅”。
第四行第十字“前逞”,寫卷作“前呈”,劉銘恕更正為“前程”,頗合理。
⑰第一行“兵馬使列某”,寫卷作“劉某”。
⑱第三行第十四字“邪魔”,應作“邪魅”。
第四行第十四字“禍路(賂)”,應是“貨路(賂)”。
第五行第十六字“非法既成”,應作“非法既盛”。
第十行第三字“令集諸家”,應作“今集諸家”。
第十一行第十九字“昔年”應是“昔歲”。
第十三行第九字“耳時大唐”,應是“于時大唐”。
⑲劉文及顯微影片缺四字均可補文:
第六行“學業微□”,應是“學業微淺”。
第八行“歸義軍節度使南陽□公諱承奉”,應是“歸義軍節度使南陽張公諱承奉”。
第九行“□觀前事”,寫卷作“藍觀前事”,此“藍”字似是“鑒”字之誤。
第十行“與事理如□之”,應是“與事理如唱之”。
又劉文漏缺而可補充的有:
第四行第十二字之下“同類擅謀”漏了二字,應是“同類擅作異謀”。
第五行第二字之下“離能德”,應是“離害能德”,漏“害”字。
第五行第廿二字下“但思賢生居所陋”,漏了一字,應是“但思忠賢所生,居所陋”。
第十行第十五字“亦有往層學”,應是“亦有往年層學”,漏一“年”字。
第十二行第廿三字“後諸達解”下漏一“者”字。
⑳第五行首字“□離能德”,寫卷無“□”字,應是“離害能德”(見註19)。
㉑第三行第十六字“蘊習五經”,應是“蘊習武經”。
第十行第七字“題表修陵”,寫卷作“題陵修表”。
㉒第二行第十一字“未遇高(缺)”,寫卷作“未遇高風”。
第三行首字“□□□□”,寫卷作“使少奇毛”。
第三行第二十字“得孫武之精”漏二字,應是“得孫武白起之精”。
第十行第十五字“既破吐蕃”之前應加二字,“沙州既破吐蕃”。
第十九行第二字“慰邊庭收復之事”下漏一字,應是“慰諭邊庭收復之事”。
第廿四行第二字“□群以□□”,應是“虜群畜以□”。

㉓第三行第四字“龍紅錦壹疋”,應是“施紅錦壹疋”。
㉔第四行首字後“樓綾機壹疋”,寫卷作“樓機綾壹疋”。
㉕第三行第五字“雜綵幡綵壹條”,應為“雜綵幡額壹條”。
㉖標題第二行第十三字“並州”,應是“并州”。
第四行第十一字“自大中三載”,寫卷作“大中之載”,當然以“三載”合理。
㉗第四行第十七字“□逐蕃戎”,據現存寫卷作“屢逐蕃戎”。
㉘第四行第十字“望伏賜容納”,應為“望府賜容納”。
㉙第十行第二字“內先亡”,應是“內死亡”。
第十二行第二字“錢則□飯”,應是“錢財□飯”。
第十八行第十三字“兼及城內”,應是“兼及城人”。
㉚劉文缺四字據寫卷補上:
第五行“怪異多□”,應是“怪異多般”。
第九行“錢財□飯”,應是“錢財米飯”。
第十四行“社稷興□”,應是“社稷興盛”。
第十七行“□災成福”,應是“轉災成福”。
此外,漏者三處亦據寫卷補上:
第十五行第十五字後“喜慶恆康”中漏二字,應“喜慶內外恆康”。
第十七行“獻神王”中缺一字,應是“獻奉神王”。
㉛第九行第十三字後“檢看百怪圖書”,寫卷作“檢看百怪書圖”,但以劉文之更正為合理。
第十四行第五字後“已歿”,應“已後”。
㉜標題“集賢相”下缺“李”字,應是“集賢相李某”。
㉝第四行第十四字“不得輒受身訴”,應是“不得輒受申訴”。
第十行第廿三字“勳官一品以下”,應是“勳官二品以下”。
第十八行第十四字後“有人糾者,物人糾人”,寫卷作“有人□者,物入□人”。
第十九行第六字“□與應服用人”,應是“聽與應服用人”。
㉞劉文缺六字,均可據寫卷補上:
第一行“官人被推□罪”,應是“官人被推贓罪”。
第二行“求請證□”,應是“求請證徒”。
第十二行“應致敬者決□洛”,應是“應致敬者決雍洛”。
第十七行“及村正坊□里正”,應是“及村正坊正里正”。
此外,第五行第十九字後“亦同科斷”中漏一字,應是“亦同此科斷”。
第十一行第十七字“仍不得過六”,應是“仍不得過六十”,欠“十”字。
㉟第五行第廿一字“亦同科斷”,寫卷無“斷”字。
㊱第一行“右伏以臣文徹”,寫卷無“臣”字。
㊲第三行第廿一字“黃帝泊”,寫卷作“黃草泊”。
第七行第七字“入莫高窟”,應是“有莫高窟”。
第七行第十八字“中途石磧”,應是“中過石磧”。
第十行第十二字“贊普部從”,應是“贊普部徒”。
第十行第廿一字“並是”,寫卷作“普是”。
第十二行第三字“大佛”,應是“大像”。
第十四行第四字“徒行”,應是“徒紆”。
第十五行第十五字“悉純沙聚起”,寫卷作“悉能沂聚起”。

第十六行第十字"沙不能蔽",應是"沙石能蔽"。
第十七行第廿二字"其沙聲",應是"其河聲"。
第十八行第六字"至曉看之",應是"至晚看之"。
第二十行第十九字"沙山西南",應是"沙州西南"。
第廿一行第廿一字"望記",應是"望祀"。
第廿二行第十三字"風雨",應是"風雹"。
第廿九行第廿四字"父母雖苦生離",應是"父母雖苦坐離"。
第卅一行第十九字"豈有川原祅怪",應是"豈有以源祅怪"。
第卅四行第二十字"郡城東北",應是"郡城西北"。
第卅五行第八字"中有小堡",應是"中一小堡"。
第卅八行第七字"州北三百五十六里",應是"州北二百五十六里"。
㊳劉文缺三字,據原卷補上,第廿八行第十八字"傳有□",應是"傳有靈"。
第卅四行第二字"稱□□",應是"稱再三"。
㊴第八行第三字"至彼斗",應是"至彼斗斗",多一"斗"字。
第十八行第十七字"神沙而祠焉",多"神沙"二字。
第廿八行第十六字"人傳有□",應是"人傳頗有靈"。
第卅九行"開皇十九年",應是"開皇九年",多一"十"字。
第四十二行第十四字"前漢所卜置",應是"前漢所置",多一"卜"字。
㊵第五行第十二字"餽運不給",應是"餽運不充"。
第六行第十三字"竟犯闕",應是"竟犯關"。
第七行第十一字"不撓州縣",應是"還撓州縣"。
第八行第七字"為□幕所居",應是"為□□所居"。
第十三行第十五字"於國家而不用",應是"於國言而不用"。
第十七行第十字"除暫見權宜",應是"途暫見權宜"。
第十八行第十八字"遞有奏論",應是"遽有奏論"。
㊶劉文缺十三字,據原卷可補七字:
第一行"不知卻□",應是"不知卻廢"。
第二行"□雜蕃渾",應是"又雜渾蕃"。
第十二行"患□盜□",應是"患□盜給"。
第十五行"歸□祭廟",應是"歸經祭廟"。
第十七行"蕃屏□□",應是"蕃屏□陲"。
第十八行"近知蕃□",應是"近知蕃戎"。
第十九行"□推心許國",應是"心推許國"。
此外第八行第三字下"靈武西",應是"靈武西去",欠一"去"字。
第十九行第八字"一切仍舊",應是"依一切仍舊",欠一"依"字。
㊷第十三行第十三字"臣不敢偷安爵位",寫卷無"臣不敢"三字。
第十八行"近知蕃□狀",應是近知"蕃戎□狀",應空"□"字。
第十九行"□推心許國",應是"心推許國"在"推"字下多一"心"字。

㊸此乃據任職於國立圖書館之左景權先生所面告及吳其昱先生所補充。據云:伯希和教授逝世後,其夫人擬將剩餘若干寫卷出售予外國(法國例外),後法國政府用別國人名義購得,故今之國立圖書館乃能藏有全部伯希和之寫卷。

㊹"張淮深變文",曾收錄於:

（一）周紹良之《敦煌變文彙錄》（以下簡稱“周文”），一九五四年上海出版公司出版。作者按：是時顯微影片尚未問世，周文當是根據王重民，向達等手抄本。

（二）楊家駱之《敦煌變文七十八種》（以下簡稱“楊文”），一九六一年臺灣世界書局出版，似是根據國立北平圖書館直接在巴黎影印之原卷（見註5）。

其中周文較楊文為簡，現存寫卷（見附圖一－六）缺字最多，全是磨損之故，本文現根據寫卷原來型式，而以周楊二文加以互相校證。

㊺周文見字下“ □ □”，現存寫卷四字皆不清楚，僅錄楊文補上，可見四十年前原卷較現存者清楚得多。

㊻現存寫卷“去”字已不清楚。

㊼現存寫卷“意”字已無下截，成“音”字。又楊文“歸來”，寫卷作“差來”。

㊽“周文”及現存寫卷均缺“降”字，現據“楊文”補上。

㊾“歸”字，現有寫卷作“山”。又最末之“非”字，現有寫卷已缺，全據楊文補上。

㊿“伐”字，“周文”及現存寫卷均缺。

51“為”字，現存寫卷已缺。

52“龍”字，現存寫卷僅得上截。

53“輪”字，現存寫卷已缺。

54“羽”字，現存寫卷及周文均缺。

55“處”字，現存寫卷及周文均缺。

56“橫”字，現存寫卷已缺，“敗績”二字亦不清楚。

57“嚴”字，現存寫卷已缺，“且放”二字亦不清楚。

58“尚書”二字旁邊，寫卷上加“元戎”二字。

59“弓”字，現存寫卷及周文均缺。

60周楊二文均缺“陌”字，但現存寫卷卻依稀可見。

61此七字，現存寫卷全缺，周文則缺“左右馬步”四字。

62此六字，現存寫卷全缺，周文則缺“露布”以下四字。

63“不逾”二字現存寫卷全缺。

64此五字，現存寫卷全缺，周文則作“便達京華”。

65此五字，現存寫卷全缺，周文自“帝”字下缺“親披覽延　天朝”共七字。

66現存寫卷缺“表”字。

67現存寫卷缺“千餘人”三字，周文缺“捷”字。

68周文缺“曩日曾”三字，現存寫卷則缺“效”字上半截。

69周文作“隴西”，楊文作“河西”，現存寫卷“河西”二字均缺。

70周文作“宜”字，楊文作“豈”字。

71周文缺“眾”字，現存寫卷缺“李眾”二字。

72周文及現存寫卷均缺“重”字。

73周文及現存寫卷均缺“銀器”二字。

74現存寫卷缺“沙威”二字。

75現存寫卷缺“敵”字。

76現存寫卷缺“讀詔”二字。

77現存寫卷缺“流涕”二字。

78現存寫卷缺“皇”字。

79現存寫卷缺“駢”“鳳”二字。

⑧⓪現存寫卷缺"虎"字。
⑧①現存寫卷缺"煙"字,但周文卻書"初離魂闕塵霞靜","魂"、"霞"二字似不通。
⑧②周文及現存寫卷均缺"平"字。
⑧③現存寫卷缺"蓋為"二字,但周文稱"正為"。
⑧④現存寫卷缺"土"字,"勒"字依稀可辨,周文則改為"玉笛相催倍去程"雖合理但與原卷不符。
⑧⑤現存寫卷缺"喜氣"二字,周文則改為"意氣"。
⑧⑥現存寫卷缺"明"字。
⑧⑦現存寫卷缺"到日毬"三字。
⑧⑧現存寫卷缺"更丁寧"三字。
⑧⑨現存寫卷缺"尚書既"三字。
⑨⓪現存寫卷缺"感聖聰"三字。
⑨①現存寫卷缺"得復"二字。
⑨②現存寫卷"今"、"親"二字已模糊不清。
⑨③現存寫卷缺"授"字。
⑨④現存寫卷缺"百"字。
⑨⑤現存寫卷"年"、"漢"、"沒"三字均缺。
⑨⑥現存寫卷缺"朝"字。
⑨⑦現存寫卷缺"能"字,但周文則錯排"能有"。
⑨⑧周文缺"瓜"、"肅"二字,現存寫卷缺"彫殘"二字。
⑨⑨周文缺"豈忘"二字。
⑩⓪現存寫卷缺"物"、"華"二字。
⑩①周文缺"駿"字,現存寫卷缺"慘愴"二字。
⑩②周文及現存寫卷均缺"也日"二字。
⑩③現存寫卷缺"有限"二字。
⑩④現存寫卷缺"離"字。
⑩⑤現存寫卷缺"手"字。
⑩⑥楊文與現存寫卷缺"一"字。
⑩⑦楊文作"戎煙",周文作"大煙",現存寫卷似是"戌煙"。
⑩⑧現存寫卷缺"唐"字。
⑩⑨周文及現存寫卷均缺"歸"字。
⑪⓪楊文作"何日報",周文及現存寫卷作"終不忘"。
⑪①周文及現存寫卷作"永清河隴獻天顏"。
⑪②周文及現存寫卷均缺"天"字。
⑪③周文缺"豈料"二字,現存寫卷缺"料蜂"二字。
⑪④現存寫卷"為寇"二字缺。
⑪⑤周文作"余"字,楊文作"金"字,現存寫卷已缺。
⑪⑥現存寫卷缺"掃"字,"周"文則缺"搶"字。
⑪⑦現存寫卷缺"營"字,楊文則改"營"字為"勢"字。
⑪⑧現存寫卷及周文均缺"東"字。
⑪⑨周文缺"微動"二字。
⑫⓪現存寫卷缺"千"字。
⑫①現存寫卷缺"屍"字。

⑫現存寫卷缺"尚"字。

⑫③現存寫卷"豪"字已不清。

⑫④現存寫卷"煞"字已不清。

⑫⑤周文"恰到"改"比到";現存寫卷缺"兵"字,且改"平日"為"平明"。

⑫⑥現存寫卷"立透胸"三字已不清。

⑫⑦周文"助我"、"威"三字缺,現存寫卷"威急"二字缺。

⑫⑧楊文"是日尚書"四字,周文及現存寫卷均作"兒郎氣勇",未知楊文何所據。

⑫⑨周文作"天自",現存寫卷則缺"從"字。

⑬⓪現存寫卷"敗陣"全句已缺。

⑬①周文缺"疋騎"二字。

⑬②現存寫卷缺"自從"二字。

⑬③現存寫卷缺"節河"二字,周文"節"字祇得下截成"即"字。

⑬④現存寫卷缺"德"字,周文將"德"字改作"惠"字。

⑬⑤現存寫卷缺"將"字。

⑬⑥現存寫卷作"百年餘",楊文作"百餘年",恐是手民之誤。

⑬⑦現存寫卷缺"庸"字。

⑬⑧現存寫卷缺"連"字。

⑬⑨現存寫卷缺"取伊"二字。

⑭⓪據"張議(義)潮變文",最早收於劉復之《敦煌掇瑣》(一九二五)、《瑣十二西征記》,次收於周紹良之《敦煌變文彙錄》(一九五二)及楊家駱之《敦煌變文》(一九六一),不過若與現存寫卷相對仍有錯誤,當然其錯誤比"張淮深變文"為少,現根據一九七四年在巴黎所攝之原卷(附圖七,八)為標準更正如下。

⑭①"白雀歌"前截載於P-2594,後半截載於P-2864,王重民收於《金山國墜事零拾中》(《國立北平圖書館館刊》九卷六號,一九三五年十二月出版),但若與現存寫卷對照,仍有部份缺漏,現根據王重民之文加以更正。

⑭②王重民(以下簡稱王文)作"雍"字,現存寫卷作"擁"字。王文似有誤。

⑭③現存寫卷多一"加"字,而成"嘉加",當是錯誤。

⑭④現存寫卷"效"字已脫落一邊成"交"字。

⑭⑤現存寫卷倒作"出山",似有誤。

⑭⑥現存寫卷之"金"字僅餘"金",且缺"方"字。

⑭⑦現存寫卷多一"塵"字,實誤。

⑭⑧王文作"辯"字,茲據現存寫卷更正。

⑭⑨據《國立北平圖書館館刊》九卷六號

第十五頁第三行第二字"多□煞傷",現存寫卷作"多被煞傷"。

第十五頁第十七行第二字"□□先拜其子",現存寫卷"□耶先拜其子"。

第十六頁第十四行第七字"□沒吐蕃",現存寫卷作"陷沒吐蕃"。

⑮⓪同上書

十六頁第四行第二十字"漢家衣冠永 ",現存寫卷作"永拋"。

十六頁第十一行第十九字"百姓告天",寫卷作"百姓苦天"。

⑮①同上書

十七頁第五行第四字"伏乞遣好人",現存寫卷作"伏乞遣發好人",多一"發"字。

⑮②據羅雪堂先生全集三編冊五《鳴沙石室佚書》(臺灣文華出版公司印行)

第一七五七頁第三行末字“尤好評禮”,現存寫卷作“尤好詩禮”。

第一七六二頁第三行第十八字後“智人以此”,現存寫卷無“智人”二字。

⑮《敦煌——偉大的文化寶藏》第四至十一章。

⑭敦煌寫卷中的別字、俗字甚多,羅振玉《碑別字補》、《碑別字拾遺》及羅振鋆之《碑別字》(食舊堂叢書)可以參考。

⑮S-4473“大晉皇帝祭文”

S-4473(2)“大晉皇帝與北朝皇帝書”。

S-4473(3)“大行皇帝謚狀”

S-4473(4)“集賢相李某遭母喪盡七後辭起復表”

S-4473(5)“亡妣秦國太夫人祭文”

S-4473(6)“都頭張進遇與三傳書”

S-4473(7)“將仕郎前守滄州南皮縣令王□啟”

S-4473(8)“鄉貢進士譚象啟”

⑯S-6417“邑齋文”

S-6417(2)“印沙佛文”

S-6417(3)“自咨唱道文”

S-6417(4)“散蓮華樂”

S-6417(5)“臨壙文”

S-6417(6)“願文”

S-6417(7)“亡考文”

S-6417(8)“願文”

S-6417(9)“臨壙文”

S-6417(10)“亡僧(文)”

S-6417(11)“亡尼(文)”

S-6417(12)“亡(士?)文”

S-6417(13)“僧患(文)”

S-6417(14)“僧亡(文)”

S-6417(15)“國母天公主奉為故男尚書諸郎君百日追念(文)”

S-6417(16)“願文(?)”

S-6417(17)“轉經文”

S-6417(18)“長興二年普光寺尼上都僧統狀”

S-6417(19)“同光四年金光明寺僧度寂等上都僧統狀”

S-6417(20)“清泰六年金光明寺上坐神威等上都統狀”

S-6417(21)“患文”

S-6417(22)“亡尼(文)”

S-6417(23)“願齋文”

S-6417(24)“分三子遺物契”

S-6417(25)“放妻書”

⑰潘重規著:《瀛涯敦煌韻輯新編》(一九七二年香港新亞研究所出版),曾就巴黎所藏音韻寫卷,校對了二十卷,學界人士認為價值甚大,可知敦煌寫卷之校對問題不容忽視。

第四章　金石與中國歷史文化

甲

金（青銅）與石（刻）是中華文化中主要的史料。殷周之際，多以青銅鑄鐘鼎，上刻有文字，稱為鐘鼎銘文①。在歷史上，僅次於甲骨文成為中國最古文字之一，主要是記載王室的大事，是當時的歷史與制度的第一手資料②。周以後，記事日繁，於是改用易刻之竹簡③、帛書④等，因製作較易，記事較詳，遂由青銅器轉變成鐘鼎彝器，其歷史價值轉為藝術價值所代替，縱使文字簡略，但其製作、造型、線條等，卻富有特殊的藝術價值。

石刻起源甚早，但保存不易，而且風雨侵蝕，損字較多。最早的石碑錄於史書之內，始於戰國與秦之間，較青銅器略遲，以後有石經（圖1）、石鼓（圖2）及種種石碑。而詩人墨客更有刻石題字、紀事之雅興，於是“無山不刻字”，是以碑刻留傳比之鐘鼎為多，而涵蓋之史料亦較鐘鼎為豐富，尤其是對地方史料，《金石錄》、《碑傳集》更是研究地方文獻的主要來源。

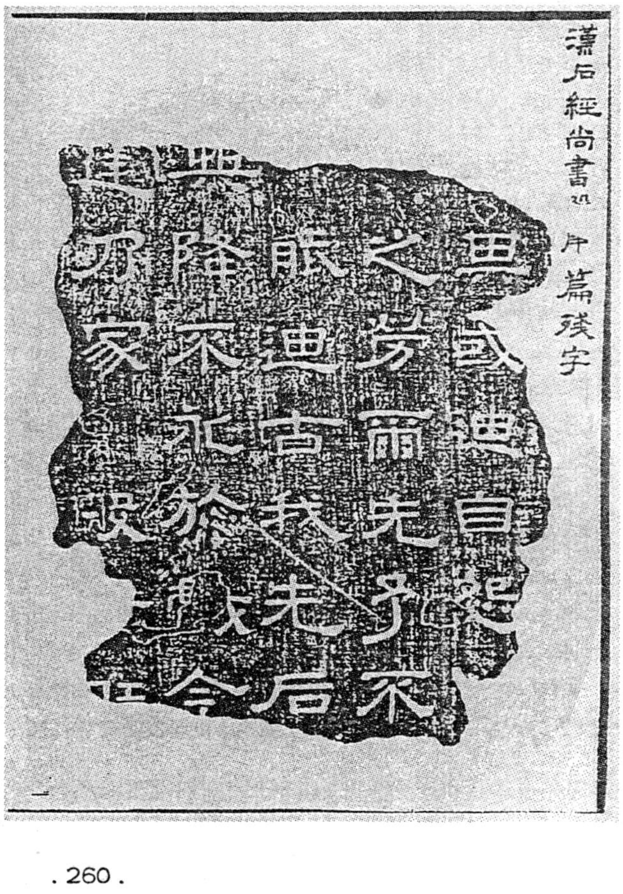

圖1　漢石經尚書殘字

圖 2　石鼓（田車鼓）

乙

金（銅）之銘文留傳下來，主要有“利簋”⑤（圖3）、“何尊”⑥、“大克鼎”（圖4）、“大盂鼎”⑦、“商父克鼎”、“虞侯矢簋”⑧、“毛公鼎”（圖5）⑨、“周御正爵”（圖6）、“虢季子白盤”⑩（圖7）。兵器則有“春秋攻吳王夫差劍”、“春秋宋公䜌錯金戈”（圖8）、“列國雞鳴戟”（圖9）。至於“新莽貨泉笵”（圖10）則是最早貨幣的模型。

圖 3　利簋

圖 4　大克鼎

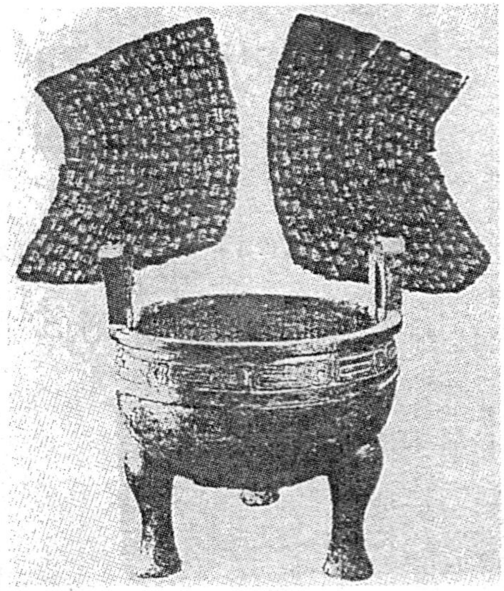

圖 5　毛公鼎

圖 7　虢季子白盤

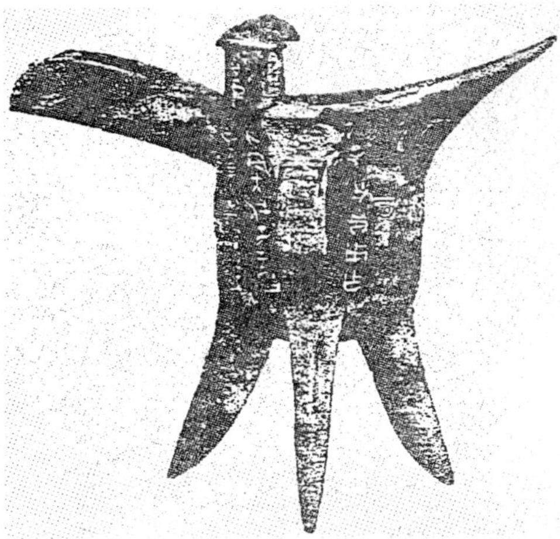

圖 6　周御正爵

圖 8　春秋宋公䜌錯金戈

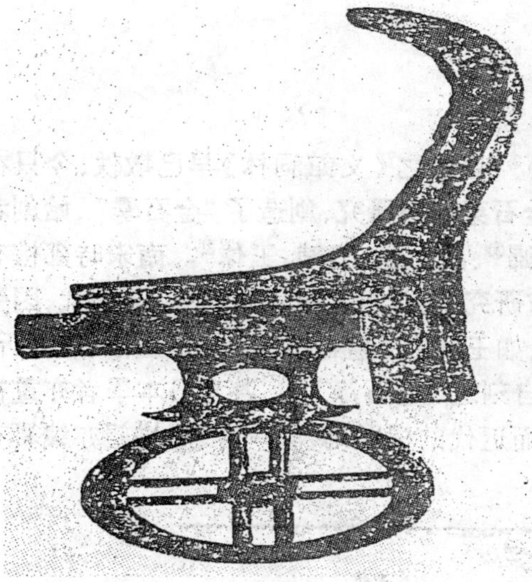

圖9　列國鷄鳴戟

圖10　新莽貨泉范

圖11　大秦景教流行中國碑

石刻在《史記》中記載有山東瑯玡(泰山)石刻及會稽山石刻,原件早已不傳。其次則是"石經",有熹平石經、魏石經、開成石經⑪及"石鼓"⑫。此外,特殊石刻值得介紹的,有關中西交通史的"泉州祈風碑"⑬、宗教性的"大秦景教流行中國碑"⑭(圖11)、已失傳的"三階教"⑮、會盟碑⑯、紀功碑⑰、四夷碑⑱、史事碑⑲等及普通廟宇的碑石與銅鐘,對當地的發展,經濟狀況均有可靠的史料⑳,可供研究。至於民間一般的墓碑、神道碑㉑,對個別的史事有獨特的意義,其中又有墓畫㉒、經幢㉓,更是罕見。

石刻雖多,若不加以保存,任有風雨侵蝕,或人為破壞㉔,難以留存。幸而宋代以後,對金石的蒐集、抄錄,而成全國性或地方性的"金石錄"、"碑傳集",或由政府集中而成"碑林"㉕,始成為有價值的史料。

丙

對於金石的蒐集，始於梁元帝的《碑英集》[26]，唐代之《文館詞林》早已散佚，今只在日本有殘卷[27]（圖12），尚可窺之大概。宋代的金石蒐集與研究，創造了“金石學”，始創者是劉敞[28]，而發揚光大則是歐陽修[29]與趙明誠夫婦[30]、呂大臨、王黼、王俅[31]。南宋時鄭樵有《金石略》[32]，洪適、王應麟[33]均有研究。元代不重研究，明代重文辭不重研究。至清代，因受“考據學”之影響，“金石學”之研究再次復甦，如王昶之《金石萃編》及孫星衍、錢大昕、葉銘、羅振玉等均有著名的作品[34]，各地方亦有自刻之“金石錄”[35]。甚至日本學者亦重視我國“金石”之目錄，以資彼邦人士之研究[36]。而近代的楊殿珣、嚴一萍、嚴耕望亦編纂有

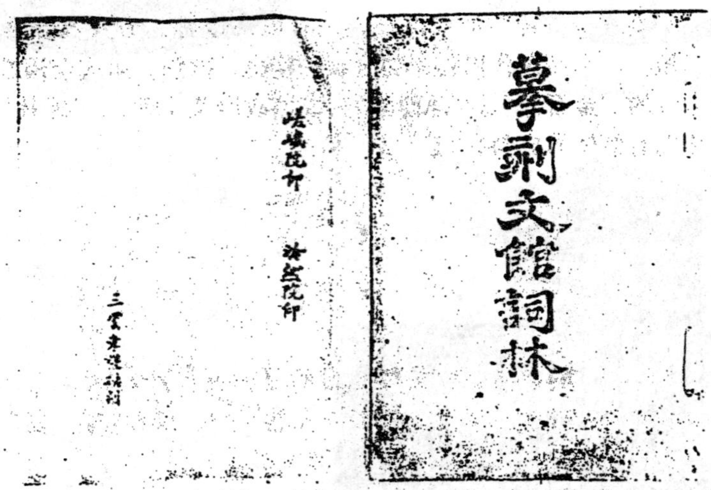

大覺寺藏摹刻文館詞林表紙見返し　　新達文庫藏大覺寺刊摹刻文館詞林表紙

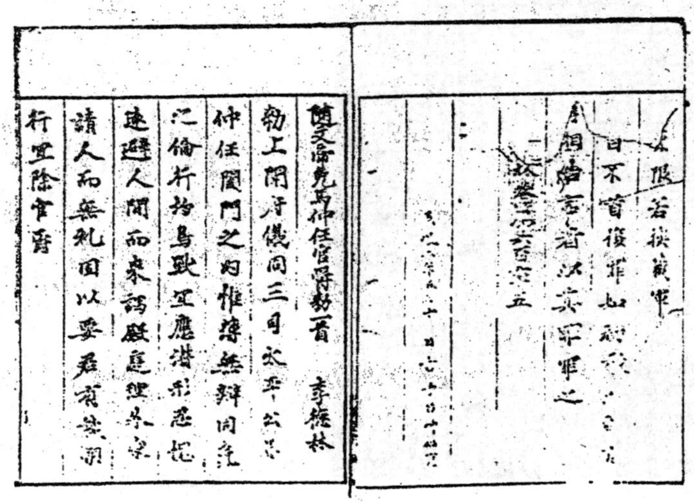

圖 12　文館詞林

題跋、目錄、索引等，方便研究⑰。至於金石內容的分析，大概可分十類⑱，但嚴耕望更細分為十四項。不過嚴氏只就"石刻"分類而已⑲。

總括而言，金石學是研究地方文獻的"頭手資料"，價值甚大。

註 釋

①鐘鼎銘文，又稱"籀文"、"大篆"，內容主要是言商周間的祭典、約誓、訓誥、征伐、賞賜等。

②就類別而言，有祭器（如豆），樂器（鐃、鐘、鎛），用器（盤、瓶、勺），兵器（戈、戟、劍），泉（銅錢、布、泉）均與制度有關。

③如"漢簡"，五十年代在長沙有大量出土，多是墓中的殉葬品。七十年代在湖北的雲夢出土大量的"秦簡"，共1155枚。1978出土的"曾侯墓"有"竹簡"240多枚，有6600字。中原地帶出土之"簡牘"有竹、木二種。此外，西北的"居延"出土有漢簡，而湖北、湖南有"楚簡"出土，另敦煌亦有少量出土。

④湖南長沙"馬王堆漢墓"中出土有絲製的"帛書"。

⑤《利簋》記周武王征商之事僅32字。

⑥《何尊》鑄於周成王時，述在窦曲上對宗室子第所的"誥辭"述建都之事表達有大一統的企圖。

⑦《大盂鼎》鑄於周康王時，對大貴族盂賞賜的命令，突出宣揚"天命"及賞賜奴隸1726人，並告誡盂不可酗酒，銘文共291字。

⑧《虞侯矢簋》述將西北地區的"虞侯"遷封於中原賞賜土田、人民、弓矢等，顯示封建制度之形成。

⑨《毛公鼎》毛公名厝，銘文中不載年月，是周成王至宣王間的產品。道光末年，在陝西岐山縣出土，為編修陳介祺（金石家，大學士陳宮俊之子）所得，介祺將其銘文精拓多份分贈當朝達官貴人，始為人所知。咸豐即位時，以國庫空虛，於是向高官如穆彰呵、崇實等勒索"捐獻"以發放官俸，陳介祺亦被勒索數萬兩。不過，仍不肯將毛公鼎出售，介祺死後三十年，端方以鉅款得此鼎，1925年葉公綽合友人之助購得此鼎。太平洋戰爭時，毛公鼎為上海富商陳詠仁所有，陳為新華貿易公司東主，戴笠（軍統局首腦）以陳"附敵有據"，而以"逆產"沒收此鼎，交中央博物館（故宮）收藏。傳聞陳介祺在生前，祕密倣製若干"膺品"，以應付權貴，故有疑現存台北故宮博物館之"毛公鼎"乃是"膺品"，待考。毛公鼎銘文共32行，左右各十六行，約500字。

⑩1950年二月，安徽合肥劉甫曾獻《虢季子白盤》是在陝西郿縣出土，原是一銅盤，用作牲畜飲水之用，該盤後由縣官徐燮鈞以低價購得，攜回常州老家。太平軍陷常州，入於護王陳坤書府中，其銘文共110字，字體類秦篆，文曰：

"虢季子自作寶盤……薄伐玁狁，於洛之陽，（桓）子獻自獻馘于王，王孔加（嘉）子白義……子子孫孫，萬年無疆。"

似是王室賞賜予貴族"虢季子"之物。

⑪著名的石經有三：

（一）熹平石經，漢靈帝時建（183——192），歷時九年刻成，各地多來抄錄，每天有千多輛車擠在洛陽城內。其文體用"今文"（隸書），祇刻《詩》、《書》、《易》、《儀禮》、《公羊》、《論語》六經。此據《蔡邕傳》作，但《儒林傳》只"五經"而無《論語》。現存熹平石經中《盤庚篇》殘字有（照拓片）

其或迪自怨

之勞爾先予不

賑迪吉我先后

興隆不永於戲今

連乃家□股□扛

錄自許東方主編《金石叢刊》初編，1976年臺北信誼書局刊。

（二）魏石經，用隸書（今文）所刻，魏正始年間（240——246），另刻《尚書》與《春秋》，與熹平石經同立於太學之內，因古文並非時尚，因此魏石經加"小篆與隸書"，故正始石經，又名"三體石經"。

（三）開成石經，唐文宗開成二年（837）刻"十二經"（《易》、《書》、《詩》、《周禮》、《儀禮》、《禮記》、《孝經》、《春秋左傳》、《公羊》、《穀梁》、《論語》、《爾雅》）用石229塊，65萬2052字。此外，蜀曾刻十一經，現存毛語殘本，見許東方的《金石叢刊》。南宋高宗有御刻五經，至清賈漢加《孟子》稱"十三經"，即今之"流行本"。

⑫石鼓，取其形狀似"鼓"而已。上尖（小）下大，頂圓，底平，又名"希古"。多敘狩獵之事，有文字。隋時，在天興縣的二畸原發現，時人以字跡與"大篆"相似，以為是周宣王時之"籀文"，至鄭樵考證，是秦代的石刻。唐之蘇勗《敘記》云：始見於記載，經韋應物、韓愈為歌表揚，始為世人所注意。宋始考訂為"石鼓"，其實亦石刻一類。引自那志良《石鼓通考》。

⑬泉州祈風碑：福建泉州九日山的"祈風石刻"，敘宋時阿拉伯人來華之盛況，當季候風時節，阿拉伯人登山（九日山）祈風，禱告阿拉伯船隻來往順利，其碑文意義：

市舶司在南宋之前，多為地方長官兼掌，南宋初，始有專職的"市舶使"（多是宦官專掌，以其利歸王室）。如靖康元年（1126）海交市舶石刻，記載靖康元冬，提舉常平（照石刻格式）

等事林適述中，循按泉南
同提舉市舶詹巨三，太
守陳元老大年，通判林孝
淵全一，會食延福寺，遍覽
名勝，登山絕頂，極目遐曠
俛仰陳蹟，徘徊久之——錄自黃柏齡之《九日山誌》泉州文物志之一。

筆者按：這是（一）祈風與阿拉伯貿易之證據。

（二）北宋的市舶使多是地方首長兼職，專責的市舶使始於林適中，但是年另有市舶使名魯詹（見拙著宋代香藥貿易史）。

⑭明天啟五年（1625）長安發現"景教碑"，教徒李之藻等鑒定唐時基督教已傳人我國之證據，但碑之文字無人知曉，蓋非希伯來文，亦非希臘文，教士魯德昭Alvarez Semedo到處訪問，始知為敘利亞文（Syria）。是年教士金尼閣Nicholas Trigault，始譯為拉丁文，以後繼有法、意、德、英等譯本。1916本佐伯好郎著英文《景教碑文研究》最為詳盡，原碑現存於法國巴黎博物館中。

⑮"三階教"以"破邪顯正"為口號，初唐頗盛，晚唐時已不傳。"碑"埋藏於地下，其後流傳於日本，日人矢吹慶輝據之，輔以敦煌殘卷，成《三階教之研究》。原碑題名《信行法師碑》。

⑯如《長慶唐蕃會盟碑》，是唐穆宗長慶間與吐蕃之"界碑"，原碑立於羅沙城（今拉薩），清末繆荃孫始以古物運回中原。此碑有漢，藏二種文字，陳寅恪據之研究吐蕃贊普（王）之名號及年代。

⑰如貞觀十四年（640）劉仁願的"紀功碑"；顯慶三年（658）"平百濟碑"都是述征朝鮮的史事。宋明以後南方之"平蠻碑"、"平傜碑"述宋、明二代時南方少數民族之戰事經過。

⑱主要是述東北、西北的戰事，如突厥三碑（苾伽可汗碑、九姓回紇毗伽可汗碑、闕特勤碑）原立於鄂爾渾河，1889年俄國語言專家拉德洛夫W. Radloff得之，立刻攝片請北京總理各國事務衙門（外交部）代為考釋，時元史專家沈曾植在總署服務，以三碑作跋，請名學者柯劭忞、王懿榮等加以考釋，始引起外國學者的注意。丹麥學者湯姆生（V. Thomson）據之撰成《鄂爾渾碑銘文學》，近人韓儒林、岑仲勉、馬長壽等加以闡釋，而馬長壽之《突厥人與突厥王國》更是享譽一時之著作。

⑲"史事碑"如《索勳紀德碑》，記河西歸義軍政權的分析與爭奪經過，及張（義潮）、索（勳）、李（明振）三族在河西興衰的過程，可補藤枝晃、蘇瑩耀等著作之空白（可參考本書）。

⑳民間廟宇記載建立所祀之神與地方史事有關，建寺之位置與交通貿易有關（如香港八仙嶺上的長山寺，是三國吳時來往大鵬灣鹽場的交通孔道，可將香港歷史推前至三國時代）。寺廟碑文中的捐款數目

可窺知當時社會經濟狀況，寺廟建立之地點與該地的發展有關。

㉑達官貴人墳墓的“神道碑”可校正史傳中人物官歷、任期及家庭教育，歐陽修的《瀧江阡表》便是一例。

㉒1954年在山東沂南縣漢墓中發現有繪畫石刻在墓門，室壁、柱、斗拱、門額、坊子都有刻畫，其中：

（一）有女子馬戲與技藝，漢稱“猿騎”，類今之馬戲。

（二）馬車（鼓車，即樂車）有二人吹排簫，一人搥鼓，一人吹笛，一小女孩以雙足朝天，此種遊戲為“都盧”。

（三）魚龍蔓衍之戲，以人扮龍鳳，巨獸、魚等。

（四）樂隊。

（五）雜技。

（六）有歷史故事，如“魯靈公”、“齊桓公”、“倉頡”等。

所有刻畫，都是淺浮雕，內有細線條的刻文，表達漢社會風俗（據高貞白《中國歷史文物趣談》）。

㉓佛經的石刻，謂之“經幢”。岷州廟有“經幢”殘石，除刻有經文外，有供養人像之身，有漢文婆羅謎文Brahmt。據考證，是“緣生”之文，是釋藏久佚之書，是研究中印文化之資料（據蘇瑩輝《敦煌論集》）。

㉔風雨的侵蝕，如“龍門石窟”多被侵蝕面目全非，人為的破壞，如盜竊者肆意破壞，有至身首分離，或受戰爭的破壞等，文物的保存，端賴政府的力量而已。

㉕西安之“碑林”全國馳名，而各地亦有地方性的“碑林”，蒐集與當地人士或有關當地有關的名勝古跡石碑，均有價值。

㉖《碑英集》已佚，原題是梁元帝所撰。《隋志》未有著錄，但清陸心源《金石學錄補》則言：謝莊撰《碑集》十卷，梁元帝撰《釋氏碑文》三十卷，晉將作大匠陳勰撰《雜碑》二十二卷，疑即指此。

㉗《文館詞林》，唐許敬宗撰，崔元暐訓註。《玉海》、《唐會要》均有記載。原有1000卷，宋初已佚，後流於日本，《藤右丞見在書目》亦云1000卷，可知全文存於日本，後逐漸流失，清孫星衍、阮元曾引是書，可能已是“殘本”。今存本是在慶應二年（清同治五年，1866），是據斯道文庫大覺寺刊附摹刻，僅存27卷，其中有百官、將軍、都督等碑傳，似是“墓碑”或“神道碑”之類，頗為珍貴。

㉘《宋史·劉敞（原父）傳》：“嘗得先秦彝器數十，銘識奇異，皆按而讀之，因考知三代制度，對金石之研究，比之歐陽修為早。”

㉙歐陽修《集古錄》5卷，“跋尾”10卷，集400餘篇，碑文，以唐碑最多，後漢次之。其中跋《後漢叔敖碑》云：“史遷”及別書未言“叔孫敖名饒，字叔敖”，以之“補史”，故認為“碑傳”是珍貴之史料，值得引用。

㉚趙明誠之《金石錄》30卷，以所藏三代彝器及漢唐以來的石刻，倣歐陽修的《集古錄例》成《金石錄》，及後，其妻李清照於紹興年間整理成502卷，以表上之。此書著述目的：（一）石刻經風雨的侵蝕，缺字甚多，需要保存；（二）史書記事多出後人之手，但石刻乃時人所撰，可以校對。

㉛呂大臨《考古圖》，錄商周的銅器148件，秦器63件。王黼之《宣和博古圖》500多件的禮器，又端州上宋成公之鐘而作“大晟”為朝聖郊廟之禮樂器，因之復古。

㉜鄭樵的《通志》中有《金石略》，雖然“石”多“金”少，但自詡“漢唐諸儒不得而聞也”，金石之學因而大盛。

㉝南宋時的洪適《隸釋》27卷，《隸續》721卷，是釋隸書之意，《四庫全書總目提要》稱“自有碑刻以來，推是書最為精湛”，王應麟之《玉海》亦有不少“金石”考證，可以參考。

㉞王昶撰《金石萃编》160卷，唐碑最，多共78卷，佔全書50%。孫星衍撰《寰宇訪碑錄》12卷。錢大昕撰《金石文字目錄》、葉銘撰《金石書目》，羅振玉《三代吉金文存》720卷。

㉟如阮元《兩浙金石志》（道光四年）、陳啟仁《閩中金略》，翁方綱《粵東金石記》等。

㊱日人松原道雄撰《新編金石學目錄》(1976年東京汲古閣刻)。

㊲目錄索引叢書方面著作頗多,如楊殿珣《石刻題跋索引》(1957商務增訂版),嚴一萍之《金文總集》(1983,臺灣書局刊,)嚴耕望之《石刻史料叢書》等。

㊳石刻與金文內容大致可分(一)石經、石鼓、字書;(二)傳記如墓碑、墓志、塔銘;(三)祭典、約誓;(四)訓誥;(五)征伐;(六)賞賜;(七)宗教;(八)民族;(九)地理;(十)風習。

㊴嚴耕望的另一類分法則為(一)儒、(二)佛、(三)道、(四)公文、(五)章約、(六)盟誓、(七)圖繪、(八)界至、(九)醫方、(十)書目、(十一)詩文、(十二)行狀、(十三)題記、(十四)紀功,但此十四項主要是從"石"的分法,並不及於"金"(引自《石刻史料叢書》)。

第五章　地方文獻的新觀念與新分析

清末西學東漸,中國傳統的儒學受到衝擊。1915年有知識分子創辦《新青年》雜誌,主張以“新”的方法改革數千年來的“舊”觀念,先後有胡適等提出“文學改革”;陳獨秀、李大釗等提出“社會的改革”,遂産生了“新文化運動”。1919年的“五四運動”亦被冠以“新文化運動”的成果,其中衍生了“德先生(民主)、賽先生(科學)”的口號,並産生了“史學是否科學”的争辨。何炳松於是提出“新史學”的概念,嘗試解決此問題。在“新史學”中,從史料中析出族譜、方誌、金石碑刻等地方史料便成爲新的學科,有了新的改良,但進度甚慢,且缺乏具體建議。筆者淺薄,受此啓發,願對地方文獻之整理、研究與運用方面提出淺見,以就正於博學鴻儒與四方君子。

一、對族譜學之整理、研究之新建議

筆者曾撰文提出新舊譜學之界别與新譜學之两派三家①,認爲在新譜學中最重要是區分“姓源”與“族源”,不能混爲一談②。

姓源:是始於得姓之始,源流長遠。按:周分封諸侯而賜“姓”(氏),大部分均是“炎黃”之後。昔日之族譜均載:“源出黄帝之後”,是一種附會。漢時賜匈奴的酋長姓“劉”。鮮卑漢化時,改國中百族爲漢姓,至後代更有避亂、避仇而改姓,或因“入贅”而改姓。故“姓源”未必是同一“血緣”,且經歷數百年的轉變,即使“同姓三分親”,血緣已淡,社會地位已不同。故唐宋以後“大宗譜”已漸失其“價值”。

族源:以該族曾建功立業之祖,創立“堂號”,以成“同姓中顯貴的支派”。血緣較密,但亦無絶對的區分標準。有數姓共奉一“堂號”,亦有一姓而分隸數“堂號”③。不過“族源”多是採“小宗之法”。一人“始遷祖”爲“堂號開族之祖”,若往上推,即使有世系可尋,但無“事迹”、“年代”記載,可供稽考,未必可信。

因此,“姓源”與“族源”不同,進而“族譜學”與“姓名學”亦隨之有别,如下頁表:

對新譜學之建議:

A.應根據“歷史學”的原則:“詳今略古”,所謂“源出於五帝”之後,“炎黄子孫”之後或附麗“名賢之後”事迹不可信,即使有“世代”可稽,然無事迹之記録,甚至“××(人名)經××(數目)傳而至××(人名)”中斷百年甚至數百年,既無可信,可缺而不書。

B.族譜應從“始遷之祖”開始,其後若有“世系”,而無事迹可述者可列於“世系表”中。

C.舊譜以“人物”爲主,以“儒家思想”爲骨幹,以“光宗耀祖”爲撰譜之目標。由叙族

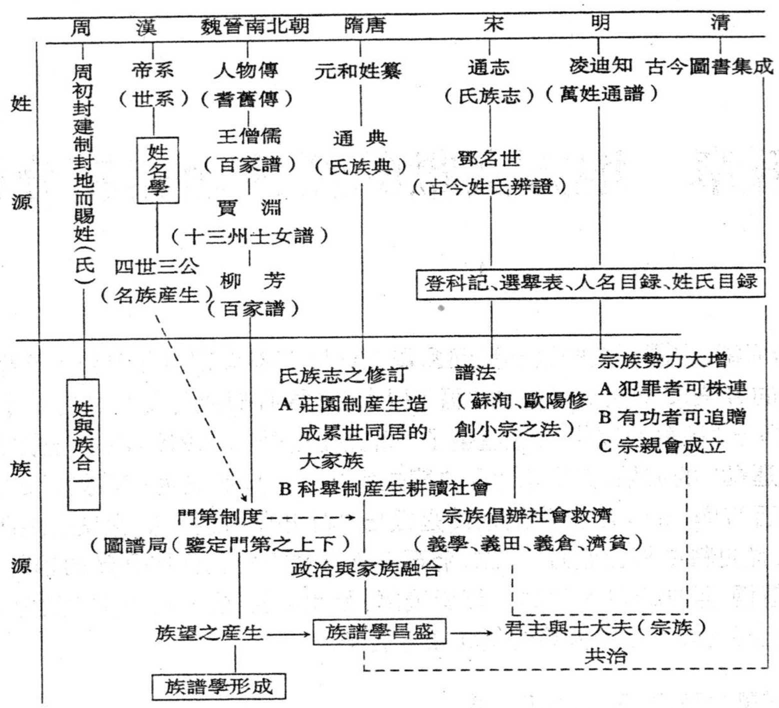

按:姓源與族源同源,但發展有別。姓源重"世系"而成"姓名學";族源則重"紀傳"而成"族譜學"。當然,姓名學中亦有"紀傳",但較簡略,族譜學中亦有"世系",但非重點。

中成功人物,推論至對政治上、社會上的貢獻,自然"書善不書惡",所有失德之"人"與"事",基於"爲親者諱",曲爲之解説,全是"溢美之詞",絶無"直書其惡"的事態,違背"史家"責任,且所有"人物"多缺生卒年月的記載,難以考查其時代之背景。新譜學則以時代潮流爲背景,述當代的"大事",使瞭解時代潮流"人物"中能掌握"時代的脈搏者始能建功立業,當然,其子孫若能順時勢,始能拓展其基業,或另創事業[4]。這是一族盛衰的關鍵。

新譜學的内容,應男女並書,每一人物的教育過程、婚姻狀況、家庭教育、戚友來往與影響,甚至個人的生活習慣、病歷、死亡的原因均應紀録,個人體質往往影響其壽命與遺傳,不單影響該族之發展,亦可影響社會的改良[5]。

D.舊譜學受儒家思想的影響,重視"人"對社會的貢獻,新譜學認爲時代背景影響個人的成就與家族的盛衰,故舊譜學中若干項目在新譜學中已無"存在"的價值,可以删去。如祖墳、祖祠、祖同[6]。相反,配合時代潮流之需求與瞭解,應增"地方史事"⑦(由近而遠即由鄉、鎮至縣、市、省,由詳而簡)。亲屬方面應由父母、兄弟擴而至兒媳、女婿並載,並需列明生卒年月、簡歷及醫藥歷史,以窺知其影響性。

二、對方志學之改良建議

方志與地方史向認爲難以區分[8],假若認爲"史與志"是一體之兩面,那麼,新的方志

建議應分爲三部:

總志:應屬"史部",從古至今作一方之總述,細目可分:

A.歷代之沿革(兼述官制);

B.歷代建置(包括城池、兵防);

C.大事記

D.歷代宦績與人物(事迹詳者以傳,事迹簡者以表代之)。

舊志中的宦績與列傳,多以該時代而評論,時代不同,月旦人物亦應有异。

分志:應屬"地部",横剖當地的"現狀",以調查報告作數據,再加説明。子目繁多,如政制志、經濟志、財政志、社會志、教育志、宗教志、族群志、社團志、福利志、交通運輸志、衛生醫藥志……等,尤其是當地有特點者,如沿海省份之華僑志、海防志。大都會可增金融志、貿易志、海關志。有特産者,可增紡織志、陶瓷志……。資料以最新最詳盡爲主,必要時可增統計表或圖解説之,是"志"之主流。⑨

文物志:應包括歷代的疆域圖⑩、名勝古迹(附以最新的旅遊景點)、金石、碑刻、廟宇、叢談及舊志序。

"分志"是叙現狀,現狀隨時間而有改變,故三年、五年可重修;"總志"及"文物志"變動較少,可延至十年甚至三十年始重修,可節省人力物力;"分志"可獨自刊行,至重修"總志"與"文物志"時,便可綜合成"新志"而成"一方之志"。

三、金石、碑刻、地方史料應獨立成新學科

現代有"文獻學"、"檔案學"、"史料學"……等名稱,其實是同類异名而已,均屬研究歷史的不同史料;按:我國傳統的學術界曾出現"六經皆史"的理論。其實,"六經皆史料"。及後因内容豐富,其發展用譜學、方志、金石、碑刻、文書契據等不同形式而研究社會各方面的現象,故先後産生了族譜學、方志學、金石學、碑刻學等,至於文書契據似仍未發展成一學科,於是納於"文獻學"、"檔案學"之中,不論名稱同異,實質上乃是研究地方史之史料而已。

"金石學"又可分"金"與"石"二部;"金"文或"鐘鼎文",是上古的重要史料,秦漢以後,因"文字"及紙張、印刷術等改良,所有"紀録"(歷史)毋需刻於鐘鼎之上,似乎只有"佛鐘"及"貨幣"(金、銀、銅)有研究價值,但已發展成爲"貨幣學(史)"以及"寺廟志"成爲另一專門學科。

"石"部不論是"石經""紀功碑""墓碑"(包括神道碑)"邊界碑"均可收於"文物志"中,同時暴露於空曠地帶之"石"易受風雨之侵蝕,於是有"金石録"之專書刊行,有時代性的《×朝金石録》、《×地金石録》等專書。至於貨幣亦有"錢譜"之刊行。現代研究金石碑刻,已分各方面研究:政治方面,如紀功碑、邊界碑、宗教碑,多重視其對政治方面的影響;在經濟方面,如貨幣史(學)對貨幣之流通、物價之升降與民生關係至深;在藝術方面,如貨幣之形式,代表某一時代之藝術;在社會方面,如佛鐘記載捐獻的數目,可窺知當地的經濟狀況等,是地方史料不可缺少之資料。

至於文書、契約最爲片斷,收集範圍應廣,目前只能作"文獻學"、"檔案學"史料學

的一部而已，似仍未能綜合成爲一專門學科。

注釋：

①原文是2000年在上海圖書館舉辦之“國際族譜學研討會”之論文，後收於拙著《地方文獻論集》（南方出版社2002年出版）譜學編第二章，認爲新文化運動興起後受西方影響，用社會學方法研究譜學而產生的新譜學，以別於受儒家倫理思想而研究的舊譜學。

②“姓源”是指周代分封諸侯而賜姓，據柳芳分析：有以封國爲氏（姓），如魯、齊、鄭等；有以居地（采邑）爲氏，如林氏而居於林邑而得姓；有以官爵爲氏，如司徒、司馬、司空；有以王父之號爲氏，如魯公子子展之後爲展氏。

“族源”則以建功立業之祖，爲創業之支派，如太原王氏、清河崔氏、滎陽鄭氏、隴西李氏等。

不過“姓源”較遠，“族源”較近，換言之：“姓源”雖强調“同姓三分親”，但只有三分一的血緣。至於“族源”是血源較濃的“小宗”，是“開族”之祖。“族源”以“堂號”代表，如“至德堂”代表“吴”姓、“西河堂”代表林姓。“姓源”因年代湮遠，有時只有“姓名”、“世系”而事迹較簡，“族源”始於創業之祖，若子孫遷居别地另有創業，自然亦可分建一“堂號”。

③如“王姓”多言“太原堂”，其實尚有武、易、郝、郭、晏諸姓亦奉“太原堂”。而“世德堂”則有丁、李、吴、何、沈、邵、周、秦、徐、陸、陳、孫、黄、曹、戚、盛、許、章、葉、程、馮、閔、賀、楊、蔡、蔣、茜、賴、謝、譚等三十姓同用“世德堂”。另一方面，同一姓氏往往具有多個“堂號”，如王姓有：太原、三白、五教、仁安、世德、四柏、永恩、永安等多個堂號。張姓的堂號更多，如：九如、一本、二銘、大忍、中和、文星、文德、世德、四益、永思、永慶、芝泉、百忍、存善、光裕、曲江、亦政、宋經……等。亦有以“祠”代“堂號”，如“永星祠”，屬張姓，陳姓則有“名賢祠”等（以上引自谷健編《堂號索引》，載於上海圖書館館藏家譜提要，2000年出版）。

由此可知，“姓源”源遠流長，其譜可稱（大）宗譜；“族源”是源於族内某一人物，在某一時期創立“光宗耀祖”之事業而建立之“堂號”，即使“堂號”之始創者是兩漢魏晋時的人物，“堂號”是後代子孫所加上，以别於不同流派而已，現代之“宗譜”與“族譜”、“家譜”是範圍大小的分别而已，與古不同。

④《湛江市博立村許國仁愛周公家譜》（非賣品，1996年刊。乃筆者代撰，故有“撮要”附於拙著《地方文獻論集》之内）中的許愛周，其傳記的標題是：“能掌握時代脈搏的巨人”，指出其興起於農業時代，由經營“雜貨”成小康之家，及後商業興起，於是經營石油，旅業、運輸，以“暢通貨流”而致富，進而向大都會發展，由湛江推展至香港，其航業更推廣至東南亞及美洲，更經營工業及地産，其子孫均能克承箕裘，順乎時代的需要而成一方的巨富，即此一例。

⑤隨着生物學的興起，人們重視“遺傳”的基因、“社會教育遺傳”影響人的行爲、成長與發展的要素，故婚姻狀况包括男女兩方的教育程度、行爲與閲歷，對下一代的“成長”有重大的影響，甚至如美國佛羅里達州的邵思蘭家言自1840年以來全族受困於癌症而不自知。假設家譜能加載族人的“健康狀况”尤其是臨終前的病歷，加以預防，可以增進健康，延長壽命，這是新譜學中的社會功能。

⑥農業社會是定居時代，故祖祠、祖墳在儒家思想影響之下，有一定的意義，進入至工商業社會，流動性較大，族人因事業與職業，分居各地（甚至各國），難以保存“春秋”二祭的風俗，祖祠及祖墳亦無保存的需要；另一方面，大都市之興起，爲了拓展交通，爲了土地的運用，“火葬”取代“土葬”，祖墳亦無存在的需要。

⑦《新會潮連鄉盧鞭里盧氏族譜》中有26卷“雜録譜”，全部是“地方史事”亦即“社會的背景”，如珠璣巷史事、明妃事雜考、康熙移村、馬雄之亂、張保仔之亂、紅巾之亂；此外尚有義學、義倉、廟宇等，雖是“地方史事”，但對該地各族裔之發展均有不同的影響（原文載臺北聯合報第五屆亞洲族譜學術會議記録集，現亦收於拙著《地方文獻論集》中）。

⑧本人曾勉强區分如下：

“史重人文，志重自然”；“史重縱述，志重横剖”；“史重主觀的褒貶，志重客觀的調查”；“史遠志近”；撰寫方面史應簡，志應詳。

其實“史”與“志”間，亦難絶對劃分，“史中有志，志中有史”。

⑨“分志”雖是“志之主體”，但應嚴守“志”之原則，如“志”應重視現狀的調查報告；重視橫剖；應略“縱”的史實，避免流行之“方志”成爲“專志”或“百科全書”式的史料。

⑩古之疆域與今之界域不同，宜於一圖中分色以區别之。

坊間的旅遊或“遊覽書”與“文物志”的景觀介紹又不同。前者着重景點之介紹及其藝術、生活狀況與經濟價值，後者則重介紹其文化價值與歷史背景。

介紹每一次修撰及增修之時間、背景及介紹纂修者，序文要全部保存，若能將每次“纂修稿”之特點加以比較，前後貫通，對當地之認識則更深。

章學誠提出“六經皆史”，本人曾提加分析（見拙著《地方文獻論集》，譜學編，章學誠）。按：六經均是記言、記事，屬史學範疇。後來發展，各有不同的内容，資料豐富，單是“歷史”不足涵蓋一切，於是劃分“史學”與“史料”兩部分，史料中又可分爲“族譜”、“金石碑刻”、“文書契據”等，因研究方法不同，但目的均是解釋社會不同的現象，於是“族譜學”、“金石學”、“碑刻學”由此産生。至於地方文書契據，均是文獻或檔案之一部，目的同是研究地方歷史（包括專題）的主要資料，但似仍未能發展成一獨立學科而已。

肆　專題研究篇

第一章 《廣東通志》評介

《廣東通志》已刊者六套。明代之“戴志”（戴璟修，刊於明嘉靖十四年即公元1535年），“黃志”（黃佐撰，刊於嘉靖四十年即公元1561年），“郭志”（郭棐撰，刊於萬曆三十年即公元1602年）。清代有“金志”（金光祖修，刊於康熙三十六年即公元1697年），“郝志”（郝玉麟修，刊於雍正九年即公元1731年），“阮志”（阮元撰，刊於道光二年即公元1822年）。另有未完稿之“朱志”（朱慶瀾修於民國五年即公元1916年）存殘卷19冊①。另有“鄒志”（鄒魯修於民國二十四年即公元1935年），稿本共120冊②，而“列傳”共4卷，曾由中山大學排印出版。“朱志”、“鄒志”稿本，現均藏於廣東省立中山圖書館內。

從方志的源流與類別而言，最早出現的應是唐代的《括地志》與《元和郡縣圖志》（以前之《華陽國志》及《圖經》嚴格而言並非方志。見本書第一篇），那是《一統志》的前源，亦有謂是歷史地理。至宋代出現“郡縣志”，至元代由《元和郡縣圖志》發展至宋代四大地理書，再降而有全國性的“一統志”，至明代始產生介乎“一統志”（全國性）及“地域性”的“郡縣志”中間的“省通志”。因行省之名始於元代，而且全國性的“一統志”以“朝代”劃分，而郡縣志數十年一修，為求各郡縣間的連繫，遂產生了“省通志”。因地方文獻，先由郡縣而上之於行省，經整理再上之於中央，如是修“一統志”時便可刪繁為簡，約取精華，是省志產生的主因。

據現存的方志目錄，最早的省志應是明天順七年（1463）的《遼東志》，已是建國後九十五年，而廣東首部“戴志”（1535），名列第十。次於《成化山西通志》（1475）、《成化河南通志》（1486）、《弘治八閩通志》（1491）、《弘治寧夏新志》（1501）、《正德四川志》（1518）、《嘉靖湖廣圖經殘卷》（1522）、《嘉靖江西通志》（1525）、《嘉靖廣西通志》（1531）③。廣東省志之修纂卻比文化之鄉如蘇皖浙為早，當然素質如何？別有評論。

第一節 戴璟之《廣東通志初稿》

戴璟，字直光，號石屏，浙江人。嘉靖五年（1526）進士。為金壇令（今江蘇），明法聽斷，判決如流，以循吏稱，為當道奬荐至十五次，遂擢為御史，巡按廣東。嘉靖十六年（1537），奉命巡山陝，監秋試，凡修政飾禁，鋤暴剔奸，視東粵尤厲，人莫敢犯，時臺官未具，奉命署六道。庶事就理，例舉內課，糾倖免者二十員，皆六卿貴要，自是直聲大震，擢南宗通政司參議，以天變自陳致仕。按：戴璟《明史》無傳，光緒《奉化縣志》（李前洋修、張美翊纂）有傳。該傳則引自雍正的《寧波府志》卷22，而嘉靖四十年（1561）的《浙江省通志》亦無戴傳，但萬曆本《粵大記》卷9卻有戴璟傳，惟列於“綏撫鴻勛”，似重視其功勳事業而已，謂“其政有體要，不求赫赫之名，而攬轡澄清之風，於斯稱最焉”；至其所修之《廣東通志初稿》，據《粵大記》評云“又裒敘粵故，為《廣東通志》，而文麗，其事核，而一方文獻大備”數言。相反，其故鄉之《奉化縣志》、《寧波府志》並未道及其修《廣東通志》之事。《寧波府志》載其著作有《五經會同》、《群史品藻》、《博物冊》、《會役冊》等書行於世而已。

“戴志”為洪武九年（1376）廣東為行省後首套“省志”。按：戴璟於嘉靖十四年春巡按廣東，四月始有修志之議，書成於十一月之前，歷時三月至五月左右。參予其事者因未具列參修人員，從序文中知僅有提舉張岳、教授何元述、教諭王時中及學生十餘員而已。按：張岳④，嘉靖廿三年（1544）提督兩廣軍務，非纂修人員，何元述、王時中事蹟無考。是書共40卷，由戴璟發凡起例，贊以終之，然以數月時間，而又短缺助理，竟能成書，知必有所本，據“凡例”：

志內事蹟，皆采之各志，而以《一統志》為主。

按：廣東各地之郡縣志，成書於“戴志”之前者有：

（1）《大德南海志》，刻於元大德八年（1304），題陳大震、呂桂孫所纂。原書20卷，現僅存五志（卷6—10），藏於北平圖書館，1986年，廣州市地方志研究所複印。

（2）《盧中丞東莞舊志》，書成於天順八年（1464）、題盧祥纂修，僅存3卷（卷1—3），今北京圖書館、上海圖書館、南京圖書館、香港大學馮平山圖書館均藏有膠卷。

（3）《成化廣州志》，刻於成化九年（1473），書吳中修、王文鳳纂，北平圖書館藏卷14、15、卷23-26、卷30-32共9卷，上海圖書館，廣東中山圖書館藏有膠卷。

（4）《正德興寧志》，正德十年（1515）祝允明手稿本一，1962年，中華書局曾影印出版，僅存卷1-卷4，臺灣學生書局影印《興寧縣志》五種（羅香林師輯）附於首篇。

（5）《正德瓊台志》，刻於正德十六年（1521），題唐冑纂，1964年上海古籍出版社據天一閣藏本影印出版，原書共44卷。

茲以上列五書之體例與《廣東通志初稿》比對，知多本舊志而有所增益而已。

		南海志（1304）	東莞舊志（1464）	成化廣州志（1473）	正德興寧志（1515）	正德瓊台志（1521）	廣東通志初稿（1535）
地理志	凡例						卷首
	圖經						卷首
	分野					卷4	卷1（上）
	山川		卷1		卷1		卷1（下）
	形勢		卷1		卷4		卷4
	四至					卷4	
	氣候		卷1			卷4	
						（疆域圖）	卷4
	疆域				卷8	卷12	
	城池		卷3“坊都”“牌坊”		卷2“坊陌”		卷6

（續上表）

		南海志（1304）	東莞舊志（1464）	成化廣州志（1473）	正德興寧志（1515）	正德瓊台志（1521）	廣東通志初稿（1535）
地理志	坊都		卷3			卷12 卷24、卷25	卷6
	墟市公署	卷10“廨宇” “諸司公廨”	卷2“公廨” 卷3“合屬衙門” 卷4 “南海衛經歷司鎮撫廳、五千戶所,東莞守禦千戶所,大鵬守備千戶所” 卷4 “屯堡”“校場”	卷2“官署”	卷2“官署” 卷2“步寨”	卷18“營寨” 卷12	卷34“校場”
	營堡			卷2			
	橋樑						卷38
	津渡						
政治志	政紀（大事記）		卷2“歷代事蹟”			卷21“平亂” 卷32“按記”	卷3“政紀”“二王事蹟” 卷5“封國”
	封國（縣名）		卷2“縣治” “縣官題名”				卷7、8、9
	秩官	卷10“水馬站”		卷 14 “職官”	卷4“職官”	卷29、30、31	卷28
	驛傳					卷14“驛遞”	卷32“軍制”
	軍制	卷10“兵防”				卷18“兵制” “兵署” “兵丁” “巡司” “民壯”	卷34“達舍” 卷34“上班”
	外來	卷7 “諸蕃國”		卷 23 “諸蕃”		“兵器”	
	傜僮					卷22、23“黎情”	卷35 卷36
	海寇					卷21	
文化志	沿革		卷1		卷1	卷2、3 “郡邑沿革”	卷6
	古蹟		卷2		卷2	卷27 “古蹟塚墓”	卷5“古蹟” 卷38“陵墓”
	風俗		卷1		卷3	卷7	卷18

（續上表）

		南海志（1304）	東莞舊志（1464）	成化廣州志（1473）	正德興寧志（1515）	正德瓊台志（1521）	廣東通志初稿（1535）
文化志	宗教		卷3“祠廟”“寺觀”	卷24、25、26“寺觀”	卷2“寺觀”	卷26“壇廟” 卷27“寺觀”	卷32“神祀” 卷36“仙祀”
	學校	卷9“路學書院”、“舊志學校去處”“進士題名”“貢院”	卷3“書院”		卷2	卷15、16“學校” 卷17“書院”	卷16“學校” 卷17“道學”
	科貢		“舊進士、名士題名”		卷3“人才”“科第”	卷37“進士鄉舉” 卷39“歲貢”	卷19、20
	禮樂						卷21
	傳記（人物）	卷39、40“詩”	卷5“名臣”“名賢”	卷15“宦績” 卷23“人物”	卷3“人物”	卷33“名宦” 卷34“流寓” 卷35“罪放” 卷36至40“人物”	卷11“循吏” 卷12、13“宦績” 卷14“將略儒林文苑卓行”
	文藝		卷8、9“記” 卷10“雜著” 卷11“補遺” 卷12“詩”	卷30“藝文” 卷31“敘雜志”	卷14“文辭、雜記”	卷43“文類” 卷44“詩類”	卷39“詩” 卷40“記與序”
經濟志	田賦	卷6“稅賦舊志賦稅”	卷2		卷3	卷11	卷33
	戶口	卷6	卷2		卷3	卷10	
	課科	卷6“稅銀、酒課”				卷28“賦役”	卷23 卷24“均平” 卷27“糧餉” 卷34“優給”
	土產	卷7“物產”	卷1		卷3	卷8、9	卷31
	倉廒	卷10“局務，倉庫”“舊志諸司倉庫”				卷14“倉場”	卷28
	屯田					卷18	卷29
	鹽法	卷6“鹽課”					卷29
	珠池						卷32
	水利					卷7	卷31
	鐵冶						卷32
	番舶	卷7“蕃貨”					卷32
	墾荒					卷32“破荒墾土”	

很明顯的,"戴志"在體例上沿襲舊志而有所增添而已,並無創新,《四庫全書總目提要》對是書並無好評:謂"璟於嘉靖乙未(十四年即1535)以臨代之時,二月而成,未免涉於潦草",此評語有所商榷。按《廣東通志初稿》戴璟自序:

南川陶公(諧)以元老秉鉞於茲土,亦按行各府取誌,爰禮聘文學鉏公總理誌事。

陶諧於嘉靖十一年至十四年(1532 – 1535)巡撫兩廣,可知戴璟未蒞任之前志事經已開始,且禮聘提舉張岳、教授何元述、教諭王時中等"總理志事",十四年戴璟到任,資料經已齊全,戴璟遂訂"凡例"開始撰寫,據"戴志"中方獻夫序:

是編也,雖草創於提舉張岳、教授何元述、教諭王時中輩,而發凡舉例,搜逸芟蕪,敘以先之,贊以終之,均出戴君手自裁訂。

事前資料既已俱備,據《一統志》為主(凡例言),又有舊志可循,撰寫自較容易。戴璟主要工作是卷前之"敘"、卷後之"贊"而已,然亦自知倉卒成書,故名之曰"初稿,"以待修正。至謂"二月而成",亦非事實。按:是書"凡例"云:

(嘉靖十四年)四月,兩司會議聘文士纂述,但應聘者或"行聘而辭疾不赴"或"方纂而散聚不常",人皆畏難,而輒報罷。

另一方面,戴璟任期將於八月屆滿,幸而新任巡按陳大用延至冬天蒞任,遂全力以赴,至十一月脫稿(見方獻之序),故撰寫時間應有四至六閱月,豈能謂"僅二月而成",即使倫以諒序云"不三閱月而志成",亦待商搉。

《四庫總目題要》卷15進而批評:

其門類亦多未當,人物之外,別立道學一門,介於學校與風俗之間,雖本於宋史,而於地志為創聞,位置先後亦非其所。又政紀一門,凡歷代竄流嶺表之人,皆備書之,此自朝政,何與輿圖?又行次一門,惟紀宋末崖山之事,此在史事為大綱,在地志則軼事矣,別為綱目,更未允愜也。

現分言之

(1)"別立道學一門,介乎學校與風俗之間",按:戴璟亦云"舊志自無道學"(自序),但"乃今長上事以標名何?其亦傷今思古也",是針對時弊而言,"蓋今溺文辭,牽制訓詁,汩異端,固不足以言學.....惟閉目靜坐,而別立異說,以自標榜,則其流弊不流於禪心,則失於牆面,亦何所貴哉"⑤。蓋戴璟蒞粵時,白沙之學影響頗大,"戴志"於儒林傳中對陳白河十分推崇,惟其"贊"則評後之學者曲解其說,"以偽亂真",甚至"欲借長劍,以斬佞人"⑥,語重心長。繼而提出"八類"⑦以"去偽還真"。嚴格而言,此"八類"是戴璟個人的"理學理論"而已,固然有乖史例,惟其動機是在匡政時俗,此亦正是其置之於"學校"與"風俗"間的原因,《四庫總目》未悉戴璟之深意耳。

(2)"政紀一門,凡歷代竄流嶺表之人,皆備書之,此自朝政,何與輿圖?"按:"戴志"之"政紀"是志體中之"大事記",按年編事,附之以"謫宦"、"流寓",雖是朝政,惟韓愈、蘇軾等左遷,對廣東之文化提倡甚力,影響亦甚大,方志敘述豈能缺此,《四庫總目》之言筆者未敢苟同。

(3)"行次一門,惟紀宋末崖山之事,此在史事為大綱,在地志則為軼事矣"。按:宋末崖山之事,繫於一國興亡,豈能以"軼事"視之?熊飛之起義兵,凌震之殉國,崖山之役轟轟烈烈，三忠之名垂千古，以及當時當地史蹟之考證，於地方史而言，不能不記。雖然"行次"可隸於"政紀"（大事記）之下，然其特標此目，顯然亦有其深意耳。

故謂其"門類亦多未當"，未敢苟同。至謂其"涉於潦草"，疏於考證[8]，頗為有理。惟"戴志"除是首套"省志"，蒐集一方文獻有功外，能突顯廣東的"特色"，在方志而言亦是一優點：如（一）有"番舶"、"外夷"、"海寇"，（二）有"傜僮"、"生黎"、"達舍"等項，甚能突顯廣東地方史的問題。按：卷三十"番舶·敘言"：

> 粵惟東廣隔離京師，密邇戎狄，左通交阯，右接占城，黎峒雜處中鄉，傜僮環列郭外……凡皆仰慕治而稽款，或貿易有無而通利。

故《大德南海志》有"諸蕃四"以承繼正史之"外夷傳"，而"戴志"承繼正史之"南蠻傳"，而特詳述"傜僮"、"生黎"居於廣東之少數宗族。《四庫總目》特別頌揚清郝玉麟《廣東通志》有"嶺蠻"（卷7）、"外番"（卷8）為"他志所罕見"，其實早在二百年前的"戴志"已創此例，實《四庫總目》之疏忽。至於"達舍"乃指"外族兵"，以其驍勇，故宋明間雇用以助征傜僮，是所謂"以夷制夷"，與後來"改土"、"歸流"的背景深有關係，這是"戴志"優點之一。

"戴志"共40卷（另卷首為凡例與圖經），以下為分野、山川、政紀、行次、疆域、刑勢、封國、古蹟、沿革、坊都、秩官、公署、循吏、名宦、人物、學校、道學、風俗、科貢、禮樂、卹典、神祠、戶口、田賦、課料、差役、均平、糧餉、倉廒、驛傳、鹽法、屯田、珠池、鐵冶、番舶、土產、水利、軍制、軍器、營堡、教場、上班、優給、達舍、外夷、海寇、傜僮、生黎、仙釋、祥異、舖舍、橋樑、宮室、陵墓、雜著。另有方獻夫、倫以諒兩序及戴璟自序三篇。

"戴志"目前所知，僅有美國芝加哥大學圖書館及北京圖書館二套而已，另廣東中山圖書館有曬印本。湖北省圖書館、上海圖書館有抄本。其中芝加哥大學圖書館之藏本缺卷3"政紀"三頁（自昭宗景福二年秋九月至景祐二年冬十一月）、卷6"坊都"缺二頁（包括揭陽、程鄉、肇慶府、高要縣及四會縣）、卷18"風俗"缺三頁（御史戴璟正風俗條約全文）、卷40"雜著"缺二頁（重建廟學紀全文），均可從大陸本補上。是書因流傳不廣，頗為珍貴。

第二節　黃佐之《廣東通志》

第二套《廣東通志》是廣東香山（今中山）縣黃佐所纂修，章學誠云："時近則跡真，地近則易覈。"黃佐以廣東人纂修《廣東通志》，當然有其一定的價值。

黃佐[9]，字才伯，號泰泉，亦號太霞。弘治三年（1490）誕生於香山縣。祖黃瑜，號雙槐，景泰丙子（1456）舉人，成化中為長樂知縣。以剛直棄官歸廣州，自稱"雙槐老人"。撰《雙槐歲鈔》10卷，《文集》10卷。父畿，少補諸生，絕意科舉，精於理學，學者稱"粵洲先生"。曾撰《皇極經世書傳》8卷，屈大均譽為"粵人書之精奧者"，另有《三五元書貫道論》及《皇極經世書傳》及詩文若干首，後人輯有《粵洲集》4卷傳於世。黃瑜父子有傳載於《粵大記》及阮元《廣東通志》內。黃佐生於書香之家，家學淵源，五歲觀國程六君子遺像，即自誓必如此而後為人。十二歲習舉子業，二十歲（正德五年）鄉試第一，三十歲（正德十五年）會試，舉楊維聰榜第十六名，廷試為二甲十一名進士，選為庶吉士，授翰林院編修[10]。嘉靖七年（1528），外遷江西按察僉事，督廣西學校，因母病即自疏致仕，回粵侍親。為言官所劾，幸賴巡撫林富為之緩頰免咎。回鄉家居九年，嘉靖十五年（1536）起為編修兼司諫。尋進侍讀，掌南京翰林院，台為右諭德，擢南京國子監祭酒。丁母憂，服除，起為少詹事兼翰林學士，尋致仕。嘉靖四十五年（1566）卒，享年七十七。按：黃佐仕籍三十年，多在地方任職，立朝僅數載，不論任職地方，或隱居鄉中，均重視講學與善述，有“泰泉學案”列於《明儒學案》中，故其名器遠超戴璟及郭棐之上。

據《明史》本傳：黃佐“學以程朱為宗，惟理氣之說獨持一論”，曾與王守仁論“良知”之學。當其督廣西學校時，曾輯《理學本源》，以端士習，後因母病，自疏致仕回粵，築“粵洲草堂”，遠近學者來遊者眾。時粵俗尚象山之學，謂朱熹為支離者，黃佐折衷之，謂“朱子有萬世之定論，亦有一時問答之言”。又作《格物說》以明本指，與陽明之學不盡同。都御史陶諧荐黃佐有“文章華國，謀猷經邦”之語，故《粵大記》傳之於“詞華黼藻”類，其《明史》本傳謂其著作有260餘卷，阮元《廣東通志》則列有《詩文集》60卷、《樂典》36卷、《詩經通解》25卷、《春秋傳意》12卷、《鄉禮》7卷、《革除遺事》16卷、《翰林記》20卷、《廣州府志》60卷、《廣東通志》70卷、《廣西通志》60卷、《南雍志》24卷、《香山志》8卷、《小學古訓》、《姆訓》、《西京賦》、《敷教錄》 各1卷、《漱芳集》、《廣東人物傳》、《六藝流別》、《明音類選》、《羅浮山志》各若干卷行於世。另《廣東文徵作者考》則增列《禮典》40卷、《樂記解》11卷二種，著述豐富，學者稱“泰泉先生”。其弟子亦多負盛名，如梁有譽、歐大任、黎民表均以詩鳴（《明史》均有傳），紀曉嵐於《四庫題要》中序其《養泉集》特重其詩文之貢獻[11]，惟黃佐則自言其所撰之《樂典》能泄造化之秘（《明史》本傳）。

黃佐之修志事業，始於嘉靖初年。按：嘉靖三年，翰林院三年朝考滿，即上“省親疏”回粵侍母，有司請其修《廣州（府）志》[12]。據《粵大記左傳》：“書成，卻幣辭宴，戊子（嘉靖七年）出為江西按察僉事”；如是推測：《廣州志》應修於嘉靖三年至七年之間，年在三十八歲之前。其次則是嘉靖八年（1529）黃佐轉任廣西僉事，提督學校，是時巡撫林富主修《廣西通志》，任佐纂修。《香山志》成於嘉靖廿六年（1547），十年後（1557），巡撫談愷、王鈁聘黃佐纂修《廣東通志》，已是晚年（六十七歲）之事。是年設局於貢院旁，黃佐與陶大有發凡起例，助之者有進士陳紹文、黎民表、梁紹曾、黃在素（佐之子），歐大任等為分纂。時諸州續志已積至百餘種，於是徵諸生代為分類排比，聘顧起經負責碑碣詩文，縣丞陳達其輯錄歷代題名，僅數月，已成稿70卷，餘下論贊，由黃佐親撰，歷時二年。至鄭綱巡撫廣東、潘季馴巡按廣東時，加以督促，始於三十八年付梓，由學諭陳其箴、劉裁、康日章校對。據黃佐之序作於嘉靖三十九年，御吏雷禮之序繫於四十年，推知《廣東通志》設局於三十六年，脫稿於三十八年，而刻板面世已是四十年矣。

按：“戴志”因倉卒成書，且戴璟不長於史，故咸認為“蕪舛”（黃志雷禮序）。黃佐設局修志之時，已負盛名，且各州縣續志已成者百餘種，可增“戴志”之不足，而分纂者為黃佐的弟子如歐大任、黎民表亦是積學之士，故阮元譽為“體裁淵雅”（阮元《廣東通志》序）。按：“黃志”確比“戴志”有系統，事類分明，其所撰之“志”多同一體例[13]，史體濃於志體，茲將“戴志”與“黃志”之綱目比較如下：

（1）圖經2卷，包括“省圖”及十府分圖，每一圖兼敘沿革、分野。“戴志”在“圖經”之後則是分野。山川是以“地理”為主，“黃志”每一“圖經”，先敘沿革，以“史”為主，而副以分野山川，兩者重點不同。

（2）事紀5卷，按時代先後而敘述。“戴志”僅有一卷是“政紀”及“行次”，而後隨之有“疆域”、“形勢”，似應敘之於山川、分野之後，故系統不及“黃志”有條理。

（3）表5卷，包括職官、選舉，據“黃志”凡例，“選舉職官繁而難記，故皆為表，表明也”。“戴志”無“表”一項，但其“秩官”（卷18、19）、“科貢”（卷19、20）衹列姓名，故亦“表”之形式，但應標其目較為恰當。

（4）志共31卷，“黃志”分輿地、民物、政事、禮樂、藝文五項。“戴志”將“輿地”分割為 “山川”（卷1、2）、“疆域”（卷4）、“坊都”（卷6）、“公署”（卷10）、“壇扇”（卷28）、“陵墓”（卷38）、“民物志” 則分割為 “風俗”（卷18）、“戶口”（卷22）、“田賦”（卷23）、“課料”（卷24）、“差役”（卷25）、“卹典”（卷27）、“均平”（卷26）、“糧餉”（卷27）、“水利”（卷31）、“屯田”（卷29）、“鹽法”（卷29）、“珠池”（卷30）、“鐵冶”（卷30）。“政事志”則分割為“倉廒”（卷28）、“軍制”（卷33）、“營堡”（卷34）、“教場”（卷34）、“神祀”（卷22）。“禮樂志”則分割為“禮樂”（卷21）、“學校”（卷16）而無“國禮”、“鄉禮”及“弦歌”。至於“藝文志”，“戴志”列於“雜著”（卷39詩，卷40序），彼此雖同類，但“戴志”分別敘述，互不統屬，不及“黃志”之系統分明事類歸一。

（5）列傳20卷，包括名宦、流寓、人物、列女，而且每類以時代先後為次序。“戴志”有“名宦”及“人物”二類區分，“循吏”與“名宦”中將略、忠義屬卷11、卷12及卷13是人物兼宦蹟。卷14、15是人物，下分義男、儒林、文苑、卓行、孝友，似亦不及“黃志”。

（6）外志7卷，分仙釋、寺觀、夷情、雜事。“戴志”無雜事，其“雜著”是藝文志而已。至於夷情，“黃志”紀事較為詳細，且有“市舶司紀事”（另卷9有市舶司提名）最為珍貴，至於傜僮等少數宗族記事，如廣東十府的傜山，黎峒等名稱，“黃志”大致沿襲“戴志”，且“戴志”有傜山地圖，此是“黃志”所不及。

按：戴璟以事功為主，志事非其所長，然其為首套省志，蒐集資料，使一方文獻大備，後人因有所循，不無貢獻，黃佐精於經史，且修志時間較長，敘事考訂較為嚴謹。且在“體例”方面，亦較“戴志”之條理分明。惟“戴志”中敘“蕃舶”（卷30），特顯廣東對外貿易之重要。敘傜僮、生黎（卷35、36），知宋明之際，廣東仍是“夷僚雜處”。敘“達舍”（卷34），知當時“以夷制夷”之政策，與“綏靖”邊疆有功，此等均能突顯廣東地方史的特色，而“黃志”加以補充而已。

黃佐之《廣東通志》共70卷，已知日本藏有四套：（一）東京大學人文研究所，（二）內閣文庫，（三）國會圖書館，（四）東北大學圖書館。在大陸方面似衹有殘卷，如（一）上海圖書館（存卷2、5、6、15—21、23—31、33—41。又有膠卷存卷54—62、65—70）。（二）寧波天一閣圖書館（存卷30及31、54—70），（三）廣東社會科學院有膠卷，（四）浙江省立圖書館（膠卷存54—62、65—70），香港大東書局於1977年排印全書70卷出版，標明明嘉靖本、未知是否影印自日本，未有明言，是書僅有雷禮一序。

第三節　郭棐之《廣東通志》

郭棐，誕於嘉靖八年（1529），卒於萬曆三十三年（1605）[14]，享年七十七歲。籍貫有番禺、南海兩說[15]。字篤周，號夢菊。父大治，嘉靖辛卯（1531）領鄉荐，但不曾舉進士，曾師事湛若水，任於浙江為新城令，楊瑞林曾撰《郭大治傳》，收於《粵大記》卷20，謂其平生"有志於百粵典故"，對郭棐之治地方史有一定影響。嘉靖二十六年（1547），郭棐參加鄉試，中第六十二名舉人，是年十九歲，會試數次落第。至四十一年（1562），是年三十歲，始登會試二十四名，廷試中二甲第五十九名，賜進士出身，仕於戶部、禮部為主事，僅四年餘，因忤時相高拱，出知夔州。以後歷官四川、湖廣、廣西、山東、雲南，最後晉光祿寺正卿致仕，在地方幾及三十載。《明史》無傳，其事蹟最早見之於王學曾主纂之萬曆《南海縣志》，王學曾為郭棐纂《廣東通志》時分纂，兩人交情深厚，且是書成於郭棐逝世後第四年，為最有價值的紀錄，以後清代三套省志之傳郭棐，均以此為藍本。本書下章有"郭棐年表"及"郭棐著作表"，記載更詳。

郭棐少時曾師事湛若水，但在理學上未見有何表現，亦曾師事潮陽林大春[16]，似對其治地方史有所影響，故其任職地方政府幾三十載，均留心志事，如其在四川，曾纂《四川通志》、《夔州傳志》，在廣西則有《右江大志》，在廣東則有"三大志書"（《廣東通志》、《粵大記》、《嶺海名勝言》），評價甚高。

按：吾粵省志，始於戴璟，因倉猝成書，被評"蕪舛"。僅二十年，黃佐重纂《廣東通志》72卷問世，黃佐負時譽，故戴燿、李時華為"黃志"作序時，竟略"戴志"而稱"黃志"為"吾粵首套通志"[17]，李時華更譽"黃志"："文與實副，欝為一代鴻裁。"惟"黃志"面世後四十年，"凡吏治之因，學校之創修，城廓之經營，官署之重建，以及宦轍陞遷，賢才選舉，與夫所改而懸，縣陞而州，皆時政有關，不有纂組，後將何考"[18]，故有重纂之議。萬曆二十六年（1598），總督陳大科禮聘時致仕在粵之郭棐任總纂，而助之以王學曾、袁昌祚，另徵諸生林挺、黃作霖、霍尚守、盧廷龍、朱完、劉克治、黎遠昌等任分校，在廿七年（1599）九月開局。翌年（1600）七月會試之期，諸生北上應試，工作暫停。廿九年春（1601），總督戴燿、巡按李時華督促，恢復工作，至三十年（1602）書成，歷時三載。

"郭志"共72卷，其綱目如下：

（1）藩省志共13卷，內分輿圖、分野、沿革、氣候、事紀、公署、學校、禮儀、兵防、秩官、名宦十一項，屬全省性者，總而論之。

（2）郡縣志共49卷，全省十郡，先敘粵中粵北，次則粵東，再次粵西海南，殿後附以新置之羅定州。每一州郡，先敘輿圖、沿革、山川、風俗、城池、公署、學校、坊都、驛舖、橋渡、水利，繼之以戶口、賦役、鹽課、兵防、壇廟、亭榭、古蹟、塋墓、土產，再次則是職官、選舉，殿後則是名宦、流寓、人物，每一郡均按此次序敘述。

（3）藝文志共3卷，內分書目、碑記、詩賦。

（4）外志7卷，內分仙釋、寺觀、罪放、貪酷、番夷、傜僮、俚戶、雜蠻、倭夷、雜錄。

（5）序五篇：戴燿、李時華、陳性學、袁茂英、郭棐。

按：明代三套省志中“戴志”草創於前，使“一方文獻因而大備”是其優點；“黃志”以圖經、事紀、表、志、傳、外志，仿自國史體裁；惟“郭志”以“藩省”、“郡縣”而劃分，與“國史”有別是方志體，能突顯地方的特點，如：

（1）輿圖、沿革，“藩省志”與郡縣均有是項，然敘述不同，藩省的義例及內容多取自《一統志》，綜述其大者，“郡縣志”則分述，重採訪及引自前志。

（2）《四庫總目提要》評“郭志”：“‘藩省志’與輿圖之後一即列事紀5卷，茫無端緒。”其實先列輿圖、分野、氣候是地理的背景，再敘歷史的沿革是歷史的分析，最後敘以制度、人物，使整個藩省的脈絡，有層次分明的敘述，何得謂“茫無頭緒”？

（3）藩省與郡縣之敘事均以時代先後為次序，再以地方，如廣州府人物，先以朝代，再按南海、番禺、新會等分縣敘述，“史”、“地”兼顧。

（4）郭棐因長期任職地方，留心地方史事，尤其對廣東史地知識豐富，遠在戴璟、黃佐之上。如在纂修《廣東通志》之前，已撰有《粵大記》（始撰於萬曆五年，即1577，刊於萬曆廿三年，即1595）及《嶺海名勝記》（刊於萬曆廿四年，即1596），均與廣東史地有關[19]。阮元之《廣東通志》中“宦績”，引用《粵大記》有六十八人，列傳中引用有一百二十三人，且大部份是一字不易。黃佐雖亦撰《廣州人物傳》，但份量遠較《粵大記》為少。至於《嶺海名勝記》敘廣東名勝，亦是綜合“史”、“地”，如敘“每一丘一壑，一名一勝，首而記之，詳沿革也；次而圖之，寫模型也，次而歌詠之，抒性靈也；次而輯錄之，備考訂也”[20]，故謂“郭志”最能突顯地方特點。

（5）廣東另一特點是對外貿易（包括市舶）與少數宗族（傜僮黎等），“黃志”與“郭志”均列於“外志”中敘述，惟“黃志”以“夷情”綜括安南（藩屬），占城、爪哇、佛郎機（外夷）、海寇（中國的海盜及倭寇）、傜僮（少數民族）等，但“郭志”則劃分“番夷”，專敘藩屬（安南）占城，外夷中的暹羅、爪哇、三佛齊、滿剌加、直臘、蘇門答剌、錫蘭、佛朗機及澳門（以上屬卷69），另卷70則是國內部份之少數民族如傜僮、俚戶、雜蠻，另倭夷則別立一目，義例較純。

（6）《四庫總目》評“戴志”：“別立道學一門，本應列於正史，而於地志則為創聞。”按“黃志”、“郭志”均省“道學”，而於“人物”中敘陳獻章、湛若水及丘濬等理學家，惟“郭志”於卷25“廣州府人物”曾提出陳獻章、湛若水、張詡、林光統之曰理學中“南海流派”[21]，尤具識見，其與詩學中“南園諸子”同具顯示地方之特色，此又“郭志”比“黃志”為佳。

（7）方志中有“謫宦”一門，其中有賢有不肖，“郭志”別立“罪放”、“貪酷”二門，據其“凡例”云“收入惡極罪大”，乃萬賢羞與伍者，今別為罪放（貪酷），此故其別具深意，亦援引《正德瓊台志》（卷37）之前例，惟列於“外志”，不若列於“人物”中更佳，因同敘人物事蹟而已，此是值得商摧之事。

總括言之，明代三套省志，戴璟於“事功”較顯，“史”非其所長，而助修諸生，亦無名於世，惟能“使一方文獻大備”而已。黃佐長於文學，《明史》列於文苑傳，助纂者順德梁有譽為進士，從化黎民表、順德歐大任亦以詩鳴於時。黎民表曾纂《從化志》及《羅浮志》，歐大任曾撰《百越先賢志》，彼三人均是粵人，以當地學者撰當地方志，當然有其價值，惟均是“文人之志”而已。至郭棐修《廣東通志》時，助之者如南海王學曾、東莞袁昌祚，均進士及第。王學曾纂《南海縣志》，袁昌祚纂《東莞志》，彼三人是以"地方史志"家而助纂，可謂"志家之志"，與"文人之志"迥異。

"郭志"流傳於世不多，日本內閣文庫藏有全帙，上海圖書館、中國科學院圖書館、南京圖書館均藏有膠卷，另廣東省中山圖書館則有照相本。其中日本內閣本書末列有監理司吏文士奇、繕寫書吏周通、楊喬幹、李國棟、郭家興、潘光宋、呂應龍、簡方新、劉瑞、管工典吏李鏜、羅德富等姓名。

第四節　金光祖之《廣東通志》

金光祖，漢軍正白旗人。《清史稿》無傳，生年不詳，卒於康熙二十九年（1690）[22]。順治十六年（1659）任吏部郎中兼佐領，似是行伍出身[23]，順治十八年（1661）調廣西在左布政使，康熙三年（1664）累遷廣西巡撫。九年（1670）擢兩廣總督，在任十一載，至康熙二十年（1681）為副都御史余國柱所劾，被革職歸旗，逾九年（1690）乃卒。

金光祖久任封疆大吏，頗受清廷優待，康熙十三年丁父憂，特許在任守制。康熙十四年，祖澤清叛，金光祖會同鎮南將軍舒恕往討，會師於高州。時清撤藩，吳三桂叛遣使誘金光祖降，謂繳出總督印，即易新印，仍俾總管兵柄。光祖遂阻舒恕進兵，遣之返江西，而單獨引兵五千返肇慶。先是清廷遣孔有德婿孫延齡為撫蠻將軍，賫印至肇慶，恰孫延齡響應吳三桂，金光祖遂據印為己有，請平西王尚可喜代奏，謂總督印失去，暫用撫蠻將軍印，以此敷衍吳三桂。可謂"首鼠兩端"，時尚可喜上書請以次子尚之孝襲爵，長子尚之信因而怨望，陰附吳三桂，康熙十五年（1676），尚可喜卒。吳三桂授尚之信為討逆大將軍輔德親王，同時任命董重民為兩廣總督，調金光祖出兵湖南。董重民遂逐金光祖，金光祖往依尚之信[24]，而尚之信不欲離粵北征。十六年遂設計擒董重民，疏請立功贖罪，金光祖亦隨之上書自白[25]，為求立功，擅自率兵入桂討吳三桂，失利，清廷亦不治之以罪。十七年（1678）吳三桂卒，金光祖復原職。十九年（1680）協同尚之信入桂追擊吳三桂餘黨至武宣，以廣東巡撫金俊劾尚之信狂悖諸罪，命金光祖就近率兵擒之，隨即賜死，可知甚得康熙之信任。二十年（1681）十二月，副都御史余國柱疏劾金光祖暗藏總督之印，希圖繳予吳三桂邀功，附逆有據。後雖反正，但為忠者戒，請嚴予處分[26]，亦僅革職歸藩而已，九年後卒。

金通志之纂修，始於康熙十二年（1673）秋，招致儒生，開局纂輯[27]，三易其稿[28]，至十四年（1675）稿成。是年吳三桂叛，粵桂頻於兵事。至亂事平定，金俊巡撫廣東，陳肇昌為學政，於是召匠續寫刻版[29]，十九年（1680）竣工。是書共有序文六篇[30]，均是十七年至二十年間在任官吏所書，故知二十年時已刻竣，但擱延十多年，至三十六年（1697）始能面世。其中粵督兩易（吳興祚、石琳），均違例未有序文，究其原因，筆者推測：

（1）康熙初，因防臺灣鄭氏騷擾，曾下遷海之令，沿海五十里村莊，盡行內徙，於是海盜乘之而起，數十萬人流離失所。康熙八年雖准復界，但廣東元氣已大傷[31]。

（2）尚可喜父子在粵時，橫徵暴斂，如設立"總店"私抽商稅，把持行市，壟斷貿易，霸佔鹽埠，獨擅其利[32]，甚至建立王莊，強佔民田，即使貧窮的蛋戶的澳課、津口渡稅等，亦不斷勒索與搜刮[33]，廣東的社會經濟因而衰退。而祖澤清復叛，蹂躪粵西，至吳興祚為粵督

（康熙二十至二十八年），尚之信遺孽猶擅鹽鐵重利[33]，始下令除尚氏之苛政[35]。二十多年來，廣東的社會動蕩不安，經濟發展受阻，文化事業無法顧及，故已刻板之《廣東通志》未能發行面世，但發行時似有增補至康熙二十五年之事[36]。不過，現任總督例列監修及有序，竟付缺如，惟一解釋：因板已刻竣之故。

金光祖之《廣東通志》共30卷，沿襲賈漢復《河南通志》之體例[37]，詳列綱目，其綱目如下：

卷1 ："圖" 比之其他《廣東通志》較為特別者。有（一）天文全圖，牛女分野圖，地人翼軫圖，地入南斗圖。每一圖附一"歌"。以現代的觀念，似全可刪去。（二）全粵疆域圖，分十府（廣州、韶州、南雄、惠州、潮州、肇慶、高州、廉州、雷州、瓊州），一直隸州（羅定州）。每一府有"城廓"及"屬縣"兩分圖，圖經甚簡，無甚可觀。（三）名勝圖，有白雲山、羅浮山、西樵山、七星巖、名門珠海、澳門、虎門。將澳門、虎門特出為一圖，為他志所忽略。

卷2 ："疆域"：形勢、關隘、水利附。

卷3 ："山川" 附津梁。

卷4 ：建置沿革，祇沿革表而已，但每一"府"下均有編戶若干里，較為突出。

卷5 ："城池"。

卷6 ："公署"。

卷7 ："學校"。

卷8 ："祠祀"。

卷9 ："貢賦"。除歷代田賦、稅項外，較特別的有（一）俍傜僮等少數民族的稅額，（二）有"供用庫的顏料"（黃蠟）、"甲字庫的顏料"（銀硃）、"丁字庫顏料"（生漆）等項目，可供研究廣東工業史之用。另特貢予禮部項下有銀、木、香料等物。於光祿寺項下有折色廚料，另有"布政司"下有"解戶"，每府若干名，包括轎、傘、扇等伕，亦是珍貴的社會經濟史料。（三）各級官員的俸銀、辦公費、特別支出均有列明，對研究俸給的資料十分珍貴。

卷10："鹽法"，有鹽課、鹽場、鹽引、鹽餉。附商稅，包括礦冶雜稅。按：商稅不應附"鹽法"項下，應另立一目，包括雜稅及特別的"牛馬稅"（雷州府）、"門攤稅契等鈔"（瓊州府）。

卷11："驛傳"：附南工部近九〇五〇名，可支水腳（工資），是有用的資料。

卷12："兵防" 除軍額、兵餉、校場、斥堠、砲台、船汎、營寨堡外，附屯田。而較奇特的是（一）高州府屯田有二：（甲）給衛士耕種，其中半交本軍糧食，半可為私有；（乙）"樣田" 撥守城旋軍各所一名耕納，為屯田之"樣"。

卷13："職官"，有提舉市舶二人（康熙五年裁革，代之以海關）。

卷14："名宦"。

卷15："選舉"。

卷16："人物"。

卷17："孝義"。

卷18："隱逸"。

卷19："流寓"。

卷20:“列女”。按:卷14 – 20:可沿舊志統稱“列傳”,下再分“名宦”、“選舉”……等細目。

卷21:“風俗”。

卷22:“物產”分(一)穀之屬。(二)果之屬。(三)竹之屬。(四)菜之屬。(五)花之屬。(六)草之屬。(七)鳥之屬。(八)獸之屬。(九)介之屬。(十)貨之屬(指鐵、茶、磁石、絲麻、蠟等)。這以“類”而劃分頗有系統,但每一府縣的物產有異同,如穀稻黍全省均有,不必重覆。其次類別亦有可議之處,如果與菜可合一,花與草、馬與獸同類可合而為一,或以動物、植物、礦物、海產等劃分亦簡單得多。

卷23:“古蹟”。

卷24:“陵墓”按:陵墓亦古蹟之一,可予合併。

卷25:“寺觀”按:寺觀與“祠祀”(卷8)同類亦可合併。

卷26:“仙釋”,按:應為“人物”、“列傳”下一細目。

卷27:“藝文”分制詞、序、碑記、疏、賦、議、詩歌,附“補遺”。按:“制詞”即後來郝玉麟及阮元兩志的“聖訓”及“訓典”,均置於卷首,是書之“制詞”始於漢文帝賜趙佗書,繼而有隋文帝贈光德大夫宿國公詔,是錄有關粵省的史料,與“郝志”、“阮志”專錄清代諸帝有關地方政事之“聖訓”略有不同。而所謂“藝文”全是“文徵”,而無“書目”,按:明“戴志”無藝文,“黃志”及“郭志”的藝文有“書目”而無“文徵”;“郝志”與“金志”相同,有“文徵”而無“書目”。

卷28:“番彝”,按舊志“番”指“外番”。“彝”(夷)指國內少數民族,所謂“蠻夷”。但本卷有“黎”、“岐人”、“山僚”、“蛋”、“烏蠻”(烏滸)應列於下卷。又本卷附有“外志”,是“市舶司記事”,一倣明代三省志,但較簡略。

卷29:“傜僮”,敘國內少數民族,且有傜峒等地名,但又有“交阯”,似應列於卷28與安南等同屬“番彝”較為合適。

卷30:“雜記”。

總括言之,“金志”衹條列綱目,堆砌資料,漫無系統,每一綱目之下有重覆者,分類有可議者,當然亦有珍貴之資料,一如上述。嚴格而言,金光祖衹是監修而已,主纂者莫考,其七篇序文中,亦未言及主纂、助纂與人名,雖曾設局,亦未列修志職官,似是根據各府縣所上的資料編排而成,故雜亂無章。至其缺點,李默曾論之[⑧]。

(1)不編大事記。

(2)名宦中省級官吏:以明清官銜套上古職官,如布政司一項,列有任囂(南海尉)、趙陀(南越王)、陸賈(中使大夫)、終軍(漢使),比喻不倫。

(3)一人見於兩傳,如韓愈,事蹟分見於陽山縣及潮州府。方孝孺事分見於廣州府縣佐條及韶州府官傳、肇慶府官傳三處。蘇軾事蹟分見於名宦及流寓之處。李德裕事蹟分見潮瓊二府。

金通志似乎衹有康熙卅六年一種版本,《四庫全書》未收此書,故流傳不廣。又阮元序其所撰之《廣東通志》云:“《廣東通志》舊有康熙十二年劉中丞(秉權)所修之30卷。”按:劉秉權於康熙八年至十三年任粵撫,此30卷即“金志”,阮元不書其名,蓋不值金之反覆,故意曲筆而已。

第五節　郝玉麟之《廣東通志》

郝玉麟，《清史稿》無傳。其事蹟見於《滿洲名臣傳》卷26。生年未詳，卒於乾隆十年（1745）。為漢軍白旗人，亦行伍出身，初任驍騎尉，於康熙三十四年（1695）授千總，四十四年（1705）升守備，累升至雲南援剿協副將，六十一年（1722）擢總兵，雍正元年（1723）授雲南提督，曾至青海平亂，數年之間，累建軍功，七年（1729）三月任兩廣總督，在任三載，九年（1731）九月，因病請辭，但至十年（1732）病愈，即調福建總督，十二年（1734）援舊制兼管浙江，稱閩浙總督，乾隆四年（1739）七月擢吏部尚書，十一月，署兩廣總督[39]，但在督閩時，以收受彰州知府王德純賄賂嫌疑，翌年（1740）降職，回京任刑部右侍郎，六年（1741）因病乞休，十年（1745）三月卒。

郝玉麟任兩廣總督，始於雍正七年三月，在任僅三十閱月，在粵曾平海盜李奕揚於清水灣（今香港境內）、梁國柱於新會。增設陸豐及鶴山兩縣治。在軍事據點及防衛上建議增兵額，增官員，又奏請將鹽政收入購穀萬六百石分儲各營，春借秋收，似屬一能吏[40]。至其監修之《廣東通志》（後簡稱"郝志"，）於雍正八年（1730）設局，翌年五月脫稿，全書64卷，其綱目如下：

典謨（卷1），是順康雍三朝的聖訓（順治朝有二則，康熙朝四則，雍正朝共四十二則），均是對地方官吏訓示治民之重點，及有關文化風俗的改良。其中雍正七年上諭，道及廣東之"蛋戶"即"傜蠻"之類，並應准其上岸謀生，此為有關蛋族文化的珍貴資料。

星野（卷2）。

輿圖（卷3），先列全省總圖，再分敘各府縣疆域圖，各府縣城廓圖，另有海防、梅嶺、澳門、虎門、羅浮諸山圖。類似"金志"。

疆域（卷4），包括形勢、關隘。

沿革（卷5），以"表"代替、上起唐虞、下至明末。

編年（卷6、7），卷6為前朝紀事，卷7為清朝紀事。

禮樂（卷8），附鄉約。

海防（卷9）。

山川（卷10至13），據"凡例"，全據前總督吳興祚進呈的"刻本"。

城池（卷14）。

水利（卷15）。

學校（卷16），除儒學外，有社學、書院、義學。

公署（卷17），據"凡例"，舊志俱詳文職而略武職，詳漢籍而略旗籍，今併而述之。

坊都（卷18）。

貢賦（卷19 － 22）。

兵防（卷23）。

屯田（卷24）。

鹽法（卷25），詳列廣東鹽物共有十二，可補"金志"之不足。

職官（卷26 － 30）。

選舉（卷31 － 36）。

名宧（卷37 － 42）。

謫宧（卷43）。

人物（卷44 － 48）。

列女（卷49 － 50）。

風俗（卷51）。

物產（卷52）。

古蹟（卷53）。

壇廟（卷54）。

塋墓（卷55）。

仙釋（卷56）。

嶺蠻（卷57）。

外番（卷58）。

藝文（卷59 － 63），以朝代分，內容衹"碑"、"記"、"序"為主，益以詩及清代奏疏。

雜事（卷64）有"銅鼓考"資料。

"郝志"似襲自"金志"體例，有"目"無"綱"，且若干目可於合併，更不及"阮志"有表、略、錄、傳四大綱（類似章學誠之四書），下再詳目，此外，"郝志"有值得評議者，如：

1. 可補前志者：

海防圖（卷3）：按廣東是瀕海省份，歷朝的海盜、倭寇及外夷自海上而來，為患頗大，"郝志"卷3有"海防圖"，卷9有"海防志"，圖雖沿襲明代的"地理書"[41]，但用於"省志"之內，甚有價值。

疆域（卷4），內有"四至八到"，列出省與府縣之間、府縣與府縣之間的距離，雖引自《元和郡縣圖志》，但在省志上較"金志"更為清晰。

編年（卷8），亦即"大事記"及"前事略"，為"金志"所無，"阮志"之"前事略"止於明末，故清初（截至雍正九年）九十多年的廣東史事，衹有"郝志"可以參考。

禮樂（卷8），為"金志"及"郝志"所無，雖所言祭祀儀式、樂器已不合今之潮流，但在雍正年間仍是一重要的儀禮，亦有參考的價值。

水利（卷15），附有"水利考"，按粵江上游以西江為主，舊志云西江源於貴州之牂牁江，但"郝志"考之謂應在雲南曲靖縣，即南北盤江的源流。另外又倡言有南江（瀧水）亦粵江源流，其實瀧水乃西江之支流並非源頭。至"水利考"，則為其他"省志"所略，可以參考。

封蔭（卷21），資料豐富，為他志所略，有參考價值。

職官（卷26 － 30）：據"凡例"，舊志"職官"詳於前明，自秦漢至元，缺有間焉，今俱輯補。故"阮志"始有所本，惟"郝志"衹列人名，"阮志"則有解說，更為詳盡。

銅鼓考（卷64），銅鼓是西南少數民族的特殊文化，前志多未詳考，此亦"郝志"中寶貴資料之一。

2. 有可議者

卷3“輿圖”,有海防圖而無解說,卷8“海防”有解說而無圖,兩者若合併而成“圖經”,更合“古制”。又海防、澳門、虎門三圖有海防價值,而梅嶺、羅浮山則屬名勝圖,性質不同,宜另立一目。

卷4“疆域”中有“編戶”一門,“金志”列於建置,蓋時間不同,戶口數目亦不同,此處應書明調查時間,或言引自“金志”。

卷25“鹽法”,兼敘廣西、福建、江西、湖廣五省鹽引的總額,似與“廣東”無關,可以省略。

卷30 - 43,有“名宦”與“謫宦”兩目,可合而為“宦績”。又“列女”(卷49 - 50)與“仙釋”(卷56),亦可併於“人物”(卷44 - 48)。

卷57及58,“嶺蠻”與“外蕃”,與“金志”的分類相同,應嚴分“國外”與“國內的宗族”。其中嶺蠻中有“海獠”,顯然是來自阿拉伯的“外夷”,而敘“蛋戶”時,雖卷一雍正七年的“聖訓”已道及即傜人之類,且准登陸謀生,但竟疏忽地略去。而外蕃中之“市舶記事”,始敘於宋而不及唐,蓋市舶司之始於唐,史有明載,亦是可議之處。

按:《四庫全書總目提要》對“郝志”之評論曰:

(1)“沿舊之文,失之冗蔓”。按:“郝志”之職官、編年、公署等,均有大量資料,可補舊志之不足,非“沿舊之文”,所謂“失之冗蔓”,那是體例不純,或缺去史才、史識而已。

(2)“全書三十五門,新增者四”。按新增者為“典謨”、“禮樂”、“坊都”、“屯田”四門,可資參考披閱。

(3)“外蕃一門,為他志所罕見”。“罕見”之意如何?不得而知。按明代三套省志及“金志”均有“外蕃”一門,而對市舶記事,“戴志”始其端,“黃志”尤詳,所謂“為他志所罕見”,顯是《四庫總目》之疏忽。

郝玉麟因是兩廣總督,在修省志時不外是監修而已。總輯(不曰纂,顯然以輯錄資料為主)魯曾煜,字啟人,浙江會稽人,康熙辛丑(六十年即1721)進士,官至庶吉士,有《和塍文鈔》12卷傳於世,“文筆峻絜”[42],應屬章實齋所謂“文人之志”而已,比之“阮志”諸總纂,才學均遜一籌,大體上是根據各府縣所上之資料及沿襲舊志,剪裁而成,未得“史意”、“史體”,然資料豐富,有參考價值。

“郝志”因有“四庫本”,故流傳頗廣。

第六節　阮元之《廣東通志》及其續修者

阮元,號蕓台,字伯元,江蘇儀徵人。生於乾隆廿八年,卒於道光廿九年(1763 - 1849),享年八十六。二十三歲(乾隆五十一年)舉鄉試,二十六歲(乾隆五十四年)成進士,選庶常,散館第一,授編修。逾年大考為一等第一名,擢詹事府少詹,入值南書房。三十歲(乾隆五十八年)提督山東學政,三十二歲(乾隆六十年)調浙江學政。旋升內閣學士兼禮部侍郎銜,後改兵部、戶部侍郎,再次入值上書房,充經筵講官兼國子監。三十六歲(嘉慶四年)外調為地方官,任浙江巡撫。四十一歲(嘉慶九年)六月丁父憂去職。翌年服未滿，詔命署福建巡撫，但以病籲辭。四十四歲（嘉慶十二年）服滿，復任浙江巡撫，暫署河南巡撫。四十六歲（嘉慶十四年），以庇護浙江學政劉鳳誥之事被革職，朝廷以阮元政績尚佳、學問淵博，優賞給編修，在文穎館行走。翌年即回任侍講，繼而擢內閣學士兼禮部侍郎銜，在京三載，四十九歲（嘉慶十七年）再行調漕運總督。五十一歲（嘉慶十九年）調江西巡撫。五十三歲（嘉慶廿一年）六月，先調河南巡撫，十一月擢湖廣總督，五十四歲（嘉慶廿二年）調兩廣總督，時廣東鴉片問題已十分嚴重，阮元任總督期間，曾嚴辦澳門的鴉片商人，並禁止鴉片進口（為道光元年即1821年之事），比之黃爵滋上書言鴉片之害及林則徐在虎門焚鴉片（1838）早十七年，可謂禁煙前輩。六十四歲（道光六年）調雲貴總督。六十八歲（道光十二年）加協辦大學士銜，仍留任雲貴總督。七十一歲（道光十五年）始結束地方官生涯，回京任體仁閣大學士，兼管刑部、工部事。七十四歲（道光十八年）以老病請致仕。十一年後（道光二十九年）卒[43]。

阮元仕宦四十八載，任地方官凡三十三年（任浙撫、兩廣總督、雲貴總督各十年，餘時任漕督、湖廣、河南、福建巡撫，治績卓著。《清史列傳》載之頗詳，然其更大貢獻則在育才與著述方面[44]，如：

年二十三（乾隆五一年）中舉人，入京與邵二雲、王懷祖、任子由三先生論文論學，撰《考工記車制圖考》。

年二十六（乾隆五四年）中進士，修《石渠寶笈》。

年三十　（乾隆五八年），督山東學政時，撰《山左金石志》，得珍貴搨本千三百有奇。

年三十四（嘉慶二年），撰《經籍纂詁》116卷。

年三十八（嘉慶六年），任浙江巡撫時，建“詁經精舍”培育人才。

年四十　（嘉慶八年），建安瀾書院。

年四十一（嘉慶九年），撰《兩浙金石志》，是年丁父憂，守制成《十三經校勘記》243卷。

年四十四（嘉慶十二年），進《四庫未收書提要》七百六十種。

年五十一（嘉慶十九年），校勘《十三經注疏》，是年《全唐文》成，以曾參與其事，議敘加二級。

年五十四（嘉慶二十二年），修《廣東通志》。

年五十七（嘉慶二十五年），在廣州創“學海堂”，在三水建“行台書院”，以經古學課士，刻《江蘇詩徵》183卷，《皇清經解》1400卷。

《清儒學案》謂阮元“嘉惠後學，主持風會者五十餘年，士林尊為泰斗”[45]，阮元以“不存門戶之見”[46]，故作育人材甚眾，其論學宗旨在實事求是，自經、史、小學、曆算、輿地、金石、辭章鉅細無所不包，尤以發明大義為主[47]。其所謂“輿地之學”，是指其所修之《廣東通志》及《雲南通志稿》216卷，又在《永樂大典》中輯出《紹熙儀徵志》與《嘉慶真州志》等，但其對方志之纂修，其價值比不上“經史”、“小學”，故《清史稿》、《清史列傳》諸書，均未對其方志纂修作特別推崇。

阮元之《廣東通志》倡修於任兩廣總督之翌年[48]（嘉慶廿三年即1818年），至道光二年（1822）進呈。據《四庫提要》云“是書三年有成，然則正式設局修纂應在嘉慶廿四年

(1819),是時謝啟昆之《廣西通志》已於嘉慶四年(1799)問世,頗有聲譽,阮元倣其體例亦以表、略、錄、傳四類為綱[⑲]",其目錄如下:

(1)訓典(卷1—2),由順治元年至康熙廿五年有關地方自治風習等,可參照"郝志",為地方參考資料。

(2)表:

A. "沿革表"(卷3 - 5),先由廣東州縣之領屬或分治敘起,再追溯前代,以表按行政區域劃分,"表"之下有"謹案",含有考辨之意(詳下文)。

B. "職官表"(卷4 - 62),由古至今按朝代之官職與不同的行政區域,分省、府、縣三級敘述。

C. "選舉表"(卷63 - 81),先就歷代制舉、荐辟、舉人列表,其中除登科名錄外,清代列榜首之名,而舉人則書監臨(巡撫),正副主考之姓名。

D. "封建表"(卷82),止於明。

(3)略:

A. "輿地略"(卷83 - 99),內分疆域圖,晷度分野、氣候、戶口、風俗、物產。疆域圖中除省、府、縣有圖外,兼有四至八到。戶口方面有"蛋戶"及"希姓"為舊志所略,風俗及物產方面則博引文集、私家筆記、金石碑刻等。

B. "山川略"(卷100 - 119),按郡縣而分,除舊志資料外,並引用大量文學作品,如方孝孺之《南海百詠》、吳萊之《南海古蹟記》、郭棐之《嶺海名勝記》等,以文證史。

C. "關隘略"(卷120 - 122),按行政區域敘述,主要引用書是《讀史方輿紀要》、《天下郡國利病書》及文集、碑記等。

D. "海防略"(卷123- 124),粵省之海防分東、中、西三路,隨之有"海防圖",是圖似襲自明代《粵大記》、《武備志》、《籌海重編》、《蒼梧總督軍門志》等,但未書名,另附兵船十一種及占驗(應是航海氣候變化的常識)。

E. "建置略"(卷125 - 157),內分城池、廨署、學校、壇廟、津梁,多引自舊志,但增添文學作品,如引何維柏《新安經始記》(古東莞城建於隆慶六年)、廣州府引蔣之奇之《府學記》等。

F. "經政略"(卷158 - 180),內分"銓選"、"祿餉"、"田賦"、"鹽法"、"榷稅"、"積儲"、"祀典"、"土貢"、"諸夷入貢條例"、"學制"、"學田"、"兵制"、"馬政"、"郵政"、"鼓鑄"、"船政"、"船舶"等,其中鹽法未列鹽場。按:鹽是廣東主要產物,明代三套"省志"均有敘述,不宜刪去。"積儲"是"阮志"所創,為舊志所無,"祀典"方面,有習儀經費,清代各府縣祭祀經費,亦是重要參考資料。"兵制"有追記咸淳間籍蛋丁的紀錄,另有傜兵(高州府)、黎兵(海南)及狼兵、僮兵(雷州、廉州)等。鼓鑄方面,曾引洪遵的《泉志》、李孝美的《錢譜》等。

G. "前事略"(卷181 - 188),按朝記事,自秦開始而截止於明。

H. "藝文略"(卷189 - 198),以經史子集四部分類,祇錄書目,間有解題。

I. "金石略"(卷199 - 215),先列"宸翰"即所謂"御碑",次為鐘鼎及歷代碑刻。

J. "古蹟略"(卷216 - 230),內分城址、署宅、塚墓、寺觀,亦以舊志為主,增添有關文集、碑記、序等。

（4）錄：

A. "宦績錄"（卷231 － 261）記自秦至乾隆間仕於廣東的人物。

B. "謫宦錄"（卷262 － 267）内分謫宦，安置、流徙、編管等目，均是貶謫之意，"編管"則含監管之意，"流放"是唐代的刑名，與流徙同義，其中卷264提出舊志列有呂大防、耿南仲、呂祖謙、丁大全、賈似道諸人，但阮元卻刪去，蓋諸人並未到粵，並不盲從，頗有史法。

（5）傳（卷268 － 330），除傳當地名人外，兼述列女、耆壽、方技、宦者、流寓、釋老、嶺蠻、外蕃等。其中卷330"嶺蠻"有"海僚"條，引自岳河的《桯史》，本是阿拉伯人，蓋引用舊史之誤，應改列於"外蕃"。至於是卷所列傜山諸崗的名稱，傜兵的額類，似引自明代三套省志，但時代不同，名稱有變，類目有增減，是否採訪所得，應加書明。

（6）雜錄（卷331 － 334）

按："阮志"之總纂共四人，均負盛名。

1. 陳昌齊

誕於乾隆十三年（1748），卒於嘉慶廿五年（1820）。字賓臣，一字觀樓，雷州海康人。先世自福建莆田徙瓊州，數遷而至海康。廿二歲（乾隆三十六年即1771年）二甲進士，入翰林，散館授編修，為阮元之前輩。三年任滿，典試湖北、充會試同考官，及後外調河南道監察使。嘉慶即位（1796）回京任兵科、刑科給事中。嘉慶九年（1804）再外調為浙江溫處道。嘉慶十四年（1809）以六十一歲請致仕，回鄉主講雷陽書院及粵秀書院，阮元督粵時，禮聘為《廣東通志》總纂，時已六十九齡。因陳昌齊曾纂修《雷州府志》20卷（嘉慶十六年事），及《海康縣志》（嘉慶十七年事），嫻於史事之故，其事蹟見於吳應逵《陳昌齊傳》[50]。曾撰《天學算法》、《測天要術》、《賜書集》等，王念孫尤恭維其精於天文、曆算、地理考據等。

2. 劉彬華

誕於乾隆三十五年（1770），卒於道光九年（1829）。字藻林，號朴石，番禺捕屬人。年十六（1785）中舉人，時同榜謝啟祚年九十四，一老一少，人以為美談。三十一歲（1801）舉二甲進士，散館授編修，以母老請歸侍親，主講端溪、越華二書院，為粵人所敬重。阮元督粵，倡修省志，彬華力贊其事，阮元以彬華為粵人，長于粵之掌故，故禮聘為總纂。彬華雖以詩鳴，曾選粵人詩為《嶺南群雅集》，然亦留心於志事，曾於道光元年（1821）纂修《陽春縣志》14 卷，翌年（1822）纂《陽山縣志》十五卷，其事蹟見於史澄於《番禺縣志》卷45。

3. 江藩

誕於乾隆廿六年（1761），卒於道光十一年（1831）。字子屏，號鄭堂，江蘇甘泉人。雖無科石，袛為監生，但博覽群經，為清代經學大師之一。年十八撰《爾雅正字》，晚年重加刪定成《爾雅小箋》5卷，為士林所重，尤嫻於史學，性不喜唐宋文。為人不羈，被視為狂生。曾撰《高宗集註》，由韓城王相國杰進呈，擬推恩召見，適林爽文陷臺灣，邊事告急，未能如願，遂與仕途絕緣。曾撰《漢學師承記》3卷，敘清代經學源流，最為精闢之作。又有《國朝經師經學目錄》1卷，義旨嚴正，文詞茂美。至粵之前，曾應阮元之邀，輯《揚州圖經》及《揚州府志》、《校補道光重修儀徵縣志》等，故以專家身份，禮聘為《廣東通志》總纂之一,《清史列傳》列為吳派經學大師,閔爾昌有《江子屏先生年譜》可資參考。

4. 謝蘭生

誕於乾隆廿五年(1760),卒於道光十一年(1830)[51]。字佩士,別號灃浦里道人,籍貫為南海麻奢堡,僑居廣州捕屬素波巷。父景卿雖為諸生,然精於金石篆刻。蘭生三十二歲(乾隆五十七年)舉人,四十二歲(嘉慶七年)舉二甲進士,選庶吉士,以父老,未教館即回籍侍親,後丁父憂,即絕意仕宦。曾主講粵秀、越華、端溪三書院,有譽於時。六十歲時,滇西程含章守廣州,創羊城書院,照三大書院章程刻於石,聘謝蘭生為山長,終身作育英才。據《廣州府志》[52]稱"酷嗜古文,並時推為祭酒,詩宗大蘇,出入韓杜二家",為廣東名詩人,又工書法繪畫。阮元督粵時,聘為總纂,年已五十六歲。後曾參預《南海縣志》工作(鄧士憲主纂),作"凡例"。旋即病逝,有《常惺惺齋文集》4卷、《詩集》4卷、《北遊記略》2卷傳於世。

雖然阮元為一代名儒,總纂四人亦各有專長,頗負時譽。然其所纂的《廣東通志》評價如何?筆者試論如下:

(1)就體裁而言,全襲自謝啟崑之《廣西通志》,雖增"海防略",因廣東屬沿海省份,廣西則是內陸,故廣西有"土司傳"而無"海防略",蓋地理環境不同。總括而言"阮志"略欠創新。

(2)"阮志"引用參考書籍,嚴謹而精。廣東舊志,被引用最多者為"黃志"、"郭志",次則為"郝志"。"金志"及"戴志"僅引用數則而已,蓋六套省志中,亦以"金志"、"戴志"價值略遜。其次,"阮志"引用大量專書及文集,如"疆域"引用《天下郡國利病書》、《讀史方輿紀要》及《元和郡縣志》、《元豐九域志》、《太平寰宇記》、《輿地紀勝》與秦蕙用之《五禮通考》等。"風俗"方面引《初學記》、《鹽鐵論》、《藝文類聚》等及大量筆記,如《朝野僉載》、《嶺表錄異》、《侯鯖錄》、《鐵圍山叢談》、《雙槐歲抄》等。物產方面:如引用《政和證類本草》、《本草綱目》、《南方草木狀》等,以文證史,可見博學,而且每一段末均書引自何書,如某傳引自"黃志"或《粵大記》、《廣州人物傳》等,方法嚴謹,引用專精。

(3)"歷史"重論贊,"地理"重考證,此是章學誠與戴東原爭論之焦點。"阮志"的"謹案"有史論亦有考證,如卷368《鄭愚傳》,全文引自《廣州人物傳》,但"阮志"論新舊《唐書》均不立傳,認為在僖昭之亂世,史失其職,此可以補史。其他列傳,亦略有月旦。另一方面,卷6載,孫吳與晉時有高涼(梁)、高興、高熙三郡,阮元引用《漢書·地理志》及《宋書·州郡志》查考高熙郡即高興郡,轄今肇慶、陽春、高明、恩平之地;高涼(梁)則為高州(茂名)、電白、信宜、化縣、吳川等地,可補《高州府志》及《茂名縣志》之不足。再次卷六十六姜公輔傳,《舊唐書》作欽州人,《新唐書》作愛州日南人。阮元"謹案":欽州在漢為日南郡地,且姜公輔之祖神翊,貫遵化,即唐欽州地,舊志均未載。當然若言地理考據,遜於顧祖禹與戴震,言論贊,似亦不比"黃志"為強。如《杜佑傳》,"阮志"卷234祇敘其在粵之事,而"黃志"則評"為人平易遜順,與物不忤,天性精於吏職,為治不皦察,其政行足稱云"(卷46),顯見兩志之短長。

(4)當然亦有可議之處,如:

A. 八卷前事略,始於秦而止於明,雖云"史乃前朝事",但"郝志"之編年始於五帝而止於雍正，秦以前之事雖有存疑，然清初事蹟可考，應止於前朝（乾隆），因"郝志"已始其端，自應補乾隆六十年之事，何況同書之"選舉表"、"職官表"、"列傳"均敘至乾隆年代，應前後一致。又卷182記貞明三年，"遣高州刺史戴智烈"，筆者按：是時應是春州刺史馮戴智（馮盎之子）手民之誤，周廣《廣東考古輯要》卷39，及拙著《隋譙國夫人事蹟質疑及其嚮化與影響》（見下章）可以參考。

B. 引用志書，除《廣東通志》列名"黃志"、"郭志"、"郝志"外，其餘引用《廣西通志》及各郡縣志多未註明"纂修者"或"刊印年代"，因志書均多次重修，若未言明，無從稽考。

C. "經略史"中"市舶條"缺市舶使名單，而市舶記事亦簡，不及明代三套"省志"。蓋廣東自唐以來，對外貿易發達，此等史料不宜刪去，而"海防圖似引自明代諸地理志，亦應言明"。

D. "藝文略"中，可補《萬曆高州府志》（曹志遇修），另外歐陽保之《雷州府志》、《正德瓊台志》，是書云"佚"，今已發現，可補充。另卷191靳文謨有《新安縣志》13卷，但卷258宦績錄中"靳文謨傳"則未列此書，應予補上。

E. 列傳中卷270 宋有"趙崇模"，引《湖南通志》謂嘉定中知安化，有政績，入祀名宦，但"謹案"云："南海進士嘉定中有趙崇垓而無趙崇模"，但未加斷定趙崇模乃趙崇垓之誤？抑是不同之二人（一是番禺，一是南海），似應解釋。

筆者按：明清六套省志中，"黃志"、"郭志"是粵人而主纂"粵志"。而"黃志"、"郭志"、"阮志"均聘粵人助纂，如梁有譽、歐大任、黎民表之助修"黃志"；王學曾、袁昌祚之助郭棐；陳昌齊、劉彬華、謝蘭生之助阮元。諸人不單各有專長，且均有修志經驗，在人地相宜的配合下，"黃志"、"郭志"、"阮志"最為可觀。惟筆者認為"黃志"是"文人之志"，因黃佐固是學者而梁有譽、歐大任、黎民表均以文學見長。"阮志"是"史家之志"，因其沿襲舊例，慎於選擇史料及考證。"郭志"乃是"志家之志"，因是書能重志書之"史地兩源"，更能顯示地方特徵（見第三節）。"金志"與"郝志"蒐集資料，詳加整理。"戴志"雖雜紊無章，然是草創，當然亦有其參考價值。

"阮志"初刻於道光二年（1822），同治三年（1864）草文堂重刻，1934年上海印書館據同治本翻刻，以後各種刊本均據同治本。1916年，朱慶瀾為廣東省長，聘梁鼎芬續纂《廣東通志》未完成[53]，1931年，廣東省政府委託國立中山大學續修《廣東通志》，以校長鄒魯充任廣東通志館館長，其編制人員如下：

主任：徐甘棠

專任纂修：（均中山大學教授）：朱希祖、范錡、吳康、薛祀光、鄧植儀、何衍璿、陳洵、古直、朱謙之。

編纂：李滄萍、冒鶴亭、冼王清、陳梅湖、饒聘伊。

體例方面：根據章學誠之"四書"，分"紀"（大事紀）、"表"（沿革、職官、選舉、封建四表），"略"（輿地、建置、民族、經政、財政、水利、文物、藝文、金石、民事、僑務、外務十二項），"傳"（名宦、謫宦、先臣、忠義、孝友、隱逸、列女、學林、藝苑、教門、貨殖、流寓、外僑十三項），另有附載，而朱希祖曾撰《廣東通志略例》（未刊，為其女婿先師羅香林教授所藏）[54]。

廣東通志館蒐集各縣志書不少，而採訪冊尤多，原稿有百二十冊，惜抗日戰爭時，檔案移交政府，因淪陷時倉忙撤退，大部遺失。後經整理，衹出版《廣東通志列傳》一書而已㉟。

註　釋

①朱慶瀾為廣東省長，為主修者，而由梁鼎芬編纂，共19卷。卷1爲序，職名，訓典。卷2–卷5為訓典，晷度表。卷6為山川略，廣州府。卷7為兵制，附營汎、兵餉、馬政。卷8為前事略番禺縣。卷9–卷17為人物傳，卷18為廣東儒林，卷19為藝文志，史部書目，雜錄（廣州府）。

②鄒魯以中山大學校長為主修，聘溫廷敬等纂修，其一二冊內包括訓典、山川略、地質概要、城防兵要、堡寨、城市、村制、醫院、寺觀、災變、警政、物產、稅收、沙田、鹽法、公債、兵制、外交誌、徵訪冊、公路、郵政、航政。前事略（廣州府）、大事記、藝文略（集部潮州）、金石略，宋元石刻未定稿，列傳、雜錄。

③據《中國地方志聯合目錄》（中國科學院編）及〈中華民國臺灣地區公藏方志目錄〉（中央圖書館漢學資料中心）。

④《明史》有二張岳：一為閩惠安人，嘉靖二十三年（1544）提督兩廣軍務，《明史》卷二百有傳，另一張岳為浙江餘姚人，萬曆間為南京僉都御史，《明史》二二七卷有傳。此二人均非戴璟延至館修志之人，此第三位張岳似是提舉廣東學政，事蹟未考。

⑤《廣東通志初稿》卷17"道學序"。

⑥《廣東通志初稿》卷10"儒學"贊曰："頃來後進、刻意效顰、足穿周履、頭冠蘇巾、坐則冥然、動則逡巡、自矜道學、難欺鬼神、試詢性理、弗辨冬春……欲借長劍，以斬佞人，儒（弗？）儒哉，勿偽亂真。"

⑦"八類"為：（一）太極變化之妙，（二）天地法家之跡，（三）人物化生之變，（四）鬼神魂魄之誠，（五）天地氣質之性，（六）心志性情之蘊，（七）仁義禮智之性，（八）道德誠敬之旨。

⑧李默《廣東方志要錄》（廣東地方志編纂委員會辦公室1987年出版）曾引黃佐《廣東通志凡例》謂黃佐避免"戴志"存在的缺點：（一）事紀方面，州縣沿革及名稱均有錯誤，（二）在稱謂上，如黃朝奉、李朝請之類乃散階爾，皆誤以為名（頁三），惟重翻"黃志"，此段乃指"舊志"而云，未必專指"戴志"，蓋黃佐修纂之前，有司已集中州縣志百餘部，並檄各郡徵地方資料予以補充，此點尚須考查。

⑨黃佐事跡較詳，《明史》卷278、《粵大記》卷24有傳，《明儒學案》及清代三套《廣東通志》均有傳。

⑩《明史本傳》但云："世宗即位始成進士。"按：正德庚辰（十五年即1520）會試，是年武宗於南巡中逝世。翌年，世宗即位，五月始廷試，故黃佐應是正德十五年會試，嘉靖元年廷試後始入翰林院為庶吉士。

⑪《四庫總目題要》題《忝泉集》云："嶺南自南園五子以後，風雅中墜，至佐始力為提倡，如梁有譽、黎民表皆其弟子。"

⑫《廣州志》僅天一閣存殘卷57卷。

⑬黃佐所撰之方志共四種：（一）《廣州志》（嘉靖六年1527），（二）《廣西通志》（嘉靖八年1529），（三）《香山縣志》（嘉靖廿六年1547），最後則是《廣東通志》（嘉靖四十年1561）。《廣州志》衹藏於大陸，在臺灣難以翻查，但《廣西通志》與《廣東通志》成書雖相隔三十二年，但"體例"同樣分圖經、事紀、表、志、傳、外志六項。至於《香山志》則不同，分風土志、文物志、政事志、教化志、官師志、黎獻志、藝文志、雜志8卷，惟據知府曹逵之序：是書黃佐衹"刪其繁，補其缺，訂其訛繆，廣摭舊文"而已，黃佐序亦僅云"躬為潤色"，而負實際責任則是齊啟和、郎良、胡禮及佐之弟子楊維震等，可知"體例"之訂，非黃佐之手。

⑭據嘉靖《登科記錄》，嘉靖四十一年（1562）舉進士，是年四十一歲，上推應是誕於嘉靖八年。又萬

曆《南海縣志·郭棐傳》:"萬曆乙未(1595)致仕,居家十年卒",知卒於萬曆乙巳(1605),享年七十七。

⑮郭棐為《兩廣總督軍門志》作後序時,自署番禺人,嘉靖四十一年《進士登科記錄》(嚴納編)則書"貫廣東廣州府南海縣,軍籍番禺人"。《古今圖書集成·氏族典》謂"其父郭大治,番禺人"。但萬曆《南海縣志》以及清三套《廣東通志》則謂是南海縣人。按:番禺與南海同城而治,郭棐似是誕於南海,而參加番禺縣之鄉試,《登科記》所書是據鄉試紀錄,故有二說之別。

⑯萬曆辛卯(即十九年1591),郭棐為林大春之《井丹先生文集·序》云"予小子棐,自束髮以經生及井丹先生門,蓋北面稱弟子云"。按:林大春於隆慶時曾纂《潮陽縣志》15卷,被稱"良史之才",郭棐之治史應受林大春之影響。

⑰郭棐《廣東通志》戴燿序:"僉謂粵故有通志成於宮詹黃公。"同書李時華序亦云:"明興,黃宮詹佐,綜覈古今,爰成通志。"但黃佐自序卻明言:"嘉靖乙末,侍御史四明戴公璟乃纂通志。"知"戴志"當時仍可見,戴燿及李時華竟忽略之,或以其為"初稿"而已。

⑱見郭棐自序。另是書陳性學序亦云:"逮今四十餘年,其間州邑開設以十計,勳賢建立以百計,戶籍登耗以千計,至於採山竭澤之使不絕於道,徑竇旁開,漁獵四出,比之夙昔,憲章紛革更者,又不但以萬億計。"

⑲見下章"郭棐著作考"。

⑳見《嶺海名勝記·王學曾序》。

㉑郭棐論之曰:"我明則白沙陳獻章,以主靜為學,以無欲為要,以自然為宗,以孝母不忘君為大節,可謂學得其正者,其徒湛若水,學務隨處體認天理,獨默契其心傳,若張詡、林光則均有得於其指者,是皆南海之流派也。"

㉒李桓編《國朝耆獻類徵》初編:"疆臣"卷9。

㉓《清史稿》卷92"職官"之八旗中"佐領"為隨事員,若在軍制,位在都統、參領、護軍校之下。又郝玉麟《廣東通志》卷42"名宦"調金光祖"從龍舊佐",可以佐證。

㉔按《清史稿》卷37 "疆臣年表":康熙十五年四月辛酉吳三桂卒。十六年六月丁未金光祖歸正,歸正前擒董重民疏請立功贖罪,故金光祖往依尚之信應在擒董重民之前,隨即反正。

㉕據《滿洲名宦傳》(清國史館編)卷19。

㉖據蔡冠洛編《清代七百名人傳》"金光祖"。

㉗據光祖省志後簡稱"金志張仲德序",但《中國地方志聯合目錄》謂修於十四年(1675),似有誤。

㉘據金志"自序"。

㉙據金志陳肇昌及張仲德兩序。

㉚此六篇序文是:陳肇昌(十七年至廿二年任學政)、金光祖(九年至二十年任總督)、金俊(十六年至廿一年任巡撫)、張仲德(十七年任布政使)、王令(十三年任按察使。但序文中云:戊午,即十七年,科試之期,監臨棘闈,可知是時仍在粵)、王秉中(十七年任廣東通判)。

㉛按《廣東新會潮連鄉蘆鞭里盧氏族譜》卷16"康熙移村"及郝玉麟、阮元之《廣東通志》中周有德、李率泰(總督)、王來任(巡撫)等名宦傳。

㉜據李士楨《撫粵政略》卷1。

㉝據魏源《聖武記》卷2。

㉞郝玉麟《廣東通志》卷7"編年志",康熙廿一年壬戌秋,除尚之信苛政,凡佔奪鹽埠、勒索渡稅、私抽貨物、重斂漁貨,悉行酌免,萬民慶頟。

㉟據阮元《廣東通志》卷255"吳興祚傳"謂"興祚至始釐剔甦民"。又郝玉麟《廣東通志》卷62"文集"引"吳興祚之議除藩下苛政疏"可以參考。

㊱如卷4"建置沿革",曾敘康熙二十一年巡撫李士楨與總督吳興祚討平花山諸賊,廿五年逐析番禺,南海地立花縣。又"職官"有花縣儒學謝金度,訓導駱身之事均是廿五年,可知十九年刻版後,略有增

添。

㊲賈漢復之《河南通志》首刊於順治十八年(1660),增補於康熙九年(1670),康熙初曾頒之全國以為式,即所謂"體例派"之祖。

㊳李默之《廣東方志要錄》頁9(廣東省地方志編纂委員會辦公室1978年出版)。

㊴據《清史稿》表三七"疆臣年表"及"阮志"卷43"職官表",均謂乾隆四年之兩廣總督為馬爾泰而非郝玉麟,此處所據《滿清名臣傳》,疑"署"乃暫署之意,因是年郝玉麟自閩浙總督內升,而兩廣總督鄂彌達調川峽總督,馬爾泰未到任之前,由郝玉麟暫署而已。

㊵據《滿洲名臣傳》卷26。

㊶明應檟《蒼梧總督軍門志》、郭棐《粵大記》、鄧鍾《籌海重編》、茅元儀《武備志》等均有詳細的"海防圖",而《蒼梧總督軍門志》及《粵大記》對廣東沿海的圖說更為詳盡。

㊷據乾隆《紹興府志》(李亨特、平恕纂修)卷31"採訪冊"。

㊸參考《清史稿》卷364、《清史列傳》卷36、《清代七百名人傳》第四編"樸學"諸書之"沅元傳"。

㊹《國朝先正事略》卷21"阮文達公事略"。

㊺據徐世昌纂、周駿富編之《清儒學案》小傳卷13。

㊻《清七百名人傳》第四編"樸學"。

㊼同註45。

㊽《廣東通志》卷首,阮元及李鴻賓之奏請纂修通志事。

㊾《廣西通志》分:"四表"(郡縣沿革、職官、選舉、封建);"九略"(輿地、山川、關隘、建置、經政、前事、藝文、金石、勝蹟,按阮元增海防成十略);"二錄"(宦績、謫宦);"六列傳";(人物、土司、列女、流寓、仙釋、諸蠻、按沅元刪土司,而增耆壽、方技、宦者共八傳);另阮元增"雜錄"。

㊿據《國朝耆獻類徵補編》卷212 及王曾權之《陳昌齊與廣東通志》(1992年《廣州史志》第四期)。

(51)據1988年浙江人民出版社之《中國方志大典》謂謝蘭之生卒年為(1774—1846),但未言出處,惟1985廣東人民出版社刊陳永正撰《嶺南歷代詩選》,附謝蘭生傳則云生於1760,卒於1831。此外,汪宗衍之《疑年偶錄》(1988年香港大東書局出版)引《謝氏家譜》則云:謝蘭生年四十三歲成嘉慶壬戌(1802)進士,其推斷與〈嶺南歷代詩選〉相同,應是1760—1831,享年七十二,因有根據,故未採《中國大辭典》之說。又,宣統的《南海縣志》(桂坫纂)、同治的《南海縣志》(梁紹獻纂),均無謝蘭生傳,史澄的《廣州府志》卷128"謝蘭生簡傳",陳融《讀嶺南詩絕句》(1968年香港自資刊本)亦有謝蘭生小傳可予參考。

(52)見史澄的《廣州府志》。

(53)1915年冬,廣東通志館成立,聘翰林梁鼎芬為總纂,朱慶瀾先作序,後定"條例"。據李默的《廣東通志要錄》謂存目十九,卷1序,職名、訓典、卷2—卷5為訓典,晷度表、卷6山川略,廣州府,卷7兵制,附營汛、兵餉、馬政,卷8前事略,番禺縣,卷9—17人物傳,卷18廣東儒林,卷19藝文志:史部書目,雜錄(廣州府)。

(54)其內容有:(一)廣東通志徵訪修例,(二)廣東通志略例,(三)廣東通志總目,(四)廣東通志總目說明書。

(55)當時各遺老爭撰"傳"而不願撰"志",結果,仅有由溫廷敬主編成《廣東通志列傳》(由漢至五代)出版而已。

第二章 人物研究專題

第一節 隋譙國冼太夫人

一、冼姓氏族源流

吾粵高涼六屬[①],遍設冼太夫人廟[②],香火甚盛,祀隋譙國誠敬夫人。夫人本溪洞蠻女。按吾粵之開闢,雖始自尉佗,然至唐宋二代,仍是蠻瘴謫宦之地;蓋是時開化者只是若干城市,其餘大部仍未設州郡,而為溪洞之勢力範圍。冼氏當時據西江南路一帶,後與另一溪洞首領馮寶聯婚,勢力益大,然冼馮二族以後之發展迥異,蓋夫人在馮家,因其嚮化中原,故馮家人物輩出,而冼族則保留溪洞勢力,人物遠遜。尤其是夫人能獨具慧眼,在紛亂之際,識陳霸先於行伍,與之連結,及至天下大定,卻能首先降隋,故於南朝至隋唐間之歷史,影響甚鉅。宋蘇軾曾有詩頌之曰[③]:

> 馮冼古烈婦,翁嫗國於茲,策勳梁武後,開府隋文時。三世更險易,一心無磷緇,錦繖平積亂,犀渠破餘疑。……

然惜此一代巾幗英雄事蹟,談之者極小[④],府縣志僅引自《北史》與《隋書》,或語而未詳,或事有蹊蹺,尤是對其氏族源流,未能詳列。據光緒本《高州府志》卷40烈女:

> 譙國夫人者,高涼冼氏之女也,世為南越首領。

"世為南越首領",是指夫人之父。因係溪洞首領,故史籍不載。其實高涼冼氏,源出南海,始祖名勁。據宣統二年冼寶幹纂修之《嶺南冼氏宗譜》卷一之二:

> 始祖名勁,字元吉。

冼勁,於東晉元興三年(404)盧循陷廣州時殉職[⑤],其後代分為三支:一支留居南海、番禺,今中區冼族屬此支;一支遷高州、電白,而為今日南路冼族之祖先,一支則遷海南[⑥],而為該地冼族之祖。宗譜顯明地記載夫人是屬第二支高涼(州)冼族之一,故知源出於南海,惟宗譜於始祖冼勁之上,別有一世祖汭,年代上推至始皇三十三年(西元前214),並謂冼氏源出於沈氏,殊屬無稽。據冼氏宗譜"氏族源流"篇載:

> 冼氏之先,源出於沈子國,亦周子苗裔,在秦居真定郡,有名汭者,以俠義聞,為仇家所持,因秦法嚴,改今姓,始皇三十三年,遣趙佗將謫卒五十萬人戍五嶺,汭與佗同異,且有舊,往投其帳,遂家焉,是為冼氏入粵之始。

據冼汭事蹟，未見有其他史籍記載，此疑點之一，且冼沈同源，並無其他證據。宗譜修纂者亦云：

由沈改冼，本無明文，而譜牒多同，至今沈冼二姓不通婚姻，各譜亦無妣配沈氏者，流傳既久，事非無因[7]。

其實冼沈二氏，並非大姓，未發現通婚，便認為同源，豈能置信，此其可疑之點二。又宗譜自汭起，傳子孟程，三傳好謀，好謀為呂后時人，由好謀至冼勁殉國（晉安帝元興三年），中間幾六百年，並無世系可尋，不無可疑，此其三也。又洪邁《容齋三筆》卷2，有"漢人希姓"條，單姓根本無冼字，可知漢代未有冼姓，此可疑之點四。故冼氏中開明人士亦認為"世為粵人，非若他姓之自外來也"[8]。

按唐初修《隋書》及《北史》時，言及譙國夫人，但言"世為南越首領"[9]，阮元《廣東通志》則稱為俚人[10]，俚人者亦即土著之人。

再按唐元和七年（812）林寶所修《元和姓纂》銑韻載：

冼，又音線，南海人。

而後鄭樵《通志》卷29"氏族略"襲之，惟加上一句。

晉忠義傳有冼勁，南海人。

其實《晉書·忠義傳》只有"沈勁"，與冼勁事蹟不同，此乃《通志》之誤。至北宋景祐二年（1035），邵思撰《姓解》，水四十"冼"，更指出冼氏及其他二十四種僻姓源於"諸家姓書"[11]。換言之，即是"各家自道"而已。

至南宋時有關氏族之著作，對於冼氏已漸指出是南海之蠻姓矣，章定之《名賢氏族言行類編》卷634，冼：

冼，音線，南海人，見《姓苑》。

按《圖書集成·氏族典》四六云姓苑3卷，疑是《元和姓纂》之前身，另有崔日用撰《姓苑略》，亦未見是書。章氏之書，與《元和姓纂》記載全部相同，疑即引自此書。至王應麟之《姓氏急就篇》上，言冼氏：

梁高涼太守馮寶妻沈氏，高涼蠻酋女，隋番禺賊冼寶徹。

以後，至明清二代之姓書，如凌迪知之《萬姓統譜》、陳士元之《姓觿》、清黃本驥之《姓氏解紛》、及《圖書集成》之氏族典等所載之冼姓，不外是"南海人"，"蠻酋之後"，均源出以上數書而已。

冼氏既世為"南越首領"，況所居之地，皆是溪洞部落[12]，當然是南方蠻姓。及後建功立業，遂附麗於華族，或托言源於沈氏[13]。唐初高士廉修氏族志時，曾網羅天下譜牒，先要"考其真偽"[14]。至宋洪邁時，已感歎"姓氏不可考"[15]，故單憑譜牒，又豈能盡信耶？

二、冼族之遷移與夫人之先世

據《嶺南冼氏宗譜》卷一之三宗支譜列其世系：

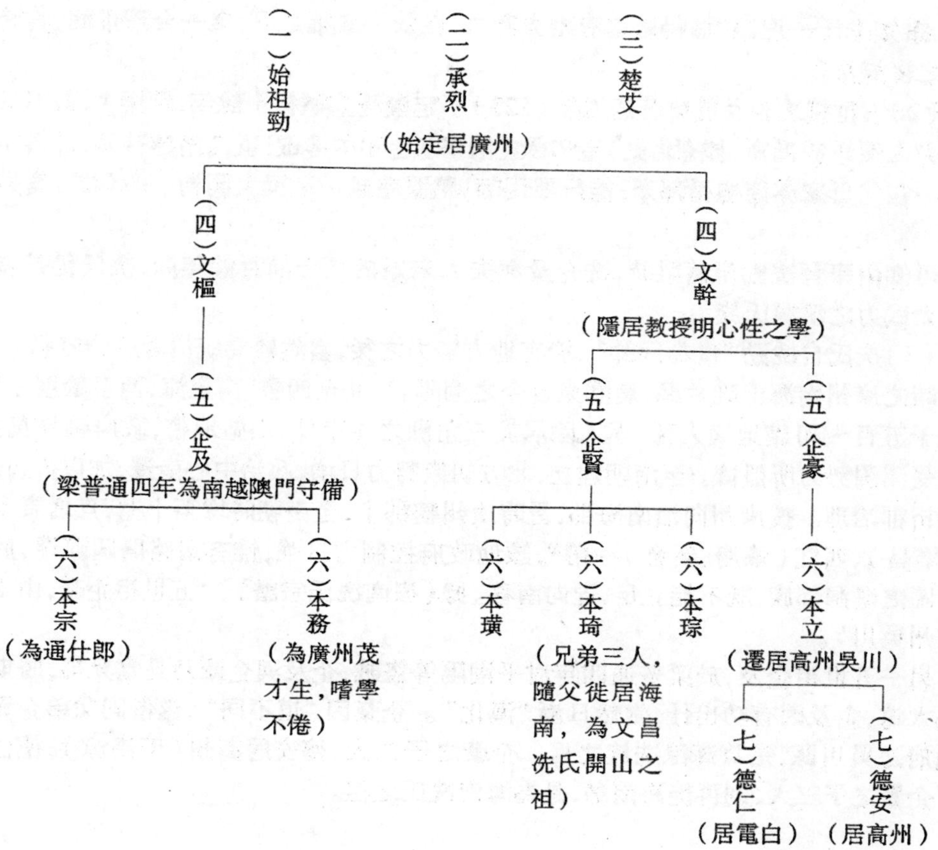

宗譜所載之事蹟，頗多可疑，如：

（1）四世祖文幹“隱居教授明心性之學”，所謂“心性之學”，乃是理學名詞。按冼勁於元興三年（403）殉難，二傳而至文幹，不外七十餘年，約當是劉宋與蕭梁之間人物，何來心性之學？

（2）五世祖企及，於梁普通四年（523）因南越潮陽等處盜賊橫行，祖奉文檄勸之，不復業者捕之，數郡悉賴以安。參將鄔國藩表為南越隩門守備，按上文之隩門，以地緣判斷，當是今日之澳門，但其名稱應始於明後。因參將、守備之職，亦是明代官制[16]，蓋蕭梁時代無此官職也。

（3）六世祖本務為“通仕郎”，按隋唐以前之散官以品稱，隋唐以後有登仕郎、將仕郎等十四種[17]，直至清代仍未見有“通仕郎”之稱[18]，即使是手民之誤，亦不應是南朝官職。

按宗譜所載事蹟雖非全部可靠，惟源流世系清晰，據此以稽冼氏由南海南遷，亦實貴之資料，而其中尤值得深思者：

（1）始祖勁事蹟，宗譜乃引自歐大任《百越先賢志》卷4，據稱：“家本武帥，世為部曲”。此二句頗堪玩味，推知冼勁乃當時擁有地方勢力之人物，若以漢人立場，稱之為“溪洞酋長”亦無不可。後因率眾保護廣州，抗拒盧循因而遇害，追謚始興太守曲江縣侯。至五世祖企及，因“盜賊橫行，奉檄勸之，不復業者捕之，數郡悉賴以安”，時企及有武力而無官職，推知冼氏一連四世，仍是掌有地方勢力，在統一政權之下，惟一合理推測，當時仍是世襲之溪洞酋長。

（2）五世祖冼企及於梁普通四年（523）平定潮陽盜賊後十餘年，即梁大同初（535），譙國夫人便婚於馮寶，據《北史》卷91及《隋書》卷80本傳載：世為南越首領，部落十餘萬家……在父母家亦能撫循部眾，能行軍用師，壓服諸越……梁大同初……（馮）寶娉以為妻。

可知由東晉冼勁至蕭梁時，冼企及與夫人未婚於馮氏前百餘年間，冼氏仍是嶺南擁有最大武力之溪洞氏族。

（3）冼氏自冼勁"世為武帥"，擁有地方勢力之後，當然難為統治者所能容忍。不過，東晉時之廣州南海郡轄六縣，範圍東自今之潮陽起，北至四會，南至海，西至肇慶一帶，戶只九千五百[19]，可謂地廣人稀，漢人除居於三角洲之城市外，山區地帶，政府鞭長莫及，自然易受溪洞勢力所盤據。至南朝建立，北方胡族勢力日增，政治中心南遷，加以人口增多，需要析郡治理。按廣州向治南海郡，晉時廣州轄郡十，至南朝時增至十七，且增者多在北江（樂昌）、西江（肇慶、新會）一帶[20]，該地政府控制力日強，惟有南路開闢較遲，於是向居中區之溪洞部族，既不能立足，遂向南移。據《嶺南冼氏宗譜》，'五世祖企豪，由廣州遷至高州吳川'。

另一五世祖企及，於梁普通四年討平潮陽等盜賊，企及與企豪乃是堂兄弟，時期不會相差太遠，企及因有功出仕，當然日漸"漢化"。企豪因"道不同"，遂偕同父弟企賢南遷高州府之吳川縣，是為高涼冼族之祖。企豪之子二人，德安居高州（即高涼），德仁居電白。企賢之子三人，則再徙海南島，是為海南冼氏之祖。

三、夫人之父兄

若考之譙國夫人於梁大同初（535）與馮寶結偶，彼時年齡若在二十左右計[21]，則夫人應是企豪或企賢之女，但《北史》及《隋書》本傳則云：

> 譙國夫人冼氏者，高涼人也，世為南越首領。

南越（粵）當然是指廣東，夫人婚前既已定居高涼，而企豪剛開始遷徙，則又似是六世本立之女，堂兄妹叔姪年齡相差二十年並不足為奇。夫人有兄名挺，據《北史》及《隋書》本傳：

> 夫人兄南梁州刺史挺，恃其富強，侵掠旁郡，嶺表苦之，夫人多所規諫，由是怨隙止息，海南儋耳歸附者千餘洞。

按：嶺表以南無"南梁州"，疑此乃指"南梁"（南朝梁代）之州刺史，而且此刺史或是追謚[22]，而夫人之兄挺，或是德安或德仁之本名，"侵掠旁郡"，顯非政府官員，而是一般武裝部落領袖之所為，且經夫人規諫後，"海南儋耳歸附者千餘洞"，此"千餘洞"很明顯的是溪洞，因夫人之堂（叔）兄本琮、本琦、本璜已遷至海南，這是意味著冼族以譙國夫人為領袖，或者因夫人已控制自高涼沿海而至海南一帶，故冼氏另外一支遂再南遷至海南，別謀發展，亦有可能。

四、馮冼聯婚之政治意義

按高涼郡(治高涼縣,今電白),始建於漢建安二十五年(220),孫吳時再析置高興郡(治廣化縣,今陽江)。晉初二郡合併,據王象之《輿地紀勝》卷117,高州:

> 晉武平吳,併高興郡入高涼郡,宋又立高興郡,尋省,後為夷獠所據,梁平俚洞,置高州。

所謂"夷獠所據",當是包括冼氏所控制之溪洞在內,首任高州刺史為孫冏。

時為大同七年(541)[23],是時高州統六縣,範圍遠及海康[24],因高州轄地與冼氏溪洞交錯相連。故羅州刺史(治今化縣)馮融,不能不加意籠絡[25],馮寶之娶譙國夫人,純是政治因素,此為治史者不可忽略之事實。

五、夫人之嚮化中原及其影響

譙國夫人婚於馮寶時,馮氏至粵已三世,馮氏亦似非漢人,《新唐書》卷110《馮盎傳》(寶之孫)雖謂源出北燕馮宏之後,宏在高麗遇害後,其子業浮海至番禺。崔鴻之《十六國春秋》載高句麗俘得宏時,連美女皆掠去,馮氏後裔似難有漏網者。且馮業是否為宏之子,待證,即使屬實,馮氏多年臣服於鮮卑族,亦胡化頗深[26],業之孫為融,融之父為誰又不可考,且《新唐書》卷110為《諸夷蕃將傳》,將馮盎與呵史那杜尒、契苾何力等同列,《舊唐書·馮盎傳》則謂"累為本部大首領",可知馮氏亦高州附近溪洞蠻酋之一,與中原馮氏未必有關。

大概嶺南之開發,雖始於南越,而其漢化則應在唐宋以後[27]。現代之廣東,在南朝時已設郡縣治理者,僅十之一二,是時中原大亂,政府控制力弱,大部份地方仍為土著民族(溪洞酋長)所割據。李吉甫《元和郡縣圖志》卷34記唐初:

> 廣州,為嶺南五府經略使理所,以綏靖夷獠。

夷獠,是指溪洞之土著民族,可知唐以前廣東大部為土著民族所割據,其中冼族力量較強[28]。自譙國夫人於梁大同初(535)婚於馮寶後,至隋仁壽(601—604)初卒,其間六十多年,夫人最大之貢獻便是嚮化中原。結果,其事影響陳隋二代嶺南之順利歸附與版圖之擴大;同時亦使馮冼二族之發展迴異。現僅據跡分敘如下:

梁武帝太清二年(548),侯景叛,陷臺城,梁武帝被軟禁,中史政府瓦解,嶺南各郡遂互相兼併。首先是廣州刺史元景仲響應侯景而獨立,臨賀內史歐陽頠,監衡州(應是東衡州治今曲江),蘭裕、蘭宗禮誘始興等十郡舉兵反[29],當時廣東不外十七郡,即使其中有湘、桂、贛邊郡參加"反叛",而廣東必有大部分州郡成為獨立狀態。是時馮寶為高涼之守,夫人之卓職,竟能勸馮寶與陳霸先聯絡,結果,陳霸先利用南方勢力而建國,而兩廣又可免於兵禍。按陳霸先原為廣州刺史蕭映(梁宗室)僚佐,討交州叛賊李賁有功,太清元年(547),為西江督護、高要太守,武力強大,僅一年,侯景陷臺城,霸先準備北上勤王,各地遂相繼獨立。據光緒本《高州府志》卷4:

侯景反,廣州都督蕭勃[30]徵兵援臺(城)。高州刺史李遷仕據大皐口[31],遣招寶,寶欲往,夫人止之曰:刺史無故不合招太守,必欲詐君為反耳。寶曰:何以知之?夫人曰:刺史被召援臺,乃稱有疾,鑄兵聚眾,而後喚君;今者若往,必留質追君兵眾,此意可見,願且無行,以觀其勢。數日,遷仕果反,遣主帥杜平虜兵入灨石。寶知之遽告,夫人曰:平虜驍將也。領兵入灨石,即與官兵相拒,勢未得還,遷仕在州無能為也,若君自往必有戰鬥,官遣使詐之,卑辭厚禮云;身未敢出,欲遣婦往參,彼聞之喜,必無防慮,於是我將千餘人,步擔雜物,唱言輸賧(音淡,蠻人以貨為賧),得至柵下,賊心可圖。寶從之……夫人擊之,大捷,遷仕遂走保寧都。夫人總兵與長城侯陳霸先會於灨石,還謂寶曰:陳都督大可畏,極得眾心,必能平賊,君宜厚資之。

按是年陳霸先適由始興經大庾嶺北上勤王,李遷仕於粵中謀策應侯景,夫人與陳霸先聯兵而平之[32],嶺表既定,陳霸先無後顧之憂,全心北上,助王僧辯平侯景。及後西魏南犯,陷江陵;而陳霸先駐守京口,終受梁禪。另一方面,陳霸先北上後,廣州仍有局部戰爭[33],但高涼附近(應包括西江、南路一帶),都安然無事,均夫人保境安民之功[34]。

陳霸先建國後,嶺南僅名義上歸順而已,當時之刺史,全是將軍銜,可知是用武力鎮壓,事見於《陳書·本紀》。但夫人子馮僕,年僅十齡,於陳建國後第二年,便率各溪洞酋長入朝;朝廷以僕為陽春太守[35],由此可見夫人之嚮化及其影響之大。而嶺南方面因此又獲十餘年之和平,霸先死後,夫人仍效忠於陳,陳宣帝太建元年(569),左衛將軍歐陽紇據廣州反,又是夫人平定之。據《隋書》本傳:

廣州刺史歐陽紇謀反,召(馮)僕至高安[36],誘與為亂;僕遣使歸告夫人,夫人曰:我為忠貞,經二代,不能惜汝輒負國家。遂發兵拒境,帥百越酋長迎章昭達(陳將),內外逼之,紇潰散。

夫人此次平亂,仍是以"百越酋長"之地方勢力為主。總之,夫人與陳霸先合作後,對陳矢志忠貞,而陳待夫人亦甚厚,冊封夫人為中郎將石龍夫人(應是高涼郡夫人。茲據《北史》及《高州府志》等修正),賚繡幰油給駟馬安車一乘,給鼓吹一部並麾旌節,其鹵簿一如刺史之儀。而馮僕以母故封信都侯,以一女子而有"麾旌節,鹵簿",封為中郎將,其武功之超卓,可謂前無古人了。

馮僕卒於陳後主至德中,時夫人已屆六十餘高齡,陳亡,嶺南未有所附,數郡共奉人為聖母,保境安民,是時夫人之勢力伸展至廣州,因隋遣韋洸安撫嶺外,夫人之孫馮魂師眾迎至廣州,廣東始入隋之版圖[37]。及後番禺人王仲宣反,又是夫人另一孫馮盎所討平之[38],此是夫人功業最輝煌之時代。

當夫人功業最盛之際,亦是夫人接受漢化最深之時。蓋隋統一天下,不能容許溪洞勢力存在,夫人為效忠新朝,在開皇十年(590),討平王仲宣之役,遂與西江羅定之溪洞領袖陳氏相決裂。據《隋書》本傳:

王仲宣圍韋洸於廣州。夫人遣孫暄帥師救洸,暄與逆黨陳佛智素相友善,故遲留不進,夫人知之大怒,遣使執暄繫於州獄,又遣孫盎出討佛智,戰克,斬之。

時夫人年已近七十,馮暄為其諸孫,竟能以大義而繫之於獄,當然深受漢化之影響。至於陳佛智,其父為陳法念,其子為陳龍樹,《廣東通志》均有傳,孫陳集原,在新舊《唐書》中均入《孝友傳》,據《舊唐書》一八八:

陳集原，瀧州開陽人也，代表嶺表首長。

而《羅定州志》則稱佛智世襲為羅州刺史。按唐之羅州治今廉江，其轄地與夫人諸孫相鄰，故陳佛智與馮暄素相交往。但夫人卻能洞識時勢，與梁亡時之認識陳霸先一樣，毅然與陳氏決裂，而馮盎斬陳佛智後，嶺表遂定，西江南路以至粵桂邊區各溪洞首領均降，於是被冊封為譙國夫人，並開幕府置長史，聽發部落六州兵馬，並降敕書曰：

夫人宜訓導子孫，敦崇禮教，遵奉朝化，以副朕心。

顯然是說明夫人已接受漢化，脫離溪洞蠻風，這轉變似乎引起當時溪洞很大的反應，據《通鑑》：

仁壽元年(601)十一月，潮成等五州獠反，高州酋長馮盎[39]馳詣京師討之，帝敕楊素與盎論賊形勢，素嘆曰：不意蠻夷中有如此人。

譙國夫人卒於仁壽中，年約八十，謚曰"誠敬"。夫人諸孫當時均為地方首長，馮暄任羅州刺史，馮盎任高州刺史，或因領導權未能妥為安排，於是久被壓抑之冼族領袖冼瑤澈(《唐書》作寶徹)遂起而叛變，當時已是隋末，群雄競起[40]，所以此次亂事，歷時四載，蔓延達廣東大部，據《隋書·帝紀》記大業十二年(616)七月：

高涼通守(即太守，據高州府縣志更正)冼瑤徹舉兵作亂，嶺南溪洞多應之。

至唐高祖至德二年(620)，始由馮盎討平之，據《舊唐書》卷109《馮盎傳》：

武德三年，廣新二州賊帥高法澄、冼寶徹等並受林士弘節度，殺害隋官吏，盎率兵擊破之，既而寶徹兄子智臣又聚兵于新州自為渠帥，盎趕往擊之....擒寶徹智臣等，嶺外遂定。

《新唐書》卷110《馮盎傳》更進一步指出：

遂有番禺、蒼梧、朱崖地，自號總管。

在馮盎轄地之下有二十餘州，地數千里，當時曾有勸盎稱南越王號，盎以受譙國夫人"嚮化"之影響，"常常恐忝先業"(本傳語)，因堅決反對，而於武德五年(622)舉而降唐。唐將其轄地分成八州。《新唐書》卷11的本傳載：

(唐)高祖析為高(今茂名)、羅(今廉江)、春(今陽春)、白(今博白)、崖(今崖縣)、儋(今儋縣)、林(今治)、振(今陵水)八州[41]，授盎上柱國、高州總管，封越國公，拜其子智戴為春州刺史，智或為東合州刺史，盎徒封耿(國公)[42]。

此為馮族最光輝之時代，其實也是馮盎執行譙國夫人嚮往漢文化及歸順朝廷之政策，屢與中原統治者合作之結果，馮氏享有富貴繁華，而唐得以開發溪洞，擴大版圖，故顧亭林在《郡國利病書》"廣東"中云：

隋唐之際，馮冼內屬，荒梗之俗為之一變。

此為治史者不可忽略之重要史實。

六、馮冼二族發展不同

譙國誠敬夫人，原是溪洞蠻女，其與馮寶締婚之時，馮氏雖亦是溪洞領袖，但早已受任命於中原統治者而為地方首長。夫人成為馮氏婦後，當然受夫家影響。馮寶死，夫人握權,首先與陳霸先合作,陳亡而降隋。夫人卒後,其孫馮盎繼續遵行夫人舊策,率眾降唐,於是馮氏五代,均能保持在嶺南之權力。茲據上文所述而將馮家世系列成下表:

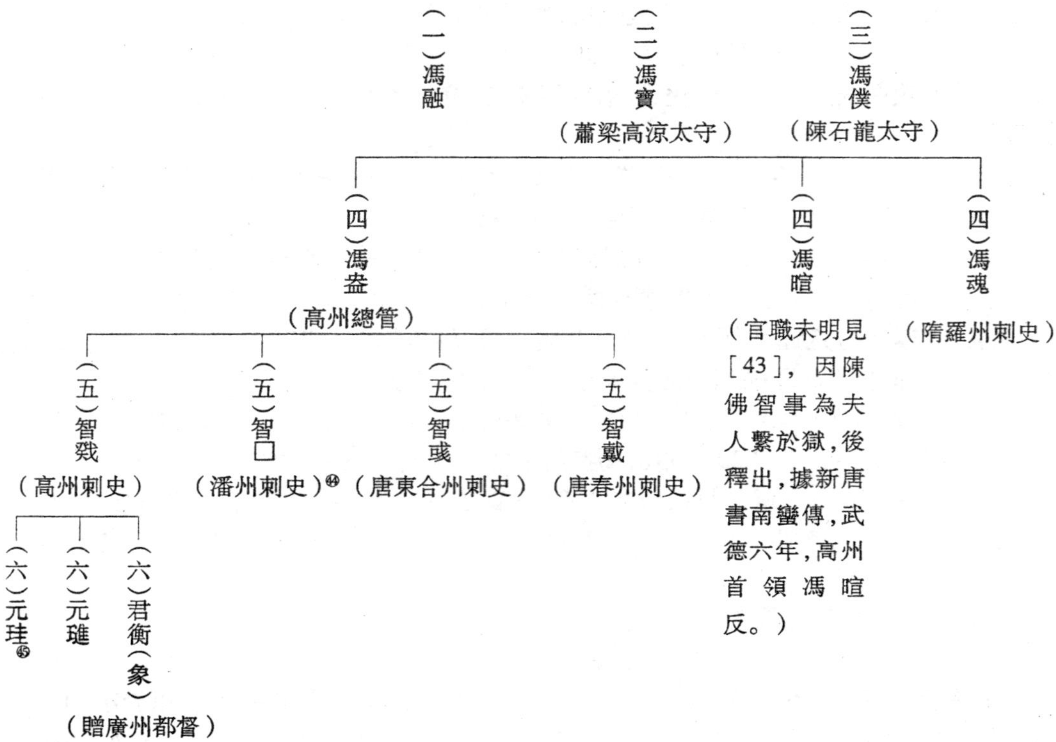

此外,《通鑑》武德六年七月,岡州刺史馮士翽反,此馮氏乃高涼溪洞馮氏之支系[46]。另觀夫人娘家——冼氏後人似乎因反對夫人之嚮化中原,仍保留溪洞本色。譬如冼寶徹之反抗馮盎便是一證,因為未嚮化,故人物不盛。直至趙宋以後,高涼、瓊崖之冼氏人物仍不及番禺為多,蓋番禺南海乃首府之地,人物薈萃,居於是地之冼族,受文化之熏陶,成就較多。據明淩迪知之《萬姓統譜》載:宋代冼氏人物,著者有三,明代有十,加上《廣東通志》之數人,亦不外十餘人而已[47],降至清初,士林仍以冼氏為稀姓。據《嶺南冼氏宗譜》,大羅譜"三山公秦對"條:

> 康熙十八年,三山公國幹舉進士,引見之日,上以冼姓稀僻,垂詢先代達人,隨舉前明南京工部右侍郎冼光奉對,命取家乘進呈。

此與馮氏在隋唐之際顯赫一時,及唐以後,冠冕人物之眾多,實一強烈對比,此蓋譙國敬誠夫人"嚮"化之貢獻,以致影響二族之發展大不相同耳。(可參考圖一、圖二,見下頁)

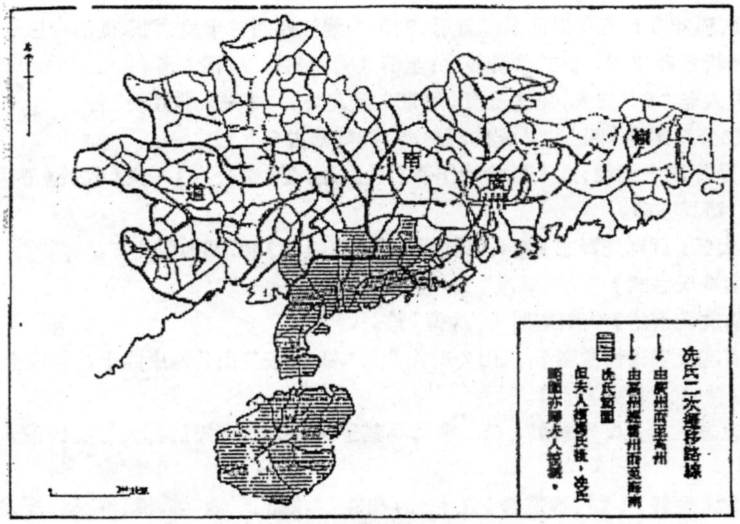

圖 1　冼氏勢力範圍及其遷移路線圖

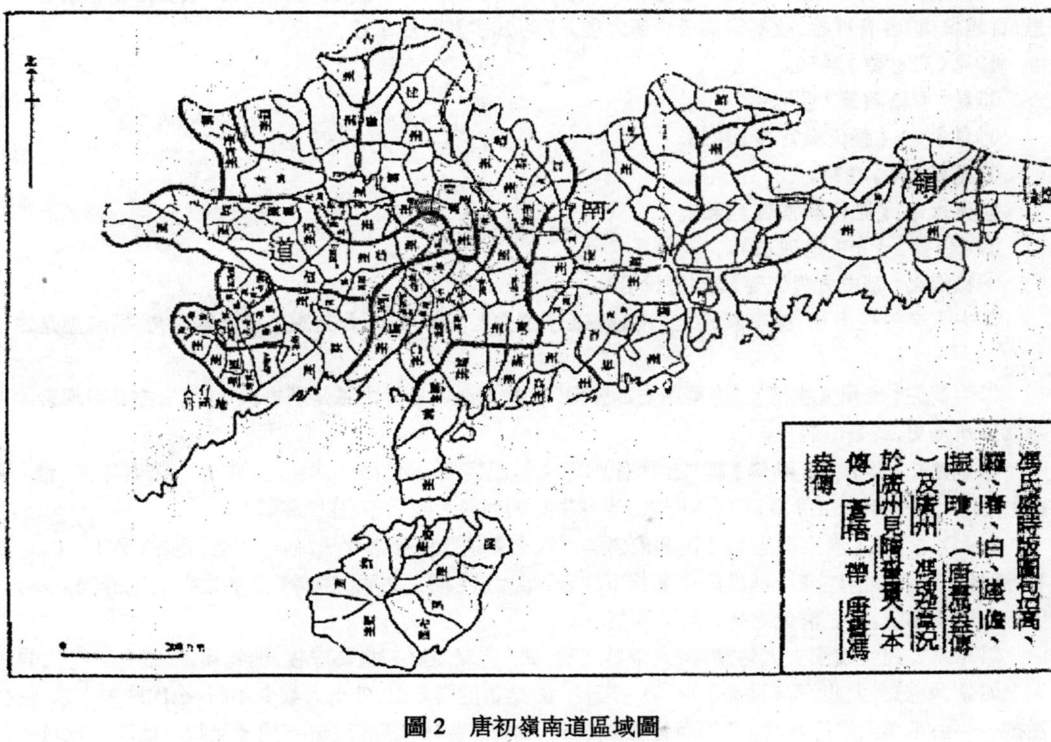

圖 2　唐初嶺南道區域圖

註　釋

①高涼郡，漢建安廿五年以漢高涼置郡。初治今陽江縣西三十里，劉宋徙治今恩平縣北二十里，蕭梁時自合浦、廣州析置高州，治電白，後徙茂名；至清共轄六州縣，故稱六屬。

②"冼"夫人非"洗"夫人，見冼玉清《廣東文獻叢談》"冼夫人非姓洗"條。

③《蘇文忠公詩集卷》四十二（紀昀評點本）和陶擬古自九首之一。

④前人多是片段之記載，近人吳晗始作學術性敘述，著《冼夫人》一文（收於《春天集》中），然多是據本傳而敘述，錯誤亦多。

⑤參明歐大任《百越先賢志》卷4，而阮元之《廣東通志》卷268則引此文。

⑥見《嶺南冼氏宗譜》"氏族源流"及"世紀"等篇。

⑦見《嶺南冼氏宗譜》"備徵譜"、"逸傳"篇。

⑧見《嶺南冼氏宗譜備徵譜》，三山公冼氏"世本條"，按三山公為康熙十八年進士冼國幹。

⑨《隋書》卷80、《北史》卷11。

⑩《廣東通志》二十八"馮融"，".....業乃為其子高涼太守寶婚於郡大姓冼氏俚人"，此段引自《百越先賢志》卷4。

⑪宋邵思之《姓解》（《古逸叢書》之十七）冼姓："沒路真、湳、滚、潾、汻、溺、況、注、洋、涂、漢、灤、清、澤、海、濮、沛、洗、淡、濟、流、澧、淳、涳凡二十四氏，並出諸家姓書。"

⑫見（二）"冼族之遷移與夫人之先世條"。

⑬張說"贈潘州刺史馮君墓誌銘"（《文苑英華等》卷950）。記高力士之父（馮盎之孫），言其源出畢萬苗裔，邑於馮城，因以為氏，亦非確。杜佑曾為嶺南節度，其《通典》卷184云："自交阯至會稽七八千里，百越雜處，各有種姓，故不得盡云少康之後。"可知多其附麗華族。

⑭見《唐會要》卷36。

⑮見《容齋隨筆》卷6。

⑯見永瑢：《歷代職官表》卷58。

⑰見《通典》卷34。

⑱見永瑢：《歷代職官表》卷68。

⑲《晉書》十五《地理志》。

⑳顧祖禹《讀史方輿紀要》卷4歷代沿革。

㉑夫人卒於仁壽初，據李調元之《南越筆記》謂夫人享年八十，如是應生於梁普通初，婚時應是二十左右。

㉒明黃佐《廣州人物傳》"南梁刺史馮公融"。按馮融為蕭梁之羅州刺史，可知冼梃亦是南朝梁代之西羈縻州刺史，或是贈刺史。

㉓《南史》卷51《蕭勵傳》謂"江西俚帥陳文徹犯高要，勵請於高梁郡立高州"，未言年月，惟《通鑑》繫於大同七年十二月事，《高州府志》卷48事紀則列於大同元年，茲據高鑑。

㉔《隋志》及《廣東通志》、《高州府志》、《茂名縣志》只云轄六縣，佔今茂名、電白、吳川、化縣、陽春、廉江一帶，但《隋志》合浦郡海康縣條下注云：梁大道（同字之誤）割番（潘字之誤）州，合浦立高州，則轄地遠及海康，較之清代之高州府範圍更廣。

㉕高州志列女譙國夫人傳謂：夫人未婚之前，馮"自業及融三世為守牧，他鄉羈族，號令不行"，自夫人來歸後，始勢力大盛，而《通鑑》卷163 亦云："融雖累世為方伯，非土人號令不行，冼氏約束本宗，使民從禮……由是馮氏始行其政。"明黃佐之《廣州人物傳》卷2《馮融傳》亦有同樣記載。且云："融可以結人心者婚冼氏之力也。"

㉖北燕建國者馮跋，據《晉書》卷125謂小字乞直伐（胡名），《魏書》九十七則直稱為海夷馮跋，跋

之季弟為馮宏，可知馮氏亦未必為純漢人。

㉗秦漢時之梅鋗、漢初的陸賈、三國時代之虞翻南來，對學術、政治雖有貢獻，但影響不大。至唐代禪宗六祖慧能及張九齡等輩出自嶺南，其功業始超出吾粵而影響及全國。又如莫宣卿為嶺南首位狀元，如此直至宋以後，人才始輩出也。可參考《百越先賢志》、《廣州人物傳》、《廣東考古輯要》及馮炳奎之《中國文化》、王尊生之《嶺南文化與嶺南文明》。

㉘見註㉕。

㉙見《廣東通志》卷182"前事略"，但《通鑑》一六二《梁紀》則云：高州刺史蘭欽與其諸弟煽誘始興等十郡攻監衡州事歐陽頠，兩者事蹟雖不同，其互相典併，藐視法令則一。

㉚據《廣東通志》卷182"前事略"及《通鑑》卷163，將此事繫於大寶元年（550）六月事，但蕭勃為廣州刺史，《梁書·元帝紀》則繫於是年十二月。

㉛據《陳書·杜僧明傳》："高州刺史李遷仕據大皋口入灨石"，呂思勉之《兩晉南北朝史》十三章（647頁）謂大皋在江西吉安縣南，灨石在江西贛縣至萬安縣之間，如是李遷仕當時應駐守北江。再據下文，遷仕後為譙國夫人所敗，而迭失寧都，在今江西南康縣，故疑李遷仕未必是高州刺史，或僅是高州刺史銜，而非實職，猶如孫冏以西江督護兼高州刺史也。

㉜《高州府志》載夫人與陳霸先會師於灨石，是其證據，且夫人僅擊敗李遷仕而已。據《通鑑》翌年三月，陳霸先將杜僧明生擒李遷仕，可知此次戰役陳霸先為主，夫人僅從旁助之也。事見《陳書·高祖本紀》。

㉝《廣東通志》卷182"前事略"。承聖元年（552），衡州（曲江）刺史王懷明作亂，廣州刺史蕭勃討平之。二年（553），王琳為廣州刺史，副將孫瑒先行據番禺。

㉞《北史》卷90本傳："及寶卒（永定二年，即558），嶺表大亂，夫人懷集百越，數州晏然。"《隋書》本傳亦有同樣記載，惟"數州晏然"則改為"新州晏然"。按梁有新州，治今西江新興縣。但新州亦可作新成立州縣之意思。按蕭梁設之州郡，除高州外，有高要郡，其他縣治更多，故疑當時夫人之勢力範圍在西江南路一帶。

㉟見《高州府志》卷48紀事。

㊱高安縣，一在安南，一在江西盧陵，一在湘北，均不應為馮僕所至之地，疑有誤。而《北史》、《廣東通志》、《高州府志》、《茂名縣志》均刪此句。

㊲黃佐《廣州人物志》卷2、馮融："孫魂以所部八州降"。

㊳見《北史》、《隋書》本傳及《通鑑》。

㊴按《北史》、《隋書》本傳，馮盎於討平王仲宣之時，已拜高州刺史，《廣東通志》及《高州府志》之職官，亦有馮盎為高州刺史之記載，但《通鑑》則一律稱之為酋長，甚至降至貞觀七年冬，馮盎遣子智戴入朝，仍有命"南蠻酋長馮智戴詠詩"之記載。按上下文觀看，馮盎若非現職刺史，豈能馳詣京師請討潮成之獠？通鑑或以漢人立場記載，視之為土司而已。

㊵大業十二年，林士弘自稱南越王（《通鑑》引《唐高祖實錄》），其地北自九江，南及番禺皆為所有。

㊶《元和郡縣圖志》卷34載：今海南有"崖、瓊、振、儋、萬安五州"，振州即隋之臨振，疑本傳之林、振兩州即臨振而缺瓊州，因萬安州係龍朔三年始析置，故《唐書》本傳有誤。

㊷周廣《廣東考古輯要》卷39馮盎傳："高祖時降，封耿國公，奴婢至萬人，所居地二千里，子三十人，智戴最知名。"

㊸《高州府志》卷18職官，謂馮暄即馮魂，但證據不足也。

㊹馮盎之子30人正史並無智垈、智戣，據大曆十二年之高力士殘碑補上（王昶《金石萃編》卷100）。

㊺據張說贈廣州大都督馮府君神道碑補上（《文苑英華》卷913）。

㊻明天順五年李賢《大明一統志》卷81高州府山川條："特恩山在吳川縣西北五十里……上有羅州

刺史馮士歲並妻吳川郡夫人之墓”，同卷陵墓亦有同樣記載，此馮士歲或即馮士翽，至於岡州刺史則為羅州刺史之誤。《輿地紀勝》一一六古跡亦有同樣記載。

㊼據《萬姓統譜》，宋有冼積中、馮雲舉、冼一龍，明有冼用行、冼尚文、冼文淵、冼桂芳、冼桂彥、冼桂奇、冼思謙、冼嘉謨、冼照、冼明任，另廣東通志明有冼光、冼二等。

第二節　莫宣卿

一、狀元考

清屈大均云：

> 吾廣於輿圖極南……故自漢晉以來，扶輿清淑之化始毓而生人才，其卓然首魁天下者，在唐則莫公宣卿，在宋有張公鎮孫，在明有倫公文敘、林公大欽[①]。

按：張鎮孫，廣東南海人，宋度宗咸淳七年狀元，《宋史》無傳，祇南《宋書》有載；倫文敘亦南海人，明孝宗弘治十二年狀元；林大欽，潮州人，明世宗嘉靖十一年狀元。倫、林二人，正史雖亡傳，但事蹟尚可考；至莫宣卿，不單正史未載其事蹟，生卒年月莫考，甚至大魁之事亦有存疑。究其原因：廣東為我國極南省份，接受中原文化較遲，唐宋之間，尚為蠻荒謫宦之地，文化未可與北方相比，故明丘濬升國子祭酒，而毀之者竟曰：“南獠止可為教官耳”[②]。其輕視如此。故除有大功業如唐之張九齡、宋之余靖、崔與之、李昂英等正史垂名外，張鎮孫遭國亡之際，林大欽早亡，正史無事蹟可載，猶有可說。而倫文敘父子兄弟，相繼登三元，其事跡祇見於郭氏著作[③]，而正史竟不錄，未知何故。

> 屈大均之前，明之郭棐、歐大任、黃榆、黃佐、錢湖、凌迪知等之著作亦載莫宣卿及第事[④]，而黃榆之《雙槐歲鈔》卷9更強調：“吾廣狀元及第亦自宣卿始”，惟語焉而不詳。

按：明代諸儒之記載，顯然據自宋代王象之之《輿地紀勝》[⑤]，而王象之所據有二，一為白鴻儒之《莫孝肅詩集序》[⑥]，另一則為柳珪之莫狀元歸省詩[⑦]。白鴻儒為唐僖宗時封州刺史，詩集序文則作於乾符五年（878），上距莫宣卿之大魁天下（大中五年，即851）僅廿六年；而柳珪則為柳公綽之孫，與莫宣卿同年進士及第。除此以外，目前尚未有其他更直接之資料可以稽考。

> 莫宣卿大魁之年，清徐松之登科記考卷22，列於大中五年制科，所根據之資料亦是白鴻儒之序及柳珪之詩，而推之曰：按：是年設科無考，制科第一，據此亦得稱狀元。

按：《冊府元龜》、《太平御覽》、《文獻通考》、《唐會要》等[⑧]於大中五年均無舉行制科之記載，徐松之推測，未知是否由於下列證據：

《冊府元龜》卷91“赦宥”：

> “大中四年，正月，大赦天下。”
>
> “大中四年，正月，庚午，有事於圓丘（按：冬至，祀昊天於圓丘），禮畢，御丹鳳

樓,大赦。”

大赦之年,往往隨之有“恩科”,或天子表示“求才若渴”,故翌年便有“制科”之舉行。《通鑑》是年亦有大赦之記載。此外,《舊唐書》卷18下《宣宗紀》記大中五年:

敕兩京天下州府,起大中五月正月一日,已後三年內不得殺牛,如郊廟享祀,即以諸畜代。

若就《冊府元龜》所引上列史料合併觀察:大中四年既有事於圜丘,大赦,繼而禁屠三年,則隨之而舉行“恩科”或“制科”,未嘗不可能。白鴻儒及柳珪衹言莫宣卿是大中五年策試第一,但是年狀元為李郜,知貢舉為禮部侍郎韋愨,事實俱在,徐松因此推測可能是“制科”而已。不過,推測未能等於事實,而且大赦、禁屠之後,雖有可能舉行“制科”,亦未必一定舉行,故除非有更強有力的史料證明。筆者認為莫宣卿為大中五年之“制科”狀元,尚有疑問。

假若莫宣卿並非“制科”及第,則可能是“諸科”。

明黃佐之《廣東通志》卷10“選舉”,有唐一代廣東諸科及第者共二十九人。

開元前:甯原悌(欽州)、張九齡(韶州)、劉信夫(廣州)

貞元間:趙德(潮州)、姜誠(廣州)、張仲芳、張仲孚(韶州)

元和間:劉軻(韶州)、盧宗回(廣州)

長慶間:韋昌明(循州)

寶曆間:黃僚(潮州)

開成間:鄭愚(廣州)

會昌間:韋滂(廣州)

大中間:劉瞻(連州)、何鼎(廣州)、莫宣卿(封州、大中五年第一人)、黃惟堅(端州)

咸通間:楊環(廣州)

乾符間:陳萬言(封州)、邵安石(連州)、張昭遠(惠州)、鄧承勳(廣州)

光啟以後:黃匪躬(連州)、孔閏(韶州)、王國才(封州)、吳藹、張鴻(連州)、李謹微(原州)、陳國拙(連州)[9]

按:“制科”與“諸科”之分別頗微[10],大概天子若需某種人才,或有何恩典,便下詔貢舉。徐松之《登科記考》列有八十六種名稱,趙彥衛之《雲麓漫鈔》卷6則列有一百零八種,如“才堪經邦科”、“文經邦國科”、“道侔伊名科”等,制科不定期舉行。至於“諸科”,則指進士,明經以外,如“秀才”、“三禮”、“三傳”等,在初唐時,亦非定期舉行,晚唐時,幾與進士科每年同時舉行[11]。又《登科記考》卷22記大中五年:“進士二十七人,又三人,諸科二十二人。”祇林勗一人可考,既然大中五年並無“制科”,然則莫宣卿是否諸科及第,頗值得探究。

除可能是諸科及第外,尚有“續放”及“制詔”二種。

《登科記考》卷22:

“大中五年,進士二十七人,又三人,諸科二十三人。”[12]

“續放”原因,或由於“因人取捨”[13],如宇文翃之及第[14],裴思謙之取狀頭[15];或由於“試場作弊”,如會昌五年白敏中之覆考[16];大中元年,因洩漏題目,負責人一律處分,登科者全部落下[17];或由於當朝權貴子弟,考試時另外審查,故揭榜後另外續放,如楊嚴[18]。

按:莫宣卿固非權貴子弟,而大中年間,恰巧科場糾紛特多,據南部新書戊:

"大中九年,日官李景亮奏云:文昌暗,科場當有事;沈詢為禮部,其懼焉,至是三科盡覆試,宏詞趙拒等皆落,吏部裴諗除祭酒。"

莫宣卿可能是覆考時始及第,因大中五年先取錄二十七人,後"再三人",此三人中莫宣卿是否即其一?不過,覆考放榜,衹有及第,未必另有"狀頭",柳珪與莫宣卿同年及第,其贈詩時稱"狀元",顯然的是別有所指。

較為合理之推測,莫宣卿是鄉貢舉人及第,廷試第一。按唐代科舉,除由禮部考取外,各地方政府可薦舉十一人,由中央政府覆試,此即《唐國史補》卷下"外付不試而貢者,謂之拔解",嶺南各地有此權利,始於天寶十三載。據《全唐文》卷33:

"如聞嶺南州縣,近來頗習文儒,自今以後,嶺南五府管內,自身有詞藻可稱者,每至選補時,任令應諸邑鄉貢舉,仍委去使準式考試,有堪及第者,具狀聞奏,如有願赴京者,亦聽。"[19]

大概嶺南文風自然比不上中州,故准嶺南官府年送若干人至京師參加考試。當然,其取錄標準亦較低,所謂"思及遠人,以宏教化"之意,大概自武宗會昌以後,嶺南可年送十餘人。據《唐摭言》卷1"會昌五年舉格節文":

"嶺南,安南,邕容等道,所送進士不得過七人,明經不得過十人。"[20]

此種"貢舉",皆試於殿廷,又可名之"制詔舉人",據《冊府元龜》卷639"貢舉總序":

"文宗太和......又有制詔舉人......貞元皆試於殿廷,乘輿親臨之,試已糊其名,於中考之策高者,特授美官,其次與出身。"

此種"貢舉",與一般進士於禮部不同;據《唐會要》卷76"進士":

"大中元年六月,中書門下奏:貢舉人取解,直准舊例,於京兆河南府集試。"

據白鴻儒之《莫孝肅詩集序》載其大魁前後之史實如下:

"年甫七歲......時人目為神童,入郡庠,從遊於梁明甫先生......試於有司,薦於大廷,對揚清問,首魁天下,初典翰林。"

按:莫宣卿既試於有司,由地方政府送至京師,曾參加殿試,及第後即官翰林,似未參加"吏試",一切過程,與《全唐文》、《冊府元龜》及《唐會要》所述吻合。而廷試第一,故柳珪之詩題曰"莫仲節狀元"[21],而此種"制詔舉人",可能引起徐松誤為"制科",其實亦諸科之一而已。

二、事蹟考

莫宣卿事跡,最早記載於唐乾符五年封州刺史白鴻儒所作之《莫孝肅詩集序》[22],然生卒年月不詳,事跡殊簡略。茲以白氏序文為之,鉤尋史料,考據如下:

莫宣卿,字仲節,嶺南封州。

按:明郭棐《廣東通志》卷45"封州鎮":隋改成州曰封州,改梁信縣曰封川縣。大業初,以封興縣省入,尋改為州,屬蒼梧郡,治封川縣。唐復為封州,天寶初改臨封郡,乾元初後為封州。

文德鄉長樂里人。

按:今之封川縣及開建縣均有文德鄉,但溫恭之封州縣志云文德鄉,莫宣卿誕生地,長樂里不可考。

約生於憲宗元和初年。

按:莫宣卿於大中五年大魁,《唐摭言》:"三十老明經五十少進士",往往二三十舉始能及第並非奇事,且莫宣卿及第後約十七年便已病逝(見後),死時其孫已十餘齡(見後),故推知及第時約四十餘至五十間,再上溯應誕於元和初年,即(810)左右。

父曰讓仁早逝,母梁氏,因家貧,改適開建人莫及芝。

按:阮元《廣東通志》卷296謂莫宣卿母改適事為齊東野語,但未提出證據。相反,白鴻儒之序文原是應莫宣卿裔孫之請而作,直書其母改嫁之事,當然有所根據。

開建,隋時屬連州,後廢郡,唐時以其地屬封州。梁氏似是繼室,因莫及芝尚有二兒,長曰莫儔,次子莫群,均長於宣卿。莫及芝務農,略有儲蓄,且樂善好施,歲歉則出粟賑濟鄰里,對宣卿似有偏惡,可能因非己之所出,未能與兄同時就學。

按:白序"嘗遣二兄習讀,公幼在側,性迥異,聞言即悟","遣兄就讀"一句,表示是離家就學。莫宣卿既年幼,當留於家中,竟隨兄前往,所謂"年幼",可能是曲筆,兩兄出外就師,莫宣卿因是異母弟,祇能"在側侍奉,有如書僮",但天資高,聞兄讀而悟。

但性迥異,聞兄讀即悟,七歲時已嗜學,手不釋卷,時人目為神童。

按:羅學鵬之《廣東文獻》四集卷1"莫狀元詩"云:"一日與群兒戲於沙中,題詩云:我本南山鳳,豈同凡鳥群";細味此語,當時必為群兒欺侮,故作此"孤芳自賞"之詩,亦可反證,在後父家中似是落落寡歡。此句,《全唐詩》卷566亦載,謂引自《封川志》。

稍長,入群庠,從遊於梁明甫先生,其母督課甚嚴,詞章大有進步,曾築室於麒麟山下,奮志讀書。

按:麒麟山在今封川縣,郭棐《廣東通志》卷49云:山上有莫宣卿祠。據此,莫宣卿長大後,可能離開後父家中,返回封州川縣奮志讀書。

亦可能曾仕嶺南。

按:唐之貢舉常薦舉,現職吏員參加考試,《唐會要》卷76:"元和二年十二月敕:自今以後,州府所送進士,如跡涉疏狂,兼虧禮教,或曾任州府小吏,有一事不合清流者,雖薄有辭藝,並不得中送。"莫宣卿既是州郡所薦,且年齡非輕,又非富有而可專心讀書,故推測曾仕於地方政府。

後由有司薦於朝廷,大中五年,殿試。

按:《通志》卷29,唐之科舉,初由考功員政郎主持,後由禮部侍郎知貢舉,武則天時曾有殿試。但胡致堂云:武后自詭文墨,故於殿試間行員外郎之事,唯有"制舉"及"貢舉",以待非常之才,或懷柔遠人,始有殿試。且宣宗持重科舉,自稱"老儒生"(《會語林》卷2),故莫宣卿曾參加殿試。

以狀頭登第。

按:狀元及第之名正式始於宋,唐之科舉,榜首稱"狀頭",俗稱"狀元",並非全憑成績定等第，如尹樞之自放狀頭，裴思謙以仇士良關節而取狀頭等，故當時並不以狀頭為貴。

因未經"吏試"，不能授官。

按：自序："初典翰林，未服官政"，應倒置，因唐科舉及第後，需參加吏部試判（身、言、書、判），及格始能出仕為官。但翰林院為文學侍臣，與普通官吏不同，可免試判。且《冊府元龜》卷639"貢舉"：策高者特授美官。故云："初典翰林，未服官政"。

但長於詩詞。

按：莫宣卿長於詩詞，據白序：自幼以至登第，所撰詞賦詩歌，皆操筆立成，誦而詠之，不落形跡，如化工生物，不事妝點，而土氣宛然也。

故選入翰林院為校書郎或正字。

按：李肇《翰林志》：翰林院有著作郎（從五品），佐郎（從六品上），校書郎（正九品上），正字（正九品下）等官。又永瑢之《歷代職官表》卷23，玄宗置學士院兼翰林之名，皆以他官還充，侍直禁庭，不為省署，無可隸屬。又，《唐會要》卷81：凡進士、明經、甲等及第授從九品上，乙等授從九品下。再按《舊唐書》張九齡傳："擢進士，始調校書郎"；《白居易傳》："進士及第，授秘書省校書郎"；《粵大記》卷15，姜公輔："登進士第，補校書郎"，故推知莫宣卿初入翰林院必為校書郎或正字。

常與詩人們酬唱，今存僅柳琳之贈詩一首。

按：《全唐詩》卷566有柳珪"送莫仲節狀元歸省詩"：青驄聚送謫仙人，南國榮親不及君，椰子味從今日近，鷓鴣聲向舊山聞。孤猿夜叫三湘雨，匹馬時侵五嶺雲，想從故鄉應臘過，藥欄猶有異花薰。

在翰林院約有十餘年左右。

按：《全唐詩》卷566"莫宣卿"有"百官乘月早朝聽殘漏"詩一首，其中有句云："候曉車輿合，凌霜劍佩寒"，既能乘車輿入朝，當是五品以上京朝官，莫宣卿及第後只能任九品官，故需較長時候始能升至五品以上朝參官。按：《唐六典》卷2吏部尚書：凡入五品者，皆限十六考以上。即使一年一考，亦須十五六年，且莫宣卿於咸通初逝世（見下文），逝世前剛離京返鄉省親，故推知在翰林院約十五年左右。

後以母老，乞官外補以養親，於是由著作佐郎或秘書郎外調授職臺州別駕。

按：臺州在浙江省。別駕，據《唐六典》卷30，上州別駕，從四品下，中州則正五品下，下州從五品下。臺州應是中州，故知莫宣卿最高官階應為五品。如是在翰林院應已升至著作佐郎或秘書郎（五品）始外調。

咸通八年南下歸省迎母，但未至官所便病逝故鄉，享年約六十。

按：咸通九年（868），封州刺史李邦昌為莫宣卿請謚，向例：高級官吏逝世，其親屬或地方官吏可向朝廷請謚，故推知莫宣卿逝於咸通九年或前一年，若以莫宣卿四十餘及第（上文）計算，則享年六十左右。又，乾符五年（878），莫宣卿之裔孫莫立之為郡庠生，請白鴻儒為其祖父之詩集作序時，曾親敘莫宣卿之行實。然則，莫宣卿逝時，莫立之必非沖齡，始能憶其事蹟，假定當時十齡左右，則至乾符五年，約是二十餘齡，正合郡庠生之年齡。再向上溯，莫宣卿三十餘齡有孫，二十歲左右生子亦屬合理。

封州刺史李邦昌上莫宣卿事蹟於朝，於是賜謚"孝肅"，並追封為"唐正奏狀元”。

按：溫恭之《封川縣志》卷7載：咸通九年五月誥曰：“朕惟崇德報功，帝王之盛事；旌淑別慝，治道之當然。朕膺新命之始，嗣大歷服之時，聖賢忠烈，罔不加封，嶽瀆山川，咸行祭饗。惟茲莫宣卿，僻於嶺表，祀典未聞，今據封州刺史李邦昌具實啟朕，朕心歉然，敕為唐正奏狀元，謚曰孝肅。時其祭祀，別為常典，表其宅里，賜額如前，推朕賞延於世之意，蠲其本支租稅之供，原貢公家之田賦，充為廟祀之蒸嘗，凡爾有司，仰體朕意，毋飾禮貌之虛文，務盡追遠之實惠，揄揚逞哲，用獎後人。嗚呼孔子之道，周公之孝，賴以先傳，經天之學，緯地之文。咨汝後啟，尚冀精爽，贊我皇猷，汝惟欽哉，毋替朕命。”

按：所謂“孝肅”，是指行為足式而已，根本無事功、文學可傳；“正奏狀元”，詞待考，疑莫宣卿並非常舉及第，“正奏”者是“敕封”之意，亦即註[21]，王堉修《肇慶府志》卷22所說：“見封州莫宣卿狀元及第”之意。

葬於封川文德之鑼鼓岡故里。

按：黃佐《廣東通志》卷18“陵墓”，謂莫宣卿墓在開建大幕村，但溫恭之《封川縣志》卷9“塚墓”，謂莫宣卿墓在縣北百里文德鄉鑼鼓岡，碑石尚存。既有碑石，自然可信，加以白鴻儒之序文亦云葬於故里，故認為應在封川縣。

其遺跡散見於開建、封川兩縣。

按：唐時封川、開建均屬封州，莫宣卿生於封川，長於開建，故兩縣均有莫氏遺跡，且引起爭執。然揆之情理，莫宣卿在封川時間較長，在開建之遺跡，多是附會先賢而已。如

（1）金縷水：經金縷村，內有莫狀元讀書堂，黃佐《廣東通志》卷14及郭棐之《廣東通志》卷45均謂在開建縣，但王象之《輿地紀勝》卷94則謂在封州（封川）。

（2）狀元井：黃佐《廣東通志》謂在開建縣，郭棐《廣東通志》則謂在錦衣鄉（即文德鄉），屬封川縣。

（3）狀元坊：黃佐《廣東通志》謂在開建縣南門，但溫恭之《封川縣志》卷9謂在封川縣前街，明隆慶四年知縣朱成武為狀元莫宣卿建。

（4）狀元廟（祠）：黃佐《廣東通志》謂在封川縣文德鄉四十里。

（5）片玉亭：王象之《輿地紀勝》謂在封州（川），為莫宣卿讀書之所。

其遺集稱《莫考肅詩集》，為其裔孫莫立之所輯，白鴻儒作序，已佚，《全唐詩》衹收三首[23]。

1. 答問讀書居

書屋倚麒麟，不同牛馬路。床頭萬卷書，溪上五龍渡。
井汲冽寒泉，桂花香玉露。茅簷無外物，衹見青雲護。

2. 百官乘月早朝聽殘漏

建禮儼朝冠，重門耿夜闌。碧空蟾魄度[24]，清禁漏聲殘。
候曉車輿合，凌霜劍佩寒。星河猶皎皎，銀箭尚珊珊。
杳靄祥光起，霏微瑞氣攢。忻逢聖明代，長願接鵷鸞。

3. 賦得水懷珠

長川含媚色，波底孕靈珠。素魄生蘋末，圓規照水隅。
淪漣冰彩動，蕩漾瑞光鋪。迥夜星同貫，清秋岸不枯。

江妃恩在掌，海客亦忘軀。合浦當還日，恩威信已敷。

此外，尚有“及第自詠”一首[25]，見於溫汝能《粵東詩海》及羅學鵬之《廣東文獻》四集。其風格截然不似，疑是後人偽撰。莫宣卿逝世後，其鄉文風頗盛，族人莫休符亦以文顯[26]，進士仍有二人[27]。

按：吾粵於隋唐時，除廣州外，大部為蠻荒之地[28]，文化不能與中原相比。科名始自張宏雄[29]，事功始於張九齡，而大魁天下是否始於莫宣卿，尚屬疑問。誠然，唐代之科舉特重進士，以其易於顯貴，歷代史家每譏進士科衹重詩詞，不重實學[30]，然亦有不少著名詩人詞客，未能及第者[31]，故即使“狀頭”及第[32]亦未珍貴。然莫宣卿既為吾粵首位“狀頭”，或敕封（正奏）狀元，且事跡不明，故特鉤尋事蹟，推論如上，企略有俾益於廣東文獻之探究而已。

附：白鴻儒：《莫考肅公詩集序》

唐宣宗大中五年，龍集辛未，設科求賢，合天下士對策於大廷，臚傳以莫公宣卿為第一。公字仲節，廣南封州人也，所產之鄉曰文德，所居之里曰長樂。厥考諱曰讓仁，雖不仕，亦有隱德，蚤年不祿。公母梁氏，恐公孤立無倚，改適，繼父亦莫氏，諱及芝，開建籍也。公隨母往，並而為昆仲者三：長曰莫儔，次曰莫群，公年最少，乃其季也。繼父亦樂善好施，歲歉則出粟以周鄰里。嘗遣二兄習讀，公幼在側，天性迥異，聞言即悟。甫七歲，資識豁然，手不釋卷，過目輒成誦，時人目為神童。入郡庠，從遊於梁明甫先生，梁母尤嚴予內訓，試於有司，薦於大廷，對楊清問。首魁天下，初典翰林，未服官政，後以母老，具表陳情，乞官外補，以便就養。上可其奏，賜言臺州別駕，歸省迎母，未至官所而尋卒故里，葬之於文德鄉鑼鼓岡。咸通九年，封州刺史李邦昌上其事於朝，欽奉上敕為唐正奏狀元莫孝肅公，祀以廟食，表其里居曰文德，蠲其賦稅，以充蒸嘗之需，永為常典。公自幼以至登第，所撰詞賦詩歌，皆操筆立成，誦而詠之，如真金美玉，不落形跡；如化工生物，不事妝點，而生氣宛然如在也。今公族子姓，言動氣象，猶有公之遺風。雖鄉曲五尺童子，與夫田野愚夫愚婦，皆重公名，莫不喜談樂道之，凡遊於庠序者，罔不賢其賢，守其宗祀者，莫不親其親，得非狀元公神化之所感世耶。是謂也，公之嫡孫莫立之，郡之庠生也，述公行實以告，且請予為記，以垂悠久。余無似，叨治公郡，恨弗獲睹公，而徒慕公也，因以為記云。時有唐符五年，歲在甲申秋仲翌日。（《全唐文》卷816）。

註 釋

①《廣東新語》卷9“狀元條”。

②明黃佐：《廣東通志》卷61“人物”條。

③郭棐之《粵大記》及《廣東通志》有載。

④見於郭棐之《粵大記》及《廣東通志》卷48，歐大任之《百越先賢志》卷4，黃瑜之《雙槐歲鈔》卷9，黃佐之《廣東通志》卷11及卷55，錢湖之《尚友錄》及凌迪知之《萬姓統譜》之“莫姓”，彭大翼之《山堂肆考商部》卷36。

⑤《輿地紀勝》九十四“封州”有三次記載：“人物條”：莫宣卿，開建人，唐大中間狀元及第；“景物條”：金縷村及莫狀元先讀書處——片玉亭：因莫宣卿狀元登第名；“古蹟條”：莫狀元讀書堂，在金縷村。

⑥見《全唐文》卷816。

⑦見《全唐詩》568。

⑧《冊府元龜》卷639 - 卷651為"貢舉部",《太平御覽》卷628 - 卷629"貢舉部",《文獻通考》卷29及《唐會要》卷76均是"制舉部"。

⑨阮元:《廣東通志》卷66則作"進士科",且加張宏雅(韶州人,顯度間進士)、姜公輔(欽州人,大曆間進士)。劉竇(連州人,天祐間進士),另年次無考者有張紹儒、張忠(均韶州人)、李金馬(保昌人)。又同書卷63之"制舉",僅有張宏雅、張九齡、張九皋、李金馬、劉瞻、韓澄、李儒、張忠、張紹儒九人,而無莫宣卿之名。

⑩《圖書集成》選舉典88:"唐世制舉科目猥多,徒異其名爾,其實與諸科等也。"

⑪據《文獻通考》卷29:自開元廿一年至天寶元年,每年與進士科同時舉行,代定大曆以後,進士科每年一次,諸科則隔年舉行,宋元以後至唐末,又幾與進士科同時每年舉行。

⑫《文獻通考》卷26,"大中五年,進士二十七人,又三十人,諸科二十二人"。按:又三十人,多"十"字,據《唐會要》卷76:唐之進士名額,玄宗以後未有限制。

⑬《冊府元龜》卷647"貢舉條例":"武宗會昌三年正月,宰臣李德裕等奏,舊例進士未放榜前,禮部侍郎必到宰相私第,先呈及第人名,謂之呈榜,比聞多有更換,頗致流言。"

⑭《北夢瑣言》卷4:"唐進士守文翊,雖士族子,無文藻,酷愛上科,有女及笄,真國色也……時竇璠年逾耳順,不謀繼室,其兄讀議,巨有氣焰,能為人致登第翊嫁女予璠,璠為言之元昆,果有所獲。"

⑮《唐摭言》卷9:高鍇侍郎第一榜,裴恩謙以仇中尉(士良)關節取狀頭,鍇庭譴之,恩謙迴顧厲聲曰:"明年打脊取狀頭。"明年,鍇戒門下不得受書題,恩謙自懷士良,緘入貢院,既而易以紫衣,趨至階下白鍇曰:"軍容有狀,薦裴恩謙秀才。"鍇不得已,遂接之。書中與恩謙求巍峨,鍇曰:"狀元已有人,此外可副軍容意旨。"恩謙曰:"卑吏面奉軍容處分,裴秀才非狀元,請侍郎不放。"鍇俛首長久曰:"然則略要見裴學士。"恩謙曰:"卑吏便是。"恩謙詞貌堂堂,鍇見之改容,不得已逐禮之矣。

⑯《登科記考》卷22,會昌五年二月,諫議大夫、權知禮部貢舉陳商選士三十七人中第,物論以為請託,令翰林學士白敏中覆試,落張濆等七人。

⑰《唐會要》卷76"制舉":大中元年二月,吏部宏詞舉人洩漏題目,為御史臺所劾,侍郎裴稔改國子祭酒,郎中周敬復罰二月俸科,考試官刑部郎中唐扶出為虔州刺史,監察御史馮顓罰一月俸科,其登科十人並落下。

⑱《唐摭言》卷8:會昌四年,王起(知貢舉)奏五人:楊知至(刑部尚書汝士之子),源重(故相牛僧孺之甥),鄭朴(河東節度使崔元式女婿),楊嚴(監察御史發子弟),竇緘(故相易直之子),恩旨令送所試雜文付翰林重考覆續奉進,止楊嚴一人,宜與及第,源重四人落下。按:此段《唐摭言》標題"別頭及第",按:凡掌貢舉官親屬,若由本司郎官考試,事在嫌疑,故改移考功典試,侍郎覆定始於上元元年,事載於《玉海》卷115。

⑲此事黃佐《廣東通志》卷11,繫於天寶十三載,標題"敕嶺南五府貢舉",阮元《廣東通志》卷158,則繫於"銓選"。按:唐時大部屬蠻荒之地,中原人士除謫宦外,不願前往,新開闢之州郡,其官吏多由其自選,稱為"南選"(見《唐會要》卷75)。但玄宗時,准嶺南官府別薦當地士人參加考試,有一定名額。此即黃佐所謂"貢舉",阮元將兩者混為一談,有誤。

⑳《登科記考》二十二更詳記:"其所寄居及土著人,修進士明經業者,並隸名所在官學,仍委長吏於見任官及土著學行人中選一人充試官,亦委每季一試",時下距莫宣卿及第不過七年而已。

㉑光緒二年王堉之《肇慶府志》卷22"事紀":"大中五年,賜封州莫宣卿狀元及第",按語云:據自乾隆時吳繩年所修之府志,此"賜"字含正科及第之意。

㉒白鴻儒為封州刺史事,見於溫恭之《封川縣志》卷7,然《廣東通志》、《德慶府志》等職官、列傳,名均無記載。此序文則錄於《全唐文》卷816,但有關白氏事跡亦無稽考。

㉓《文苑英華》卷184、186亦收此三詩。

㉔《唐詩品彙》作"碧空蟾影度",引自《封川縣志》。

㉕"及第自詠":

筆陣纔交萬乘前,一聲雷震便昇天。榜中姓字當頭立,篋裡文章蓋世傳。

紅杏香中呈繡服,綠楊堤畔著金鞭。九衢莫怪人爭看,才子風流正少年。

㉖莫休符亦封川人,受知於鄭愚,為融州刺史,先化中權知春州,著有《桂林風土記》,然事蹟亦不詳。

㉗陳萬言,封州人。乾符二年(鄭合敬膀)進士及第,為歙州刺史,周恤民急,能折豪強,時稱能吏,晚歸隱漁村,乃刻苦作詩,人稱慕之。

王國才,封州人,乾寧三年(崔諤膀)進士及第,不仕而歸,家居清苦,供母篤孝。

陳、王二人登科見於黃佐之《廣東通志》及溫恭之《封川縣志》,惟徐松之《登科記考》則無紀錄。

㉘見拙著:《隋譙國夫人之嚮化及其事蹟質疑》一文,載《中研院史語所集刊》四十三本第二分冊。

㉙張宏雅:始興郡曲江人,張九齡之伯父,高宗顯慶四年舉明經及第,事見阮元《廣東通志》選舉表及郭棐之《粵大記》卷4"科第"。

㉚宋禮之《漢唐事箋》選舉二,引唐人劉曉曰:"國家以禮部為考試之門,考文章之甲乙,故天下驅馳乎於才藝,不務德行。"柳冕曰:"進士以詩賦取士,不先道理。"又章如愚之《群書考索後集》卷34:"李德裕論進士不根藝實,其議亦寢而不行,終唐之世,進士科雖不改,而試者猶恨其一切取文藝而略行實也。"近人陳寅恪之《唐政治史述論稿》亦謂唐科舉著重詩文取士,風氣大薄。

㉛唐語林卷2:"大中唐通以後,每歲試禮部者千餘人,其間有名聲如何植……以文章稱,溫庭筠……以詞翰顯,賈島……以律師傳,張維……以古風著,雖然皆不中科。"

㉜俞曲園之《茶香室叢鈔》卷7"唐時狀元,皆主試者所定也",竟即人情取捨,《唐摭言》及註13、14、15等均可參考。

第三節　范仲淹與余靖

一、論范余之交誼與朋黨

范仲淹與余靖,均是宋代仁宗朝大臣。兩人以言事相交,但雖相交,未必是深交。《范文正公文集》與《武溪集》中均未發現兩人來往之文字,以稽考其交情。按:在景祐慶曆年間,呂夷簡久在相位,因貶范仲淹而為清流所不滿,余靖首先為范辯護而獲罪,蔡襄因作"四賢一不肖"詩以譽之,以後當權派與清流派互指為朋黨,石介繼之作"慶曆聖德詩",遂激為洪流[①],故論景祐慶曆之黨爭,范余實為關鍵人物,范余之交應始於是時。

范仲淹為宋代名臣,有譽之為宋代第一人[②],甚至有謂千百年間蓋不一二見[③]。其學術、教育、事功以至道德、文章,早為世人所景仰及論列[④],然其初仕,卻以敢諫而顯,其重要之諫事,以編年記之如下:

大中祥符八年(1016),范仲淹進士及第為甲等九十七名,年僅二十六歲,初仕為廣德軍司總參軍[⑤]。

天聖三年(1025),為大理等丞,即上"時務書",主張革新,是日後"十事疏"思想之根源,並強調:"儻國家不思改作,因循其弊,官亂於上,風壞於下,恐非國家之福"[⑥]。

天聖七年(1029),章獻太后垂廉更上書請太后還政,忤太后意,遂先補外,尋出任河中府通判[7]。明道三年(1033),郭皇后廢,范仲淹與御史中丞孔道輔、知諫院孫祖德上書直諫,遂與時相呂夷簡意見相左,獲罪而出知睦州[8],由是譽重一時。

景祐二年(1034),郭皇后暴斃,中外疑內侍閻文應置毒,范仲淹準備死諫,以家事付長子,然後劾奏。仁宗卒聽其言,竄閻文應於嶺南[9],由是為仁宗所器重[10]。僅年餘,即召還大用。

范仲淹以忠諫,敢諫為士流所重,蔡襄譽為"四賢"之首[11],然屢諫屢貶,因言事之黜而為"三光",尤其膾炙一時[12],亦因此而為清流派領袖。

及後夏元昊興兵,出守陝西,與韓琦經略西事,譽滿西戎[13],遂擢為樞密副使。慶曆三年(1043)為參知政事,是其仕宦之最高點。

按:范仲淹一生,初期因忠諫、敢諫而名重一時,因諫而貶於外。在地方則留小吏事,延師興學,作育人才,立義莊,從事宗族救濟[14]等。晚期的貢獻有二:綏靖西北及慶曆變法。

有關西夏戰爭,史家向謂韓琦主攻,范仲淹主守。《范文正公集》中雖有攻守二策[15],但范認為可"近攻"不可"遠攻",應用"士兵防守以策萬全"[16],故反對韓琦深入進攻。但韓琦不接納,遂有"好水川"之敗,幸而范出援始穩定戰局。及後經略環慶,墾營田,築青澗大順諸城,招撫西戎[17],諸羌悅服。范仲淹並非絕對主和派[18],好水川之役後,仍有謀取橫山,復靈武之策[19]。蓋其先備守再議攻,是"務持重不急近公利"[20]的作風,與韓琦之意見略有不同。

至於"慶曆變法"學者論之更多,"十事疏"雖未能徹底推行,卻引發了王安石之革新,其實"十事疏"只是談"治體"而已[21],並未列具體的方法,與"熙寧變法"之雷厲風行大不相同。以後,范仲淹或在外郡,或據高位而非當權,已過事業顛峰。

余靖生於咸平三年(1000),較范仲淹少十一齡,亦是以敢諫而顯進,若按編年體紀事如下:

天聖二年(1024)進士及第[22],較范仲淹遲九年,且非甲等。

明道二年(1033),章獻太后逝世,范仲淹已名重一時,自陳州召還為右司諫,時余靖為秘書丞同在京師[23],范余可能有接觸機會,但二人文集均未有記載,因余靖職位較低之故。

景祐二年(1035),余靖奉詔校正《史記》、前後《漢書》三史,充集賢校理,始有聲於士林[24]。是年范仲淹權知開封府,京邑肅然稱治[25],時譽既高,不敢菲薄更以諍諫為己任,"先天下之憂而憂",上書論建都之事,又獻"百官圖",為時相呂夷簡所忌,落職知饒州。侍御史韓瀆請以朋黨牓於朝堂,戒百官越職言事,因此士流分派,范仲淹被貶離京。士大夫懼宰相,諫官御史莫敢言,余靖與范並無深交[26],但景仰范之"忠亮讜直",於是犯顏直諫,謂仁宗"三逐言者"為不當[27],結果被貶監筠州稅。

按:余靖上書於是年五月丙戌,九日後(乙未)尹洙言范仲淹嘗薦己,義兼師友,請連坐,亦貶監郢州稅。此事引起清流所不滿,而台諫啞若寒蟬。戊戌(余靖上書後十二天),歐陽修致書諫官高若訥,責其"居諫官而不能辨是非,坐視仲淹之貶,是不知人間羞恥事"。歐陽修因此降為夷陵令,館閣校勘蔡襄遂撰"四賢一不肖詩"[28]以褒貶之,時汴都人爭傳,一時間"洛陽紙貴",甚至遼國使者亦密購回國,鬻書者獲利數倍,余靖因此而獲盛名[29]。按:尹洙、歐陽修與范仲淹有深交,余靖則否。然余靖能首先為范仲淹作不平鳴,難能可貴,然因此亦牽入朋黨之爭[30]。

余靖被譽為"四賢"之一後,不幸翌年(寶元元年,1038)丁母憂,守制三年,至慶曆二年(1042)除役,為集賢校理,同判太常禮院。慶曆三年(1043)呂夷簡罷相,夏竦罷樞密使,仁宗急於求治,增諫院,以御筆親除余靖為右正言,王素、歐陽修俱為諫官,蔡襄再以詩賀之[31],後蔡襄亦除諫宮,合稱四諫[32],為慶曆中盛事,余靖因此列為慶曆名臣。

慶曆以後,余靖開展其功業,其主要貢獻有三:三次出使契丹[33],平定儂智高之亂,擊退交阯及經營嶺南。慶曆六年七月,坐讒言分司南京為將作少監,許居韶州,遂回籍隱居[34],杜門謝客,絕人事,凡六年。

皇祐元年(1049)廣源州蠻儂智高叛,始復出為湖南安撫使,兼知潭州,尋改桂州,與狄青共平亂事,為其功業之顛峰。以後雖屢次轉官,仍留於地方政府,在嶺南(廣州、桂州)時間最長,一度改知青州,充知東京東路安撫使(嘉祐四年事),治平元年(1064)自廣州朝京師,以疾逝於金陵途中。

范余二人,初仕時均以直諫、敢諫而顯達。范屢諫屢貶,"忠亮讜直",故為士流所重,余除景祐二年因范被貶而犯顏直諫後,享有盛名,以後被貶於外,主要有二次:一是因"蕃語詩"而出知吉州,一是為茹孝標所讒分司南京而歸隱家鄉,均與言事無關。《余襄公奏議》中,共有2卷66事,主要是在其任諫官時的作品[35],均非"治國平天下"之大事,故享譽不若范仲淹。何況自景祐以後,范擢為參知政事,有權力施展其理想;余靖則先遭母喪,繼而任職地方政府幾達二十年,其建樹僅在地方,不若范仲淹在學術、教育上有全國性、永久性的貢獻。然二人卻同牽入"朋黨"之是非中。

按:宋初優待文人,宋太祖立三大誓碑:"不殺士大夫及上書言事人"[36]。同時,為鞏固君權,特俾台諫以重責[37]。隨時彈劾執政,許以風聞奏事,為"天子耳目"[38]。奏事可上邀君寵(對上),又可取譽於一時(對下),動輒與宰執對抗,故有議"宰相但奉行台諫之風旨而已"之譏[39]。為臺諫者進擢尤速[40],往往成為拜相之跳板,當時士大夫曾有"仕宦當作御史"之感嘆[41],是以放言無忌,遂成朋黨。

宋代言事官為取譽於時與上邀君寵,故對當權派攻擊不遺餘力,甚至犯顏直諫,而當權者為固權保身,對言事者亦多藉勢加以貶斥,兩者勢同水火。寶元元年冬十月,仁宗下詔戒"朋黨",表面上謂:"今中外臣僚屢有稱薦范仲淹者事涉朋黨,宜戒諭之",事實上"太平日久,仕進之人,競於趨附,多依托權要,以希進用,又臺諫言事瑣細,不根治體,多挾怨報仇,以宮良士"[42]。余靖雖因忠諫、直諫列為"四賢"、"四諫"之一,但未算是范仲淹之"黨"[43]。按:慶曆四年,范仲淹與歐陽修均有"朋黨"之論[44],蓋當時反對范仲淹之當權派,適為"黨論"根據蔡襄所頌諸人為"黨"[45],余靖既為范仲淹作不平之鳴,自然被當權派視為"范黨"之一。何況,余靖為諫官時,曾與歐陽修上書謂范仲淹有宰輔之才[46],范遂拜參知政事,故范余二人的文集中雖未有來往文字可參,然有事跡可尋,蓋士大夫無私交,而更可顯出余靖風骨稜稜,具不趨炎附勢之美德。

二、論慶曆四年范余對遼夏外交之不同對策

對西夏戰爭中,韓琦與范仲淹是主角,韓主速戰速決,一舉而殲滅敵方的主力,范仲

淹則持堅壁清野，營田屯兵以固守，使西夏糧盡力竭，自然求和。結果韓琦分五路進兵，寶元元年遂有"好水川"之敗[47]，宋一度擬詔諭唃廝囉出擊西夏而未果[48]，因宋之敗而引起遼之野心，藉口宋興師伐夏，事前不通知遼國，遂要求割關南之地。富弼前往交涉，堅持不允割地[49]，只允歲增銀絹二十萬，但附帶條件要求遼逼"西夏納款"，否則僅予銀絹十萬而已！時西夏因長期戰爭及宋停止與其貿易，引起國內經濟困難，故答應議和，但稱"男"而不稱"臣"，於是引起宋大臣之懷疑西夏之求和誠意，因而爭論，陶晉生曾有文詳細分析[50]。

西夏對宋有野心，對遼亦非絕對臣服，宋若處置不善，易陷於兩面為敵，范仲淹曾與西夏作戰，余靖曾三次出使遼國，深知內情，故對遼夏之外交，持有不同的意見。

慶曆三年正月，西夏擬稱男向宋求和，范仲淹認為元昊既不肯稱臣，焉有誠意求和，主張拒和[51]，蓋恐西夏與遼合謀，或別有居心。果然，是年七月，夏使至遼，要求出師伐宋[52]，是時遼已有謀西夏之野心。十月，余靖首次出使遼回國，已洞悉與西夏之關係惡劣，遼無力屈服西夏，議和之權在我，因知遼未敢動也[53]，與范仲淹意見不同；另一方面，元昊上書中稱"吾祖"，有低貶仁宗輩分，又言九州十三縣是其故土，余靖認為侮玩朝廷，力斥朝臣為求息戰而"僶俛曲從"為不當[54]。

慶曆四年，遼伐夏，因西夏侵擾邊境之黨項部，於是遼使以"元昊負中國，當誅"為藉口，希望宋拒絕對西夏稱臣求和之議。余靖曾有"論敵人求索不宜輕許"，"論契丹請絕元昊進貢"二疏[55]，並分析遼之所謂有四，即借邊兵、借邊粟、假數年之物、絕元昊之和；其中影響較大者乃"絕元昊之和"，因元昊以前堅持不稱臣今已放棄，假若絕之，固失信於西夏，且遼狡猾，徇敵（遼）而絕西戎（西夏），亦有兵禍。納西戎而違北敵，亦有兵禍。此乃當日宋臣爭論不決之關鍵，但余靖主張"遜詞以謝北敵，緩詞以疑西戎"[56]。余靖深知遼與西夏之矛盾，西夏在經濟上之困境，所以當是年九月元昊上誓書之時，即強調"使元昊得以專力東向與契丹爭鋒，二敵兵連不解，此最中國之利"[57]，朝廷卒納其議，十二月冊封元昊為夏國王，同月，遼主親征西夏失敗。終元昊之世，西夏為防遼，不再侵宋，為余靖建策之功。

余靖對遼夏的外交，較范仲淹為深入，主要原因有二：（一）自"四賢一不肖詩"在遼傳誦後，余靖在遼已享盛名，一切交涉較為容易。（二）余靖使遼時，曾從其國的館伴使副學習胡語，詢其風習，並撰成《契丹官儀》一卷[58]，又曾作"蕃語詩"，取得遼人之信任[59]，然亦因此，翌年為侍御史劉元瑜所劾，出知吉州。劉子健認為"北宋君臣怕契丹，猜忌臣下，一以鞏固君權為重，寧可讓有辦外交能力的人員不通外語，不能直接通曉外國情形，不能使外交更有成就"[60]，惟余靖既通遼語，懂遼的政制，與遼臣無隔閡，毋互相猜忌，盡得其國內的虛實，故其建議實較范仲淹為深入。

三、論范余對狄青的不同評價

狄青生於大中祥符元年（1008），比范仲淹少十九年，比余靖晚八載。狄以行伍出身，年三十始以散直為延州指揮使[61]，時范已為清流派領袖，余亦被頌為"四賢"之一，均為狄青的長輩。康定元年（1040）范為西師，狄青隸其部下，屢立戰功，范甚器重之，嘗授以《左氏春秋》,謂為將不可不知書,狄青始折節讀書[62]。狄對韓琦執禮甚恭,入其家必拜於廟廷之下[63]。惟是在慶曆四年,因營水洛城之事,范余二人意見不盡同,繼而對狄青亦有不同的評價。

慶曆三年(1043)冬,德順軍(今甘肅寧靜縣附近)來獻地,其寨主劉滬謂可於其地建城,召募蕃兵三、五萬及弓箭手以禦西夏,且其地肥沃,有銀銅礦產,又為通蕃的咽喉,早年曹瑋守秦州曾有此議而未行,時四路經略安撫使鄭戩然其議,並遣其僚董士廉將兵助之,但鄭去韓琦繼任,認為城在蕃界中,害多利少,於是下令罷建。但劉滬及董士廉堅持己見。時知渭州尹洙、涇原副都部署狄青亦附和罷建,狄青召劉滬、董士廉不至,即逮捕二人欲以軍法斬之,朝廷派魚詢周前往查勘,於是引起"營水洛城"之爭論[64]。范仲淹、余靖、孫甫、歐陽修等人均提出意見,所有意見多重視"人事"問題,較少着重於水洛城在國防上的關鍵。

范仲淹認為水洛城應停建,劉、董二人不應違抗狄青的命令,惟劉滬是邊將,深得蕃漢軍擁戴,不宜深究,狄青亦名將,行軍之際可以權宜行事,建議將劉、董二人拘禁,待魚詢周查勘後再行定奪,顯然對狄青有所偏坦。按:劉滬在蕃漢中頗有信譽,且其築城於國家有利,事前又得上級(鄭戩)同意,若繩之於法,恐邊境有變;另一方面自西夏入侵以來,武將捍禦功勞最大,且軍人最重軍紀,狄青是難得的將才,若抑狄青,恐將士離心,是以兩難(孫甫所言)。歐陽修指出劉、狄不和有"五不便",余靖則認為狄青僅以"一召不至即舉兵擒之"[65],上貽國憂。因此建議:若築新城有利,則應繼續營建,且留劉滬守城,招撫蕃部,並責令狄青、尹洙,今後從事不可如此倉卒,朝廷若以劉狄既有私隙,不欲同在一路,則寧移青等不可移滬,顯然與范仲淹的意見不同。

孫甫對此事只陳述處置狄青與劉、董二人,均有利弊,未提解決辦法。歐陽修謂處置任何一方有"三利三害",於是提出"權宜"辦法,一方面密諭狄青,謂滬等奉命行事,不可以軍法從事,另一方面又諭滬等,謂違大將命令,自是有罪,但以城水洛有功,故使青赦爾罪,以後立功贖罪。這方法似乎有兩面討好之意,但仍贊成營水洛城,主張寧移尹洙不可移滬,至狄青之職守則不動,"不可因小將而動大將,今若但移洙而不動狄青,即不是特移大將矣"[66],當時之難是西夏軍興以來,對軍人難免姑息,有所袒護。范仲淹、歐陽修便是代表此派意見,但余靖一方面維護傳統的"重文輕武"政策,一方面就現實方面認為蕃人既內附,不宜令其失望,故不滿狄青之所為。

水洛城事件之解決辦法,是採取歐陽修之建議,先移尹洙知慶州,尋移晉州,而狄青則兼知渭州,兼管軍民。余靖因此上書謂"青不可獨當一面",謂"青為剛悍之夫,行伍出身,專使統一路軍馬,未能服眾。雖狄青是長於軍事,應專守涇源,若涇源不守,則西夏可直圖關中,狄青雖知渭州,但仍兼部署,若出援涇源,則渭州空虛,易為敵所圖。狄青本應有過,當行責降,今朝廷惜邊將事體,令其兼任實為不智"[67],其輕視狄青,是慮其有勇無謀,不可獨當一面。

仁宗向聞狄青為討西夏時之勇將[68],未識其面;遂令以圖形進之,印象甚佳,後遂擢為樞密副使。皇祐四年(1052),廣源蠻儂智高叛亂,破邕州,進圍廣州。時余靖因父喪守制石鄉。是年六月,起余靖於喪次,任為湖南安撫使,知潭州,尋改桂州,命經制廣南東西路盜賊,以防儂智高北竄。七月,狄青自請率兵擊儂智高,時有謂狄青武人,不應付以專責,惟宰相龐籍力薦,狄青遂於七月出兵。皇祐五年正月,狄青與孫沔、余靖會師於桂越邊境之崑崙關,大破儂智高。當時,余靖之部將陳曙恐狄青獨立功,違律出征,為狄青所斬,余靖則以曙是文人,不應負軍旅之責[69]。按:討儂智高之師,狄青為主將,余靖雖為長輩,當日只是協助,並無主屬之分,狄青按軍法斬違律之陳曙,余靖雖不滿,亦無可奈何。狄青北還後,余靖仍留於嶺南善後,曾遣勇士入特摩道(越境)擒智高之母及弟,亂事遂告弭平。

按:余靖之對狄青,全是受傳統的"重文輕武"的心理所影響,當狄青自請討儂智高時,諫官韓絳言青武人不足專任,請以侍從文臣副之。及亂事平,仁宗欲命狄青為樞密使,但當時力薦青專責討賊之宰相龐籍卻反對,認為狄青之功不及曹彬,於國體不宜為"使相"。余靖之對狄青非有偏見,狄青歿後,余靖為其撰"墓誌銘"[70],敘青之功業頗為中肯,斬陳曙之事亦照書不遺,異常客觀。

四、結語

北宋士風甚盛,議論特多,士大夫爭相言事以求仕進,范余二人均以言諫而見知於時,因而顯達,進而建功立業。范之成就是多方面的[71],影響較余為大,余靖除忠諫外,被譽為嶺南第二人——前有張九齡,後有余靖"兩賢相望,三百年間"[72]。而且余靖晚年在嶺南幾二十年,建樹在地方,盛名不及范仲淹。范較余先顯達,范余間並無特殊關係,景祐間余為范抱不平鳴,全是知識份子對長輩景仰之行為。及余為諫官,曾力薦范有宰輔才,但兩人似僅神交而已。按:宋代台諫官與宰執不相往來,故范余兩人文集中未有文字來往,及後余在嶺南幾二十年,范不久亦逝世,故范余雖同是仁宗朝名臣,但兩人之間,僅在景祐慶曆間有數事可加比較,無法在其文集中找尋其交往與情誼。若按歐陽修"朋黨論"之意見,余與范是"朋"而非"黨"而已!

註 釋

①拙文論《"慶曆聖德詩"與"慶曆之治"》(載《政治大學歷史學報》第六期)。

②呂中《大事記》卷10"本朝人物,以范仲淹為第一。觀其所學,必以忠孝為本;其所志,則先天下之憂而憂,後天下之樂而樂;其有所為,必盡其中"。

③《元遺山集》卷38:"在布衣為名士,在州縣為能吏,在邊境為名將,在朝廷則為孔子所謂大臣者,求之千百年間蓋不一二見"。

④可參考王德毅《呂夷簡與范仲淹》(載於王著《宋史研究論集》第二輯,鼎文書局出版)及陳榮照《范仲淹研究》(1987年香港三聯書店出版)。

⑤據樓鑰《范文正公年譜》(四明叢書刊本),以後簡稱《年譜》。

⑥《范文正公集》(四部叢刊本)卷7。

⑦見《續資治通鑑長編》天聖七年十一月癸亥條,及《年譜》與"范文正公神道碑",載於《歐陽永叔集》(國學基本叢書刊本),以後簡稱"神道碑"。

⑧見《年譜》。

⑨同註8。

⑩石介"慶曆聖德詩"仿仁宗口吻譽范仲淹曰:"汝時小臣,名言業業。為予司諫,還予門闑"。

⑪"四賢"首列范仲淹,次為余靖、尹洙及歐陽修,"四賢"詩見《蔡忠惠集》(四庫全書刊本),其事可參考拙文《慶曆聖德詩與慶曆之治》。

⑫邵伯溫《邵氏聞見》前錄。僧文瑩《續湘山野錄》(學津討原本)云:"范文正公以言事凡三黜,初為校理,忤章獻旨貶倅河中,僚友餞於都門曰:'此行極先'。後為司諫,因廢郭後,率諫官御史伏閤爭之不勝,貶睦州,僚友又餞於亭曰:'此行極光'。後為天章閣待制,知開封府,撰'百官圖'進呈,丞相怒,奏曰:'宰相者所以器百官,今仲淹盡自掄擢,安用宰相,臣等乞罷',仁宗怒,范職貶饒州。時賓客又餞於郊曰:'此行極光',范曰:'仲淹前後三光矣。此後諸公更送,只乞一上牢可也'"。

⑬羌人呼為"龍圖老子",夏人稱之為"小范老子"(見王闢之《澠水燕談錄》邊上民謠:"軍中有一韓,西賊聞之心骨寒,軍中有一范,西賊聞之驚破膽")(朱熹《五朝名臣言行錄》卷7)。

⑭如知饒州、潤州、越州均曾興學,在蘇州、置田四十餘頃作義莊,又創立郡學,延胡瑗任教,以經義,時務並重。及為參知政事,乃下令諸州廣設學校,至吏治方面,如修泰州捍海堰,治蘇州水患,推行荒政。在陝西,延用胡瑗,田況為勾當公事,歐陽修、張方平為安撫司掌書記,擢拔狄青於行伍等,可參考王德毅及陳榮照二氏之著作,見註4。

⑮《范文正公集》卷5有"議攻"、"議守"兩策。"議攻"篇著言"臣謂進攻未利則又何攻"。"議守"篇則謂"臣觀西戎居絕漠之外,長河之北,倚遠而險,未易可取",知在"攻"與"守"之中,仍以守為上策。又,程應鏐《范仲淹新傳》(上海人民出版社1986年刊)十三節可予參考。

⑯王稱《東部事略》(文海出版社刊本)卷59上"范仲淹":

"攻有利害,守有安危。何則?攻其遠則害必至,攻其近則利亦隨之,守以土兵則安。守以東兵則危,臣所謂攻宜取其近,而兵勢不危,守宜圖其久(按:士兵兼營田熟地形,可作久守之計),而民力不匱(若用東兵則需營運,民力因矣),招納之策可行於其間"。

⑰見"范文正公神道碑"。

⑱慶曆三年正月,范仲淹有"論元昊請和不可許有三"(《范文正公集補編》,四庫全書本)。

⑲《年譜》慶曆三年條,《東都事略》卷59上,及"神道碑"。

⑳"神道碑"。

㉑"十事疏"見於《范文正公集》的"奏議上",提出:

屬吏治者有:明黜陟,抑僥倖,精貢舉,擇官長,均公田。

屬富國強兵者有:厚農桑,修武備,減傜役。

屬法治者有:覃恩信,重命令。

但均未有具體辦法,且僅一年,范仲淹奉命巡視陝西,故新政未徹底推行。

㉒《余襄公年譜》(余國屏編纂,香港龍門書局出版)"天聖二年甲子,公二十五歲,舉進士及第,與翁源梅鼎臣、韶州王式、王陶、黃仲通等同登宋郊榜"。按:是年主考官為劉筠,進士及第共二百人。

㉓《余襄公年譜》是年引蔡襄送公之筠州詩有云:"三年待詔處宗邑"之句。

㉔見"余襄公墓誌銘"(蔡襄之《端明集》)及"余襄公神道碑",歐陽修之《歐陽文粹》卷18(四庫全書本)。

㉕《年譜》:時都下歌謠曰:"朝廷無憂有范君,京師無事有希文"。

㉖蔡襄的"四賢一不肖詩"中詠"余安道"(靖)有云:"希文鯁道素少與",可知當時范余來往非密。

㉗此一奉章為余靖仕途一大關鍵,亦為范余二人間之最早紀錄,原文載於《余襄公奏議》及《余襄公年譜》。《奏議》中有若干缺字,《年譜》均曾改正,茲用《年譜》文:

"公上書言:范仲淹秉樸忠之心,懷直諒之節,不識忌諱,有可矜憫,觀其臨事不苟,言必忤上,竭忠奉國,夫豈私其身哉!去歲自貶所召居待問之職,爾時正人端士,酌酒相賀,喜陛下納善思賢,招徠忠讜,真聖帝明王聰明之政也。今茲遂聞以言獲罪,左降僻遠,事出不意,驚動耳目,何其進之太暴而退之太速乎?仲淹若以官政闕失,自取罪戾,國有常典,誰敢議之?今以議刺大臣,指許時政,而不少含怒,重加譴謫,臣深為陛下不取也。昔堯舜之帝,商周之王,嘗云諤諤以昌,不聞誹謗為罪。況仲淹前所言,在陛下母子夫婦之間犯顔逆耳，最所大者，以其言合典禮，尚加優奬，正人端士所以相賀者，以陛下屈情徇道起越前在若是者也。今因進對之際，言大臣前短，縱令謀論褒貶過當，斷在陛下聽與不聽耳，安可與讒邪同罪乎？至如汲黯在廷，以平津為多詐；張昭論將，以魯肅為粗疏，漢帝吳王熟聞晢毁，兩用無猜，豈損全德？臣今越職而言者，非不知百官内外各有職分，諫官御史畏罪而不言，遂恐庶人之議，未得上達，故敢不避誅放。臣之所言，亦非營救仲淹，何則？仲淹自大理寺丞四五年間，至吏部員外郎，比於常流，此乃踰涯之寵，今雖落職，實於仲淹之身，未有所損，但所論者國家大體耳！古之斥其直臣，皆玷累盛德，故多含羞忍怒以示容納，非不能快意行事，蓋惜古之名耳！陛下自專政以來，三逐言事者矣。若以習以為常，不甚重惜，則恐書於卷冊，虧玷太平之治，箝天下之口，塞陛下之聰，在此舉矣，可不慎乎！臣披瀝肝膽，冀陛下察之。伏望陛下以舜察邇言為念，以漢招直諫為謀，常以壅塞是憂，不以誹謗加罪，追改前命，無重過舉，則天下幸甚"。

㉘按："四賢一不肖詩"詠余靖（安道）曰（載於《蔡忠惠集》）：

南方之強君子居，卓然安道襟韻孤。
詞科制等屢得儁，呀然鼓焰天地爐。
三年待詔處京邑，斗粟不足榮妻孥。
耳聞心慮朝家事，螭頭比奏帝日都。
校書計課當序進，麗賦集仙來顯塗。
誥墨未乾尋已奪，不奪不為君子儒。
前日希文坐言事，手提敕教東南趨。
希文鯁亮素少與，失勢誰復能相扶。
嶄然安道生頭角，氣虹萬丈横天衢。
臣靖胸中有屈語，舉嗌不避蕭斧誅。
使臣仲淹在庭列，日獻陛下之嘉謨。
刺史榮官雖重寄，奈何一郡卷不舒。
言非由位固當罪，隨漕扁舟晝室俱。
炎陬此去數千里，橐中狼籍惟蠹書。
高冠長佩從闕下，千百其群訶爾愚。
吾知萬世更萬世，凜凜英風激懦夫。

㉙郭棐《粵大記》（日本藏書）卷17"部院風獻"余靖……落職監筠州酒税，尹洙、歐陽修亦以仲淹故相繼貶逐，靖繇是益知名。

㉚"四賢一不肖詩"是清流派士人對當權者（呂夷簡）之不滿而激於義憤之作品，范仲淹之鯁直，屢諫屢貶，為清流派士人奉為領袖，呂中《大事記》卷10記："仲淹以忤夷簡放逐數年，士大夫持二人曲直，交指為朋黨"。

㉛司馬光《涑水紀聞》（叢書集成初編本）卷4："慶曆初，永叔（歐陽修）、安道（余靖）、王素俱除諫官、君謨（蔡襄）以詩賀曰：

御筆新除三諫官，喧然朝野競相歡，
當日流落丹心在，自古忠良得路難，
必有謨獻裨帝力，直須風采動朝端，
世間萬事俱塵土，留取功名久遠看"。

㉜見於王曾《筆錄》及朱熹的《五朝名臣言行錄》卷7。

㉝慶曆三年十月丁未，余靖代張溫之為賀契丹國母正旦使，翌年七月戊戌第二次出使為回謝契丹使，慶曆五年正月庚辰，第三次出使契丹為回謝使（均具《續通鑑長編》）。

㉞《通鑑長編》卷159，慶曆六年七月丙甲條：

"初，靖為諫官，嘗劾太常博士茹孝標不孝，匿母喪坐廢。靖既失勢（指坐為蕃語詩而出知吉州事），孝標遂言靖少遊廣州，犯法受榜，靖遂求去"。

㉟據《余襄公奏議》2卷，每一卷均有三十三事，若分年言之：

景祐元年凡二事（時為秘書丞）

二年凡一事（時校訂三史成為集賢校理）

三年凡一事（是年以"論范仲淹不當以言獲罪"一疏而貶監筠州酒稅）

四年凡一事（是年監泰州稅，曾上"李照所定樂"一疏疑是三年之事，恐奏議有誤）

慶曆二年凡二事（是年服除為集賢校理，同判太常禮院）

三年凡十九事（是年余靖為諫官所論之事有人事、邊政、經濟、刑法）

四年凡三十九事（是年仍為諫官，既為蔡襄、石介所譽，政所言亦最多）

五年凡五事（是年仍為諫官）。

若以分類言，論夏元昊、蠻事、禮樂、狄青各有六疏。論楊畋、災異各三疏，校正兩《漢書》兩疏，其餘論人事（范仲淹、文彥博、夏竦、王舉正）、經濟、佛教、內政、封駁等各一疏。

㊱陸游《避暑漫抄》。

㊲《宋史》卷434，"呂祖謙傳"："臣下權太重，懼其不能無私，則有給舍以出維焉，有臺諫以救正焉"。

㊳《宋史》卷281，"吳表臣傳"："臺諫為天子耳目，所以防雍蔽，杜姦邪"。因此，可直接上奏天子，宰執為之畏懼。

㊴蘇軾上"萬言書"予神宗云："自建隆以來，未嘗罪一言者，縱有薄賞，旋即超昇，許以風聞，而無君長，風采所繫，不問尊卑，言及乘輿則天子改容，事關廊廟則宰相待罪，議者譏宰相但奉行臺諫風旨而已"，《東坡集》卷14。

㊵《宋史》卷285，"劉沆傳"："自慶曆以後，臺諫官用事，朝廷命令之出，事無當否悉論之，必勝而後已，專務抉人陰私莫辨之事，以中傷士大夫，執政畏其言，進擢尤速"。

㊶陸游《老學庵筆記》："賈公望嘗謂：仕宦當作御史排斥姦邪，否則，當作將帥攻討羌戎，餘不足為也"。

㊷《續通鑑長編》卷122，寶元元年冬十月丙寅條引《政要》。

㊸《歐陽永叔集》奏議上："論杜衍、范仲淹等罷政狀"條："杜衍、韓琦、范仲淹、富弼、皆是陛下委任之臣，一旦罷黜，天下皆知其可用之賢，而不聞其可罷之罪"，並未言及余靖。

㊹范仲淹舉例："好戰者自為黨，怯戰者亦自為黨，在朝廷，邪正之黨亦然，惟聖心所察耳"。《通鑑長編》卷148，慶曆四年四月，但《范文正公集》未錄。又，歐陽修則云："惟小人無朋，小人以利同暫相黨而為朋，君子則不然，守道義、忠信、名節，始終如一"（《居士集》一"朋黨論"）。

㊺徐自明之《宋宰輔編年錄》卷5，謂歐陽修撰"朋黨論"後，於是為"黨論"者（指當權派）惡修，摘語其情狀，致使內侍藍元振上疏言：范仲淹、歐陽修、尹洙、余靖，前日蔡襄謂之"四賢"，斥去未幾，復還京師，"四賢得時，遂引蔡襄以為同列，....今一人私黨止作十數，合五六人，門下黨羽已無慮五六十人，遞相提攜，不過三二年，滿佈要路，則誤朝迷國，誰敢有言"。

㊻《宋宰輔編年錄》卷5記慶曆三年七月："余靖與歐陽修、蔡襄上言，范仲淹有宰輔才，不宜局在兵府（指范時任樞密副使），遂以范仲淹參知政事"。

㊼好水川之敗，元昊躊躇滿志，據周煇《清波雜誌》卷2："好水川之敗，元昊更加狂妄，使人作詩投於宋境曰：夏竦何曾勇，韓琦未足奇，滿川龍虎輩（指宋兵屍體），猶自說兵機"。

㊽據彭百川之《太平治蹟統類》（成文出版社）卷7"康定元昊擾邊"及卷8"仁宗經略西夏"條。

㊾富弼對曰："南朝皇帝嘗言：朕為人子孫，豈敢以祖宗地予人？昔澶淵白刃相向，章聖（真宗）尚不予昭關南，豈今日可割地乎？且北朝欲得十縣，不過利其賦稅耳，今以金帛代之，亦可助資國用"。

㊿陶晉生之《余靖與宋遼夏外交》載於《食貨》復刊1卷10期。

(51)范仲淹認為西夏受遼之所逼，非出自誠意，提出“有不可許者三，大可防者三”，原文載於《續通鑑長編》慶曆三年二月乙卯，但《范文正公奏議》未有記載。

(52)張亮采之《補遼使交聘表》（1958中華書局出版）。

(53)《余襄公奏議》卷上“論元昊請和當令權在我”條：“昨梁適使胡之時，國主面對行人，遣使西邁，意氣自若，自言指呼之間，便令元昊依舊稱臣，今來賊昊不肯稱臣，則是北朝之威，不能使西羌屈伏，彼自喪氣，豈能來責，故臣謂，今之不和，則吾雖西鄙受敵，而北朝未敢動也”。

(54)《余襄公奏議》卷上“論西賊侮玩朝廷”條。

(55)《余襄公奏議》卷上繫於八月，但《通鑑長編》卻繫於七月癸未條。

(56)《余襄公奏議》卷下：“論契丹請絕元昊進貢事”，並參考陶晉生之“余靖與宋遼夏外交”一文。

(57)《余襄公奏議》卷下“論元昊所上誓書”條。

(58)“契丹官儀”：附於《武溪集》卷18。

(59)據劉攽的《中山詩話》載：余靖兩使契丹（按應是三次），虜情益親，余作胡語詩，國士曰：卿能道，我為卿飲，靖答曰：

夜筵設罷（一作邏侈、盛也）臣拜洗（受賜也）

兩朝厥荷（通好也）情斡勒（厚重也）

微臣稚魯（拜舞也）祝若統（福祐也）

聖壽鐵擺（嵩高也）俱可忒（無極也）

國主大笑，遂為酹觴，按《宋史》著稱“蕃詩”即此事。

(60)劉子健之《討論北宋大臣通契丹語問題》（載《大陸雜誌》卷28，期12）。

(61)據“狄武襄公神道碑銘”（載王珪《華陽集》卷47）：

“寶元初，公自散直為延州指揮使”。按寶元僅二年，故推時約三十歲。

(62)據“狄武襄公神道碑銘”及“狄武襄公墓誌銘拜序”（載於余靖《武溪集》卷19）。

(63)《五朝名臣言行錄》卷八之二，狄武襄。

(64)《太平治蹟統類》卷10“劉滬城水洛”條。

(65)《余襄公奏議》卷下：“論狄青與劉滬爭水洛城事”（慶曆四年四月丙申上）及“再論狄青與劉滬爭水洛城事”（四月丙辰上）。

(66)《歐陽永叔集》奏議第九，“論水洛城宜乞保全劉滬等劄子”及“再論水洛城乞保全劉滬等劄子”。

(67)《余襄公奏議》卷下，先後有四篇“論狄青不可獨當一面”（均於慶曆四年六月癸卯上）。

(68)狄青討西夏時，帶銅面具，被髮出入行陣，凡八中矢，每戰身先士卒（《五朝名臣言行錄》卷八之二，狄武襄）。

(69)是次戰役，孫沔、余靖率軍自桂州、賓州來會狄青，據《通鑑長編》卷174，皇祐五年正月丁未條：

“狄青戒諸將毋得妄與賊鬥，靜待命令，陳曙恐青獨有功，乘青未至，以步卒八千出擊，潰於崑崙關，其下殿直袁用等皆遁。青至，將用等三十二人斬之，沔靖相顧失色，靖嘗迫曙出戰，因離席拜曰：曙失律，亦靖節制之罪，青曰：舍人文臣，軍旅之責，非所任也。諸將皆股栗”。

(70)“狄武襄公神道碑”及“狄武襄公墓誌銘”。

(71)見註4，又范余二人均曾薦舉李覯，按：范薦胡瑗、李覯可充學官（《范文正公文集》卷下“薦舉”），余靖則乞予李覯特予召試，以備出仕（《余襄公奏議》卷下）。

(72)見歐陽修“余襄公神道碑”。

第四節　郭棐

甲、事蹟考

《廣東通志》之撰寫，始於嘉靖五年（1526）戴璟之《廣東通志初稿》。璟，《明史》無傳。《粵大記》卷9，"綏撫鴻勛"始為之立傳，之後，清代《廣東通志》即襲用此傳，並謂該書"其文麗，其事核，而一方文獻大備"。該書目前僅大陸有二存本（北京、武漢，另廣州有藍印本），在美國芝加哥大學則有顯微菲林壹套。其次則為嘉靖四十年（1561）黃佐之《廣東通志》。黃佐，字泰泉，明史列於"文苑傳"，《明儒學案》則列於諸儒學案。1977年香港大東書局曾重刊該書，故流傳頗廣。第三套則為郭棐之《廣東通志》，刻於萬曆三十年（1602），海內外現存五套，其中四套在日本，一套存在上海圖書館①。

郭棐，字篤周，號夢菊，《明史》無傳，1976年哥倫比亞大學刊印之明人傳記（Dictionary of Ming Biography）②亦無記載。最早之記載乃是萬曆三十七年（1609）之《南海縣志》③，繼而過庭式之本朝分省人物考，有"郭棐傳"，全沿用《南海縣志》之原文。及至清代金光祖、郝玉麟之《廣東通志》，列傳中記載之郭棐事蹟，均本《南海縣志》，而阮元撰《廣東通志》，稍為變更，簡其事略，且附於其父"郭大治"傳內。

郭棐之籍貫有南海、番禺二說，《南海縣志》謂是南海人，以後諸志均沿用此說，但郭棐自承是番禺人④。《古今圖書集成·氏族典》謂其父郭大治為番禺人，粵台徵雅則解釋為本籍南海，先世番禺⑤。而嘉靖四十一年進士登錄則書："貫廣東廣州府南海縣，軍籍番禺縣人"⑥。按番禺與南海同城而治，容易混淆，郭棐既自署番禺，則應以隸於番禺較為合理。

郭棐之生平，本傳未載，據嘉靖四十一年會試登科記錄載：是年三十四歲，如是上溯應誕於嘉靖八年（1529）。又"本傳"載：萬曆乙未（1595）致仕，居十年卒。如是則卒於萬曆乙巳（1605），享年七十七歲。

《圖書集成·氏族典》（卷533。第三七九冊，頁78上），有"郭大治"及"郭棐"傳，前者是番禺人，後者是南海人，未言有父子關係。至阮元撰之《廣東通志》卷279傳郭大治，始以其子棐及椝附之。按：郭大治曾為浙新城令，王學曾序《粵大記》云："郭勳卿語余云：異時新城先大夫，嘗志茲事"。郭棐之《粵大記》自序亦云：先大夫素有志於百粵典故，爰以命棐"。又，楊瑞雲撰"郭大治傳"（收於《粵大記》卷20，循良懋績）謂有子棐及椝，阮元據此而為大治作傳，而以郭棐、郭椝附之。考棐之功名與學術均遠超其父，故附於父傳中，似有未妥⑦。

郭大治雖於嘉靖辛卯十年（1531）領鄉荐，然始終未曾登進士科，但觀《粵大記》其本傳："幼有孝行⑧被譽為孔門曾閔之儔，初仕為萍鄉教諭，譽為"江右學式"，終以骨鯁而忤時相嚴嵩，故宦場不得意，後以其子故，累封贈為中大夫，右參政"。棐在此家庭教育薰陶下，有乃父之風。尤是師事湛甘泉，受其心性之學所影響，立身處事，必存大節；穆宗即位，傳封七夫人，時棐中進士不外五年，職禮部主事，立刻封還詔書，犯顏直諫，認為母儀未定，不應先封姬妾，又忤時相高拱，遂外遷為四川、湖北地方官。權相張居正當國時，棐數過江陵（張居正家鄉），不投一刺。又不懼權貴，梁山署印某，仗鷩生員，撫台力護之，棐執法不赦，為當道所不滿，故在外郡幾三十年。萬曆十一年（1583）一度返京，時相申時行、余有丁，皆棐同年，"雅欲推轂，而棐每見輒進規諷"，由是失歡，不能留京，直至萬曆廿三年（1595），纔以光祿寺正卿致仕。

郭棐仕宦凡三十餘年，除嘉靖四十一年及第，在京授戶部主事，尋改禮部外，隆慶元年（1567）遂外調四川夔州知府、晉湖廣道屯田副使、攝蘄州道。萬曆五年，改授四川提學使。萬曆十一年返京，未能補缺，仍外調除廣西右江（兵備）副使，旋升湖北參政。秩滿轉山東憲使，未幾，升雲南右布政。直至萬曆廿三年退休，又十年卒。

郭棐三十餘年仕宦生涯，主要是在四川、湖北、廣西、山東、雲南五省，均有"政績"，尤其在教育文化上貢獻最大。如在四川為夔州知府時，教人務農，創立仰高、夔龍二書院，親自教導，以培育人才。及晉陞為提學使時，选拔嚴格，如學士范醇敬等，皆出其門下。又總纂《四川總志》。在湖北為屯田副使，兼攝蘄州道，曾糶穀萬石，繕修武陵、龍陽、沅江等邑堤六千餘丈。又曾單身入賊巢，得其首惡以正罪之，可見其智勇。為廣西右江（兵備）副使時，猺人時出為患，棐一面征剿，一面修四州（柳、象、慶、賓）州學，化猺為齊民，又助纂右江大志、賓州志等。在山東為按察司使，值倭寇為患，棐親自策劃防守之，故棐對海防深有研究，及後其著作中，此類資料特詳。最後，為雲南布政使，滇池苦瘠，且時正苦師旅、苦貢金，棐至，退緬寇之入侵，請罷貢金二千兩，以為民請命，故其所仕宦之地，多以"宦績"傳之⑨。

郭棐之著作，主要有《粵大記》、《嶺海名勝記》、《廣東通志》、《四川總志》、《夢菊全集》、《齊楚滇蜀諸稿》（見《南海縣志》本傳），及《右江大志》（郭棐有序，見於香港珠海書院出版之廣東文徵卷42）、《酉陽正俎》（同上）、《賓州志》（寬予之粵大記與粵小記，載藝林叢錄三編）、炎徼瑣言（康熙雲南府志卷11、官師、郭棐）等，其中以方志的著作最多而貢獻最大。

按：郭棐年表。

郭棐，字篤周，號夢菊，粵之番禺人。父大治，曾為萍鄉教諭及新城知縣。

按：楊瑞雲撰郭大治傳。

郭大治，字思道，別號粵白，番禺人。少警敏，稱聖童，一言動，必稟諸道。時甘泉先生倡道東南，游其門，大奇之，謂得君晚。早年父被誣購請室，號哭臬庭三日夕，臬大夫與語，出其父。辛卯舉於鄉，再會試，語人曰："為人子可遲遲一第，置若親祿養哉"。諭萍鄉，迎父就祿，日課程諸生，周其窶，警其惰，萍鄉士以此知學。御史大夫張岳標其學行於全省，曰江右學式。竟以不逢迎分宜相，七年不調。父喪，哀毀絕凡幾，徒跣三千里，扶櫬歸葬，祭一式古，復除虞城，庠士貌祀之。轉浙新城令，職冰檗，務撫字。有兄弟訟田，開諭數言，相讓而退。鄰盜扳新良甿百烈甚力，保全數十家。貯糗糧，餉軍旅，境內賴不擾，新人士謂二百年未有此仁廉父母。鄰有蓋大魁第者，市材新，蒼頭憑藉無忌，給直什不二三，儕其尤篤者於憲，津要阿承功責焉，拂衣翩翩，不可留矣。歸而甘貧力學，有古柴桒（桑）風。與先人為四十年交，嘗聞二老談，毋自嘆曰："誓於人，誓於天，誓於心，少有歉於心，即自欺其心"。厥惇節勵行，一準諸，隨處體認天理宗旨。歿而祀萍鄉名宦，廣州鄉賢，厥在孔門，非曾閲其儒與。長子棐,登壬戌榜,累封公禮員外中大夫右參政;次槃,舉辛酉官州郡,貳有聲云。南海楊瑞雲撰。

嘉靖八年(1529)四月二十誕於番禺縣。

按:嘉靖四十一年《登科錄》載:曾祖瑜、祖正、父大治。時祖及父均存,棐是年三十四,故推之應誕於嘉靖七年,父大治時正遊於湛甘泉先生門下。

九年(1530),二歲。

十年(1531),三歲,是年,大治公舉於鄉。

十一年(1532),四歲,大治公會試,不第。

十二年(1533),五歲。

十三年(1534),六歲,大治公出為萍鄉教諭,迎父(郭正)就祿,棐可能隨祖父前往萍鄉。

按:《明會要》卷48,"銓選":推官,知縣由舉人貢生選。大治公既會試不第,遂以舉人而出仕。

十四年(1535),七歲。

十五年(1536),八歲。

十六年(1537),九歲。

十七年(1538),十歲。

十八年(1539),十一歲。

十九年(1540),十二歲。

二十年(1541),十三歲。

二十一年(1542),十四歲,大治公以忤時相嚴嵩,七年不調[10],是年大治丁父(正)憂,扶櫬歸廣東守喪,棐亦回廣東。

二十二年(1543),十五歲。

二十三年(1544),十六歲。

二十四年(1545),十七歲,大治服除,出為虞城令,轉浙新城令,任期未詳,是時棐可能留於廣東,師事湛甘泉,時甘泉已九十[11],同時入儒學(地方學)肄業。

二十五年(1546),十八歲。

二十六年(1547),十九歲,參加鄉試,獲中第六十三名舉人。

二十七年(1548),二十歲。

二十八年(1549),二十一歲。

二十九年(1550),二十二歲,是年湛甘泉卒,棐可能師事甘泉約六年之久。

三十年(1551),二十三歲。

三十一年(1552),二十四歲。

三十二年(1553),二十五歲。

按:郭棐於廿八年鄉試舉人,至十四年後始廷試及第。其中廿九年,三十二年均有會試,可能其中丁父憂,守喪三年(大治傳未言卒年,郭棐出仕後亦有丁父憂之記載),另一次可能落第。

三十三年(1554),二十六歲,入國子監肄業。

考:明之國子監有京師(北京)、南京之分,凡會試落第舉人,官員子弟均可入學,國子學有升堂積分等法,監分率性、修道、誠心、正義、崇志、廣義六堂、凡通四書未通經的,舍正義、崇志、廣義諸堂,肄業一年半以上,文理條暢的改升修道、誠心二堂。又肄業一年半,兼通經史,文理俱優者,乃升入率性堂,始行積分法,一年內績分高者,給予出身,否則繼續肄業,故起碼肄業需五年。又邱濬的《大學衍義補》曾謂:"比年入學,中年考校,必至七年而小成,九年而大成"[12]。郭棐於嘉靖四十一年以國子生而經會試,廷試而及第,上溯應在嘉靖三十二或三十三年入國子監肄業。

三十四年(1555),二十七歲。

三十五年(1556),二十八歲。

三十六年(1557),二十九歲。

三十七年(1558),三十歲。

三十八年(1559),三十一歲。

三十九年(1560),三十二歲。

四十年(1561),三十三歲,弟棨亦中鄉試舉人。

按:阮元之《廣東通志》卷279郭棨(附於郭大治傳),謂棨,嘉靖四十年辛酉舉人,倅岳州,岳枕洞庭,萑苻曠莽,棨畫防江十策,置兵艦,嚴哨捕,地方賴以無警。

四十一年(1562),三十四歲,參加會試,登第二十四名,繼而參加廷試,中二甲第五十九名,賜進士出身[13],授職戶部主事。

四十二年(1563),三十五歲,戶部主事。

四十三年(1564),三十六歲,戶部主事。

四十四年(1565),三十七歲,改授禮部主事。

按:《南海縣志》"本傳":"尋改禮部主事",但未言明時間,按明代官員,三年一任,故推測是年改任禮部主事。

四十五年(1566),三十八歲,是年十二月十四日,世宗崩,二十六日穆宗即位,改翌年為隆慶。

隆慶元年(1567),三十九歲。

按:《南海縣志》"本傳",穆宗即位次日,即傳封七夫人,御禮出,棐力爭,訥還詔書[14]。

考:《據明實》錄:嘉靖四十五年辛丑庚子日(十四)世宗崩,壬子(廿六日)穆宗即位,翌日應是癸丑(廿七日)即傳封七夫人,實不合情理,故郭棐抗疏上書。又實錄載隆慶元年正月戊辰(十二日),禮部請立皇后、太子,時棐為禮部主事。疑郭棐之上書,即在正月十二之前,上年十二月廿六日之後。正月壬申(十六日),禮部進冊立皇后儀注,二月(癸卯)九日(乙未)冊妃陳氏為皇后。

是年春,忤時相高拱,遂出為夔州知府[15]。

按:《明史》卷110 宰輔表:高拱於是年五月罷相,故《南海縣志》"本傳"謂:忤輔臣高拱而出為夔州知府,則應是五月前之事。離京前曾疏陳十事[16]。

二年(1568),四十歲。

三年(1569),四十一歲。

四年（1570），四十二歲。

五年（1571），四十三歲。

按：郭棐任夔州知府六年（兩任），頗有政績。"本傳"稱：夔地巖瘠，棐務課農、養士，為根本計，作仰高、夔龍二書院，選諸郡邑之俊，躬董教之。兩校蜀闈，所得皆知名之士。

六年（1572），四十四歲，任夔州知府。

萬曆元年（1573），四十五歲，晉湖廣屯田副使，兼攝蘄州道。

按：孫仲炘的《湖北通志》卷113，職官，郭棐，但書萬曆朝在任，任期無考。不過南海縣志"本傳"謂萬曆丁丑（五年即1577）改四川提學，而兩任夔州知府，故知其任官湖北應在萬曆元年。

二年（1574），四十六歲。

三年（1575），四十七歲。

四年（1576），四十八歲。

按：孫仲炘的《湖北通志》卷119，宦績謂：（棐）官湖廣屯田副使，有土賊數千為亂，制府欲督兵討之，棐願往開諭，得首惡，正其罪，餘釋解散。

考：據吳廷燮的《明督撫年表》（廿五史補編），萬曆三年至五年湖廣巡撫為陳瑞。

按：是時張居正為首輔，張為湖北江陵人，"本傳"載："棐來往興國界中，數經江陵之家，不投一刺"。

考：郭棐自承與張居正意見不合。郭棐有致"劉晉川方伯書"，曾謂："不佞生平意見最與太岳（居正）相左"之語[17]。

五年（1577），四十九歲。

按："本傳"載：丁丑（萬曆五年）始改四川提學使。

考："郭棐與劉晉川方伯書"曾云：丁丑理楚屯鹾時，太岳（張居正）曾以瞿某事囑轉辯復，不佞曰：縣官業已罷斥，舉人決難復留，太岳嘿銜之。可知是年春夏間仍留在湖北，其改任四川提學使，必在春或夏以後。

六年（1578），五十歲，任四川提學使。

七年（1579），五十一歲，任四川提學使。

按：是年總校四川總志，郭棐有序，謂萬曆七載，檄敘州府同知魏樸如，成都府推官游朴，文學董良遂、彭師古、楊秉鉞等修之……四川總志共分30卷[18]。

八年（1580），五十二歲，任四川提學使。

九年（1581），五十三歲，任四川提學使。

十年（1582），五十四歲，任四川提學使。

按：郭棐任四川提學使凡五載，其在任時曾反對張居正之新政。"本傳"載：時當國者嚴功，督行汰士法。棐守正不阿，掄選公明，居前茅著范醇敬輩，登鄉會榜幾三百人，皆屈指豫定，前此所未有也。

考："郭棐與劉晉川方伯書"云："及視蜀學，於太岳所行新法，一不肯徇是，以不沙汰生員，不裁抑正貢，不拆毀書院，不變賣學田，此四事蜀中士大夫，人人能言"。

按：此外，在蜀開始撰寫粵大記。

考：袁昌祚之"粵大記序"謂："郭勳卿語余云：異時新城先大夫嘗志茲事，謂通志

（廣東通志）作於宮詹黃太史（佐）有年矣，欲補近事，而緒正其浮濫，因銓次留笥中，以草示蜀諸生，未就也"[19]。所謂"以草示蜀諸生"，可知當任四川提學使時，已開始撰寫粵大記。

按：是年，以得罪四川巡撫孫光祐而去職。

考："郭棐與劉晉川方伯書"謂："試保寧諸生，以比馭回輪為問，大意謂人不能孝親，出則何以能忠於君？又刻程表，不佞有序，大意謂表學當祖孔明出師，可為忠訓，李密陳情，可為孝訓。是時不過任其措詞，非有意觸太岳，而自招罪咎沾虛名也，不謂某撫台（孫光祐）遂密揭於太岳，逾年而策之命下矣"。

按：《南海縣志》"本傳"又載，郭棐之得罪巡撫孫光祐，因杖斃生員李夢祥一案[20]，大概兩者均有關係。

十一年（1583），五十五歲，抵京，將補銓，時相國申時行、余有丁，皆棐同年，雅欲推轂[21]，而棐每見輒引規諷，由是失二相意。

考："區大倫致郭督學書"："辛卯（十九年，有誤，因十九年三月，申時行去職，余有丁亦不在位，郭棐亦非由楚入京），繇楚參藩入賀，二相（申、余）延接特殷，將殊用之。一日吳縣（申時行）語次問先生求規戒語，先生曰：願公遠去中貴人，則相業光矣。申相嘿然。先生守道類若此，即不獲炳用於朝[22]。結果，僅除廣西右江（兵備）副使。

十一年（1583），五十五歲，為廣西右江副使。

十二年（1584），五十六歲，為廣西右江副使。

十三年（1585），五十七歲，為廣西右江副使。是年，纂修右江大志完成。

按：廣西右江，轄柳、象、賓、慶四州府，全是猺獞等少數民族居住之地。棐自纂賓志，而繼校其他三志。據郭棐《右江大志·序》：甲申（十二年）春，璽書備兵其地，視政之暇，訪諸耆舊，旁加蒐輯……自秋徂春，武事告竣，越夏，而賓志成。先是慶遠王君文炳撰慶志，象郡人御史呂景蒙葺柳志，某又總括其大且要借為右江大志，凡10卷[23]。

十四年（1586），五十八歲，為廣西右江副使。

十五年（1587），五十九歲，為廣西右江副使。

按：郭棐任廣西右江副使五載，"本傳"：任內（前期）曾平象洛容等亂。據《右江大志》序："自秋（萬曆甲申）徂春（萬曆乙酉），武事告竣"；可知平亂之事當在萬曆十二年至十三年之間，後又修柳慶賓象四學。

十六年（1588），六十歲，陞湖北參政。是年撰酉陽正俎，今不存。

考：《廣東文徵》卷41有郭棐酉陽正俎自序一首，謂因讀段成式（柯古）之酉陽雜俎有所更正而作。序云："戊子歲（十六年）來分司湖北，得其書（按即段成式之酉陽雜俎）讀焉，博物炫奇，足資談塵，亦語林所膾炙者，惟謂之雜，其於道無當云……予因是有考焉，按菁華於囊帙，鑽葩藻於元林，述往古之傳聞，補郡乘之闕略，彙次之為十篇，平易而非怪也，核實而非瑣也，言正而經不離也。此非臆說也，因翻柯古（段成式別字）之意，而以'正俎'名焉"。

十七年（1589），六十一歲。

十八年（1590），六十二歲。

按：郭棐再臨湖北，在任三年。據《南海縣志》"本傳"謂其政績是"積穀萬石以賑，繕武陵、龍陽、沅江等邑堤六十餘丈，又計擒苗夷楊廣和等，一方獲安”。

十九年（1591），六十三歲，在湖北秩滿遷山東憲使。

二十年（1592），六十四歲，為山東憲使。

按：《南海縣志》“本傳”，郭棐在山東僅年餘，即升雲南右布政。其在山東的政績，主要是防倭[24]。

二十一年（1593），六十五歲，為雲南右布政廉行堂事。

二十二年（1594），六十六歲，為雲南右布政使。

按：郭棐在雲南三年，曾為民解除疾苦[25]。

二十三年（1595），六十七歲，是年大計[26]，以“罹人言”，遂乞休，詔晉光祿正卿致仕。是年，其弟槃卒[27]。

考：是年宰相為趙志臯、張位，均為申時行所荐，郭棐既為申時行所不滿，且個性剛直，不容於人。所謂“罹人言”，疑是宰相抑而已。

按：是年《粵大記》刊行。

考：王學曾於萬曆廿四年序嶺海名勝記曾云：余同鄉夢菊郭公刻《粵大記》32卷，傳於世矣。可知《粵大記》必於萬曆廿四年之前刊行。又，郭棐之《粵大記》自序亦云：制府如岡陳公……直指望海劉公……士民賴有寧宇。棐得欒田里，操鉛槧，勒成茲編；如岡陳公是陳蕖，萬曆廿一至廿五年任兩廣總督。而郭棐是時“欒田里”，意指致仕之年，故推知《粵大記》之刊行應在是年。粵大記共分32卷[28]。又《粵大記》有兩種版本，分存日本及國內[29]。

二十四年（1596），六十八歲，刊《嶺海名勝記》。

按：《嶺海名勝記》有王學曾及楊瑞雲兩序，均撰於萬曆丙申（廿四年），共20卷[30]。

二十五年（1597），六十九歲。

二十六年（1598），七十歲，是年總督陳大科禮聘郭棐總纂《廣東通志》。

二十七年（1599），七十一歲。

二十八年（1600），七十二歲。

二十九年（1601），七十三歲。

三十年（1602），七十四歲，是年《廣東通志》付梓。

按：《廣東通志》之倡修雖始於廿六年總督陳大科，但陳去職而停頓，直至戴燿接任（廿七年）於九月始開局，助之者為王學曾、袁昌祚及諸生[31]。但翌年為大比之期，諸生告假，工作停頓，至廿九年加促進行，始於秋間脫稿，三十年付梓[32]。

三十一年（1603），七十五歲。

三十二年（1604），七十六歲。

三十三年（1605），七十七歲。是年逝世。

按：郭棐晚年，除從事著作外，並與袁昌祚等十六人結社浮邱，互相酬唱[33]。《南海縣志》所載之“郭棐傳”，撰於王學曾，語多溢美而無實質[34]，其實郭棐不外一剛直之士，不懼權貴，其忤高拱、張居正，不敢呵護申時行與余有丁，故終身仕宦止於外藩，其政績祇於興學，選拔人才為主，最大貢獻卻為修志。其三大巨著，可比美於章實齋，而於廣東史事之纂輯，貢獻更大，以後當續論之[35]。

乙、著作考

一、郭棐傳注釋

廣東著名方志學家郭棐（1529—1605），《明史》無傳。1967年美國哥倫比亞大學所刊之明人傳記Dictionary of Ming Biography [35]亦無記載。最早之記載乃是萬曆三十七年（1609）王學曾纂修之《南海縣志》初為郭氏立傳。稍後，過庭訓之《本朝分省人物考》[37]卷210郭棐傳，全引自《南海縣志》故言郭棐事蹟，當以《南海縣志》之郭棐傳（以後稱本傳）最為重要[38]。

筆者曾撰《郭棐事跡鉤尋》一文，補充郭棐傳所未言之史實[39]。今即以本傳為主，用《郭棐事跡鉤尋》一文為之注釋如下：

明萬曆己酉（1609）本《南海縣志》卷11，人物列傳郭棐傳[40]：

"郭棐，字篤周[41]。弱冠由儒士領嘉靖已酉鄉薦[42]。師事湛若水[43]，與聞心性之旨。壬戌（1562）成進士[44]，授職戶部主事，尋改禮部[45]。會穆宗即位，次日傳封七夫人，御札出，棐力諍，納還，曰：方今先帝廟號未尊，中宮母儀未正，而遽有此舉，何以示天下？事得寢[46]。輔臣高拱，以專擅為時指摘，間語棐曰：人言相度可操舟，如太橫何？棐應聲曰：儻其橫不能操，更願相公廓度矣。拱滋不悅[47]。棐遂以祖母年耄，請歸養。因疏陳十事，如設史局之官，錄於謙之後，進薛瑄、陳獻章，從祀孔廟[48]，皆納棐議。獨以數忤當路[49]，出為夔州知府，夔土巖脊，棐務課農養士為根本計，作仰高、夔龍二書院，選諸郡邑俊，躬董教之，又兩校蜀闈，所得皆知名士。晉湖廣屯田副使，攝蘄州道，有柯賊數千為梗，督府陳瑞[50]欲題殄，棐戒勿輕動，願以身往，果得首惡正罪。來往興國界中，數經江陵之家[51]，不投一刺。萬曆丁丑，始改四川提學。時當國者方嚴功利，行汰士法。棐守正不阿，掄選公明[52]，居前茅者，學士范醇敬輩，登鄉會榜幾三百人，皆屈指豫定，前此所未有也。梁山署印某通判，杖斃生員李夢祥，撫臺力護之。棐按法執治，不少貸，因而得罪去官[53]。癸未抵京，將補銓，相國申時行、余有丁，皆棐同年[54]，雅欲推轂，而棐每見，輒進規諷，由是失二相意[55]，僅除廣西右江副使。至則首平象州、洛容等亂；修柳、慶、賓、象四學[56]。旋升湖北參政，糴穀萬石以賑；繕武陵、龍陽、元江等邑隄六千餘丈；又計擒苗夷楊廣利等，一方獲安。秩滿轉山東憲使[57]，值倭奴窺邊，棐計劃防守，全齊晏然。未幾，升雲南右布政，攝行堂事。滇人方苦師旅、苦貢金，棐為平丁苴、戢緬寇，疏罷增金二千兩，以救疲民，為閣部所抑，不得奏。乙未大計，罹人言[58]，棐遂乞休，詔晉光祿正卿致仕，居十年卒。棐忠孝天植，處父母兄弟，自小至老毫無間言，孜孜公家，夙夜匪懈。其與人，外柔內剛，榮辱生死不為所動[59]。初擬鼎甲後，擬內擢，皆為權相所擠。邅迴三十餘年，官止外藩，家業無所增益。至於建祠恤族，或用急助義，則傾貲為之。他如建塔濬濠，防夷罷稅，凡關桑梓利害，力贊當塗舉行，卒為粵賴。性尤絕聲色，惟喜講學談文，每手一編，寒暑丙夜不輟，戶外乞諸滿意而去,竟無受謝,屬纊之日,惓惓以國恩未報為恨。其子陽齡藉手親友,始克成喪云。著述傳世者,有《粵大記》[60]、《嶺海名勝記》[61]、廣東、四川通志[62]、《夢菊全集》、《齊楚滇蜀諸稿》[63]、《夔州傳志》、夔記。士林宗之。"

二、郭棐的方志著作

郭棐的著作,據記載,有:《四川通志》(1580)[64],《右江大志》(1585)[65]、《酉陽正俎》(1588)[66]、《粵大記》(1595)[67]、《嶺海名勝記》(1596)[68]、《炎檄瑣言》(1593－94)、《廣東通志》(1602)[69]、《夢菊全集》、《齊楚滇蜀諸稿》等[70]。其中除《酉陽正俎》、《夢菊全集》及《齊楚滇蜀諸稿》外,均是有關方志的著作,現分敘如下:

1.《四川通志》。明代的《四川通志》曾三修:(1)正德戊寅(1518)本。(2)嘉靖辛丑(1541)本,修撰者題名有王文正(編修)、楊慎(修撰)、楊明(編修),而校正者為玉壘山人盩厔王元正。(3)萬曆己卯(1579)本,修撰者題名有劉庠(布政使)、胡定(按察使)、郭棐與楊節(俱為提學副使)。

今存於日本上野圖書館之萬曆甲辰(1604)本,雖仍題為郭棐所撰,其實應是郭棐的修訂本,因修撰者題名已是陳大道(左布政)、鄧思啟、朱燮元(俱右布政)、周著、文立縉(俱按察使)、陳采、孫好古、沈朝燁、潘潤民(均右參政)、楊邦農(參政)、杜應芳、胡應詒(俱提學副使)。

《廣東文徵》卷41,郭棐有《四川通志》序一篇,載是書有卷30,《明史》卷九十七作36卷,其排序是(1)沿革、(2)分野、(3)形勢、(4)述城、(5)戶口、(6)田賦、(7)國紀、(8)藩封、(9)風俗、(10)山水、(11)物產、(12)公署、(13)學校、(14)宮室、(15)關梁、(16)祠廟、(17)陵墓、(18)古蹟、(19)職官、(20)名宦、(21)流寓、(22)科第、(23)人物、(24)隱逸、(25)孝義、(26)烈女、(27)仙釋、(28)經略、(29)雜記、(30)文苑。而現存之日本上野圖書館之《四川通志》,其序目已不同,如:(1)省志,凡4卷內分建置、沿革、分野、形勢、城廓、戶口、田賦、先代帝紀、先代后妃、秩官、蜀省名臣。(2)郡縣志16卷(卷5－20)。(3)經略志6卷(卷21－26)。(4)事紀4卷。

故嚴格來說,今所流傳之《四川通志》,非郭棐之原著。縱使是郭氏原稿,亦是郭氏監修,而非撰修[71]。惟《四川通志》是郭氏首部方志學著作,從其序目中可看出其三十個細目,均是"地方"為主,全面(貌)地表達一地之"史"與"地",能上繼宋代之《吳郡圖經記》及《吳郡記》,而從"地理"蛻變成"方志"了,當然《四川通志》仍未是郭棐的代表著作。

2.《右江大志》現亦不存,衹知由《賓州志》、《慶州志》、《柳州志》所合纂而成。據郭棐的《右江大志》自序,內共分10卷[72]:(1)輿圖、(2)沿革、(3)秩官、(4)名宦、(5)選舉、(6)獻徵、(7)兵防、(8)經略、(9)奏議、(10)藝文。

按《右江大志》並非郡縣志,而是類似李來章之連陽八排風土志,是一特殊區域之"志書"。是書之"右江",非河流名,而是明代之行政區域"右江道",包括慶遠府、柳州府及賓陽縣一帶,其地羈縻州府頗多。郭棐居西江兵備副使,故是書言兵防、言經略、言奏議,均與兵事有關。故其序云:"先民謂:西土十年不征,地將無民,斯詳於兵,因切膚之談,非類杞之憂也”。因此是書之缺官署、賦稅、人口等,與普通“方志”有異,蓋體裁不同耳。

3. 廣東的三大志書,按郭棐的著作中,《粵大記》、《嶺海名勝記》、《廣東通志》是研究廣東地方史的三部重要著作,現分述如下:

(1)《粵大記》

郭棐的方志著作中,以《粵大記》用功最深,任四川提學副使時已有草稿,直至刊刻成書,歷時幾二十載[73]。是書現存僅二套,一藏於日本內閣文庫[74];另一套藏於國家圖書館。其中日本內閣本缺卷1、26、27、28,4卷及卷35的一部;國家圖書館除卷1外則有此3卷,可以補足。另外,廣東中山大學圖書館有一套藍印本,似是由國家圖書館影印而來。

《粵大記》分32卷,共五大類:

(a)“事紀類”共3卷:卷1應是“釋名”;卷2是明以前的紀事,計有武周開粵、尉陀稱藩、漢將平南、盧循寇廣、蕭勃據粵、黃巢僭亂、宋師南伐、狄青討叛;卷3是明代紀事,有廖永忠平粵、黃蕭養亂廣、山箐聚嘯、海島澄波。

(b)“科第類”只2卷:卷4為唐至元的進士科。卷5為明的進士科。

(c)“宦績類”共8卷:子、卷6為性學淵源。由唐韓愈開始,而至明代黃琮等性學名家而兼政治家。丑、卷7忠貞正氣,由漢之終軍起,共有三十傳。寅、卷8勛勷駿勣,由漢之陸賈起,共五十一傳。卯、卷9綏撫鴻勛,由晉之陶侃起,共六十九傳。辰、卷10清白流風,由漢之費貽起,共六十一傳。巳、卷11至12循良芳躅,由漢之錫光起,共一百六十六傳。午、卷13詞客珠華,由漢之劉熙起三十四傳。

(d)“獻徵類”共13卷,內分:子、卷14理學正傳,由唐趙德起共二十四傳。丑、卷15精忠大節,由晉之冼勁起共三十九傳。寅、卷16相垣勳業,由漢之高固起共九傳。卯、卷17部院風憲,由唐之張九皋起共三十六傳。辰、卷18藩監宣勞,由宋許由起共三十五傳。巳、卷19清涼高蹤,由漢唐珍起共八十一傳。午、卷20循良茂績,由漢鄧宓起共一〇四傳。未、卷21孝廉懿德,由漢羅威起共五十三傳。申、卷22行誼芳標,由漢張重起共四十一傳。酉、卷23文學經倫,由漢陳元起共六十傳。戌、卷24詞華黻藻,由唐盧宗回起共六十二傳。亥、卷25巖泉隱德,由晉姚成甫起共二十九傳。

(e)“政事類”共7卷:卷26為嶺海武功,由秦梅鋗起共二十三傳。卷27至28為政事,內分兵職、軍制、軍器、弓兵等。卷29為水利。卷30為屯田。卷31為鹽法。卷32為海防。

按:32卷的《粵大記》,以人物為主,輔以紀事;以歷史為主,輔以地理。其重要貢獻有:

A. 言廣東人物的資料最為豐富,計是書敘廣東人物的傳記有574人,與廣東有關的人物傳記有411人。在黃佐的《廣東人物志》及歐大任的《百越先賢傳》中所未載的人物,在《粵大記》中都有記載,而後代廣東方志家,敘前朝人物,大都引自《粵大記》。如清阮元之《廣東通志》的宦績中,引自《粵大記》者,計(若全引,或幾全引,有注釋;否則是部份引用而已)唐代一人[75],宋代廿九人[76],元代無,明代三十八人[77]。另阮元之《廣東通志》卷268—305的“列傳”中,引自《粵大記》亦不少(若全引或幾全引,有注釋,否則是部份引用而已):廣州府有九十一人[78],韶州府有二人[79],惠州府有五人[80],潮州府有十四人[81],肇慶府有二人[82],高州府有一人[83],雷州府有一人[84],瓊州府有四人[85],羅定州有一人[86],南雄州有一人[87]。

很明顯的，許多不見於正史的廣東人物，《粵大記》均有記載，而其記載，相當詳盡。因阮元之修《廣東通志》，均是部分或全部引用此書，故《粵大記》不單是研究廣東最豐富的史料，亦是最有價值的方志之一。

B.《粵大記》除敘事外，兼有評論，效法資治通鑑之“臣光曰”，史記之“太史公曰”。每一類目之後，必有“外史氏棐曰”，然其評論，似乎“考證多於史論”。如“武周開粵”，指出舊史“楚吳起帥師伐越，此乃會稽之越，非今之粵省”；“南交之境，孛見紫微，初無於五嶺星聚東井，又何係於百粵乎?”至於粵省多少數民族散居山嶺，卷3之事紀，遂有“山箐聚嘯”一節，然其分析少數民族之為亂原因，治亂之關鍵，卻遠不及丘濬[88]。

C.《粵大記》卷32政事，敘倭寇與安南為患廣東之紀事，最末附廣東沿海圖，最為有價值。按：圖經是方志的來源之一，古圖經多已失傳，明代有關廣東的輿圖，主要有1403年之《永樂大典》[89]、1542年姚虞的《嶺海輿圖》[90]、1553年應檟之《蒼梧總督軍門志》[91]、1558年的黃佐《廣東通志》[92]、1562年胡宗憲的《籌海圖編》與鄭若曾的《鄭開陽雜著》[93]，最後便是《粵大記》的海防圖。《粵大記》的海防圖（原名廣東沿海圖），比之《蒼梧總督軍門志》遲四十年，顯然《粵大記》的海防圖，曾受《蒼梧總督軍門志》所影響。但郭棐是南海縣人，所以廣州府的海防，由北津寨至碣石寨（即由陽江向東而至惠州），《粵大記》較為詳細[94]。《粵大記》的海防圖有下列數特點：(I)除營寨外，地名特多，為《蒼梧總督軍門志》及《籌海圖編》所不及。(II)與《蒼梧總督軍門志》一樣，每一港口書明：可避颱風，或容巨舟。(III)《粵大記》的海防圖與《永樂大典》、《嶺海輿圖》、《廣東通志》等不同，並無官署位置。與《籌海圖編》一樣，純粹是海防圖。

總括言之，《粵大記》上繼唐宋時代，合史地為一的方志學著作，其敘廣東的資料特別豐富。資料豐富，可窺知郭棐之史學；至於史論，則未見特出。故《粵大記》自稱“嶺海郭棐篤周甫編”而已，不敢云“撰”，正是此道理。

(2)《嶺海名勝記》

《嶺海名勝記》共分20卷（《明史》九十七誤作16卷），記廣州附近名勝十一處[95]，北江名勝三處[96]，西江名勝二處[97]，東江、韓江名勝三處[98]，海南名勝一處[99]。是書記名勝，首先敘其古蹟及考證，次附其詩文，其中尤多書院、廟宇之金石碑刻，今多已不傳，殊為珍貴。是書之體例，首先為：

A. 名勝古蹟：如“粵大記”有光孝寺，敘其歷史，以前稱虞園（虞翻之園），至宋紹興廿二年始稱光孝寺。又有考證，如光塔在懷聖寺內，亦即桯史所謂“海獠”所居之地。所有名勝古蹟中，間中附圖，圖有地圖如卷1之廣州省會圖、卷19有崖山地圖；有像如卷7有文溪公像（李昂英）二幅，卷14有六祖像，卷19有楊太后、文丞相（天祥）、張太傅（世傑）等像；或有風景圖，如卷16七星岩圖，卷25之五指峰、文筆峰、金雞嶺、馬鞍崗、橋頭溪等；有位置圖，如卷6之浮丘圖等。

B. 文類：篇幅最多，內又分記、傳、詩賦、奏疏、寺院碑記等。

(a) 記——如卷1有元吳萊的南海山水古蹟記、卷2有趙崇信之重修光孝寺大藏經序、洪邁之修天慶觀三清殿記、卷10程師孟的洪聖王事蹟記、卷16李邕之石室記等，其文或已失傳，或流傳不廣，均為研究地方史之主要資料。

(b) 傳——卷5之景泰禪師傳、卷7李英傳，有戴璟、黃佐、姚虞、郭棐四篇、卷14有黃佐之六祖傳、僧徒傳，卷19除有文天祥、陸秀夫、張世傑傳外，兼有殉難姓名十人，資料寶貴。

（c）詩賦——份量更多，即如郭棐有崖門集古二十首（卷19），其弟郭槃之詩文亦甚多，大部分未見載於廣東文徵，可輯錄成集。

（d）碑記——又分：a.書院之碑記：如卷4有湛若水之新創白雲書院記、林俊之天游書院記、卷12湛若水之朱明洞書院記、卷13方獻夫之石泉書院記、呂柟之大科書院記、雲谷書院存息堂箴、雲谷書院察倫堂銘、卷16梁敏之星岩書屋記、卷17吳澄之韓山書院記。b.寺院碑記：如卷5黃諫之重修景泰寺記、卷7之海珠慈度寺記（有二碑，分由僧鑒義及王文鳳撰），卷9有倫以訓的重修靈州山寶陀寺記、卷10有韓愈的南海神廣利王廟碑及章望之重修南海廟碑、卷12有孫繼芳的鐵橋銘、卷14有王維的六祖禪師碑銘、柳宗元的元和詔謚大鑒禪師碑、劉禹錫的六祖大鑒禪師第二碑及佛衣銘、蘇軾的卓錫泉銘、劉繼文的重修南華寺碑記、卷16有劉繼文的三仙觀碑記。c.其他：卷15有巨濬的開鑿大庾嶺路碑陰記、卷17有蘇軾的潮州韓文公廟碑、卷19有陳獻章的慈元廟碑、張詡的全節廟碑等。

（e）其他有奏疏、牒、表、頌等。

總括言之，若以《四庫全書》的分類標準，《嶺海名勝記》應與田汝成的《西湖遊覽志》相同，屬地理類山水之屬。不過，王學曾序此書云："每一丘一壑，一名一勝，首而記之，詳沿革也；次而圖之，寫形模也；次而歌詠之，抒性靈也；次而輯錄之，備考訂也"。有歷史沿革，有圖經，有文徵，實是集歷史、地理於一爐，亦正是匯合地理與地方志而為方志之著作。

（3）《廣東通志》

按：明《廣東通志》凡三修：嘉靖乙未（十四年，1535），戴璟初撰《廣東通志初稿》，共40卷，是書費時僅三月，匆匆成書，故四庫總目譏之為粗略，而戴璟亦名之曰"初稿"，以示未定稿之意[100]。因此，二十二年後，粵之名學者黃佐負責撰修《廣東通志》。當然，遠較戴志為完備有體，然黃泰泉（佐）為理學家，富於傳統思想，其體例倣國史，分紀、表、志、傳等。至郭棐撰第三套《廣東通志》（1602）時，如將藩省、郡縣分開敘述，完整地表示"地方志"之特點，茲列表如下：

<table>
<tr><td rowspan="2">明代的廣東通志</td><td>戴通志四十卷
1535</td><td>卷首：凡例、圖經，1.分野、山川（上）、2.山川（下）、3.政紀、行次、4.疆域、形勢、城池、5.封國、古蹟、6.沿革、坊都、7—9.秩官、10.公署附吏員、11.循吏、名宦（附將略、忠義）、13.人物宦績、14.人物將略、儒林、文苑、卓行、15.人物、忠義、流寓、烈女、16.學校、17.道學、18.風俗、19—20科貢、21.禮樂、22.卹典、神祠、戶口、23.田賦、24.課料、25.差役、26.均平、27.糧餉、28.倉廒、驛傳、29.鹽法、屯田、30.珠池、鐵冶、番船[101]、31.土產、水利、32.軍制、33.軍器、弓兵、民壯、34.營堡、教場、上班、優給、達舍[102]、35.外夷、海寇、猺獞、36.生黎、仙釋、37.祥異、舖舍、38.橋樑、宮室、陵墓、39—40.雜著。</td></tr>
<tr><td>黃通志七十卷
1557</td><td>圖經2卷：包括省圖及十府分圖，每一圖兼敘沿革、分野
事紀5卷：按時代先後而敘述。
表5卷：職官表[103]3卷、選舉表2卷
志31卷：輿地志[104]7卷、民物志[105]8卷、政事志[106]8卷、禮樂志[107]6卷、藝文志[108]2卷
列傳20卷：名宦7卷、流寓[109]3卷、人物9卷、列女1卷
外志7卷：仙釋、寺觀、夷情、雜事</td></tr>
</table>

	郭通志七十二卷 1602	藩省志13卷:1—2.輿圖、分野、沿革、氣候、3—6.紀事、7.公署、學校、禮儀、8—9.兵防、10.秩官、11—13.名宦 郡縣志49卷:分十府,每一州郡,按次序敘述輿圖、沿革、山川、風俗、城池、公署、學校、坊都、驛舖、橋渡、水利、戶口、賦役、鹽課、兵防、壇廟、亭榭、古蹟、塋墓、土產、職官、選舉,名宦、流寓、人物等 藝文志3卷:内分書目、碑記、詩賦 外志7卷:内分仙釋、寺觀、罪放、貪酷[110]、番夷、猺獞、俚戶、雜蠻、倭夷、雜錄

按:地方史應與國史有所不同。無疑,戴璟之《廣東通志初稿》雜亂無章,但搜集資料不遺餘力。黃佐之《廣東通志》,其敘輿地、民物、政事、禮樂、藝文等已達六十四目,對地方事蹟,纖毫不漏,且其敘職官有"市舶",敘外志有夷情、猺獞、達舍等,識見頗高。郭棐之《廣東通志》,就資料而言,未必超過黃佐,但其體例分藩省志,敘全省性的事情,郡縣志分敘各府州縣的事蹟;同是輿圖、沿革、學校、職官、人物,省與州縣不同,至如氣候、物產、紀夷,有些是全省性的,若割裂敘述即覺重覆,故全省性的統一敘述,列為藩省志;地方性的則分州府縣敘述,列為郡縣志。此是郭志優於黃志之處[111]。

郭棐之修《廣東通志》是在晚年,其時《粵大記》及《嶺海名勝記》經已刊行,故對廣東史事,十分熟識,而助修此書之王學曾、袁昌祚均是粵人,且亦是學識淵博之士,故是以此書當清代修《廣東通志》時被引用頗多,如康熙本(金光祖)、雍正本(郝玉麟)的《廣東通志》敘事時,均未列明出處,但阮元的《廣東通志》敘人物,必書明引自"正史""廣州人物傳""黃志"(黃佐)"郭志"(郭棐)、"粵大記" 等。茲對阮通志中引用郭棐之《廣東通志》例證如下:廣州府有六十一人[112],惠州府有十人[113],潮州府有二十六人[114],肇慶府有十二人[115],高州府有十人[116],廉州府有四人[117],雷州府有五人[118],瓊州府有七人[119],羅定州、連州有四人[120],南雄府有三人[121],嘉應州有一人[122]。

大概黃佐與郭棐的《廣東通志》,各有不同的價值。黃佐開創在前,郭棐繼承於後。不過,體例方式,郭棐的藩省、郡縣分志,更富"方志體",黃佐雖撰廣州人物志,然敘廣東人物,郭棐的份量遠比黃佐為豐富,尤其是廣州府及附近人物,清代之《廣東通志》多引用郭志[123],可知言廣東人物,郭氏之廣東通志在清代已十分受重視。

(4)其他(《炎徼瑣言》)

臺灣廣文書局印行之史料三編,有郭棐的《炎徼瑣言》2卷,是郭棐官於雲南時所撰雲南掌故。劉巨安序該書云"此書":

> "言疆理也,言形勝也,言理奧也,言文獻也,言忠孝也,言廉節也,言靈異也,言訛漏也,雖言篇篇殊而凡滇儌上下千百年之事,靡不條理品騭於其中"。

故是書屬"掌故"類,應是雲南地方史料之一,若以內容而分析,有:

A. 地名考異:如卷1之"黑水天地",考證黑水即今之瀾滄江,漢武帝天狩年間,彩雲見於白崖,遣使跡之,置"雲南縣",後以省名(彩雲表瑞)。卷2之"白井羊異"即今之鹽井,均是地理沿革與考證。

B. 歷史考證:如卷1之"唐蒙諭夷""(司馬)長卿傳經""僰爨二種""南詔寖強",卷2之"玉斧畫訶"等,均可補史。

C. 風習之介紹:如卷1之"呵節星回",是敘南詔"火把節"的來源,卷2之"磨謨神池”是敘進耳山之神，春秋祭之則豐稔的故事，卷2“市易用具”是記當時之貨幣。

D. 志書之錯誤：如卷1“梁毗卻金”，隋高祖時梁毗官西寧州刺史，以卻金（不受諸酋之金）而感動諸酋，遂不相攻擊；史萬歲平滇南，然貪墨卒殺其身。兩人一薰一蕕，然滇志卻同列名宦，是其錯誤。“承訓盜名”是言康承訓，掩飾事實，妄以捷聞，滇志不察，亦列於“名宦”傳中，是其錯誤。

E. 詩文之採集：如卷1之“閻詩雲隱”，述唐閻丘均所作之碑碣；詩文“碧雞金馬”，附明劉寅的“金馬賦”；而“郭釗諭蠻”中附白居易之蠻子朝詩，較之全唐詩多四句[124]。

F. 書目書錄：如“玉海遺文”，採集漢至明有關四川、雲南的書目、書錄數十種。按：章學誠提出立方志之“三書”，三書者：志也、掌故也、文徵也。炎檄瑣言，雖是掌故，其實亦是“志書”之一類也。

（5）結語

按：章學誠是方志學理論的鼻祖，其主要理論有：

A. 提出六要：所謂“乘二便、盡三長、去五難、除八忌，而立四體，以歸四要”[125]。這是修志的方法。其實，祇有“地近則易竅，時近則跡真”，是撰修方志的最主要方法，其餘各點，除是修方志外，亦適合修國史。蓋當時人、當地人，撰寫當地的歷史最為正確。郭棐以廣東人而採訪廣東事蹟，當然事半功倍。章學誠雖曾修十多種方志[126]，但可惜與其家鄉（浙江、紹興）全無關係。而郭棐卻實踐“當地人、當時人，修當地志”的責任。故郭氏雖未明確的提出“方志的理論”，但其方志學的著作，卻存有此種“理論”與“內容”。

B. 立三書：“倣紀傳正史之體而作志（紀、譜、考、傳），倣律令典例之體而作掌故；倣文選文苑之體而作文徵，三者相輔而行，闕一不可，合而為一尤不可也”。其實“三體闕一不可”卻是事實，“合而為一尤不可也”，似乎章氏的著作中亦未嚴格遵守。如《永清縣志》便三書並存，有志（紀、譜、考、傳），有掌故（吏、戶、禮、兵、刑、工書），有文徵（奏議、詩賦、金石等）；又如湖北通志亦然（除三書外，並有叢談），至郭棐的所有著作中，雖未標明三書三體，而卻含“三書的內容”。

按：唐及以前的地理書，至宋能發展成“方志”，主要原因是（1）子目較多，（2）史地合一，（3）附當地人的詩文、書目，更能顯出“地方的全貌”。此章學誠之所以重視“文徵”，強調其為“方志”的一部的原因。郭氏的著作中，《粵大記》是史與地合一，《嶺海名勝記》是熔歷史、地理、文學於一爐，《四川通志》與《廣東通志》除合三書為一外，其劃分藩省與郡縣的不同，更能顯出地方史的特徵。郭棐雖未具體地提出方志學的理論，但郭氏比章學誠早百餘年（章氏誕於1738，郭氏逝於1605）。郭氏實踐“地近則易竅，時近則跡真”的理想，故謂章氏雖是我國的方志學理論鼻祖，亦不能否認郭棐卻是我國方志學著作家，尤其是可稱為廣東方志學家，對廣東地方史有極大的貢獻，惜其光芒為章實齋所掩蓋，而為世人所忽視耳。

註釋

①參考日人山根幸夫。《日本現存明代地方志目錄》。

②Dictionary of Ming Biography由賓板橋教授Prof. L. Carrington Goodrich 主編，由國內外學者分別撰寫，1967年美國哥倫比亞大學出版。

③萬曆本《南海縣志》為王學曾氏總纂。按王氏曾助郭棐纂修廣東通志,相知最深,且其傳成於郭棐死後第四年,"時近則蹟真",故是傳為記載郭氏最有價值之書籍。

④郭棐為應檟之兩廣總督畢門志作序,自署番禺(人)。

⑤轉引自阮元之《廣東通志》卷279"郭大治傳"。

⑥明嚴納等編:嘉靖四十一年會試登科記錄。

⑦或謂阮元以父尊子卑而傳,則又未盡然,如卷279陳謨傳附其父東山,卷280方肯堂傳附父紹魁,卷281梁士楚傳附父學,卷288譚掞傳附父昉,卷291任宗武傳附父道遠。故云:前後不一致,甚至有乖史例。

⑧《粵大記》卷20"本傳"謂:早年,大治父被誣下請室,大治哭於臬庭,臬大夫聽大治之解釋,故譽與孔門曾閔之儔。

⑨嘉慶《四川通志》(楊燦纂)卷101有郭棐傳。康熙《雲南府志》(范承勛、張毓碧纂)卷11"官師"有郭棐傳,萬曆《山東通志》(楊士驥纂)卷49職官及孫仲炘;《湖北通志》亦有簡單的記載。

⑩按明史卷110宰輔世系表:嚴嵩於嘉靖十一年以禮部尚書兼武英殿大學士人閣,至四十一年罷,"大治傳"謂其官於萍鄉時,以不逢迎分宜相,(嚴嵩為分宜人)且繩其子弟之豪橫者,嵩銜之,故七年不調。

⑪按湛甘泉卒於嘉靖廿九年(1550),故郭棐應是晚年弟子。

⑫參考《續文獻通考》卷47:"學校考"。

⑬是歲主試者為大學士嚴嵩、徐階。一甲三名為徐(申)時行(狀元)、王錫爵(榜眼)、余有丁(探花)。按:明史"申時行傳"謂是嘉靖四十一年狀元,但嚴訥的嘉靖四十一年會試登科記錄則書狀元徐時行,1977年美國哥倫比亞大學出版之明代人傳記"申時行傳"(周道濟傳)則謂其祖父姓徐,但未言改姓之由及根據。

⑭"本傳"云:棐上書:"方今先帝廟號未尊,中宮母儀未正,而遽有此舉,何以示天下?"

⑮"本傳"云:輔臣高拱,以專擅為時指摘。間語棐曰:"人言相度可操舟,如太橫何?"棐應聲曰:"更願相公廓度矣。"拱滋不悅,遂以祖母年耄請歸養。

⑯"本傳"載:疏陳十事,如設史局之官,錄於謙之後,進薛瑄陳獻章從祀孔廟等。

⑰"郭棐與劉晉川方伯書",載於廣東文徵卷21。

⑱《四川總志》目錄其次序:沿革、分野、形勢、城廓、戶口、田賦、國紀、藩封、風俗、山水、物產、公署、學校、宮室、關梁、祠廟、陵墓、古蹟、職官、名宦、留寓、科第、人物、隱逸、孝義、列女、仙釋、經略、雜記、文苑。

⑲袁昌祚之"粵大記序",引自《廣東文徵》卷42。

⑳"本傳"云:梁山署印某,通判杖斃生員李夢祥,撫台力護之,棐按法執治不少貸,因而得罪去職。

㉑徐(申)時行為嘉靖四十一年榜之狀元,余有丁則為同榜探花,郭棐為同榜之二甲進士。權相張居正適於萬曆十年病逝,阻力大減,申余二人故擬引用郭棐。

㉒《廣東文徵》卷43:"區大倫致郭督學書"。

㉓《廣東文徵》卷41:郭棐右江大志序:右江大志凡10卷,順序為輿圖、沿革、秩官、名宦、選舉、獻徵、兵防、經略、奏議、藝文。

㉔"本傳"云:"值倭奴寇邊,棐計劃防守,全齊晏然"。

㉕"本傳"云:"滇人方苦師旅,苦貢金,棐為平丁苴,戢緬寇,上疏罷二千兩以救疲民,為閣部所抑不得奏"。

㉖明代考察地方官,稱大計,大概州縣以月計上之於府,府上下其考,以歲計上之布政司,至三歲,撫按通核所屬官吏,造冊具報,以憑黜陟。

㉗阮元《廣東通志》二七九郭棨,萬曆廿三年覲還,勞倅而卒。著有霞谷桂華稿、四儒粹語、三禮纂要行於世。

㉘卷1,釋名,卷2—卷3為事紀,卷4—卷5為科第,卷6—卷13為宦績,卷14—卷26為獻徵類(列傳),卷27—卷32為"政事類"。宦績中又分"性學淵源"、"忠貞正氣"、"勛勳駿勣"、"綏撫鴻勛"、"清白流風"、"循良芳躅"、"詞客珠華"七類。獻徵類又分"理學正傳"、"精忠大節"、"相垣勳業"、"部院風憲"、"藩監宣勞"、"清涼高蹤"、"循良懋績"、"孝廉懿德"、"行誼芳標"、"文學經綸"、"詞華藻藻"、"巖泉隱德"、"嶺海武功"共十三項。

㉙《粵大記》有兩種版本。日本內閣圖書館有顯微菲林,缺卷1、26、27、28,4卷;另有徐信符南州書樓藏本(現歸中山大學),則缺卷1、30、31、32。按:"政事類"內分:"兵職"、"軍制"、"軍器"、"弓兵"、"小利"、"屯田"、"鹽法"、"海防"八項。

㉚《嶺海名勝記》共20卷,順序為"粵大記"、"粵秀山記"、"五仙觀記"、"白雲山記"、"蒲澗記"、"浮丘記"、"海珠記"、"石門記"、"靈州記"、"南海廟記"、"飛來寺記"、"羅浮山記"、"西樵山記"、"曹溪記"、"梅嶺記"、"崧臺石室記"、"韓巖記"、"鶴峰記"、"崖山記"、"南漢奇甸記"。

㉛據郭棐之《廣東通志》序謂以選貢生林生挺、文學黃生作霖、霍生尚守、盧生廷龍、朱生完、劉生克治、張生鴻、黎生遠昌,各司分校。

㉜按郭棐之《廣東通志》共72卷,共分四部,(一)為藩省志(省總志),內又分輿圖、分野、沿革、氣候(卷1)、學校、禮儀(卷7)、兵防(卷8—9)、秩官(卷10)、名宦(卷11及13);(二)郡縣志,由卷14—62,內分廣州府、詔州府、南雄府、惠州府、潮州府、肇慶府、高州府、廉州府、雷州府、瓊州府及羅定直隸州;(三)藝文,由卷63—65;(四)外志,由卷66—72。

㉝引自陳伯陶之《東莞縣志》卷86。

㉞南海縣志"本傳"論曰:棐忠孝天值,處父母兄弟,自少至老無間言,孜孜公家,夙夜匪解。其與人外柔內剛,榮辱生死不為動,初擬鼎甲後擬內擢,皆為權相所擠,邅迴三十餘年,官止外藩,家業無所增益。至於建祠恤族,或周急助義,則傾貲為之。他如建塔濬濠,防夷罷稅,凡關桑梓利害,力贊當塗舉行,卒為粵賴。尤絕聲色,惟喜講學談文,每手一編,寒暑丙夜不輟,戶外乞言者滿志而去,竟無受謝。屬纊之日,惓惓以國恩未報為恨,其子湯齡,藉手親友,始克成喪云。

㉟筆者從事郭棐之研究,認為郭棐之方志學理論,早於章實齋百年;其方志著作,亦不遜於章實齋,且其方志著作全是屬廣東區城,實齋云:"地近則易竅",故其貢獻甚大;至於廣東海防圖,更為精細,超過胡宗憲、應檟等人,後當續論之。

㊱见注②。

㊲本朝分省人物志,過庭訓纂,刊天啟二年(1622)。據其凡例言:所傳人物"大都因其舊文,稍加潤色,非獨任己意也"。成文出版社印。

㊳萬曆本《南海縣志》之纂修者王學曾,曾助郭棐纂修《廣東通志》。兩人相知甚深,且傳成於郭棐死後第四年,"時近則跡真",故參考價值頗高。

㊴文刊於政治大學歷史學報第二期(73年)。

㊵郭棐之籍貫有南海、番禺二說。郭棐序《蒼梧總督軍門志》時,自署番禺人,古今圖書集成"氏族典"謂其父郭大治是番禺人;嘉請四十一年進士登科錄(嚴納編)則書:"貫廣東廣州府南海縣,軍籍番禺縣人"。按:番禺與南海同城而治,容易混淆,致生兩說,惟郭棐既自署番禺人,隸於番禺較為合理。

㊶郭棐,字篤周,號夢菊,見拙著《郭棐事蹟鉤尋》(以下簡稱事蹟鉤尋)。其父大治,曾為萍鄉教諭及新城知縣。楊瑞雲撰有郭大治傳(粵大記卷20)。弟槃,舉人,倅岳州。阮元的《廣東通志》卷279有載,附於其父大治傳中。

㊷阮元之《廣東通志》卷74,嘉靖廿八年(1549)舉人,有郭棐之名。是年郭棐廿一歲,當是弱冠之年;又嚴納編之嘉靖四十一年進士登科錄,謂棐舉廣東鄉試第六十三名。

㊸湛若水卒於嘉靖廿九年(1550),郭棐之父大治亦師事湛若水。當郭大治丁父憂時回廣東,是年郭棐十四歲。按明代科舉,官宦子弟,多先入儒學(地方學),然後參加鄉試。是時,郭棐想已師事湛氏,然後

舉於鄉試,見《事蹟鉤尋》。

㊹嘉靖壬戌(41年),郭棐三十四歲,舉會試二十四名,廷試列二甲,第五十九名,賜進士出身。是科主試者為大學士嚴嵩及徐階,狀元為徐(申)時行,榜眼為王錫爵,探花為余有丁。

㊺嘉靖四十四年(1565)改任禮部主事(見事蹟鉤尋)。

㊻據明實錄,嘉靖四十五年(1566),辛丑(12月)庚子(14日),世宗崩,壬子(26日)穆宗即位,翌日應是癸丑(27日),即傳封七夫人,實不合情理,故郭棐抗疏上書。又實錄載隆慶元年正月戊辰(12日)禮部請立皇后、太子,時棐為禮部主事,疑棐之上書,應在正月十二日之前,十二月廿六之後,因禮部之建議,正月壬申(16日),禮部遂進皇后儀注,二月(癸卯)九日(乙未),遂冊封妃陳氏為皇后。

㊼高拱,嘉靖四十五年(1566)為徐階所荐而拜相。據明史卷213本傳,謂拱性直而傲驟貴,負氣忤階。穆宗即位時,因私怨而逐諫官胡應嘉,為輿論所不容,棐之諫拱"廓度",實有所為而發,遂為拱所不滿。

㊽薛瑄,永樂進士。宣德中忤宦官王振,下獄論死,尋獲釋。英宗復辟,入閣預機務,學尊程朱,明史入於儒林傳。陳獻章,廣東理學大師,鄉試中式後,禮部試不第,從吳與弼學,為太學祭酒刑讓所賞識,為之游揚,遂名震京師。廣東布政、兩廣總督交章著均不就。學者稱白沙先生,明史亦列於儒林傳。按:於謙,忠義之士。薛瑄,不畏權貴。陳獻章以布衣而為一代大儒,由郭棐之十事疏,可窺知郭氏為人。

㊾按:隆慶元年之宰相為徐階、李春芳、郭朴(九月致仕)、高拱(五月罷)、陳以勤、張居正等。所謂"數忤當路",應指高拱。

㊿孫仲炘的《湖北通志》卷119 宦績:(棐)官湖廣屯田副使,有土賊數千為亂,制府欲督兵討之,棐願往開導,得首惡,正其罪,餘悉解散。又據吳廷燮的明督撫年表,萬曆三至五年,湖廣總督陳瑞為張居正門生,撫楚時,適張居正(五年)丁父憂,陳瑞苴麻哭號,遂驟升為戶部侍郎。

(51)郭棐與劉晉川方伯書稱:"不佞生平意見最與太岳(居正字太岳)相左"。(珠海大學刊的廣東文徵卷21)。

(52)郭棐與劉晉川方伯書云:"及視蜀學於太岳所行新法,一不肯徇,是以不沙汰生員,不裁抑正貢,不拆毀書院,不變賣學田。此四事,蜀中士大夫人人能言"。

(53)按:萬曆十年,四川巡撫為孫光祐。據郭棐與劉晉川方伯書載郭棐主持四川鄉試時:"後試保寧貢生,以叱教回輪為問。大意謂:人不能孝親,出則何以能忠於君,又刻程表,不佞有序,大意謂表學當祖孔明出師,可為忠訓,李密陳情,可為孝訓,是時不過任其措詞,非有意觸太岳(按:張居正於萬曆五年丁父憂,但奪情不奔喪)而自招罪咎,沽虛名也,不謂某巡撫(指孫光祐)遂密謁於太岳,逾年而策之命下矣"。

(54)徐(申)時行為嘉靖四十一年之狀元,余有丁則為同榜探花,郭棐為同榜二甲進士,權相張居正適於萬曆十年病逝,阻力大減,申、余二人遂擬引用郭棐。

(55)區大倫致郭督學書(珠海大學刊廣東文徵卷42)云:"辛卯(十九年,有誤,因十九年三月,申時行已去職,余有丁亦不在位,郭棐亦非由楚入京。)繇楚參藩入賀,二相(申、余)延接特殷,將殊用之。一日,吳縣(申時行)語次問先生求規戒語,先生曰:願去遠去中貴人,則相業光矣。申相嘿然,先生守道若此,即不獲炳用於朝"。

(56)謝啟昆的《廣西通志》卷135:"兵巡道郭棐,知州李維岳修州學,而郭棐有重建學宮記略一篇;又同書卷136賓州州學,有"郭棐等修建"的記載。

(57)孫葆田的《山東通志》卷49職官表有載郭棐任憲使之職,而宦績無郭棐之記載。

(58)是年宰相為趙志皋、張位,均為申時行所荐。郭棐既為申時行所不滿,且個性剛直,不容於人,所謂"罹人言",疑是宰相壓抑而已。

(59)其忤高拱、張居正,不呵護申時行與余有丁,故終身祇仕於外藩。見拙文《郭棐事蹟鉤尋》。

(60)《粵大記》之搜集資料,始於萬曆十年(1582),而刊於萬曆二十三年之前(1595)。見下文。

㉛《嶺海名勝記》,刻於萬曆廿四年(1596)。見拙文"郭棐事蹟鉤尋"。

㉜《廣東通志》刻於萬曆三十年(1602)。《四川通志》書成於萬曆七年(1579),但郭棐祇總校而已,見下文。

㉝《夢菊全集》、《齊楚滇蜀諸稿》均佚。另外《廣東文徵》卷41存郭棐之右江大志序一篇;《明史藝文志》作12卷;《千頃堂書目》作30卷;至清謝啟昆的《廣西通志》卷213 題:"未見";至賓州志,據謝啟昆的《廣西通志》卷213,引內閣書目謂共四冊,但亦題"未見",可知清時經已佚去。另《明史》九十七藝文志,有《夔州府志》12卷,夔記4卷,今不傳。

㉞萬曆七年(1579),郭棐為四川提學使,布政使劉庠、李江倡修通志、邀郭棐總校。是年春完畢付梓,郭棐有序一篇,廣東文徵卷41有錄。

㉟萬曆十一至十三年(1583 - 1585),郭棐任廣西右江副使,曾輯右江大志。廣東文徵卷41,郭棐右江大志序一篇云:"其中賓州志,似是郭棐所輯,慶州志則是慶遠守王文炳所撰,柳州志則是呂景蒙所輯"。郭棐合三志而成右江大志。

㊱《廣東文徵》卷41有郭棐的酉陽正俎自序一篇云:"嘉靖卅七年(1588)為湖北參政,因讀段成式(柯古)之酉陽雜俎有所更正而作"。

㊲《粵大記》刻於萬曆廿一至廿四年間。據粵大記郭棐自序:"制府如岡陳公……直指望海劉公……豐郡邑諸大夫,咸銳意拊綏,殫精安壤,士民賴有寧宇。棐樂田里,操鉛槧,勒成茲編,孰非諸名公所賜哉!"按:制府陳公,是指陳大科。萬曆廿一至廿五年任兩廣總督,而郭棐是時"樂田里",意指致仕之年,而王學曾於萬曆廿四年序嶺海名勝記曾云:"余同鄉夢菊郭公......業已刻粵大記32卷傳於世矣"。推知粵大記刻於萬曆廿四年前,廿一年後,但其開始撰作卻在任職四川提學使時(萬曆八至十年,即公元1580 - 1582)。據袁昌祚之粵大記序(廣東文徵卷42):"郭勳卿(棐)語余云:異時新城先大夫(郭大治)嘗志茲事,謂通志作於宮詹黃太史(佐)有年矣,欲補近事,而緒正其浮濫,因詮次留笥中,間以草示蜀諸生"。按:草稿亦示蜀諸生,知任職四川提學使時,粵大記已有初稿。

㊳《嶺海名勝記》刻於萬曆二十四年(1596),內有王學曾、楊瑞雲二序。

㊴《廣東通志》之倡修,始於萬曆廿六年(1598),陳大科任總督時,陳去職而停頓。廿七年(1599),戴燿接任,於是年九月設局,邀郭棐主持,助之者為王學曾、袁昌祚及諸生等。

㊵《夢菊全集》明史卷97藝文志未載是書;王學曾的《南海縣志》:書目,有□□□□□20卷,俱郭棐所撰,未知是否包括夢菊全集在內;阮元的廣東通志卷196有夢菊集,但書"未見"齊楚滇蜀諸稿,因是稿本,疑後刻夢菊全集已包括在內;又阮元之《廣東通志》卷196另有正心堂摘錄,是引自廣東詩粹,下亦書:"未見";又清吳道鎔之《廣東文徵·作者考》收錄郭棐之詩文共廿九首,該是夢菊全集之一部。

㊶據郭棐《四川通志》序:"乃檄敘州府同知魏樸如、成都府推官游樸、文學董良遂、彭師古、楊秉鉞等修之"。

㊷《右江大志》序載於《廣東文徵》卷41,原文謂十又二卷,但序文內祇有10卷,疑是刻文時有誤。又千頃堂書目卷7;郭棐之著作,尚有《富川縣志》,疑為《右江大志》之一部,書目多有錯誤,如《右江大志》書30卷,一作20卷,其實是12卷,《廣東通志》書70卷,其實是72卷。

㊸按郭棐任四川提學使時為萬曆五年(1577),至萬曆廿三年(1595)前刊行《粵大記》(見註25及拙著郭棐事蹟鉤尋),前後凡十八年。

㊹據山根幸夫之日本現存方志目錄及日本國會圖書館目錄。

㊺阮元《廣東通志》卷235"蔣防"有部分引自《粵大記》。

㊻據上書卷236 - 241粵,有潘時(幾全部引自《粵大記》)、張應科、黃淯、敖潤孫(幾全引)、毛炳(幾全引)、吳與(全引)、連南天(幾全引)、常九思(幾全引)、傅大聲(幾全引)、洪天驥、蒲壽晟、查閏(幾全引)、范處原、趙善俁(幾全引)、黃晟、徐應龍、鄭瑞義(幾全引)、師顯行(幾全引)、蘇洸、孔延之(幾全引)、羅守成(幾全引)、曾逢龍、許巽、吳懿德、羅從彥、徐千能、虞輔國、李憲(全引)。

⑦據上書卷242 － 254,有盛應期、張岳、周延(幾全引)、吳善、鄭炯、熊桴、戴璟、劉采、周鐸、丁以忠、鄭金、王世芳、黃光昇、史朝宜、朱伯驥、高謠、詹勖、黎禧陽、柴伸、蔡惟溥、王重、卞應聘、邱泰、劉儼,索彥勝(幾全引)、熊本誠、黃天賜、周民初(全引)潘長壽(幾全引)、陳賜(幾全引)、江璞(幾全引)、邱道陰、李桂(幾全引)、黃瑜、劉昇、徐鑑、陳槩、王琥(部份引用)。

⑱據上書卷268 － 287,有賈元生、鄭漢章、趙必豫、伍隆起、區適子、趙東山、羅鑄夫(全引)、何真、王文友、涂端、戴璉、陳猷、梁方冠、湛若水(幾全引)、李兆修、馮載、林暕、謝佑、陳瑞、祁順、張璝、康麟(幾全引)何昌、鄺鼎、黃皥、梁魚(幾全引)、吳璉、蔡葵、鍾渤、倫文敍、黃著、冼光(幾全引)、冼文淵(幾全引)、劉文瑞、鄭應新、黃重、方權、張宰、黎貫、梁廷振、曾俊、李義壯、霍任、鍾雲瑞、張潮、湯朝達、張雲彩、李紹敏、鍾景星、陳謨、陳其魯、戴銑、黃民準、岑萬、羅虞臣、陳其具、趙勳、陳建、陳澤、鄺夢炎、何維柏、冼桂奇、劉模、陳善、唐守勳、蒙學之、何派行、林烈、龐嵩、黎民表、吳旦、梁有譽、歐大任、盧夢陽、陳紹儒、霍與瑕、蒙紹、孫裔、李堯卿、龐尚鵬、黃衮、胡庭蘭、羅一道、楊佐、陳萬言、翟守謙、劉介齡、余光裕、鍾繼英、陳絢、張拱辰(部分引用)。

⑲據上表卷288,韶州府列傳引自《粵大記》李渤、鄭玠二人。

⑳據上書卷290 － 91,惠州府列傳引自《粵大記》有謝廉、吳高、翟宗魯、葉春芳、張政熙。

㉛同上書卷292 － 94,潮州府列傳引自《粵大記》有林從周、劉允、張夔(幾全引)、林昌期、王中行、盧順之、馬發、郭張善、姚琛、吳一貫、莊典、楊鸞、周孚先、劉軒(部分引用)。

㉜同上書卷296 － 97,肇慶府列傳中引自《粵大記》有李質、羅黃裳。

㉝同上書卷298,高州府列傳中引自《粵大記》有陳恩賢。

㉞同上書卷300,雷州府列傳中引自《粵大記》有莫天賦。

㉟同上書卷301 － 302,瓊州府列傳中引自《粵大記》有符林(幾全引)、林茂森、邢宿(幾全引)、鄭廷鵠(部分引用)。

㊱同上書卷303,羅定州、連州列傳引自《粵大記》有李邦義。

㊲同上書卷304,南雄州府列傳引自《粵大記》有譚大初。

㊳明丘濬曾有廣東禦猺事宜、兩廣用兵事宜等(瓊台詩文會稿,載於丘文莊公叢書內)。

㊴《永樂大典》卷11905有廣州府地圖,惜未有全省輿圖。

㊵《嶺海輿圖》內分總圖(全省)、十府(廣州、韶州、南雄、惠州、潮州、肇慶、高州、廉州、雷州、瓊州)及南夷等十二幅,圖內多繪官署之位置,營寨之分佈,另外有圖序、圖紀等文字記載。

㊶《蒼梧總督軍門志》有3卷輿圖。計卷3是廣州府布政司圖(即廣州府圖)及其他九府及羅定州輿圖;卷4是廣西各府輿圖,若以蒼梧總督軍門志與嶺海輿圖比較,軍門志除增加新增的羅定州及易名的州縣(如龍水縣)外,亦以官署為言,但增多簡單的地形,如山脈、河流等;卷5是全廣海圖(即海防圖)與《粵大記》的海防圖最為相似。

㊷黃佐的《廣東通志》的圖經有2卷,其體例一如《嶺海輿圖》及《蒼梧總督軍門志》。除總圖外,分圖是十府(無羅定州)與山圖、海圖等,且十分簡單。

㊸鄭若曾為胡宗憲的幕僚。胡宗憲為平倭名將,鄭若曾助其籌措海上事宜,於是輯兵興以來,公私牘牒,輯成《籌海圖編》,並繕造沿海圖。計有一幅總圖(小圖七十四幅),附以考論,其圖由廣東沿海而經福建、浙江、南直隸、山東、北直隸而至朝鮮,並附以朝鮮、日本,為明代最詳盡的海防圖。鄭開陽雜著內附萬里海防圖,與籌海圖相似,但未將遼東包括在內(萬里海防圖,曾經鄭氏五世孫刪汰重編,故與《籌海圖編》略異);同是出於鄭若曾之手。及後,萬曆壬辰(二十年,1592),鄧鍾芟其繁蕪,參以續聞,成籌海重編。其中閩、廣二圖,更多更正,其書每一圖之後,必敘防官考,倭以寇紀事,及當地防倭事宜,故於防務方面,最為詳盡。

㊹筆者近年致力於香港史的研究,發現《粵大記》除記載廣州府海外特別詳細外,圖中南頭寨所轄的(今日)香港地帶,其地名、村名,共有七十三處(大嶼山有十處,香港島有八處,離島有廿九處,九龍半

島有廿八處),是研究香港早期最珍貴的資料。

㉟廣州府有粵會記(包括番山、禺山、訶林即光孝寺、琪琳即玄妙觀、淨慧寺即六榕寺)、粵秀山記(包括越王台、鎮海樓)、五仙觀(包括南園、芝蘭湖)、白雲山記(包括鶴舒台、月溪寺)、蒲澗記(包括崔菊坡祠)、浮丘記、海珠記(包括慈度寺、李文溪祠)、石門記(包括吳刺史祠)、靈州山記(即小金山蘇東坡祠)、南海廟記、西樵山記。

㊱北江有清遠之飛來寺記(即峽山)、曲江之曹溪記(即南華寺)與梅嶺記。

㊲西江有新會之崖山記、肇慶之崧台石室記(即七星巖)。

㊳惠州之羅浮山記與鶴峰記,潮州之韓巖記(包括韓文公祠)。

㊴包括瓊州之五指峰等。

⑩⓪據《廣東通志》初稿凡例:"誌內事蹟,皆採之各誌(各地方志),而以一統志為主"。

⑩①廣東是我國對外海道貿易最早的地方。戴通志之敘"蕃舶"始於漢帝之遣使入海市明珠,而詳於唐宋時之市舶使。後附南洋各國的簡介,及巡撫林富對番人貿易的奏疏,最能表示廣東地方史的一大特點。

⑩②廣東境內的少數民族頗多,戴通志特敘傜、僮、生黎。至於"達舍"是指歸附於官軍之士兵、頭目、稱為"達官",有俸給,其駐紮地稱"達舍",一如宋代的"番兵"。不過,此等少數民族,佔據廣東頗大領域,其衝突與漢化對廣東的地方史關係密切,故此等敘述,價值頗大。

⑩③黃通志卷9宋代職官有市舶提舉姓名,是研究宋代市舶司使最寶貴的資料。

⑩④輿地志中分山川、城池、坊都、宮室、台榭、關梁、津渡、陵墓、古蹟九目。

⑩⑤民物志中分風俗、姓氏、戶口、田賦、糧餉、徭役、土產、虛市、珠池、礦冶、水田、屯田、鹽法、預備、卹典等十五目。

⑩⑥政事志中分公署、壇廟、兵器、軍制、官馬、軍需、弓兵、民壯、軍餉、營堡、教場、陣法、比試、伏給、上班、達舍、倉廒、驛傳、舖舍等十九目。

⑩⑦禮樂志中分學校、社學、書院、國禮、鄉禮、弦歌六目。

⑩⑧藝文志中分經目、史目、子目、集目、碑刻五目。

⑩⑨名宦、流寓、人物,均按時代先後分卷敘述。

⑪⓪四庫總目提要特譽郭志增罪犯、貪酷二傳,得褒貶意。此是史識問題,與正史之"流寓"、"酷吏"相似,郭志之優點不在此。

⑪①清代三套《廣東通志》,如康熙本(金光祖)、雍正本(郝玉麟)、道光本(阮元)亦未將省與州縣分述,博學如阮元,僅分表、略、錄、傳四類。每類下分省及地方,或按時代先後敘述而已,似亦不及郭志之體例分明。

⑪②阮元的《廣東通志》卷269—289廣州府人物曾引郭棐的廣東通志者有(未有括號者則為部份引用):梁觀國、陳康正、趙必豫、區適子、趙東山、袁清吉(全引)、李天擇、黎和、何潛淵、陳政、張駿、張詡、區越、張壁光、李孔修、謝佑、何昌、陳道、鄭瓘(幾全引)、陳馘(幾全引)、崔廷圭、吳璉(全引)、陳經綸、鍾曉、盧綸、陳志敬、何瑜(幾全引)、阮玠、區瑞順、黎貫、李悅(幾全引)、霍任、鍾雲瑞、張拱辰(幾全引)、陸任忠、何彥、吳宗湯、羅萬里、容璊(幾全引)、岑萬(幾全引)、何繼之、羅虞臣、陳其具、何維柏(幾全引)、郭大治、林烈、黎民表、梁有譽、歐大任、霍與瑕、蒙紹、林咸、龐尚鵬、張大猷、陳絢、黃觀光、鄭漢章(幾全引)、吳龍(幾全引)。

⑪③卷290—291惠州府人物引用郭志有:張宋卿(全引)、張鐸(幾全引)、鄭維新(全引)、謝憲、曾守約、葉旹、葉春及、李學一、葉夢熊、馬叔原。

⑪④卷292—294潮州府人物引用郭志有:林從周、鄭南升(幾全引)、郭叔雲、周伯玉(幾全引)、蘇福、林遜、鄭璣、黃潆、盛鳳儀、姚琛、余洪、黃勳、李大綱、黃用直、潘文明(幾全引)、黃軾、王賓、林大欽、黃國卿、陳瑞龍、蕭端蒙、劉子興、陳一松、林大春、唐伯元、周則義。

⑮卷296—297肇慶府人物引用郭志有：徐鼎、李魁、歐陽福、吳赴（幾全引）、潘節（幾全引）、李邦祥（幾全引）、陳天華（幾全引）、區廷芳（幾全引）、李孽、李一龍、植以進（幾全引）、鄧牆（幾全引）。

⑯卷298高州府人物引用郭志有：蔣科、陳熹、梁義夫（幾全引）、張恒、梁瑤（幾全引）、黎磐、姚岳祥（幾全引）、張韜、吳世紹、吳政（幾全引）。

⑰卷299廉州府人物引用郭志有：裴垣、章獻忠、李國華、石維海（幾全引）。

⑱卷300雷州府人物引用郭志有：陳杞、陳貞豫、王吉（幾全引）、詹世龍（幾全引）、陳應魁。

⑲卷302瓊州府人物引用郭志有：曾鵬、林士元、吳會期、吳誠（幾全引）、黃顯、鄭廷鵠、陳天然。

⑳卷303羅定州、連州人物引用郭志有：譚壽海、張汝秀、李郁、李邦義。

㉑卷304南雄府人物引用郭志有：梅鋗、張偲、陳昇。

㉒卷305嘉應州人物引用郭志有：徐嘉祉。

㉓若將阮元的《廣東通志》為藍本（引用郭棐著作，包括《粵大記》、《嶺海名勝記》、《廣東通志》）與郝玉麟的《廣東通志》列傳對照，發現郝志雖未言明出處，但與阮志所引用郭氏著作大部相同，可知亦受郭氏著作之影響。如僅就"廣州府"而言有：鄭漢章、趙必豫、袁清吉、霍與瑕、蒙紹、張詡、岑萬、何維柏、張拱辰、陳道、鄭瓘、陳稶、吳璉、何渝（以上在卷45）、吳龍（卷46）、李悅、張任忠、羅萬里、容瑞、羅虞臣。若細心檢查，證據更多，可知郭棐之廣東通志在清代相當受到重視。

㉔《全唐詩》卷426有白居易的"蠻子朝"缺最後四句："嗟夫！日對一刻猶不足，以達邊情悉民瘼，而況深居九閽之邃，何以察萬幾之賾哉"！

㉕文史通義外篇三"修志十議"。

㉖章氏所撰的方志，據吳天任的《章實齋的史學》，可考者有：（1）天門縣志（2）順天府志（3）和州志（4）永清縣志（5）亳州志（6）湖北通志（7）麻城縣志（8）常德縣志（9）荊州府志（10）國子監志（11）文安縣志（12）大名縣志（13）廣濟縣志（14）石首縣志。

講　評

王德毅

有關郭棐的傳記資料，林先生所提到的《南海縣志》應是最原始的資料，另外過庭訓之本朝分省人物考卷210中的郭棐傳也是很早期的資料。此外，我因編纂《明人傳記資料索引》還找到了其他資料。尤要者，明朝官書禮部志稿卷43、44有相當多的記載，可供參考。清初的洛閩淵源錄卷17中有一篇傳，郭棐與理學似乎也有相當的淵源。

郭棐的著作，在黃虞稷的《千頃堂書目》卷7中著錄有郭棐編的《四川通志》36卷，萬曆己卯（1579）年所修。但另有本文所遺漏的一種書，即《夔州府志》12卷，撰於萬曆初年；《夔州記》則撰於隆慶年間。這部書在《明史》卷73藝文志中也已著錄。其次郭棐也修有《廣東通志》。在《千頃堂書目》中列有黃佐的《廣東通志》70卷是嘉靖時修，還列有戴璟的《廣東通志》72卷。林教授的列表中指戴通志是稿本，但在《潛研堂書目》中，並未言其是稿本，且在卷數上和表中所列戴通志40卷多了32卷。表中雖然明列出40卷的卷目，但其中是不是有子卷則不得而知。《千頃堂書目》載黃通志也是70卷。《明史藝文志》中的戴通志也是72卷，和書目吻合。因此，戴通志40卷的說法有待進一步地查考和說明。

第五节 論錢賓四(穆)、羅元一(香林)二位史學大師對香港之貢獻

錢賓四(1895—1990)
羅元一(1905—1978)

一、民國時期二人似曾相知(認識),但未必相交(論交)

在抗戰以前,錢在江浙一帶任教,而羅則居廣東。1925 年羅始至上海就讀於浦東中學及吴淞"中國公學"①且羅教授未有遺下與錢教授交往的信札,似未有"結交"之機會。

一九三〇年錢教授始至北京,任教於燕京大學國文系。是年,羅教授剛畢業於清華大學,翌年,羅入清華大學研究院,導師爲顧頡剛、陳寅恪。同時,兼在燕京大學受業於洪業,錢雖在中文系講課,羅則在研究院肄業,同在清華園,但錢講授上古史、秦漢史、中國學術思想史,羅是時鑽研隋唐史、民族史,百越史,即使羅知錢的"大名",相信未有"深交"。

錢羅之來往相交,似應在抗戰期間。1943 年,中國史學會在重慶成立。籌備人有顧頡剛、李濟、傅斯年、金毓黻、黎東方等。時錢執教於成都的華西大學、齊魯大學,羅則任教於中央大學及中央政治學校。兩人與各發起人均有交情,可能除是會員外,還兼任理事。是時錢已出版《先秦諸子繫年》(1935)、《近三百年中國學術思想史》及《國史大綱》(1940),名重一時。而羅於 1933 刊《客家研究導論》(是書 1942 有日文譯本),1937 撰《中國通史》爲教育部的國定本,1942 撰《國父家世源流考》(商務),翌年獲教育部的學術獎,得中央之器重,於是"譽滿京華"。1945 撰《國父之大學時代》,翌年獲政府之勝利勳章。

民國時代兩位偉大的領袖,羅氏以研究國父孫氏而馳名,錢氏則以"蔣氏"的鄉誼而尊爲"國賓",其不同之處,是羅氏受知於中年,錢氏則在晚年始受總統府之禮遇,殊屬巧合。

二、在香港之合作

1949 年錢羅二位均南至香港,時學者名流雲集香港。基於知識份子的使命感,不忘憂國憂民之意識,於是錢教授創立"亞洲文商學院"(夜校)及"新亞書院"(日校)收容流亡學生,使之弦歌不輟,傳承中華文化。錢羅二人開始合作,惟合作過程中有數事值得補正。

A、羅氏之角色

1950 年錢教授創文商夜校時,羅曾參與講座(筆者曾往聽講),據李木妙之《錢穆教授傳略》②。按:新亞文化講座共有百餘講,相信羅夢册與羅香林都名列其中。可以補正,至新亞書院時代,即 1950 秋羅香林教授與港大另一位劉伯閔教授,同列兼任教席,但未知

羅教授是時講授"通史"抑或是"專史"? 待考[3]。

B.錢氏至港大誰擔任"仲介"人?!

按《錢穆紀念文集》[4]謂1951年港大中文系主任林仰山,借先生北大學生柳存仁來粤訪,邀先生往港大任教(p.293),先生以新亞在艱苦中,不能離去……不容在校外兼課,始允必要時參加港大中文系集會。

筆者按:錢教授與林仰山(F.S.Drake)早已神交[5],按是年柳氏任教於政府學校,論輩份與時間非適合人選,若以1950—1951時代,中文系能負此責任者,似以劉伯閔教授輔以羅香林較爲合適。劉羅二人是時已在新亞書院義務兼課,二人私交甚密,據李木妙書引"錢氏曾於故友劉伯閔兄悼辭":

"我和伯閔見面乃在(民國)三十八年逃亡香港之後,……我滯留香港前後十八年,來往最密者,實惟伯閔夫婦……其時港大中文系主任林仰山初到……於伯閔倚仗尤至。系中一切措施,必從諮商。"

在記憶中,劉教授之階爲高級講師,羅教授則是講師而已,而請錢教授列席中文系會議,似亦有誤解。時中文系附設"東方研究院"定期舉辦學術會議,出版《東方學報》[6],是研究性的活動,並非系内的業務會議,毋需錢教授以校外專家參加,是一誤會。

其次1964年,林仰山行將退休,乃由羅香林教授偕余秉權(錢教授之新亞弟子),轉達邀請錢教授任港大中文系主任教授(李書p.45)却是事實,但爲錢教授所婉拒。大概在中文大學成立之前,新亞與港大之合作無間,新亞之精英,至港大中文系修讀高級學位,已有多人爲衆所周知,不需枚舉。

故錢教授與港大中文系間的關係,似以劉伯閔、羅香林兩教授爲中介人。

C.新亞之補助書院時代中錢羅之關係

甲,錢教授雖以維持"道統"自勉,然亦非"保守"、"僵化",留心時務。如中大成立之時,新亞有人反對"合併",但錢教授强調"新亞畢業生非得政府承認新亞之大學學位,離校謀事,極難得較佳之位置"。"國内學人及散佈港、臺、歐、美各地……名額薪津等同港大,可延聘更優人才。"

所以在中大成立以前,新亞精英至港大中文系研讀高級學位,實有遠見,但中文大學成立後自辦高級研究院,培養人才,遂自成另一系統。

乙,根據英國教育章程,大學及補助學校教員之資格審核,由倫敦學術評議會負責,該會聘請各類專家評核。中國學術資格,多聘請香港大學教師充任評核。當然,(中大)校長亦可自行推薦,據知,新亞成爲補助學院,羅香林教授屢被推薦爲評審員(據師母透露),而錢教授亦屢聘羅教授爲高級學位的校外考試委員,彼此間合作無間。

以錢羅合作之密,有人推測,中大成立之時,新亞力謀争取文、史、哲三講座教授,據説内定以羅教授充史學講座,但校長李卓敏力争國際學者周法高教授回主中大文學講座,原内定的牟潤孫教授不得不移主史學。剩下唐君毅教授能如願以償。《錢穆紀念文集》甚至提出1964年錢教授與新任(中大)校長爲新亞二教授求公平待遇,争而不果,憤而辭職[7],羅教授因而落選,於是有"心"人誤會"錢羅間有誤會"(曾有人向筆者詢問)其實此乃無稽之誤會。

按:當錢教授婉辭至港大時,林仰山教授已屬意升任羅香林教授接充(時劉伯閔教授雖仍在此,但已退休不任事務),所以 1966 年羅教授遂躍級(由講師躍過高級講師、教授而升爲講座教授)既不誤羅教授之前程,亦化解新亞與港大間之誤會,此當然非局外人所能瞭解。

三、剖析錢羅之治學與辦學之异同

A.教育背景不同,治學方法有异

明清時代,江南文化極盛,乃是儒學的中心。錢教授在此環境薰陶之下,童年即受書塾教授,沉浸於經史之中。據羅義俊《錢賓四先生傳略》⑧,"幼時抄五經、諸子,讀古文、諸子,嗜文學,後雖受教育於'常州中學',雖曾仰慕杜威 Dowey 之思想,但仍感覺到與中國傳統思想不相同,以後出而執教,在古籍中勤於鑽研。24 歲(1918)刊《論語文解》,在無錫國專以致進入燕大國文系,其治學仍以'諸子'及其學術思想爲主,其名著《先秦諸子繫年》可説是早年研究之集大成。故錢氏可譽爲'傳統學者'以'義理文章考據,爲其治學方法'。"

羅教授之教育背景恰異,廣東自五口通商後即接受西方文化,其尊翁希山先生於 1910 年,已在廣州方言學校講授"亞洲各國史"、"中國近代史",羅教授幼承庭訓,受西方學術重於書塾的經史教育,且幼年即在"學校"受新式教育。二十歲(1924)即往上海求學,廿二歲入讀清華大學,主要興趣乃在西方傳入的"民族學"、"輿地學"、"文化學"、"社會學"等範疇,一度曾擬赴美追隨文化人類學家 Prof E.Hungtington 深造(據 35 歲自述,引自《乙堂文存》),未果。其早年著作亦以民族學、民俗學、方志學爲主,似乎受西方教育影響較大。

因教育背景不同,其治學與研究方法亦不同。錢教授之著作,洋溢感情,其演講時即使未能瞭解其"鄉音"所表達之內容,然其"一舉手,一投足"之間十分投入,令人沉醉。羅教授之著作,近乎"説理",十分客觀,演講之時,"兩目緊閉",神遊於古人之間,有如"老僧入定",可以深思,慢慢地咀嚼,自然可以"頓悟"。

錢羅兩教授各有异同,所以其貢獻亦有异。錢教授的《國史大綱》在抗戰時期民族自信心低迷時出版,其中的二萬言的"引論"被認爲"維護民族自信與民族精神的代表作";其運用"春秋筆法""品評世運的興衰"和"月旦人物的賢姦"。一時"洛陽紙貴",奠定了"大師"的地位。

相反,羅教授的成就不在"傳承",而在"開創"。吾粵長者陳槃庵(槃)教授推薦羅教授競選中央研究院人文科院士時,曾强調羅教授在"族譜學"、"方志學"、"香港史"等創一新的研究方向,如日人瀧川教授雖評史遷之謬誤,在考據上有待商榷者頗多,但不能磨滅史遷之"創新"體例,筆者認爲目前之治香港史、族譜學、方志學多是沿襲羅教授的理論而發揚而已。

B.錢羅所培育的人才與發展的標的亦不同

學人的理想要輔以權力始能實現,錢教授主持新亞書院十四年,可全力推行其理想,發揮其"新亞精神"。然羅教授在港大中文系任教雖亦十餘年,然只是教書,未掌實權,即使 1965 受聘爲系主任,但因英語欠流利,在最高層的會議中未能盡情發揮,暢所欲言,影

響力略遜。而且時期短(1966—68),根基未穩,便退休而去。1969 年擔任之珠海文史研究所長[9],在任幾十年,直至 1978 年病逝,在任期間,因得校長江茂森之信任,始能推行其理想[10],但其理想只能影響於研究所内,未能建立所謂“珠海精神”。

至於錢羅的門人弟子,其成就亦各不同:

由林仰山教授主持,劉伯閔、羅香林、饒宗頤三教授主編《中國文選》上下册,當時爲投考港大及 A.L(Advance Leavel)和 O.L(ordinary Level 亦即中學會考程度)的專門參考書。按:當時香港的教育是以考試内容代替課程,故《中國文選》乃奠定所有中學生中儒家思想的基礎,而港大中文系的畢業生多服務於政府的行政官員,影響行政和決策或在中學(津貼補助學校)教師亦有留學後回港任教於大專(包括師範等),對基層學校的師生影響甚大。

錢教授主持下的新亞畢業生,不論所聘的名師,所招收的研究生,所選擇的專題多以文、史、哲爲核心,以儒家爲範疇,故 1984 年錢教授 90 大壽時張其昀譽之爲“一代儒宗”以奉賀,其弟子多在學府中傳“道”。相反,羅教授主持下的“珠海文史研究所”所聘的名師如李璜、左舜生、張君勱、張東蓀、吴俊升、黄文山、杜祖詒都是接受西方文化學、社會學之學者,他如陳宜夫、李伯鳴、王韶生亦是國内的“開明學者”,而研究生的研究範圍亦廣及於宗教研究、中西文化與交通等,因資格未被政府承認,而臺灣亦作有限的援助,故發展較慢,當然成就各有不同。

而畢業校友中,新亞校友在香港最爲活躍,蓋儒家活動,在海峽三地中,似仍以香港爲重點,新亞自然得地之利。珠海校友雖然文史研究生在海外難以發展,但珠海的商科、新聞、工科人數較多,在海外集會亦較多,影響力亦有不同。

無可否認在二十世紀 50—70 年代,香港的文化學術界深受錢羅二大師的傳承與開創之影響,厥功甚偉。

注 释

①民國十三年,羅教授中學畢業後,曾考入張君勱創辦之國立政治學院(引自《乙堂函札》,頁七十一)。該校後改名美淞公學,與南京創立之政治大學不同。

②是書爲臺灣揚智文化事業股份有限公司出版,(1995 年刊)第 35 頁。

“由崔書琴任教務長,教員有唐君毅(哲學)、張丕介(經濟)、羅夢册(歷史)、程兆熊(文學)等,據知羅夢册先生係當時任職新亞的行政人員,講座不及羅香林教授爲多,似應將羅香林教授之名補列其上。

③同②第 35 頁。

專任、兼任教授則添吴俊升(後兼副校長)、任泰(英文)、劉伯閔、羅香林(歷史)、張維翰(國文)、衛挺生(經濟學)、陳伯莊(社會學)、楊汝梅(銀行學),另羅義俊之《錢賓四先生傳略》亦有相同的資料。另羅毅之《羅香林先生年譜初編》(珠海書院編,1992 年臺灣版)上册,謂 1950 年九月羅香林教授在新亞書院任教,講授《中國經濟史》,謹此并存參考。

④爲中國人民政治協商會議江蘇省無錫委員會編,上海人民出版社 1992 出版。曾收集錢夫人、錢教授的書信選及兒孫子姪的回憶録,門人弟子的追思録,涵蓋面頗廣。

⑤李木妙書第 44 頁提及林仰山在齊魯大學入集中營,在拘禁中,曾精讀《先秦諸子繫年》。他日出書相示亦多處有批示,知其用心亦甚。

⑥當時邀請參加討論及撰稿的名學者甚多，如張君勱、陳伯莊、錢穆、簡又文、左舜生、李璜、梁寒操、何格恩、衛聚賢等，結論多發表於《東方學報》。

⑦原書第 298 页，可能是文學講座的薪俸，因有國際經驗及中研院院士關係，起薪略高而不同（待考）。

⑧附於《錢穆紀念文集》第 266 页。

⑨時浸會書院提出高薪聘羅教授爲文學院長（見年譜），羅教授以時任院長爲王啓澍教授乃其學生，應讓後學發展，故婉辭而應薄酬之珠海文史研究所長。

⑩珠海校内有反對派者謂“文史研究所”乃珠海之“獨立王國”之譏。

第三章　史事研究

第一節　宋代廣州為轉運港與貿易港有別

“廣州”，是我國最早對“外”交通的一個都市。得聞今日印尼爪華島JAVA的劉氏，便是漢惠帝後裔，據其族譜所載，當從南粵（越）遷至南洋，此事未足置信①。但至漢武帝時，曾遣黃門譯長由南海而至“黃支國”②，搜購明珠、犀象、琉璃等物③。最近廣州發掘南越王趙眛（胡）之墓，殉葬品中有玻（琉）璃、象牙等，顯然是從海外輸入④，當時之廣州雖稱對外貿易港，但是時仍是南越割據的晚期，且南越的版圖兼及象郡（安南），一切貿易似與越南有關⑤。廣州與交阯同為貿易港口，在元朝之前，可能交阯比廣州更為重要⑥。

魏晉南北朝時，我國政治中心南移，於是對外貿易隨之南移廣州。魏晉之間，由廣州泛海的紀錄漸多⑦，而波斯灣中亦有中國船寄泊的記載⑧，因此廣州號稱富庶⑨。《南齊書》記載：“廣州刺史但經城門一過，便得三千萬”（卷32“王琨傳”）固屬誇張之語，但亦可反映當時官吏之貪墨濫取⑩。當時官吏藉權勢而賤買貴賣⑪，利歸豪門，民間商賈得益不大，怎能促進地方的繁榮？

唐代開始，廣州與阿拉伯貿易大盛，日本中村久四郎之“唐代的廣東”有詳細的敘述⑫，因九世紀開始唐與阿拉伯（黑衣大食）是亞洲東西兩大富強的國家，均向外發展，而唐的開放政策更是促進兩地貿易的因素⑬。宋代因經濟拮据，大力倡導對外貿易，以增加國庫收入⑭，阿拉伯商船來華者因而漸增⑮，故帶動海外貿易之發達，主要靠“蕃舶”。按：“舶”字，在宋以前多是指外國船隻⑯，故管理對外貿易的機構曰“市舶司”。亦有謂泛海經商的中國船曰“舶”⑰，且廣州造船工業相當發達，可製“巨艦”⑱。至明代，官方出洋之船雖在福建製造，但閩船比不上粵船⑲。在廣東，直至明清二代，習慣上僅稱來華貿易之外國船為“舶”⑳。蕃舶來華日增，其影響所見，則是明商之富㉑與中國官吏貪墨成風㉒，故即使貿易發達，是否能促進地方的繁榮，頗有疑問。

其實地方之繁榮與否，繫於財富之集中與分配關係，財富集中於國家或少數權貴手上，不若財富分配於中下層社會更能促進地方的繁榮。在宋代的廣州，雖然對外貿易帶來不少財富，但這些財富，因制度上的關係，均非留於廣州、用於廣州，故未能促進廣州的繁榮。譬如：在制度上是單線貿易，所有對外貿易是政府的專利，由市舶司控制一切。初期的市舶使以宦官充任，所謂“金山珠海，天子之南庫”㉓，利歸皇室。後雖由地方長官兼或設專任的市舶使㉔，但大部份是利歸中央政府，地方政府得益不大，此是原因之一。其次，宋代常遣使至海外招徠蕃商㉕,諸官吏能招蕃商至者,或升職或有賞㉖,蕃商到達,例必設讌犒賞㉗。此外,更有"閱貨宴"、"送行宴"㉘等優待,是以蕃商來華者多。相反,宋有海禁,國人泛海貿易禁例甚多,且不准私販蕃物回國㉙,因所有"蕃物"全是"禁榷"(專賣)㉚,利歸政府,平民經商者獲益不多,因此,當時廣州之蕃商富而多㉛,且多有義舉㉜,而專賣制度中,權貴復從中漁利者不少㉝,利不歸地方政府,似是原因之二。

另一方面,在方志上記載:唐時的廣州仍是蠻荒之地㉞,故重大罪犯多流於"廣州"及"廣東"各地㉟。至北宋,所有謫宦幾乎均遠離廣州,這表示廣州漢化漸深㊱,因此有人認為廣州已發展成一大都會㊲,甚至唐開始有以廣州代表中國之記載㊳。但都會之大小與繁榮,端視乎其市場吸納的程度而定。唐時之廣州,文化不高,開元間人民始懂用陶瓦,宋時始以磚建城㊴,其落後可知。而宋時廣州主客戶口不外十四萬餘,人口則不足二十六萬㊵,在沿海岸中,比不上泉州及杭州㊶,並非較大的消費市場,當地人民並不富有㊷,購買力弱,消費的腹地乃在北方㊸,故即使當時的廣州貿易發達,亦祇是一轉運港口而已㊹。

廣州是一龐大的對外貿易轉運港,所有高價的珍寶、香藥等舶貨,必須北上京師及中原始易出售。所謂"廣州犀象、珠玉走四方"㊺。因此,因對外貿易而致富的華商,多非廣州或嶺南之地方人士,宋人已知廣州非富庶之地,其富乃在異國㊻。換言之,販賣異國之珍寶,取道廣州,遍於全國,始能致富。故宋時的廣州,甚至唐時的廣州,乃我國一大轉運港口,未必有實質上的繁榮。

註 釋

①《庸盦筆記》載"劉氏族譜":定海某茂才,流浪至爪華島南境,該地劉氏重修宗譜囑茂才為之序,得悉該族入島顛末。據載:漢惠帝無子,呂后取後宮美人有子者,殺其母,付惠帝后張氏撫養,即少帝,少帝後宮亦生一子,仍由張后撫養,時權在外戚呂產呂祿手上,呂氏臨終時,諸功臣咸以為少帝非真孝惠之子,擬誅之,張后將此兒使宦者送后弟南宮侯張偃家。後南粵使者入貢於漢,張偃但見使者,俾挾兒入南粵,南粵王趙陀詢知為惠帝孫,官以列卿,封以南海蠻夷之地,後傳數十世,失國,徙至爪華……其家祠藏有三寶,一曰漢玉小雲,方不盈寸,蓋高祖立惠帝時,取藍田玉賜之,惠帝奉為至寶,常付皇后藏之。一曰圓鏡,五尺之古銅鏡,惠帝召巧工為之,而縷皇后像於其中,時后僅十七,端艷無匹,以顯微鏡照之,宛如生人。一曰三尺長之玉如意,相傳惠帝初納皇后,定情之夕,以此賜之,皇后每夕必捧之而泣,積淚所漬,古采五色,斑駁可愛。此三寶乃張后授之帝子,既乃載之南奔。[轉引自張星烺《中西交通史匯編》(以後簡稱《交通史匯編》)第一冊"上古時代中外交通"第十三節]。

②漢使浮海至黃支國。據《漢書》卷28"地理志·黃支國":自武帝以來貨獻見,有驛長屬黃門,與應幕者俱入海市明珠,壁流離,奇石異物,齎黃金,雜繒而往,所至國貨廩食而耦。

按"黃支國"Kanchipura之位置爭論頗多,但以在今印度東南較佔多數。

③海外珍貨集中於粵地。

據《漢書》卷28"地理志·粵地":粵地……處近海,多犀象、毒冒、珠璣、銀銅、果布之湊,中國往商賈者多取富焉,番禺其一都會也。按:中國商賈往取諸物,諸物當然產於"廣州"之海外,番禺即今之廣州,故知集於粵地而成一都會。

④南越王古墓。

1983年,廣州市郊象岡發掘出南越王第二代趙眛(《史記》、《漢書》作趙胡)之墓,內中殉葬品有玉印、金印、銅鏡、漆器、絲織、象牙及琉璃等(參考《嶺南文史》1986年第二期黃森章撰"廣州漢墓中出土的玻璃",1987年第二期的"象岡南越王墓專輯",及1984的《考古》第三期)。

⑤廣州與越南(交阯、安南)的關係。《舊唐書》卷41"地理志":交州都護制諸蠻,其海南諸國,大抵在交州南及西南,自漢武以來皆朝貢,必由交阯之道。

劉恂《嶺表錄具》卷上:廣州常發銅船過安南貿易。

周去非《嶺外代答》卷2,"安南":其國入貢,自昔由邕或欽入境。

伯希和(P. Pelliot)著馮承鈞譯《交廣印度兩道考》:紀元初年,中國與南海諸國商業、政治關係頻繁之時,交阯質言之東京,為航行之終點。

按:交阯(越南)為航行之終點,由北陸道可通中原,海道可至廣州,但漢的政治中心在西北,西域諸國如大宛、康居、大夏、安息等,遣使來朝,部份經蒽嶺外,一部經交阯再轉陸路至中原。可參考張星烺《交通史匯編》及方豪、向達等《中西交通史》。直至黃初七年(226)大秦商人秦論,即由交州刺史送至建業,可知漢時廣州與交阯同為對外貿易港口,關係甚深。

⑥交廣同是貿易港口。

朱傑勤的"中國古代海船雜考":秦漢至唐、番禺(廣州)仍是一個對外貿易的大都會。同時交阯也是對外貿易的市場和海港(載於朱氏刊印《中外關係史論文集》頁三十五)。中村久四郎的《唐代之廣東》,認為唐代的廣州對外貿易發達後,交阯仍是一對外貿易的港口,甚至在中唐後,交阯曾一度代替了廣州的繁榮(節錄自《史學雜誌》二十八編三一六號)。《簡明廣東史》(1987年11月廣東人民出版社出版)更進而解釋六朝時因林邑國(今越南中部)日漸強暴,交阯日南遭到破壞,而此時海舶船身也較大,不必沿海岸而至交阯,可直接至廣州,因此廣州遂成為新航線的終點(據頁82—84節錄)。李東華的《泉州與我國中古的海上交通》認為漢時,南海出入港口亦在交州,即東京灣一帶(頁15)。

⑦正史中由廣州泛海之紀錄。三國時呂岱上疏請討徽(交阯太守),督兵三千人,晨一浮海(由廣州出海)(據《三國志》"呂岱傳")。西晉初,大秦國奉獻珍寶,經於(廣州),眾寶既麗,大布尤奇(《晉書》)。東晉時法顯自師子國經耶婆提國(今爪哇)、"東北行趣廣州"(後遇風暴飄至青州)("法顯傳")。

⑧阿拉伯的記載中波斯灣內中國的船舶,麻素提Ma´sudi之記載:"五世紀時,油付萊梯斯河R. Euphrates上航至巴比倫Babylon古城西南苦發城Kufa附近之希拉城Hira,其他居民常見有印度及中國的船舶寄椗於市房之前。"(Reinaud, Relations, I, XXXV, Tennet´s Ceylon, I.541, Masudi in Prairies d´or, 216. 轉引自《交通史匯編》第三冊"中國古代與亞拉伯的交通"第六頁)。玉爾Henry Yule的記載:"Hamza與Masudi所述,當時常有中國船及印度船由波斯灣頭溯幼發拉底河而上,泊於巴比侖西南的於羅Hira"(Cathay and the way Thilher. Vol:1. p.83 – 84)。按:波斯灣中所見的中國船,當然是來往中國(廣州、交阯)的貿易船,然船主是中國人抑或是阿拉伯人尚須考證。

⑨正史記載魏晉南北朝時廣州之富庶:《晉書》卷90"吳隱之傳":廣州包山帶海,珍異所出,一篋之寶,可資數世。《南齊書》卷58"南蠻傳贊":商舶遠屆,委輸南州,故交廣富貴,初積工府。

⑩廣州之富庶與貪墨之風。

按:註9所載"吳隱之傳":"一篋之寶,可資數世",因前後刺史,皆多黷貨,但吳隱之卻分文不取,因此譽為廉吏。又廣州有"沉香浦",因廣州官吏,多獲舶商送贈之香藥,隱之書曾齎沉香一斤,為隱之所悉,遂沉之於湖亭,遂粵之名勝(見方信孺之"南海百詠",及明代三套《廣東通志》(戴璟志卷11、黃【佐】志卷44、郭【棐】志卷21),又《南齊書》卷32"王琨傳":"廣州刺史但經城門一過,便得三千萬",惟王琨卻一無所取,亦見於三套《廣東通志》(《戴志》卷11、《黃志》卷45,《郭志》卷21)。

⑪權貴營商,奪民之利。《晉書》卷37"義成王望傳":奇(望之孫)遣三部使至交廣商貨,為有司所奏。《宋書》:宋末,抉南王……遣商貨至廣州。《梁書》卷33,"王僧孺傳":南海……海舶數歲至,外國賈人以通貿易,舊時州郡,以半價就市,又買即賣,其利數倍。

⑫"唐代之廣東"的商權,是文將"廣東"對外通商的發展分為七期:

(一)漢代是廣東通商的開始期;(二)五胡十六國時代是廣東通商的發達期;(三)隋唐時代是廣

東通商的旺盛期;(四)唐末是廣東通商的中落期;(五)宋代是廣東通商的復興期;(六)元代是廣東通商的過渡期;(七)明清時代是廣東通商的多難期;

按:"發達期"與"旺盛期"最易令人混淆,難以劃分,若以六朝是始盛期,隋至唐中葉為旺盛期,更為恰當。蓋是時有市舶司之始創,《太平廣記》記是時胡商分佈全國,富敵王侯,當然是旺盛期,但貿易旺盛,利之所在,貪婪之風亦隨之增長。因此,德宗貞元年間,海船多轉至安南市易(見《資治通鑑》卷234,貞元八年事),直至宋初廣州對外貿易始轉盛。

⑬《中國古代對外貿易史》。是書為沈光耀著,廣東人民出版社1985年出版,第三章:"歷史上的開放政策及其作用"以外商居於廣州有十餘萬以作證明。其實黃巢陷廣州,殺回教徒、猶太人、基督教徒、火教徒十二萬至二十萬,是出自阿拉伯人ABU ZAIO HASSAN的記錄,數目是否誇張,值得考究。按梁方仲氏之統計:開元年間,廣州屬縣十三,戶口僅64250戶;元和年間,增至74099戶(《中國歷代戶口、田地、田賦統計表》表二十七)。若以每戶五人計,十三縣共計不外三十餘萬人,即使廣州首府佔半數亦不過十五萬,而外人佔十二萬以上,恐不可信,疑黃巢陷廣州(包括十三屬縣),共屠殺(包括漢人及外商)達十二萬(約數)而已。

⑭宋代對外貿易發達的原因在國內部分,因版圖小收人少,外族威逼,貨幣增加,又因只員增多,故造成經濟上拮据,不能不設法開源。在客觀條件上,海舶製造日趨龐大,可以作遠洋航行,船上設備完善,有指南針和通信鴿的便利,即使遠航亦較為安全。至於市舶司之擴大,更可證明對外貿易發達之效果,拙著《宋代香藥貿易史》(中國文化大學出版部出版)第一編第一、二兩章可以參考。

⑮"航行南海之古市舶考"。徐玉虎之《航行南海之古市舶考》(載《大陸雜誌》三十四卷1期)云:唐代以還,阿拉伯商賈至南海及中國貿易者眾,而波斯海舶之來航南中國海者日漸增加。

⑯"船"、"舟"與"舶"之區分。

(一)我國古代稱"船"或"舟",如《山海經》載:"番禺(廣州)始為舟",《隋書》載大業三年,常駿等使赤土,自"南海乘舟返"(卷82"赤土國")。南齊時,祖沖之曾製"千里船",晉盧循曾製"八槽船",唐李臯製"軍船"(以上引自朱傑(杰)勤"中國古代海舶雜考",附於1984出版《中外關係史論文集》中),至於巨大之"船"則稱"艦"或"樓船",漢及唐所建的"樓船"更是馳名。

(二)"舶"則多指"蕃舶",如萬震《南方異物志》稱"外域人名船曰'舶'"。《南齊書》記"崑崙舶營貨"(卷31"荀伯玉傳",至北宋丁度撰之《集韻》卷10:蠻夷泛海舟曰舶,或從帛作艊。

唐李肇《國史補》亦稱:"南海舶,外國船也......師子國最大"(卷下),唐"李勉傳"中有"西域舶"(《舊書》本傳),"西南夷(《新書》本傳),又有"蠻舶"(《新書》孔戣傳及王琳傳),"崑崙舶"(《舊書》王方慶傳),"波羅門舶"("唐大和尚東征傳"),"波斯舶(《西陽雜俎》卷16,"獨檣舶"、"版頭舶"、"不舶"、"料河舶"(均見於《文獻通考·市糴考》互市舶條),司馬光之《資治通鑑》亦稱:"近日海舶珍異,多就安南市易"("唐紀"五十)。

此外,可參考徐玉虎之《航行南海古市舶考》及陳竺同的《宋元明的南海舶政考》(載《南洋研究》第6卷第三期)。

⑰中國船稱"舶"之根據。服虔的"通俗文":"吳船曰《艑》、晉船曰《舶》"。又《水經注》:"孫權裝大船,名曰"長安",亦曰"大舶""。故方豪之《宋史》稱中唐以後,中國商舶亦出海貿易(第二冊,頁20)。劉銘恕之《宋代海上通商史雜考》亦稱:"蕃舶指胡商之船,有時亦指中國通蕃之船"(原文載《金陵大學中國文化研究所叢刊》第五卷)。

⑱廣州可製巨艦。

唐德宗興元元年(784)嶺南節度使杜佑,曾督導製成六種戰船。據明黃佐的《廣東通志》卷31載:(一)樓船、樓有三重,是指揮船。(二)蒙沖(衝),船背豪以生牛皮、不畏矢石,是運輸船。(三)鬥艦:有柵、牆、金鼓、是戰鬥船。(四)走舸:是快艇。(五)游艇:是偵察用的快艇。(六)海鶻:頭低尾高、前大尾小、兩旁有浮板、能耐巨浪的戰船。

宋代更可建造巨大的“神舟”，在明州製造（“宋史高麗傳”及《宣和奉使圖經》卷34），又《萍洲可談》載當時更將“神舟”擴大三倍，至於明州製造之“神舟”在技術上是否曾受廣州之影響則待考。

⑲粵船比閩船為佳。明胡宗憲的《籌海圖編》卷13：廣船視福船尤大，其堅緻亦遠過之，蓋廣船乃鐵栗木所造，福建船不過松之類而已，二船若在海中衝擊，福船即碎，不能當鐵栗船之堅也。按：廣船之堅，与製造技術有關，有劉《嶺表錄異》云：“賈人船不用鐵釘”只使桄榔鬚縶縛以橄欖糖泥“糖乾甚堅，入水如漆也”（卷上）。

⑳廣東的志書僅稱來華貿易之商船為“舶”。《永樂大典》卷11905“廣州府”引《南海志》：“廣為蕃舶湊集之所”。明戴璟《廣東通志》卷30“蕃舶”：“志蕃人出沒也”。清屈大均《廣東新語》卷18有“洋舶”之記載。清樊封《續南海百詠》卷1“懷遠驛”有“暹羅有蕃舶至廣州”之語。清蕭令裕謂：“番禺都會，唐以後舶乃雲萃”（“粵東市舶論”載《小方壺齋輿地叢鈔補編》第九帙）。亦有模稜兩可者，如朱傑勤謂：國人出洋船舶稱“貿易船”或“商舡”，亦曰“蕃舶”，而外國來華貿易之船則稱“夷舶”或“市舶”。（《中外關係史論集》頁34）。而《天下郡國利病書》卷93，引《漳州府志》稱：以市舶為“夷舶”，而以商舶為華商出洋貿易之船。知在福建亦有混淆不分的稱謂，朱傑勤之說恐是引此。

㉑隋唐以後，胡商在我國之富有，史有明確記載。主要有《太平廣記》，其中記載甚多，均被以下諸書引用，如張星烺之《中西交通史匯編》第三冊，“古代中國與亞拉伯之交通”第四十四節，及六十三節；方豪之《中西交通史》第二冊第八章，日本近代學者如中村久四郎《唐代之廣東》，成田節男《宋元時代泉州的發達與廣東的衰微》（載於《歷史學研究》1936年7月第六卷第七號），至於其他論文，不一詳列。

㉒利之所在，引起貪墨之風。

南北朝時，官吏之欺壓外商，貪墨濫取，見註十及註十一。隋唐時：“嶺南刺史縣令多貪鄙，蠻夷怨叛”（《隋書》卷50“侯莫陳穎傳”）。武后時，廣州都督路元睿欺壓蕃商，結果為崑崙奴所殺（《新唐書》卷2本紀及《資治通鑑》卷203）。肅宗乾元元年：“波斯與大食同寇廣州，劫倉庫，焚廬舍，浮海而去”（《舊唐書》卷198“西戎傳”波斯條），當然是蕃商不勝欺壓榨取，“官逼民反”的證據。代宗時，市舶使呂太一的叛變（《新舊唐書》本紀），皆是權利之爭，德宗時有貪吏王鍔，本傳稱：“西南大海中諸國至，則盡沒其利，由是鍔家財富於公藏（《舊唐書》卷151）。宋時，市舶司官吏因貪贓被黜降免職的市舶司官吏有多人，相反因廉潔者受賞者亦有多人（拙著《宋代香藥貿易史》第二編第四章第三節），至於非市司吏藉權而貪婪濫取者，尚未有計算在內。”

㉓“天子之南庫”，表示對外貿易之利歸於天子。原文見於《說郛》本姚寬之《姚氏客語》所引《市舶錄》。按：《市舶錄》疑是已佚之《廣南市舶錄》（趙勰著）。

㉔有關宋代市舶司的主要著作。如藤田豐八著、魏重慶譯《宋代市舶司及市舶司條例》；桑原隲藏著、楊錬譯《唐宋貿易港口的研究》中第一章即敘“市舶司及市舶”；錢卓升撰《唐宋以來的市舶司制度》（《遺族校刊》四卷三期）；石文濟《宋代市舶司的設置與職權》（《學彙刊》創刊號）及方豪《中西交通史》第二冊第四章；張星烺《中西交通史匯編》第三冊“古代中國與阿拉伯交通”等。

㉕招徠蕃商。《宋史》“食貨志”：“太平興國期間，在京城設置榷易院、飭令閩、浙、粵三地市舶司，宜循舊法、以招徠遠人、阜通貨賄”。《宋會要輯稿》：（一）“雍熙四年，遣內侍八人，齎敕書金帛、各往南海諸蕃國、勾招進奉、博買香藥、犀牙、真珠、龍腦，每綱齎學名詔書三通，於所至賜之”（“職官”四四之二）。（二）“國家設舶官於泉廣，招徠島夷，阜通貨賄”（“刑法”二）。（三）“建炎三年，詔兩浙、福建、廣南提舉市舶，召誘興販至江寧府岸下者”（“食貨”五十之八）。《萍洲可談》：“廣州蕃坊，海外諸國人聚居，置蕃長一人……專切招邀蕃人入貢”（卷2）。按：入貢即貿易。

㉖招徠蕃商則有賞。《宋史》“食貨志”：“紹興六年，知泉州連南夫奏請諸市舶綱首，能招誘舶舟，抽解物貨、累價五萬貫、十萬貫者補官有差，大食蕃客囉辛，販乳香直三十萬，綱首蔡景芳招誘舶貨收息錢九十八萬緡，各補承信郎，閩廣舶務監官，抽買乳香每及一百萬兩，轉一官”（卷185互市舶條香）又《宋會要輯稿》“職官”四四之十九同。

㉗犒賞蕃商。《嶺外代答》:"歲十月、提舉市舶司,大犒蕃商而遣之"(卷3)。《宋會要輯稿》紹興十四年載:"每年於十月内,依例支破官錢三百貫文,排辦筵宴,係本司(市舶司)提舉官同守臣,犒設諸國蕃商等"("職官"四四之二四)。

㉘蕃商之"閱貨宴"與市舶使之"送行宴"。按:"閱貨宴"應是蕃商賄賂中國官吏之讌會,"送行宴"則是市舶使為蕃商而設之宴,可參考劉銘恕:《宋代海上通商史雜考》第三節。

㉙國人泛海貿易之禁例。國人出海貿易,先需申請"官券"(公憑),據《宋史》:雍熙中,詔出海外蕃國販易者,令並指兩浙市舶司請給官券,違者沒入其寶貨。("食貨志"互而舶條)。出發時需召請,回程要在啟程地登陸,據《宋史》:出發時並需報所在州縣召保。("食貨志"互市舶條)。又《宋會要輯稿》載:商人出海除"公憑"外,又有"復檢",回航時規定一年,要在發航地點登陸("蕃夷"七)。"公憑"內又有種種限制,最主要的是祇可輸出中國的貨物,不准"私販蕃物回國"(《大元聖政國朝典章》卷23"戶部"八,"市舶部市舶法則"第十四條),因蕃貨是政府專利,當然不准人民私販,至於《大元聖政國朝典章》所載之"市舶法則",是沿襲宋之舊例而已。

㉚"編欄"、"抽解"、"官市"及"私與蕃國貿易"論罪。據《萍洲可談》卷2,船舶至,五洲巡檢司差兵監視(恐防私運蕃貨出售),名曰"編欄",繼而市舶官吏登船查驗貨物,而定稅率謂之"抽解"(或抽分),即政府徵收貨物稅若干,平均是百分之十,其中又分粗幼兩類,餘下貨物,政府購買若干,名曰"榷貨",又名"官市"或"博買",再高價在榷貨務中出售予華商轉運至其他城市銷售。又據《宋史·食貨志》載:"私與蕃國貿易者,計值滿百錢以上論罪,十五貫以下黥面流海島,過此則送闕下"(卷186)。

㉛廣州之富胡。押陀羅:"居廣州數十年,家資百萬緡"(據蘇轍《龍川志略》卷50)。蒲姓海獠:"居於廣州,豪華無比"(據岳珂《桯史》卷11)。蒲亞里:"大商蒲亞里,既至廣州,有右武大夫曾訥(蕃舶綱首)利其婚,以妹嫁之,亞里遂留而不歸"(據王明清《揮麈後錄》卷4)。胡婦蒲:"亦廣州富婦"(據楊萬里《誠齋集》卷125"林運使(孝澤)墓誌銘")。蒲瓅:"廣州大商"(據《建炎以來繫年要錄》卷192紹興三十一年八月)。蒲晉、蒲延秀,見於《宋會要輯稿》"蕃夷"七,歷代朝貢條。

㉜蕃商助修城池,建學舍等義舉。郭棐《粵大記》載:蕃商辛押陀羅捐資修廣州之學舍(卷25,"巖泉歸德,劉富"條)。《宋史》:辛押陀羅請進銀修廣州城,為政府所婉拒(卷490,"大食國")。《閩書》:紹興間,泉州蕃商捐款修建戰艦(引《泉州府志》卷29)。《泉州府志》:嘉定間,以賈胡之貲修泉州城(據明《泉州府志》卷4)。

㉝官員藉權漁利之證據。張鑑:據《宋史》卷22"本傳":張鑑在南海被抨擊以貨付海賈往來貿易。鄭清之:《宋史》卷407"杜範傳",杜範抨擊時相鄭清之容許其子盜用市廷錢穀以易貨外國。燕瑛:《宋史》卷298"本傳"謂瑛在嶺嶠七年,刮南海犀象、香藥,奉宰相內侍,人目之為"香燕"。因此,政府嚴禁私販,尤其是官吏私販者可沒其貨。《宋會要輯稿》載:"至道元年,凡收買蕃商雜貨及違禁物品,當重置於法"("職官"四十四)。《真文忠公文集》載:"在於江南者,多自轉販,奪州縣征商之利,諸凡仕廣而經商者,轉販所經,許州郡沒入其貨"(卷41"劉大簡公神道碑")。

㉞志書記載唐宋二代之廣東。《唐書》"地理志":"嶺南道諸蠻州九十二,未能見名者達五十八"。《太平寰宇記》敘廣州:"五嶺之南,人雜夷獠,不知教義"(卷157、廣州府、風俗)。《輿地紀勝》:"唐平蕭銑,置廣州總督府,為大都督府","永徽後,以廣、桂容邕安南五府,皆隸廣州,為嶺南五府節度五管經界使"。

按:都督府是軍事單位,當時因蠻夷的羈縻州府多、放施軍事管理、至於"經略使"主要是"理綏蠻夷"為主,又詩文中有稱廣州為"五嶺之交,白蠻之會"(張舜仁),"地聯夷島、犀象寶之川"(楊汝南)(均引自《輿地紀勝》卷879廣州之46詩文條)。"唐代廣府地區的經濟概況"謂"唐時除端廣韶三州位於交通樞紐的州縣城是聚居着文化較高的漢人及小部份經已同化的越族人士外,其他十一州的縣城都是漢越混居"(李磋著,原文載於《嶺南文史》1984年第二期)。《萬曆廣東通志》(郭棐)記:"紹興二十九年春二月,禁貿易廣州羈縻州縣物貨"(卷5事紀)。按:宋代的廣南東路、漢人南移者雖較唐代為多,但中部若干縣治,仍是征傜後所增設。拙著"宋代傜亂紀事編年"(收於《宋史試析》中)已有敘述,而西江南路一帶,仍大部為羈縻州府(傜區),通至明代大舉征傜、化傜,始受同化。

㉟唐初,十惡不赦之罪犯多流於"嶺南"(廣東)。

唐代除死刑最重外,流刑次之,貶與謫又次之。唐初嶺南為蠻夷瘴厲之地,流於嶺南,多是十惡不赦之罪犯,根據明代三套《廣東通志》:戴璟、黃佐、郭棐的"事紀"條,統計得謫臣的名單如下:

(一)玄宗之前(尤其是高宗武后時佔絕大多數)流於嶺南(廣州)者有侯君集的妻子、蕭齡之(以上太宗朝)、宇文節、王通宗、執矢思力、長孫沖(長孫無忌之子)、韓瑗的子孫、王皇后之兄、蘭良娣的宗族、曹懷舜、俞文振、李氏宗室之幼者、張楚金、郭正之、元萬頃、魏元忠、嗣滕王脩、琦等、裴敬彝、周興、裴行本、李嗣真、李遊道、王濬、崔神基、李元素、袁弘志(以上均是高宗武后朝)、李福業、崔神慶(中宗朝)、宋之問(睿宗朝)。按:高宗武后朝,流於嶺南(廣州)多是宗室、外戚及宰相等高官,本意是欲置之於死地,如長壽二年,武后遣司刑評事萬國俊盡殺嶺南流人三百餘人於廣州,由此可知流於廣州者均是重刑之罪犯,亦可反證廣州當時之荒涼,怎能稱為繁榮之都會?

(二)玄宗以後,流於嶺南(廣州)者大減,衹崔湜、盧藏用、薛伯陽、裴景先、史敬宗、李林甫子孫(以上玄宗朝,但天寶六載,亦遣御史羅希奭如嶺南殺遷謫者),趙歸真(敬宗)、李宗閔(文宗)、軒轅集(武宗)、李昇(懿宗)數人而已。相反,在玄宗以前流於廣州以外地帶遠較玄宗以後為少,如太宗朝僅流雀仁師於連州一人,高宗朝流武天爽於振州、徐齊聃於欽州、賀蘭敏之於雷州、劉訥於振州四人而已,武后朝以嚴刑治異己,故流於廣南者略多,如流韋元貞於欽州、胡元範於瓊州、王方冀於崖州、韋方質於儋州、王弘義於瓊州、張錫於循州等亦六人而已,至於玄宗以後則大量增加,如流郭元振於新州、裴虛已於新州、姜皎於欽州、姜晦於春州、劉承祖於雷州、鬼結歸國於瓊州、長流韋堅於臨(開)封、宋暉於潮陽、韓浩於潮州、趙博宣於康州、崔遠於崖州、梁悅於循州、長流薛樞、薛渾於崖州、李涉於康州、茅彙於崖州等十七人。

按:唐初之嶺南,大部是土著(越族)割據之地,據《天下郡國利病書》"廣東"中載:"隋唐之際,馮冼(兩大蠻族領袖)內屬,荒梗之俗為之一變"(拙著《隋譙國夫人事蹟質疑及其嚮化與影響》載於《中央研究院歷史語言研究所集刊》四十三本)。由隋唐之際開始,"廣州"始接受較多的文化,故高宗武后時代仍是荒涼不毛之地,適宜於羈禁囚犯。至玄宗時已超過百年,"廣州"以政治經濟中心,漢化較速,加上張九齡開大庾嶺古道,來往中原較易,此後置罪犯於"廣州",已是較輕的刑罰,遂轉移至西江、南路及東西潮梅一帶,因該地大部是山地,仍為蠻夷佔據的羈縻州府,因此,罪情較輕者,則貶謫至該地帶。

(三)玄宗以前,凡至嶺南(廣州)或其他州縣者,必是較重的流刑,玄宗以後則是罪狀較輕的謫(貶)宦。據統計,玄宗之前,僅高宗武后時貶程知節於康州,唐臨為潮州刺史,李昭德為欽州南賓尉,魏元忠為高要射四人而已,玄宗以後貶謫於"廣東"者有王昱"於高要"、裴朏(嶺南)、劉宗器(循州)、薛邕(連山)、袁高(韶州)、趙縱(韶州)、盧杞(新州)、白志貞(新州)、劉禹錫(連州)、韓愈(陽山)、元誘(雷州)、趙博宣(康州)、韋執誼(崖州)、凌準(連州)、李康(雷州)、皇甫鎛(崖山)、李道古(循州)、李紳(端州)、楊敬之(連州)、杜元穎(循州)、崖璜(連州)、李其(封州)、蘇特(潘州)、李宗閔(潮州)、段嶷(循州)、竇訓(循州)、常袞(潮州)、楊嗣復(潮州)、牛僧孺(循州)、蘇滁(連州)、崔嘏(端州)、鄭亞(循州)、元壽(韶州)、魏當(春州)、崔彥融(雷州)、張直方(恩州)、劉瞻(康州)、高湘(高州)、楊知至(瓊州)、崔庚(連州)、康承訓(恩州)、于琮(韶州)、李鄠(儋州)、韋保衡(雷州)、崔沆(循州)、張楊(封州)、李敬仲(儋州)、路巖(新州)、雀渾(康州)、高潯(端州)、劉宗魯(崖州)。

㊱宋代"安置"與"編管"、"竄"於廣南之謫宦。

宋代謫宦中罪狀較重者為"安置"與"編管"及"竄"。蓋失去了自由,"貶"則較輕,而謫至嶺南諸州,更是罪大。江紹虞《皇朝彙苑》卷61:"嶺南諸州多瘴毒,歲閏尤甚。近年多選京朝官知州,及吏部選三班使臣,生還者十無二三,雖倖而免死,時亦多中嵐氣,容色變黑"。茲據三套《廣東通志》中勾出其名單如下:(一)北宋時,流盧多遜於崖州、安置蔡確於新州、安置蘇軾於昌化軍、劉安世於吳州、王珪於惠州、范祖禹於化州、編管秦觀於雷州、編管鄒浩於新州、竄任伯雨、陳瓘於嶺南、流方軫於嶺南、竄宋昭於連州、安置朱勔於循州、安置姚古於廣州、竄蔡京於儋州、竄蔡攸於雷州、安置耿南仲於南雄州、安置張所於廣南。(二)貶謫者僅寇準(貶於雷州)、丁謂(貶於崖州)、唐坰(貶於潮州)、蘇轍(貶於化州)、梁燾(貶於雷州)、章惇(貶於雷州)、李清臣(貶於雷州)。按:若與唐代比較,流(安置、編管)與貶謫於廣州及嶺南者,數量已大減,顯示漢化後的廣州,已不是用以懲罰較重的罪犯,但廣州外圍的山地(南路、西江及海南島),仍是懲罰罪犯的理想地帶。另一方面,北宋"安置"與"編管"於廣南的謫宦中,大部與新舊黨爭有關,失勢者便"安置"於廣(嶺)南,以示儆戒。(三)南宋時,"安置"及"編管"於廣(嶺)南者有,高宗時:安置黃濟善於英州,流顏博於廣州,安置耿南仲於南雄州、安置徐秉哲於梅州、編管邵成章於南雄州、安置趙子崧於南雄州、安置郭仲荀於廣州、安置周望於連州、編管裴廩於高州、安置趙鼎於潮州、徙岳飛家屬於嶺南、安置張浚於連州、安置李光於瓊州、安置胡寅於新州、編管楊偉於萬安軍、安置陶冰於新州、編管草汲、汪台錫、陸升於廣南、編管薛仲邕於連州、編管林東於英州,孝宗時編管曾慥於南雄州、安置龔茂良於英州、寧宗時安置呂祖儉於韶州、安置蘇師旦於韶州、流鄧反龍於循州、徙吳曦家屬於嶺南、安置陳治強於雷州、理宗時竄吳潛於潮州、安置於大全於新州、放賈似道於循州。至於罪較輕者,如高宗時貶李綱於萬安軍、貶胡銓監廣州都督鹽倉及貶洪皓於新州三人而已。

㊲宋代的廣州已是大都會之參考書目:較主要者有桑原隲藏著《唐宋貿易港口的研究》、成田節男著《宋元時代泉州的發達與廣州的衰落》、鄧湍本之《宋代廣州的市舶司》、朱傑勤之《中外關係史論集》、沈光耀之《古代對外貿易史》、馬潤潮著馬德程譯《宋代的商業與城市》。此外,近人所撰之《宋史》、《中西交通史》、《中外貿易史》等書籍及論文,常有此論證。

㊳以廣州為支那。《宋高僧傳》卷2"唐廣州制止寺無量傳"稱:"釋無量,中印度人也......輾轉游化,漸達支那(注:印度俗稱廣府為支那,名帝京(長安)為摩訶支那)"。

㊴廣州之落後。黃佐《廣東通志》卷5"事紀",記開元三年宋璟為廣州都督始教民"陶瓦"(《冊府元龜》及新舊《唐書》本傳同)。方信孺《南海百詠》卷1廣平堂條:"宋廣平(璟)都督廣州,越俗始知棟宇,張燕公(說)嘗為《遺愛碑》以誌之"。"續中國印度見聞錄" 原名Akhbar Bibadi Al-hind Was-sin Aidan Wa Mulukuhuma 張日銘譯(1980年成文出版社)載"時廣府 Khanfu不時發生火災,廣府是船舶停泊處,也是亞拉伯商品和中國人的匯集地,大火焚燬了商品,因當地房屋大都由木頭、葦草所築",按張日銘注此是開元初事。郭棐《廣東通志》卷5記,直至宋英宗治平四年(1067),知廣州呂居簡始進而用陶甓甃城,時上距開元四年(715)已三百五十二年,可知是慢慢地開發而已。

㊵宋時廣州主客戶約十四萬左右。

根據宋之《輿地紀勝》,元之《大德南海志》,明黃佐之《廣東通志》及近人梁方仲的《中國歷代戶口田地田賦統計表》(上海人民出版社,1981年出版)的統計(北宋時)。

	主 戶	客 戶	口	備 考
《輿地紀勝》	79,502			一、所有數目是北宋元豐年間統計。 二、廣州府包括六個屬縣,故實際上數目更少。
《南海志》	64,796	78,468		
		(淳熙年間)	255,877	
《廣東通志》		14,326		
《中國歷代戶口、田地田賦統計》	64,796	78,468		

㊶北宋時東南四商港主客戶的比較:

據梁方仲的《中國歷代戶口田地田賦統計表》三十六:"北宋元豐初年各路府州軍主客表(見下頁):

按:北宋時、廣州人口僅超過明州一地,南宋時,泉州、杭州因政治經濟的關係,比廣州更為發達。

㊷廣州賦稅收入的質疑。按:一地之富庶與否,視乎賦稅的收入可窺知一切。我國歷代田賦商稅的收入,多以省(路)、府(州)為單位,縣的收入衹能在方志中稽尋,廣東已無宋代方志留存,元代《大德南海志》(殘本)的零星記錄中可資參考。《大德南海志》:南海縣民糧:(衹有納稅戶而無稅額)11,198戶,丁

8,880。商稅:本路各務縣國歲總辦:稅課鈔二〇六一定(錠)四五兩二錢分六厘。在城商務周歲辦:稅課鈔一八三四定十二兩。

	主 戶	客 戶	總 計
廣州	64,796	78,465	143,261
泉州	143,199	60,207	201,406
杭州	164,293	38,513	202,806
明州	57,874	57,334	115,208

按:在城務應是純廣州城,商稅僅千餘兩,故未是繁榮的跡象。又,全漢昇教授有北宋歲收商稅的數目(見《唐宋政府歲人與貨幣經濟的關係》)是全國性的。且宋元二代的時間、空間不同,不過元代全路(疑是全廣州府之誤)年收二千多錠,平均每月百餘錠,廣州府十三縣中,在城最稱繁榮,亦月收百餘錠而已,何能產生富可敵國的繁榮?

宋晞教授《北宋商業中心的考察》(載於《宋史研究論叢》)統計熙寧十年的商稅:廣東南路,舊稅額排名二十(共二十三路),新額則排名十三。至於廣州(府)熙寧十年前稅額27,022貫,遜於潭州、福州、江寧府、江州、信州。熙寧十年額增至68,695貫,仍遜於福州、潭州。

《簡明廣東史》曾從《宋會要》輯出一些資料,亦值質疑。(一)嘉祐元年至四年(1056 – 1059)中,某一年,廣南二十一州軍的商稅額為85,187貫,十九年後(1077)增至305,412貫,增長率為258%。(二)同時期(1056 – 1059)廣州的商稅額由27,022貫,十九年後上升至68,703貫,增長率154%。(三)同時期的英州由8,204貫,十九年後升至43,304貫,增長率428%,潮州從10,799貫,十九年後升至30,283貫,增長率180%,韶州從4,662貫,十九年後升至25,303貫,增長率442%,而循州卻從2,590貫,十九年後降至50貫,下降98%。按:以上數字與《大德南海志》相距頗大,尚待考查,即使屬實,同時期廣東的增長率卻比不上外圍的英州、潮州、韶州,故廣州是否一繁榮的大都市,仍是疑問。

㊸中原始是廣州銷費的腹地。據全漢昇教授意見:"廣州在中國歷代對外(尤是對南洋)貿易都佔重要地位。據作者意見,是由於它與腹地Hinterland的聯絡較密切、便利的緣故,在沿海各港中,廣州與腹地的聯絡,大半有便利的河流可供運輸。在廣東方面,有北江一直由廣州至北境,其中走陸路的只是大庾嶺一段,過嶺後,江西又有水道人長江、運河以至各生產地及消費地"。(《中國經濟史研究》中冊,頁90)。

㊹廣州是轉運港口。按全漢昇教授認為:"宋代廣州,實賴屯販貿易Transit Trade或曰"通過貿易",故廣州實為一轉運港口"。《萍洲可談》卷2:"泉、明、廣三方,惟廣獨盛。"考其根據,乃引自畢仲衍之《中書備對》。其記熙寧十年,市舶司收入的乳香共三十五萬斤,廣州獨佔三十四萬餘斤。其實所有乳香多運至別地銷售,故轉運港的收入數目與銷售數目並不相等,不能證明廣州繁榮的真相。

㊺舶貨北上銷售。洪邁《夷堅志補》卷2:"建康巨商楊二郎,本以牙儈起家,數販南海,往來十餘年,累貲千萬"。曾敏行《獨醒雜志》卷10:"廬陵商人彭氏子,市于五羊"。《太平廣記》卷243:"唐定州何明遠,每於驛旁起居營商,專以襲胡為業,資財百萬"。此外,舶貨自廣州北運,市場通於中原。明章潢《圖書編》卷41:"廣東,古百粵之地,號稱樂土,由(南)雄連(連州)可向荊吳(可達鄂贛皖浙諸地)"。

葉德孫《唐代胡商與珠寶》(載《輔仁學誌》十五卷1、2期):"胡人到達(貿易)的地方有長安、廣州、洛陽、揚州、鳳翔、南昌、睢陽等地"。按:雖言唐代之事,至宋仍可資參考。

㊻"廣州地非能饒也","賴以富者,其根乃在異國"。沈括(長興集)卷25《張中允墓誌銘》:君為四會尉,謂使者曰:交(廣)州地非能饒也,大商賈明賴以富者,其根乃在異國,知將困之,彼則踔海而去,晝夜萬里,廣遂不為州矣。按:廣州既非富庶(饒地)之地,賴異國舶商而繁榮,然舶貨非在貧窮區域中能銷售,必需北運,廣州乃一轉運港口,若舶貨不來,廣州無貨可轉運,則"廣遂不為州矣"。

評 論

（李東華）

本人奉命評論林教授大文，十分惶恐。林教授是研究中外交通史前輩學者，著作等身，本人對宋代廣州情形了解不多，實不敢也不能提出任何評論，今就閱讀該文後之心得，敬謹提出讀後感數則，以就教於林教授及諸位學者、先進。

本文在寫作方式上，頗有上承中西交通史名家向達、桑原隲藏之風格：正文言簡意賅，提綱契領，注腳則旁徵博引，精細詳明，資料豐富，這是本文的特色。

其次本文有不少新見解，譬如對“舶”的特殊解釋，認為唐宋時期廣東稱外國船曰“舶”，中國船稱舟或船。此點頗值吾人深思。而本文論旨所在宋代對外貿易中廣州是否稱得上繁榮的問題，作者由1.中央政府獨占市舶之利，地方政府獲利不大。2.蕃商富而多，國人則禁例頗多，如不准私販番物回國等，故專賣制中利不歸地方政府兩方面，來說明廣州未有實質上的繁榮，其富在異國。由作者所引詳細之史料，吾人相信此說是有堅強證據為佐證的。但是，對於作者認為“廣州在對外貿易中只是轉運地，財富集中地乃在中央政府少數權貴手中，故未能促進廣州之繁榮”，則有不能已於言者。按一地區對外交通與貿易的發展，固有帝國整體之需求，但地方性的要求亦不能忽視。以福建泉州為例，泉州在五代以後逐漸興起為對外貿易港埠，主要是從該地區人口壓力及經濟發展上主動造成的，福建地方的因素遠遠超過中原帝國的要求。而在唐宋之間，廣東地區同樣也經歷過五代南漢的割據局面，此時中原帝國對廣東地方並無控制力，但南漢海外貿易依舊發展，此時的海外貿易當與廣東地方經濟發展有密切關係，而無作者所言“財富集中地乃在中央政府少數權貴手中”的現象。因此，廣州對外貿易的問題，似乎應該進一步由中央與地方關係及統一與分裂時期的交相影響中來求答案。

再者，廣州對外貿易亦非全然是國際貿易，在國內貿易中亦有重要地位。如食米經由海道外銷福建，掌握這些國內貿易商賈當非外國人，而係華商，他們聚居在廣州城南一帶的閩南（《後村先生大全集》有“沿江多海物，比屋盡閩人”的詩句），當對廣州的繁榮有若干貢獻。

因此，我們一時貶損廣州對外貿易在廣東經濟發展上的地位，似乎對此一中國歷史最悠久的老牌貿易港有所不公。換言之，如晚近學者研究成果所說，在唐代嶺南呈核心性的發展，經濟衰落；在宋代，作者又貶抑它的繁榮性；到明代，也有學者指出廣州經濟發展的困境。然則，廣州究在何時是以稱為繁榮？廣東華僑，貿易之自然宣泄於海外，進而對廣東地區經濟發展造成影響，又起於何時？就成了我們急欲一問之事。

最後，有兩個小問題，提出向作者請教。其一，即註13黃巢陷廣府殺番商十二萬人事。方豪《中西交通史》冊二認為Banshoa非指黃巢，乃指龐勛而言（頁38–39）。其二，註19，粵船比閩船佳條，作者所引史料是明代胡宗憲《籌海圖編》的說法，其實在宋代史料中也有閩船較粵船好的說法。如《三朝北盟會編》云“海舟以福建為上”，《忠穆集》更有：“南方不性與水相宜，故海舟以福建為上，廣東、西船次之，溫、明州船又次之”等語，僅提供作者參考。

第二節　葡萄牙人在香港事蹟考

一、葡人初到之地屯門考

明正德六年（1511），葡萄牙人佔領麻六甲[①]（滿剌加），即遣使東來我國。初登陸地點在TAMAO（TAMOU）[②]。按TAMAO之位置，有四種不同的解釋：

1. 大茅說（順德縣）：據何健民譯，藤田豐八著《葡萄牙人佔據澳門考》[③]，何氏按語：

譯者按：藤田考葡人所稱之TAMAO（TAMOU）為《籌海圖編》之屯門澳，位東莞縣南頭或其附近，譯者微有疑義，故特商榷如下：案日本一鑑云：嘉靖庚子（1540），繼許一、許二、許三、許四勾引佛朗機夷人……絡繹浙海，亦市雙嶼、大茅等港，自茲東南釁門開矣。葡人所稱之TAMAO，必係大茅之音譯無疑。《廣東通志》卷100“山川略”引廣東輿圖，順德縣條云：“茅山，在城西北五十里，高七十丈，延袤三里，有大茅、小茅兩峰峭秀”。讀音之類似，固不足為典，然TAMAO已顯指廣東省內葡人所佔某澳，而大茅於位置上復符合。是以其為大茅之音譯，無庸置疑。藤田所考，譯者覺有更正之必要。

何氏固承認“讀音之類似，固不足典”。即使在位置而言，中西典籍均云葡人初到之地為一海島，艦隊可泊。順德位於內陸，位置顯然不相符合。且大茅之地名有多處，隨檢地圖及方志，新安縣內有大茅山，海豐有大茅港，又豈能證明為葡人初到之地？

2.浙江之大茅說：方豪教授之《十六世紀國際貿易港LIAMPO考》[④]“八”：“藤田豐八著葡萄牙人佔據澳門考補”：

“藤田文中有一節專考TAMAO之位置...何健民則以其即...順德縣之大茅山，然日本一鑑明曰：勾引佛朗機夷人...絡繹浙海，亦市雙嶼、大茅等港；大茅與雙嶼並舉，又緊連浙海二字，可知大茅必在浙江海面，而又為雙嶼附近之一港，不能遠求諸廣東也。克羅滋[⑤]謂自TAMAO被禁後，華人乃誘葡人赴LIAMPO，TAMAO即大茅，距雙嶼甚近，遷徙貿易，若在廣東，則相距太遠。且引誘者多當地人，利之所在，必不願葡人遠颺也”。

按：TAMAO可譯作大茅，日本一鑑所云之大茅，當然是在浙江，但此大茅決非葡人初至中國之港口。因葡人入侵福建與浙江，是在嘉靖十九至二十六年間（1540–1547），上距葡人之至中國已三十多年，其間中葡兩國曾發生茜草灣之戰役，故認為克羅滋所言，是另外一回事。

3.上下川島說：丹佛DANVER謂TAMAO：

“係上川島西北岸有名的港口，中國及外國商賈各為販賣其商貨而會於此”[⑥]。

又VOLPICELL亦有相同的意見：

“TAMAO在上川島，為沙勿略ST. FRANCIS XAVIER之死與葬身之地”[⑦]。

又MONTALTO DE JESUS 亦云：

“TAMAO在上川島鄰近下川島內，且註曰NAMO HARBOUR”[⑧]。

又H. BERNARD云：

"1516年JORGE ALVARES來華,佔領廣州南的下川島,並在島上建築石壁壘"⑨。

按:上川島ST. JOHNS' IS當然是葡人到達我國地點之一。正德十二年(1517),葡國使者正式到達該地⑩。但早在三年前,已有葡船員JORGE ALVARES到達TUNMEN(TAMAO)。據張天擇之《中葡通商研究》頁35:

"葡國歷史家巴勞BARROS曾在其著作中,附帶提及已有海員JORGE ALVARES到達TUNMEN,時為1514。比之RAFAEL PERESTRELL更早"⑪。

按:BARROS著"ASIA"刊於十六世紀,至1821年,D.W. SOLTAN將其譯為德文。後來俄人 E. BRETSCHNEIDER又將其譯為英文,名Medieval Research,其記載向為西方史學家所重視。按:珠江三角洲外之島嶼甚多,其位置亦不大清晰,但上川島為天主教聖品沙勿略ST. FRANCIS XAVIER逝世之地,建有墳墓,較為著名。故丹佛DANVER等可能將兩地混淆。其實,上川島在珠江三角洲之西南,而TUNMEN卻在珠江三角洲之東南,一時不慎,便差之毫釐,謬以千里矣。

4.屯門說:藤田豐八之《葡萄牙人佔據澳門考》第四節"TAMAO在何處",根據中葡典籍對照:

"TAMAO必在東莞縣南頭或其附近…清代地圖載:南頭沿岸接近九龍有屯門一地,又有澳,此澳似即籌海圖編之屯門澳。余相信此屯門澳即所謂TAMAO(TAMOU)。而《蒼梧總督軍門志》卷29"集議",曾載"正德十二年,有佛朗機夷人突入東莞縣界""(著者按:今日之香港,在萬曆以前屬東莞縣)。

按:正德十二年,葡使THOMAS PIRES 來華,亦即註10 所引黃正銘《中國外交史》所云;不過誤書停泊於上川島,其實是停泊於屯門。

以後,周景濂⑫、張天擇⑬、張維華⑭、梁嘉彬⑮、傅啟學⑯、方豪⑰、先師羅元一先生、布力架J.M. BRAGA⑲、郭永亮⑳等均主此說。事實上,屯門自唐以來,即為海道入廣州必經之孔道。賈耽、周去非之著作均有記載㉑。若以中西典籍引證,葡人初至之TAMAO(或譯"大門"),當是東莞(今之寶安)南頭附近,即香港之屯門無疑。故江澹生之屯門考㉒,即肯定1514年葡人初到達之達馬柯TAMAO,即今日香港的屯門。

二、屯門島(澳)即大嶼山考

當日葡人所到達的TAMAO,實在應是今日香港屯門對海的大嶼山 LAN TAU ISLAND。因歷史上之記載,屯門是一海島。而且今日的屯門與南頭相連,有兵防守,不可能由葡人佔領。葡人善於航海,當日之大嶼山為一荒島,但港灣優良,位於珠江三角洲口,形勢險要,葡人自然不會放棄。據張天擇之《中葡通商研究》:

"巴勞BARROS……告訴我們,阿爾華烈士JORGE ALVARES是首位到達屯門島的人"。(頁40)

"屯門位於珠江三角洲口"(頁41)

"葡人稱屯門為貿易之島"(頁41)

而我國典籍上之記載:有"屯門鎮"、"屯門汎"、"屯門澳"之不同稱謂。《新唐書》卷43·地理志·南海郡:

"有府二,曰經南、番禺。有經略軍、屯門鎮兵"。

因屯門位於珠江三角洲口,為沿海重鎮,故自唐以來即駐重兵[23]。大概自今寶安縣之南頭,以至香港附近水域一帶,均屬屯門鎮範圍。據曹學佺《大明一統名勝志》,《廣東名勝志》內,廣州府新安縣:

"東莞(萬曆元年即1573,始析屬新安縣,治南頭)南頭城,古之屯門鎮,乃中路也"。

又:《郡國利病書》廣東下·海寇:

"東莞南頭城,古之屯門鎮"。

可知當日之屯門鎮,乃是今日的南頭,不過其管轄範圍,包括今日香港的屯門,甚至東可及惠陽之大鵬灣一帶。因自唐[24]以來,即為海防重鎮,置兵防守。玄宗時,海寇吳全光作亂,便以屯門鎮兵討平之。據黃佐之《廣東通志》卷66,外志三·海寇:

"唐置嶺南節度使兵守屯門鎮……天寶二年,海賊吳令光作亂,寇永嘉郡,南海太守劉巨麟以屯門鎮兵討之"。

當時屯門鎮之範圍,自然不會擴至浙江之永嘉郡。可能屯門鎮是海防重鎮,有龐大"艦隊"。於是自海上追擊,終至討平之。如是,則自南頭而至廣東東北部沿海島嶼,都歸其管轄範圍。至宋[25],屯門便更是諸番來廣州必經之孔道。據《嶺外代答》卷3:

"大食、闍婆、三佛齊……其至廣(州)者入自屯門"。

大概自宋以後,便有"屯門澳"(灣)之名詞出現。此"屯門澳"應指今日香港之青山灣附近。據茅元儀之武備志卷213 ,"沿海衛所戰船":

"中路、東莞縣南頭、屯門等澳"[26]。

黃佐之《廣東通志》卷31、"政事"四? 戰船:

"備倭分三路,中路在廣州府東莞縣南頭、屯門等澳,大戰船八艘、烏艚三十艘"[27]。

南頭雖古稱"屯門鎮",但宋明間之"屯門澳"與"南頭澳"並稱,顯然並非同一地方,而是指今日香港之青山灣(屯門)。因"澳"本是"灣"之意。嘉慶之《新安縣志》卷4,便有"屯門澳"或"屯門灣"之稱。同書卷1輿圖,則有"屯門汛","汛"是兵營之意。圖上之位置,與杯渡山(今日之青山)相連。可知即今日之青山灣,而有兵營防守。

此外,又有"屯門島",據應檟之《蒼梧總督軍門志》卷5,"輿圖"三,南頭寨,便清楚顯出另一"屯門澳"[28],便位於海中[29]。西有老萬山(萬山群島北方),旁有注:

"此澳大可泊,東南風至老萬山二潮水,至九洲一潮水,至雞公頭半潮水,至急水門五十里,至虎頭門一潮水"。

若以位置對照,此"屯門澳"顯然是今日香港的大嶼山,與屯門(青山灣)遙遙相對。該地,在宋時稱"大奚山",據王象之《輿地紀勝》卷89引南海志,大奚山條:

"在東莞縣海中,有三十六島嶼,居民以海鹽為主"。

宋紹興年間,據其地之土著朱祐等投誠。於是選其少壯者為水軍,老弱者則放歸[30]。其地遠離陸地,但握珠江三角洲出入口咽喉,形勢顯要,向為不法之徒盤據之地。該地土著似是傜人,以漁鹽為業。朱祐之後,至宋寧宗慶元三年(1197年),島民不滿政府捕鹽之苛政,嘯聚為亂,曾流劫至廣州,後為錢之望所討平[31],並且"盡執島民戮之,無噍類"。於是其地荒蕪，以後遂為海盜之淵藪。明代倭寇之亂時，此地遂為防倭之重點。據《籌海圖編》卷3，謂廣東防倭可分三路：東路是惠潮二郡；西路是高雷廉三郡；中路為廣州府。

"考之三四月，日本諸島入寇，多自閩趨廣，拓林為東路第一關……若受阻不能泊，勢必趨中路之屯門、雞棲、佛堂門"。

又，嘉慶《新安縣志》卷11·兵制：

"洪武十七年，花茂上言：復設沿海衛所，分築墩臺，屯種荒田，以備倭寇"。

同上書上卷載：屯門置墩臺，有把總一名防守。按：倭寇為患廣東，始於明初，而盛於中葉。而葡人東來，亦恰在中葉。且葡人得倭寇之引帶，北方閩浙，甚至日本，兩者關係密切。故屯門一地，不單為防倭重鎮，亦為防番夷重鎮。據陳文輔之都憲汪公（鋐）遺愛祠記（引自康熙靳文謨之《新安縣志》卷12）：

"海多倭寇，且通諸蕃，瀕海之患，莫東莞為最。海之關隘，實在屯門"。

此屯門是泛指屯門鎮與屯門澳。因珠江三角洲西部水淺，往來廣州，必由東部取道屯門、南頭，入虎門。葡人東來，志在入廣州與中國貿易。那麼，先據在珠江三角洲口外找一島停泊，覓機北上廣州，最為合理。據1934年出版的張天擇的《中葡通商研究》第二章，便曾引述過首位葡人阿華烈士JORGE ALVARES到達中國的"屯門島"。該島被稱"貿易之島"[32]。中國人准葡人在島上貿易，恐不會是密邇南頭的屯門澳（青山灣），而是遠離陸地的"屯門島"（大嶼山）較為合理。所以張維華便認為1514年與1517年葡使二次都是先後到達屯門島（大嶼山）再北上廣州[33]。而S.F.BELFOUR之"HONG KONG BEFORE THE BRITISH"[34]，周景濂、郭永亮[35]均是同樣主張。至於我國典籍，亦有相同的印證。據郭棐之《廣東通志》卷69，"佛朗機傳"：

"正德十三年（1518，其實是十一年之誤），佛朗機大舶突入廣州澳口，銃聲如雷，以進貢請封為名"。[36]（圖1）

郭棐之《廣東通志》卷6，舊省志紀事：

"正德十一年丙子夏……六月，佛朗機人始入廣州"。

至於東莞及新安縣志則記載較為詳細。據郭文炳之《東莞縣志》卷14，"外志"：

"正德十一年，佛朗機彝人始入廣州，謀據邑南頭，副使汪鋐逐之"。

又王崇熙之《新安縣志》卷13·寇盜：

"正德十一年，番彝佛朗機入寇，占據屯門海澳（應是屯門島），海道汪鋐逐之"。

地方史事，自然以縣志較之省通志為正確。由此可知，正德十一年，葡人已佔領屯門島，進而窺南頭。至十二年遂正式入廣州，要求通商（朝貢）[37]。若與上文所引西方資料互相印證，葡人未入廣州之前，必先在廣州附近佔一根據地[38]，此根據地甚至沙勿略ST. FRANCIS SAVIER亦曾到達過[39]，疑即是今日香港附近之大嶼山，亦即西文所謂屯門島。

三、中葡首次戰爭：茜草灣戰役考

中西學者[40]認為1514年，葡人抵達屯門島（大嶼山）時，曾建立石碑，至1517年，葡人FERNADO PERES D´ANDRADE與THOMAS PIREZ便已到達廣州要求通商（朝貢及請

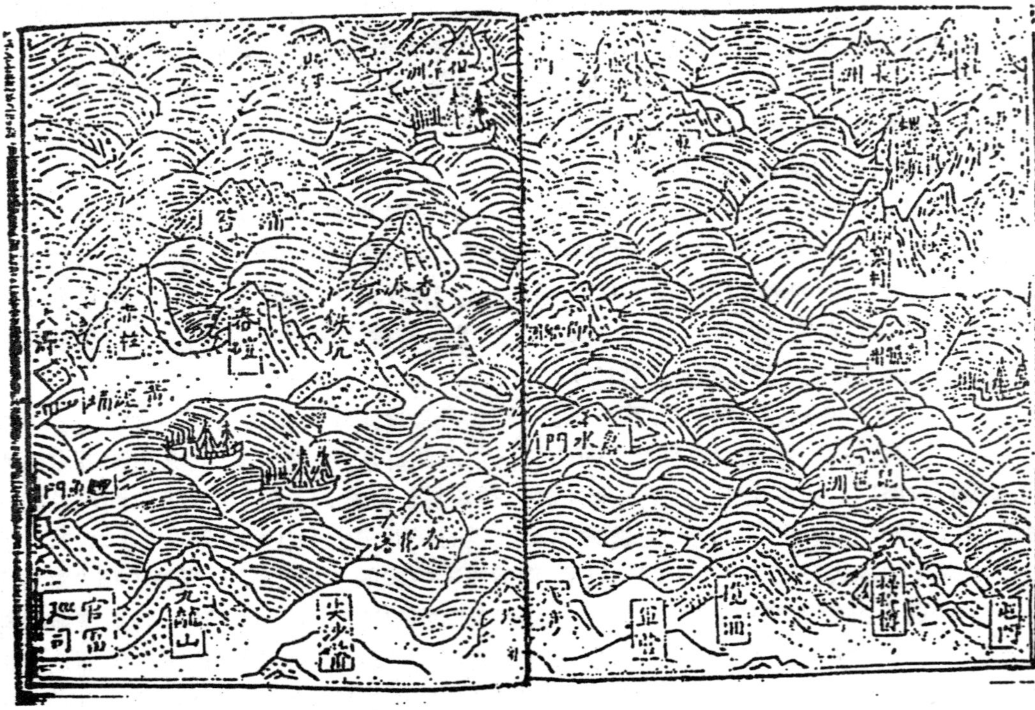

圖1 明郭棐粵大記海防圖

封),留於廣州達三年之久。因朝廷查朝貢國並無佛朗機之名,幾經參奏。其時,葡國舌人"火者(官名)亞三"(回回人),寅緣獲得宦官之助,始於三年後准予北上。在此三年中,葡人在廣州,則居於懷遠驛,等待上諭。在大嶼山(屯門島)之葡人,則蓋房樹柵,持銃自固,建有兵營[41]。當然引起土人之反對,於是謠言四起。據《月山叢談》:

"佛朗機國……其人好食小兒……至是潛市十餘歲小兒食之。每一兒市金錢百文。廣之惡少,掠小兒競趨,所食無算。其法,以巨鑊煎滾滾湯,以鐵籠盛小兒置於鑊上,蒸之出汗,盡乃取出,用鐵刷刷去其苦皮,其兒猶活,乃殺而剖其腹,去其腸胃蒸食之[42]"。

另一方面,正德十五年(1520),明廷查得佛朗機併吞滿剌加MALACCA而冒名朝貢,於是下詔治其罪,絕其朝貢請封。而葡之舌人"火者亞三"亦於翌年(1521)被誅。廣州方面,亦逐其使者,於是產生中葡首次戰爭:茜草灣之役。

茜草灣之戰經過,以殊域周咨錄卷9"佛朗機",及張天擇之《中葡通商研究》第三章記載較詳,可以參考。但戰爭發生在正德十六年(1521),抑或嘉靖二年(1523)?其地點是否在新會?正史有無錯誤?實值得推敲。據明實錄卷24,嘉靖二年(1523)三月:"佛朗機國人別都盧(按即PEDRO HOMAN)寇廣東,守臣擒之"。

又,明史"佛朗機傳":

"嘉靖二年(1523),遂寇新會之茜草灣"。

顯然的,《明史》是根據《明實錄》而為後人所引用[43]。但周景濂之《中葡外交史》第三章,認為明實錄載嘉靖二年之茜草灣戰役,是根據都察院之覆奏,那已是事平之後。那麼茜草灣之戰,必在嘉靖二年之前。

按:明實錄記載茜草灣戰役,生擒葡國領袖為別都盧(即PEDRO HOMAN),疏世利(SYSEIRO應是別都盧所御之舟名)。逃走之米兒丁甫思多滅兒MARTIN AFFONSO DE MELLO COUTINHO是葡國特使,於1522(嘉靖元年)來華[44]。又米兒丁來華之時[45],因是年明已封銷葡人集中地屯門島(大嶼山),而且米兒丁率領二葡船及三百兵士未到達屯門島之前,曾遭遇中國巡邏船隻。但葡人雖主張和平通商,但為明所拒絕[46],遂爆發戰爭。那麼時應在嘉靖元年(1522)或之前。藤田豐八及周景濂均力主此說[47],而陳文輔之都憲汪公遺愛碑更清楚指出:

“是役,正德辛巳(1521)出師,至嘉靖壬午(1522)凱還”。

地方史料可靠性較大,可知此戰役發生在正德十六年(1521),結束在翌年(嘉靖元年,即1522),再呈報至朝廷而正式公佈則已是一年之後(嘉靖二年,即1523)。此是《明實錄》之錯誤。

茜草灣戰役的所在地,亦非新會縣,而是屯門島(大嶼山)。按:戰役發生之前,葡人已據屯門島(大嶼山)作根據地。此地接近廣州,可汲取淡水(見下節)。據《中葡通商研究》:

“葡人MARTIN AFFONSO DE MELLO COUTINHO二人,及別一人名PEDRO HOMAN者奉葡王之命,率四舟東來,與中國訂結修好條約,並希獲中國之允許,得在屯門島建立砦壘,以資駐守。”

故筆者肯定當時中葡之衝突,必在屯門島附近。按明實錄述此次戰役之經過:

“嘉靖二年三月,佛朗機國別都盧PEDRO HOMAN率其屬下疏世利SYSEIRO等共千餘人,駕船五艘,侵寇新會縣之茜草灣。備倭指揮柯榮,百戶王應恩者與之戰,轉戰至稍州,有向化人潘丁苟在前奮戰,生擒別都盧、疏世利等四十二人,斬殺二十五人,捕獲葡船二艘,又以船三艘接戰,餘敗米丁兒甫多滅兒MARTIN AFFONSO DE MELLO COUTINHO 皆敗走,後王應恩以奮勇戰死”。

而《明史·佛朗機傳》則接之云:

“應恩陣亡,賊亦敗遁,官軍得其砲,即名佛朗機,副使汪鋐進於朝”。

是則,此次戰役最高指揮乃是副使汪鋐。據靳文謨之《新安縣志》卷10,“名宦”,汪鋐:

“正德十六年(1521)任巡視海道,番彝佛朗機假朝貢,占據屯門海澳,時肆剽掠,屠食嬰兒,御史邱道隆、何鼇前後具奏,准行驅逐。公親冒風濤,指畫方策,號召編民,率以大戰,戰而克之……民立祠於崇鎮里以報功德”。

此與若干西方資料相吻合[48]。所謂茜草灣之戰,乃是明軍所發動,而非是葡人寇茜草灣。而且,是次戰役乃在屯門澳(屯門島,即大嶼山)。據陳文輔之都憲汪公遺愛祠記:

“近於正德改元,忽有不隸貢數為佛朗機者,與諸狡猾湊雜屯門、葵涌等處海澳,設立營寨,大造火銃為攻戰具,占據海島,殺人搶船,勢甚猖獗…事聞,公赫然震怒,命將出師,親臨敵所,冒犯矢石,劬勞萬狀”。

按:遺愛祠記云佛朗機所據之屯門、葵涌等地,均在今日香港境內,與大嶼山(屯門島）遙遙相對。且占據海島，很明顯的是指大嶼山。而汪鋐“赫然震怒，命將出師，親臨敵所”，當然是主動攻擊葡人的根據地。那麼此戰役必在香港屯門附近。周景濂已有此懷疑[49]。而明實錄載茜草灣戰役發生在新會縣，恐是新安縣之誤。

按：香港有三個茜草灣（圖2），一在大嶼山東涌與大澳之間；一在青衣島；一在九龍灣鯉魚門附近。所謂“茜草”，是“晒海草”之意。 筆者認為中葡首次戰役發生之地，便是在大嶼山境內，其證據為：

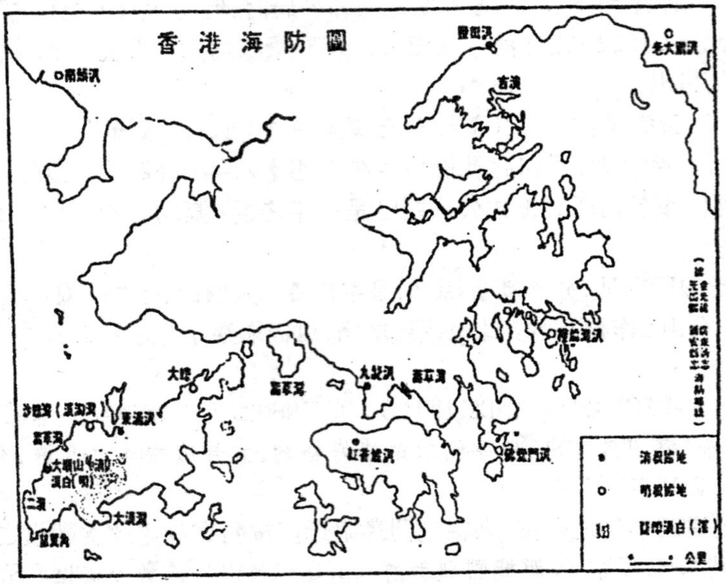

圖2 香港海防圖

（1）大嶼山即是明之屯門島，亦即西文所謂葡人來華之最初根據地。那麼汪鋐攻擊葡人之茜草灣，自然是在香港大嶼山領域之內。按：大嶼山內之茜草灣，該地位於大嶼山西北偏南，恰在大澳與東涌之間。距兩地均約二十華里左右，本身形似倒掛葫蘆，為一天然軍港，西對青山灣。當日葡人根據地稱“浪白滘”為大嶼山東部，以大澳為中心，南及大浪灣，雞翼角，西至茜草灣（見下節）。據王崇熙之《新安縣志》卷4，“山水略”：

“九逕山，在縣南四十里，下臨屯門澳，明海道汪鋐帥土人殲佛朗機人於此”。

九逕山，即今天香港青山灣旁之小山，與杯渡山（青山）相鄰，雄峙於青山灣上，面對大嶼山之東涌與茜草灣，故以地方考之，殲佛朗機人於茜草灣，非大嶼山內之茜草灣莫屬（圖5）。

（2）明實錄，嘉靖二年三月記當日戰役：

“寇茜草灣……轉戰稍州”。

按：稍州，中西典籍均未指出在何處。但王崇熙《新安縣志》卷2輿圖，在大嶼山與南頭間有“哨州”，阮元之《廣東通志》卷124海防圖有“筲洲”，亦位於大嶼山與新安縣之間，旁有小字注：筲洲，龍鼓（另一地名，在筲洲之北），至新安七十里，可知是一軍事據點。又香港大學複印原藏於倫敦大英博物館中，1840年所繪“陳刺史廣東通省水道圖”，亦有“筲州”，位置相同。而現在香港之任何地圖，在相同位置則有一小島名“沙洲”。按：“稍”SHAO、“筲”SHAU、“沙”SHA，其音相似，其地恰在茜草灣之北。由此地而西，可返回大澳及進逼南頭，入珠江三角洲，由此地而東，出磨刀門，佛堂門，可出大洋。故茜草灣戰役葡人失敗後，逃至此地再敗，遂潰不成軍了。

張天擇之《中葡通商研究》，是根據中葡史料，亦有如下之記載：

“他們（葡人）在新會（有誤）縣之茜草灣被攻擊，葡人逃避，備倭指揮柯榮，百戶王應恩隨之追擊至稍州”。

又，茜草灣戰役之經過，《明實錄》記載簡短，據嚴從簡之《殊域周咨錄》卷9“佛朗機”：

“海道憲帥汪鋐卒兵至，猶險逆戰，以銃擊敗我軍，或獻計使善泅者鑿沈其舟，乃悉擒之”[50]。

但，陳文輔之《汪公遺愛祠記》則略有不同：

“諸舶大而難動，欲舉必賴風帆，時南風急甚，公命刷賊敝舟多載枯柴燥荻，灌以脂膏，縱火，舶及火舟通被焚溺，命眾鼓譟而登，遂大勝之，無孑遺”。

按：是次戰役（圖3）發生在1523年9月（據中葡通商研究，正是香港南風季節，符合陳文所載史實，且陳文作於萬曆年間，較之嚴從簡之殊域周咨錄時近，地近，較為正確。八年後（1541）新安縣人頌汪鋐之功，於縣城內設有生祠祀之（見王崇熙之《新安縣志》卷23，祁徠：重建汪公生祠記）。故肯定所謂茜草灣之役，其地點應在新安縣之屯門島（大嶼山）。明實錄誤以新安為新會，一字之差而已。

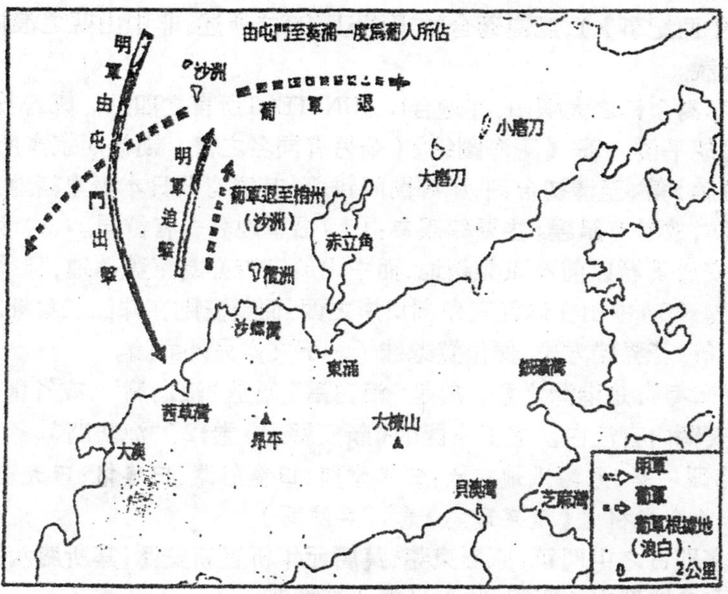

圖3　茜草灣戰役圖

四、浪白滘之所在地考

當茜草灣戰役之後，葡人逃至一海島，名曰浪白滘LAMPACAO（L-ANG-PEN-KAU）[51]，以此作中站，北上犯閩浙[52]，據裴化行H. BERNARD云：

"1542年，在寧波一隻葡國商船被中國人擊破——據來往於浪白滘的商人所述"[53]。

甚至摩士言：葡人佔據浪白滘有半世紀之久[54]，當時在浪白滘之葡人，據瑪利遜J.R. MORRISON估計約有五六百人[55]。是知浪白滘當時是葡人集中之地。其至葡人已租借了澳門，至天啟年間（1621-1627），仍有人主張驅逐澳門之葡人返回浪白滘[56]。故有謂正德與嘉靖間，上川、澳門、浪白滘，為葡人在粵之三大根據地。

浪白滘究在何地？外文書籍未明顯指出其正確位置。蕭一山氏謂在電白[57]，張維華則謂在香山縣（中山）[58]，而梁嘉彬先生之浪白滘考[59]，是我國首篇解答此問題之論文。梁氏根據SIR ANDREW L. JUNSTEOT之澳門與中國（MACAO AND CHINA亦名AN HISTORICAL SKETCH OF PORTUGUESE SETTLEMENT IN CHINA）提出浪白滘所在地有四特點：

（1）為一島嶼。

（2）與澳門接近。

（3）為葡人逋逃之藪，且為中國官吏勢力所未達。

（4）由中國官吏允許葡人在該地貿易。

根据梁氏引用（1）鄭若曾之《籌海圖編》。（2）印光任之《澳門紀略》。（3）江上蹇叟（夏燮之《中西紀事》），認為適合L. JUNSTEOT之所述，非中山縣之浪白滘不可，後來張維華即據此說。

但，筆者認為今日之大嶼山，亦適合L. JUNSTEOT所言之四點。鄭若曾是胡宗憲之幕僚，嘉靖間隨胡平倭，著《籌海圖編》（今另有同名之書，則為胡宗憲所撰）、《江南經略》、《四隩圖論》等，至清初合刻，稱鄭開陽雜著。其實有關日本廣東諸地，鄭未曾親履其地，祇得之採訪，故易有錯誤。主要錯誤為：（1）沿革地名多有雷同。（2）今日之香港乃新安縣屬地，新安於萬曆以前為東莞轄地，而中山於宋時亦為東莞轄地，稱香山鎮。鄭若曾一時失察而已。（3）中山在珠江三角洲口岸之西，而新安則在珠江三角洲之東南，兩者距離三角洲恰相等，若弄錯方位，便位置懸殊了。下文當另外討論。

所謂"滘"，粵言是港灣之意。於是"浪白滘"便是"浪白灣"，或省稱"浪白"。根據方志資料，新安縣內有浪白。據王崇熙的《新安縣志》卷12，"海防略"。

"南頭一寨，原轄汛地有六：曰佛堂門、曰龍船灣、曰洛格、曰大澳、曰浪淘灣、曰浪白"。（金光祖之《廣東通志》卷12兵防同）。

按：南頭寨即古之屯門鎮，原屬東莞，萬曆元年析置新安縣，其所屬六汛，應全在今香港附近，若以香港地理方位觀察，此六汛應分為兩部：

（1）香港東岸有：

佛堂門：在香港東部，又名鐵砧門，與東龍島東相對，握入鯉魚門必經之咽喉地帶。宋時已設稅關於此[60]。

龍船灣：即糧船灣，位於佛堂門之北，應是大鵬灣內之兵汛。按"龍"LUNG與"糧"LEUNG之音相近[61]，據應檟之《蒼梧總督軍門志》卷5、廣東輿圖，在大鵬灣之西有"龍船澳"，在地理上位置亦相合。況且今日之糧船灣在興建淡水湖時，曾發掘有沉沒之貨船遺骸。據考古人士推測，是明代遺物。是則該地為船隻來往之地無疑，故可能設汛防守。

洛格：王崇熙之新安縣志卷2·輿圖，有洛格洲，在老大鵬之東，應屬惠陽縣。

（2）香港西海岸，即大嶼山，因該地為外洋航線必經之地。

大澳：今日香港大嶼山有大澳TAI-O及大蠔TAI-HO兩地，粵音"澳"與"蠔"相同。筆者認為此"大澳"應是"大蠔"之誤。大蠔灣，恰在大磨刀WEST BROTHER與小磨刀EAST BROTHER兩島之南，北為瑟琶州（今之龍珠島），西為東涌灣與赤立角島。其地自宋以來，為來往廣州必經之地[62]。因由佛堂門由此可經南頭入珠江三角洲，故設汛防守[63]。

浪淘灣：未考。根據註63：清時之大嶼山，除大蠔汛外，有沙螺灣汛、大嶼山汛、東涌口汛，可說即沙螺灣及東涌口灣二者之一，其中東涌灣形勢險要，清設有堡壘及發砲臺於此，但未知浪淘灣是否古名而已。

浪白：即註63之大嶼山汛，轄地應由今日大嶼山西南分流角、百筍砲臺起，包括二澳至大澳。其地為大嶼山極西端，恰握外洋珠江三角洲南頭之咽喉。且大澳有豐富之鹽出產，以前稻海南鹽柵[64]，為大嶼山最發達之區域（見下文），故設汛駐守。

按：以上所引《新安縣志》，雖是嘉慶時王崇熙所撰，但上文曾接連言："萬曆十四年，兩廣總督吳（文華）言"。可知事在萬曆十四年前之措施。同書卷11，則言康熙七年，將新安營撥於大鵬營管理。而大鵬營所轄之營汛有：

"九龍汛、鹽田汛、闟湖唐汛、老大鵬汛、東涌汛、大嶼山汛、上峒塘汛、下沙塘汛、紅香爐汛"。

按：大鵬今已屬惠陽（古之歸善縣）。故以上九汛，今已分轄惠陽、寶安、香港三地。分言之：

惠陽縣有：

（1）老大鵬汛：非今日之大鵬城而應在大鵬城與香港交界之海岸地，今屬惠陽。

（2）上峒塘汛：按：陳刺史廣東通省水道圖載：

"在大鵬城之西南、深圳之東北，有上峒塘。位於港灣尖端，適合設汛"。

（3）下沙塘汛：據陳刺史廣東通省水道圖，在吉（桔）與大鵬之間有下沙汛，疑即此地。

寶安縣有：

（4）鹽田汛：據陳刺史廣東通省水道圖，在大鵬之西有鹽田汛。又1866年之新安縣圖[65]，有鹽田一地，位於今香港沙頭角沿海以東之地，故應屬寶安縣。

（5）闟湖塘汛：據陳刺史廣東通省水道圖，位於上峒塘與鹽田汛間，有闟湖汛，應即是此地。

香港境內：

（6）九龍汛：即九龍灣附近，轄今日尖沙咀至啟德機場一帶。

（7）東涌汛：今日大嶼山東涌及赤立角附近。

(8)大嶼山汛:據陳刺史廣東通省水道圖,有大嶼山汛及大嶼山砲臺,以位置度之,大嶼山汛即是今日之東涌附近,而大嶼山砲臺,則是今日大澳附近,亦即明代之浪白。

(9)紅香爐汛:應即今日之香港島[66]。

由此可知,由明至清之間,大嶼山均是海防上之重要據點,設汛防守。惟其地位於大海之中,人蹤罕至,常為盜賊所據。故衹在重要據點置少數兵士防守,平日則有兵船巡邏(會哨)。據嘉靖二年(1553)應檟之《蒼梧總督軍門志》卷5,南頭寨:

> "該寨兵船駐劄屯門,分二官哨,一出佛堂門,東至大鵬,停泊大星(今惠陽)與碣石(今陸豐)……一出浪白,横琴(今中山),三灶(今新會),西至大金(今臺山)與北津(今陽江)兵船會哨"。

很明顯地,佛堂門在屯門之東,浪白在屯門之西,均在今香港範圍之內。若與上文互相印證,當日之浪白,即是今日的大嶼山西南,大澳附近之地無疑。

又,杜臻之《海防述略》:

> "嘗考諸島入寇,多自閩趨廣,拓林設備,遏其衝而不得泊,勢必趨中路之屯門、雞棲、佛堂門、冷水角、老萬山、虎頭門等澳,而南頭為甚,或泊以寄潮,或據為巢穴"。

按:南頭、屯門,當時已有官軍駐守,而為海防要點,然尚常患寇侵,甚至"據為巢穴"。若南頭,屯門之外之海島,防守更疏,多為海盜或外夷盤據,自是意料中事。再以葡人或其他西方資料稽考,葡人在茜草灣戰役後,仍據浪白滘為根據地。據品篤FERNARD MENDEZ PINTO之遠行記PEREGRINACAM:

> 在浪白滘為信仰而犧牲性命的一千二百名教友中,只有一百個是葡萄牙人,在這城內有一處"聖母無染原罪"大堂,及六七處小堂,在這城的別一盡頭。方濟各薩呵FRANCISCO SAA……在1534年,攜同二十名葡人,乘坐中國帆船他去,夜間用巨斧將其同伴全行殺死。以後他在浪白滘附近操海賊生涯[67]。

甚至沙勿略FRANCISCO XAVIER 在1545—1546年間到達中國時,仍可看到廣東附近各海島及泉(廣?)州、浪白滘等商埠,去販賣胡椒的人很多[68],其所記載葡人居住的浪白滘,位置與今日的大嶼山完全一樣:

> "(1551年),一些住在泉州的葡萄牙國商人,慘遭撲逮,送到福州或廣州省城的監獄裏,聽候裁判。佛朗機……只得躲到廣東省以南的小島上,求到當地官廳的許司,暗中去作(貿易)。從廣東省城的海岸向南行,過去(喇嘛)島及(朗道)島,看見一個個高出海面的山峰,如同一些向着陸地走來的士兵一樣。再往南走,便有一個小島名叫海賊島。以後就是伏峙在西江口的一個小島。作買賣的地方,離江口一百二十公里遠,是在西江的上(下?)游。從江口小島向南行,不遠,就是澳門。以後又有一群別的小島"。"浪白滘在這裡東西並列,較別的小島高許多"[69]。

按:喇嘛島LAMMA IS. 即今日香港的南丫島。"朗道"LADRONE 是擔竿群島,西江應是珠江之誤。從廣州南下,在珠江三角洲向南,便是澳門。澳門附近的群島,應是萬山群島。浪白滘是萬山群島附近的島,當然是大嶼山。因大嶼山主峰達三千零六十四英尺,是東西並列,且比別的島高許多(最高之山)。很明顯地這樣描寫"浪白滘",根本便是大嶼山,何況明代的大嶼山便稱為"浪白"!假若根據傳統說法,浪白滘位於中山縣,則其附近並無群島,亦非最高之山,便與事實不符了。

又,品篤FERNARD MENDEZ PINTO 之遠行誌所記浪白滘之情形:

"吾人抵達LIAMPO(亦即LAMPICAU,據方豪教授之考訂,見本文註4)諸港,港口二小島構成,距彼時葡人貿易之地約三里LIEU... 兩島之間有一運河……有海島數處,最宜泊舟,又有風景優美之小溪,溪水味甘,源出高山,凡溪流所經之地,松柏橡樹等小叢林皆甚遠密"。

按:今日大嶼山之大澳TAIO,外有一島,中有一水(運河)相隔,附近港灣有二澳YIO及分流 FAN LAU與大浪灣。介乎大澳與二澳之間有番鬼塘FAN KWAI TONG。粵俗語稱外國人為"番鬼"。筆者曾親至其地訪問,其土著為吳姓。據云十代之前(約三百餘年前),其地為番鬼所據,因其地據珠江三角洲口,來往南頭、澳門甚便。其旁有大瀑布(溪水)自鳳凰山上流下,洋船在此汲取淡水。自石壁水塘建立後,所有水源,經引道而注入水塘,現在仍可目睹巨石遺留於溪道之間,可知當時水源之豐富,此正與品篤所描劃一樣,但該地離港口約三里LIEU,則似指今日大澳之南雞翼角至大浪灣一帶[70]。今雞翼角遺留有廢堡FORT遺跡,疑即當日葡人之遺跡。故筆者懷疑今日的大澳,乃當日中葡貿易之地。但由今日雞翼角至大澳之間,全為葡人所佔領,亦即西文及新安縣志稱之"浪白"(滘)。

雖然,中國典籍多以浪白滘屬中(香)山縣[71],但筆者認為不可能。因:

1. 香山縣之浪白滘過於接近內陸,無可能容許葡人佔據該地達半世紀以上。據夏燮之《中西紀事》卷1:

"天啟之初,紅毛(荷蘭)出於澳鏡(今澳門),澳夷(葡人)藉戍守為名,請兵請餉,請木石以繕垣墉……時值倭寇方平,有言澳中諸蕃實為響導,請移之浪白外洋,就船貿易,而粵中大吏謂:香山內地,官軍環海而守,彼日食所需,咸仰於我,一懷異地,我即制其死命,若移之外洋,則巨海茫茫,奸宄安詰,制禦安施"。

當時之爭論是:讓葡人居於內地(澳門?)易於監視,抑或放逐於外洋(浪白滘),以免為心腹之大患。澳門與大陸相連,屬香山縣領土,固無可疑。浪白既是外洋[72],顯然不在香山縣範圍之內。故萬曆三十五年(1607)番禺舉人盧廷龍,請盡逐澳門諸番,出居浪白外海,因不宜居於內陸邊緣[73]。反之,假若浪白滘位於大嶼山,則較為合理。因該地面臨大海,自明至清之間,向為海盜之淵藪,且遠離大陸,政府視作化外之區,將葡人驅逐至此,最為合理。

2. 香山縣之浪白滘,位於大涌口外,北距黃梁都海岸數箭之地,附近有文灣、連灣及雞啼門、鹹湯門所環繞,本身並非優良海灣,易於淤塞,葡人以航海馳名於世,豈會選擇此港灣而作根據地?又豈能據此密邇大陸之地達半世紀以上?且同治之《香山縣志》卷22·紀事載:由嘉靖元年(1522,即茜草灣戰役前一年),倭寇與盜賊寇黃梁都,歷時十年(1531)始平定。"沿海之民遭殺掠者甚多。但葡人自茜草灣戰役後仍佔領浪白滘達半世紀以上,北上閩浙、日本,均以此為中站。當時明軍豈能於討平倭寇時,不乘勝而逐去接近"海岸"(指香山縣)之葡人?相反,若浪白滘位於大嶼山,則一切難題,可迎刃而解。

3. 假若浪白滘真正位置乃在大嶼山,則我國典籍錯引在香山之原因何在?筆者認為:

(1)地名雷同,沿海之區,地名重覆者甚多,如"大澳"(大港之意)有三(一在香港、一在陽江、一在饒平),"大浪灣"(海浪洶湧之意)在香港有四,在上川島有一,"茜草灣”（晒海草之意）有五（香港有四，新會有一），至於浪白（亦大浪之意，蓋白浪滔滔之謂），在香山與香港均有（香港祇能根據《新安縣志》及《蒼梧總督軍門志》之記載，大概清以後已易名）。而“滘”則是“澳”或“灣”之意。因地名相同，於是張冠李戴。

（2）香山縣之浪白，同位於珠江三角洲口外，一東南（新安），一西南（香山），容易混淆。加以此二縣於宋時同屬東莞縣。宋末分析為香山縣，但至萬曆年間，始再析置新安縣。而新安縣轄地，又有部分割予香山寨防守[74]。新置縣治，未必為當時人所熟識，撰史者一時不察，遂易混淆。

（3）葡人租借之澳門，是屬香山縣內，當時聲明是“曬貢品”，及“入廣州貿易”。因其船泊於附近之“浪白”，故誤以為即香山縣內之浪白而已。

五、大嶼山之中英文不同名稱及葡人之放棄大嶼山

大嶼山之中英文名稱不同。中國典籍上稱大奚山、大漁山、大嶼山，均是一音之轉。英文則俗稱“爛頭山”LAN TAU IS. 兩者各有來源，並無關係。

按：王象之《輿地紀勝》卷89，廣州古跡：

“大奚山，南海志：在東莞縣海中，有三十六島嶼，居民以海鹽為生”。

《大明一統志》卷79，廣東山川：

“大奚山，在東莞縣南四百里（有誤）[75]海中…宋慶元間嘗作亂，提舉徐安國討滅之，地遂丘墟”。

《讀史方輿紀要》卷110，新安縣、大奚山：

“縣南三百餘里大海中，居民以海鹽為生…明初有萬姓者統其眾，今亦呼老萬山”。（老萬山應在萬山群島）

至清修之一統志卷144，廣東山川：

“大奚山，在新安縣南，一名大漁山…舊志：大奚山，在新安縣南百餘里，周二百餘里”。

於地方志，則多是據以數則[76]。至於大嶼山之名，是始自清。據王崇熙《新安縣志》卷4，“山水略”：

“大奚山，一名大嶼山，在縣南百餘里”。

可知清以前，祇稱“大奚山”，至清則雜稱“大漁山”與“大嶼山”。其中“大嶼山”仍是香港政府之官式中文名稱。

至於英文名LAN TAU，不知始於何時。香港政府出版之地圖[77]，注名：“俗稱爛頭山”。其實此乃英音中譯。按外人初至我國，對於未名之島嶼，詢之於當地人民。而當地人多是知識低之漁民與鹽民，對於此等未名之島嶼，往往以即景而付之新名，如大浪（大浪灣）、茜草（曬水草之地）等。筆者懷疑大嶼山東南部有大浪灣，其地平日風浪甚大，所謂“爛頭”者，粵音“浪頭”（俗稱大浪為浪頭），亦即“大浪”或“浪白”（俗稱白浪滔滔）之意。英人未統治香港之前，已有此名稱。遠在1764年之地圖，已有LAU TAU IS. 及香港附近之島嶼，1834年，德國船長所測之地圖[78]在“爛頭山”島上，加上“大蠔”二字。

“LANTAO TAHO”

即以“大澳”[79]附近稱“爛頭”,正適合上文所考訂今日“大澳”至雞翼角一樣,即清之“浪白”。“浪白”與“浪頭”、“爛頭”,同音義,而且是在英人未到之前的原名。

但最近,筆者在香港輔政司署複印一幅“新安縣全圖”,繪於1866年,為意大利教士所繪[80]。關於大嶼山島上書:

“大庾山(中文)NAM-TAO IS. Called by Chinese TAI-U-SHAN”。

顯然的NAM-TAO是“南頭”之音譯。“南頭”與“爛頭”亦是一音之轉。“南頭”是“屯門鎮”之所在地。在明清間,大嶼山無疑屬南頭所管轄。那麼,LAN TAU是NAM TAO 的轉譯過來,亦屬可能。總之,大嶼山之中英譯名有不同之來源,互不相關,但同是明清間之“浪白”,郤無可疑。

葡人佔據浪白滘達半世紀之久,至萬曆天啟間,荷人繼之東來,與葡人爭奪對華貿易。時葡與西班牙合併(萬曆八年即1580年),勢力較弱,於是極力討好明朝,抗拒荷蘭。荷蘭早在1570年(隆慶四年)已佔領呂宋島,1598年(萬曆二十六年)至澳門,求至中國貿易,為葡人所拒(81),荷人轉而至澎湖、臺灣。天啟二年(1622),荷人又攻澳門(82)。葡人深懼荷人之威脅,於是撤退在浪白滘之防衛,在澳門增築城垣,始結束在大嶼山半世紀之統治。

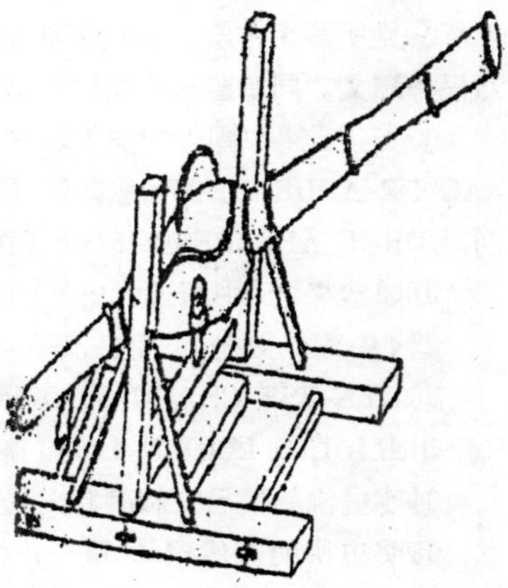

圖4 佛朗機銃

葡人在大嶼山雖有半世紀,且在該地建石碑與堡壘、砲臺,但今已難找其遺物。蓋石碑易折斷,除非掩沒在地下。堡壘之廢墟及砲臺之遺址仍有多處,但未能證明為葡人之遺物。至於馳名之佛朗機銃(圖4),可能在撤退時搬上葡船,或沉沒海底,或攜之西返。不過,明清之大砲頗多襲佛朗機之形式而已。大嶼山位於颱風地帶,破壞力強,加上大嶼山土著,多無知識之漁民、鹽民,對古物未知保存,故未有遺物發現,相信地下必藏有若干寶貴資料,以待他日考古界之發現而已。(圖5)

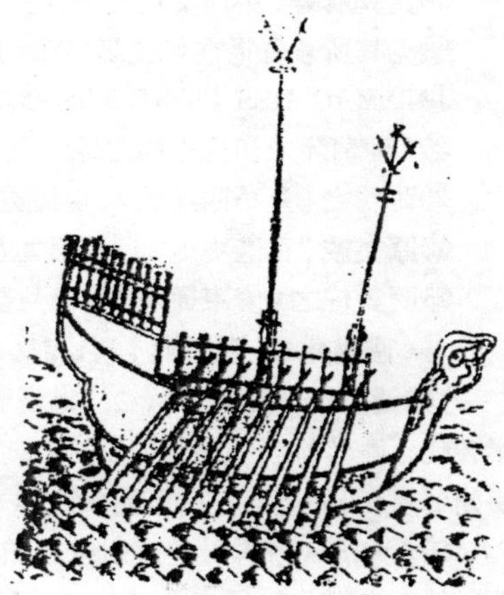

圖5 佛朗機船

註 釋

①DANVERS: “The Portuguese in India” Vol.1 p.79 - 81. H.B. MORSE “The International Relations of the Chinese Empire” Vol. 1 p.41及明史佛朗機傳。

②最早之記載,始於BARROS之遊記,轉引自E. BRETSCHN-IEDER “Medieval Researches”, Vol. II, p.317 - 319及張天擇之《中葡通商研究》。

③該文收於“中國南海古代交通叢考”。

④該文收於《方豪六十自定稿》。

⑤克羅滋GASPUR DA CRUZ著中國論TRACTADO DA CHINA,1569年里斯本出版,1829年再版。

⑥在印度的葡萄牙人Vol.1, p.338(即註1)。

⑦見早期之葡萄牙人在中國之貿易與殖民地EARLY PORTUGUESE COMMERCE AND SETTLEMENT IN CHINA一文,載於JOURNAL OF THE CHINA BRANCH OF THE ROYAL ASIATIC SOCIETY XXVIII, p.40。

⑧見所著之澳門史HISTORY MACAO, p.2 - 3。

⑨見所著天主教十六世紀在華傳教誌(蕭濬華譯),上編第二章:"佛朗機人初來華之經過"。此處乃根據譯文。同章曾三次指出屯門,下注曰:下川島。

⑩黃正銘《中國外交史》第一章:正德十二年臥亞總督庇勒斯THOMAS PIRES同斐南安剌德FERNAO DE ANDRADE帶葡船四艘,馬來船四艘到廣州,停泊上川島。張維華之明史佛朗機傳注釋附錄三:則以JORGE ALVARES於1514年至屯門RAFAEL PERESTRELL則在1517年來華,其說略異。

⑪陳恭祿之《中國近代史》上卷29,亦有相類似之記載。

⑫《中葡外交史》(商務,1936年版)第二章。

⑬TIEN-TSE CHANG:SINO-PORTUGUESE TRADE FROM 1514 - 1644(為張氏之博士論文LATE E.J. BRILL LTD LEIDEN 1934)頁35。

⑭明史佛朗機呂宋和蘭意大里亞四傳注釋(學生書店1972年影印版)第9頁。

⑮明史佛朗機傳證,原載中山大學文史學研究所月刊二卷,三與四期合刊,其發表日期較張維華早一年,故梁文多為張氏所引用,後收於學生書局之明史論叢第七冊。

⑯見其所著《中國外交史》第25頁。

⑰見其所著《中西交通史》第三冊第十六章第四節:"葡萄牙海舶之初抵中國"。

⑱見其所著香港前代史第二章(即26頁及44頁之註29)。

⑲TAMAO DES PIONEIROS PORTUGUESE. p.21。

⑳《葡萄牙人初達中國之地點及人物探討》一文,載於香港珠海大學之珠海學報第四期(1971)。

㉑賈耽之《皇華四達記》,現僅見於新唐書地理卷43下,及周去非之《嶺外代答》卷3:"航海外夷"。

㉒原文載"香港史地"週刊第九及第十期(香港星島日報1947年7月31日及8月7日)。

㉓明黃佐之《廣東通志》卷8·兵防及王崇熙之《新安縣志》卷22:尹瑾之"敷陳海防要務疏"。

㉔《圖書集成·職方典》卷1333,"廣州古跡":"屯門於大寶元年置屯門鎮"。按:大寶之年號有二:(一)梁簡文帝,即550年,(二)南漢劉鋹時(即959年)。屯門置鎮,自然不會遲至南漢,但亦未必早至蕭梁時代。雖然傳說中杯渡禪師於南朝初駐錫屯門之青山,但未能證明已置鎮戍守。又南朝時已有番商至廣州貿易,船舶屯門甚有可能。但亦未能有置鎮之旁證。疑"大寶"即"天寶"之誤。

㉕《大清一統志》:"廣州府古蹟":"南頭寨,本屯門鎮故址:天寶三年,海賊吳令光作亂,廣州都督劉巨鱗以屯門兵討平之。宋時,亦置營壘曰屯門寨。明洪武三年,併入固戍寨,後改為南頭寨,設參將鎮守"。

㉖胡宗憲之《籌海圖編》卷3:"廣東事宜",中路亦有相類似記載。

㉗見上書同卷"沿海衛所戰船"條所載相同。

㉘"澳",是指港灣之意,郭棐之粵大記卷32"海防圖"(附圖三)指出"屯門"位於大陸,東有掃稈芴及(大)欖涌,但對海之島(大嶼山)雖有梅窠,東西涌、大蠔山之名,但並不稱屯門。當然,島上有不少優良港灣,但屬"屯門"管轄範圍之內,故應櫃誤為"屯門澳"。郭棐是粵人,"地近則易竅",故較應櫃為正確。

㉙杜詔之《粵閩巡視紀卷》卷22"屯門澳在海中"。

㉚見盧祥《東莞縣志殘卷》卷1·山川,大奚山條(據臺灣中央圖書館所藏顯微菲林,盧中丞《東莞志》)。

㉛見拙著《宋代之大嶼山疑是傜區之試證》一文。原載香港中文大學崇基學報。現收於《宋史試析》一書內。

㉜譯文見前，原文是：

BARROS is the only Portuguese historian who incidentally mention it, he tell us that a Portuguese of the name Jorge-Alvares came to the island Tumen a year before Rafael Perestrell （p.35） Tumen which the Portuguese often called the island of Trade（p.41）.

㉝見明史佛朗機呂宋和蘭意大里亞四傳注釋附錄三，大事年表。

㉞原文載1941年2月至3月份之天下月刊TIEN-HSIA monthly Vol.XI，No 4。

㉟周著之《中葡外交史》，第二章，郭著文載於珠海學報，見註20。

㊱金光祖之《廣東通志》卷28記載相同，但阮元之《廣東通志》卷187"前事略"衹云："據黃志：正德十四年逐佛朗機夷人出境"而已。

㊲據《籌海圖編》卷13：刑部尚書顧應祥云："佛朗機國：正德丁丑（十二年），予任廣東僉事署海道事，驀有大海船二隻，直至廣州城懷遠驛（求貢）"。

㊳葡人東來，因季候風關係，必是春夏間到達，至冬間乘北風南下，故到達廣州之前，必須有一停泊港灣，或補充淡水，或伺機入廣州。而入廣州通商，必經道珠江三角洲之西岸。據王崇熙之《新安縣志》卷12"海防"："由澳門至省則水淺不能行，必須由大嶼山經南頭直入虎門抵珠江：故佔據當時之荒島大嶼山為根據地，最為合適（附圖四）。

㊴近代德國宗教史家FATHER GEORGE SCHURHAMMER（S.J.）曾著FRANCIS XAVIER，共四巨冊，由JOSEPH COSTELLO神父翻譯為英文，題為THE LIFE OF ST. FRANCIS XAVIER。其中第三冊，提及沙勿略在上川島時，曾得中國籍艇家答允助其偷渡至廣州。沙勿略於是到達廣州附近一大島，伺機北上，惜未成功。根據GEORGE SCHURHAMMER之意見，此大島應在香港附近。筆者未有此書，此乃耶穌會神父陳綸緒博士所面告。

㊵E. BRETSCHNEIDER之中古史研究Vol. II，p.317 - 19及張天擇之《中葡通商研究》第二章，與張維華之《明史·佛朗機傳注》頁11，均曾引述西方資料。

㊶S.F. BALFOUR，HONG KONG BEFORE BRITISH。

㊷原文引自《天下郡國利病書》卷119，頁54。張維華之明史佛朗機傳證除引此文外，並認為明人疑佛朗機與狼徐鬼國之音相近。古傳狼徐鬼國人能食人，遂有此附會之言，而戴璟之《廣東通志》志卷六十九·番志，亦加引用。惟言：葡人據南頭徑造屋、樹柵，持火銃以自固。其所謂南頭徑，應是"屯門島"（大嶼山）之誤。

㊸如郭棐之《廣東通志》卷6"藩省部紀事"、阮元之《廣東通志》卷188"前事略"、明史"汪鋐傳"、"張嶺傳"、史澄之廣州府志卷78"前事略"。

㊹引自張維華《明史·佛朗機傳注》，呂宋、和蘭、意大里亞四傳注釋頁24 - 25，梁嘉彬之明史佛朗機傳考證（明史論叢本頁19，亦有相類似記載）。

㊺見摩斯MORSE《中華帝國國際關係史》第一冊第三章第24頁。

㊻張天擇《中葡通商研究》頁57 - 59。

㊼藤田之《葡萄牙人佔據澳門考》（三）及周著《中葡外交史》第三章。

㊽見《中葡通商研究》、《中華帝國國際關係史》及《英屬地之前的香港》諸書。

㊾見《中葡外交史》第三章頁31。

㊿郭棐之《廣東通志》卷60，《佛朗機傳外志》亦有記載云："檄海道副使汪鋐帥兵往逐，其舶大，輒鼓眾逆戰，數發銃擊敗我軍，尋有獻計者，請乘其驕，募善水人，潛鑿舟底，遂沈溺。有奮出者悉擒斬之"。明實錄則云擒四十二人，斬首三十五級。另金光祖之《廣東通志》卷28亦有相同記載。

51摩斯：《中華帝國國際關係史》頁42 - 43。

(52)鄭舜功之日本一鑑："浙海私商，始自福建鄧獠。初以罪囚按察私獄，嘉靖丙戌（1526）越獄逋下海，誘引番夷私市浙海雙嶼港。投託合澳盧廣四等，私通交易。嘉靖庚子（1540），繼之許一（松）、許二（楠）、許三（棟）、許四（梓）勾引佛朗機國夷人，絡繹浙海"。又方豪之《十六世紀浙江國際貿易港LIAMPO考》（載於六十自定稿），周景濂之《中葡外交史》第五章頁40均可參考。

(53)H.BERNARD著，蕭濬華譯：《天主教十六世紀在華傳教志》第二章："佛朗機人初次來華之經過"。

(54)《中華帝國國際關係史》第一冊頁40。

(55)見張天擇《中葡通商研究》頁88所引瑪利遜所著《中國商業指南》頁66。

(56)夏燮之《中西紀事》卷1。

(57)《清代通史》第四篇廿一章，八十五節，"歐亞交通之起源"，注釋。

(58)明史佛朗機呂宋和蘭意大里亞四傳注釋頁61。其主要根據是：（一）胡宗憲之《籌海圖編》卷3，（二）印光任之《澳門紀略》卷上形勢篇。而阮元之《廣東通志》，同治及辛亥之《香山縣志》均沿襲胡、印之說。

(59)原文載民國二十年（1931）之清華週刊35卷，及後引用於梁氏另一著作《明史稿佛朗機傳考證》（原載中山大學文史研究所月刊2卷，三、四期合刊，後再收於包遵彭主編之明史論叢第七輯："明代國際關係"內）。

(60)龔春賢之佛堂門與香港九龍新界等地之天后廟，載於先師羅香林先生之《香港前代史》內。

(61)按"陳刺史廣東通省水道圖"（原藏於大英博物館，香港大學地理系有複印本，圖繪於1840左右）；在今日九龍半島東部有浪船洲。"浪"與"龍"音亦相近（LONG、LUNG），以其方位度之，亦今日香港之糧船灣，現已改建為萬宜淡水湖。

(62)先師羅香林先生之《香港前代史》第二章註二十，謂琵琶洲即今日大嶼山之白芒（在大蠔灣旁）東涌一帶。並引宋史注輦傳，謂其地為入廣州必經之地。如是設汛防守，必有可能。

(63)李瀚章、廖廷相之廣東圖要卷1，新安縣大嶼山，下注："大鵬右營所駐，有沙螺灣汛、大嶼山汛，其東有大蠔汛、東涌口汛，又有坪洲汛，舊有石筍炮臺，久圮"。

(64)嘉慶重修一統志：廣州府、鹽場："海南場，在大奚山，今廢"。

(65)香港輔政司所藏1866年之新安縣全圖（DRAWN FROM ACTUAL OBSERVATION MADE BY AN ITALIAN MISSIONARY OF THE PROPAGANDA）（見圖六）。

(66)先師羅香林先生之《香港前代史》第五章增注四。

(67)裴化行著，蕭濬華譯：《天主教十六世紀在華傳教誌》，上編第二章，佛朗機商人初次來華的經過。

(68)SCHURHAMMER QUELLEN，N.1563A，1712、1740、1742、1746、1761，轉引自《天主教十六世紀在華傳教誌》上編第三章："沙勿略來華之經過與影響"註9。

(69)《天主教十六世紀在華傳教志》上編第三章註35，引BROU，12，p.339；LINSCHOTEN，p.69。

(70)王崇熙之《新安縣志》卷12，海防略："大嶼山雞翼角砲臺，南頭砲臺，赤灣左右砲臺，最為險要"。雞翼角在大嶼山西南尖端，介乎大浪灣與大澳之間，與南頭及赤灣（均在今寶安縣）恰成三角洲，可封鎖珠江入口之地。現仍有廢址，當地傳說為荷蘭人所建。按荷人是步葡人東來，可能當地人誤葡人為荷人，亦可能葡人放棄後由荷人佔領。而陳刺史之"廣東通省水道圖"之大嶼山砲臺，亦是在大嶼山之西南尖端。位置相吻合，證明該處為一港口。

(71)陳澧撰之同治（十二年）《香山縣志》卷8"海防"："浪白滘在澳門西迄南九十里，在黃梁都西南六十里，雞心洲當其南口，北為連灣，東為文灣，又東與三灶山、大林山對峙，為雞啼門，昔蕃舶藪也。今已淤淺，不能停泊"。其他之方志，如廣州府志，廣東通志（阮元），及澳門紀略、廣東新語、甚至蒼梧總督軍門志，均以其地屬香（中）山縣。

(72)郭尚賓曾上疏："查夷人市易，原在浪白外洋，後當事者許其移入濠鏡"。（嶺南遺書郭給諫疏稿）

吏科給事中陳熙昌亦云："自佛朗機，貓眼兒挾貨來，無處棲泊，暫借浪白互市，然猶海外也。亡何，移入濠鏡澳，則距香山縣僅數舍而遙"。（皇明法傳錄三朝續紀）顯然的，浪白是外洋，非接近澳門。若同屬香山縣，未能置信。

⑬《萬曆野獲篇》卷30："香山澳"載反對者云："若移浪白大海，茫茫無涯，番船往來，何從盤詰；奸徒接濟，何從堵截"。顯然浪白非指接近香山内陸之地。

⑭金光祖《廣東通志》卷11，兵防，"南頭寨"："天啟元年，劃去右司汛地予香山防守"。

⑮同書之杯渡山，則云在東莞縣南一百九十里。其實大奚（嶼）山與杯渡山（今之青山），僅隔海相對而已。決無四百里之距離。

⑯明黄佐、戴璟之《廣東通志》多據《輿地紀勝》與《一統志》，清以後之《廣東通志》及《東莞新安縣志》，亦沿襲以上各書之大意。

⑰根據1977年香港政府出版之郊區地圖，圖則第三號LAN TAU ISLANDS，見圖11。

⑱此圖之複印本為中文大學李弘祺博士所贈，原本藏於耶魯大學，圖名為"廣東沿海海岸圖"，為德文地圖，經西德葛林教授DR.TILEMENN GRIMMO Professor in TUBINGEN代譯其名稱如下：Chinese Coast of Province Kwangtung on both sides of the meridian of Macau：2nd degree 20 minutes west and 1st degree 10 minutes east of it include ：the Tschu-Kiang（Pearl River or Canton River）from its mouth upwards to the city of Kwang Tscheu Fu According to the drawing of Capt. Daniel Ross. F.R.S. War. Surv. Gen Beng Horsburg Newell. Auber. Blakely. etc. 1834.

⑲TAI HO本是"大蠔"，與"大澳"混淆。見上文。地圖上之大蠔島即大嶼山（見圖7，珠江三角洲圖）。

⑳原文為：Map of the Sun-on-District ，（ Kwang-tung Province）Drawn from Actual observations made by an Italian Missionary of the Propaganda。

㉑《明史》卷323，呂宋傳。

㉒《明史》卷323，和蘭傳。（Rayerszoon 攻澳門失敗。詳見張維華之明史四傳注）。

第三節 宋帝陵質疑

早在1967年夏，寶安縣赤灣駐軍一位炊事員上山砍柴時，發現宋帝昺陵墓，即報告廣東省文化局副局長孔玉峰。經調查研究後，孔玉峰即寫信報告北京社會科學院院長郭沫若，並轉告省博物館及寶安縣書記①，但未受重視。直至十五年後，即1982年，深圳蛇口旅遊公司為開闢觀光點及修築公路，在開闢叢林時，始重新發現"皇陵"②。於是深圳市博物館派專人調查，並邀請得廣州華南師範大學歷史系主任關履權教授、該系陳周棠副教授、省文物管理委員會文物工作隊副隊長楊式梃等前往考查③。事後，筆者接關履權教授來信，懷疑此"皇陵"，應是宋帝昺的衣冠塚。

皇陵座落赤灣西部，長九點四米、寬五點九米、方向正南、面向伶仃洋，距天后廟約一華里左右。全墓均用石灰砂建築，墓碑正中刻楷書"大宋祥興少帝之陵"。碑文右邊記陵墓方位；"本山坐子癸兼癸復卦爻"；左邊記修陵時間："辛亥歲趙氏三派裔孫重修"；墓碑兩旁有對聯一：

"黄裔於今延宗祀；赤灣長此鞏皇陵"

墓碑頂是一組龍鳳祥雲拱托着太陽的浮雕，墓碑後有二道孤形護欄④，今香港趙族宗親總會斥資三十萬港元擴建。除粉飾皇陵外,加建陵園,內有亭閣等,1984 年完工。

按:香港趙氏,每年均有遙祭祥興帝之盛典[5]。以前,每年均至赤灣皇陵祭拜一次。故簡又文主編之宋皇臺紀念集圖二十一,有"祥興少帝之陵"一圖,即現在的帝陵。自1949年後,因政治關係,前往赤灣不易,故皇陵為野生叢林所掩蓋,至1982年始被重新發現。

皇陵內葬屍體抑或衣冠塚,這是爭論之焦點。趙錫年編纂的《三江房趙氏族譜》首先提出,謂陸秀夫負帝於崖門殉國後,該骸飄流至赤灣,有群鳥飛遮其上,為一老僧發現,設法拯上,面色如生,服式不似常人,"知"是帝骸,乃葬於本山麓之陽[6]。按:此僧是誰,無名無姓,無可考據。若以"服式不似常人",便斷為帝屍,似論證不足,且崖山之役,浮屍十餘萬[7],其中不少是"服式不似常人"之達官貴人及其子弟,焉知是帝昺?頗屬疑問。

葉林豐氏考據《港九的南宋史蹟》,曾提出與少帝有關二事:

(1)元文類載:"李恒追張世傑至高州,獲昺屍還"。此說不可信[8]。按元文類卷2上,有姚燧之"中書左丞李公家廟碑",衹言"獲其金璽"。虞集之"元帥張獻武王(弘範)廟碑",則謂"獲其符璽印章,張世傑北突吾單而遁,令李恒追至大洋不及"等語。未言追至高州,更未言獲昺屍還,未知何所據也。

(2)攻破崖山的張弘範傳:宋君臣將士在崖山自沉後,浮屍蔽流,元士卒在浮屍身上搜求財物,發現一童屍,衣帶上繫金印,士兵報告張弘範,張便以為獲得帝之屍首。但這類記載,皆不見於正史或野史。

翻查元史"張弘範"傳,未發現此項記載,其實葉林豐與趙錫年主編之趙氏族譜,似乎引自明柯維騏之"宋史新編"卷14,帝昺本紀(錢士升之"南宋書"卷6同)。

> "陸秀夫……乃負帝投海中,後宮嬪御及群臣多從死者,越七日,浮屍十餘萬人。元卒有求物尸間者,遇一尸小而皙,衣黃衣,頁詔書之寶,取寶以獻弘範,弘範亟求之,已不獲矣,遂以帝崩報"。

顯然的,若以葉林豐之文,及趙氏族譜所載互相對照,似均是自《宋史新編》脫胎而成。趙氏族譜則改"元卒求物尸"為"一老僧見浮屍"而已。按:趙錫年主編之"族譜",完成於1937年(見序文),而浮石之"趙氏氏族譜"同未載帝昺浮屍之事[9],趙錫年主編之族譜,屬趙三江房,其先祖趙必豫(即玉淵子),宋亡時,曾從文天祥勤王。洪武年間,羅大敏序《東莞趙氏族譜》(玉淵子之苗裔),未述帝昺葬於赤灣之事。再早至元年間,嗣煥公(香山趙氏之祖)序趙氏族譜,云及在潮州抗元之事,亦不述帝昺之皇陵。良韶公(元至順年間)四歲時,遭逢崖山亡國之痛,及後遷居新會三江。及長,極力搜集玉牒及圖錄[10],亦未言及帝昺皇陵之事。可知在元至明初時,根本未有載獲帝昺屍首及葬地之事。直至柯維騏編《宋史新編》時,始有此種傳說產生。按:《宋史新編》刊於嘉靖州卅四年(1555),可知帝昺有浮屍之傳說,起於洪武以後、嘉靖之前,約百餘年間之事,但尚未與赤灣拉上關係。

地方史事之最主要根據是族譜[11]、方志、碑刻。三江房趙錫年之主編族譜雖載赤灣帝昺皇陵之事,然書成於1937年,趙錫年雖參與辛亥(宣統三年,1911)重修皇陵之事,但浮石光緒癸卯(廿九年,1903)之"遠世記",詳記入廣東始祖必次公(與玉淵子必豫同輩)、二世祖良香公、三世祖友通公之事蹟,均與崖山之役及宋亡後的事情有關,均未談到帝昺浮屍與赤灣有關事蹟。至於方志部分,就現存《新安縣志》,有王崇熙的嘉慶廿四年(1819)本,及康熙廿七年(1688)靳文謨本。其古蹟,陵(墳)墓均未有帝昺皇陵葬赤灣之記載。陳伯陶對港九史蹟最為精通，曾著"東莞宋遺民錄"。玉淵子莫壽時，曾與蘇澤東、吳道鎔等登海邊之宋皇臺上賦詩抒懷，事後輯成"宋臺秋唱"（蘇澤東輯）。而其巨著《東莞縣志》卷30前事略，載宋帝昺事時，雖亦引《宋史新編》之傳說，但陳氏之按語："帝尸已葬魚腹，不應有陵"。至於紀皇陵碑刻，目前未見發現，故赤灣皇陵是否有屍體埋葬，除非有新的資料發現，否則仍待存疑。

皇陵有無屍體埋葬雖屬疑問，然皇陵確實存在。其建於何時？為何而建？趙錫年之族譜云是辛亥年重建，是則辛亥以前，皇陵必已存在。而《宋史新編》所採之傳說，雖未可盡信，然必有若干事實，加以附會而已。筆者推測，元亡以後，始有帝昺浮屍於崖山之傳說。兩者間有無關係，因文獻不足徵，未敢遽下結論。

宋亡於異族，明以民族主義而光復，對於宋之亡，多予同情。如楊璉真伽之發掘宋陵寢以取珠寶，事載於周密"癸辛雜誌"別集上云："守陵中官羅銑，為拾骸而火化之"。及至元末，則收葬帝昺遺骸，共有二說：先謂拾屍而葬者為唐璉，繼而謂事後唐於夢中見宋帝，謝其安置遺骸，於是賜子三人、田三頃之故事。羅雲溪於是撰"唐義士傳"以紀之。另鄭元祐則云宋太學生，後淪為丐之林德湯，賄番僧而收諸帝遺骸，亦有"林義士傳"及"冬青詩"一首傳之後世。元末明初陶宋儀已三事並載[12]，明中葉（嘉靖間）郎瑛之"七修類稿"已辯其事[13]，至清時綜合而分辨之，於是成瓘之"蒻園日札"，遂合併謂唐璉葬光、寧、理、度四帝，林德陽則葬高、孝兩帝[14]。按：周密之"癸辛雜識"，專記瑣事雜言，其價值不及"齊東野語"。且"雜識"所記楊髡發陵事，旨在警世，謂得陵之殉葬品者皆不得善終。至明時漢人多惋惜宋之亡於胡元，於是遂發展至有義士傳，有夢宋帝謝其收骸骨故事。且趙族於宋亡之後，流亡四方，隱姓埋名，如有改姓林者。故福州有林趙公祠[15]，其隱蔽之史事，最易附會或誇張。

明代因國人不忍云宋帝昺之葬身魚腹，且張弘範以獲得符印之寶，遽報宋帝亦崩，因而邀功。於是《宋史新編》及《南宋書》，遂有浮屍之記載。蓋詔書之寶既負於帝昺身上，則顯然已發現帝昺之屍首。元卒取寶而棄帝昺之屍而不顧，因是誅其不義，且亦是合乎情理之事。此是浮屍故事之緣起。

由明至清，歷時二百載，未有浮屍漂至赤灣之記載。筆者懷疑在廣東之趙氏，散布於寶安、新會、中山一帶，其在寶安之趙族，最接近當日宋末二王駐蹕之地。且附近之天后（妃）廟，自洪武立廟以來，香火最盛，可能是廟僧之故神其說，謂當日天后廟楝樑突然塌倒在地，暗示天后以楝樑作帝昺之棺木[16]，故知赤灣帝昺浮屍與天后廟可能有關係，以此招徠香客。按天后廟之碑有五[17]，最近為嘉慶十九年[18]，言化萬金以擴建，規模雄偉，卻未言皇陵之事，而當地趙族為紀念祖先，於是立塚以紀念之。所謂衣冠塚，亦未必有衣冠在內。筆者認為可能是"紀念塚"而已。至於建墓時間，應在辛亥以前（修墓），嘉慶二十四年之後，（即1819 － 1911）百年間之事。至於確實時間，因為未有足徵文獻，僅闕以待證明之。

註 釋

①楊耀林《宋皇陵發現記》，載1983年3月21日《深圳特區報》。

②此乃蛇口旅遊公司總經理鄒富明面告筆者。

③敬道《宋帝昺陵在深圳赤灣發現》，載1983年3月21日深圳特區報。

④鄒富明《赤灣宋皇陵》,見前註,深圳特區報。

⑤見香港趙族會訊,如1973年5月21日中午,在香港洛克道二五四至二五六號十一樓會所舉行。

⑥趙氏族譜:帝昺玉牒。

⑦黄培芳《新會縣志》事略上,及"元文類"卷21,姚遂之"李恒家廟碑"。

⑧葉林豐(靈鳳)《港九的南宋史蹟》,收於簡又文主編《宋皇臺紀念集》卷3。

⑨《浮石趙氏族譜》為趙宗壇趙天錫,於光緒廿九年(1903)修。"三江趙氏族譜",為趙錫年於1939年修,前後相隔三十多年。

⑩引自趙氏族譜(舊)序,卷1,羅大敏東莞趙氏族譜序(序玉淵子之後裔),魏王十一世孫處士嗣煥之續修天源族譜序,及故宋裔恭靖王十一世孫潛江良韶敬書汴水趙氏僊源族譜序。

⑪元黃譜"陸承相傳"後敘(金華黃先生集卷3)則云:"後宮及百官吏士從死者萬數"。

⑫陶宗儀"南村輟耕錄"卷4,"發宋陵寢"。

⑬郎瑛"七修類稿"卷22:"宋陵遺骼考"。

⑭成瓘"蒻園日札"卷7:"考唐林二義士的南宋六陵遺骸事"。

⑮見浮石趙氏族譜"遠世記"二伯祖潛林公條。

⑯該傳說流行於赤灣,見鄒富明之"宋皇陵與天后廟"(深圳特區報1983年3月21日)。

⑰其於靳文謨之《新安縣志》,有王應華之《重修赤灣天妃廟記》,見於王崇熙之《新安縣志》,則有黃諫、吳國光、孫海觀、蔡學元四碑。

⑱孫學觀之《重修赤灣天后廟引》,是孫於嘉慶十九年(1814)任知縣時立,蔡學元之重修赤灣天后廟記未書年月,但蔡是嘉慶十三年的三甲進士,可能亦是十九年建廟時所立之碑。

第四節 浪白滘再考

前 言

二十多年前(1979),筆者發表《十六世紀葡萄牙人在香港的史蹟考》①。提出中葡首次戰爭"茜草灣戰役"及"浪白滘考"二節。當時我的蠡測是:

(1)茜草灣戰役即發生在香港領域之內,則葡人的根據地必在附近。

(2)中西史籍記載葡人初至中國地點乃在"屯門",按"屯門鎮"乃海防重鎮,其範圍西起自南頭,東至大鵬灣,香港領域乃在其管轄範圍之內。

(3)西文記載:葡人在茜草灣戰役之後,正式租借澳門之前,曾有根據地"浪白滘",佔據該地達五十年之久。昔日的大嶼山,乃在外洋(伶仃洋)之孤島,乃王化不及的荒蕪地帶,是當日(明代)中國政權所容許之"佔據"地帶。

(4)大嶼山面對珠江三角洲口,為一優良的深水港,適合葡國巨舶停泊及進入廣州貿易旳條件。

(5)往昔中國學者認為葡人東來的三大貿易港口:上川島、浪白、澳門。其實,上川島並非貿易港口,有謂浪白乃澳門之説②。但自茜草灣戰役(1522)後,至汪柏受賄准葡人入居澳門(1553)其間達三十年,但葡人是時仍據浪白為根據地,可知浪白決非澳門。

(6)浪白乃外洋(伶仃洋)一孤島,為王化之外地帶,為縉紳士大夫所忽略之地,憶鴉片戰爭後,割讓香港,朝中大夫不知香港乃在何處,何況外洋孤島,即使有海盜奸民為患,殲其主力,驅之而去便可。其所據之荒島,則據土人所知音譯而已,實未知其正確位置,即使外國航海家亦據土人之音譯,所謂"大浪滔滔",便音譯或意譯為"浪白","大浪"灣"滘",粵閩沿海多以"浪白"、"大浪"為名[3]。學者不察,張冠李戴。

二十年來,因學者多堅持據方志的輿圖及名勝古蹟,謂浪白滘在香(中)山縣(今屬珠海市南水鎮),因整理資料,以史地互証,補充而成此"浪白滘再考"一文。

一、葡人東來的貿易港應无上川島

昔日學者有謂:上川島、浪白、澳門為葡人東來三大貿易港口[4]。按上川島見諸文獻始於傳教士沙勿略St. Francis Xavier 1552年到達該地的記載[5]。但早在三十年前(1522)葡人已到達屯門,且爆發茜草灣戰役。沙勿略在上川島逝世後翌年(1553)海道汪柏受賄,准葡人在澳門居留,黃文寬氏更強調上川島非貿易港口[6]。葡人之貿易港口,主要乃在澳門及浪白滘二地而已。

然浪白滘究在何處?

二、屯門與浪白滘位置之爭論

葡人東來,始於正德四年(1509),是年葡人佔領馬六甲Malacca[7],於是北上發展。正德九年(1514),葡商人Jorge Alvares抵達廣東海面的"屯門"(Tuman or Tummen)[8]。

屯門究在何處?中文典籍很清楚地指出今寶安縣之南頭,昔日名"屯門鎮",是海防重鎮,範圍包括西起南頭、東至大鵬灣一切海域,但在西文方面,因譯音問題,引起不同的名稱。

(1)音譯之Tamao - Tammao - Tamang - Tunmen

按日人藤田豐八著何健民譯之《葡萄牙人佔領澳門考》提出葡人東來,最先抵達Tamao,或譯作Tamou及Tamang,有譯作"大門島"其實香港有"塔門"之異譯亦在昔日屯門鎮轄內的水域,均在今日香港大嶼山内,即昔日"屯門鎮"管轄的地帶[9]。蓋西洋人到達中國沿海時,所接觸的人有操各種方言,於是由Tunmen變而為Tamon (Tamou)及Tamao[10]均一音之轉。

(2)意譯Lampo直譯為"浪白"

粵人稱港灣為"滘",中文典籍初見於1602年郭棐之《廣東通志》,葡人稱Lampaco,始於Martins Affoso de Mello Coutinho[11]。"浪白"與"大浪",均亦"海濤洶湧"之意譯而已。

三、從葡人東來的文獻看浪白滘

根據中西文獻記載,葡人東來的時間及地點次序如下:

正德六年(1511),葡人佔領麻六甲Malacca 。

正德十二年(1517),葡人到達屯門[12]。

等待中國官吏允准前往廣州，至三年後（正德十五年即1520），寅緣得中貴人（宦官）准予入京，是葡人已居屯門（並非屯門鎮，可能是轄內之孤島，疑即浪白滘）居住三年之久，據張維華的意見，此三年中，葡人佔據屯門，來往廣州，剽掠行旅，甚至烹食小兒[13]。於是引起明室的不滿。

正德十六年（1521），中葡間爆發"茜草灣"戰役。

此戰役發生在當日新安縣縣內茜草灣，即今日香港大嶼山附近，因葡人擬謀襲南頭（附圖1、茜草灣戰役圖；2、香港海防圖），明政府自新安出兵，據王崇熙《新安縣志》下卷《記序都憲汪公遺愛碑》載：是次戰場有葵涌、屯門、梢（沙）州等地，均在大嶼山附近。可知當日葡人的根據地"浪白滘"乃在香港的大嶼山水域之內。

按：茜草灣之戰，時期上有1521及1523的不同，事實上戰役爆發於1521，翌年結束，再由廣東上報至首都，已是1523年之事。

中葡茜草灣戰役後，除因葡人擬進攻南頭為導火線外，葡國使者火者亞三賄宦官江彬，冒混商賈進京，明臣疑其偵察國情，於是誅之，配合葡人擬進攻南頭的情報，明軍遂主動出擊。

嘉靖六年（1526），茜草灣戰役後，廣東遂禁止對外貿易[14]，葡人以商立國，需要另覓通商港口，於是北上閩浙[15]。但葡人遠道東來，在中國沿海必需有一中途站，而浪白（滘）是中葡戰爭前已據之地，為明室政令所不及之地。雖然，中國典籍記載浪白滘在香山縣屬，但非海外一大荒島，外文雖有記載，不過地名是音譯（Lampo，Lampacau），而無法與中國典籍互相對照。崇禎三年（1630）曹學佺的《大明一統名勝記》，堪稱輿地的代表作，但仍無"浪白滘"的記載。然則葡人似在今大嶼山附近必有一中途補給站，即此 Lampacau所在地。

嘉靖八年（1528），葡人北上閩浙，為閩浙所逐[16]，於是再而南下，恰巧是時廣東因海禁，貿易衰退[17]，於是大臣林富及林希文建議：准佛朗機互市有數利[18]。葡人既佔浪白滘（大嶼山）作中途補給站，對廣東的消息十分靈通。據說，當時在浪白滘的葡人有數百人之多，佔領時間達半世紀之久[19]。甚至在天啟年間（1621至1627），葡人已租借澳門，仍有官吏主張驅逐澳門的葡人返回浪白滘，可知浪白滘必是遠離大陸的海上大孤島，決非在香（山）山縣（今珠海市）縣緊貼大陸的小島，因該地水淺不能容自歐洲而來的巨舶。

四、從地理位置看浪白滘之所在地

1. 浪白滘（澳）是虎跳門外一大島，與香山縣的小島（今屬珠海市的南水鎮）有異。

浪白滘的所在，據中文典籍載，位於香山縣城東南百二十里，位於珠江口岸。時明室在濠鏡（今澳門）設防，為控制進入廣州的門戶，附近又有萬山群島（包括大嶼山），可以藏匿亡命，葡人據作根據地，冀能稍後經澳門而入廣州。雖然今之南水鎮昔日亦是盜寇來往之地[20]，萬曆年間，郭尚賓、張鳴崗明顯提到此點[21]，但昔日的南水鎮緊貼大陸，既非"外洋"，只是陸地上匪徒躲藏之地，而非蕃夷巨舶佔據之所。（圖3：大嶼山及南水鎮地理形勢圖）

2. 古今地理圖中的浪白滘位置

（1）葡人最先抵達是"屯門" Tumman，Tumman 其意義有二：（一）屯門鎮，原指海道

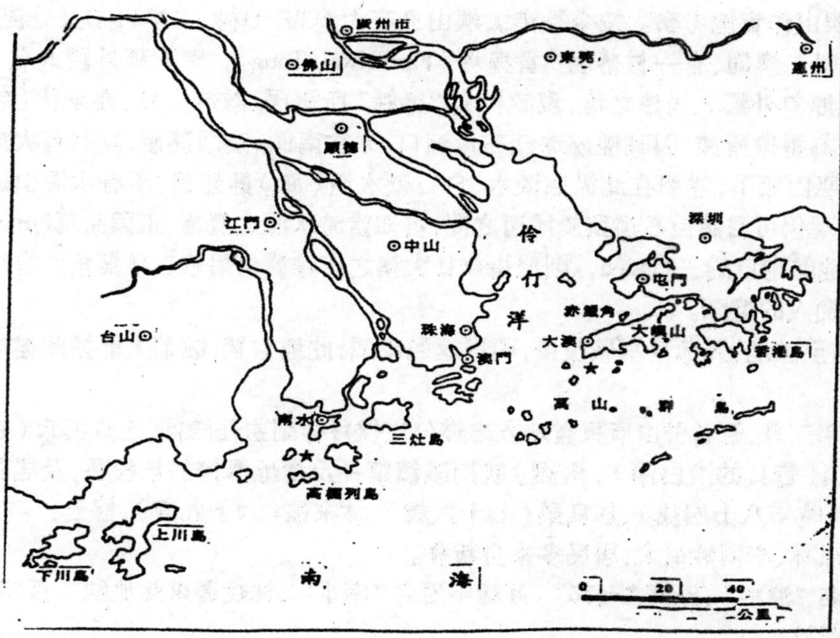

圖3　大嶼山及南水鎮地理形勢圖

範圍，由今日的南頭，東延至大鵬灣，包括一切海島；（二）乃指陸地上的南頭及香港的陸地，當然兩者常有混淆[22]。

（2）正德年間，出兵掃蕩葡人根據地的茜草灣戰役，即在香港大嶼山附近。

（3）大嶼山的大澳，面對珠江三角洲口，而島上的大澳與附近的赤立角（今香港的新機場）[23]。疑與屈大均指"南北二澳"相似[24]。而附近又有"大浪灣"，"浪白"諸地名，似是Lampacau的音譯。

（4）大嶼山幅員廣闊，明時視為"化外之地"，適合葡人據為"基地"，且位於伶仃洋中，屬萬山群島之一，與歷史文獻所載吻合。

（5）一六七三年的《香山縣志》始有"浪白滘"（灣）的位置，惜無比例呎，方位不準確，且圖表明緊接陸地，似與文獻上記敘該地位於外洋不相符合。

康熙以後，對海防較為重視，因與防禦臺灣（鄭成功）有關，故一八七九年《香山縣志》沿海島嶼較多，但範圍大小仍未有正確的顯示。

（6）上溯至明代，應檟的《蒼梧總督軍門圖》及郭棐的《粵大記》及鄧鍾的《籌海重編》。其所繪的"南海海防圖"，均未有"浪白滘"的記載，可知當時的"浪白滘"乃化外之地，不予重視，故絕非葡人三大貿易港口之一，僅是葡人所據的"補給站"或"中途站"。故清人臆測葡人的"補給站"在新會（後之香山）縣屬，其實乃新安縣之誤[25]。

（7）葡人初至之地，中西文獻均謂在"屯門"，此乃廣義的"屯門鎮"，即海防上包括一切的島嶼。葡人根據土著音譯成Lampacau，意譯則"大浪"或"浪白"之意，後之志家，未明邊檄的地理位置，誤導學者附會而弄錯位置而已。

3. 浪白滘之實地考察

筆者撰"葡人在香港的史蹟考"（收入《方志學與地方史研究》中第三編第二章第二

節）時曾至大嶼山作實地考察。按今香港大嶼山島有大澳Tai O村、二澳Yi O及分流Fun Lau，介乎大澳與二澳間，有一村落名"番鬼塘"Fan Kwai Tong 。粵人稱外國人名"番鬼"，表明該地原為外國人居住之地，現該村為"吳姓"所聚居，該族人稱，在十代（約三百年）前，該地為番鬼所據，因其地據珠江三角洲口，來往南頭、澳門甚便，其旁有大瀑布（溪水），自鳳凰山流下，洋船在此汲取淡水，自石壁水塘（庫）興建後，所有水源引道流入水塘（庫）。現仍可目睹巨石遺留於溪道之間，可知當時水源之豐富，正與品篤Pinto 所描劃一樣。該地離港口約三里Lieu，則似指今日大澳之南雞翼角附近，雞翼角南有廢堡Fort，疑即昔日葡人的遺蹟。

按：葡人初至該地，及茜草灣戰役後，明軍返回南頭，此地空置，故葡人能據此達半世紀之久。

一九九七年三月，筆者曾由廣東省地方志辦公室侯月祥副主任陪同，至珠海市（昔日香山縣）南水鎮（昔日的浪白滘）（附圖）訪問該鎮鎮長及當地學校的杜校長，及居住該村長者林進達（時年八十四歲）、林良榮（七十六歲）、林來福（六十九歲），據云：

（1）該地以林、李兩姓最大，居民多來自新會。

（2）以前名"浪白"，原屬"七都"，百餘年更名"南水"，林姓遷來此地約二百年，故地方掌故知之最詳。

（3）昔日此地有南北二水相隔，北水海面寬闊，但常汙塞，南水即浪白，水深約丈餘，面積較小，但接近大陸。

（4）今日南水鎮後之山名"大那山"。據說葡人初來時，擬在"大那山"下（即今之南水鎮）建港口，後因水淺遂放棄。

（5）當地交通方便（指現狀），陸路至石岐，車行約三小時，用帆船可至電白、陽江、江門、澳門等地。

4. 推論：大嶼山與南水鎮之比較

（1）大嶼山面對珠江三角洲口，宜於海舶運輸。

（2）大嶼山昔日有龐大的水源（今石壁水庫），可解決遠洋海舶的淡水補給，附近有龐大的陸地（大嶼山的面積大於香港九龍），可建立"根據地"。

（3）南水鎮水淺，且緊接陸地，不宜葡國海舶來往及停泊，且受明軍威脅亦大，不能讓葡人佔據達半世紀之久。

（4）根據當年沙勿略（Francis Xavier）對浪白滘生動而清楚的描述："浪白滘在這裡東西並列，較別的小島高許多。"[26]滄海桑田，海灣與其他事物都有改變的可能性，但地勢山高其變化可能性很小；南水鎮雖然也有"大那山"，但從"圖八"所見，山並不高，也不會"較別的小島高許多"。反而大嶼山主峰達三千零六十四英尺，而且東西並列，確是"較別的小島高許多"。

（5）葡人居於外洋孤島，中國學者昧於地理知識，不辨方位，據葡人之音譯，以訛傳訛，錯誤在所難免。

（6）新會與東莞乃粵之古縣，後來自新會中剖置香山縣，從東莞中剖置新（寶）安縣（香港屬新安縣），至於橫亙於兩縣間的海外孤島，屬於"三不管"地帶，發生事故，則由屯門鎮武官進剿。屯門鎮的轄地，亦橫跨數縣，由虎跳門而東，包括新安縣的大嶼山，及大鵬灣一帶的島嶼（如塔門），西包括香山縣的南水鎮。在繪圖時，方位略錯，即易混淆，惟以歷史、地理互証，則浪白滘在今香港大嶼山附近無疑。此外，澳門乃中葡的貿易港，而浪白滘僅是臨時的根據地或補給站而已，而上川島根本無貿易，極其量是臨時的中途站而已。

（7）梁嘉彬先生的《浪白滘考》，是我國首篇探討浪白滘的論文。他提出浪白滘所在地應有四個特點：A.為一島嶼；B.與澳門接近；C.為葡人逋逃之藪，且為中國官吏勢力所未達；D.由中國官吏允許葡人在該地貿易。⑪他認為古之浪白滘非今之中山縣浪白滘（南水鎮）不可，並得到其他學者認同。其實，這四點雖然也適合南水鎮，但與大嶼山比較，根據筆者上文先後提出的論點，毫無疑問，大嶼山比南水鎮更為合情合理。

註 釋

①原文發表於臺灣《國民黨黨史會十週年紀念特刊》，至一九九五年收於拙著《方志學與地方史研究》（臺灣編譯館大學用書第三編第二節）。

②黃文寬《澳門史鉤沉》（澳門星光出版社一九八七年刊）頁六十九，下文再詳述。

③拙著《方志學與地方史研究》頁二七六至二七七。

④據蕭一山《清代通史》五六七頁："嘉靖中廣東附近有葡人居留地三，即上川、電白（原文為Lampacau 即浪白）及澳門。"

又，臺灣中華版《中西交通史》（疑即向達的原著）第六章"上川、電白、澳門都有葡人"。

⑤公元1552年十月二十日，沙勿略四十六歲，抵達上川島傳道。上川島離廣州三十里（疑有誤），請求當地人帶往廣州，均遭拒絕……尋病……十一月廿二日，移居聖十字船，因風浪特大，船身簸動，次日，回居島上（自建之教堂）。有人為之放血，廿八日已不能言語，十二月二日至三日晨去世（節自方豪《天主教人物傳》）。

⑥黃文寬謂葡人在上川島之貿易，實指"浪白滘；上川島雖亦為葡人私自貿易之地，然距廣州過遠，且交通不便，似非大宗貿易之地點"（節自《澳門史鉤沉》頁七十二）。另湯開達的《中葡關係起點：上下川島》（《澳門文化雜誌》一九九六年廿六期）有不同的意見可以參考。唯湯氏認為：（1） 1514 – 1518年葡人到達上下川的大澳，那是在上下川島。但自茜草灣戰役後，貿易港移至浪白滘。（2）上下川島有大澳之名，不過沿海地名多有雷同，見下文。又S. Wells Williams 的《中國總論》THE MIDDLE KINGDOM Vol. II P.433 亦提出 Macau、St.John´s Is.、Lampacau 為葡人三大港口，不過1542年後，上川島之貿易已為浪白滘所代替。

⑦據DANVER ：The Portuguese in India P.179–181，並可參考張維華之《明史四傳注釋》。

⑧據A Portuguese Account of East in 1514，中譯本引自《天下雜誌》1937，十一月份。

⑨巴羅斯《亞細亞》（ Barros：ASIA ）謂1517Thomas Pirez最初抵達之TAMANG，張星烺譯作"大門島"《中西交通史匯編》，藤田豐八則譯為"大茅"，並解釋乃在廣東順德縣內。黃文寬則認為TAMANG乃是TAMAO之誤，TAMAO 乃指南頭（屯門鎮所在地）"大澳"（《澳門史鉤沉》頁五十）。

⑩黃文寬考証TAMOU是閩南語"大澳"的對音，見《澳門史鉤沉》（以下同）頁199，而TAMAO則是浙閩方言之"大澳"（頁200），TAMANG 是屯門之對音（頁48）。

⑪1564年，龐尚鵬的處濠鏡澳夷疏亦云往年（夷）俱泊浪白等澳，至1602年郭棐《廣東通志》卷六十九外夷載：夷船停泊，皆擇海濱地之灣環者為澳……若香山則浪白、濠鏡、當時僅稱"浪白"或"浪白澳"而已，相反，在西文方面，摩士（Morse）云：

"一五二二年奉派朝見中國皇帝的專使米羅Martins Affoso de Mello Coutinho 達聖約翰島St. John´s Island（即上川島），遭到襲擊……所有船上人員幾乎喪命，少數倖免的逃往Lampaco 。"《中華帝國對外關係史》，轉引自《澳門史鉤沉》（頁五十九）

另外A.J. Charigon亦提及Liampo，方豪解釋即今之電白或浪白滘《中西交通史》第三冊頁九：

"Lampo（Limpo）有譯作寧波，但以地考之，應是Lampacau 一音之轉。"

此外蕭濬華譯的《天主教十六世紀在華傳教誌》提到Pinto, H. Bermad的著作中的Liampo中譯均作"浪白滘"。是知英文的"浪白滘"時間較早，中文的"浪白"（澳）出現較遲，但均是位於屯門附近，為葡人初至之地。

⑫Barros ：Asia 謂是年葡人抵達中國（轉引自張星烺的《中西交通史匯編》），但未言及屯門，靳文謨的《新安縣志》則明言"番夷佛朗機人寇，佔據屯門"，但Jorge Alvares 謂早在正德九年（1514）葡人已達屯門（轉引自張天擇的《中葡通商研究》三十五頁），而陳恭祿的《中國近代史》亦同樣記載，似未確。

⑬據郭棐《廣東通志》六十九外夷有記載，而《天下郡國利病書》引《月山叢談》更詳細記載"烹小兒為食"。

⑭阮元《廣東通志·政略》載邱道隆等奏摺：正德十二年（茜草灣戰役）有自是將安南，滿剌加諸蕃舶（包括佛朗機）盡行禁止（通商）。

⑮據出使日本的明臣鄭舜功的《日本一鑑》海市條："浙海私商始自福建鄧獠，初以罪囚下按察司獄，嘉靖丙戌（1526）越獄逋下海，誘引番夷私市浙海雙嶼港……佛朗機國夷，絡繹浙海"（轉引自方豪《十六世紀貿易港Liampo考》）。

又，周景濂云：1541年（嘉靖二十年），葡人Fanie與海盜Coja Hozem 寇寧波，泊於港口雙島之傍，得當地長官許可登陸，大受市民歡迎《中葡外交史》。

又，《明史》卷二〇五朱紈傳："承平日久，奸民闌出入，勾倭人及佛朗機國人互市"。按：朱紈於1547年任浙江巡撫，可知自茜草灣戰役後（1522），葡人北上閩浙，二十餘年間，葡人轉至閩浙一帶互市。又，藤田豐八著、張健民譯《葡萄牙人佔領澳門考》六節璋州之葡人來航及其被逐的年代，有詳細的敘述。

⑯據俞大猷"論海勢宜知海防宜疏"，有徽州浙江等處番徒，勾引西南諸蕃（包括佛朗機），前至浙江之雙嶼港等處買賣，逃免廣東市舶之稅，及貨盡將去之時，每每肆行劫掠，故軍門（朱紈）慮其日久患深，禁之捕之（《正氣堂集》）。

⑰《明史佛朗機傳》："初，廣東文武百官月俸多以蕃貨代，至是貨至者寡。"

⑱《巡撫》林富上疏："粵中公私諸費，多資商稅，番舶不至，則公私皆窘。今許佛朗機互市有四利：祖宗時諸蕃常貢外，原有抽分之法，稍取其餘，足供御用，利一。兩粵比歲用兵，庫藏耗竭，藉以充軍餉備不虞，利二。粵西素仰粵東，小有徵發，即措辦不前，若蕃舶流通，則上下交濟，利三。小民以懋遷為生，持一錢之貨，即輾轉販易，衣食其中，利四。"（引自《明史佛朗機傳》）

又王希文上疏：

"正德間，佛朗機慝名混進，突至省城（指茜草灣戰役）……何不逾十年，則折俸有缺貨之歎矣……"按：王希文此疏，繫於明史汪鋐上言進佛朗機砲，即嘉靖九年（1530）。但文中云不逾十年，似指茜草灣戰役（1521）後十餘年，即葡人北上閩浙受挫折而南返時間吻合。

⑲據Morse的《中華帝國對外關係史》第一冊頁六十："一五二二年（茜草灣戰役）後少數倖免的逃往Lampaco 在那裡建立一個葡萄牙貿易站，一直在半世紀之久，（轉引《自澳門史鉤沉》頁五十九）。

⑳阮元《廣東通志·海防略》記廣州府有浪白澳，另香山新會間有白水……皆盜賊淵藪也，似是陸地上匪徒佔據之地，而非蕃夷巨舶停留之所。

㉑郭尚賓於萬曆四十一年（1613）之防澳防黎疏有云："查夷人市易，原在浪白外洋……（請）盡散所納亡命，亦不得慝藏在老萬山中，仍立一限，令夷人盡攜妻子離澳。其互市之處，許照泊浪白外洋，許照貿易如初。"

翌年（1614）總督張鳴崗上言："有謂宜移（葡人）移之浪白外洋，就船貿易者……蠔鏡在香山內地，官軍環海而守，彼日食所需，咸賴於我，一懷異志，我即制其死命。若移之（浪白）外洋，則巨海茫茫，奸宄安詰？制禦安施？"（郭尚賓之疏引自（郭給練疏稿），張鳴崗之疏引自《明史·佛朗機傳》。

按:郭、張之意見雖異,惟同時指出(一)浪白乃是外洋,(二)仍是葡人所據之地,(三)浪白乃王化不及之地。

㉒今日香港的大嶼山(即葡人初至的浪白滘),英文名"爛頭山 Lan Tau",其實乃南頭 Nan Tau 的異譯,因大嶼山昔日乃屬南頭鎮所管轄之地。南頭鎮設有"屯門澳",是海道備倭指揮駐紥之地。

㉓阮元《廣東通志·海防圖》:大嶼山,赤立(瀝)角,一山斜蔽於前,最為孤僻之所,容易藏奸。

㉔《廣東新語卷二·地語·澳門》:"香山故有澳,名曰浪白……蠔鏡在虎跳門外,番人於二灣之中聚眾築城"。

按屈大均雖指此地為濠鏡(澳門)似有誤,因澳門衹有二門,即虎門與十字門,是海船(東西港)必經之地,而非二水,且在葡人租借澳門之前,未曾有築城的事實。

㉕見拙著《方志學與地方史研究》頁二七六,"浪白滘真正的位置"。

㉖《天主教十六世紀在華傳教誌》上編第三章註35,引BROU,t2,p.339; LINSCHOTEN,p.69。

第五節 廣東文化之"危言"與改革之"微言"①

廣東文化(亦可認爲是嶺南文化)從廣義而言,今不如昔,蓋昔日的廣東文化是基於農業社會的儒家文化。自鴉片戰争後,五口通商,廣東憑地利首先接受西洋文化,産生自强運動,提倡"中學爲體、西學爲用",廣東得風氣之先,最早接受"洋務"引進西方的"學術與民主"。有識者謂洋務運動似倣法"文藝復興",因文藝復興一方面復古(Rebirth 即恢復古希臘文化),一方面創新(New birth),在宗教、文藝、思想方面均有更新,而最大的更新是由理論進至實踐,於是理論科學與實用科學分道發展,結果産生"工業革命",而進入現代化的文明,而我國的"中學爲體(儒學),西學爲用(科學技術)"却爲守舊派所攻擊,如倭仁等主張"寧贈洋人,不與家奴"。新文化運動所標榜的"德先生、賽先生",結果"德先生(民主)"不能發展,"賽先生(科學)"亦受到種種限制,難有大的成就。

廣東文化在維新運動之際雖有張之洞等人提倡在前,康、梁等繼後,但大勢已去,廣東文化揹負着儒家傳統,在西洋文化衝擊之下,舊的大受破壞,而"新的文化"又未能建立起來,所謂廣東文化今不如昔,即此原因。

昔之廣東文化事實上亦非"源遠流長",較爲脆弱。粤人稱"五羊城",乃小説家之言而已。粤人盛夸揚孚、陳欽父子(陳元)及士燮爲吾粤的儒學大師,其實此等先賢多在中原受文化薫陶,返粤而啓發廣東之學術而已②。至於廣州之富庶亦是夸張。所謂"廣州刺史,但經城門一過,便得三千萬"③。顯然是貪婪成風。直至陳末隋初譙國冼氏夫人轡化中原,隋初舉郡北降④。隋唐之際,嶺南所設郡縣多是蠻區,故其行政系統屬軍事性質的"嶺南統略府"治理。唐末之際廣東仍是"謫官"、"罪犯"流放之地,至者"十死一生",直至張九齡、九皋兄弟,始爲嶺南文化之奇葩,繼而日南之姜公輔、首位嶺南狀元莫宣卿(大中的特科狀元)⑤,是爲嶺學之曙光。至宋代之余靖、崔與之、李昂英、張鎮孫均有不朽事業見於史册。至明代,中原歷經戰亂的破壞,嶺南因富庶加以文化之南流,文風大盛,理學之陳獻章、湛若水、丘濬等之"繼絶學",而海瑞之文章正義更代表嶺南的精華。另一方面,文學方面有"潮州七賢",廣州的"南國十子",以及屈大均等始顯"嶺南風格"。

所謂"廣東(嶺南)文化"除了受儒家影響外,加上:

（一）歷史背景不同，承受祖先被謫及流放的影響，特顯剛毅不屈的精神，即所謂“反叛性強烈”：如前後三藩之“抗清”、“秘密會社的結合”、“僧兵的出現”，甚至各種反抗運動如“太平天國”、“辛亥革命”，均由嶺南人士作主動。此種“反叛”的精神，在學術上則反映是“説義理多於設考據”，從唐惠能之主“悟”性以至明代理學之南傳，“陸、王”之勢較盛，當然這是比較而已。但一般而言，北方學者，治學較爲沉潛篤實，在“考據”方面成就較大，嶺南（廣東）學術議論多於研究。近三百年來，不論康有爲、梁啓超等屢有創新，但欠缺深入，這是“文化危言”。

（二）地理背景不同。廣東是丘陵地帶，耕地不多，但因瀕海，易於向外發展。自“五口通商”後，對外貿易發達，易於接受外來的文化，因此對傳統的儒家文化起極大的衝突，但相反，却能包融西方文化。按：西方文化着重“個人的發展”與“獨立的精神”，其發展罕有墨守成規，故北方學者是“傳承”有“師法”、“家法”，着重“考據文章”，但廣東學者則主張談義理，受西方影響重“個人的見解（創見）”，故北方學者多是一脈相傳，多“宗師”，廣東的學者，因融匯各家多成“大師”、“名師”。

（三）廣東學者受西方經濟影響，在文化上講究“功利”，流於經濟富庶的“浙東學派”。與北方受“修齊治平”的儒家哲理不同，南方的經濟愈繁榮，“功利”之心愈烈，讀書目的在“明理”方面少，在“求實利”爲多，教育變成“商品”，學校變成“商場”，求學的過程，一如商品之“加工”（表一）。所以廣東（嶺南）文化接觸西洋文化愈多，舊的傳統（儒家）文化破壞愈大，革命受到破壞，但“賽先生 Science”未能協助建立“德先生 Democracy”，不能像文藝復興後，雖然 Rebirth 了希腊文化却未能全面改革 New Birth 産生了科學與文明，理論與實踐並用而促進了工業革命，踏進了近代的社會，這是廣東文化的“危言”。

爲了彌補傳統與現代文化的融和，筆者提出微言，改革當然極未及於“大”。

A、與西方文化接觸愈早、愈多，愈爲崇洋輕視傳統的舊文化，故首先要杜絶崇洋思想，對傳統文化恢復自信，將儒家文化去蕪存精，使之更適合潮流，如檢討“兩文三語”的

表一：舊社會時代的科學與新工商業社會時代之産品比較

科舉時代：	鄉試	省試	會試	廷（殿）試
	（仁於地方或中央低班作吏）	（出任較高職位）	（出任更高職位）	廷（殿）試（任於京師）
學校時代	小學	中學	大學	研究院（包括留學）
模擬 ↓	師資的改良 課程加深 學習方法	→ 入職薪普通	入職薪較高 →	高待遇 高福利
工商業時代產品	原料的選擇 製造方法的改良 融資的方法	加工 → 朔成品優良	價格較主 → 加工 高質素的產品	價格更高

實際作用，使之融和西洋文化，更適合潮流，且能保存國粹。

B、嚴格限制留學制度，提倡"遊學制度"（研究），學成必須歸國，避免"楚材晋用"。

C、發展"科技教育"，拖慢"學位"的需求與發展。

D、政府及大企業用人應重視"專材"與"經歷"，而非重視學位之高低。

E、經濟制度的改良，"管理權"與"主權"分開，着重企業的管理始能發展，"家屬的主權"只是"分紅（利）"而已，管理權任用專才，不倚姻親，可打破"家族籠斷"之弊。

F、保存廣東人（嶺南人）的倔强（擇善固執），發揮創業精神，同時倡導"專利權"，奬勵有能力者，發揮與鼓勵。

其實改革是多方面的，筆者淺薄，僅就所知所見略提微言，有如"盲人摸象"，不及全貌，望有識之士斧正之。

注釋

①鄭觀應撰《盛世危言》在同治中興時代，倡言改革。彭玉麟序云"皆時務切要之言，考究政治得失利病，筆者淺薄，僅獻微言。"

②漢時，封川人陳欽、陳元父子，治春秋，爲嶺南的儒學大師，據本傳欽與劉歆同時。雖是封川人，可能北上京師，受中原文化薰陶，始有成就。又三國時虞余姚，以治《易經》飲譽於時，晚年謫居廣州，啓發嶺南文化有功而已，並非嶺南所培養的人才。

③見《南齊書》王琨傳語，惟是時廣東賦税輕微，見明清三代的《廣東通志》及梁方仲《中國歷代户口、田賦統計表》，本人藏書已送美國楊伯瀚大學，未能對照引用。收入少、聚集多，顯然是"貪污之風"泛濫而已。

④拙著《譙國夫人之彎化及影響》原於臺灣中央研究院史語所集刊41本，後收入拙著《地方文獻論集》（2000年，廣東海南出版社）。

⑤拙著《嶺南首位狀元（特科）莫宣卿考》，亦收入《地方文獻論集》中，其侄莫昌撰。《桂林風土記》亦有譽於時。

第六節　嶺南文化之剖析與展望

一、一脈相承之文化

嶺南文化是中華文化中一因子。中華文化因時間上及地域上的不同，遂產生許多"子"文化，如上古時代的黄河文化，中古時代的關隴文化、吴楚文化、西蜀文化及後之嶺南文化，與近代的沿海文化、江浙文化等。

所謂"嶺南"，是指南嶺（萌渚、騎田、都龐、大庾、越城）以南①，亦即由中原入廣東的"五古道"以南。範圍主要是包括廣東、廣西及海南等。每一個"子"文化因地理的差异，接受中原文化之深淺與時間的先後，而產生不同的特色（特性）。嶺南文化的特質是多元文化，蓋中原文化的主流是儒家的文化，而嶺南在唐宋以前根本是蠻荒之地，趙陀曾向漢使者陸賈稱："居蠻夷久，殊失禮儀。"晋時廣州牧滕修有政績，本傳稱："爲嶺表（蠻夷）所服"。《晋書·陶璜傳》："廣州南岸，周旋六十餘里，不賓服者五萬餘户，多溪峒也。"南朝時，廣州居户不多，俚僚雜處，大部分是蠻區，其民"識義者寡"。《新唐書·地理志》："馮盎降唐，以其地置八州治理，嶺南始置郡縣"，嶺南經略五都督府，主要是以軍事統治。"蓋其時諸蠻州九十二，未能具名者五十八。"《天下郡國利病書》："馮（寶）冼（譙國夫人）内屬，荒梗之俗爲之一變。"可知當時嶺南蠻夷雜處。故唐宋以前，嶺南多宗族混居，故稱爲"多元文化"[②]。慧能本傳稱其爲"僚"（佬，本土著、越族之意），唐宋間中原士大夫有罪被貶至"嶺南"，九死一生。至明代，丘濬爲國子監祭酒，被指責"南蠻豈可爲祭酒！"可知當時嶺南文化仍被中原人所歧視。

二、文化之南傳與嶺南之漢化

廣東地方史志謂"五羊城"是嶺南文化的開始，其實這是傳説，可靠性不高。漢時廣信人陳欽、陳元父子，治春秋，爲嶺南的儒學大師。按本傳：欽與劉歆同時，雖是封川人，可能北上京師，受中原文化薰陶，始有成就。三國時虞翻，余姚人，以治易飲譽於時。晚年謫交州，居廣州，於啓發嶺南的文化有功而已，並非嶺南所培養之人才。《南齊書·王琨傳》："廣州刺史，但經城門一過，便得三千萬。"歷來治嶺南史事及"中西貿易（交通）史"均據此謂"廣州貿易之盛"，但只是"本傳"夸張而已，未見諸"本記"、"大事記"、"食貨志"，因其時廣東之賦税遠低此數，極其量謂當時貪污之盛而已。

無可否認，中原文化之南傳，始自秦平南越，繼五胡亂華（指大量南遷）。唐宋之際南遷的路綫有三：

（A）由閩之寧化縣石壁村，入粵東潮梅一帶。

（B）由贛入粵之南雄（珠璣巷），沿北江南下至粵中區。

（C）由湘入桂，沿灕江南下再入粵之西江。

此是中原入粵、桂（嶺南）的古道（驛道），與大量的移民未必有絶對的關係，但大量的漢文化南傳與嶺南人物之産生，似應在唐宋以後。按唐有張九齡兄弟，嶺南首位大魁天下之莫宣卿及其族侑莫昌符，宋代之余靖、崔與之、李昂英、張鎮孫等都具有不朽之業，見於國史。至明代之陳獻章、湛若水、海瑞、丘濬等，都是儒家性理之學中的大師。至於詞章之盛，明代的潮州"七賢"，廣州之"南園十子"，始顯"嶺南文化"的風格。

三、嶺南文化的特性

嶺南地區，自唐宋開發，至宋明融合漢文化而構成所謂"嶺南文化"，但基於地理環境不同與歷史發展的因素，於是形成若干特性。

（一）剛毅、倔强的個性，衝動的情緒是嶺南人特性之一。自唐宋以還，嶺南地區，多是中原知識分子放逐之地，其後裔遺傳了"冤屈不平"的氣質，所以充滿"反叛"的精神。明末清初，前三藩、後三藩多在嶺南抗清，甚至僧人之反抗，秘密會社的形成，多與嶺南地域有關。再後之鴉片戰争、抗擊英法聯軍、太平天國、辛亥革命均與嶺南人有關，故有"嶺南人革命，江浙人治國"之稱。

（二）嶺南人富於冒險性，趨尚向外發展。嶺南多丘陵地，加以瀕海，氣候雖宜於農業，但耕地不廣，宋、明以後，每逢天災（干、旱、蝗）人禍（戰亂），民不聊生；加上宋、明以後，海上交通發達，如明代的海盜，新航路的發現，於是往海外謀生，是農村破産後惟一的生路。所以嶺南人冒險出洋，形成大量的海外華僑。（三）嶺南地帶，易於與外來文化接觸，胸懷廣闊，富於改革精神，較爲開明。自五口通商以後，西洋文化首先在嶺南登陸（由廣州再北至上海），從“同治中興”（洋務運動）而至“康梁變法”，從“中學爲體，西學爲用”而至“五四運動”，均與嶺南人有關；所謂“五四的新文化運動”，若無容閎、詹天佑等新科技、新思潮倡之在前，何來“德先生”、“賽先生”？

（四）經濟層面與文化層面的關係。自五口通商以後，嶺南地帶的商業繁榮（可上推至十三行時代），嶺南的工商業受西方文化影響較大，呈現“多元化”；與山西的“票號”（銀行業）、中原的鹽商及紡織業（長江流域），多是專業化有所不同。但嶺南的商業，如“百貨業”、“管理業”是趨於“多元化”、“集體化”。當然，所有近代的“商業”，多呈短視，重暴利，影響至“經濟爲主”的“人生觀”。北方雖亦是“商業化”，但仍帶“儒家的禮教薰陶”，重視“百年老店”的名譽。嶺南的“老店”能稱“百年”字號，鳳毛麟角，因多是“暴發户”，而且是“多元化”，不斷地改營他業，故富商巨賈，變化甚大，難與北方相比。

在文化層面上，嶺南人的衝動性格與缺乏沉潛的氣質，難培養深入研究的大宗師，不過因易於接受外來的文化，有比較易於創新的特性。自明代的陳獻章、湛若水、丘濬等數人，堪稱“大師”外，以後因海禁大開，學風轉變，即使如康有爲、梁啓超、朱次琦等，可稱“開風氣之先”而已，未能創立“宗派”，故謂嶺南多“名師”而少“宗師”。

四、中西文化之融和與嶺南文化之展望

所謂中華文化，其主流是儒家文化，其背景是農業社會，兩者互相結合而成。其影響是：

（一）政治上，産生君權及有限度的民權（民本主義）；在政策上，采取保守政策，着重理想，主張漸進地改革，不主張急進地革命。

（二）社會上，主張家族本位，家族中榮辱與共，主張和諧相處，首重五倫。

（三）經濟上，以農業爲主，聚族而居，以耕讀爲登進之途。及至隋唐以後，結合工（手工業）商業而構成莊園制度，加上重農的思想，平衡了農業與工商業之矛盾，繞過工業革命而維持了農業社會之文化。

另一方面，儒家文化在南北朝時，滲入鮮卑文化。隋唐時，滲入回紇、吐蕃文化；宋代時加入遼與西夏的文化，以至元代的蒙古文化，清代的滿文化。結果，均因“漢化”而成漢文化的一部，故儒家文化，是融合各宗族文化的單元文化。

至於西洋文化却是多元的混合文化。因爲在上古時代，先有埃及文化及希臘文化，及後加上腓尼基文化、巴比倫文化等，各有其特質。羅馬强盛時，雖統一各部，而構成“希羅文化”，而成西方文化的主流。至中古時，加上基督教文化、日耳曼文化，恰巧又有新科學方法的産生，將理論科學與應用科學分途發展，及至新航路發現，擴展了營商的範圍，加上工業革命後機械生産遂進入了新的資本主義社會，故西方的文化，是混合各種不同的文化與不同的方法的多元化。

21世紀的今天，由於航空及資訊的發展，全世界已構成“地球村”，中國的儒家文化

與西方的資本主義(或稱工商業)文化相接觸,是否衝突抑或融和? 嶺南文化在這夾縫中,何去何從? 這是值得探討的問題。

按:文化的主體,應是知識分子,在農業社會與資本主義社會中的知識分子,各有不同的理想與抱負。

重視儒家文化的嶺南地區,不可能不受資本主義文化的影響,尤其是經濟愈發達的都市,資本主義的風氣愈盛。那麼,嶺南文化的未來,何去何從? 既不能排斥西化,也不能"全盤西化"。其實"中學爲體(精神上),西學爲用(物質上)"仍有其"價值",不過未有具體的辦法與徹底實行而已。若能將儒家文化"去蕪存精",保存優良的傳統 Preserve Our Heritage,而接受西方的優點,這當然是"爲政者之責",僅就個人的淺見略談一二。

(一)杜絶崇洋思想,建立自信的文化。

(二)嚴格的限制留學制度,擴充遊學制度(研究),學成必須歸國,避免"楚材晋用"。

(三)着重"專長"一教育,放棄、"學位"教育。

(四)保存嶺南人的倔强(擇善固執)、創新的精神,再融入西方的"獨立自由"的精神,不倚靠家族姻親,但應保存家庭的倫理道德及福利制度。

這當然是"一己之見",也是"片面之辭",一如盲人摸象,雖未能道出"全部",畢竟仍是"部分"意見,謹此就正於各位專家、學者。

注　釋

①五嶺是指萌渚嶺(臨賀)、越城(始安)、騎田(桂陽)、大庾(南康)、都龐(揭陽),逾此五嶺有五古道入粵:(一)由閩入粵之循梅,(二)由贛入粵之南雄,(三)由湘之郴州入粵北的連縣,(四)由湘之道州入桂之賀縣,(五)由湘之道縣入桂之静江。

②見下章第一節:唐宋時代"廣東"少數民族的分類及分家。

第七節　香港文化與歷史:新的剖析①

一、《明報月刊》建議成立"香港學"及論"香港學"之奠基人問題

本文的緣起,可追溯至 1998 年,香港《明報月刊》登刊了一篇由武俠小説家梁羽生先生撰寫的文章《金應熙與陳寅恪師門恩怨細析》②。文章分析陳寅恪與門生金應熙的恩怨,然而,我認爲最堪注意者,是所謂"香港學"的問題。文中梁先生曾援引由香港三聯書局出版的《香港概論》,因該書上卷的主要編撰者爲金先生。而《香港概論》編者在開卷《前言》已然指出:"近年來研究香港問題的人越來越多,有人還倡議建立一門 '香港學'。③而梁羽生先生在文中就宣稱金應熙先生在香港學方面:"就是當之無愧的開創者與奠基人之一。縱然説到'成家',言之尚早,整個'香港學'都還是'新生事物'呢。'香港史'是總稱,包含有研究香港的各門專史在内。這些多元化的發展,就構成了今天的'香港現象'。香港學是研究'香港現象'的一門學問。"④對梁先生提出金應熙先生爲香

港學的創始人及香港學已經建立的説法,本人覺得當中實有可商榷之處。

首先,所謂"學"是指一個學派,有一定的源流,譬如儒家者源流從何而來,道家者源流從何而來,每種學術體系均有完整源流。《香港概論》開首時,編者已經開宗明義地指出這書旨在探求香港的現象、現狀。因此,我以爲從梁羽生先生的文章可見,他還不能瞭解《香港概論》作者的本意。《香港概論》分爲兩册,上册是講述香港的經濟情況,下册則評介香港的政治、法律、文化和社會,論述的範圍從二十年代開始,主要集中在四十年代戰後香港的發展,即關注當代的情況。若從香港歷史發展的分期來看,二十年代已經稱爲萌芽時期,並不屬源頭時期,而1841年前的香港歷史,《香港概論》没有專章討論,即使涉及也屬少部分。若就《香港概論》討論範圍而談論香港學,我認爲香港學還没有成立。而梁羽生先生亦明言:"整個'香港學'都還是'新生事物'呢"[5]。正如我在上文提及,香港學中的"學"是指學派而言,而學派有所謂源流,如先秦時"九流十家"均以儒、道、墨、法等四家爲主,其他的小説家、農家等,還没有真正成爲學派。所以若加以認真分辨,《香港概論》就香港學方面有没有爬梳它的源流問題呢?當中實有供我們商榷和思考再三之處。

第二,所謂學派,應持有一特殊的理論或特殊的地域作爲研究的對象,辟如敦煌學;但是這門學派不單有一定的研究範圍,而影響力亦不囿於一門一派。例如,可以敦煌爲切入點,探求印度文化對敦煌學的影響、敦煌文化對中國的影響,而敦煌的文化由中國傳到日本所造成的影響等課題。由此觀之,研究敦煌的文化可稱爲敦煌學,實當之無愧。然而,香港學還没有達到這種研究條件。衆所周知,十數年前,日本人曾驕傲地宣稱:敦煌在中國,但是敦煌學在日本。這話曾引起很多中國學者的反對,然而却也點出一種學説之卓然成派,應該有一嚴謹的源流、體系、支流及影響,在這標準上,我覺得若要創立香港學,還有待後來學者的進一步努力。

第三,論者亦有謂"學"是指研究學問的一種特殊方法,例如理學、道學,當然可稱爲"學";然而,所謂客家學、嶺南學等,却不相同。我覺得,可歸納香港研究,從香港研究起步,最終可達到香港學的成立。去年,我在温哥華的《明報月刊》,發表一篇討論香港學是否成立的文章,以及議論香港學的始創者是否金應熙先生等問題。在七十年代,我曾與金應熙先生在香港大學有過數面之緣。會面由暨南大學研究中西關係史、華僑史、現已過世的朱杰勤教授引見。當時跟他談論的問題,主要爲中西交通與貿易問題,並不曾涉及香港史的問題。金先生學問扎實,從他撰寫的《香港概論》,可見其獨特的看法及見解。他於1991年逝世後,由其子金冬雁等人整理其撰述、遺作,後由北京龍門書局於1991年付梓出版,名爲《金應熙香港今昔談》[6]。但是,書上所載大部分爲雜誌小品、散文,學術性討論的文章不是太多。總而言之,金先生自有他的學術成就,其成就在思想史、政治史、中西交通史或古代史方面,然而,若稱他爲香港學的創始人,或許仍有可商榷之處。

此外,早在《香港概論》出版前一百年,已有不少研究香港的著作問世。當時的撰述者主要爲香港政府官員,以外國人尤其是英國人居多。這些著作雖然已談及香港史的研究,但是還不能稱爲"香港學"。華人的著作,其中以陳鏸勛先生早在光緒二十年(1894)出版的《香港雜記》最爲難得,可惜這書比較少爲人所留意。

二十年代,清遺老陳伯陶曾撰《宋遺民録》、《東莞縣志》等,涉及不少香港史迹及史事。宋遺民趙必豫冥壽，陳伯陶、蘇澤東、吴道鎔、張學華、張其淦、汪兆鏞、賴際熙、丁仁長、伍銓萃等登宋皇臺酬唱，後由蘇澤東輯成《宋臺秋唱》，論及香港史的考證。三十年代，陳公哲在香港沿岸作考古發掘工作，在石壁發現“迴文石刻”，配合西方學者的考古工作，創造“香港考古工作的輝煌時代”。而四十至五十年代，香港學海書樓舉辦的“翰林講座”，邀請著名的翰林宿儒朱汝珍、岑光樾、温肅等講授，在倡導國學的同時，對文、史、哲等學説多有闡釋。當時學海書樓編纂《翰林集》，已收録多篇關於香港史研究的文章。許地山教授在香港大學中文系任教，並提倡“香港研究”。抗日勝利後，羅香林先生、饒宗頤先生、簡又文先生等學者在研究香港史問題方面屢有創見，是爲研究之高峰期；例如羅香林先生等的著作：《一八四二年以前之香港及其對外交通：香港前代史》，差不多爲香港史研究奠下重要的基礎。

除了學術方面的研究外，亦有報告文學及其他研究學者，例如黎晋偉先生的《香港百年史》、林友蘭先生的《香港史話》，黄燕青、魯言、子羽等人的《香港掌故》。葉林豐的《香港方物志》，以及近期的梁廣漢先生、蕭國健先生、文灼非先生等，撰寫關於香港史的著述甚爲豐富。

至於研究香港史的機構，主要有：第一是香港皇家亞洲學會，第二是香港考古學會。香港皇家亞洲學會前身爲在倫敦成立的“亞洲學會”，專門研究亞洲社會、經濟、歷史、文化等課題，爲殖民地統治提供資料參考。因此，雖然香港並不是他們唯一的研究範圍，但是有關香港的研究數量却相當多。香港考古學會前身爲香港大學的“考古學會”，於 1955 年成立。1967 年改組爲“香港考古學會”，積極從事香港考古發掘，已發表的專著數量甚多。

至於大學方面，從事香港史研究的大部分屬個人研究，多處孤軍作戰境况；唯獨香港中文大學得天獨厚，獲富商邱德根先生的百萬捐款，成立“香港史研究基金””，由吴倫霓霞教授、關禮雄博士、陸鴻基博士及 Barbara Ward 組成“研究小組”，以蒐集族譜、碑記，紀録風俗，從事口述歷史爲主，對香港作全面性的研究。總而言之，就香港史研究方面，應該早在金應熙先生、《香港概論》前的百年已有不少人默默耕耘。作爲香港一份子，應該正視生於斯長於斯的香港，因此，本人在此提倡香港學的研究。然而，若以《香港概論》的研究成果視爲香港學已然創立的例证，這未免屬言之尚早，還得待後來研究者的努力耕耘。

二、香港學内容的新建議：

1.考古學與歷史學應有互证：以李鄭屋邨古墓爲例

在本部分，我將從香港的舊史料提出新的論點，以展開論述。首先，就李鄭屋邨古墓的問題，我認爲歷史學與考古學應要互相配合，才能導引出豐富的收穫。考古學方面，有存在時間差异的問題。舉例説，有論者考證北京人屬六十萬年前人類的骸骨，有的則認爲是四十萬年至六十萬年前，時間上便有二十萬年的差距。仰韶文化屬新石器時代文化，時間爲六千至一萬年前，當中存在數千年的差距。因此，若只考察出土文物，而没有其他文獻互證，考察的結果往往值得懷疑。香港的李鄭屋古墓便屬此例。

李鄭屋邨古墓的發掘，由始至終均屬地質的資料，即是考古學的資料多於文獻學上的資料。而考古學最重要的是考核文物的價值，方法便是通過碳十四測試考訂文物所屬的年代，先決條件便是文物非得要有一萬幾千年以上的歷史，才能比較準確地判定年代。第二，通過勘驗地層的土壤，以便確定文物的年代；但是，地勢不同，加上天氣的因素，例如風霜雨雪等氣候變化的侵蝕，也會影響研究結論。然而，兩者比較，李鄭屋邨考古遺迹應從地層來考訂比較可靠。可是，我曾翻查所有關於李鄭屋邨的報告，尤其是香港大學的，均指出這遺迹是個古墓；後來者加稱其爲魏晋南北朝古墓。這種種説法教人困惑不已。首先，誰是墓主。從時間而言，魏晋南北朝跟現在的距離還算近，況且在此之前，大部分古迹皆可知道誰是物主。因此推斷，李鄭屋邨古墓若屬魏晋南北朝時期，應該能知曉墓主是誰，可惜直到現時爲止還考察不出墓主。第二，古墓發掘出的殉葬品簡單，並不像貴族的墓墳。假若這是不屬於貴族而是平民的墓穴，那他又爲何選擇葬在李鄭屋邨呢？漢族流行墓葬，但是貧苦者若葬在當時還屬南蠻之地的香港，他能否有龐大的財力負擔呢？這又值得商榷。第三，假若墓主出身貴族，他爲何選擇這荒僻之地？有論者曰是爲了風水之故。但是，風水之説自晋代的郭樸才開始盛行，雖然在郭樸之前亦有人談風論水，只是不太盛行。因此，若李鄭屋邨的考古發現真的屬貴族的墓穴，應有墓碑或其他文字記録，可是目前還找不到任何文字記録。既然不能證明墓主的身分，那麼古墓所屬的朝代是否也有重新評估的必要？我不否認它是古墓，但是屬於甚麼時代？是魏晋南北朝，抑或更早於或晚於魏晋南北朝呢？這方面，實有需要再三考證。

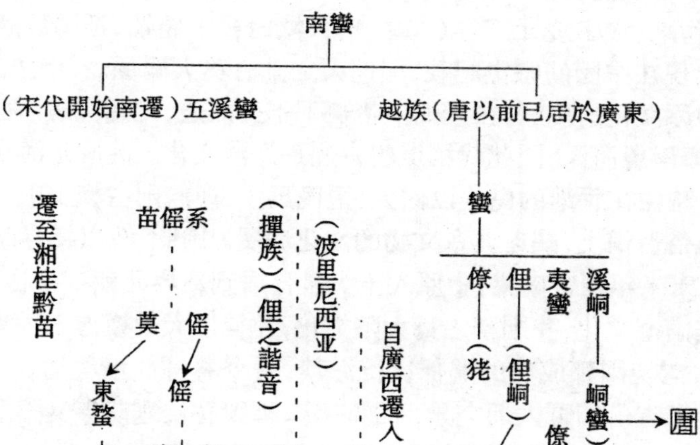

2.香港史與廣東的關係

談論香港的歷史斷不能脱離與廣東的關係，而廣東自唐宋以後才開始發展，在此之前，廣東一帶向爲蠻族雜居之地，根本没有什麼深厚、系統的文化可言，真正的文化即中原文化，在唐宋以後才開始展開。

當時主要的少數民族爲“蠻”、“俚”、“僚”、“溪峒”等，漢族在廣東乃屬少數。[7]。而且，從民族史的角度看，“漢族”的“漢”根本就不是指民族，漢是一種文化稱謂，正確應稱爲“華夏族”,居於夏的人稱爲華,後來發展成華夏族。因此,唐宋時廣東一帶居住的漢人人口較少;主要分佈在當時的幾個城市如廣州;至於其他地方,居住的多爲苗、傜、黎、蠻等族,一直到唐玄宗時張九齡奉命開大庾嶺路,中原文化才得以傳入。職是之故,廣東在唐宋後才開始大規模接受中原文化,那麽香港僻處廣東瀕海之端,會否比廣東更早(魏晉時代)便接觸中原文化呢?這點我們實有必要再詳加考慮。因此,李鄭屋邨古墓的建築年代,需要搜集多些證據,現在毋須急於下結論。

3.香港文化史上應有海洋文化與大陸文化的先後出現

歷史上的中西交通路徑,除了兩漢是陸路外,由漢以後乃有海路的發展,海路通往阿拉伯而途經香港。香港現時已發現的古迹,均集中在西邊海岸如屯門、青山、龍珠島(古稱琵琶洲)等,上述各處古迹重點極多,鯉魚門也是另一古迹重點。根據宋代周去非《嶺外代答》一書,阿拉伯的商船來中國先經琵琶洲,在該地換小船再轉入廣州,秋天經原路回阿拉伯,所以這條路綫在魏晉南北朝、隋唐時代爲海路主要的交通據點。由此我們不難明白爲什麽香港的文化古迹多集中在西海岸、東海岸和中部的平原地帶,還没有大規模的古迹發現。例如,有説香港青山寺内有一石碑刻上“高山第一”及“退之”數字,“退之”到底是否指“文起八代之衰”的韓愈,還是另有其人呢?孰真孰假,並不在本文討論之列,不過這些古迹均證明香港在古時是中西文化往來的重鎮。[⑧]此外,唐玄宗時有海盜吴令光之亂,地點便在今日屯門一帶。宋代時大嶼山亦常有傜亂,尤爲嚴重者爲南宋高宗紹興年間,有傜人朱祐作亂;寧宗慶元三年(1197),大嶼山發生傜亂,延禍甚廣,甚至直迫廣州,所以香港最早出現在中國的歷史記載,與傜人之亂有莫大關係。[⑨]南宋末年,兩帝南來更是加速香港與中原文化的接觸,在元朗一帶遺下不少故迹,可爲佐證。香港古迹主要集中在西海岸,而西海岸屬海洋,因此我稱這些古迹爲海洋文化。甚麽是海洋文化呢?其實是指海盜文化。當時住在香港的民族以傜人、蛋民爲主,漢族則占極少數。這些少數民族的文化均停留在風俗習慣上,缺乏典章文物的文化發展。因此,我以爲當時的香港以海洋文化爲主。直到南宋末年两帝南來,中原人士大量移居到新界元朗一帶從事農業開墾,中原傳統文化亦即是儒家文化,我則稱之爲大陸文化,才得以大規模傳入香港。可惜明代時有海寇、倭寇之亂,清初因鄭成功的關係實行海禁,嚴令粤、閩、浙等居民向内陸後撤30哩至50哩,導致沿海省份四野人烟全無,荒凉不堪,摧毁香港剛萌芽又柔弱的儒家文化。直至康熙年間復界時,再有大量中原移民來沿海地區墾荒,除了原居民外,還有大量來自其他省份的客家人士,這是香港歷史上第二次大規模輸入大陸文化。香港接受大陸文化,第一次爲宋、元時期,第二次爲清初年間,宋、元爲開端,到清初則是繁衍階段。由清初至鴉片戰争的二百多年,這才是香港文化的奠基期。但是我們需要考慮的是,到底二百年的安定能够孕育多深厚的儒家文化呢?

晚清及民國初年,香港的上層知識份子,亦即是創立學海書樓的碩學鴻儒,均爲傳統中國的讀書人,而低下階層接受教育的,大部分入讀私塾,可見當時香港人接受的還是傳統的教育。與此同時,廣州却已有新學開辦,已有幼稚園、小學之設;當時廣州、上海或是北方的大學,成爲香港青年人向往升學之地。總而言之,1949年前香港文化可稱爲大陸文化;但那是淺薄的大陸文化;加上當時對外通商發達,這種文化與初期的資本主義文化特質混合,便成爲香港文化的特色。所以我認爲香港文化應該要有先後之分:海洋文化在前，大陸文化在後。

三、所謂"五大家族"

香港社會階層：五大家族與原居民應有別及論其影響

從民族學的觀點，民族可以血統論或文化論來討論，只是血統論慢慢被文化論替代。倘若從血統論方面來探討，其困難在於經過多年的融和通婚，漢族與滿、蒙、回等族互相融和，現在要找出血統純正的漢民族，已是很困難的了。明、清兩代傜亂繁多，可見廣東的傜人人數不少。而清政府爲了安撫他們，在賦稅傜役上提供種種優惠，於是漢傜混雜的情况更爲嚴重，例如廣東臺山某些地方更出現亦漢亦傜的情况，那是因爲漢人若一變爲傜人，便不用負擔政府納糧之役，窮苦之人爲了避税多行此法。因此，若從純粹的血統論來討論民族問題根本難以成立，文化論或可釐清這個問題。根據古籍記載，最早在香港定居的是輋民、傜人、蛋家等族，他們才是香港的原居民，像美國、加拿大的原居民是印第安人，而後來移居的歐洲諸國人士，並不算是原居民。所以，若從血統論上談論香港原居民的問題，根本不可行；若從文化觀念角度探討，宋以後移居香港的中原人士可稱得上是原居民，於是乃有五大家族的確立。然而，這種界定方法仍有值得商榷之處。

首先，是誰先提出"五大族"的説法？根據文灼非先生《香港情懷》一書記載，五大家族的説法是源於英國學者 Huge Baker[10]，是當時他見到五個影響力最大、人口最多的家族。所謂五大家族是指鄧、文、廖、侯、彭家族，並不包括黄姓，而黄姓是後人添加的，於是變成現在談論的六大家族。無論是五大家族、六大家族，我們應要詳加考慮：一是否原居民，二是否大家族。中國傳統是以文化角度來界定大家族，書香世代是不變的評定準則。然而，香港的五大族跟傳統的釐訂方法有所不同。

香港的五大族是以移居及落籍的時間先後來界定。一般來説，鄧姓被認爲是最早來到香港的家族。然而，我翻查舊籍有所發現，疑惑鄧姓不一定最早落籍，也許有别的家族比他們更早來到香港。根據明代張二果輯於崇禎十二年的《東莞縣志》（其版本不是坊間流傳的殘本，而是最近東莞縣重印的全本），該書中的選舉表裏提及舊志有曰，東莞的登科提名録載有两人，一爲鄧符[11]、一爲王方桂。張二果所舉舊志，我懷疑一是弘治十七年已經散佚的縣志，一是輯於嘉靖四十一年的舊志，亦見收録於阮元《廣東通志》内，但均已散佚不可考。張二果指鄧符的資料來源，見於南宋乾道年間東莞人翁炳《寶安百咏》[12]，載鄧符於宋崇寧年間[13]，居於桂角山創力瀛書院。此外，南海霍暐曾爲書院作記[14]，而桂角山便是今日的元朗。而陳伯陶於宣統三年（1911）重修的《東莞縣志》，也有相似的記載。[15]然而，啓人疑竇的是：其一，霍暐跟翁炳雖同屬宋代人，然而畢竟相距百年，他們的説法是否可信？其二：張二果援引翁炳《寶安百詠》以爲佐證，只是根據史料，"寶安"之名在民國後才出現，在此前稱爲"新安"，香港便歸入新安縣。新安一縣設於明萬曆元年（1573），而萬曆元年以前，新安屬東莞縣。總而言之，在明萬曆以前稱東莞，平定傜人後才改稱新安，民國初年才稱爲寶安，那是不是代表《寶安百詠》的創作年份當在民國之後？而陳伯陶的《東莞縣志》修於宣統辛亥年間（1911），這幾條資料年份相距二、三百年，到底孰對孰錯？我暫時未敢下結論。

空穴來風,其來有自。爲何香港鄧氏一族會將鄧符看作自宋代遷來的?主要是根據族譜。然而,我在美國猶他州族譜學會找到一份來自南洋鄧氏的族譜。上面記載在宋太宗雍熙二年(985),有鄧符協登科。從這個雍熙年間的鄧符協,到神宗年間的鄧符,中間相距百年,到底新界鄧族的始遷祖是雍熙年間還是熙寧年間的人?職是之故,我一直主張族譜跟方志要配合應用,才能發揮最大的功效。若只靠族譜,其形式多採口耳相傳,可能有誤;況且,族譜多傾向歌功頌德,説服力實在有限。此外,根據我的考證,香港的五大家族最早出仕的並不是鄧族,考南宋理宗淳祐十二年(1252),黄族的黄石已經登鄉貢,爲新界地區有紀録以來最早登科第人士,他於開慶元年(1259)登進士。第二位則是鄧通叟,於明洪武十五年(1382)獲薦辟入仕;第三位叫文超靈,於清康熙十五年(1676)登三甲進士;第四位爲侯倬雲,於乾隆十五年(1788)登進士。此外,五大家族有科名而没有正式登科者,如明神宗萬曆二十六年(1598)彭氏族人登歲貢;廖大章於崇禎十二年(1639)登歲貢;而侯鵬於清乾隆十一年(1746)登歲貢。

五大家族中,確以鄧氏族人登科或考取科名爲最多者,但是最早出仕者不是鄧族;此外,最早落籍香港新界的到底是鄧族或其他家族,亟需我們反覆考證。

四、香港歷史上被遺忘的一頁:中葡的茜草灣戰役

自兩漢起,中西的陸路交通已然開通;中國從海路與歐洲人打交道(主要爲阿拉伯人),香港爲與他們接觸的門户。至清中葉,中國鴉片戰争失敗後訂定和約,英國政府要求將香港割讓時,當時的清廷對香港一無所知,顯示香港一直被忽視,但是我認爲香港一早已爲西方人所認識,所以若研究香港史,不應只談現狀,香港史亦有很多可供開拓、討論的空間,例如中西交通、中西貿易等,例如發生在香港的茜草灣戰役,那是中國人與歐洲人發生的第一次戰事,然而歷來不爲歷史學者所重視,我覺得非常遺憾。

葡萄牙人於明朝中葉開始東來,我翻查葡萄牙史籍的記載,當時葡人東來主要經三大商埠:一爲上下川島、一是澳門、一是浪白滘。我曾細查,發現上下川根本不是商埠,而是轉運站,終站是澳門。茜草灣即是浪白滘,根據葡國人的記載,該地曾給葡人佔領達五十年之久,當時有極多古迹遺留下來,可惜後來也湮没了。

茜草灣戰役於明正德十六年(1524)爆發。據《明史》和《明實録》記載,葡萄牙人從佔領地麻六甲(Malacca)東來,於正德九年(公元1514)到達廣東海面屯門(Tuman or Tummen),葡人Femao Perse Dándrade與Thomas Pirez往廣州要求朝貢及通商。三年後(1517),葡國舌人"火者(宦名)亞三"(回回人)得宦官之助始能北上京城。但明廷查得他們東來的目的並非希望正式通商,加上這三年他們在駐地蓋房樹栅,持統自固,建有兵營,甚至剽掠行旅,引起朝廷不滿,便將使者舌人"火者亞三"斬殺,使葡萄牙人大爲生氣,遂有攻打南頭之意;明師於是搶先在南頭出師,乃發生歷史上中葡首次戰争:茜草灣之役。[16]

南頭爲明朝的海防重鎮,西方人稱南頭爲Nan Tau或Lan Tau,即現今香港的大嶼山附近,明朝時大嶼山屬南頭管轄,爲北上廣州各地的必經之路,故爲明室防禦外敵的重點。據王崇熙《新安縣志》指出,這場戰争有幾個重要據點:荃灣、東涌、沙螺灣等地,結果

在茜草灣給明軍打敗。明師勝利後即折返南頭，而葡萄牙人則退守大嶼山：後葡人爲了尋找商機，於嘉靖八年（公元 1528）再北上閩、浙，又爲閩、浙所驅，於是南下占大嶼山作爲開拓對華貿易的中途補給站；而明廷亦覺得只要葡人退守大陸範圍之外，便不加以趕盡，況且當時的大嶼山實爲化外之地，故使葡人可占大嶼山達五十年之久，直至天啓年間租借澳門爲止。

由此觀之，浪白滘在這場首次的戰役中所占地位舉足輕重，而歷來論者對浪白滘之所在，衆説紛紜，我認爲大嶼山即爲葡人所謂的浪白滘，乃是基於：一，在前著《十六世紀葡萄牙人在香港事迹考》一文曾提到，大嶼山非常接近南頭，而大嶼山之大澳外有一島，中有一大溪河相隔，附近港灣有二澳、分流及大浪灣等地。介乎大澳與二澳之間有一地稱番鬼塘，粤人俗稱西方人爲“番鬼”，可知曾有外國人在該地居住。五十年代時，我曾到當地考察，探訪一吴姓土著。據云十代以前（約三百年前）該地爲番鬼所據，雖然現已改建水庫，然仍可見當年葡萄牙人於溪間遺留的古迹。

大嶼山在赤鱲角附近，而赤鱲角有好幾處地方稱爲浪白，而香港亦有好幾處地方稱爲“浪白”、“大浪”。所謂浪白，屬粤俗語，指大浪的浪頭，滘則指港灣。西方人初到東方，根據當地方言音譯地名，乃有“Lampacao”之名。而大嶼山跟南頭非常接近，來往粤、澳等地極爲方便，又是歐洲人東來入廣州必經之路，所以我以爲浪白滘當在香港的大嶼山附近。

年前，我曾寫了《浪白滘考》一文，國内的學者反駁，指出歷史文獻既已列明浪白滘在新會，認爲浪白滘不應在大嶼山。1997 年 3 月，我由廣東省地方誌辦公室侯月祥副主任陪同，到昔日香山縣的浪白滘，即現在的珠海市南水鎮作實地考察，得出幾項饒具意義的發現。其一，浪白滘定要遠離中國陸地，才能讓葡萄牙人佔據達五十年之久，否則跟明朝的勢力範圍太接近，恐很快便會遭到明軍圍剿。大嶼山跟珠海市南水鎮相比，大嶼山當屬化外之地，才能讓葡人佔領半世紀之久。其二，根據西方多位學者記述，浪白滘上有高山圍遶，進可攻，退可守，然而珠海市南水鎮的浪白滘四周没有特别高的山，因此無天然屏障可言。其三，南水鎮港窄水淺，根本不適合遠洋輪船來往及停泊，反觀大嶼山灣闊水深，又有天然環境爲屏障，因此我認爲浪白滘位處大峻山是在情理之内的説法。關於浪白滘的諸般問題，有興趣人士可參閲拙作《浪白滘再考》一文。⑰

五、香港文化本質探討與一國兩制之互動與影響

就香港文化的討論，我認爲很多人對一國兩制存有誤解。所謂一國兩制，我的理解是“一國”與“兩制”之間可加上逗號，意即一國之下兩種制度可以共存。當時鄧小平先生説過一國兩制可以保证資本主義和社會主義共存，香港仍舊馬照跑，舞照跳，並不是後來基本法所謂一國爲先兩制爲後，兩制要服從一國，這種理解好像稍稍跟原意不同。中國由社會主義發展爲現階段富有中國特色的社會主義制度；而香港則到目前爲止，我也不承認她是純資本主義社會，雖然她的商業非常發達，但是香港的大資本家還是存有相當濃厚的儒家倫理思想，這種思想最能體現在繼承權方式。經營的生意是父傳子，根本是世業不是企業，不會交出管理權和業權。管理權不交出，使香港的大企業跟西方資本主義的本

質不同。

第二,儒家思想講究人際關係,兼及顧主與顧員之間的融和,中間剥削不會太嚴重,所以變成香港的大企業不會是純粹的資本主義,這不一定絶對的對和絶對的錯。一國兩制銜接時,總不免中間出現若干罅隙,不能絶對銜接;加上强調一國重於兩制,便會産生不必要的誤會。所以我認爲在一國與兩制銜接過程中,不能輕視民意。民意不一定對,但是若不留意民意,很有可能導致"防民之口,甚於防川","水能載舟,亦能覆舟"。若政府決策與民意傾向各走極端,這不一定是福。

此外,近百年來的歷史發展導致香港人有着自高自大的心態。自鴉片戰争後,清廷割讓香港,使香港從籍籍無名的小島變成英國殖民地。經歷這突然而來的轉變,使香港能避免直接受到中國政治更迭的影響,無形中成了海峽兩岸的避風塘。每當中國大亂一次,香港就繁榮一次。加上自1949年後,一場韓戰、一場大陸與西方的冷戰,使中國無法直接對外溝通,香港便居中得益致繁榮昌盛,然而,這也導致香港人自高自大,没有想到這是客觀環境所帶來的機遇,以爲是自身努力的成果,並不知這是時也命也。我絶不否認香港人曾經付出努力,但是不應爲此而冲昏頭腦,過份地自驕自傲。因此,當一國與兩制一旦縫合時,過程中不能避免産生種種誤會。職是之故,今天談論的一國兩制,我認爲應該多些關注銜接方面的配合,總比光在表面上化功夫來得實際。民意不一定可靠,但是民意不可不參考。這是談論香港文化、一國兩制時,不能不注意之處。

注 釋

①編者注:本文根據林天蔚教授的演講内容撰寫,經林教授審閲。

②編者注:見梁羽生:《金應熙與陳寅恪師門恩怨細析》〔《明報月刊》(香港)〕1998年6月號總第390期(第33卷第6期),頁92至96。

③編者注:引自《香港概論》編輯室:《前言》,楊奇主編《香港概論》(香港:三聯書店有限公司,1990年10月第一版第一次印刷,1997年9月第一版第六次印刷),頁1。

④編者注:見梁羽生:《金應熙與陳寅陪師門恩怨細析》,頁92。

⑤編者注:見梁羽生:《金應熙與陳寅恪師門恩怨細析》,頁92。

⑥編者注:見金應熙著,鄒雲濤、金雨雁、金冬雁整理:《金應熙香港今昔談》(北京:龍門書局,1996)。

⑦編者注:有關唐宋時代廣東少數民族的論題,可參閲林天蔚教授:《地方文獻論集》,下册(海口:南方出版社,2002),第四章"民族史研究"之第一節"唐宋時代廣東少數民族的分類及分家",頁686至704。

⑧編者注:關於"高山第一"四字是否出自韓愈之手,羅香林教授對此曾作過研究,可參閲他的文章:《屯門與其地自唐至明之海上交通》的第二節:"自唐至宋屯門對外交通之及發展及屯門鎮之設置"及注譯十四:"唐韓愈赴潮州曾否途經屯門之問題",收録在羅香林等著:《一八四二年以前之香港及其對外交通——香港前代史》(香港:中國學社,1963),頁23至25及頁36至37。

⑨編者注:南宋時大嶼山所發生的傜亂,可參考林天蔚教授著作:《南宋時香港之大嶼山爲傜區之試證》,載林天蔚與蕭國健合著:《香港前代史論集》(臺北:商務印書館,1984),頁80至122。

⑩編者注:見文灼非:《香港、深圳大家族探源》,見氏著:《香港情懷》(香港:田園書屋,1997),頁78至80。

⑪編者注:根據王崇熙的《新安縣志》卷二十一"人物三·流寓"記:"鄧符,字符協,江西吉水縣人,

宋崇寧間進士，授承務郎，權南雄倅，歷官陽春令。人廣，樂風土之美，卜居於邑之錦田桂角山下，創力瀛書齋，以招來學，南海霍緯記其事。……子孫世居錦田、龍躍頭、屏山、竹村、夏村等處，至今推爲望族。”見王崇熙:《新安縣志》第二册（臺北:成文出版社，1974），頁 222。

⑫編者注:據陳伯陶纂修《東莞縣志》卷四十四“選舉表一”記:“翁炳，乾道八年迪功郎，欽州司法。著有寶安百咏。彭志雲舊志鄉貢失載。”可知翁炳爲南宋孝宗年間人士，見陳伯陶纂輯:《東莞縣志》第三册（臺北:成文出版社，1967），頁 1535。

⑬編者注;關於鄧符出仕的年份，衆説紛紜。王崇熙的《新安縣志》指爲“宋崇寧間進士”，即宋徽宗年間出仕。然而，許地山的《香港與九龍租借地史地探略》一文，則指出是雍熙二年。而羅香林教授據錦田鄧氏師儉堂家譜四世祖符協公家傳按語:“‘符協祖爲漢黻祖曾孫，爲郡馬公（按:指淮及）高祖，應是熙寧進士。而舊譜稱崇寧進士者必係一時訛竄。’語頗中的，故今從説。”由此可知，羅香林教授認爲鄧符當爲宋神宗熙寧年間進士。詳見羅香林:《錦田之力瀛書院及香港九龍新界等地之舊日文物》注釋一“宋時墾辟錦田之鄧符協及有關問題”條，載羅香林等著:《一八四二年以前之香港及其對外交通——香港前代史》，頁 194 及頁 203。這裏加以轉引，以作資料補充。

⑭編者注:關於霍暐的生卒，根據羅香林教授的考證:“霍即符協友好，以文章著名，而嘗往來於錦田等地者”，又謂:“《東莞武山鄉支派源流》謂:‘南海霍暐，與邑賢翁炳，嘗爲力瀛書院作記。’考光緒史澄等修《廣州府志》卷一百十三《列傳二》:‘霍暐字明甫，南海人，篤志向學，與節度使援官馬存游。暐文淵古……元祐初，入太學。時詔舉八行，咸以暐應命，官終海豐縣尉。’‘霍暐關於力瀛書院之記文，今雖不傳，然觀其篤志道德文章，自必與鄧符協氣誼相孚，而嘗爲莅臨書院者。’”見羅香林:《錦田之力瀛書院及香港九龍新界等地之舊日文物》的第一節“宋時鄧符協之興築力瀛書院及九龍新界等地之其他書室”及注八“嘗爲力瀛書院作記與題咏之霍暐與翁炳”條，載羅香林等著:《一八四二年以前之香港及其對外交通——香港前代史》，頁 194 及頁 203。

⑮編者注:這裏援引陳伯陶的《東莞縣志》第四十四卷:“選舉表一”之“進士存疑”一項的記載以資説明:“鄧符，張志云邑人翁炳嘗作寶安百咏，注云崇寧間鄧符居於邑之桂角山力瀛齋，廣置書籍，南海霍暐作記。以承務郎權南雄倅。或曰:符外郡人，登科後始來居住桂角。按張府志鄧符吉水人，宋崇寧間登進士第，此當有據，玆録入寓賢傳中。”“王芳桂，張志云興化人，寓居於此。又云邑庠登科題名，碑增鄧符、王芳桂二人。郡志不載，今亦不敢遺其姓名，附載之。”見陳伯陶纂輯:《東莞縣誌》第三册，頁 1543。

⑯編者注:關於中葡的茜草灣戰役的前因及經過，可參考林天蔚教授的相關著作:《十六世紀葡萄牙人在香港事迹考》，載林天蔚與蕭國健合著:《香港前代史論集》，頁 130 至 205;及《浪白滘再考》，見拙著:《地方文獻論集》，下册，頁 667 至 685。

⑰編者注:有關浪白滘名稱來源、地理位置等問題，可參考林教授的著作:《十六世紀葡萄牙人在香港事迹考》之四“浪白滘之所在地考”，載林天蔚與蕭國健合著:《香港前代史論集》，頁 169 至 183;及《浪白滘再考》，林氏著:《地方文獻論集》，下册，頁 667 至 685。

第四章　民族史研究

第一節　唐宋時代廣東少數民族的分類及分家

甲

唐代時之“廣東”稱“嶺南”,是時大部份土地為少數民族所居住,其名稱有蠻、獠、俚、溪峒等,其實乃“百越”族之一。其分佈極廣,如:東部閩、粵間為陳氏三代所割據,陳壽祺之《福建通志》謂唐高宗泉潮間蠻“僚”作亂,陳政為“嶺南道行軍總管”,出鎮其地[①],及後其子元光代領其眾,並於潮泉間請建漳州[②],其同代人張鷟謂陳元光為“嶺南首領”[③]。元光征境內巢峒時,為峒民藍奉高所殺,元光子陳珦代領其眾,平亂後繼為漳州刺史[④]。武后至玄宗五十餘年間,潮、漳、泉一帶,全為溪峒勢力範圍。陳氏三世據有其地,其士卒俱為蠻人,故唐人稱陳氏為“溪峒首領”,而顧炎武則謂其士卒為傜人[⑤]。其實稱為“溪峒蠻人”較為正確,因傜族之稱始於宋代。

當時嶺南之西南部是馮冼氏所據有,歐大任謂冼(勁)氏“家本武帥,世為部曲”;郭棐則謂馮氏為“蠻夷”[⑥];《北史》及《隋書》有“譙國夫人”傳,稱其“世為南越(粵)首領”[⑦],可知亦是溪峒領袖之一。其所據地“高涼”,南朝以來稱為“俚峒”,其人為“夷僚”[⑧]。其夫家馮氏,連續四世(融、寶、僕、盎)據嶺南的西南部,《舊唐書》謂:馮盎累為本部大首領[⑨]。馮冼聯婚,促進“廣東”漢化的功勞甚大[⑩]。武德五年(622)馮盎奉譙國夫人之命降唐。唐將其轄地設高(今茂名)、羅(今廉江)、春(今陽春)、白(今廣西博白)、崖(今崖縣)、儋(今儋縣)、林(疑即臨振)、振(今陵水)八州[⑪]。換言之,今日廣東的西南及海南島全部,廣西一部,均是馮冼氏的溪峒勢力範圍。馮冼氏降唐後所增設的州縣,仍為馮冼所世襲,故馮智戴(盎子)通鑑仍稱為“南蠻酋長”[⑫],是以《天下郡國利病書》云:“隋唐之際,馮冼內屬,荒梗之俗為之一變”[⑬]。

另外,在西江中游,當日瀧州(今羅定)的溪峒領袖,亦為陳氏四代所據,計有:

陳法念:蕭梁駙馬,新石二州刺史。

子,佛智:襲父職,為蕭梁羅州刺史。

孫,龍樹:欽州刺史。

曾孫,集原:武后時歷右豹韜衛大將軍[⑭]。

按《舊唐書》卷188"孝友傳"載:"陳集原,瀧州開陽人,世為嶺表酋長"⑮。陳佛智父子與陳霸先關係頗深⑯,當馮冼氏溪峒勢力漲大時,遂與陳氏發生衝突,陳亡,馮魂奉祖母譙國夫人之命降於隋,另一孫馮盎遂親徵陳霸先之陳氏溪峒,斬陳佛智⑰,以後陳氏溪峒遂入馮冼氏的勢力範圍。

在欽廉與越南間的溪峒,當時為甯氏所據,《唐書》稱"甯氏世為南平渠帥"⑱。陳末,以其帥猛力為甯越太守⑲,其族人甯宣亦據合浦。陳氏前後數世,其世系如下:

(一) 甯猛力(陳時為甯越太守)——(子)長真(隋寧越太守)——(孫)據(襲刺史)

|

族弟

└→ 甯宣(陳合浦太守)——(子)純(廉州刺史)

|

族人

└——→ 道明(南越州刺史)

甯氏據今欽廉,其勢力並及於廣西鬱林與交愛(今越南)二州⑳,後甯道明結馮冼氏另一首領馮瑄(應是馮盎之兄)反,時馮盎已降唐。貞觀初,甯氏孤立無援,唐遣韋叔諧及李公淹持節宣諭,遂降,南方溪峒全內屬。甯氏漢化後為欽州大姓,甯純之從孫原悌,武后時舉進士,玄宗時以諫議大夫修國史。周去非的《嶺外代答》卷10有"甯諫議"廟,謂祀之者為猛力,應有誤。諫議是指甯原悌,非猛力之後,惟甯氏為欽州大族,至宋頗有功御是實。

隋唐之際,"廣東"大部為溪峒勢力(少數民族)所佔據,當時嶺南道諸蠻州有九十二㉑。廣州時為嶺南五府經略使理所,其職責主要便是"綏靖夷獠"㉒。韓愈曾云嶺南"蠻夷悍輕,易怨以變"㉓;柳宗元則謂嶺南有"大小之戎"㉔。當時之蠻酋,多為世襲官吏,故劉禹錫有"百越豪酋稱故吏"之詠㉕。大概自馮冼氏降唐後,大部份溪峒逐漸漢化,但終唐之世,嶺南仍是蠻荒之地㉖,為兇惡罪犯流放之地㉗。除若干城市外,其他地方多為溪峒的少數民族所居住。當時之少數民族,主要名稱為"蠻"、"俚"、"僚"、"溪峒"數種,新舊《唐書》祇有"蠻"、"僚"二種㉘,唐人著作則稱為溪峒首領,如張鷟之稱陳元光(見註3),至於正史之列傳,稱馮冼為"夷僚"、"俚人"(見註8),其中特別值得注意是粵音中的"俚"是"本土人"之意,而"僚"則與"佬(狫)"同义㉙,亦是"土著"之意,與廣西之僮、雲南之爨擇族不同㉚。禪宗大師慧能,因是嶺南新州(今廣東新興)人,故五祖稱為"獦獠"㉛。此等"溪峒"、"俚"、"僚"、"蠻"在唐以前已定居於今日的"廣東"境內,民族學家統稱之為越族㉜,至於《隋書》與杜甫"歲晏行"詩中的"莫徭"㉝,未必是傜族,且是居於湖南境內,與廣東無關,因傜人到達廣東始於宋初㉞。同樣,"苗"、"畬"、"黎"等少數民族的名稱,亦未出現在唐代之廣東。雖然,劉禹錫及李商隱都有詩詠"畬"㉟,然此"畬"是指"畬田"㊱,是指山坡上最劣的梯田,田多石,需燔灰以糞田,屈大均有"畬田詩"以紀其事㊲。至於徐松石牧師之著作中,曾謂"傜人未到兩廣之先,僮人早已遍佈兩廣各地",其主要根據是地名、風俗、語音㊳,不過文化往往會受他族的影響,變化甚大,何況徐氏亦承認"僮"與"苗"、"傜"相異點頗多,又同意顧炎武謂"僮"是舊越人,在明代始從廣西傳入廣東㊴。至於海南島在唐代有"夷黎"的記載,但黎族在宋代始出現㊵,故嚴格來說,唐代“廣東”境內之少數民族衹“俚”、“峒”、“蠻”、“僚”[41]而已，均屬“百越系”。

乙

唐代“廣東”境內的“蠻”、“僚”、“俚”、“峒”都是早已定居的越族，至宋，“苗傜系”便到達“廣東”。“苗傜系”有謂是“五溪蠻”之後，其先有謂是中原民族；有謂是“百越系”之一[42]，到達“廣東”後，因地理上的分佈及生活方式、生產方式的不同，於是分家成為“傜”、“畲”、“蜑”（蛋）、“黎”四族。（圖一）。

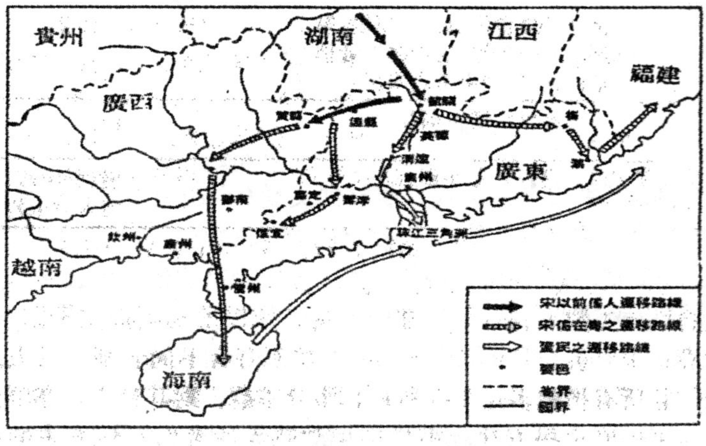

圖 1　唐代廣東境內溪峒勢力圖

“傜”族是漢人所加之名稱，有謂是“焦僥”之切音，以其身材短小，類古之“焦（僬）僥”人，或謂是“免傜役”之故[43]。正史稱是源於“武陵蠻”或“五溪蠻”。“五溪”是地名，“武陵”是郡的名稱，最早見於《後漢書》“南蠻西南夷列傳”。至唐，有“莫徭”，根據地是在湖南（見註33），是時的“莫徭”是指不供“傜役”的蠻人，未必專指“支族”的名稱。晚唐時，似乎廣東的連州亦有莫徭，見於劉禹錫多首“莫徭詩”[44]。正式的“傜族”到達廣東，應在北宋初年，已為各民族史專家所承認[45]。傜人入粵當在宋真宗至仁宗間，由湖南入廣東北部（韶連），再由粵北入廣西而至廣東西南部[46]。傜人因生活方式不同而分為“過山傜”與“排傜”二大類，所有傜人最初居於深山，耕於瘦瘠之梯田，用“刀耕火種（耨）”的方法，三年後便需徙往他處耕種，且傜人耐寒暑，善走險，登山陟嶺，健如猿猱，故稱“過山傜”。相反，定居一地，以木建房子，相連如“排”，稱為“排傜”[47]。北宋時，漢傜衝突後，傜人失敗，在傜疆中增設有香山縣（今中山）、乳源、長樂（今五華）、揭陽[48]。換言之，當日“過山傜”由粵北而蔓延至今日潮梅一帶定居，遂產生另一支族：“畲傜”，或“畲客”、“輋傜”。

“畲”是“傜”的支族，其祖先傳說同是“狗頭王”，其耕種方式同是“刀耕火種”。最早之“畲”字，除是畲田外，亦可指“斜坡地帶”為“輋”[49]，劉禹錫有“畲田行”之詩[50]，正式的“畲民”始見於劉克莊的《後村先生大全集》[51]。漳州是陳元光所開闢，故顧炎武誤認潮州有傜人（見註5），其實是“畲傜”。略後，文天祥的文集中，明顯地記載潮州有“輋民”[52],亦稱“輋客”是傜的分支[53],“輋”是廣東的俗字[54],故宋以前出現者為“畬田”,宋以後出現者為“畬民”,居於閩浙者稱“畬民”[55],居於廣東者為“輋民”。當代有關學者其論文述居於閩浙者均用“畬民”[56],故“畬”與“輋”有時間性與地域性的劃分。

“畬(輋)民”出現在南宋晚期,主要根據地是粵贛閩之間[57]。宋末元初,歷史上已有“畬軍”的記載[58],因此,宋元之間“畬民”已遷至福建,至明代則遷至浙江[59]。直至現代,粵東潮梅,包括香港在內仍有不少以“輋”字為地名的村落[60]。1982年,廣東省文物調查謂在增城、潮安二地仍保存“輋村”及原始的“輋俗”,有狗頭王圖騰[61],可惜不准前往調查,而大陸亦未有發表調查報告,無從稽考。然宋代時之廣東,出現了傜的另一支系“輋”,是可斷信。

廣東境內另有一種數量相當多的傜族分支,便是“蜑”(蛋)[62]族。“蜑”可分二種:六朝時在四川、湖北間有“蜑”之記載[63]。至隋唐時,湖南出現有“夷蜑”,別稱“莫傜”(見註43),當時之“蜑”,是陸居,所謂“林蠻洞蜑”[64],是屬“南蠻”類[65],亦有謂屬越族[66];另一種則為水居的蜑族,在宋代始出現於“廣東”[67],初見於太宗時海南島有操舟之“蜑兵”[68]。蜑人捨陸而登舟,據羅香林師意見,認為是五代時南漢置媚川都,驅使蜑民入海五百呎採珠,於是遂以“舟楫為家,捕魚為業”[69],為蜑民生活轉變的關鍵。事實上宋人記載廣東的蜑民,都與“舟居”、“採珠”有關。如樂史記新會與瓊州之蜑戶[70];陳師道謂水居始稱蜑人[71];范成大之《桂海虞衡志》所記雖是廣西事蹟,但其記合浦蜑人,卻是在今日廣東[72];南宋時周去非所記兩廣的蜑更多,均與舟楫、捕魚、採珠有關[73]。蜑民雖分佈在粵桂閩三省,而以廣東的蜑民最多[74]。蜑又可分為三種:善於捕魚為“魚蜑”,善於潛水取蠔為“蠔蜑”(或“烏蛋戶”),善於登山伐木為“木蜑”[75]。筆者在廣東沿海採訪時,知形容少數民族時有一流行語:“登山為輋,下海為蜑”,大概傜與輋善於登山陟嶺,而木蜑亦常登山,故謂若干少數民族登山居住,耕於梯田(畬)稱為輋民,下海(登舟之意)居住則為蜑民,顯示輋蜑二族有若干關係,且《隋書》記載之“夷蜑”,又曰“莫傜”(見上文),而傜與輋又是同源,故輋與蜑間的關係頗為複雜。陳序經分析“蜑民”起源,曾列有六類凡三十二說[76]。可知其來源之雜,然最值得注意是不少漢族份子,如盧循之後,罪犯之後,亡國後為新朝所逐而居於水上之所謂“賤民”,均是蜑民構成之份子之一,故大陸的民族學著作多已刪去“蜑民”一類[77]。

在宋代另有一種少數民族出現於海南島,即“黎”。在唐代雖有“黎”字出現,那是“黎民”、“蠻黎”之意(見註40),非專指一支族。最初是樂史指出海南島儋州、瓊州有“黎人”,有“生黎”,有“黎賊”[78];范成大謂由海南島至雷州有黎人[79];周去非謂海南島有“生黎”、“熟黎”,其分別在乎漢化與否而定[80]。黎民之族系或謂是“百越”[81];有謂是“香撣系”[82];亦有謂是廣義的僚僮,與輋有關[83],甚至有謂與南太平洋之波里尼西亞(Polynesian)相似[84],迄無定論。筆者是粵人,粵音“黎”與“俚”同音,均是“土著”之意,顯然與傜蜑關係頗深,因其居地相近之故[85]。總之,是宋代始出現的新“支族”乃無可懷疑。

此外,《天下郡國利病書》謂“廣東有傜僮”二種,《古今圖書集成》“職方典”廣東部以“傜僮蠻僚”並稱。“僮”主要分佈地在廣西,宋代之“廣源蠻”屬此類,至明代始傳入廣東[86];另一種“狼”亦是明代傜始由廣西傳入[87]。因此,筆者的意見:

(1)唐代廣東的少數民族有蠻、僚、俚、峒(溪峒)四種名稱,可說是廣義的越族。

（2）宋代開始苗傜系南遷至廣東（圖二），因地域及生活方式，分成傜、輋、蜑、黎四支族，如下表：

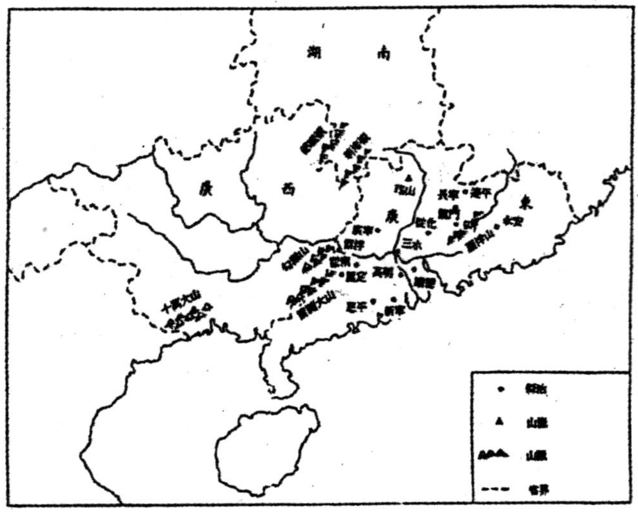

圖2　宋代苗傜系遷移圖

唐宋時代"廣東"少數民族的分類及分家

時代	分類及分家
唐以前	南蠻：五溪蠻（武陵蠻、苗傜系，宋代開始南遷）；越族（夷蠻，已居於今日廣東境內）
隋唐之際	廣東大部為溪峒勢力所佔據
唐	夷蜑（別稱莫傜，根據地在湖南）；溪峒（峒僚蠻，分佈廣東的西南及海南島全部，廣西一部）；僚（獠、猓、佬）；俚（俚蠻峒）
宋	陸居：傜人（到達廣東）——過山傜：刀耕火種；排傜：定居一地——畲/崠民（畲傜、畲客、崠傜，為過山傜一支族，居於閩浙者稱畲民，居於廣東者為崠民） 水居：蜑（始出現於廣東）——魚蜑、蠔蜑、木蜑 黎（始出現於海南島）——生黎、熟黎 廣源蠻（廣西）
宋元之間	畲民已遷至福建
明	狼（從廣西傳入廣東）；畲民已遷至浙江；僮（從廣西傳入廣東）

將南方少數民族分類，並不容易，宋以前總稱曰"蠻"，失之太廣；宋以後，名稱甚多（88），同一類而時有不同名稱，又失之太雜。且所有稱號多是漢人所加，十分主觀，對其分支，亦鮮分析。筆者以歷史學方法，盡量利用當時人的著作及地方志的資料，將其分類，提出唐宋時廣東之少數民族，各可分四大類，而狼僮則遲至明始出現。當然，若以人類學、民族學而分析，自有不同的意見，故筆者的管窺，謹提出參考而已。

註 釋

①《福建通志》（華文書局出版）卷121"唐宦績"。

②《全唐文》（華文書局出版）卷164"福建州縣表"。

③張鷟的《朝野僉載》（續百川學海本）；亦參考先師羅香林教授的《唐嶺南道行軍總管陳元光考》一文（廣州市立圖書館出版的廣州學報一卷一期）。

④陳衍的《福建通志》外傳卷2"陳珦傳"。

⑤《天下郡國利病書》卷69"福建"："漳傜人與虔、汀、潮、循接壤錯處，亦以槃、藍、雷為姓......繇陳元光將卒始也"。

⑥歐大任的《百越先賢傳》卷4；郭棐的《粵大記》（東洋文庫顯微菲林本）卷26"嶺海武功"載"隋時馮盎至京師，與楊素謂賊形勢，素奇之，曰：不意蠻夷中乃生是人"。

⑦《隋書》卷80；《北史》卷91。

⑧王象之的《輿地紀勝》（文海出版社本）卷117"高州"："晉武平吳，併高興郡人高涼郡。宋又立高興郡，尋省。後為夷僚所據。梁俚峒，置高州"。

⑨《舊唐書》卷190；又明黃佐的《廣東通志》（香港大東書局重刊本）卷5"事紀"，記武德三年，馮盎擊高法澄、冼寶徹，擒之。下注云："盎所有者，番禺溪峒而已"，而"盎亦曰：吾居越（粵）五世矣，牧伯唯我一姓"，可知世為溪峒領袖。

⑩拙著《隋譙國夫人事蹟質疑及嚮化影響》（中央研究院史語所集刊第四十三本第二分）。

⑪引自《唐書》卷111本傳。惟《元和郡縣圖志》卷54有崖、瓊、振、儋、萬安五州而已，疑振州即唐初之臨振，本傳未載瓊州而有林州，即此錯誤，而萬安州則是龍朔三年（663）始析置。

⑫《資治通鑑》卷194：貞觀十四年，上命南蠻酋長馮智戴詠詩。按：馮智戴銜為春州刺史，見周廣的《廣東考古輯要》卷39"馮盎傳"。

⑬《天下郡國利病書》"廣東"中。

⑭明郭棐的《粵大記》卷26"嶺外武功"；陳集原及民國修的《羅定志》卷7，"列傳"。

⑮《唐書》卷195同。

⑯黃福鑾師撰《唐陳集原將軍及其先世與陳霸先的關係》一文（載於廣東省立文理學院學報一卷一期）。

⑰《隋書》卷80"譙國夫人冼氏"。

⑱《唐書》卷222下"烏武獠"。

⑲隋置寧越郡，唐改名欽州，尋又復舊名，在今廣東欽縣東北五十里；又《粵大記》卷26"嶺海武功"，甯純條："南海以西溪同，自漢晉以來，甯族最大，世為俚帥，蠻僚歸之"。

⑳《唐書》卷222下："甯宣為合浦太守。隋亂，皆以其地附蕭銑，（甯）長真部越兵攻丘和於交阯者也。武德初，以寧越、鬱林之地降，自是交愛數州始通"。又楊豪有《隋〈寧越郡欽江縣正議大宍之碑〉的史料價值》（1983年嶺南文史第二期）可以參考。

㉑唐書"地理志"：諸蠻州九十二，未能具名者達五十八。清閔敘的粵述（《小方壺齋輿地叢鈔》第七帙）云："陳隋州郡因革紛如，莫可勝記。唐以其地屬嶺南道，領州郡三十有二，又開拓諸蠻峒落，置羈縻

州郡數十”。

㉒李吉甫的《元和郡縣圖志》(藝文重刊本)卷34“嶺南道”。

㉓《全唐文》卷556:韓愈送鄭尚書(權)云:“嶺之南,其州七十,其二十二隸嶺南節度府,其四十餘分四府,府各置帥……隸府之州,離府遠者至三千里,縣隔山海,必數月而後至,蠻夷悍輕,易怨以變”。

㉔《河東集》卷26有“嶺南節度使饗軍堂記”云:“唐制,嶺南五府,五府部州以十數,其大小之戎,號令之用,則聽命於節度使”。

㉕《全唐詩》(明倫出版社本)卷361《馬大夫見示浙西王侍御贈答詩因命同作並序》云:

“象筵照室會詞客,銅鼓臨軒無海夷,百越豪酋稱故吏,十州風景助新詩”。

㉖《全唐詩》卷225杜甫“送翰林張司馬南海勒碑”詩云:“冠冕通南極,文章落上台,語從三殿去,碑到百蠻開”。又同書卷385張藉“送侯判官赴廣州從軍”詩云:“海花蠻草連冬有,行處無家不滿船”。

㉗武后時,大批宗室流放至廣州,為萬國俊所屠殺(《舊唐書》卷50刑法志)。玄宗時,又流放周之酷吏至廣州(《通典》卷170刑法)。

㉘《唐書卷》222下“南蠻”,衹有“蠻”(西原蠻、兩爨蠻等)、“僚”(南平僚、烏武僚等),《舊唐書》卷197西南蠻則增加“南詔蠻”,“蕠蔆蠻”而已,居於當日“廣東”,衹稱“蠻”、“蠻夷”、“峒”、“賊”等。

㉙如劉錫蕃的《嶺表紀蠻》(商務本)認為僚僮同族(第一章);徐松石牧師的《粵江流域人民史》(香港世界書局重刊本)在第九章先承認“僚”與“僮”同族,但在第十章則認為“佬”為“僚”(獠)字之同音異寫;劉義棠《中國邊疆民族史》第五編“隋唐時代”,則列舉眾說,而謂是諸支族之統稱。

又大陸學者于誠謂“蠻”是半漢化的土著住民,“僚”是未開化的土著住民,“俚”是當地土著部族人民戶,朝廷在他們聚居地建置縣、鄉、委派他們的領袖以“將軍”、“縣令”等榮銜,即所謂“俚帥”(《古百越族的變遷》,嶺南文史1983年第一期)均是“土著”的意思。

㉚樂史的《太平寰宇記》(文海本)卷178“僚”謂:“南蠻之別種也,初出自梁益之間,自漢中達於卬筰州洞之間,所在皆有,自漢中西南及越雋以東皆有之。”芮逸夫教授之《僚人考》(史語所集刊28本下)曾有精闢的研究,其結論曾云:“自西元前後,即在今廣西東南、廣東西南及越南東北部散居的,因其習俗或文化上頗多和僚人相同或相似之處,遂被一般人誤為僚人”。

事實上廣東之“僚”與“佬”同音,亦是“俚人”之意,拙文《南宋時香港之大嶼山疑是傜區之試證》(收於《宋史試析》一書中)曾有敘述。

㉛《壇經》:六祖至黃梅東漸寺參謁五祖:“祖問曰:汝何方人。對曰:是嶺南新州百姓。祖言:汝是嶺南人,又是獦獠,若堪為佛?能曰:佛性本無南北”。按:“獦獠”,劉義棠教授認為乃“仡佬”之轉音(《中國邊疆民族史》第五編)。

㉜可參考羅香林師的《古代越族分佈考》(《百越源流與文化》第二章)。

㉝《隋書》“地理志”:“長沙郡又有夷蜒,名日莫徭”。

杜甫的“歲晏行”(《杜少陵集》卷22):“歲云暮矣多北風,蕭湘洞庭白雪中。漁父天寒網罟凍,莫徭射雁鳴桑弓”。

㉞拙文《明代廣東之傜區與傜亂》中(一):《傜人入粵之時間與路線底蠡測》(政治大學邊政學報第十四期)。

㉟劉禹錫的“竹枝詞”(《全唐詩》卷365):“山上層層桃李花,雲間煙火見人間。銀釧金釵來負水,長刀短笠去燒畬”。李商隱有“贈田叟”(《全唐詩》卷541):“荷蓧衰翁似有情,相逢攜手遶村行。燒畬曉映遠山色,伐樹暝傳山谷聲”。

按:易“无妄”有:“不耕獲,不菑畬”。爾雅“釋地”:田一歲曰菑,二歲曰新田,三歲曰畬。“菑”、“新”、“畬”是指新墾的田地。

㊱李德裕謫嶺南道中作詩云“五月畬田收火米,三更津吏報朝雞”(《全唐詩》卷)。

㊲《廣東新語》卷5“石糞”條內載“畬田詩”：“畬客石為田，田肥宜石糞。英州名太多，燔石無人問”。又云：“火燒土膏煖，陽氣發畬田，盡斬陰陽木，斜禾種絕顛”。

㊳《粵江流域人民史》第九章（二）“傜人到兩廣乃在僮人之後”與“僮人先來的其他證據”。

㊴同上書第五章：“苗傜僮的關係”，另第八章則認為：“僮是元代始傳入廣西，明代自廣西傳入廣東”。

㊵《新唐書》杜佑傳：“朱崖黎民三世，保險不賓”，此黎民是庶民之意，謂據險而不服王法之蠻，又劉恂的《嶺表錄異》載：“儋據夷黎，海畔採（紫）貝以為貨”。此夷黎當是夷蠻之意，詳見下文。

㊶“僚”字初見於《北魏書》卷101 ：“僚者，蓋南蠻之別種，自漢中達於卬莋、山洞之間所在皆有。”故頗多民族學者以“僚”屬雲南四川之“僰撣系”。筆者認為廣東之“僚”與“佬”同音。見上文，是另一種解釋。

㊷林惠祥謂苗傜屬漢族的“荊吳系”（中國民族史）；胡耐安謂中原“土著”族系（中國民族志第八章）；劉義棠謂“苗傜系”與古之“三苗”不同，分佈於今湖南、貴州、廣西、廣東等省，與及“百越”族鄰近，或亦有關係（《中國邊疆民族史》第一章總論）；徐松石謂苗傜乃古代之苗蠻與越繇王的後裔，即越族之一《粵江流域人民史》及《東南亞民族的中國血緣》；大陸之徐仁瑤撰《關於瑤族源於古搖民初探》一文（載於1983年民族研究第五期）亦謂“苗傜源於越繇王”。

㊸《史記》“孔子世家”：“僬僥氏，三尺，短之至也”，集解“西南蠻之別名”；又，梁書卷34 “張纘”：“零陵、衡陽等郡有莫徭”。《隋書》“地理志”：“長沙郡有夷蜒，名曰莫徭，白云其先祖有功，常免徭役”，而二廣的傜人文書，亦多載對皇帝有功，免徭役之記載。”

㊹劉禹錫曾貶連州，故有“連州臘日觀莫徭獵西山”及“海天殺氣薄，蠻軍步（部）伍嚚，林紅葉盡變，原黑草初燒，圍合繁征息，禽興大旆搖，張羅依道口，嗾犬上山腰，猜鷹慮奮迅，驚鹿（畬）時跼跳，瘴雲四面起，臘雪半空消，箭頭餘鵠血，鞍傍見雉翹，日暮眾城邑，金笳發麗譙”。又有“莫傜歌”：“莫傜自生長，名字無符籍，市易雜鮫人，婚姻通木客，星居占泉眼，火種開山脊，夜渡千仞谿，含沙不能射”。以上二詩，均載於《全唐詩》三五四。

㊺胡耐安的《中國民族志》第八章三十五節，引宋史卷493，認為“正式用傜作族稱的仍以宋史裡的《蠻傜》為最先”；劉義棠的《中國邊疆民族史》第六編第九章：“唐以後，南蠻有稱以傜者，或以蠻傜稱之，甚至此傜漸次取代南蠻而為其通稱，蠻傜之居地，亦較前漸次擴大”；至於大陸的《瑤族簡史》（1983年廣西民族出版社）稱：“隋唐時期，居於湖南和兩廣北部山區的瑤族先民，史稱《莫傜》（頁22—23）……然而較大量輸入廣東，則在宋以後（44頁）”；江應樑認為：“廣東境內之傜人，固然不能說宋代始有，但傜人在廣東境內，有眾多的人數，開始與漢人作土地、經濟的政治鬥爭，當以宋代為主”（西南邊疆民族論叢1978年，新文豐出版）。

㊻拙文《傜人入粵之時間與路線之蠡測》（見註㉕）。

㊼姚東之的《連山綏傜廳志》（成文本）云：“過山傜，居無定沖。視山坡有腴地可墾，即率妻孥結茅住之……耕作餘間，則結隊遊歷，尋得佳勝處，又徙山從之矣，故曰過山傜”。又：李來章的連陽八排風土記（成文版）云：“連山縣有大排五，連州有大排三，另連山小排十一”，均有固定位置，可知“排傜”是指“定居的傜人”。“排”，是村落之意。但胡耐安之《邊疆民族志》（206頁）則謂：“排傜”居於深山，亦稱“深山傜”；“過山傜”居於半山或山麓，亦稱“淺山傜”或“半山傜”，是另一解釋。

㊽可參考拙文《宋代傜亂紀事編年》（1986年香港大學壽羅香林教授論文集）。

㊾《天下郡國利病書》卷100“廣東”上引“古博羅志”：“蠻傜在邑者，皆來自別境，粵人以山林中結竹木障覆居息為輋，故稱傜所止曰輋”。

㊿載於《全唐詩》卷354。

51《後村先生大全集》卷93有“漳州諭畬”，云：“凡溪峒種類不一，曰蠻曰傜曰黎曰蜑，在漳者曰畬，西畬隸龍溪……南畬隸漳浦，其他西通潮梅，北通汀贛……畬民不悅（役），其來久矣”。是知當時粵贛閩三省間已有畲民。

(52)《文山先生全集》卷11“知潮州寺丞東岩先生洪公行狀”;“咸淳五年,知潮州……潮與漳汀接壤,鹽寇、輋民群聚標掠……以州兵馬多弱,山徑多蹊不能討,公應變設奇,降者相屬”。

(53)《萬曆漳州府志》(羅青霄纂,學生書店出版)卷12:“傜人,屬邑深山皆有之,俗呼畲客,舊志不載,今載之”。

(54)祝枝山手寫正德《興寧縣志》(學生書店出版)第4卷“雜記”:

“傜人之屬頗多,大抵聚處山林,砍樹為輋。注:今廣(東)人以山林結木障覆居息為輋,音若社”。

(55)何聯奎有《畲民的地理分佈》(載於《民族文化研究》:在浙江的畲民有麗水,龍泉等十九縣,在福建的畲民有長汀、晉江等二十三縣;沈作乾有“括蒼畲民調查記(北京大學國學週刊第四期)。

(56)除註五六外,何子星的《畲民問題》(東方雜誌30卷13期);胡先驌的《浙江溫州處州間土民畲民述略》(科學卷7,期3)。

(57)《畲族簡史》(1980年福建人民出版社)第一章第二節:“畲族普遍流行祖藉在廣東潮州鳳凰山的傳說,根據閩南、閩中、閩北、贛東北和浙南等處的地方志記載,可以判定閩東、浙南諸地的畲族,基本上是從閩粵贛三省交界地遷去”。

(58)陳仲微的《宋季三朝政要》:“廣王本末”:“七月壬申,張世傑圍泉州,將淮軍及吊眼許夫人諸洞畲軍,兵威稍振……蒲壽庚陰賄畲軍,攻城不力”。又元史卷10“世祖本紀”:“招諭漳、泉、汀、邵武等處,暨八十四畲官吏軍民”。

(59)《畲族簡史》第二章第二節:“畲族遷人浙江境內,最早約在明代,大量遷人則在清代”。又大陸之《中國少數民族》(1981年人民出版社)云:“公元十四世紀,很多畲族逐漸遷移到閩東、浙南和贛東北等地山區(569頁)”。沈作乾的《畲民調查報告》(東方21卷7期)亦謂“王守仁平傜後,始遷至閩浙”。

(60)拙文《論香港地區的族譜與方志及其記載之輋字》(1982年香港大學與美國猶他州族譜學會主辦之“區域研討會”中宣讀的論文)。

(61)由友人轉告,消息來自廣東省民族委員會。

(62)陳序經之《蛋民研究》(商務版)雖謂:“傜實為蛋之支流,而不能謂蛋為傜之支流”(頁40)。然承認傜與蛋是同一來源,胡耐安之《邊疆民族志》第六章苗傜系列有蜑族。

(63)常璩的《華陽國志》卷1“巴志”:巴東涪陵郡有蜑民;《南齊書》卷15“州郡志”:荊州、洛陽郡亦有蠻蜑;《周書》卷49“異域傳”及《北史》卷95“蠻獠傳”:信州(四川)有蠻蜑。

(64)韓愈的“清河郡公房公墓碣銘”全唐文卷563:“貞元末,王叔文用事,材公之所為,舉以為容州刺史……管有嶺外十三州之地,林蠻洞蜑,守條死要,不相漁劫,稅節賦時,公私有餘”。

(65)樊綽的蠻書卷10:“蜑,即蠻雜類,舉華人錯居,曰蜑、曰儴、曰俚、曰僚、曰[桅]木。

(66)羅香林師的《百越源流與文化》第六章提出:(一)蛋民自昔稱“蛇種”或“龍種”、(二)蜑擅於舟楫與越族同、(三)蜑民基地與古代越族之地理分佈相符,故認為蜑民為越族。

(67)《天下郡國利病書》卷104“廣東”八引《晉書》陶璜上書:“晉時,廣州南岸周旋六十餘里,不賓服者五萬餘戶皆蠻蛋雜居”。按:今存晉書卷57“陶琪傳”無“皆蠻蛋雜居”之句。

(68)《宋史》卷284“陳堯叟傳”:“為嶺南西路轉運使......今瓊州蜑兵具舟自取(軍糧),人以為便”。

(69)據《蜑民源考》謂:蜑民是越族,因地理環境影響,雖陸居,仍擅長於操舟涉水。劉隱父子據廣東,時中原已亂,衣冠世族,多避亂南來,隱父子以安置中原流人,於土著之蜑民,不能無所調整。而中原人士,既不願與土著之蜑民挧比并,而隱父子又好經營宮室與器貨,以珍珠玳瑁等為玩飾,置“媚川都”定其課,令入海五十呎採珠,新五代史敘論以“嶺蜑遭劉”證蜑民之受勒(原書223 - 224頁節錄)。

(70)《太平寰宇記》卷157“廣州府新會縣”:“蜑戶,縣所管,生在江海,居於舟船,隨朝往來,捕魚為業”。同書卷169“瓊州”:“又別管蕃蜑二坊戶,在符江口東岸,不耕田,以捕魚為業”。同書同卷“雷州有蜑戶二”。

㉑《後山叢談》卷4:"二廣居山谷間,不隸州縣謂之傜人,舟居謂之蜑人,島上謂之黎人"。

㉒《桂海虞衡志》:"志蠻":"蜑,海上水居蠻也,以舟楫為家,採海物為生,且生食之,入水能視,合浦珠池蚌蛤,惟蜑能沒水採取"。

㉓《嶺外代答》:"五民":"蜑民,以舟為室,浮海而生"。卷5"欽州博物場":"在城外江東驛,以漁蚌來易斗米尺布者謂之交阯蜑"。卷7"珠池":"今合浦產珠之地...池深不十丈,蜑人沒而得蚌"。卷10"蟫"及"鱘鰉魚":"欽州海濱有穴處水族曰蟫……蜑人得之"。"余東歸,將至番禺,有蜑"。

㉔陳序經的《蛋民研究》:"蛋民最多的又算是廣東,廣東的蛋民地理分佈:第一是珠(粵)江流域(包括其上游西江北江);第二是沿海一帶;第三是韓江流域(52頁)"。

㉕見《嶺外代答》卷3"蠻蜑"。

㉖(一)從蛋民的體格或蛋民的艇舶形狀說明其來源有一種;(二)從蛋字解釋有七種;(三)從某種動物演進而解釋有三種;(四)從地域分佈而解釋有四種;(五)從時代先後而分有六種;(六)由另一民族分支而成有十一種。

㉗如1981年出版之《中國少數民族》(人民出版社)、1982年出版之《廣東少數民族》(人民出版社)、《中國八個民族體質調查報告》(人類學會出版)均無蜑民。

㉘《太平寰宇記》卷169"儋州風俗":"俗呼山嶺為黎人,居其間曰生黎"。"洛陽縣(注:新置)元縣在黎洞心,因黎賊作亂,今移入州城下"。同書同卷"瓊州風俗":"有夷人……不知禮法,須以威服,號曰生黎"。

㉙《桂海虞衡志》:"志蠻":"海南四郡,鄔上蠻也,鄔直雷州……鄔之中有黎田山,諸蠻環居四旁,號黎人"。

㊵《嶺外代答》卷1"並邊":"瓊州……有黎田山,環山有熟黎、生黎"。

按:《宋會要輯稿》蕃夷五之四十七"黎峒":"今儋崖萬安皆與黎為境,其服屬州縣者為熟黎,其居山峒無征徭者為生黎"。

㊶林惠祥之《中國民族史》第六章"黎人",附於"百越系",羅香林師有《海南島黎人源出於越族考》(《百越源流與文化》第五章)。

㊷胡耐安之《邊疆民族志》第七章、劉義棠之《中國邊疆民族史》第七編第五章第三節均列"黎"於僰撣系。

㊸《粵江流域人民史》第十五章(二)"廣東的黎人",大意謂"黎字是僮音的峯,或土山之意。粵俗稱山嶺為黎,所以山居的土著為黎,為俚、為里。其實"黎"字在僮語並非專指山,有時乃指山上的峯田(134頁)"。

㊹可參考劉義棠的《中國邊疆民族史》下冊740頁;而劉咸之《海南島黎族起源初探》(1940年西南研究一卷一號)亦有同樣的理論。

㊺黃佐的《廣東通志》卷68:"黎峒中盤州邑外,列民雜蜑傜之異夷"。

㊻可參考徐松石之《粵江流域人民史》第八章"嶺南的僮族"。

㊼羅香林師的《狼兵狼田考》(廣州市立圖書館之廣州學報卷1期2)。

㊽如《粵述》、《說蠻》、《嶺南雜記》等(小方壺齋輿地叢鈔)。

第二節　宋代傜亂編年

甲

本文所謂傜乃指狹義而言[①]。蓋唐宋以前，蠻、苗、畲（輋）蜑、峝（峒）等關係至為模糊，且常有混稱[②]，正式之分別，迄今仍未有公斷，故本文之範圍，以唐宋以後，粵湘桂三省傜人之主要活動範圍為主，其目的在探究漢人開闢南方與傜亂之關係[③]。所引用之資料，主要為地方志[④]，而旁及其他專門書籍[⑤]。

方志上最早出現之傜亂，發生在漢代[⑥]，次為三國時代[⑦]，此可能是傜人之祖先，因是時猶未有“傜”字之出現[⑧]；最早出現之“傜”字，乃始於唐代之莫傜[⑨]。

唐以後，方志上關於猺人的記載，有：

同治連州志記高宗永徽二年，連州有猺，實未可信[⑩]。

道光高要縣志記武后長安三年，高要有猺，殊有可能[⑪]。

乾隆辰州府志記玄宗開元十二年，五溪蠻叛，此五溪蠻乃猺人之祖先[⑫]。

道光靖州志載肅宗乾元元年靖州有猺，亦有可能[⑬]。

嘉慶廣西通志記唐末猺人響應黃巢之事[⑭]。

按以上之記載，均出自清人之撰述，且衹記載其地有傜而已，是否屬實，尚待證明。此外，新舊唐書中所載廣東之“獠”，疑其中亦為猺人[⑮]，惟證據未足，姑存以待證。

乙

唐代之“莫傜”雖與猺似同一系統，然正式命名為一民族，實始於宋[⑯]。

五代至宋間，湘西一帶，首先發生漢猺衝突，蓋其地乃五溪蠻之據地，漢人拓土至此，自然與之衝突，其後由湘而桂、而粵，現按編年敘述如下：

五代後周世宗顯德中（954—959）。猺寇辰永二州[⑰]。

宋太祖乾德元年（963），因猺人秦再雄之降，行安撫政策。免其租賦、傜役，是為猺族稱謂之始[⑱]，並闢地數千里[⑲]。此後有四十年之安定，未見猺亂。

真宗時（998—1022），猺已南遷至廣東[⑳]。

按太祖太宗之世，居住於辰州之猺人，因漢人增加，被逼南遷。真宗時、抵達粵之陽江。然由湘至陽江，必經廣西，疑是時廣西北部之“獠”，可能亦是猺人[㉑]。且衡山附近湘桂交界之地，乃宋太宗時所開闢。（見下文）。故猺由湘而桂、而粵，亦可以此為旁證。

真宗大中祥符六年（1013），湖南辰州猺亂，翌年始招撫之[㉒]。

仁宗天聖三年（1025），湖南猺亂，又招撫之[㉓]。

仁宗天聖七年（1029），湖南辰州猺再亂，再招撫之[㉔]。

仁宗景祐二年(1035),廣東南路猺亂[25]。是次由於"官逼民反",猺人遂大量流徙[26]。

仁宗慶曆三年(1043),湖南桂陽監猺人大亂,殺巡撫都監,更北蔓延至潭州,當時特設溪猺安撫司以鎮壓之[27]。翌年被撫,但不久又叛。

仁宗慶曆五年(1045),桂陽監猺人餘黨唐和又叛,湖湘騷動。政府分八路招討,歷時三載,數易主帥,至七年(1047),始招降之[28]。

按:唐和之亂,起自湖南之桂陽州,北蔓延至湖北潭州與湘西寶慶府一帶[29],南蔓延至粵之連陽[30],西而旁及於廣西[31],為宋代最大之猺亂。

仁宗慶曆九年(1049),湖南宜章峒民駱科又叛,蔓延至粵北[32]。

仁宗至和年間(1054 – 1055),五溪蠻又叛,結果,宋只消極預防,而無法再戰[33]。

神宗熙寧五年(1072),開梅山蠻猺。

按:慶曆年間之猺亂,波及三省,政府始注意經營溪峒。嘉祐時已有此議,至熙寧五年實行,得田二十餘萬畝,置一縣二城治之[34]。

又章惇開梅山時,猺人曾謀反抗[35],事後更拓土至沅州[36],於是湘西武陵山雪峰山一帶湘桂黔交界之地,盡闢為州縣,為宋代向猺疆拓土最廣之地,或謂猺山之開闢由僧人之力,推之猺人信佛,殊不可信[37]。

神宗熙寧年間,當梅山開闢時,廣西南丹及全州亦有猺亂[38]。

神宗元豐元年(1078),梅山開闢後之猺人,不甘老巢被佔,於是附近辰、沅州之猺人遂叛,翌年始討平之[39]。

哲宗時(1086 – 1100),猺寇辰州,但為患不大[40]。

徽宗崇寧元年(1103),辰、沅州猺人入寇,討平之[41],以其地設徽靖二州[42]。

徽宗大觀二年(1108),湖南猺人楊再光內附,前後闢土萬餘里,蔡京率百官表賀[43]。

高宗建炎四年(1130),湖南武岡猺亂[44]。

高宗紹興元年(1131),曹成結連猺賊叛變[45]。

按:北宋亡國,中原盜賊蜂起,曹成結連猺賊為患於湘南郴桂之間,為岳飛所討平,曹成奔連州始降。蓋由郴桂而至韶連,重山疊嶺,正合猺人流徙之地[46]。

高宗紹興三年(1133),廣西南丹州莫公晟叛。

按:南丹為猺區"見註13",疑莫公晟亦為猺人[47]。

高宗紹興四年(1134),湖南武岡猺亂[48]。

高宗紹興十五年(1145),湖南武岡猺有仇殺事,政府擬乘機征伐,但為秦檜所止[49]。是年遂撫猺[50],同年廣西方面亦撫猺[51]。

高宗紹興廿四年(1154),莫公晟及宜州界外諸蠻納土內附[52],同年,武岡猺人楊再修因亂被誅[53]。

孝宗隆興初(1163),湘省禁民猺易地,以杜絕猺亂[54]。

孝宗乾道元年(1165),湖南宜章寇發,似是猺亂[55]。

孝宗乾道三年(1167),湖南靖州猺亂[56]。

孝宗乾道六年(1170),湖南辰州猺獠亂,翌年始討平之[57]。是次猺亂,主要是與省民爭地[58]。

孝宗乾道九年(1173),廣西帥范成大諭降諸猺(見粵西叢載卷廿五)。

孝宗淳熙三年(1176),湖南猺亂[59]。

孝宗淳熙十年(1183),湖南猺亂[60]。

孝宗淳熙十一年(1184),再禁民毋易猺田,以致引起猺亂[61]。是年廣西猺亂[62]。

光宗紹熙四年(1193),湖南猺人犯邵州(見嘉慶湖南通志)。

光宗紹熙五年(1194),湖南辰州猺亂[63]。

寧宗慶元間(1195 - 1200),廣東南雄猺亂[64]。

寧宗慶元三年(1197),廣東大奚山猺亂[65]。

寧宗嘉泰三年(1203),趙彥勵上書請撫猺,立溪峒酋長[66]。

寧宗嘉泰中(1201 - 1204),廣州猺亂[67]。

寧宗開禧間(1205 - 1207),廣東南雄猺亂[68]。

寧宗嘉定元年(1208),郴州黑風峒猺亂[69]。

寧宗嘉定三年(1210),廣東西江猺亂[70]。

寧宗嘉定五年(1212),湖南臣僚奏析猺亂之因[71]。

寧宗嘉定七年(1214),湖南臣僚奏立防猺之策[72]。

寧宗嘉定十一年(1218),臣僚奏析嶺南猺亂之因,遂請倡立民兵以防之[73],以後湘粵之猺遂馴服[74]。

理宗紹定間(1228 - 1233),廣西猺亂[75]。

恭帝德祐二年(1276),元兵南下,政府竟動用猺兵助戰[76]。

帝昺祥興二年(1279),廣東猺亂[77]。

丙

大概宋代之湖南,湘西辰、沅、靖州、寶慶及南部郴州等,均是猺區,而猺人騷擾地區,更北及洞庭湖邊[78],為患最劇者乃是辰州以及桂陽監、郴州一帶。

廣西方面之猺區,似集中在桂東北與湘粵交界之地[79],而桂黔交界亦有猺區[80],不過以東北部為患較劇。

廣東之猺區,最早出現似是在粵桂交界[81],稍遲,粵西亦出現猺區[82]。如是推測,宋代猺人之流徙,一支由湘而桂而粵西,一支由湘南而入粵北[83]。

猺亂引起漢猺衝突,結果,最後必是漢人勝利,於是開闢疆土。計湖南方面,有武陵山一帶。今日辰州沅州之地,為宋太祖時所開闢[84]。雪峰山即今日寶慶府之地,及衡山山脈西端之東安始闢於宋太宗時[85]。神宗熙寧年間,開梅山猺蠻,遂以其地置新化、安化二縣,並拓土至沅州(今芷江縣)[86]。至湘桂邊境,於徽宗時亦闢為靖州,及綏寧、通道等縣,南宋時則增設新寧縣[87]。

廣西在宋時三面為溪洞所環繞(見註80),惟廣西之溪洞除猺外,包括甚眾[88],漢人只據城市,鄉村多為蠻區。其中征猺而開闢之縣治,計有羅城[89]、懷遠[90]、遷江[91]、南丹、河池[92]等。此外宋開闢之縣治及土州:有東蘭州、那地州、歸德州、忠州、太平府、崇善縣、永康縣、鎮遠州、茗盈州、龍英州、結安州、上下涑州、思明州、陀稜縣、鎮安府、上林縣、上隆州、泗城州、結倫州、都結州、利州、奉議州、向武州、江州、羅白縣等[93]。其中部份,似為討平儂智高而開闢之疆土,部份為其他蠻夷獻土,與猺人無關。

廣東方面情形,與廣西相同。今日南路,當日乃屬廣南西路[94],轄地比廣西為少,宋時增設之縣治,有香山(今之中山)[95],疑是拓土於猺域[96]。乳源縣之設立亦與猺人有關[97],至於宋代設立之長樂[98]、揭陽[99],疑不少與猺人有關[100]。

粵桂兩省征猺,以明代最為厲害,故兩省增設之縣治,亦以明代為多(另有專章敘述)。宋時除用武力征猺開闢疆土外,或特設軍守之[101],立寨防之[102],其開明之官吏,或立法以約猺[103]、或設學校以化猺[104],結果,能綏靖於一時,至明代遂大舉征猺矣。

註 釋

①猺乃槃瓠之後,早成定論,原居湘鄂間之五溪,據:A、林惠祥之《中國民族史》第十四章,謂:漢之武陵蠻,六朝之荊雍州蠻,唐宋以後之猺,均屬此系統。B、馬長壽之中國西南民族分類(《民族學研究集刊》第一期一九三六),則以今日黔桂之苗,湘桂粵之猺,及閩浙間之畲(輋),為同一系統。C、道光《永州府志》卷五"猺人叛服考",則以漢之零陵蠻,孫吳之夷,六朝隋唐之莫傜,唐宋以後之峒賊,均屬此系統。但本文所謂狹義之猺,就時間上言,乃以唐宋以後為主;就地域上言,則以粵湘桂三省為主。

②A、清允祥張廷玉等輯,雍正七年五月廿八日上諭:"聞粵東地方,另有一種名為蛋民,即蠻、猺之類。是猺、蜑混稱。而拙著"宋代大嶼山為猺區之試證"(《崇基學報》三卷二期),亦有是項例子。B、乾隆《廣州府志》卷十四猺獞附:隋仁壽四年、番禺峒、獠亂。是猺與峒、獠混稱。C、《苗防備覽》、《湖南通志》等,均以苗峒志敘述猺亂。苗、猺混稱,在方志上之例更多。

③Harold J. Wiens著之China's March Toward Tropics(Shoestring Co. 1954),現改名Han Chinese Expansion in South China,曾作此種嘗試,但語焉不詳,而且其重點在漢文化之南移,與猺亂關係甚少。

④朱士嘉之《中國地方志統計表》(燕大史學年報一卷四期一九三二)及《中國地方志綜錄》(一九三七)兩書,統計廣東方志三百餘種、廣西方志一百餘種、湖南方志二百餘種。

但筆者在哈佛之漢和圖書館及國會圖書館一年中,統計廣東方志祇有一〇八種,廣西方志中祇有四十八種,湖南方志中只有九十五種。其中有些國會有而哈佛無,哈佛有而國會無,加上日本所藏約百多種為美國所無,故以上數字,仍嫌未確。但文獻散失,實為研究上一大困難。筆者此文引用之方志計:廣東八十一種,廣西四十六種,湖南七十種。以上三省方志,筆者每府縣只引用一種,用時間最早,或記事最詳之一種。故數目雖少而代表性大,但仍嫌未足,冀他日補充而已。

⑤分區敘述,如周來章之《八排風土記》(粵)、汪森之《粵西叢載》(桂)、嚴如煜之《苗防備覽》等,綜合敘述如《圖書集成職方典》、《郡國利病書》、《小方壺齊地理叢書》等,有關史實方面,均有引述,至於近人調查報告,因少涉及史方面之探討,故不引述。

⑥《廣東通志》(阮志)卷二十三兵防:"漢、峒猺劫掠二廣,永和間討平之"。按《漢書》紀永和二年正月,武陵蠻叛。《王先謙集解》謂武陵蠻圍充縣,即今澧州,當是今日猺人之祖先。

⑦乾隆本《辰州府志》卷十三平苗考:"吳黃龍三年辛亥春二月,吳遣潘濬率眾五萬討武陵蠻猺,衛溫、諸葛直皆以違令無功,下獄論誅"。是段似引自《三國志》卷六十九《吳書》潘濬傳,但潘傳只云"五谿蠻叛"。席紹葆之《辰州府志》顯然以五谿(溪)蠻爲猺之祖先,故此改為猺;然苗之祖先,亦是五溪蠻,且當時未有猺字出現,故未合本文宗旨。

⑧《嶺南雜記》:"獠……其在嶺南,則隋唐時為患,然是時不言有猺,宋以後不言獠,意其類分合無定,故隨代異名"。其實唐時已有莫傜之稱,見《隋書》地理志及杜甫之歲晏行、劉長卿之連州臘日觀莫猺獵詩,於是林惠祥等便以唐始有猺字,宋以後之猺遂成為"南蠻之通稱"。

⑨《隋書》卷三十一地理志:"長沙郡又雜有夷蜑,名曰莫傜"。杜甫歲晏行"莫傜射雁鳴桑弓"。劉

長卿云:"莫徭自生長,名字無符籍"。此徭字或以即猺族(人)也。

⑩方志上唐代之猺之記載有,同治《連州志》卷五:名宦:王晙,永徽二年(651)為連州刺史,民猺安之。按《新舊唐書》合鈔卷一四四王晙傳:"景龍末,轉為桂州都督"。桂州治今桂林府,為嶺南五管之一,轄連縣,故連州志時間地點均誤,且州志卷一謂連州之猺始於宋紹興間廖姓一猺僕,前後矛盾,未必可靠。

⑪道光《高要縣志》卷十九謫宦:"魏元忠……貶高要尉,時長安三年(703)九月丁酉,元忠至官,整戎旅,備峒寇,居期月,民猺恬謐"。按元忠於聖曆因忤張昌宗為武后貶為高要尉。事見《新舊唐書合鈔》。是時高要有猺,殊有可能。

⑫乾隆《辰州府志》卷十二平苗考:"開元十二年(724),五溪首領覃行章亂,詔楊思勗為黔中招討使,率六萬往,執行章。斬首三千級"。按五溪即漢之五溪蠻,為猺人祖先。楊思勗為廣東石城人。據沈東甫之《新舊唐書合鈔》二三八本傳:思勗斬首三萬餘級,因此以軍功而累加輔國將軍,疑府志數目有誤。

⑬道光《靖州志》卷二古蹟,綏寧縣:"蓮荷壇、唐乾元(758 – 759)道士申泰芝於蓮荷嶺上築壇三級,奏上帝,斷絕猺賊,賜號安國大師"。按靖州,唐為溪峒城州,當時有猺人居住其間,可能性甚大。又按《大清一統志》,靖州只有蓮荷橋而無蓮荷壇;《大明一統志》則連壇與橋之記載均缺。

⑭《嘉慶廣西通志》卷二五六列傳:(桂林府)"於向……以擊南詔,撫定交趾,……授本州團練使。駢玩寇無功,政由群下,向辭歸。及黃巢寇嶺南,猺賊響應,侵逼州城,向率與戰於都郎山九十日,寇屢出,屢敗之,引兵深入,大戰於洛陽坡,援兵不繼,賊圍數之重,向下馬格鬥,精彩百倍,賊屍滿谷,賊乃退,向亦被傷死。士兵莫不流涕,遂與相立像置祠於其地,歲時祀之"。按是段記載,乃引自《宋史》卷四九三《西南溪峒蠻傳》,五代時,鼎澧辰沅邵陽五州之境,各有蠻猺保聚,而《宋史》則引自北宋神宗時李攸之《宋朝事實》卷十六,是時去五代未遠,記載當可靠。

⑮據芮逸夫之《僚人考》(中央研究院史語所集刊第廿八本),謂僚人源出於貴州烏滸蠻,此誠一事實,惟方志中廣東之僚,當是別一種,如粵南恩平、茂名等縣志,方言載:"外地人曰外江僚,本地人曰本地僚"。又雍正廣東通志五一,風俗:"平人曰獠,嶺北人曰外江獠"。此獠乃姥之音譯,乃居於此地人之意思,因此:(一)《舊唐書》一〇九《馮盎傳》:"仁壽初,潮成等五州獠叛,盎馳至京,請討之"。(二)《新唐書》一一〇《番將傳》馮盎,貞觀初,羅、竇,諸峒獠叛,詔盎率二萬為諸軍……討之。(三)《資治通鑑·唐紀》:"開元十六年春,正月……春瀧等州獠陳行範與廣州獠馮璘(智仁)、何遊魯反,令宦者楊思勗討平之。"以上諸地,均在廣東,顯然與僚人考之地域不同,且各地在宋時均是猺區,見拙著"宋代大嶼山疑是猺區之試證"。故疑此等獠乃是猺人,然尚待證明。

⑯李攸之《宋朝事實》卷十六《兵刑》:"五代時,鼎、澧、辰、沅、卲陽五州之境,各有蠻猺保聚,依山阻江,結十餘萬,馬希範周行逢時,數出擾邊"。按《四庫總目提要》載:是書撰於政和初,此為最早之猺族記載,以後周去非之《嶺外代答》卷二及范成大之《桂海虞衡志》,亦均有猺字記載。

⑰乾隆《辰州府志》卷十三《平苗考》:"顯德中,周行逢據有湖南,蠻猺數出寇邊,逼辰永二州,殺掠民畜,無寧歲"。又道光《湘鄉志》卷六《人物》:"王全,五代時仕馬氏,為上軍指揮使,與梅山猺戰,乘勝逐北,孤軍無援,力戰而死"。

⑱《宋朝事實》卷十六《兵刑》:"辰州猺民秦再雄者……太祖察其可用,召至闕下,以一路付之。再雄起蠻酋,除為辰州刺史,官其一子為殿直,仍使自辟吏屬,盡予一州租賦"。

⑲同上書:"再雄盡瘁邊圉,故終太祖世,無蠻猺之患,五州延袤數千里,不增一兵,不費帑庾,而邊境妥安"。

又宋田謂之《辰州風土記》(書已佚,下文則為王象之《輿地紀勝》所引):"皇朝太祖平荊湖,除猺人秦再雄為辰州刺史,蠻夷悉皆漢化,郡在辰水之陽,取辰溪以為名"。

⑳乾隆《陽江縣志》卷四《名宦》:"陳亞,建陽人,宋真宗時,知南恩州,地多煙瘴,猺獠雜處,亞務行寬政,深得民心"。按南恩州,今廣東陽江縣地。

㉑嘉慶《湖南通志》苗防編年紀事:"五代馬希範據湖南時,蠻猺保聚,依山阻江,殆十餘萬。周行逢

據湖南，蠻獠數出寇邊，偪永辰二州，殺民畜無寧歲”。兩者對照，顯然獠是猺，而且以上二條均引自《宋朝事實》（見註16），可以明證。而廣西之獠最早記載，是在桂北之桂州（今桂林、湘桂間），時期則在唐中葉以後。據雍正《廣西通志》：“代宗大曆二年夏，桂州山獠陷州，刺史李良遁去”。其後向粵桂邊境推進，據同上書：“大曆六年三月，王翃敗獠，克容州”。容州為粵桂交界，假若此獠是猺，則猺人經湘而桂至粵，殊為合理。

㉒嘉慶《湖南通志》卷六二，引《宋史·西南溪峒諸蠻傳》：“大中祥符六年，辰州溪峒都指揮使魏進武，率山猺數百人，數寇城寨，朝廷不欲發兵窮討，乃降詔招諭。七年，進武詣吏請罪，署為三班借職，監房州稅，仍賜裝錢”。（《宋會要輯稿》蕃夷五之七八同）。又同治《沅陵縣志》卷十七《苗防》，亦有相似之記載。

㉓嘉慶《湖南通志》卷六二，引《宋史·李絢傳》：“天聖三年、五溪蠻叛，湖南轉運使李絢，乘傳戒諸部按兵不動，使人諭以禍福，蠻罷兵受約束”。但乾隆《武岡州志》卷八《苗叛紀略》，則作天聖五年（一〇二七）事。

㉔同治《澧州志》卷十九《兵難》：“宋仁宗天聖七年（一〇二九），辰州溪峒蠻寇澧州。”又嘉慶《湖南通志》卷六二引《宋史·張綸傳》：“辰州溪峒猺人入寇，遣張綸為辰澧鼎州沿邊巡檢使，諭蠻猺以禍福，購還掠民，遣官與盟，刻石境上。”

㉕光緒《化州志》卷十二前事略：“景祐二年己亥五月，猺獠寇化州，詔桂廣會兵討之。”當時猺亂尚伸延至雷州。據阮元之廣東通志前事略：“景祐二年，猺獠寇雷、化州。”郝玉麟之廣東通志更泛指“廣南猺獠作亂”。

㉖道光《番禺縣志》卷三二《名宦》：“徐德明、景祐二年五月，猺獠作亂，寇雷、化州，奉詔督廣兵會桂兵征討有功，加防禦使，使廣南處服嶺外，聲教稍後，中華湖廣之猺，溪峒之獠，實逼處此，閭閻疾苦，既無由上達，而官斯土者，復誅求不已，民困弗堪，往往轉徙不常，因此激變”。

㉗嘉慶《湖南通志·苗防紀事編年》：“慶曆三年，桂陽蠻猺內寇，詔發兵捕擊之。初，有吉州巫黃捉鬼與兄弟數人，習蠻法，往來常寧溪峒，誘蠻眾盜販鹽，殺官軍，既招出殺之，又徙山下民他處。至是其黨復合出桂陽、藍山、華陰峒，殺害巡撫李延祚、潭州都監張克明。事聞，擢楊畋提點刑獄，攻討不克；遂詔湖南轉運使郭輔等招撫之，始於湖南設安撫司。蠻所至，殺掠被害者眾，詔被害者並人山捕勦，至或誤殺良民。……遣侍御史王絲、度支副使徐明，經制降敕書，委知潭州劉沆招諭……降者二千餘人……乞予其首領鄧文忠黃文晟等為三班奉職”。又嘉慶《臨武縣志》卷二三：“慶曆三年，桂陽監蠻猺內寇，……四年，委知潭州劉沆招諭”。

㉘《宋史》本紀：“慶曆五年二月癸丑，桂陽監蠻唐和等復內寇”。又同書《西南溪峒傳》：“慶曆三年桂陽監蠻猺內寇……五年二月，餘黨唐和復內寇，乃詔湖廣安撫轉運使，提點刑獄，便宜行事”。

㉙《宋史·劉夔傳》：“桂陽監蠻唐和寇邊，以夔知潭州兼湖南安撫使。初，遣人諭蠻酋，使降，不從，乃舉兵擊敗和於銀江源，破其巢穴，蠻逃遁遠去”。按潭州治今長沙，轄湖南大部，劉夔可能南下征討，但長沙附近之梅山蠻猺，斯時亦嚮應為亂。據道光《寶慶府志》卷二《大政紀》：“慶曆七年，知潭州劉元渝遣人諭降梅山蠻千二百戶”。按元渝知潭州，猺人數為寇，元渝使州人楊謂人梅山說酋長，蠻猺遂降。

㉚同治《連州志》卷二編年：“慶曆三年湖南猺匪劫掠州縣，詔殿丞楊畋赴韶連等地招安之……七年春正月，詔減連民被害者來年夏租”。

㉛道光《平南縣志》卷十五《宦績》：“盧革，慶曆間知龔州。猺蠻人寇，桂管騷動，革往晝軍需，先事而集，移書安撫使杜杞，請治諸郡城及易長吏之不才者”。

㉜嘉慶《郴州總志》卷四十一《事紀》：“慶曆九年（即是皇祐元年，1049）宜章峒民駱科寇郴、道、連、桂楊諸州縣，詔發大兵討之，餘黨歐幼四等復叛，據藍山，寇平陽縣，江西都督程師回討之。（同治《藍山縣志》，事紀同）”。

㉝同治《沅陵縣志》卷十六兵制：“至和中，五溪蠻擾邊，知樞密院鄧洵武……募邊民習知溪峒險易

者，置所司，教以戰陣，勸以耕收，以鎮撫之"。

㉞柯維麒之《宋史新編》卷一四二，梅山峒蠻："梅山峒蠻，舊不與中國通。其地東接潭，南接邵，其西則辰，其北則澧，而梅山則居其中。開寶以來，往往寇掠邊界，招諭不聽，太宗討平之。嘉祐末，湖南轉運副使范子奇奏，蠻恃險為邊患，宜臣屬而郡縣之。熙寧五年，乃詔章惇等招納，惇遣喬執中知全州，而大田諸蠻納欵，遂檄諭梅山蠻猺，爭開道路，以得其地，東起寧鄉縣司徒嶺，西抵卲陽白沙岩，北界益陽四里河，南止湘鄉佛子嶺，藉其民，得主客萬四千八百九戶，萬九千八十九丁，田二十六萬四百卅六畝，均定其稅，築武陽、開峽二城，詔以山地置新化縣，並隸卲州"。

㉟同治《益陽縣志》卷十一武備（兵事）："舊志：熙寧五年，益陽梅山蠻猺，屢討不服，乃遣章惇訪察湖南，惇遣人諭降之"。

㊱乾隆《辰州府志》卷三三《名宦》："謝麟，熙寧初通判辰州。章惇使湖湘，拓沅州，薦麟為守"。

㊲嘉慶《湖南通志》卷末之四，叢談："熙寧間，章惇開梅山，兵抵寧鄉，入溈山，轉由徑路進兵失利，退軍溈山密印禪寺，餽餉缺乏，寺為供應。惇遣人入峒招諭不從，猺人篤信佛法，乃遣長老穎銓三人入峒說之，穎銓遣營中二官，先入見猺主，給以從者，猺一見遽曰：此官人也。穎銓曰：主眼高，認之不差，此官人之子。乃使供茶，失手，因故掌之，二官作惶懼狀，猺主乃不疑。穎銓說法，勸諭猺悔悟，率眾出降，惇奏凱，賜名報恩，特免本寺諸科差徭"。

按猺人對穎銓具信仰則可，謂猺人信佛教，以其人文化之淺，佛理之深，且無別證，殊不足信。

㊳明《嘉靖廣西通志》卷五四《外夷》："神宗熙寧三年，猺賊殺人，南丹酋長莫世忍執以獻，授禮部尚書"。

又道光《靖州地》卷八《政蹟》："熙寧五年，詔知潭州潘鳳、湖南轉運副使蔡又、判官喬執中、同經制章惇招撫之（梅山猺蠻）。大田三砦猺犯境，又飛山蠻近在全州之西，執中至全州，蠻猺納款，遂開梅山峒，皆有其地"。

㊴乾隆《辰州府志》卷十三《平苗考》："元豐元年戊午三月，辰沅猺賊寇邊，州兵擊走之。十一月，辰州猺賊叛，詔沅州兵討之"。又道光《辰谿縣志》卷十九《武功》："元豐二年詔知沅州謝麟督捕猺賊，麟且捕且招，一方以寧"。

㊵《輿地紀勝》卷七五《官吏》："吳審禮，哲宗朝，辰州之猺人數寇境內，公視篆，即解甲撤備，一以誠信結人。猺人感悅，一境晏然"。《宋會要》蕃夷五之九二："七年，永州蠻猺因乏糧食，出沒剽劫"。

㊶乾隆《辰州府志》卷十三《平苗考》："崇寧二年癸未，辰溪猺叛，殺潋浦令。蔡京重為賞募，殺一首領者賜之絹三百，官以班行，且不令質究本末，荊南守馬城言：有生猺，有省地猺，今未知叛者為何種族，若計級行賞，懼不能無枉濫。蔣之奇恐忤蔡京意，白城為不能體國，乃罷城，命舒亶代之，以剿絕群猺為期，遂平辰沅州猺賊"。

㊷《東都事略》卷九十七《蔣之奇傳》："徽宗即位，沅州蠻擾邊，之奇請遣將討之，以其地為徽、靖二州"。又《嘉靖湖南通志·防苗紀事》："崇寧元年，辰沅猺人入寇，知樞密院蔣之奇請遣將討之，仍以其地為徽靖二州。但道光《寶慶府志》卷二《大政紀》，誤作大觀二年（1108）事"。

㊸道光《寶慶府志》卷二《大政紀》："政和元年湖南猺人楊再光內附"。按：永、卲、全、武岡、桂陽皆有猺，而楊氏則在武岡，靖州間，故著於此。

嘉慶《湖南通志·苗防編年紀事》："大觀二年，湖南猺楊再光內附，詔以張莊為黔南經略安撫使，知靖州"。

又《宋史》卷三四八《張莊傳》："莊知桂州，奏安化上三州一鎮地土，及恩廣監洞蒙光明、落安知洞程大法、都丹團黃光明等納土共五萬一千一百餘戶，二十六萬二千餘人，幅員九千餘里。尋又奏寬樂州、安沙州、譜州、四州、七源等州，納土，計二萬人，一十六州，三十三縣，五十餘峒，幅員萬里。蔡京帥百官表賀，進莊兼黔南路經略安撫使，知靖州"。

㊹《宋史新編》卷一四二："建炎後（楊正修）與弟正拱，率九十團郴猺人，縱火掠民財為亂"。嘉慶

湖南通志繫於建炎四年,並謂楊為武岡猺人。

㊺《嘉慶臨武縣志》卷二一《邊防志》:"紹興二年,賊曹成遁入郴桂間,煽動諸猺,眾至十餘萬,盤據邑之南境蓬領嶺。岳飛率步卒八千,一鼓登嶺,破其眾"。

㊻《宋史新編》卷一二九《岳飛》:"二年,賊曹成擁眾十餘萬,據道、賀州。命飛招成,成不從,飛速破其眾,成奔連州,進兵追成,成走宣撫司降,嶺表平"。

㊼按《宋史新編》卷一四二:"南丹州蠻為溪峒別種,其酋莫姓。神宗時,境內猺人殺人,莫世忍執以獻"(見註38)。而《續通鑑》卷一三〇,記紹興二十四年莫公晟降,七月丙子,帝曰:"得丹州非以廣地,但猺人不作過,百姓安業可喜"。可為旁證。

㊽《道光寶慶府志》卷二《大政紀》:"紹興四年,湖南安撫制置大使席益遣統制率兵討猺賊楊再興,(非岳飛之將),大破之"。

㊾《宋史》卷四九四《溪峒傳》:"紹興十四年十月,湖南安撫使劉昉奏,武岡軍猺人有父子相殺者,宜出兵助其父,俾還省地。上以問輔臣,秦檜曰:恐輕舉失事"(《宋史新編》刪此段)。按:此猺人父子,當是楊再興與子正修,見下註。

㊿《建炎以來繫年要錄》卷一五四,紹興十五年十月乙酉:"直秘閣知潭州劉昉言:武岡軍猺人楊再興父子,自建炎中,侵佔省地幾二十年,近准御前處分,令昉措置,遂遣安撫使幹辦公事王歷,諭以禍福,願還省地共六十餘畝,已召民歸業,欲乞免賦役,從之"。

51嘉慶《廣西通志》卷一六七《兵制》:"紹興十五年,前知全州高楫言:猺人今皆微弱,不敢共侵省地,砦官每縱人深入,略其財物,遂致乘機竊發,宜詔與溪峒接壤州郡,毋侵猺人,庶使邊民安業,帝從其言"。(會要蕃夷五之九五同)。

52見錢士升《南宋書》卷一紹興二十四年條,及註㊼。

53《宋會要輯稿·蕃夷》五之九五:"廿四年擒楊正修及其弟正拱,送理寺鞫治斬"。(按楊正修、正拱乃楊再興之子)。

54《宋會要輯稿·蕃夷》五之九六:"隆興二年四月廿七日,右正言尹穡言:湖南州縣地界,多與溪峒蠻猺差互相連,以故省民與猺人交結,以田產擅交易。其間豪猾大姓,規免稅役,多以產業寄隱猺人戶下,內虧國庫,外滋邊隙,欲望下湖南安撫司……所屬州縣,將省地與猺人相連舊有界處,明立封堠,自今不許省民將田產典賣與猺人,及私以產業寄隱。"

55嘉慶《郴州總志》卷四十一,事紀:"孝宗乾道元年,宜章峒賊李金陷郴州,焚桂陽軍,州將棄城遁走"。又光緒《化州志》卷七《宦績》:"廖禹(阮志金石作容),宋淳熙(應是乾道,據阮志更正)間,為州守(同書卷十二前事略:廖禹知化州為紹興卅一年事,故淳熙應誤)。有柳寇李金(應是郴寇李金)嘯在州境,帥府檄禹領總管(北上)討之……追破之,脅從勿問,諸猺悉降"。

56道光《靖州志》卷十一《兵燹》:"乾道三年,靖州猺人姚民敖等作亂,詔鄂荊駐劄明椿選將率兵銳千人,令屯戍官合擊之"。

57《宋會要·蕃夷》五之九七:"乾道六年,猺人楊再彤算嘯聚數千人,犯沅江界。七年二月四日,詔京南差官軍五百人前往彈壓"。

58乾隆《辰州府志》卷十三《平苗考》:"乾道六年……初,猺人與省戶交爭殺,一人死。(孫)叔傑(時知沅州)輒出兵破其十三柵,奪還所侵地,於是猺人相連為亂。諸司請調常德府城兵三百人,益官兵三千人合擊討之。宰臣虞允文言,蠻猺為變,皆守臣貪功所致。今猺人仇視守臣,若更去叔傑,量遣官軍,示之以威,徐與盟誓,自可平定。帝允其奏……邊境悉平"。(《沅州府志》卷三二記兵同)"。

59嘉慶《湖南通志·苗防紀事編年》:"淳熙三年四月,靖州猺人姚明教(一作民敖)等作亂,詔荊鄂駐劄明椿會屯戍官合擊之,八月猺寇平。(本紀同)。"

60乾隆《辰州府志》卷十二《備邊考》:"淳熙十年癸卯,儒林郎李太性上言:此年猺蠻亂。"按乾道六年(1170)猺亂。至淳熙十年(1183),其間十餘年,除三年(見註59)有猺亂外,惜未能發現資料,諒仍必有猺亂。

(61)乾隆《辰州府志》卷十二《備邊考》:“淳熙十年甲辰,詔給事中、中書舍人、戶部長貳同敕令所議,禁民毋質猺田,以奪其業,俾人自養,以息邊釁,從知沅州王鎮之請也”。

(62)明嘉靖《廣西通志紀事》:“淳熙十一年正月安化蠻蒙光漸等犯宜州,思立砦。廣西兵馬鈐轄沙世堅出兵討之,獲光漸”。按此蠻乃是猺人,據嘉慶廣西通志前事略,同年:“沙世堅言:官軍與猺人兵器利鈍不同,宜敕沿邊州軍,多置強弩毒矢,以懼猺人。從之。安化蠻寇邊,率眾抄掠,世堅討平之”。

(63)《宋史》本紀:“光宗紹熙五年五月辛酉朔,辰州猺賊寇邊”。又嘉慶《湖南通志·苗防紀事編年》:“紹熙五年五月,辰州猺賊寇邊。時朱熹知潭州,遣人諭以禍福,皆降”。

(64)道光《南雄州志》卷二六《將略》:“王介,寧宗慶元中(1195 – 1200),峒寇剽掠鄉村逼城下,介遂奮勇前鋒,卻之,以功擢武德將軍。”

(65)慶元三年,廣東東莞大奚山猺亂,見拙著《南宋時大嶼山為猺區之試證》(《崇基學報》三卷二期)。

(66)乾隆《永順府志》卷九《土司》:“嘉泰三年,前知潭州湖南安撫趙彥勵言:湖南九郡,皆接溪峒,蠻夷叛服不常,宜擇素有智勇為猺人信服者,立為酋長,借補小官,以鎮撫之。五年之間,能立勞效,即與補正。從之。”然溪峒之長,本皆蠻夷,彥勵所言,亦虛語耳。

乾隆《辰州府志》卷十二《備邊考》:“嘉泰三年,前知潭州湖南安撫趙彥勵上言:湖南九郡,皆接溪峒,蠻猺叛服不常,深為邊患,制馭之方,豈無其說?臣以為宜擇素有智勇為猺人習所信服者,立為酋長,借補小官,以鎮撫之,況其習俗嗜欲,悉同猺人,利害情偽,莫不習知,故可坐而制服之也。五年之間,能立勞效,即與補正,彼既榮顯其身,取重鄉曲,豈不自愛,盡忠公家哉?所謂捐虛名而收實利,安邊之上策也。既而諸司議以為蠻獠治蠻獠,策之上也,請如趙彥勵言。帝從之。”此蠻獠即猺人也。

(67)乾隆《廣州府志》卷二六《名宦》:“留泰,嘉泰中通判廣州……後知廣州,獠亂捕降其豪渠,四十四洞平。”此獠亦猺。

(68)道光《南雄州志》卷六《名宦》:“許之選,開禧間進士,除本州教授。時峒寇逼城,守令欲棄去,選率同僚修守備,避寇者至,盡納之。寇去,部使者論薦,分教連州。”此“峒寇”亦是猺。

(69)《宋會要輯稿·蕃夷》五之六十八:“寧宗嘉定元年,郴州黑風峒猺人羅世傳寇邊,飛虎通制邊寧戰歿,知隆興趙希懌降之。”

(70)嘉慶《東莞縣志》卷二九《人物》:“瞿卷石,嘉定三年進士,為瀧水判簿,時遇猺賊作亂,擾及瀧水(今羅定),卷石單騎詣猺營,宣朝廷德意,撫降之。”

(71)乾隆《辰州府志》卷十二《備邊考》:“嘉定五年壬申,臣僚上言:辰、沅、靖等州,舊嘗募民為弓弩手,給地以耕,俾為世業,邊陲獲保障之安,州縣無轉輸之費。比年多故,其制寖弛,猺蠻因之而亂,沿邊諸郡,悉受其害。比申朝廷調兵招捕,曠日持久,蠻夷習玩,成其猖獗之勢,如楊晟台、李全、姚明教、羅孟二、李元礪、陳廷佐之徒,皆近事之明驗也。為今計者,宜講舊制,可紓饋餉之勞,而得備禦之實,其安邊息民之長策歟。”

(72)《宋會要輯稿·蕃夷》五之七〇:“嘉定七年,臣僚復上言:辰、沅、靖三州之地,多接溪峒,其內地者謂之省民、熟戶。山猺峒丁,乃居外為捍蔽。其初區處詳密,立法行事,悉有定制,居峒丁等皆計口授田,多募闊狹,疆畔井井,擅易者有禁,私易者有罰。一夫歲輸定三斗,無他繇役,故皆樂為之用。邊陲有警,眾庶雲集,爭負弩矢前驅,長出萬死不顧。比年防禦日弛,山猺峒丁得私售田,田之歸於民者,常賦外,復輸稅,公家因資以為利,故謾不加省。而山猺峒丁之常租,仍虛掛版籍,責其償益急,往往不能聊生,反寄命猺人,或導其入寇,為害滋甚。宜敕湖廣監司檄諸郡,俾循舊制毋廢,庶邊境綏靖,而遠人獲安也。”

(73)《宋史》卷四九五《撫水州蠻》:“嘉定十一年,臣僚復上言:慶曆間,張方平嘗以為朝廷每備西北,孰不知猺蠻衝突,嶺外南鄰交趾,勢須經營……臣等見廣南城隍,摧圮不葺,戍兵逃亡殆盡。春秋教閱,郡無百人,雖有鄉兵、義丁、土丁之名,實不足用,緩急豈能集事?宜於嶺南要地,籍其民兵,歲時練習,定賞罰格,以示懲勸。如此則號令嚴明,守禦完固,民習戰鬥,可息猺蠻侵掠之患,措四十州民於久安之域矣。詔從之。”

(74)同治《續修沅州府志》卷二七《名宦》："饒敏學，寶慶元年知黔陽縣……獠猺畏服。"

(75)乾隆《昭平縣志》卷七《人物》："何瑋，宋理宗紹定間官粵西通判，時西粵猺獞乘機竊發，奉委征勦，獲功甚多。即賜以昭州田土，鄉人戴其德，塑像祀之。"

(76)嘉慶《臨桂縣志》卷十六《宦績》："劉子荐，知融州……德祐二年，北兵至靜江，權經略使馬塈遣子荐提猺兵藥弩手守東門，勢不支。時瀛國公已入燕，子荐取笏書其上曰：我頭可斷，膝不可屈……死之。"

(77)雍正《羅定州志》卷一《郡事》："帝昺祥興二年己卯冬十一月，德慶、瀧水猺作亂。"

(78)湖南沿洞庭湖邊之平原地帶則無猺。據嘉慶《石門縣志》卷四二《苗猺志》："長、岳、常、澧四郡無苗猺。"此外，辰州乃猺人之根據地。宋太祖時招撫其酋長秦再雄（見注18、19），沅州猺在徽宗時曾入寇，（見注42），靖州則有猺人姚長敖之亂（見注56）。寶慶府之梅山蠻猺，也是神宗時所開闢（見注38、43）。至於湘南桂陽監、郴州一帶，仁宗時之唐和，曾擾及粵、湘、桂三省（見注27、28、29、30）。又宋史溪峒蠻傳："蠻猺居山谷間，自衡州常寧縣屬於桂陽，郴、連、賀、韶四州環紆千餘里，蠻居其中，不事賦役，謂之猺人。"

(79)辰州猺寇澧州（見注24），證明湘桂間有猺區。

(80)周去非《嶺外代答·地理門》："廣西廿五州，而邊州十七，靜江屬縣半抵猺峒。"又嘉慶《廣西通志》卷二七八《諸蠻》："靜江府五縣與猺人接境者，興安、靈川、臨桂、義寧、古縣……"知桂黔間有猺區。

(81)《宋史·撫水蠻傳》："嘉定三年，章勘知靜江府，建議以為廣西所部廿五郡三方鄰溪洞，與蠻猺蜑雜處……"又黔桂間之宜山，有猺人殺人（見注38）。

(82)道光《電白縣志》卷四《方言》："唐宋以前，獞猺雜處，語多難辨。"（光緒《化州志》方言同）。

(83)仁宗時，唐和之亂，猺人流劫粵北（見注30）。

(84)以時期言之，湘省之猺亂，始於宋太祖時；廣西之猺亂，最早見於宋神宗時；至廣東之猺亂，則始於真宗時（見注20），比廣西早五十年。不過就地形上看，桂北靜江府一帶，與湘西辰沅相界，全為山地，而靜江府以南，為粵桂交界，有勾漏山脈，正是猺人"食盡一山復一山"之風俗。故疑其流徙路線，是由湘而桂而粵之西南，而神宗以前之山獠，即是猺人之別稱（見注21）。又《讀史方輿紀要》卷八一《沅州》："宋初沒於蠻號懿州，熙寧七年收復，仍置沅州。"（又可參考注19）。

(85)《讀史方輿紀要》卷八一《新化縣》：太平興國中，發兵平大猺洞，以其地置五寨。又宋王象之輿地紀勝卷五六："東安縣，雍熙時置。"按：東安縣與全州猺區為鄰，其北亦為猺區，此時開闢當與猺人有關。

(86)同治《新化縣志》卷二《形勢》："梅山蠻納土，置新化、安化（二縣）"。

(87)道光《寶慶府志》卷二《大政紀》："大觀二年春復誠徽州，改徽州為蒔竹縣。"按原文："如荊州舒亶平辰沅州猺賊，復誠徽州，改誠州為靖州（今靖縣），徽州為蒔竹縣（今綏寧）。"

又《輿地紀勝》卷六二《新寧縣》："中興以來，因楊再興父子侵佔省地，遣兵掃蕩，紹興二十五年立縣。"

又《輿地紀勝》卷七二《通道縣》："本羅蒙縣，崇寧二年改今名。"

(88)據嘉慶《廣西通志》卷二七八："廣西有蠻、蜑、獽、苗、猺、獠、獞、狑、狪、蚩、狼、狁、狆、鴟、犽、狸、猍、狼、狆、猓、狚、巴等二十三種，大概以猺、獠、獞三者勢力最大。"

(89)羅城在桂北，東接靜江府（桂林）猺區，西接南丹猺區，宋開寶間設縣，熙寧時罷，崇寧時復設，降為羅城堡（見《讀史方輿紀要》卷一〇九）。

(90)懷遠介於羅城與南丹之間。汪森粵西叢載卷二九有懷遠猺，宋崇寧中，古州蠻納土，號懷遠軍，尋改平州，是知原屬猺區，又懷遠附近，有廢允州。崇寧中改寨為縣，尋廢。（見《讀史方輿紀要》卷一〇九）。

(91)光緒《遷江縣志》卷四《宦績》："秦密，宋時任知縣，有遷江紀事詩二首，詩中有明鏡湖鏌鋣山，今皆在上林縣。其時獞猺獉狉，風氣未開，公在此吟詠，亦文教治民之意也，惜事蹟無可考。又據大明一統志卷八三柳州府遷江縣："宋天禧中設遷江縣"。

(92)南丹在宋初已為猺區（見註38），元豐三年始置南丹州。據《大明一統志》卷八四："元豐三年立為南丹州，設土官管轄諸洞"。河池在南丹之南，同書載宋時置河池縣，但未言何時，大觀後改置庭州。元豐三年至大觀年間，相距三十年，疑設縣亦在南丹改縣之前後。

(93)見《大明一統志》及《讀史方輿紀要》。

(94)見《輿地紀勝》。當日廣南東路只轄廣州、韶州、循州（龍川、興寧）、連州、南雄州、封州（封川）、英德府、肇慶府、新州（新興、台山）、南恩州（陽江、陽春、恩平、開平）、惠州、潮州、德慶府、梅州而已。

(95)香山縣原為東莞縣之香山鎮，據《輿地紀勝》卷八九引《新圖經》云："元豐間，徐九思請建縣，只置寨官一員。紹興二十二年，東莞縣姚孝資請州聞於朝，剏立縣也"。

(96)按廣東南恩州（兩陽、開平、恩平），在宋真宗時已是猺區（見注20），香山與南恩州為鄰。元豐時，衹置寨官，當時為猺寨可知，故其設縣亦屬拓土於猺疆而已。

(97)《輿地紀勝》卷九〇《乳源縣》："乾道二年，分曲江縣樂昌縣地置"。又據《讀史方輿紀要》卷一〇二乳源縣："東南至英德，西北至連山，陽山縣"。其地正今日粵北八排猺之居地。

按：南宋初，曹成結猺為亂，事敗奔連州（見注46）。則當日設立之乳源縣縱非猺區，亦必與防猺有關。

(98)熙寧五年，析興寧縣地置，見《輿地紀勝》卷九一。

(99)宣和三年詔割海陽縣三鄉地置。見《輿地紀勝》卷一百及《讀史方輿紀要》卷一〇三。

(100)潮梅一帶為廣東開發最早之區，猺人遷入該區，始於唐初。見羅師香林《唐嶺南道行軍總管陳元光事跡考》（《廣州學報》一卷二期）。

(101)同治《沅陵縣志》卷十六《兵制》：（宋熙寧）是時，湖南猺人平，辰州置澄江指揮，旋改號曰宣節指揮。

(102)嘉慶《湖南通志》卷一一三《名宦》："潘燾，權知邵州……湖北猺寇犯邊，燾處置得宜，民用安堵，至移屯置寨，為民防患，無所不用其至"。

(103)乾隆《柳州府志》卷三〇《猺獞》："舊志論曰：乾道間，范成大帥廣西，以恩信結諸猺，猺納狀云：某等充山職，當鈐東家丁，男持捧，女把麻，任從出入，上有太陽，下有地宿，不得討好翻非，偷寒送暖，上山同路，下水同船，男女帶刀，隨同盜賊，不用此款者，並依山例。山例者殺戮也，用是師事一年，猺無叛者"。

(104)道光《靖州志》卷二《古蹟》、《新民學》："宋紹興中，靖州乞置新民學，教養溪峒歸民子弟，以三十人為額，歲久，其跡無考"。按：清乾隆時，下令猺人稱新民。《靖州志》修於道光間，故如此云云。其實宋時僅設學以化猺，初無新民之稱。

第三節　明代廣東之傜區與傜亂

一、傜人入粵之時間與路線的蠡測

傜，是五溪蠻之後，原居湘楚之間，向為民族學者所公認①。唐以前苗、傜、蠻、獠、峒等混稱②，至唐始出現"莫傜"③的名稱，但視作"宗族"之一，似應在北宋期間④。

傜人從湖南南下廣東，亦應在北宋期間。按：宋太祖時，傜人秦再雄投降，闢地數千里⑤，將其居地易名為辰州⑥，設土官治理。這表示漢傜衝突後，一部受撫，另一部必須流亡，於是遷徙南下，或入桂，或入粵。（圖一）。

徐松石牧師認為漢末傜人已到達廣東，未確⑦。江應樑氏較為客觀，認為"廣東境內之傜人，固然不能說宋時始有，但傜人在廣東境內，佔有固定土地，聚有眾多人數，開始與漢人作土地的、經濟的政治鬥爭，實當以宋時為主"⑧。但惜未列舉史實證明。

據明清二代方志追述：宋真宗時，南恩州（今陽江、恩平）已是傜獠雜處⑨。仁宗景祐二年（1035），傜寇雷化州⑩。這是廣東出現最早的傜亂，當時曾出動二省兵力前往征討，可知其勢力頗大⑪。慶曆三年（1043），桂陽監傜人餘黨唐和作亂，先則招撫，繼而征討，歷時二載,始討平之[12]。唐和之亂,起自湖南之桂陽州,北蔓延至潭州、寶慶,南延至廣東之連陽;西旁及廣西省,為宋代首次最大之傜亂[13]。所以張方平於事後特上書:

> 慶曆六年(1046),張方平言:西北二虜為患,故於守禦用心,至於蠻傜作梗,衝突嶺外,而交趾路接谿峒,理須經略……況嶺南山高海闊,盜賊民傜雜處,中州姦民貸刑配隸於此,萬一饑荒相煽,州郡胡以待之?為恐今人每備西北,不知禍起東南。國朝以契丹元昊為憂,而不知儂賊(智高)猖獗,臣近見……廣南城隍,摧圮不修,諸兵邂死不填,春秋校閱,一郡不及百人……今於嶺南要害,城當修者葺理,鄉井民兵,置籍委官,春秋較之,內外之民,或季或月,點集賞其能,罰其怠……可以息蠻傜侵掠之患,措四十州民於久安之域,從之。

既然宋仁宗時廣東傜人之勢力已相當龐大,則傜人之入粵,在時間上言,應是在仁宗以前。據推測應在真宗、仁宗之間。

至於傜人入粵的路線,亦有二種不同說法。劉錫藩、徐松石牧師認為傜人自湖南直接入廣東[14],江應樑則謂傜人由湖南先入廣西,再分二支,一支自廣西入廣東之西境,一支自廣西或直接由湖南而入廣東北境[15]。筆者從地方志的資料排列,則認為劉、徐二氏之推測較為合理。

按清代方志中記載廣東有傜人,始於唐代[16],但是時可能只是蠻而已,清人以連州及高要自宋以來均是傜區,故追述唐時有名宦撫蠻,遂推論謂有傜,未必可信。宋以後,"傜族"正式命名後,出現最早乃是湖南。

宋史載馬希範據湖南時,蠻傜保聚。李攸之《宋朝事實》則更詳記當時在湘西一帶,傜人已達十餘萬人[17]。按馬希範在位十五年(932—947)。當時由澧州而至沅州(芷江)一帶,既然已有傜人十餘萬,那麼,由宋太祖平荊南(湘)至招撫傜人秦再雄時,不外二十餘年而已,秦再雄獻其據地為宋之州縣,亦必有部分不願投降之傜人主動或被動地遷徙。於是廣東廣西,俱開始有傜人的記載了。

湖南西部向東南經雪峰山可至廣西,經衡山五嶺可至廣東。雖然在宋真宗時廣東南恩州先有傜人的記載(見註10),但亦是清人所撰之方志所追記,未必正確。至仁宗景祐二年(1035),宋史仁宗記載"傜亂雷化二州,詔桂(廣西)、廣二省兵討之"。是廣東最早的傜亂。那麼,傜人之由湘到達廣東,是宋真宗至仁宗之間。

另《廣西通志》最早出現"傜亂",亦是景祐二年(見註10),但只言由廣西派兵征討,是圍剿之意,未能證明廣西有傜區。其次,熙寧三年(1070),廣西有傜亂,為南丹酋長所討平[18]。故廣西之傜人出現,據方志記載,比廣東遲三十五年。如是,就時間而言,傜人自湖南應先至廣東,再蔓延至廣西。惟在地理而言,傜人居萬山之中,其人遷徙亦應沿山嶺而往。慶曆三年(1043),傜人已經常來往湘粵桂之間[19],其遷徙亦應沿山嶺而走。而湘贛粵桂四省中,山脈連綿,傜區特多,如湘贛間有萬洋山脈,其中如汝城(桂陽監)郴州,便是著名傜區。湘粵桂間有五嶺山脈,其中如藍山、江華(湘)、連山、陽山(粵)、賀(桂)亦是著名傜區。而宋徽宗之前,賀州本屬廣東轄地,南至梧州,西抵平樂,與粵西及桂的大藤峽(大傜山)、傜山(原屬廣東省)相連[20]。大概湖南傜人,先經粵北,漸蔓延至粵西。故《圖書集成》職方典載:"廣東十郡,惟雷瓊距海,餘皆多山,傜僮峒獠叢焉。陽春(當時屬南恩州)之西山,德慶之下城,羅旁綠水尤為要害也"。故謂宋時傜人由湖南遷徙,先至廣東,由粵北經賀州而至粵西,再由賀州、粵西而入廣西大藤峽、南丹一帶,可能性最大。

筆者於1947年曾往粵北桂頭傜山作調查,搜得"荒峒"、傜人有一敘述祖先來源的"批記"㉑,其中別字、錯字、不可能之處甚多,又雜了很多神話㉒。不過,主要道出其遷移路線是從"河邊搭船渡海(廣東人稱河若海,如過海,便是渡河),在海中疊過大風雨,常常打沉海,於是登山。"按:由湖南的傜區而至廣東、廣西,均有水路相通,如《大明一統志》,廣東·連州:

桂水,在州東北十五里,俗呼奉化水,南合耒水,即五溪水也。

又:《讀史方輿紀要》卷101,連州:

桂水,源出湖廣宜章縣黃岑山。

桂水,按今地圖,此即連縣之白水(湟水上游),隔莽山㉓,而與耒水相接,直經宜章、柳州,其中有桂陽、彬州等傜山,而連縣與陽山、連山間,更是八排傜的據地。據以推測,傜人自湖南至粵北,沿此線而遷徙。北宋初,粵省包括今日廣西賀縣、懷集、蒼梧,與雲開大山相連,其中羅定、德慶、開建等均是著名的傜區。由宋景祐二年(1035)至神宗熙寧三年(1070)這三十五年中,有儂智高之亂(1051),傜人因變亂影響。亦隨之遷徙而入至廣西大傜山(大藤峽)及南丹一帶,至於傜人遷徙的原因,據"荒峒"的批記,顯示主要是經濟原因,如"買賣不陞、人口不安、耕種不熟、地頭狹窄、求財不上"等。

另一方面,政治上原因,便是傜亂。傜人因經濟困難,加上窳吏之欺凌壓榨,因而叛變,大軍出動征伐。結果,傜人被迫遷徙,當然部分接受招撫,以其地置州縣,或設工官治理,加以教育,漸漸同化而成齊民了。而傜區附近,亦有不法之徒,潛慝傜區,藉以棲身,傜亦資之為導,朋比為奸,是為傜亂之起因。因傜亂而引起傜人之遷徙,兩省互為因果耳。

二、傜區的分佈

《圖書集成職方典》:"廣東十郡,惟雷瓊距海,餘皆多山,傜、僮、峒、獠叢焉"。故知是時少數民族特多。

廣東傜區可分二大部分,自宋代由湖南南下的傜人,散居粵北、粵西,即五嶺與雲開大山一帶山嶺,稱大傜區;其次東江潮梅一帶,是南宋時由江西、福建蔓延而來的畲傜區。現分述如下,所有資料根據明黃佐的《廣東通志》(以下簡稱黃志)卷7及卷67,而以其他府縣志作補充㉔。

大傜區:

(1)廣州府(此地傜人多是從粵北蔓延而來,其中接近珠江三角洲(新會)因漢人多,傜人不能立足。愈向西北,山地愈多,如清遠附近傜山最多,而清遠大羅山傜區亦最著)。

清遠縣傜山一百有六,自東南至從化縣白水坑界傜山三十三:瓢湖新巢、三坑巢、麖竹平巢、低逕巢、雞公坎巢、西坑巢、風門巢、香蘆坪巢、楊梅坑巢、大茅坪巢、由秨田巢、小水巢、滴水岩巢、車頭逕巢、忠岡巢、走馬犰巢、黃華崗巢、狗犬坑巢、逕口巢、乾坑巢、老人松巢、黃坭坎巢、大塘艮村新占扛板嶺巢、水逕巢、青龍崗巢、大塘尾巢、梅坑巢、三犰田巢、良峒二巢、朱溪巢、褃下巢、蕉坑巢。

由清遠縣自北至連州界傜山三十八:宿沙坪巢、飛橋坑巢、上坑巢、打鼓坑巢、下逕巢、黎頭嘴巢、石砂巢、長流水巢、龍潭巢、西坑巢、蔡坑巢、樟峒山巢、文峒山巢、黃藤峽巢、黃坑巢、雙坑巢、白樓巢、蒲溪巢、羊橋坑巢、蘇榔巢、黃皮四巢、斗樹僮巢、黃岐塘巢、黃坭塘巢、隴下巢、新峒巢、西坑巢、羅地坪巢、鐵坑山巢、棋水山巢、新村僮巢、黃田巢、古磔坑巢、張坑巢、坎頭嶺巢、響水巢、拐湖巢、塵石坑巢。

由清遠縣自西北至四會傜山三十五:南田巢、丙水巢、黃湴榔巢、大姨坑巢、小夷坑巢、減竹坪巢、豺狗坑巢、白水禇巢、龍脛巢、大潮巢、大荒巢、小荒巢、大小荒巢、白茫逕巢、葫蘆坑巢、天塘逕巢、上下板峒巢、鵝抖山巢、均坑山巢、石川坑巢、白茫山巢、籬梗坪巢、芋荚塘巢、蛇坑巢、白藤坑巢、南涌巢、新峒巢、黃竹水巢、梅子坑巢、大容山巢、小罐山巢、大罐山巢、羊子寨巢、封坑山巢、大山巢。

從化縣傜山三十五:鳥石山巢、牛屎分巢、苦禊伯巢、仙羊溪巢、東桃山巢、東峒巢、永安峒巢、北坑巢、咄溪巢、苦竹腳巢、麇石坑巢、斗潭巢、膳溪巢、珠沙坑巢、玉溪巢、黃竹田巢、風竹榔巢、聖堂前巢、相公峒巢、糟碓坑巢、鶴門灰巢、沙羅窩巢、大姨巢、小姨巢、東圃巢、惡源水巢、蘇峒巢、車頭巢、白沙田巢、大圃巢、開口石巢、官塘壢巢、大水邊巢、鍾峒巢。

新會縣傜山一:皂幕山,多向化傜人居之。

連州(明羅洪先增纂元朱恩本之廣輿圖,謂連州"地儉,傜賊出沒之地")拜四會縣界傜山十二:馬鵜塘巢、川石材巢、河田村巢、黃峒巢、連水僮巢、下浦坑巢、上浦坑巢、南坑巢、魚潭巢、丹竹園巢、白花蘭巢、白花榔巢。

(2)韶州府(傜人自湖南南下,應先至本區。天順年間大征本區傜人,而又因接近湘桂等傜區,流竄容易,故明中葉後傜山不多)。

曲江縣傜山四:幽溪、烈溪、葵溪、西山。

英德縣傜山二:杉木角流傜、黃茶山傜盤姓者三十餘家,別姓者百餘人。永樂間傜首陳朝亮以殺流賊功,除傜官,世襲。

另道光本《英德縣志》卷4《山川》有五狼獐傜山;康熙本《韶州府志》《英德縣》有傜田營、朱岡營、黃寨營,均是防傜之地。

又道光本《南雄州志》卷10《山川》有傜人峒。

同治《樂昌縣志》卷1《傜峒》有大嶺及龍嶺。

(3)肇慶府(是廣東最大的傜區之一,但萬曆四年大征羅旁之後,或流竄,或同化,傜山始少)。

高要縣傜山九:林田山、大畫山、陸湖山、花頂山、石狗山、牛嶺山、大臺山、攬坑山、老香山。

由四會縣自北至清遠縣界傜十五:深坑山、黃竹塘山、冷水山、黃崗山、葵峒山、蒙坑山、黃岡山、三連山、小逕山、銀坑山、大逢山、石羊山、白礫山、東漏山、茶峒山。

自西北至懷集縣界傜山十有二:峽頭山、三宿山、濟水山、桂木山、茶寮山、高臺山、水源山、源抗山、大朝山、白花山、黃牛嶺山、大見山。

由新興縣自西路連德慶州界傜山二十八:雲齊山、闢村、舊村、石碧山、雲無山、歐峒山、思雲僮村、葫蘆山、鐵場上圍、鐵場山、鐵場中圍、鐵嶺山、鐵場下圍、黃三坑、下欖山、叮嚀山、大洞山、馬頭岡、黄沙山、小那山、欖涌山、小洞山、雲扶山、馬頭山、沙不塘山、石人背山、到掛平山、下欖山、西坑山。

又道光本《肇慶府志》新興縣有儀峒山、黄三坑寨三傜山。由新興縣自西北連德慶州界傜山七:下洞岐山、降底山、長烏岡山、冷水傜山、上洞岐山、烏蛇山、竹逕路。由新興縣自北至横茶界傜山三:龍骨山、三酒山、白石燈掛山。

由新興縣自東至倉步水界傜山四:大胡山、大帝山、窩頭山、雲簡山。

由新興縣自東南至獨鶴驛界傜山七:東坑山、西坑山、賢嶺山、曹田山、閂門山、肇慶田山、蔡坑山。

由新興縣自南至陽春縣界傜山四:肇架大山、侶洞山、雲敏山、雲魁山。

由新興縣自西南至東瓜嶺傜山一:下禮山。

由陽春縣自西北方界連瀧山界傜山九:黎蔣村、北河村、雙王白鶴峒、通根山、木嗟嶺路、雲廉雞六峒、十二雞頭嶺、參峒山、那性山。

由陽春縣自正西方連瀧水賀山界傜山六十:栗子山、横石山、豹村山、林列山、北合山、車田村、漆水山、大田村、瓦寨村、那刀村、雙峒村、高峒山、都面村、雙敢山、到那村、那位村、那驢村、淡蕩山、吉洞山、高嶺山、湖峒山、雲霧山、坐雲山、相思山、錢鑿嶺、大河山、麻侯山、南涌山、横嶺、百踏坑、雙牌嶺、縮砂山、大涌山、古弼涌、文涌、塘涌山、坐邏山、狹石山、山龐峒、合水山、寧水山、蒙村、廟都山、錢峒山、石川山、那陳山、國埇山、黄沙山、東戈山、峡頭山、雙牌嶺、上下欖、下雙山、古牛山、十二峒、中寮山、那囹、吊澗山、高田村、大龐峒。

由陽春縣自西南方界連電白縣傜山二十三:陳村、石坡山、饅頭逕村、崗嘴峒、那象、角塘尾、大葫、三村、茶場西岸山、上雙鑾婆峒、小水、雲峒大碰、那寧山、白坭山、石忠、青湖黎坑、謝腮山、塘逕山、許容舟峒、旱田寨腳、千歲山、榕木山、黄麋山。

陽江縣傜山十有三:隨峒山、翼峒山、馬銜山、合溝山、秀石山、合門山、那湖山、香爐山、蘇峒山、南坑山、三龍山、杏峒山、濕逕山。

恩平縣傜山七:君子山、大人山、茶山、良車田、白鶴水、天路山、鳳凰山。

(4)德慶府(與肇慶府傜區相接,亦與廣西大傜山相連,亦是廣東最大傜區之一)。

德慶州金林鄉傜山三十有七:大鵶山、師姑山、白沙山、跛嶺山、和涌山、薄竹山、天堂山、井涌山、金斗山、西演山、青容山、雲浪山、平地山、崗底山、大或山、大柱山、井馬山、周涌山、大降山、埇袍山、飯題山、斗子山、龍教山、大塘山、蘭金山、高嶺山、石腳山、萎埇山、埇坎山、三禮山、藍吊山、平涌山、藜嶺山、茶嶺山、芙蓉山、界頭山、石羊山。

悦城鄉傜山十有二:傜山、崗腦山、大水山、柑石山、雲峒車峒山、清水車牛山、金坑山、蘆荻山、高山、小峒山、颉惟山、井翁山。

都城鄉傜山二十八:埇黨山、鳥蓉山、羊欄山、金叢山、何祿山、村背山、榁榔山、都榔山、埇箭山、野鴨山、高坐山、都合山、古樓山、雙埇山、石埇山、何埇山、竹埇山、黄埇山、踏嶺山、胡獨山、疊村山、大力山、蒲竹山、埇聽山、埇祿山、埇分山、文政山、藜籬山。

晉康鄉傜山七十五:牛嶺山、南蛇山、大嶺山、風門山、清水山、火燒山、古模山、柴坑山、大臺山、北埇山、黑炎山、三江山、水山、打鼓山、峒村山、木衣山、山柏山、峒袍山、丹竹山、石狗山、逍遙山、該路山、筋竹山、渣埇山、不漏山、太平雙埇山、平臺山、道州山、婆黎曾對山、深灣山、白石山、崩塘山、藜蘿山、水源山、木梗尖鼻山、埇黃山、下袍山、金星山、煙底塘埇山、山塘佛子山、金布山、山塘佛仔山、石村美草山、冷水山、蓮塘山、下峒黃沙山、藍清山、馬頭峒山、譚公山、蔡嶺山、鄧四山、桑峒山、伏峒黃山、甘塘山、周涌色埇山、埇兒粵振山、溪水退埇山、大林蘆荻山、羅夷古螺山、雲稍大地山、大散破腳山、黃九黃埇山、黃嶺沉返山、南埇上霍山、雲龍埇譚山、黃五白土山、黃弟埔虎山、大船雲秀山、雙櫓篙萎山、譚炭上狄山、竹塘梅崗山、柴背平埇山、大塘趙嶺山。

封川縣傜山二：石硯山、歸仁鄉。

開建縣一都傜山八：似龍山、招涌山、圓珠山、小王山、大王山、大王歸源山、蓮塘山、圓塘山。

開建縣二都傜山十三：九源山、圍塘山、梅塘山、黎水山、大王黃泥山、黃泥山、大玉山、勒塘山、廟水山、廟塘山、入步山、觀沖山、私木山。

開建縣三都傜山十四：野埇山、大水山、箕水山、羊梯山、聖埇山、譚白蓮山、象源山、羅山、羅西山、烏祿山、南令山、大埇山、金石山、圓塘山。

廣寧縣：花山傜寨在縣北八十里（道光本《廣寧縣志》卷5）。

梅桐山傜（同上書卷3山川）。

森峒山（道光本《肇慶府志》）。

膺洞山（道光本《肇慶府志》）。

（5）羅定州（當時全州是傜區）稱龍水傜、羅旁傜、西山傜等。萬曆四年大征，將其地設東安（雲浮）、西寧（鬱林）二縣，升瀧水縣為羅定州，全州傜民大部流竄別處）。

由瀧水縣自東南至高要縣、新興縣界傜山十：平滿山、思賀山、十二界頭山、雲羅山、參峒山、雲濂、涌岑僮寨、陳逢嶺、界分山、水綱山。

由羅定州自南至電白縣界傜山七：乾坡山、排步山、抱峒山、下風山、平荳山、葵峒山、乾埇山。

由羅定州自西南至信宜縣界傜山十二：清水山、雲濟山、金龍山、竹峒山、北水山、黃連山、分界山、溫湯山、羅磨山、石碑山、羅蛇山、深底山。

由羅定州自西至廣西梧州府岑溪縣界傜山二十三：上賴山、天子烏頭嶺、龍屈、金斗山、下賴山、茶湯山、新蓉山、緩水山、運糧山、黃嶺山、函墨山、雲致山、都門山、山心山、上河山、埠合山、排步山、石埇山、平池山、譚草山、天荒山、天井山、黃茅山。

由羅定州自西北至連城岑溪界傜山六：思盧山、雙荳山、車田山、白玉山、竹塘山、梅崗山。

由羅定州自北至本州大灣村界傜山三十三：六合山、百片山、陳化山、天平山、龍腦山、埇便山、大傍種寨、白梅山、新欒山、北梨山、陳觀埇山、黃五山、雞暴山、譚添山、趙龍山、譚眉山、金清山、路盡山、石羊廈山、高樓山、陳賊山、康傜山、黃九山、雲稍山、佛子嶺、羅夷山、井峒山、兩月山、揭羅山、下霍山、觀田山、獨竹山、茅尖山。

由羅定州自東至本州新興界傜山十六：鎮峒山、捐種山、上霍山、大傘山、下抱山、容草山、埇黃山、永信山、黃沙山、歷峒山、黃篁山、下圍僮寨、沙田僮寨、奄羅僮寨。

由羅定州自東至陽春縣界傜山十一：紅豆山、鐵場山、葵峒山、雲清山、魚子寨、陂心寨、大灣寨、里陂寨、大峒寨、獨竹寨、譚蒙寨。

（6）高州府（是廣東最早有傜人地區之一，明初，曾大征之。後知府孔鏞又用撫傜政策，故留於其地之傜人有“聽調傜”、“聽招傜”、“背招傜”、“險惡傜”之分。又羅雄先之廣輿圖謂高州為傜賊出沒之地）。

化州聽調傜五十一山：門村山、北埇村山、水車山、牛埠山、高梳山、排村山、水口山、水底山、南頭山、麻子山、白石山、含牛山、揖良山、羅霧山、全埇山、謝凌山、北峒山、平陽山、清水山、謝半山、木腳山、山扶山、風村山、謝護山、關塘山、山田山、黎山、六龍山、香山、塘蓬山、平斜山、多荔山、大雞山、塘落村、黃那山、那僕山、文黎山縣數住、天井大嶺、大嶺那僕、六王山、羅霧山、竹子山、文弄璋埇山、那平蘇村、北南山、南涌山、清水山、運塘村、尖岡村、大塘村、甘村。

茂名縣聽招傜三十一山：端黎山、雲盧山、南清山、楊坑山、涼峒山、譚坑山、藤水山、陶井山、黃坑山、週逕山、張坑山、東涌山、單張山、蕉林村、木梨山、白飯山、羅平山、火煙山、郭埇山、高嶺山、馮岸山、車田山、彭峒山、大峒山、石碑山、碗窯大峒、北昊山、里道山、調馬山、蒙村山、雙睹山。

茂名縣背招傜十三山：寧坑山、蘇坑山、石腳山、張村山、石栗山、那蓬山、曹連山、龍灣山、馬例山、大凌山、馬匱山、周坑碰峒山、玄石峒三角灣地界山。

信宜縣聽招傜十五山：大花山、鹽田山、六蒙西村山、高陂山、黎沙山、石平山、沙灣山、觀山、黎峒山、狂峒山、木坑山、六貓蓬甕山、盛峒山、沙底山、竹瓦山。

信宜縣背招傜十二山：十三峒山、木格山、白石山、大塘山、桄榔山、石峒山、北峒山、錢牌山、掘峒山、校峒山、雲黎山、甘依山。

信宜縣險惡傜五十八山[25]：校杯山、坡峽山、亟口山、鹽田山、林水山、雲雷山、合水山、坡腳山、貴子山、甘坑山、莆坑山、南坑山、東坑山、蒲合山、脾埠山、陰坑山、容峒山、勃峒山、雲卓山、竹峒山、蛇灘山、牛峒山、大謝山、羅林山、佛水山、左頭山、文子山、兜勾山、羅湖山、雲誓山、砒灘山、龍化山、常川山、埠頭山、青翠山、背嶺山、六回山、古同山、雞卵山、黃沙山、石根山、良鼐山、黃峒山、欖頭山、扶龍山、六義山、山心山、番稿山、風峒山、古了山、東埇山、洪官山、坡頭山、平田山、小健山、付曹山、燕古山、候峒山。

電白縣聽招傜共二十一山：望夫山、蛟潭山、甘坑山、大水山、花山、黃淡山、河村山、石窟山、大石山、埇原山、石洒山、水頭山、大籬山、浮山、蕨菜山、茶山、高簡山、浮山、東隨山。

信宜縣北至岑溪縣接鬱林州界傜山四十一：浦頭山、石弗山、古角山、那林山、木欄山、黃橋山、樨峒山、相思山、勾頭山、掘水山、玉掌山、志紹山、丟雞山、青山、竹峒山、南司山、千歲山、錢牌山、文朴山、右邏山、東瓜山、王狗山、雞卵山、石鉤山、藤犁山、甘草山、校盃山、林伍山、大帽山、那零山、天堂山、下木山、斷竭山、馬櫃山、大凌山、白石山、六卜山、佛水山、羊屎山、公雞山、石羊山。

（7）廉州府（大部分在句漏山附近，與廣西鬱林北流等傜人相通。又道光《廉州府志》卷4《風俗》：“粵有傜而無僮，廉與粵西為鄰，故僮多而傜少，欽州十萬大山有之……生傜在窮谷中，不與華通，熟傜與民居相錯者或通婚媾）。東北路折鬱林州傜人二種，曰“白花傜”，離本府約四百餘里。此處向化傜人團結士人、山路險峻、人煙稀少，僅可結步相通，曰“六隆傜”。

道光《高州府志》卷6石城縣：石塘、黎竹、江口、木頭塘、章華、石龍、文洪、山塘、白石、平田、下山、河潭、盧村、楊金、香山、茅峒、油麻、坡頭、枕頭山、大山、那李坡、獨埤、豐九箔。

靈山縣傜村二十六，俱在東連石康縣界：盧庄村、那利水村、平波村、水表村、水麻村、張家村、白沙村、芀蒲村、黑泥村、新庄村、到勾村、横塘村、黃巢村、茶山塘、統平村、旱糖村、柰子村、六財村、六難村、慣村、大果村、那圍村、地塘、白石村、大員田、芀落村。

畲傜區：

畲（輋）與傜，或分稱二族，或合稱畲傜，其實同種同源，粵東惠潮二府，在宋時未有"傜"族出現。據宋人記載，循州（今龍川）衹言多獠蠻[26]。東坡詩詠惠州，則言有蜑戶[27]。至於潮州，文物最盛，陳文惠曾歌頌"海邊鄒魯是潮陽[28]，事實上，潮州附近多平原，不宜蠻獠居住。直至南宋末年始有輋（畲）民出現於劉克莊文集中，且知由閩遷來[29]；文天祥（1236－1283）文集中更指出潮州有輋寇[30]。故知粵東有畲（傜），比之粵北與粵西幾遲二百年，而且粵北與粵西之傜來自湖南，而粵東之畲（傜）來自福建，兩者不同。

至元世祖至元廿五年（1288）畲賊千餘人，寇（閩）龍溪，此畲是否來自粵東，未能證實，但泰定元年（1324）5月，循州傜寇長樂縣[31]。按：循州即今龍川縣，長樂縣今名五華縣，均屬明清的惠州府。又黃佐《廣東通志》卷67《傜僮》稱："洪武卅一年，潮州亦有畲長者"。故知粵東之輋傜分佈在惠潮二府而已。至明代畲傜區分佈在粵東大望山與羅浮山之間，如正德《興寧縣志》（祝允明撰）卷4 雜記：

"傜人之屬頗多，聚處山林，斫樹為輋，刀耕火種。採山獵原，嗜欲不類，言語不通，土人與之鄰者，不相往來，不為婚姻。本縣傜民，亦隨山散處"。

至其居地，則在縣內一都二圖（卷1、御都）。又大望山在縣北五十里、亦名大帽山，舊為賊巢，弘治十六年，傜賊起於此。歸善縣（今惠陽縣），據《讀史方輿紀要》卷1。有大林輋山：

"在府（惠州府）西南臘石社，傜人耕種其上"。

博羅縣"蠻傜其在邑者皆來自別境，粵人以山林中結竹林障覆居息為輋，故稱傜所止曰輋"（《天下郡國利病書》廣東上引古《博羅縣志》）。至於出現於元代的潮州府輋傜，似已同化，衹平遠縣有畲田逕隘（《讀史方輿紀要》卷103），附近均為賊巢，未知畲田逕是否畲傜居住之舊地而已。

粵東之畲傜區遠比不上大傜區之勢力龐大，為患較少，事實上由正統至弘治六十多年中，粵東征撫兼用，結果傜患遂息。按明代《興寧縣志》載：

正統七年（1442），興寧六都人彭伯齡，能招附傜僮，縣令朱孟德請授伯齡為水口巡檢司，專事撫傜，并得世襲（正德興寧縣志卷4雜記）。

成化三年（1477），彭伯齡之子玉為傜所不服，於是革其巡檢之職，另以侶族之長者一人代其職，稱"撫傜老人"（正德《興寧縣志》卷4雜記）。

弘治十六年（1503），傜賊據大望山，其魁彭錦寇大信、上下輋，劉文玉寇實龍，練成才、葉清各據險四出，朝三堂三司，統領漢達士兵討之始息（崇禎劉熙祥《興寧縣志》卷2《寇盜》）。

正德七年（1512），大帽山殘寇（即大望山傜）犯境，參政方良剿滅之（崇禎《興寧縣志》卷6）。以後粵東再未見有傜亂，據崇禎本《興寧縣志》卷6《傜》謂今（指崇禎年間）皆化為土著。

三、傜亂紀事編年

傜人最早根據地在湘，故宋代漢文化南下時湘省之漢傜衝突最多[32]。雖然傜人由湘先入粵，由粵再入桂，但桂省山地較粵省為多，適宜傜人盤據，故降至元代，廣西的漢傜衝突已比湘粵二省為烈[33]。至明代，粵桂二省大舉征傜，戰場多在粵桂交界之地。事後，闢傜區為郡縣，再加安撫，傜亂漸少。按有明一代之傜亂，下可分期：

1. 前期——自洪武至永樂年間，以撫傜為主。

洪武十二年（1379），德慶州瀧水（今羅定）紅豆山傜劉茅三等，自元末釀亂已非一日，至是復聚眾寇掠。總兵指揮劉備等討之，焚山擣穴，斬數百級，餘黨悉平[34]。

洪武十五年（1382），南雄侯趙庸討平陽山、歸善等縣蠻寇[35]。

洪武十六年（1383）秋八月癸卯，遣征南將軍申國公鄭鎮等討廣東傜賊（黃志卷7）。按是次傜亂似是粵北與江西接近之地區，應價《蒼梧總督軍門志》卷17討罪載："廣東傜賊作亂，標掠旁近，由是江西永新龍泉山民互相煽動，結聚黨徒，自稱順天王，勢甚猖獗。江西都指揮同知戴宗率兵剿捕，不克，至是命鎮率副將軍陳鏞、顧敬往討之。

洪武廿八年（1395）冬十二月平定廣東譚源諸峒（黃佐《廣東通志》卷7事紀及卷67傜僮）。

洪武卅一年（1398），西山傜人盤窮腸為暴，命指揮王濬率官兵搗其巢穴，設立傜首統領撫傜甲總，每歲來朝，賜之鈔幣，自是四面向化（黃志六十七事紀）。

永樂四年（1406）春三月，高州信宜縣六毫峒、下水、三山傜首盤貴等朝貢方物，上嘉其義，賜賚遣還，仍倈有司免其賦役，自後傜首總來朝貢者皆如之（黃志卷67傜僮）。

同年夏六月，高州肇慶二府傜首盤第二、盤貴來朝。按，先是化州吏馮原泰、陳志寬言：天黃、大帽、曹連、茶峒、石栗諸山傜人素未歸順，今有向化之心，遂遣人倈同原泰等往撫諭之。至是第二等籍其屬二千五百餘戶，凡七千五百餘口來朝，賜鈔幣，襲衣，命原泰為瀧水縣丞，志寬為信宜主簿等，專撫諸傜（黃志卷67傜僮）。

永樂五年（1407）冬十一月，畬蠻雷文用等來朝。初，潮州府衛卒謝輔言，海陽縣鳳凰山諸處畬遁入山谷中，不供傜賦，乞與耆老陳晚往招之。於是畬長雷文用等凡四十九戶俱願復業。至是輔卒、文用等來朝，命各賜鈔三十錠，綵幣表裡紬絹，衣一襲賜輔，晚亦如之（黃志卷67傜僮）。

永樂六年（1408）夏四月甲申，德慶州傜首盤永用來朝（據郭棐《廣東通志》卷70，以下簡稱郭志）。按黃志卷67載：先是州民陳朵朵招撫盤永用等。至是來朝貢方物，賜鈔幣及紬絹衣。

永樂八年（1410）二月，德慶府新落山傜首駱第二來朝（郭志卷70）。按黃志卷67載：初令瀧水縣丞馮原泰招諭向化，計戶有六十口五百餘。至是來朝，賜鈔幣及紬絹衣。

永樂十年（1412）春二月，信宜縣根竹峒傜首陸仲八等來朝（郭志卷70）。

同年夏六月，陞瀧水縣丞馮原泰為德慶州判官，以其善撫諸傜也（郭志卷71、黃志卷

67)。

永樂十一年(1413)春二月,新興傜首梁福壽等來朝(郭志卷70)。黃志卷67載:肇慶府增廣在廖謙招攜新興縣山峒傜首梁福壽等來朝貢方物,凡招傜人五十餘戶,以謙為新興典史以撫之。

永樂十三年(1415)秋八月丙辰,德慶州傜首周八十來朝貢方物(黃志、郭志)[56]。

永樂十四年(1416)冬十一月癸巳,高要縣傜首周四哥來朝(郭志卷70)。黃志卷67載:籍其屬八十七戶,男女二百二十四口,願入版籍供賦役,賜鈔遣還。

永樂十五年(1417)夏四月,信宜縣傜首盤龍等來朝貢方物,賜鈔幣(郭志、黃志)。同年十月,化州傜首黃應廣等來朝(郭志、黃志)。

永樂十七年(1419)五月,電白縣佛子等山傜首黃滿山等六十人來朝(郭志)。按黃志卷67,傜首"黃蒲山"來朝貢降香等物,賜鈔幣遣還。

明初三十年曾對傜人行征伐政策,剿粵北及粵西之傜峒。自洪武卅一年(1398)討平羅定西山傜首盤窮腸後,即改用安撫政策,設傜首、傜甲、傜總,以傜之長老或漢人充任。而收效最大者,乃任用馮原泰為瀧水縣丞,專撫肇慶、德慶、羅定(瀧水)、粵西諸山峒,又以陳志寬為信宜主簿,專撫粵南、信宜、電白諸山峒,而新興之廖謙亦撫傜有功,故終永樂之世,傜人多受撫來貢,收效頗大。

2. 中期——自正統至景泰年間,剿撫並用。

自永樂至正統間凡二十年,明廷不斷行招撫政策,屢宣諭傜峒,賞賜有加,結果溪峒寧靜。直至宣德年間,鎮守內臣阮能貪婪不已,復與兵部尚書陳汝言勾結,朋比為奸,百端剝削,溪峒土官襲蔭必須厚賄,於是溪峒復叛。

正統二年(1437),廣西流賊糾傜賊陷新興《天下郡國利病書·廣東上》。

正統十一年(1446)瀧州傜亂,其酋趙音旺攻城,撫傜判官馮述死之[57],都御史馬昂討平之。按:此次瀧水傜亂,牽連甚廣,東連德慶,北至廣西岑溪,由趙音旺、鳳廣山(1446),而至鳳吉第、鳳光山(1458)等,歷時十餘年始討平之。當亂事之初起,廣東特設總兵參將名目,以分捕民傜、寇賊,事見於黃志卷67。

正統十一年(1446)九月,廣西傜叛,執化州知州茅自得,殺千戶汪義(明史英宗紀)。

正統十三年(1448)十二月,廣東傜亂(同上)。

景泰二年(1451),新會傜亂。

按天順十四年(1449)黃蕭養攻廣州城,時明適有"土木之變",未及南顧,賊勢漸大。景泰元年(1450),有區蛋家溫觀彩駕船五百響應。二年(1451)各傜僮諸蠻蜂起,圍新會城,僉事蔣敬出兵捕之,敬擬乘勝翦除,都督董興追回議事,遂引還聽招,賊勢又盛[58]。

又景泰二年(1451)四月,山傜寇廉、雷二府。六月,賊陷欽州(黃志卷7)。

又景泰二年(1451),廣西傜賊流劫茂名、化州、吳川等鄉(吳蘭彬《高州府志》卷48記述)。

景泰三年(1452),特設兩廣總督,專責征撫民傜寇賊。首任左都御史鹽山、王翱總督兩廣軍務,威望素重,傜賊聞翱至,大懼聽撫。翱即奏用招撫傜老、僮老人等,令其歸峒生理,而整兵以防之,於是嶺海肅清(黃志卷67)。

按王翱之"邊情疏"曾提出四點:1.兩廣官吏,惟務偷安,兵政無備,黃蕭養亂起,又各畏縮退避,略無禦寇之謀,致使賊勢日張。2.傜僮等人,其衣服語言雖與中國不同,然其好惡情性則與民無異,其背叛實由於官吏不得其人,德不足以綏懷,威不足以懾服,甚至欺其遠方無告,掊克殘忍,顛倒是非,既害其生,又拂其性?焉得不挺而走險?3.繼而提出剿撫並用,除遣人四散招撫傜老、僮老等,又命總兵官會同土官土兵,恩威並重。於是各歸鄉峒生理。4.雖然如此,但猶未敢保其永久不叛,主要是地方官吏應得其人,各傜僮人等已歸老,宜撫之以恩,未來者宜申之以義,號令必信,賞罰必公,巨惡必誅,小過必宥,而又整飾戎伍,堅甲利兵以臨之,使彼既慕其義,又畏其威,則悍然不遜之氣自消矣[39]。

可惜王翱於翌年三月還京,"人亡政息",於是傜亂又起。

景泰四年(1453)六月,瀧水傜趙音旺復亂,合諸山叛傜大肆剽掠[40]。

景泰五年(1454)三月,右都御史、兩廣總督馬昂調廣西狼兵及僮人,會同官軍直抵瀧州傜巢,斬獲甚眾(羅定志)。

按:郭棐通志卷70:七年(1456),瀧水傜賊趙音旺與德慶傜鳳廣山作亂,廣山尋聽撫;音旺合諸山叛傜,大肆殺掠。都御史馬昂討平之。黃通志亦有相同的記載,但明史及羅定志作五年事,茲從明史。

天順元年(1457)四月,德慶逍遙山傜鳳弟吉(鳳山之子)叛,稱"鳳二將軍",陷瀧水縣城,指揮陳廣聚陣亡。殲殺人民,不可勝計(羅定志)。巡按都御史葉盛調兩廣大軍於連灘,立總營節制,督副總兵歐信、左參將范信等斬菁伐木,直搗巢穴,遂擒弟吉,誅其黨三百四十五名顆,餘多餓死。招撫脅從,回山住眾,於附近營堡,添兵固守,而以弟吉等十五名獻俘於京師(郭志卷70)。

按:德慶、瀧水之傜亂,起自正統十一年(1446)至天順元年(1457)十餘年間,兩陷瀧水城,因此特設兩廣總督(當時為臨時職,戰事停則取消)以經營之,又遣王翱、馬昂、葉盛率兩廣狼兵,大肆征伐,直搗巢穴,諸傜震慄,於是相率來朝,計:

天順元年(1457)七月,河源縣傜首梁志山等來朝(黃志卷67)。

天順元年(1457)九月,清遠等縣撫傜把總袁珍等來朝(同上)。

天順二年(1458)五月,陽江縣南河都、官峒等山傜彭震等來朝(同上)。

天順二年(1458)七月,龍川縣傜首陳萬通等、陽江縣傜首黃勝富等、高要縣傜首鄭鉞等俱來朝(同上)。

天順三年(1459)七月,英德縣傜首夏永安來朝(同上)。

天順三年(1459)九月,翁源縣撫傜總全善清等來朝(同上)。

天順四年(1460)九月,翁源縣撫傜頭盧振成來朝(同上)。

按:景泰年間主要傜亂區域是西江德慶逍遙山及瀧水,主力既被擊敗,於是北江、南路的傜區紛紛來朝,但此乃暫時性,因西江的傜人流竄到別處,伺機而至。故粵北及粵南時有傜亂。

天順三年(1459),傜賊破連山,六年亂平……議者以縣在萬山中……遂徙縣治(《讀史方輿紀要》卷101)。同年秋,廣西傜賊胡公威圍化州,知州吳春督兵破之(曹志遇《高州府志》卷7事紀)。

天順五年(1461),都僉事顏彪為征夷將軍,充總兵官,討兩廣傜賊,翌年討平之(明史英宗紀）。

天順七年（1463）九月，敕廣東總兵官歐信會廣西兵討傜賊。十月，巡撫廣西僉都御史吳禹節制兩廣諸軍討傜賊（《明史·英宗紀》）。

按：是次傜亂，起於粤西之開建，蔓延至粤南肇、高、雷、廉四府。據《明史歐信傳》："西廣傜僮陷開建，殺官吏。帝輒進兵，信破賊化州之馬里村，再破之石城，時所在群盜起，吏不能定。廣西参將范信守潯梧，陰納傜賄，縱使流劫毋犯已。於是高、雷、廉、肇悉被害。命廣西總兵官陳涇及信合剿，時有斬馘，其勢不衰"。

又《讀史方輿紀要》卷101記天順七年傜陷清遠城。成化元年（1465）正月，遣都督趙輔、僉都御史韓雍討廣西傜賊（阮元《廣東通志》［以下簡稱阮志］卷187前事略）。

按黄志卷7，成化元年正月，廣西大藤峽（大傜山）寇雷、廉、高、肇等府，以都督趙輔為征夷將軍，韓雍為贊理軍務、僉都御史征之，除粤西外，粤北亦設防，恐傜流竄。據朱汝珍之《清遠縣志》卷3紀年："成化元年的傜賊……清遠立四營，有營長，又有都長，舉黃瑄充之，賴以保障"。

成化二年（1466），傜陷高州。

按：陳蘭彬高州府志卷25宦績"孔鏞"："成化二年陞高州知府。前知府劉海，以傜警閉城自護，鄉民避傜至者輒不納，還為傜所戕；又疑民陰附賊，輒戮之。賊緣是激眾怒，為內應，城遂陷。鏞至，開門納來者，流亡日歸，城不能容，別築城東北居之，躬環甲胄，跋履山川，督率民兵，前後擒賊斬首四百七十餘名"。

成化二年（1466），傜賊犯雷州（明歐陽保《雷州府志》卷1 作成化元年事），官軍不能御，命僉都御史韓雍至，恩威並著，傜人畏服（黄志卷67、郭志卷70）。

按韓雍立"秋調法"，其法有水陸二途，先以舳艫千艘，十艇有小腳艇，春夏令軍民壯分領往來貨殖。至七月，狼兵畢集，相機雕剿，設立包圍網。西起自肇慶府及瀧水縣之羅旁、綠水諸寨，而至懷集；西南自高州、茂名、石城（今廉江）而至鬱林、欽廉等州，皆預先哨探其巢穴，或截其歸路，俾出無所得，入無所歸，策至善也（《圖書集成》《職方典》卷1393）。

韓雍之"秋調法"維持溪峒多年的寧靜。

成化十五年（1479），傜賊寇陽春，兵備僉事陶魯擊敗之（《陽春縣志》卷13）。

3. 晚期——由弘治而至萬曆為征剿時期

弘治四年（1491），瀧水傜叛（阮志卷187前事略）。

按《羅定志》卷6：（瀧水）後山傜為患有年。成化間，韓雍督兩廣，請擢（陶）魯為僉事，治新會、陽江、陽春、瀧水、新興諸縣兵。至是總督秦紘乃遣魯討之，魯曰：先平瀧水，而後山可也。督参將陳皞、都指揮使白玉、馬義進攻瀧水，深入石狗、紅豆、雲陽、白梅、火燒、風門、鐵場諸山，捕斬五百卅九級，獲其孥140人……瀧水平。乃東駐太平營，令廣州知府勘劃地圖，遣都指揮馬義、李敬、何清率指揮孫壁、李寅、謝廉、楊玉等所部為四軍，攻破野鴨、員魚坑、藍冀、青苗、黃峒、鐵峒、白雲、禾谿、乍平、小長江、金坑、黃竹、長坪等山捕斬1874級，俘其孥157人，釋被掠207人，解散脅從，寇盡平。

弘治七年（1494），湖廣錦田賊結兩廣傜僮為寇，巡撫樊瑩諭散餘黨，戳首栗十八人（阮志卷187前事略）。

按:錦田在今湖南江華縣,其傜區與廣東連山、廣西賀縣相連。所謂兩廣傜僮疑指此二地。

弘治十五年(1502),傜賊寇陽春縣治,總旗徐洪戰死(黄志卷7)。

弘治十六年(1503),惠州大帽山寇起,平之(黄志卷7事紀)。

按:大帽山,本名大望山,在興寧北九十里。時傜寇據之,勢張甚。渠魁彭錦據大信、上下崋,劉文五據寶龍,練成才、葉清各據險,四出流劫。事聞,特命督撫總鎮缴三司統調漢達土兵剿之,始息。

正德元年(1506),傜賊入寇,殺死千戶林熙、高謙巡檢牟智(黄志卷7)。

按:羅定志正德九年傜亂,引德慶志謂是瀧水傜、陷殺千戶林熙、高謙都城巡檢牟智,自是以後,寇賊彌熾。

正德五年(1510),傜賊寇新興(黄志卷7事紀)。

正德七年(1512),分巡嶺西道僉事汪鋐督兵討傜,以石綠僮子為嚮導,僮潛與傜謀,引入深險,被傷甚衆,始知為其所賣。自是(朝廷)不敢言用兵矣(黄志卷67)。

按:《陽春縣志》:是年,汪鋐討陽春傜寇。

正德十年(1515),白飯坑、耽板嶺等傜賊截路,殺人劫財,知縣黄寬率鄉夫討滅之,始通行人(黄志卷67)。

按:《陽春縣志》:卷13:知縣黄寬率鄉兵撲滅傜賊。

正德十一年(1516),莽山傜龔福全稱王,東自龍泉、萬安、大庾,南至保昌、曲江、樂昌、乳源,西自連州、連山、陽山……大肆剽掠(嘉慶《湖南通志》苗防紀事)。

正德十四年(1519),都城傜酋鄭公厚與封川傜酋蒙公高聚衆亂。翌年(1520),流劫封川,指揮張鼐戰死之(羅定志卷9)。

正德十六年(1521),封川傜亂,都御史蕭翀等討平之(《古今圖書集成》卷1393職方典)。

按:黄志卷67載,封川縣石硯、大和、雞峒山傜龐古子、盤古義,糾合開建縣大玉、小玉、大台,賀縣峒金、上峒、下峒山傜,大肆流劫殺人,虜人畜,傷官軍。至是翀等調集漢達官軍士兵一萬三百員名,分三大哨,中哨副總兵張祐、左哨左參將趙丞序、右參將章拯、僉事陳綱、右哨都指揮卜玉、許英、僉事楊必進,分道討之,俘斬六百一十九名顆,地方始平。是役監軍為太監王堂,總兵官為撫寧侯朱寧。

溯自韓雍訂立“秋調法”,廣東溪峒有二十餘年的寧靜。及後,雍去法廢[41],因此弘治、正德間傜亂蜂起。主要原因是州縣官吏初則主撫,繼而縱容,及至亂起,又復隱匿,以飾己過;嘉靖初,德慶州太學生陳天華曾上疏曰:

“臣州六十四里,今以寇故滅三之一,都城、晉康二鄉罹西山羅旁傜寇,距田府同知賀恕逼民破糧二千石,民益困苦。民彭堅父子三人,同日縊死;民陳本妻女賣商人,一子賣州學訓導為奴。凡民以寇荒破糧、典鬻妻子屋產者,難以枚舉。弘治四年辛亥,征東山南鄉,甫兩越月,傜寇幾斃,不幸官兵速退。又令曰:勿擒殘賊。致賊得假喘息,縱奸民濟賊糧糗,以是賊益滋蔓。正德元年丙寅,賊益肆。都城巡檢牟智、千戶高謙、林熙、庠生梁元錡、千夫長嚴明、軍人陳亞瑤,皆遭寇刃,徒為溝洫之鬼。客商有盡船被戮者,村寨有盡亡血刃者,冤民籲訴,守土之臣隱焉,訴人反加刑杖。由是百姓以大害雖重，冤苦雖深，九重萬里，誰能赴愬？正德十四年乙卯，寇首鄭公厚、韋公丙等僭號稱“通天、通地大王”，掠上峒等村，殺人擄牛，房舍燬燒，官通不能禦，且從而招撫。十五年庚辰，鄭公厚等越江溝亂，封川縣傜僮賊蒙公高等僭號“剷平王”，賊徒三千，劫封川縣，殺擄三千人。肇慶府知府黃瑗、同知徐鍾淮失機，指揮張鼐勇戰死。官司反曰鼐墮馬死。千戶王謙、達官馬驥數百名，遭寇刃死，俱隱蔽不以聞。十六年辛巳，賊劫金林、上容峒，殺擄男婦李慶等四百六十人，劫悅城等鄉，殺男婦孔宗生等千餘人。地方官無設謀勦捕者，惟俟寇退，則派里甲辦花紅半酒犒撫賊而已。堂堂府州，豢養官軍不能遏寇，而又賞之，不可羞乎？（轉引自羅定志）。

此種姑息政策，至嘉靖、萬曆遂見惡果，傜亂蜂起。

嘉靖二年（1523），傜寇德慶州，於是築悅城鎮禦之（《讀史方輿紀要》卷一〇一德慶州）。

同年傜賊掠陽春，兵備副使王大用、參政羅橋次第擒獲之（《陽春縣志》卷13）。

嘉靖三年（1524）四月，参政羅橋榜示禍福，招出傜目梁鳥支等三百餘眾復業（《黃志》卷67）。

嘉靖四年（1525），瀧水羅旁傜殺害指揮李松及德慶州判陳璩。

按：《羅定志》卷9：“松憤傜為患，巡視德慶、瀧水江道，悉心經理，不敢寧處。惟力不能討，思以毒藥中之，因與璩密謀於南岸羅旁、大歷等地設墟市，俾民傜貿易，親往監督，俟其狎而徐圖之，事為奸人所洩，賊酋趙木子乃衷甲於市中，襲松及璩，皆遇害”。

嘉靖七年（1528），分巡僉事李香臨縣招出投傜二千餘人，還新興、陽江、新會各處復業（《黃志》卷67）。

嘉靖九年（1530），封川、石硯等山傜結連廣西潯州斷藤峽傜作亂，提督兵部右侍郎兼右僉都御史林富、總鎮太監張賜、總兵咸寧侯仇鸞討平之[42]。

按：石硯、都羅、雞峒、勒根、廖峒、都混、歸源山賊首盤古子、侯弟晚等持險負固，荼毒生靈，地方受害。至是富等議遣副總兵張祐督調漢達官軍士兵執古子等誅之，但其餘黨與廣西桂林、平樂、潯州等相勾結。至是另派參將張經剿（潯州）斷藤峽，副總兵李璋剿（桂林）七都板塘，參將沈希儀剿（柳州、慶州）古雍、古風，共俘馘首千有餘級，餘黨俱畏威聽撫（黃志卷67）。

嘉靖十年（1531），陽春傜賊趙林花結連新興、德慶等流劫。十一年陷高州[43]，巡撫林富落俸，總兵仇鸞為科臣所劾。十二年始由提督侍郎陶諧討平之。

按：陳蘭彬的《高州府志》卷48事紀：

“陽春西山、德慶東山、新興石壁諸巢賊趙林花、全師安、盤世寬等皆持險剽掠，嘗攻高州，騷擾數十年（疑有誤）。逮嘉靖十二年，提督侍郭陶諧檄惠湖守備張祐等調兵六萬三千，三道並進，並破寨一百二十五，俘斬三千八百，獲賊屬三千七百以聞”。

此次戰役，有黃澄之“平蠻記”，敘其經過，原文載之於《羅定志》：

“嘉靖十有二載春正月甲寅，提督軍務兼理巡撫、兵部右侍郎兼都察院左僉都御史陶諧，總兵官、征蠻將軍、咸寧侯仇鸞涖鎮兩廣。時維陽春西山蠻寇，負固滋蔓，貽患最急，迺躬行天討，閱兵七萬，釐為三軍。維僉事黃澄、都指揮李森為中軍，由瀧水進屯羅銀;右參政祝續、左參將程鑒為左軍,由新興進屯彎口;僉事鄭允璋、都指揮高睿為右軍,由陽春進屯鳳凰,拱受成算,剋日俱奮,一鼓而擒,凡擣巢百二十有五,馘魁從趙林花等三千七百有奇,俘執如之,罔有遺者。於是獲田賦七百二十餘石,奠民居一千八百餘家,威德大沛,遐邇懷懾,獠寇殞膽革心,兩廣用靖,夏四月丁巳,振旅而還"。

據黃志卷67,此次戰役"巢穴迅掃,種類無遺",結果遂有十餘年的寧靜。

嘉靖十三年(1534),滘江羅山傜賊流劫英德大灣,兵備王大用合剿追盡(朱汝珍《清遠縣志》)。

嘉靖二十二年(1543),清遠萬山傜人時剿掠,韶州知府陳給撫之(同上)。

嘉靖二十三年(1544),德慶知州吳汝新以犒賞為名,伏兵誘殺羅旁傜四十餘級,俘鄭茅爛等三人(《羅定志》卷9)。

嘉靖二十四年(1545),封川傜民亂,提督右都御史張岳、總兵平江伯陳圭討平之。

按:《蒼梧總督軍門志》卷20:

"封川縣歸仁、文德二鄉大滑腦、洪秋、南吉、大貨、黑石、麒麟、白馬、蓮花等巢,山徑多岐峒延袤,深林疊嶂,窮險莫測,自古為傜僮所居。至是賊首張公藍、李公靖、陳公黨、左公殊眾為亂,時出鄉村攻劫,岳等調集漢達官軍士兵四萬八千六百餘名,分為左右兩哨剿之,俘斬二千五百餘名顆"。

嘉靖三十二年(1553),德慶浪賊結傜為亂,知州陳露討平之(《羅定志》卷9)。

嘉靖三十五年(1556),清遠大羅山傜亂蔓延英德、樂昌,提督侍郎王鈁討之。

按:朱汝珍《清遠縣志》卷2:

"大小羅山傜賊寇英德,劉廷龍與周應乾舉義勇戰死。明年(1557),指揮陳璘擒渠魁卓文倡,餘黨馬五奇復糾長嶺賊馬廷穩劫樂昌。侍郎談愷集兵七萬,分嶺西、嶺南二道進討,會愷勒致仕,任南贛都御史王鈁加秩代愷,遂領其眾,俘斬八千六百餘人。嶺南路兵坐鄒繼芳不振,賊多漏刃,惟嶺西路兵實收全功"。

同年,督臣談愷討恩平傜亂(《讀史方輿紀要》卷101)。

嘉靖四十年(1561),東山、西山傜僮又恣,延至四十三年旋招叛(《陽春縣志》卷13)。

嘉靖四十四年(1565),傜寇清遠。

按:朱汝珍《清遠縣志》卷2:

"四十四年二月,傜賊石國廉等流劫吉河、滘江等鄉,殺擄人民官兵甚眾。七月,兵備道劉穩招撫回山"。

同年,兵備僉事李材襲破羅旁傜。

按:羅定志卷9,傜賊有三巢在新會(原注:應是新樂之誤),調副總兵梁守愚由恩平、游擊王瑞由德慶入,身出肇慶中道,夜半斬首五百級,燬廬舍千餘,空其地募人田之。

隆慶元年(1567)夏五月,傜賊流劫陽春(《陽春縣志》卷13)。

又《清遠縣志》卷2:隆慶中知縣鄭文學有剿撫池水傜僮之捷。

萬曆初,大舉征羅旁傜,此是明代廣東漢傜之最大衝突。

按:羅旁在今羅定縣內,界東、西二山,延袤七百里(據明史"本傳"),東接新興,南連陽春，西抵鬱林、岑溪（今廣西境内），北盡長江（包括湖南），萬山聯絡。傜僮居其中（據羅定志），為患已久，雖迭剿平，而旋撲旋起，猖獗如故、又多集四方亡命，助其凶虐，謂之浪賊，四出寇掠，嘗曰：官有萬兵，我有萬山，兵來我去，兵去我還。其狡如此。

又按：大征羅旁傜之計劃，始於萬曆二年（1574），時任兵部尚書兼右副都御史兩廣總督殷正茂所釐訂。三年（1575），殷内調南京戶部尚書而以凌雲翼代之，凌徵用兩廣軍隊二十萬，有士兵，有客兵（浙兵），而狼兵尤多，分十哨包圍之。據陳璘之“羅旁善後功積碑”載[44]：

（1）羅旁哨，都司朱鈺統之，劉經緯監之。

（2）瀧水哨，都司劉天慶統之，繼之者為游擊章延廩（前），徐汝陽監之。

（3）岑溪哨，參將王瑞統之，秦舜朝（前）及王原相監之。

（4）陽春哨，游擊楊瑄統之，何子明監之。

（5）新興哨，游擊陳典統之，周浩監之。

（6）德慶哨，參將倪中化統之，沈子一監之。

（7）伏峒哨，都司黃允中統之，李一迪監之。

（8）南卿哨，參將徐天麟統之，以鄰信宜，故用信宜哨監軍（劉志伊監之）。

（9）茂名哨，參將候熙統之，以鄰近新興，以新興哨周浩監之。

（10）信宜哨，參將陳璘統之，劉志伊監之。

廣東、廣西兩省總兵官張元勳、李錫居中；另外，在德慶江道設防，防傜北渡；在廣西容縣屯重兵，防傜西奔。籌備經年，於萬曆四年冬舉兵，歷時四閱月，至五年（1577）春，亂平，計破諸峒五百六十四，俘斬招降四萬二千八百有奇。

又按：有明一代之傜亂，主要是在西江南路，東起自德慶府之封川、開建，而以瀧水為大本營，西至陽春、高州一帶。其中以正統年間瀧水傜亂，前後經十餘年始討平（由趙音旺開始，歷鳳廣山、鳳弟吉、鳳光山）。景泰、成化年間，王翺之邊情疏、韓雍之“秋調法”，雖收一時之效，但本意仍是撫剿並用，後因官吏不得其人，傜僮勾結，歷弘治、正德而至萬曆，時出為患。萬曆四年大征羅旁，動員二十萬，破諸峒五百六十四，俘斬招降四萬餘人，廣東傜人主力被討平。事後，以其地設東安、西寧二縣，升瀧水縣為羅定州，增兵防守。終明之世，雖仍有少數傜患，然癬癩之疾而已，不足為害。計：

萬曆六年（1578），傜亂於開建（《讀史方輿紀要》卷101開建縣古今鎮）。

萬曆八年（1580），羅旁傜浪賊叛，詔總督兩廣兵部侍郎劉堯誨討平之。

按：《粵大記》卷3“山菁聚嘯”載：羅旁大征之明年，該總督都御史凌雲翼議再調狼土兵數萬搜剿之，不果行。故餘黨漸復。萬曆七年（1579），夥合西粵六十三山等傜攻打封門……乃發三路營兵及戍梧狼僮兵萬餘名討平之。

萬曆十一年（1583）石坎傜僮劫掠為患，又欲殺其酋長為亂，當道欲剿之，邑令蘇廷龍安撫之（朱汝珍《清遠縣志》卷2）。

大概大征羅旁之後，傜人主力已失，一方面“成立屯田，屯兵以鎮之，否則招復業，新民（漢化傜人）編為保約，聯為鄉落”[45]；或對傜民施以教育，如姚原立為信宜令，“延多士以興文，招傜僮而歸化”；歐陽烈為高州知府，“約傜僮以祝聖，俾識禮儀，故多士向風，群黎懷德”[46]。至是溪峒寧靜，迄於明亡，漢傜再無衝突。

四、明室治傜政策之檢討與效果

傜人自湘省南遷，雖先至粵省，但卻以桂省為本營。蓋桂省山嶺崎嶇，叢林密佈，是傜僮盤據之理想巢穴。至於粵省之肇、高、雷、廉四府，隔勾漏山脈、雲開大山與廣西大傜山（潯梧之大藤峽附近）犬牙相錯。明室在桂省征伐，傜人則流竄至粵省，粵省征傜，傜人則奔桂省。而明室之治傜政策，重點放在桂省，丘濬曾言：

兩廣同為嶺南地，其地勢土俗大段不同。廣西山嶺崎嶇，林薄深阻其中，皆傜僮窟穴，編民錯居其間。廣東十府，惟肇、高、廉三府地方犬牙相錯，雷州惟遂溪縣、廣州府惟運州與之相近，其餘皆濱大海，地勢平易，無有山林險阻。自洪武、永樂以來，朝廷惟命總兵官鎮守廣西，而廣東一方，惟以備海洋、倭寇為急，未聞有傜患侵犯也[47]。

按洪武、永樂年間，兩廣溪峒傜人均是溪峒附近不良之民，與之相通，誘引為患[48]，而地方官則以和平日久，兵備失修，一聞賊至，手足無措，望風崩潰。民之欲入城相避，官軍則閉門不納，恐防賊混於民眾之中，致為賊所擄，為賊所利用。丘濬另有"兩廣用兵事宜"一疏曾云：

今之賊徒所以倍蓰於前者，其禍起於前日總戎者濫殺無辜也。蓋此輩是平民，方無事時，輒賦稅供力役，養兵奉吏，將藉以為己之保障。一旦外寇入境，焚蕩其室盧，戕殺其親屬，欲入城則閉門不納，將入山則與賊遇。倀倀一身，四顧無依，不幸為賊所擄。始從之，以延頃刻之命，賊劫持而雇使之，行則使負擔，息則使樵爨，攻城則驅之以當天石。及奔，則棄之以遺官兵，僥倖不死，賊去之後仍趨官府輸賦役如常時，其心固自倉曰：我之從賊，豈得已哉！他日賊平，我等俱良民也。忽聞大軍之來，喜得更生，謂可以復見天日耳。大軍既至，其真為賊者，皆相率遁入深山，了不可得，顧將不得已從賊者，甘言秘計，誘而出之，殺以為功，由是不得已從賊者，皆甘心為賊矣[49]。

及至宣德年間，鎮守內臣阮能貪婪不已，復與兵部尚書陳汝言勾結，朋比為奸，百端剝削，溪峒土官襲蔭，必須厚賄，於是溪峒不寧[50]。而廣西方面，總兵山雲石兩廣邊境征傜，兩年中殺伐萬人[51]；繼之者柳溥、田真在廣西均大肆殘殺，於是廣西傜人，大量流竄至廣東。而廣東方面，正統十四年（1449）黃蕭養之亂，陷廣州城，殺都指揮王清，時京師適有"土木之變"，無暇南顧，於是徵調廣西狼兵入粵[52]，蕭養之亂平。但狼兵與傜勾結，其勢始盛，故景泰以後，廣東傜亂頻繁。但明仍主剿撫拜用，大概先重撫，撫而無效則剿，如王翱為兩廣總督征傜名將，其邊情疏曾云：

"臣等前去撫剿，除差人四散招撫僮老、傜老等，總兵官會士官、士兵前來，申以朝廷恩威之重，論以善惡禍福之由，彼皆稽蕱府伏，歡忻鼓舞，許自還改禮待而歸。及各處傜僮人等，所在眾多，雖不能一一招撫，皆轉相告戒"。

"各傜僮人等已歸者，必撫之以恩，來者必申之以義，號令必信，賞罰必公，巨惡必誅，小過必宥。而又整飭戎伍，堅甲利兵以臨之，使既慕其義，又畏其威"[53]。

按：王翱之剿撫並用，先撫後征，應是最收效之法，惜王翱於景泰四年（1453）去職，後繼者拜不執行，於是傜亂又頻。至成化二年（1466），韓之"秋調法"，亦不外本"剿撫並用"的舊法而已，雍去，執法者初則主撫，但變相而為縱容，於是不能不大舉征剿矣。

大舉征剿，最有效之方法為丘濬在成化年間上大學士李賢之"兩廣用兵事宜"，主張賊（傜）之在廣東者當逐之，在廣西者當困之。

"所謂逐之之策，廣東十府，賊所殘破者六府，其地方相去一二百里，或六七百里，或遠至千里。我出此，賊往彼；我往彼，則賊出此，巧遇迴避，所以不能成功。若從一路逐之，必不可得，須分數路，然後處處相遭，彼來迎戰則與之戰，彼不敢戰，只得歸其巢穴耳，所以逐之。

"所謂困之之策，蓋廣西傜寇，如柳、慶等府，修仁、荔浦等縣處處有之。惟潯州大藤為大，大者既困，則小者不足平矣。蓋大藤峽前臨河道，後抵柳慶，左界昭梧，右接邕貴，其中祇是高山峻嶺，祇是刀耕火種，蓄積有限，惟憑劫掠為生。況其所種之田，盡在山外，大軍一至，四面分守，據其要害，截其出路，彼不得擄掠，又不得耕種，一二年則有斃矣"[54]。

按：是書上於成化元年（1465）。其實"逐"與"困"兩策並用，更為有效，故是年。韓雍即出討大藤峽傜亂，動用兩江士兵十六萬人，五路拜進。大藤峽是廣西最大的傜區，前往征討主要有六次[55]。顯然，韓雍活用丘濬之方法，"逐""困"並用，在廣西分五路大軍圍剿，廣西傜寇遂竄至廣東求生。翌年（成化二年，即1466），傜人犯雷州，韓雍又用兵圍困之，其同時所倡之"秋調法"，亦是"困"之政策而已。

同一時期，丘濬主張大包圍政策，如"兩廣用兵事宜疏"談及征傜應分數路：

"當分四路，會於潯州：其一路自廣州三江口，趨肇慶府，歷開建、封川等縣，泝流而上至藤口（大藤峽），直抵潯州；一路自肇慶府之新興過陽江，抵高州府界，擣電白信宜山間道，經岑溪等縣界，會於潯州；一路自藤縣直泝北流江登陸，由鬱林、博白、陸川出石城，抵雷州，復有石城往廉州之靈山，下横州，亦會於潯州；一路自廣州之連州，經賀縣，出平樂縣，亦會於潯州"。

萬曆四年（1576），殷正茂、淩雲翼之大征羅旁，兵分十路，亦是以"兩廣用兵事宜"為藍本。傜人並無精良武器，亦無嚴密組織，其倚賴者為崇山峻嶺，"兵去我還，兵來我去"，使官軍疲於奔命，故非數路會剿，不能消滅其主力。其次，官軍征剿，未能徹底，使其流徙別處，覓機重來。據阮元《廣東通志》卷29陳天華傳：

"羅旁之傜亂於弘治四年時，傜寇幾斃，不幸官兵退縮，又令曰：勿擒餘賊，故賊得假喘息"。

大征羅旁之後，傜人主力消失，傜區範圍縮小，遂設立郡縣（圖二）。明代廣東十府中，在明代增設的縣治，多與征傜有關，如：

1. 廣州府

順德縣：景泰三年（1452）從南海縣析出。

按：景泰二年（1451），新會傜亂。按新會附近有傜區，知可能與傜亂有關。

從化縣：《讀史方輿紀要》卷101載："弘治元年（1488），番禺峒獠談觀福恃險為亂，討平之。三年，遂析置今縣"。

按:從化有傜區,談觀福之亂,黃佐的《廣東通志》歸入傜獠類。

龍門縣:介乎大傜區與畲傜區之間。《讀史方輿紀要》卷101謂弘治九年(1496),從博羅、增城二縣析出。按:從天順年間起,龍門鄰近之龍川、翁源、英德等傜,先後來朝貢,而從化亦於數年前討平傜亂後,設縣治理。疑龍門之設縣亦間接受其影響。

新寧縣(今台山縣):《讀史方輿紀要》卷101:

> "本新會地,自元季以來,諸傜煽亂,屢征不服,弘治十一年(1498)討平之。因析置今縣"。

三水縣:《讀史方輿紀要》卷101謂嘉靖五年(1526)設縣。嘉靖初年,三水縣鄰近之羅定、陽春、德慶均有傜亂。李香曾招出新興、陽江、新會各處傜人復業,顯然與撫傜有關。

此外,明代廣州府新增之縣治有新安縣(寶安)是萬曆元年(1573)從東莞縣中析出,與傜亂無關。

2. 肇慶府

高明縣:《讀史方輿紀要》卷101載:"正統末,山寇鄭宗遠等屢作亂,成化十一年(1475),督臣吳琮等改置今縣(原為高明巡司,屬高要縣)"。

按:高明內有老香山、皂幕山,均是傜人盤據之地。而成化元年,廣西傜寇肇廉高雷四州府,故其設縣,顯與傜亂有關。

廣寧縣:本四會縣屬。據《讀史方輿紀要》:嘉靖卅七年(1558)平大羅山(清遠傜區)山賊。因析置廣寧縣。

恩平縣:唐置恩州恩平縣,宋省為陽江縣恩平堡,明成化十四年(1478),割陽江及新興新會三縣志,復置恩平縣。

按:成化元年廣西傜寇高雷、廉肇,而成化十五年(1479),傜賊寇陽春,此二地均在恩平鄰近,而恩平縣本身亦有傜區,故其設縣亦與陽傜有關。

3. 羅定州

東安縣(今云浮)

西寧縣:(今鬱南)均為萬曆五年大征羅旁後,將傜區增設縣治。據陳璘之羅旁善後功蹟碑:

> "地方既平,督撫大臣,爰上善後之策,當局以為然。於是分東西為兩山,二山各以參將一員守之。山之東設東安縣,山之西置西寧縣,以瀧水縣為適中,升為羅定州治"。

4. 惠州府

長寧縣(今新豐)

永安縣(今紫金):按此二縣位於北江與東江之間,原分屬惠州府與韶州府之地,亦介乎大傜區與畲傜區之間,為羅浮山區。據《讀史方輿紀要》記此二縣"在萬山中為盜藪"。自嘉靖末,清遠數次大征傜人。隆慶三年(1569),督臣吳桂芳奏:割歸善(惠陽)、英德、翁源各一部份地立長寧縣,及析歸善、長樂部份地置永安縣,疑其與防傜及撫傜有關。

以上十二縣,均是在征傜之後或防傜的因素下而設立。另一方面,在傜區施行"化傜政策"最具體的方法是:

(1)以漢人而熟視傜情者,任為傜官,准其世襲,如興寧之彭氏[⑯],或在政府中設專職負責撫傜工作，如馮原泰及陳志寬等[57]。蓋傜人最畏官府，故需熟識傜情之漢人居中流通，此等漢人若心懷不軌，往往煽傜為亂，故地方官若善待此等傜官，溪峒便可安寧。此便是王翱、丘濬等所強調"官吏得人，傜僮畏服"，如姚原立便是以寬厚撫民，傜民歸化，而民歸化而民思慕之[58]。

（2）任用傜人中之有力者為"傜首"、"傜總"、"撫傜甲總"、"傜目"、"撫傜里長"等，"以傜治傜"[59]。如盤貴（信宜）趙第二，盤貴（高州、肇慶）盤永用、駱第二（德慶州）、梁福壽（新興）等均是以傜首資格領導來朝貢。至於潮州之畲長雷文用，當亦是"傜首"的別稱，地位相等。

（3）編傜為良民，使之耕種及授以教育，如"永樂十四年，高要傜首周四哥來朝，籍其屬87戶，男女224口，願入版籍，供賦役"。嘉靖十年，趙林花之亂被討平時，高州設有傜田[60]。嘉靖十二年，陶諧及仇鸞平傜後，得傜田一百卅九頃九十一畝[61]。至於地方官吏，亦優待傜民子弟入學。如孔鏞之在高州，便設立傜學[62]。故《圖書集成職方典》卷1394論廣東之傜時曾稱"今傜遣子弟就試，斑襴化為青衿"，但至清代始收顯著效果。

（4）設立狼僮寨以防傜：狼多居於廣西，兇悍善戰，故每次征傜，多雇狼兵，收效甚大，於是在大傜區附近設有狼村（寨）。如黃佐的《廣東通志》卷167載：高州府所屬州縣，曾招取廣西狼兵前來耕守，共有131村，其分佈：

化州狼二十村，招主二名[63]，領兵（狼兵）194名。

信宜狼四七寨，招主六名，兵1317名。

電白狼二寨，僮目三名，領兵135名。

信宜流傜共125名。

狼僮除驍勇善戰外，因族類關係，亦互有往來，平時政府自狼僮得知消息，但有時亦會被其出賣。如正德初，因官吏貪婪，為狼僮所不滿，嶺西道汪鏞討傜時，以石綠僮子為嚮導，僮潛與傜謀，深入險境，被傷甚眾，不過此等例子不多。大致而言，以狼僮防禦，在明代頗收效果。

嚴格分析，廣東自唐宋以來，始逐漸接受中原文化。但是時仍是蠻荒之地，城市之外，蠻獠盤據，明代廣東十郡之中，大部皆有傜區。傜人知識不高，生活困苦，若地方官吏善於嚮導，不致為患。但明代傜亂卻不時發生，蓋主撫者，因人成事，不能持久，主剿者未能徹底。因廣東的傜亂與湘桂二省息息相關，非合而剿之，防其流竄，不見功效。即使大征羅旁之後。僅安寧一時，至清代仍有頗大規模之傜亂。不過，明代在平傜後在傜區增設縣治，使同化之傜民，與良民相雜，加以教育，使之變為齊民，始是最佳之"化傜政策"。但此種政策直至清代始大見收效。

註 釋

①如林惠祥之《中國民族史》、胡耐安之《中國民族志》、劉義棠之《中國邊疆民族史》。

②阮元的《廣東通志》卷23"兵防"：漢、峒傜劫掠二廣，永和間討平之。

按：漢書記永和二年正月，武陵蠻叛。王先謙集解謂武陵蠻圍攻縣，即今澧州，是知以蠻為傜。乾隆本《辰州府志》卷13平苗考："吳黃龍三年辛亥春二月，吳遺潘濬率眾討武陵蠻傜"，是知以苗傜混稱。

《嶺南雜記》"獠......其在嶺南，則隋唐時為患。然是時不言有傜，宋以後不言有獠，意其類合分無定，故隨代異名。”

又芮逸夫之《獠人考》（中央研究院史語所集刊28本），謂獠人出自貴州烏滸蠻，此誠事實，惟方志中廣東之獠，當是別一種獠，乃姥之音譯，乃本地居民之意（拙著《宋史試析》頁301 – 302註15）。

是知獠有時亦曰傜。

其他在各種方志中紀事，有時稱傜，有時稱蠻稱苗者，甚至清修圖書集成，仍然以傜、獞、蠻、獠並稱，並無分別。道光本《番禺縣志》卷53：今粵人大抵皆中國種（始皇謫贅南下，任囂、趙佗所帥士兵）。自秦漢以來，日滋月盛，不失中州清淑之氣。其鬋髮紋身越人，則今之傜、僮、狼、黎、蛋諸族是也。例證甚多，至於畬蜑，更是與傜同源，無可懷疑。

③唐修隋書，其地理志之“長沙郡又雜有夷蜑，名曰莫傜”，杜甫《歲晏行》有“莫傜射雁平桑弓”句，劉長卿有“莫傜自生長，名字莫符籍”之句，此“傜”是指“傜族”。

④李攸之宋朝事實卷16兵刑：五代時，鼎、澧、辰、沅、邵陽五州之境，各有蠻傜保聚，依山阻江，結十餘萬。馬希範、周行逢時，數出擾邊。按四庫總目錄提要載：是書撰於政和初，此為最早之傜族記載，以後周去非之《嶺代代答》卷2、及范成大之《桂海虞衡志》，亦均有傜人之記載，但時已在南宋。

⑤《宋朝事實》卷16兵刑：“辰州傜民秦再雄者……太祖察其可用，召至闕下，以一路付之。再雄起蠻酋，除為辰州刺史，官其一子為殿直，仍使自辟吏屬，盡於一州租賦。

⑥田謂之《辰州風土記》：“皇朝太祖平荊湖，除傜人秦再雄為辰州刺史，蠻夷悉漢化，都在辰水之陽，取辰溪以為名（轉引自王象之《輿地紀勝》）。

⑦據《粵江流域人民史》（香港世界書局，1963年修訂版）第十三章“兩粵的苗傜”：“傜人大批到達粵江流域，當在漢末降至黃巢的時候。現在兩粵傜人歌書，尚遠提及黃巢作亂的走難情形，傜人踰嶺，當以此時為盛”（頁110）。徐牧師是根據《廣東新語》“傜或作繇、漢書江都王建遣人通越繇王是也”（頁109）。但另一方面，又承認“傜字自唐以後始見”（頁37）。從“繇”到“傜”的轉變關鍵在哪？沒有交代，且兩粵傜人的歌書，是漢人的代書，甚至是作品，其可信史實是部份，大概傜人在大亂（被漢人征伐、驅逐）後，遷徙是無可疑，但亂事主人翁是否黃巢，未有確證。

⑧江應樑，《傜人今昔觀》，原載國立中山大學研究院北江傜山調查報告，後收入西南邊疆民族論叢（1978年，台北新文豐出版公司）頁154，但未有列出證據。

⑨乾隆《陽江縣志》卷4名宦：“陳亞，建陽人，宋真宗時知南恩州。地多煙瘴，傜獠雜處，亞務行寬政，深得民心”。按嘉靖黃佐《廣東通志》卷9職官：陳亞，真宗時知南恩州，但無傳。按南恩州轄今陽江、恩平及附近之地。

⑩《宋史》仁宗本紀：景祐二年傜寇雷化州。光緒《化州志》卷12：“景祐二年己亥五月，傜獠寇化州，詔桂廣會兵討之”。阮元之《廣東通志》前事略則云：“景祐二年，傜寇雷、化州”。郝玉麟之《廣東通志》卷6編平志更泛指是年“廣南傜獠作亂”，可知當時廣東西南部有廣泛的傜亂。

⑪嘉慶的《廣西通志》前事略：“景祐二年五月，傜獠寇雷、化州，詔桂廣會兵討之”。又道光番禺縣志卷32名宦：“徐德明，景祐二年五月，傜獠作亂，寇雷、化州，奉詔督廣兵，會桂兵征討有功，加防禦使”。

⑫慶曆三年，桂陽監傜亂，為轉運使郭輔之等招撫之（宋史諸蠻傳）。五年，傜人餘黨唐和復內寇（宋史本紀及嘉慶《湖南通志》卷62），歷時二年始討平。據同治連州志卷2：“慶曆三年，湖南傜匪劫掠州縣，詔殿丞楊畋赴韶連等地招安之。（按：楊畋征傜按湖南通志是慶曆五年事。）……七年正月，詔減連民受害者來年夏租”。

⑬拙著《宋代傜亂紀事編年》（原載：香港大學《壽羅香林教授榮休紀念集》）。

⑭劉錫蕃的《嶺表紀蠻》第一章第二節：“桂傜無文字，據其口語流傳，皆謂由廣東遷來”。徐松石之《粵江流域人民史》根據宋史仁宗紀：“慶曆二年楊畋討湖南傜亂賊聞畋至，踰嶺南遁”。遁至嶺南，可知是由湖南人廣東（頁111）。

⑮此是江應樑氏之假設，主要是根據：1. 慶曆三年，桂陽傜亂，禍及粵北，這是廣東最早的傜區與傜

亂。2. 慶曆七年，楊畋平湖南傜亂時，詔廣東、廣西轉運使往撫諭之。3. 根據《郡國利病書》謂五溪蠻自湖南移人桂粤之路線是順沅水而下，經黔邊而人廣西之東部，先占賀縣一帶地，再踰嶺西人廣東之連韶；再一支則順江而下，經蒼梧沿西江而人廣東、封川、高要等地（西南邊疆民族論叢）。

⑯同治連州志及道光高要縣志的“名宦”及“謫宦”，謂有撫傜的名宦（拙著《宋史試析》頁300）。

⑰李攸之宋朝事實卷16兵刑：“五代時鼎、灃、沅、邵陽五州之境，各有蠻傜保聚，依山阻江結十餘萬”。

⑱嘉靖《廣西通志》卷54“外夷”：“熙寧三年，傜賊殺人，南丹酋長執以獻”。又汪森之粤西叢載卷25亦有同樣記載，但書明南丹酋長莫世忍。按：宋之南丹土州，在今廣西宜山，清為慶遠府。

⑲宋史四九三：“西南溪峒諸蠻傳”上：“慶曆三年，桂陽監蠻傜內寇……蠻傜者，居山谷間，其山自衡州常寧縣，屬於桂陽（監），郴、連、賀、韶四州，環紆千里，蠻居其中，不事賦役，謂之傜人”。按：桂陽監、郴州屬湖南。連州、韶州屬廣東。賀縣則在宋徽宗前屬廣東，後改隸屬廣西。

⑳《宋會要輯稿》方域七之十三：“大觀二年五月廿七日，中書省言，廣東十五州軍，財賦充足，內賀州管四縣，南接梧州，詔割屬廣西”。

㉑粤北荒峒傜人有一敘述祖先來源的“批記”，可以模糊的找出其概略來，其原文如下（照錄）：

靈王靈王開轉衣公，衣者不引大公……夫妻相對為婚，三朝兩夜，身中帶有花同，六甲轉動，元右湖廣上村七保山頭見面，得見一條冬長四物八俵剪刀分俵分得傜坑了水口里頭變成傜友子孫，發得傜友子孫四人，發開記新界，出得劉三妹娘開交分界，一岔發在大同里頭，變成百姓之人，蟻子蟻孫，高山擔子傜友，發在湖廣上村，青山頭上……傜友子孫，言在湖廣上村，山頭地頭狹突，求人不得，求鬼不安，四著門路，言心如爐出火，求界過界，四著門路，四人為大之人，羅動回頭轉面流鄉，過界流杵，過山退下番背崗頭……傜友子孫，言在番背崗頭，卅石城十保山頭狹窄。時年作犯，流亂地頭，求人不得，求鬼不安。定車不得，定馬不安。十二姓傜人子孫，開口讁量言心，退步如山退位，十二姓傜人子孫合口讁量，把火放下，高剡河邊，水步裡頭，撐船過海，打馬過街，暗天黑地，風大雨大，惡風惡雨，打浸一船。六姓友子孫，浸落海中裡頭，起頭不見面，重有一船友子孫，惡風打落海角里頭，七朝七夜，子孫愁浪眼淚不得出頭，一面投山山高，投水水深，無處得頭。船家之人說服子孫，合口讁量，言在船頭裡內，船肚裡頭，許還大壇父母盤贊良席正團圓.....一名童子許上千年大百良愿保書，耽保人丁船頭許上第一一變，船頭也轉，二名童子許上第三變，船尾也浮，三名童子許上第三一變，惡風也轉，惡雲也開，月頭也上，船頭也浮，船尾也流，追它上追水拖。交過十八時日，流到廣東都海岸大留沙垻里頭，船家之人，吹敵齊心，船家之人報六姓，傜姓子孫，四廟聖王，有靈借聖，有好靈神，有心同許出心奉還千年贊宅，良愿保書大百良保書六姓傜友子孫合口讁量，元在六笛沙垻離屋，四著門路……六姓傜友子孫各人船頭里內，船肚里頭，追拖上追水施，遊上狗鬼山頂，求住宅堂里內，耕山鋤嶺，衣公接祖仗事，大法壇香火仗事，三廟聖王，三年打上，四年打下，求人不得，求鬼不安，買賣不陞，人口不安，耕種不熟，地頭狹窄，開口讁量，言心退步，言心退位。三姓子孫，盤林二郎，趙法章、鄧養二郎，一時出界，踏上船頭里內，追船得上，追水拖下。踏上村羅地名求落宅堂，耕山鋤領，衣公接祖添香永水伏筆火壇香火，父母三屆聖主，三年打上，四年打下，求財不上，買賣不陞，人丁不旺，人口不安，開口讁量，言心退步。三姓子孫倒轉船頭，倒轉船尾，倒轉村羅峒頭地名說報六姓子孫，隨船踏上廣東道韶州府曲江縣，開刀分火XX坑XX村XX處之宅堂......。

㉒傜人無文字，其記載多由巫師口述，而由避居傜區之知識低落漢人筆錄，故錯誤甚多。不過，可模糊找出其若干線索。

㉓莽山是一大傜區，與廣東、江西傜區相接。據嘉慶《湖南通志》“苗防編年紀事”：正德十一年，莽山傜龔福全稱王，與其黨劉福興等據春山腦粟寨等處，東自龍泉、萬安、大庾（今贛省）、南自保昌、曲江、乳源、西自連山、連州、陽山（今廣東）、寧遠、藍山、臨武，北自桂陽、常寧（均在湖南），大肆劫掠。由南贛都御史王守仁及兩廣總制陳金率四路大軍討平。

㉔其他府縣志多是清代人所撰，雖然可能是明代征傜後始流竄而至，但大體而言，明代是傜山，清代

可能已被漢化。相反，清代若是傜山，則明代多是傜人所盤據。

㉕光緒《信宜縣志》狼傜載縣內有(一)嶺府堡，防懷德鄉聖峒、六豪等傜；(二)忠堂堡、防陂頭、竹雲等傜；(三)下水山傜；(四)根竹洞傜。

㉖樂史《太平寰宇記》卷159及王象之《輿地紀勝》卷91風俗："織竹為布，多蠻獠，婦人為市，男子坐家"。

㉗《輿地紀勝》卷99惠州"風俗"引東坡詩："樣舟蜑戶龍岡窟，置酒椰樹桄榔間"。

㉘陳文惠"送王生及第歸潮陽"詩："休嗟城邑住天荒，已得仙枝耀故鄉。從此方輿載人物，海邊鄒魯是潮陽"。(《輿地紀勝》卷100潮州詩)。

㉙劉克莊(1187—1269)的《後山先生大全集》卷93"漳州畬替"一文曰："凡溪洞種類不一，曰蠻、曰傜、曰黎、曰蜑。在漳者曰畬，西畬隸龍溪，猶是龍溪人也；南畬隸漳浦，其地西通潮梅，北通汀贛……南畬之禍尤烈"。

㉚《文山先生全集》卷11"知潮州寺丞東岩先生洪公行狀"云："潮與漳、汀接壤，鹽寇、輋民群聚"。

㉛《元史》卷29 本紀泰定元年五月辛丑。

㉜據《宋史》及嘉慶《湖南通志》，《宋會要輯稿》蕃夷，宋代湖南五溪蠻及傜亂共廿四次(真宗一次、仁宗五次、神宗二次、徽宗三次、高宗四次、孝宗七次、寧宗二次)，其中慶曆三年桂陽傜亂，費時三年始討平。熙寧五年開梅山傜區，事後增設新化縣。高宗一朝武岡傜亂連續四次，是漢傜大衝突。相反，宋代廣西傜亂七次，廣東傜亂五次，僅及湖南傜亂百分之二十至三十三。

㉝元代湖南傜亂仍有十三次。除至正年間，靖州傜賊吳天保曾陷武岡、沅州、寶慶等府縣，調動湖廣、江西二省兵討平外，餘皆小衝突而已。至於廣東，元代傜亂僅有十次，但廣西傜亂則漲至廿八次。其中如泰定二年，十處傜區同時為亂，最為龐大。至順元年，傜亂動兵二萬餘人，歷時二年始討平。

㉞陳樹勳的《羅定志》據雍正王植的《羅定州志》作二十二年事，但王州志香港無存，未能翻查，而《郡國利病書》及黃佐《廣東通志》卷67則作十二年事，茲據黃佐通志而繫於十二年。

㉟明史本紀洪武十五年十月甲辰，"廣東群盜平，詔趙庸班師"。黃佐《廣東通志》卷7事紀則載是條，並云："克燈心、龍湖、龍歸、太平、成家塘、譚源洞等寨，擒賊萬戶長、都公等數十人，斬首千餘級，降二千九百戶事"。郭棐之《廣東通志》卷70"傜僮"遂列是條。按：陽山、歸善均是傜區(見上節)，故肯定為傜亂。

㊱民國的《羅定志》卷9記事：永樂十三年八月丙辰，德慶傜目周八十年來朝貢方物，賜衣鈔，拜賜敕曰："皇帝敕諭廣東肇慶府德慶州古蓬、下台等山傜目周八十、劉大，恁，每都是好百姓，比先只為軍衛，有司不才，苦害恁上頭，恁，每害怕了不肯出來，如今聽得朝廷差人來招諭，便都一心，向化出來覲見，都賞賜回去。今後恁村峒人民，都不要供應差撥。從使安生樂業，享太平的福，但是軍衛、有司、官吏、軍民人等，非法生事，擾害恁的，便將這敕諭直到京城來奏，我將大法度治他，故諭"。

㊲《羅定志》卷9："瀧水傜趙音旺，糾晉康逍遙山傜，鳳廣山倡亂，僭稱將軍，大肆殺掠，率眾攻城。瀧水判官馮述，原泰子也，與戰死之，其子暄亦歿於陣"。

㊳節自《圖書集成》職方典卷1393廣東傜獞蠻獠部彙考。

㊴王翱之"邊情疏"原文甚長，黃佐《廣東通志》卷67及郭棐《廣東通志》卷70及《古今圖書集成》職方典廣東傜獞蠻獠部彙考均有載。

㊵羅定志引自明史"王翱傳"及德慶志，但郭棐的《廣東通志》則作景泰七年。蓋沿襲黃佐的《廣東通志》卷7。惟黃志云："景泰七年春三月，左都御史王翱還京。翱去年，傜獞復出"。按吳廷燮的《明督撫年表》，王翱於景泰四年三月還京，故以景泰四年為正確。又《粵大記》卷3："《山菁聚嘯》記景泰四年夏六月，瀧水傜作亂，巡按御史盛泉諭降之"，似是另一回事。

㊶"秋調法"主要精神是在水陸經常調遣巡邏。據黃佐《廣東通志》卷67載"督府與鎮守總兵，後多貪賄，狼兵每遇調，輒以賄免。田州土官岑猛每忿且笑之曰：三堂正如三隻狗，片玉投之即去矣，吾何憚

焉？今之狼兵非復王（翱）韓（雍）之時矣，有警則用打手禦之，又支給不時，屯膏吝賞，亦為盜"。

㊷是次傜亂至翌年（1531）始討平之。故阮元之《廣東通志》前事略繫於嘉靖九年。

㊸趙林花、郭棐的《廣東通志》，阮元的《廣東通志》、曹志遇的《高州府志》，陳蘭彬的《高州府志》均作傜首，但黃佐的《廣東通志》、《圖書集成》、《羅定志》、《蒼梧總督軍門志》等作"賊"、"巢賊"、"山賊"而已。

㊹原文載民國的《羅定志》卷8金石。

㊺《天下郡國利病書》廣東中。

㊻萬曆曹志遇的《高州府志》卷6。

㊼丘濬："廣東備禦傜寇事宜"載於《瓊台詩文會稿》卷21（臺灣出版，丘文莊公叢書）。

㊽汪森：《粵西叢載》卷26："明洪武十八年六月，廣西都司言，頗年傜寇竊發，皆因居近溪洞之民，與之相通，誘引為患"。按：是書雖言廣西史實，但廣東情形亦相似。

㊾引自《瓊台詩文會稿》（見註48）。

㊿參見黃佐《廣東通志》卷67。

51《粵西叢載》卷26："宣德四年討柳潯弄，誅從寇2480人。五年，出師討慶遠蠻寇，斬首7400"。按：柳潯、慶遠均是著名傜區。

52參看《粵大記》卷3"黃蕭養亂廣"條。

53見註39。

54引自《瓊台詩文會稿》卷21。

55田汝成《炎徼紀聞》卷2："大藤峽"。按：大藤峽為廣西最大傜區。明之征大藤峽主要有六次：天順五年（1461）顏彪討平之；成化元年（1465）韓雍討平之；正德十二年（1517）陳金討平之；嘉靖七年（1528）王守仁討平之；嘉靖九年（1530）林富討平之；嘉靖十七年（1538）張經討平之。其中以成化元年及嘉靖七年戰爭最烈，而傜人創傷亦最甚，至於小戰復更多。

56據祝允明的正德《興寧縣志》卷4雜記所載，彭伯齡為傜獞人所信服，於是專任撫傜，准其世襲，後改為撫傜老人。

57據黃佐的《廣東通志》卷67載永樂四年化州吏（漢人）馮原泰、陳志寬招至高州、肇慶二府傜首趙第二、盤貴來朝，於是授原泰為瀧水縣丞，寬為信宜主薄，專事撫傜。

58據萬曆曹志遇的《高州府志》卷6："姚原立，貴溪人。永樂十二年令信宜，公廉律己，寬厚撫民，鼎新學舍，修築城垣，延多士以興文，招傜民而歸化，政績彰彰可紀，尋以憂去，民思慕之"。

59黃佐的《廣東通志》卷67記洪武卅一年平定西山傜人後，設立傜首，總領撫傜甲，總知傜首為最高領導人，如來朝貢者，均是傜首領銜。又《圖書集成》職方典卷1,393記嘉靖三年有"招傜目三百餘家復業"。嘉靖中布政使徐乾定保甲法，有"諸山新民則督撫傜里長"。

60參見黃佐的《廣東通志》卷67。

61參見《圖書集成》職方典卷1,393。

62光緒本《信宜縣志》"兵防"："至太守孔公鏞……自傜遣子就試，斑襴化為青衿，孔公之明德遠矣"。

63田汝成的《炎徼紀聞》卷2："諸傜憨悍難曉，好殺輕生，憚見官府，往通向傜老，結城市豪強，曰招主"。

第四節　南宋時香港之大嶼山為傜區之試證

一、大嶼山有三種民族之證據

番禺，雖自趙陀開闢，然因距離中原過遠，所受漢化薰陶不大，至東晉時始漸染華風。據《永樂大典》卷11907引《廣州府圖經志》云：

"至於東晉永嘉之際，中國人避地者多入嶺表，子孫往往家焉；自是以來，漸染華夏"。

降至宋代，境内仍多是蠻區，據宋王象之《輿地紀勝》卷89"廣州風俗形勢"條：

"逖彼番禺，去都萬里，境接群蠻，地居海淞"。

所謂"群蠻"，含義很廣，據嘉慶《重修一統志》卷44，"廣東形勢"條：

"北據五嶺，内鎮蠻蜑。蠻有數種，曰猺、獞、黎、岐，皆盤亙窟穴於山谷中，在廣州府屬者百五十四山，在韶州府屬者六山，在肇慶府屬者五百四十二山，在高州府屬者二百四十二山，在廉州府屬者二十六山，在瓊州府屬者千二百山。而惠州之山猺、潮州之畲猺，皆巖棲谷飲，延亙數百里"。

據此，知由宋至清間，廣東境内處處蠻區，但正史中卻鮮予記述。阮元之《廣東通志》卷185"前事略"：

"慶元三年夏，廣東提舉茶鹽徐安國遣人捕私鹽於大奚山，島民遂作亂；八月，知廣州錢之望遣兵入大奚山，盡殺島民"。

按大奚山即今香港之大嶼山①。香港直至成為英國之殖民地時，大嶼山仍甚荒凉，於是懷疑所謂島民，未必是漢族。此事不單涉及香港之開化，且與南方民族之遷徙亦不無影響。於是鉤尋資料，結果發現有傜人、僚人、蛋人三種說法，但作者卻懷疑是傜人之可能性較大。

按《廣東通志》所載大奚山之亂事，清初所輯之《古今圖書集成》卻指出所謂島民即是傜人②，其領袖為徐紹夔，據上書《方輿彙編》職方典卷1,393"廣東猺蠻獠"部：

"寧宗慶元三年，猺人徐紹夔等就擒。按宋史寧宗紀不載。按《通志》③，鹽司峻禁，猺人遂嘯聚為亂，上遣兵討捕，徐紹夔等就擒，遂墟其地。經略錢之望與諸司請於朝，歲撥摧鋒水軍三百以戍，季一更之，然兵戍孤遠，久亦生亂"。

此外，陳伯陶纂輯之《東莞縣志》則謂大嶼山之居民非傜人而是蛋人，據《東莞縣志》卷29"前事略"：

"大奚山三十六嶼，在莞邑海中。水邊岩穴，多居蛋蠻種類，或傳係晉海盜盧循遺種，今名盧亭，亦名盧餘。似人非人，獸形鴂舌，椎髻裸體，出沒波濤，有類水獺"。（此段出於鄧淳之《嶺南叢述·盧亭條》）。

亦有謂大嶼山之居民為僚人，據《古今圖書集成》方輿彙編職方典卷1,300"廣州府山川"：

"大奚山，宋紹興年間，朝廷招降朱祐等"。

朱祐，在上書卷1，393卻謂是僚人：

"高宗紹興某年，招降獠人來祐（兩段相照，"來"字顯是"朱"字之誤）等，免其供億，並寬魚鹽之禁。按宋史高宗紀不載。按通志：紹興間，招降獠人來祐等，選其少壯者為水軍，老弱者放歸立寨，寨立軍使臣一員，彈壓官一員，無供億，共寬魚鹽之禁，謂之醃造鹽"。

據此，宋時之大嶼山居民並非漢人，然究竟是傜人、蛋人，抑或是僚人？慶元三年大嶼山居民叛變之內情如何？結果如何？影響其居民之命運如何？實為研究民族史及香港史地之重要問題。然此問題之資料搜集不易，僅能作如下之試證，以就教於博雅君子。

二、大嶼山三種民族之辨證

傜人，是五溪蠻之後[4]。蜑人，原居於陸地，後遷於海邊[5]。吾師羅香林教授謂蜑族源出於越族[6]；僚人，據芮逸夫之僚人考，謂是源出於貴州之烏滸蠻[7]。三種民族同是錯雜於西南黔、桂、湘、粵、閩數省，所以常有混亂，在清代已難以考究。據顧棟高之《春秋大事表》卷394"四裔表"謂南蠻：

"中國往往不能悉舉其號，第稱蠻，曰群蠻，濮，曰百濮以概之；蓋其種類日繁，其地為今某州某縣，亦難可深考"。

因此，常有傜僚混為一族者，據龔柴之《苗民考》：

"苗蠻種類，皆祖槃瓠，或以為傲象之裔，未知孰是。意者各是有所宗歟？其名稱不一，曰夷、曰羅羅、曰苗、曰猺、曰獞、曰獠、曰仲家、曰犵狫、曰龍家、曰犵狑、曰犵獠、曰犵獶、曰犵玃、曰莫傜"。

其實傜、莫傜同是一族，獠、犵獠、犵獶亦同是僚族[8]。又吳震方之《嶺南雜記》：

"獠，即蠻之別種，出自梁益間，其在嶺南，則隋唐時為患。然是時不言有猺，宋以後又不言有獠，意其類分合無定，故隨代異名"。

很明顯地，是書以傜僚同族，至於傜蛋亦常混為一談，據《隋書》地理志：

"長沙郡又雜有夷蜑，名曰莫傜"。

莫傜，即傜人，據廣韻卷2"四宵"：

"猺，獸名，又名莫傜"。

按傜人發源於五溪蠻，五溪即長沙郡所在地。隋書顯然將三者混稱，又東華錄記雍正七年五月壬申上諭：

"粵東地方，四民之外，另有一種蜑戶，即猺蠻之類。以船為家，以捕魚為業，通省河路，俱有蜑船，生齒繁多，不可數計"。

大概宋代大嶼山並非僚人，據宋樂史之《太平寰宇記》卷178"獠"：

"初出梁益之間，自漢中達於卬筰川谷間，所在皆有"。

可知廣東根本不是僚區，但廣東在唐宋以前常有僚人之記載，其實乃是有僚俗之蠻（俚）人而已，據芮逸夫之僚人考（五）"結論"：

"自西元前後，即在今廣西東南、廣東西南及越南東北部散居的，因其習俗或文化頗多和僚人相同或相似之處，遂被一般人誤為僚人"。

至於大嶼山居民是否蜑人，非細加考查不可，因為（1）蜑民是居於海濱，適合於大嶼山地理環境；（2）香港附近，頗多蜑家居住，如新會縣便有蜑戶，據《太平寰宇記》卷157：

"蜑戶，縣所管，生在江海，居於舟船，隨潮往來，捕魚為業，若居平陸，死亡即多，似江東白水郎也"。

廣州亦有蜑人，據周去非之《嶺外代答》卷3，外國下"蜑蠻"條：

"以舟為室，視水如陸，浮生江海者，蜑也。欽之蜑有三：一為魚蜑……二為蠔蜑……三為木蜑……廣州有蜑一種，名曰盧停，善水戰"。

盧停，又作盧亭，據說是東晉末年盧循之餘黨，據唐劉恂之《嶺表錄異》：

"盧亭者，盧循前據廣州既敗，餘黨奔入海島，野居，惟食蠔蠣，疊殼為墻壁"。

又，宋陳師道之《後山談叢》：

"晉賊盧循兵敗入廣，從舟逃居水上，久之無所得衣食，生子皆赤體，謂之盧亭"。

據盧循是東晉末年人，其陷廣州為元興三年（404），至義熙七年（411）自溺死於交州。但在六十多年前常璩著《華陽國志》[9]已有夷蜑、蠻蜑的記載，據《華陽國志》卷1巴志：

"巴都郡……東接建平，南接武陵，西接巴郡，北接房陵，奴獽、夷蜑之蠻民。

"涪陵郡……人贛勇，多獽蛋之民。

"涪陵郡……丹興縣……漢平縣……漢髮縣……諸縣北有獽蛋"。

又卷3蜀志：

"廣都縣……漢時縣民宋辰，字元燕，為巴郡太守，甚著德惠，辰卒官。郡獽民北送及墓，獽蜑鼓刀辟踊，感動路人"。

可知蛋即盧循之裔殊不確[10]。大抵蛋民多居海濱，盧循之部落後亦居於海濱，形同蛋人一樣。正如傳說中明初陳友諒失敗後，其部下被禁登陸遂成蜑民，其附會原因相同。

徐松石牧師謂蜑分二類，據其著東南亞民族的中國血緣第十一章"蛋字出處"：

"作者深信中國的蛋民分二大類，一類是中國原有的土著蛋民，古代長江流域的蛋人，和兩廣的烏浦蛋人、叢浦蛋人，均屬此類；在北方則以吳越為他們的文化核心，在南方則他們的文化淵源與古蒼梧國很有關係，他們與今日的馬來族有相同的血統，因為馬來族是由東南中國移出去的、至於隋唐以降嶺南盧亭人的一部分，則屬於第二大類的蛋族，這第二蛋族乃由占城倒流過來的海獠、第二類蛋族有幾個特點：（1）由海上來，所以多住海島和近海地方而少入腹地；（2）以廣州東南百里東莞大奚山一帶為他們的大本營；（3）生活十分簡陋，與一般齊人接觸較少，性粗暴而善水戰；（4）扁鼻深目，黃睛短髮……上列兩大類蛋民，也可以稱之為舊蛋人和新蛋人，舊蛋人乃早已大量漢化的龍戶，新蛋人乃南部島上向不漢化的盧亭人"。

業師羅香林教授提出蛋民乃是百越族之一[11]，與徐牧師的理論不同。而徐牧師將蛋人劃分為二類，亦待商榷，因：

（1）大嶼山的蜑民自宋以來即告絕跡[12]，而現在分佈於浙、閩、粵、桂各地之蜑民，亦未能找出由大嶼山散佈的證據。

（2）假若居住大嶼山的新蜑人是占城倒流過來的海獠，亦缺乏有力證據，東莞縣志所載大奚山的蜑人：獸形鴂舌，椎髻裸體。與徐牧師所謂扁鼻深目，黃睛短髮不同。

（3）假若大嶼山的新蜑人是南部海島向不漢化的盧亭人，則今日大嶼山應該仍有此種人的存在，有如粵北的傜人，貴州的苗人一樣，事實不然，不單如此，在廣州附近的蜑民，自宋明以來，大部份已受漢化所沾染，如是所謂新舊蛋民的存在，實值得商榷。

作者認為在山居時代的蛋民，自成一族，業師羅香林教授，曾作二百蛋民的體質測驗，據說：其頭髮、骨盤、眼睛等與漢人十分相近，惜調查材料在抗戰時散失；假若在“林蠻洞蜑”時代的蛋民是越族，至唐以後移居水上，與漢人接近，當然日漸漢化；不少蛋民登陸居住而成為漢人，也有不少漢人因遭逢世亂，捨陸登舟居住，久而久之亦成蛋人⑬。所以唐宋以後，作者懷疑所謂蜑民是泛指水上人家，衹是風俗習慣不同而已，是否成為一獨立民族殊為可疑⑭。

三、大嶼山是傜區之試證

廣東既無獠，自唐以後之蜑族，又不可能成為一傜族，則大嶼山居民既是蠻族，自是以傜族的可能性較大，但亦無直接證據，因：

（1）傜人本身無文字，據周去非之《嶺外代答》卷10“木契”：

> “傜人無文字，其要約以木契合二板而刻之，人執其一，守之甚信，若其投牒於州縣，亦用木契”。

因傜人沒有文字，一切記載包括所謂“榜牒”，均是傜區的漢人所代作，資料有限，而此有限之資料中，其可靠性亦成問題。

（2）傜人多數深居在山中，保持自己風習，不易與漢人接觸，正因如此，漢人對傜人了解亦不深。加上歷來輕視少數民族的影響，除了變亂時始加研究外，平時或統稱東夷、南蠻、西戎、北狄，或以其居住環境而別稱峒賊、島夷，或既稱傜又稱畲，既稱蠻又稱夷，既稱狼又稱獞，既稱僮又稱佬，既稱佬又稱仲，混稱既多，後世學者自是不易析辨。

因此，宋時大嶼山之居民為傜族，難找尋直接證據，只有下列二種旁證：（1）由香港附近以至全省均有傜區；（2）宋時廣東有傜亂，現列舉事實如下：

1. 廣東的傜區

A. 香港附近的傜區：

柑坑山：是最接近香港的傜區，據《圖書集成》職方典卷1,302“新安縣”：

> “柑坑山，在七都，周匝四十餘里。昔傜人居之，多產赤竹”。

又阮元之《廣東通志》卷100“山川”：

> “新安縣柑坑山，在縣東北四十里……傜人居之”。

新安縣即今寶安縣，香港原屬寶安縣領土，今日之九龍半島，昔日乃是新安縣五都之地，今日深圳羅湖之間則是六都。至於七都，按王崇熙之《新安縣志》卷2稱：則在東莞寶安交界梧桐山一帶。

《圖書集成》職方典卷1,299“廣州府疆域圖”有柑坑山，在新安縣城之東北、太平嶂之南、赤尾之西北，又香港輔政司署所藏“1866年之新安縣圖Map of Sun On District”亦有柑坑，位於東莞寶安邊界之上。

以上所引諸書均是清代作品，只能證明當時是傜區而已，傜人並非源於廣東，那麼清以前傜人是否已遷來粵省，尚待證明。又明崇禎十三年至十七年任新安知縣周希曜曾條陳"詳免軍需"云[15]：

"看得蠻猺肆虐，致煩興師，奉檄取辦魚鹽之外，又派本縣解米1,500石"。

可知當時新安附近必有傜區，傜亂，始需解米1,500石。此龐大之數目，實非當時縣中所能負擔，故周希曜始上書"詳免軍需"。

在明代廣東傜亂最多，可參考《廣東通志》"前事略"、《圖書集成職方典》，《郡國利病書》等。大概香港附近之傜區，在明中葉時先後討平，據圖書集成職方典卷1,394"廣東猺獞蠻獠部"：

"廣東十郡，惟雷瓊距海，餘皆多山，猺獞峒叢焉……其從化、增城、龍門巢穴者，近雖剿平，亦宜備其出沒，隨宜剪之"。

粵江三角洲附近之猺、獞、狪、獠巢穴，既於明代先後討平，那麼宋代香港附近之有傜區，自有可能。大嶼山雖是一海島，但當日之九龍半島全是一片山脈[16]，與柑坑山傜區相連。傜人依山遷徙，說不定大嶼山之傜區，於南宋時被剿平後，其徒眾流徙柑坑山，至明代時柑坑山傜區再被討平，於是傜人多被同化，而無從稽考了。

曹幕山：在新會縣，據顧祖禹之《讀史方輿紀要》卷101"新會縣"：

"曹幕山，在縣北二十里，上有傜人，墾山為畬，今詳見東莞縣"。

《圖書集成·職方典》卷1,303"廣州府山川"：

"曹幕山，在縣城西北八十里，界高要新興之交……上有猺人，墾山為畬"。

又《天下郡國利病書》又有皂幕山，當是曹幕山之誤，據上書卷103：

"新會縣猺山之一，皂幕山，多向化猺人居之"。

王崇熙之《東莞縣志》山川：曹幕山並無傜人居住之記載；甚至宋王象之《輿地紀勝》卷89廣州府景物下有曹幕山，亦無傜人蠻人居住等記載；疑該山成為傜區，可能是明初時候，該處傜人可能是由西江流徙而至的。

北山：屬從化縣，據《圖書集成·職方典》卷1,300：

"嘗有傜人自漳南來居此山，自云槃瓠之後，持宋元公據為證……所至樹木誅伐無遺，不旬日則山盡赭。近年英德汀漳之人，以耕山種藍為業，時為盜，出沒峒中，猺人始避去"。

又據《廣東通志》卷120"關隘略"、"從化縣"：

"弘治元年，峒猺譚觀福恃險為亂，討平之。縣界有山猺巢穴凡三十五"。

但《讀史方輿紀要》卷101"從化縣"則稱為獠："弘治元年，峒獠談觀福恃險為亂，討平之"。

除了誤"談"為"譚"外，又以"傜"為"獠"。弘治是明孝宗年號，推知該處傜峒可能在宋元之間經已存在，至明中葉以後始消滅。

石人寨傜山，在新寧縣（今台山），據《廣東通志》卷120"關隘"（卷100山川略同）：

"石人寨，在縣東北石人山上，皆猺寨，縣境諸猺寨如石鼓、茅舍、苔村、石人、硎崗、橫嶺、蓮塘、三公逕、倉下、那西、東瓜、沖上峒、萬羅岡、雞頭、懷寧等寨，嘉靖三十年討叛傜"。

又《嘉慶一統志》卷441“廣州府”：

“石人山，在新寧縣東北三里，中有猺寨”。

《讀史方輿紀要》卷101“新寧縣”：

“本新會地，自元季以來，諸猺煽亂，屢征不服，明弘治十一年討平之，因析置今縣”。

新寧縣之傜區，未見載於宋代地理書，但《方輿紀要》謂“元季以來，諸猺煽亂”，可知宋元之間已有傜區存在；同時，該縣自明孝宗弘治十一年平猺後始從新會縣析置出來，至嘉靖卅一年該處再討叛傜[17]，可知當時傜區必廣，傜人勢力必大，始有如此記載：

大羅山：在三水縣，據《廣東通志》卷100“山川略”：

“大羅山，在縣西北一百四十里（黃志，郝志作城西北二十五里），相連者曰小羅山，西接廣寧懷集，猺獞集居其間”。

按大羅山，《讀史方輿紀要》卷101屬清遠縣，並指明山上之龍潭為傜僮賊巢，嘉靖卅六年討平之。

粵江三角洲之傜區，當然不止上述數處，可能所謂蠻區便是傜區，不過未有明顯證據，遂缺而不述。據仇池石之《羊城古鈔》卷5“名宦”。

“陳峴，嘉定元年知廣州事……時獠寇犯界，謀窺州城，峴募勇敢軍，日加訓練，益為備城”。

又據《天下郡國利病書》卷103“峒獠”：

“新會縣西南近海有古兜大山，水陸四達，渦田環繞，蠻獠聚焉”。

按芮逵夫之意見：廣東根本無獠；則所謂獠人寇州城，可能是傜人，那麼廣州附近或有傜區。又吳萊《淵穎集》卷9，有一詩題曰：“新得南海志觀宋季崖山事蹟”中有句云：

“節制通江邏，槍牌集洞蠻……置陳移官港，惟宮泊女灣”。

按官港指官富場，即今九龍之地，女灣即仙女灣亦香港附近地，那麼這“洞蠻”，假若是傜人的話，香港附近及粵江三角洲，崖山一帶亦必有傜無疑了。

《天下郡國利病書》卷103載廣州府內之傜山甚多，但難考其位置，據是卷，“廣州府清遠縣猺山一百有六，自東南從化縣白水坑猺山三十三”：

“瓢湖新巢、三坑巢、舦竹平巢、低經巢、雞公坎巢、西坑巢、香蘆坪巢、風門巢、楊梅坑巢、大茅坑巢、田稱田巢、小水巢、滴水茗巢、車頭逕巢、忠岡巢、走馬峽巢、黃華岡巢、狗大坑巢、逕口巢、乾坑巢、老人松巢、大良新村、新占扛板嶺巢、青龍岡巢、水逕巢、大塘尾巢、三铲田巢、梅坑巢、良峒二巢、朱溪巢、太下巢、蕉坑巢”。

由此可知，廣州府內，即粵江三角洲地帶內，傜區必甚廣闊，不過一時難以考查吧！

B. 東區傜山

興寧：據祝枝山手寫正德《興寧志稿》本“雜記”：

“本縣猺民亦眾，隨山散處，歲輸山糧七石。正統中，六都人彭伯齡能招附猺獞，人服之”。

又《讀史方輿紀要》卷103“興寧縣”：

“大望山，弘治十六年，猺寇起於此，官軍討平之。正德七年，賊復熾，督臣周南破之，赭其山”。

英宗正統，上距明之建國不外七十餘年，可知遠在明初，興寧已有傜區，至弘治年間始被討平。

平遠：據《廣東通志》卷122“關隘略”、“嘉應州”：

“西則有平遠腰古丹竹樓等處，路通長寧、安遠，奸宄出沒，與猺獞等，王陽明剿服始歸化焉”。

潮州府：據《永樂大典》卷5,343引圖經志：

“至正壬辰，下嶺海寇起，與山峒傜獠相扇攻潮陽二縣”。

由此可知，元末時潮州附近必有傜區始有傜亂，又《天下郡國利書》卷103傜獞：

“永樂五年冬十一月，畲蠻雷文用等來朝。初，潮州府衛卒謝輔言：海陽縣（今潮安）鳳凰山諸處畲遁入山谷中，不僅猺賊，乞與耆老陳晚往招之，於是畲長雷文用等八百四十九戶俱願復業”。

又同書同卷潮州府“番猺條”：

“舊志無所考，我明朝設官以制之......實錄謂之番蠻”。

惠州府：《天下郡國利病書》卷103“猺獠”：

“惠州府龍山縣山猺，猺人俱別境來者，居深山中，聽征調，納貢獻，有官長為之撫領”。

按東區潮梅一帶，為廣東開發最早的一區，傜人遷入該區，始於唐初（見羅香林教授之《唐嶺南道行軍總管陳元洸事蹟考》，載廣州大學學報一卷二期）至宋樂史之《太平寰宇記》謂該地“人多獠蠻”[13]，此等蠻獠，可能是傜人。因傜人源於湖南之五溪，分二支遷移入廣東，一自湖南入廣西，轉徙西江南路，一自湖南入粵北，再轉入東區，因此廣東傜區以西江、南路、北江三地最眾，東區及中區之傜山最少，而消滅及同化亦最早。

C. 北江傜山

據《天下郡國利病書》卷103：

“清遠縣自北至連州界猺山三十八（略）；連州並四會縣猺山十二（略）；韶州府曲江縣猺山四（略）；英德縣猺山三（略）；四會縣自北至清遠縣界猺山十五（略）”。

大概北江猺山，直至現在仍有存在，不過作者相信在宋代時北江已有猺區，因是時已有猺亂之故。據《宋會要輯稿》番夷五“南蠻傳”：

“嘉定三年三月十四日，詔劉禹特補承信郎，鄧鼎、鄧鑾、鄧拱、曹舟並特補進校尉，以廣東經略言：禹等收捕韶州九峰峒賊首功，故有是命”。

按傜人往往亦稱峒賊，如《宋會要輯稿》蕃夷五之六十八記嘉定元年郴州黑風峒傜人羅世傳寇邊；但宋史本紀則稱“黑風峒寇”；又如宋史本紀記淳熙三年四月記靖州傜人寇邊，但《讀史方輿紀要》卷82靖州石家堡，西樓驛條則作峒賊作亂，兩者常有混稱，何況韶州與湖南接境，宋時湖南傜人時時寇邊，入侵粵北，故宋代北江有傜山似屬可信。

D. 西江傜山

據《天下郡國利病書》卷103：

“肇慶府高要縣猺山九（略）；四會縣自北至清遠縣猺山十五（略），自西北至懷集猺山十二（略），自東至右康縣界猺山卅（略）；新興縣自西達德慶州猺山廿八

（略），自西北連德慶州猺山七（略），自西至横茶橋界猺山三（略），自東至倉步水界猺山四（略），自東南至獨鶴驛界猺山七（略），自南至陽春縣界猺山四（略），自西南至冬瓜嶺猺山一（略）；陽春縣自西北方界連瀧水猺山九（略），自西連瀧水賀山猺山六十二（略），自西南連電白縣猺山廿三（略）；陽江縣猺山十三（略）；恩平縣猺山七（略）；德慶州金林鄉猺山卅七（略）；悦城鄉猺山十二（略）；都城鄉猺山廿八（略）；晉康鄉猺山七十五（略）；封川縣猺山二（略）；瀧水縣自東南至高要縣、新興縣界猺山十（略），自南至電白縣猺山七，自西南至信宜縣猺山十二（略），自西至廣西梧州府岑溪縣界傜山二十三（略），自西北至連城、岑溪縣界猺山六（略），自北至本州大灣封界猺山卅三（略），自東北至本州新興縣界猺山十六（略），自東至陽春縣界猺山十一（略）；開封縣一都猺山八（略）；二都猺山十三（略）；三都猺山四（略）；四都猺山十（略）”。

西江傜人，多是廣西遷人，據《廣東通志》卷121“關隘”：

“德慶州羅旁上下江道，為兩省咽喉，猺人沿江而剿掠而下，兩江為甚，行旅阻塞，竊以猺所恃者，兩江茂林，潛伏伺劫耳”。

大概西江傜亂，以明代時最為厲害，洪武十二年瀧水傜亂，是最早禍患。而萬曆四年平羅旁傜更為重要，事平置東安、西寧兩縣，改瀧水為羅定州以統之，在《明史》、《廣東通志》、《圖書集成職方典》及《天下郡國利病書》中敘述很是詳細。又據《圖書集成職方典》卷1,349“肇慶府風俗考”：

“語有三：有官語，有鄉語，有猺語”。

猺語竟成一系統，由此可知西江傜區之廣，人數之多，及潛勢力之大了。

E. 南路傜山

南路之傜區並不比西江為少，可能比西江傜人更險惡難馴，所以傜山中有撫傜官，有兵防守，據《天下郡國利病書》卷103：

“化州聽調猺共五十一山，撫猺三名，領兵約五百二十四名（略）；茂名聽招猺共三十一山，撫猺七名，領兵五百三十五名（略），背招猺共五十三名，撫猺三名亦兼領之，約共一百四十一名（略）；信宜聽招猺十五山，撫猺二名，領兵二百三十（略），背招猺共十二山，撫猺二名，領兵三百五十二名（略），險惡猺共五十八名，約兵一千三百八十五名（略）；電白縣聽招猺共二十一，撫猺三名，領兵九百四十二名（略）；信宜縣猺山四十一，自北至岑溪縣接鬱林州界（略）；廉州府東北路抵鬱林州猺人二種（略）；靈山縣猺村廿六（略）”。

大概聽招猺是漢化之傜人，撫傜是傜目，管理傜人的官吏。背招傜是未漢化的傜人，所以有兵防守。險惡傜則是野蠻的，甚至未開化的傜人，所以防守的兵額較多。以上所記南路的傜山，直至清中葉仍然存在，各地方志均可稽考，再推前至明初，本區已有傜人來貢的記載，據《天下郡國利病書》卷103：

“永樂四年春三月，高州府信宜縣六毫峒，下水、三山猺首盤貴等朝貢方物，上嘉其慕儀……六月，高州肇慶二府猺首趙第二、盤貴來朝”。

其實宋代時，湖南廣西的傜亂頗多記載，南路接近廣西傜區，相信傜人流徙不定，則宋時曾移居南路，事有可能。

由於以上事實證明,廣東全省既有傜區分佈,則圖書集成所載大嶼山是傜區,自有可能,雖然未能找出直接證據,但相信圖書集成必有所本,而非憑空臆測之詞。不過少數民族問題,向來為士人所忽視,鮮予記載,遂至難尋找證據而已。

2. 廣東的傜亂

廣東最早有傜人的記載是在北江。唐劉禹錫謫連州時,曾有記載,據《廣東通志》卷93“風俗”:

> “劉禹錫謫連州,作畬田行云:何處好畬田,團團縵山腹,下種煖灰中,乘陽圻茅孽;又作竹枝詞云:銀釧金釵來負水,長刀短笠去燒畬”。

按畬即傜[19],連州之傜可能源自湘省,至北宋時[20]已到達廣州附近。據余靖之《武溪集》卷2:“聞樂駕部度嶺因寄”:

> “久接賢規見準繩,還朝猶聽頌聲勝,安民慮遠疆封靜(註:估計司以傜寇酋豪三十餘人,在州境,君拒而不留,民乃安堵)”。富國材高帑藏增(註:君二歲市銅八百萬斤,銀二十萬兩,一歲鑄錢二千萬貫)。野老賡歌除橫斂(溪鹽場並草虛量十歲出錢千緡以供傜人,君皆罷之)。侍臣交表薦殊能,嶺頭若著關官籍,可察孤清節似水”。

又據《永樂大典》卷11,970“廣州府風俗形勢”條:

> “蔣之奇州學記:境接郡蠻,地居海涘;許致撰魏公遺愛碑:清遠地與莫傜,犬牙相錯,無曠原沃壤,刀耕火種,最為辛勤”。

莫傜即傜人[21],宋時廣州府不單有傜人,而且有傜亂,宋仁宗時湖南傜人曾流劫粵北,據李燾《續資治通鑑長編》卷159:

> “慶曆六年十一月癸未,廣東轉運使言:湖南猺賊千餘人,寇英韶州界”。

按《宋史》卷300楊畋傳:是次傜亂起於慶曆三年,至七年始討平,當時連州一帶似乎受害特大,所以“特免該州民眾為猺害者來年租”[22]。

香港大嶼山,可能是北宋時始為傜人所盤據,雖無直接證據,但紹興年間,其族人已有部份被招降,據《圖書集成方典》卷1,393:

> “高宗紹興七年,招降獠人來祐等,免其供億,並寬魚鹽之禁”。

來祐是朱祐之誤,朱祐是大嶼山之傜人,據上書卷1,300:

> “大奚山……居民不事農桑,不隸征傜,以魚鹽為生;宋紹興間,招降朱祐等,選其少壯者為水軍,老弱者立為外寨,差水軍使臣一員,彈壓官一員,無供億,但寬魚鹽之禁,謂之醃造鹽”。

按傜人雖居於山峒,刀耕火種,此是泛指一般傜峒而已。大嶼山地理環境,適合於魚鹽,故以魚鹽為生亦有可能。當時除了大嶼山外,廣州附近亦時有傜亂,據李昴英之《文溪集》卷1“廣州新創備安庫記”:

> “江湖猺峒錯落,巢險苞櫱,出草無時,裹鹽嘯聚,千百所過,尋釁剽斂,艚傜風濤,出沒飄忽難孰何,水火旱螟,不可謂伙無備,宜豫萬一”。

是文記於淳祐六年正月,可知當時廣州附近不單有猺峒,而且“裹鹽嘯聚”,疑指大嶼山附近傜人,因為傜亂,而須特別設“備安庫”,可知傜人勢力之大。此外,廣州有酷吏捕平民強指為傜賊者,可知廣州附近有傜區,有傜亂。據《文溪集卷》十六“紀事和林尉韻并序”。

“保昌尉陳知章，權廣倅，捕南海平民為猺賊凡卅人，獄將具，余作劄子，露香告於天，而後達於帥閫，不行其言。又以公狀達於憲臺，遠檄循倅潛君審之，然後獄得少緩，林尉汝亢有詩用其韻”。

淳熙年間，方大琮為廣州經略使時，便以治理傜蠻而被稱頌，據《文溪集》卷2“元老壯猷之堂記”：

“公（方大琮）天粹其姿，涵斂圭角，立朝特勁敢言，清名厚德重一世。天子久倚，哯嘔葭萌，調虞猺蠻，治聲休其稱最，行且入為明堂一柱。是堂也，將與潞國之德威、韓魏公之晝錦俱為不朽，額曰：元老壯猷之堂，沿舊名而廣益之也”。

除了廣州府附近之傜亂外，宋時之廣東傜亂亦不少。如：仁宗朝據《廣東通志》卷185“前事略”：

“景祐二年五月，猺獠寇雷化州”。

但《資治通鑑長編》卷116則作是僚人，據上書“甲午，廣南東西路並言：妖獠寇邊，高竇雷化等州巡檢許政死之，遣左侍禁桑懌，會廣桂二州都監討捕”。

慶曆六年又有傜亂，據《資治通鑑長編》卷159：

“慶曆六年冬十月壬申，詔知廣州魏瓘與本路轉運使專提舉捕討蠻猺，若中覆不及者，聽便宜行事。

“癸未，廣東轉運司言：湖南猺賊（按即指唐和）千餘人寇英韶州界，朝廷既用宋守信策，大發兵討捕猺賊。賊遁入郴州黃莽山，由趙峒轉入英韶州界，依山自保，時出抄掠”。

此次傜亂歷時四載，宋史卷493“西南溪峒諸蠻”記之最詳，此為北宋廣東境內最大的傜亂。事平，行羈縻政策，招降其首領為峒主，授銀青光祿大夫，檢校國子祭酒兼監察御史、武騎尉等官。此後，招降政策繼續推行，設溪洞歸明官，使傜人漢化。據《嶺外代答》卷10“蠻俗”：

“凡州峒歸明官，皆稱出宋”。

《宋會要輯稿》卷4,230“蕃夷”更言明徽宗崇寧、大觀以後均有之，據上書：

“紹興二年十月四日，監察御史明槖言：溪洞歸明官，應湖南邊郡及二廣皆有，自崇觀以來，員數寖多”。

大嶼山傜人首領朱祐招降，便是基於這種政策。因此，自宋仁宗以後傜亂略少，但並非絕跡。

高宗朝：據《宋史》卷494：

“紹興九年，宜章峒民駱科作亂，寇郴道連桂陽諸州縣”。

按連是指北江連縣，宜章之峒民即是傜人，知是年廣東有傜亂。又黃佐之《廣州人物傳》卷6：

“廖顒，紹興五年進士，知化州。郴寇李金，嘯聚萬人，圍州城月餘，瀧水猺乘時為亂”。

廖顒何時知化州，未考；既是紹興年間之事，知是時廣東有傜亂。

孝宗朝：據《廣東通志》卷127“宦績”：

"陳均,字子公,平陽人,舉進士,除大理丞,出為廣東提刑。猺寇犯邊,漕帥邀功,縱殺囚數十平民於獄,均審覈盡釋之。帥不悅,媒孽於臺罷去"。

此事,李昴英曾為其鳴冤,據《文溪集》卷15"送廣東憲陳均二首并序"云:

"邱漕陳知章,抑平民為猺,且就刀鋸。陳公伸其枉,全活其眾,反為所誣,遭劾而去"。

寧宗朝:除了大嶼山猺亂外,尚有周廣等輯《廣東考古輯要》卷36"名宦"所載:

"留恭,丞相正之子,嘉泰中通判廣州……後知廣州,傜亂,捕降其豪渠,四十四洞悉平"。

又據《廣東通志》卷270列傳:

"翟卷石,嘉定己巳任瀧水(今羅定)判簿,以忠孝風節勵俗。時遇猺賊作亂,擾及瀧水,卷石不懼險阻,單騎赴猺營,宣朝廷德意,撫降之"。

理宗朝:據《宋史》卷416冷應徵傳:

"景定元年,還知德慶府,前守政不立,縱豪吏漁獵峒獠,遂大為變,逼城六十里而營"。

按慶東之僚是傜之誤,德慶之峒僚當然即指峒傜。大概南宋時湖南傜亂最多,宋史卷494記之最詳,所有傜亂,多是不法之徒,或勾結土豪,欺壓傜人,促成官逼民反。廣東亦有此情形,據《宋史》卷494:

"紹興十五年四月,廣南東路提刑黃應南言:溪洞巡檢尉寨官,不嚴守備,縱民與猺交通,恐啟邊釁"。

每一次猺亂,往往瞬被討平,所以史書未必記載。若流劫較廣時,官府記載又不統一,稱傜、稱蠻、稱僚、稱峒賊,時而不同,若非細加考查、辨證,無法找得直接資料。不過,既有傜區,亦必有傜亂而已。

四、大嶼山傜亂考實

所有傜亂,似乎與魚鹽有關,因鹽是傜山所無,而為日常所必需之食品。據《圖書集成·職方典》卷1,394 "禁通傜條":

"訪得各處有等奸徒,不務本等營生,專一收買魚鹽,指以通山為名,往來傜山,交結接濟"。

紹興年間的大嶼山傜人朱祐被招降時,曾有"免其供億、並寬魚鹽之禁"等記載。按宋代之鹽原是專賣,也許當時有不法之徒勾結傜人販賣私鹽,因此觸犯政府禁令。據《宋會要輯稿》食貨廿八之十九,記孝宗淳熙十年五月:

"五月廿九日詔:大奚山私鹽大盛,令廣東帥臣遵依節次,已降指揮,常切督責彈壓官并澳長等,嚴行禁約"。

又同書食貨廿八之廿四,記淳熙十二年:

"二月十二日,詔廣東水師流領兼以巡察海道私鹽帶銜,每考批書,必會鹽司,有無透漏縱容大奚山私販事節,方與放行。如有捕獲私鹽數目,卻與依格推賞"。

結果,十二年後,便因廣東鹽司峻禁,遂引起傜亂。據《廣東通志》卷185"前事略"引

《倉梧軍門志》：

“東莞縣大奚山，在縣南大海中，有三十六嶼，周三百餘里。居民不事農桑，不隸征徭，以魚鹽為生。宋紹興間，招降其人來祐等，選其少壯者為水軍立寨，水軍使臣一員，彈壓官一員，無供億，寬魚鹽之禁，謂之醃造鹽。慶元三年，鹽司峻禁，遂聚為亂，遣兵討捕，徐紹夔等就擒，遂據其地。經略錢之望與諸司請於朝，歲撥摧鋒水軍三百以戍，歲一更之；慶元六年，復請減戍卒之半屯於官富場，後悉罷之。今有萬姓者為酋長，因名老萬山”。

亦有謂此次亂事，起於廣東提舉茶鹽徐安國，而擴大於錢之望。據兩朝綱目記慶元三年夏：

“大奚山者，在廣東海島中。是夏，廣東提舉茶鹽徐安國遣人入海捕私鹽，島民不安，即嘯聚千餘人入海為盜，劫副彈壓高登為首，揭牓疏安國之罪，掠商旅，殺平民百三十餘人。經略使雷潨與安國素有隙，及是，安國乞遣兵討之，而潨則用錢酒醪以犒勞，且以安國生事聞於朝廷。是月戊子，詔安國別與差遣，會安國上疏自辨；癸巳，詔提點刑獄唐弼究實以聞，於是給事中許及之言統領林墉、彈壓林通造謀以傾安國，詔二人皆罷。七月甲寅，下詔召潨還，既而右諫議姚愈又以為言，又併安國罷之，而弼與宮觀。八月庚寅，以軍器監錢之望為秘閣修撰知廣州；丁亥，以刑部郎中陳研、知潮州陳宏規為提舉，言者復奏島民擅殺平民之罪；辛卯，命之望究治之，之望盡執島民，戮之無噍類，議者或以為過”。

此次傜亂，竟波及廣州，據《輿地紀勝》卷89，“廣州古跡”，“大奚山條”：

“慶元三年，提舉徐安國捕鹽，島民嘯聚為盜，劫高登為首，殺平民三百餘人。經略雷潨與安國素有隙，以生事聞於朝，盡執島民戮之，無噍類，詔罷安國，以錢之望知廣州。象之嘗聞婺之士友鄭岳云：岳曾館廣州，時賊勢猖獗，福昌有延祥寨水軍，海寇畏之。錢帥請於朝，乞差延祥將官商榮將兵以往；而大奚山之人，用水支格以釘海港，官軍不知蹊徑，竟不能入。而島民盡用海舟，載其兵弩，州兵敗止，乘潮達城下，州民散避，會官船水軍善跳船，與賊首遇，乃從檣竿上飛過，斫斷其帆，帆索墜，船不能進，賊船遂沈，高榮因用火箭射之，賊遂大敗”。

按此段記載，所謂雷潨已“盡執島民戮之，無噍類”，後來島民又何能攻打廣州，似乎前後矛盾。實際上傜民攻打廣州不下，始為錢之望所“盡殺，無噍類”矣。據《水心文集》卷18“華文閣侍制，知廬州錢公墓誌銘”云：

“而大奚山盜起，改除秘閣修撰，知廣州。大奚孤峙海中，去州一潮汐，民煮鹽，自業漁採，亡命群聚，吏兵容之非一日，提刑繩之急，怨而為變。諸司法院詔捕前卻，異同紛紜，賊愈橫，遂空巢窟，奪客舟，徑指城下。州人大恐，將逃，公麾諸軍奪擊，一戰殄滅，列柵山下，分兵戍之，微公決策，廣東幾亂”。

傜民雖云被“殄滅”、“無噍類”，可能是進攻廣州那一股。至於大嶼山傜區的傜民，因力量薄弱，或逃往柑坑山，或被招降。據《圖書集成職方典》卷1,393：

“慶元六年，減猺洞之戍屯兵官富場，後悉罷之；按宋史寧宗紀不載。按通志慶元六年，復請減猺洞戍卒之半屯於官富場，後悉罷之；今有姓萬者為酋長，因名老萬山，過真境者悉與魚鹽”。

官富場即今九龍半島南部，所謂附近傜洞是指大嶼山，大嶼山傜區而需戍卒防守，當然表示仍有傜人存在。老萬山是在大嶼山之西，扼粵江入口之地。其地居民亦非漢族，疑是慶元三年以後，由大嶼山遷徙而至的傜人，但老萬山為交通樞紐，所以漢化容易。大概在明代以後，大嶼山、老萬山一帶遂無傜人的蹤跡了。

五、結語

傜是五溪蠻之後，源於湘北，因為其俗"食盡一山復移一山"㉓，所以流徙至廣東自是意料中事。不過傜字始於唐㉔，但歷史上記載傜族則始於宋；那麼，宋以前廣東非無傜人，只是名稱複雜，常與蠻、獠、峒、越混稱，非細加對照、考察，難明其源流。

記載中宋代傜亂最早是在北江與南路，但均是湘桂兩省傜人越境流劫而已。其實慶元三年大嶼山之傜亂，始是廣東最早傜亂，雖然瞬被討平，在歷史上似無多大影響，但若以此考察廣東開闢蠻區，及漢文化之南流，其間所引起之問題甚多。作者研究民族史之日淺，課餘之暇，僅能摘錄出若干資料，懷疑大嶼山的傜區，鉤出宋代若干傜亂事實，希望研究南方民族文化及兩廣史地之學者專家，對此事能加以注意而已。

註　釋

①王崇熙修之《新安縣志》卷4"大奚山"：一名大嶼山，在縣南百餘里，為急水、佛堂門門障山，有卅六嶼，周圍二百餘里。

②以往國人輕視少數民族，從"犬"從"虫"者如猺、獞、獠、蠻、蜑等。1930年9月18日，國民政府渝文字第五八五號訓令：一律改作"人"旁；可參看芮逸夫之《西南少數民族蟲獸偏旁命名考略》。

③圖書集成是修於康熙年間，則此處所謂通志當是明戴璟或黃佐之《廣東通志》，手頭無書，無法證明。

④傜人，源出於槃瓠，以龍犬（狗頭）為圖騰，據《後漢書》南蠻傳謂是族源出於洞庭湖邊之五溪，故謂之五溪蠻。

⑤韓愈：《清河郡公房公墓碣碑銘》有云：嶺外十三州之地，林蠻洞蛋，守條死要，不相漁劫；又樊綽之《蠻書》第十：夷蜑居於山谷，巴夏居城郭，與中土禮樂風俗不同；可知原居陸上，宋以後始水居。參考資料有陳序經之《蛋民研究》及何格恩、伍銳麟、吳永倉、吳高梓、許道齡等論文。

⑥羅香林師之《蛋民源流考》，載於《百越源流與文化》一書中，林惠祥之《中國民族史》第六章亦採是說。

⑦《僚人考》載於中央研究院史語所集刊，第廿八本《胡適先生六十五歲論文集》下冊。

⑧芮逸夫之《僚為仡佬試證》頁345－356。

⑨常璩：晉書無傳，《十六國春秋》蜀錄謂是成都人，《四庫全書提要》謂璩嘗為李勢之散騎常侍。按勢於永和三年（374）降晉，則《華陽國志》成書當在是年前後，比之盧循之自殺約早六十年左右。

⑩陳序經：《蛋民的研究》頁22－25亦懷疑蛋民非盧循之裔眾的證據。

⑪見《蛋民源流考》。

⑫見下文。

⑬陳序經之《蛋民的研究》曾述到從廣州沙南一梁姓蛋戶的族譜中，知因宋時避亂而移居舟上（頁18－19）。蛋民因少受教育，此族譜當然由漢人所追記。然歷代變亂之際，明哲保身之人，或入傜山，或移居舟中，遂成傜人或蛋人之可能性甚大。傳說中盧循裔眾成為盧亭人，陳友諒之部曲九族在浙江不准登陸，遂成九姓漁船，可為旁證。

⑭檀卒之說蠻："蛋人，海上水居人也，其來未可考，以舟為居"。亦可為旁證。

⑮引自《新安縣志》卷22：條議。

⑯見香港輔政司所藏"1860租借地界圖"（Treaty Map of 1860）九龍半島部份稱"處處山崗，為不毛之地"。

⑰《圖書集成》職方典卷1,394，稱是年新寧賊首譚進等劫掠；但《廣東通志》卷10"關隘"，及《讀史方輿紀要》卷1,010載是年傜亂，至於其討伐經過，三書記載相同。

⑱《太平寰宇記》卷159循州風俗："織竹為布，人多蠻獠"。但至南宋王象之《輿地紀勝》卷91：循州風俗形勢條，已刊"人多蠻獠"一句，可知當時蠻區日少。

⑲畬（輋）即傜，最早記載是說蠻，詳見於林惠祥之《中國民族史》第十四章。

⑳許來章之《八排風土記》："連地古無猺。連志載宋紹興間，州鄉宦廖姓者為西粵提刑，及旋里，帶猺八人防道，見連地皆深山峻嶺，易於耕鋤，遂不去，始居州境"，未確；據《廣東通志》卷185"前事略"宋仁宗景祐二年傜寇雷化州；又慶曆三年，傜寇英韶州；均在紹興年間之前，可資參考。

㉑陳彭年《廣韻》卷2"四宵"："猺，獸名，又名稌猺，狗種也"。

㉒《通鑑長編》卷160：慶曆七年春正月壬寅。

㉓《郡國利病書》卷103"猺獞"。

㉔《隋書》卷31：地理志有莫傜。又杜甫有《歲晏行》亦有莫傜的記載；據集韻卷之"宵部"："猺，獸名，一名稌猺，狗種；可知猺字始於唐代。"

第五節　香港的輋村與輋民

一、香港的"方志"

1842年前的香港，屬新安縣轄地。按新安縣設治於萬曆元年（1573）。稽之史籍，《新安縣志》前後纂修共有七次：

（1）明邱體乾於萬曆十四年（1586）任知縣，首次纂修縣志。時設治僅十餘年，是志必異常簡略。今僅存序文二篇（邱體乾與陳果）。

（2）明李元（鉉）於崇禎八年（1635）任知縣，以邱志完成已近五十年，於是倡重修《新安縣志》，增補史事；並聘縣學蔡某、李某、庠友梁棟明等採訪事蹟，似未成書。因李元之序文中曾云："倘異時聖天子有詔取之，以附史館之編集，則可藉乎以獻"。

（3）明周希曜於崇禎十二年（1639）任知縣，重修《新安縣志》。序文曾言共事者有梁生棟明等，可知必有部份沿用李氏舊稿。但原書今亦不存，僅有序文錄於靳、王二志中。

（4）清康熙九年（1670）知縣李可成亦曾倡修縣志。尤以時在復界之後，變更甚大。但李可成任知縣幾五年，在任期中，臺灣鄭氏餘黨李奇等流劫濠涌、瀝源、屯門等地，至十三年（1674）始平定。於是"爰命太史、采風陳詩，勒成一書，昭茲束許"。但是書現亦不存，僅存其序文於靳、王二志中。

（5）清康熙廿七年（1688）知縣靳文謨聘教諭黃衮裳、訓導許光岳及邑進士鄧文進纂修成十三卷《新安縣志》。現知僅大陸（北京、徐家匯天主堂兩圖書館）及日本（內閣、國會兩圖書館）各存一套而已。

（6）嘉慶廿四年（1819）知縣舒樊官主修、王崇熙總纂，成《新安縣志》，共24卷。此志藏本較多，在大陸約有十套（科學院、天津、南京、中山、華南師範、嶺南大學、上海、廣東省立、廣州市立中山圖書館、財政經濟出版社），臺灣成文出版社於一九七四年影印出版，而香港殷商黃承業先生熱心地方文化，更兩次排印二千冊分贈本港各機關、學校，故在本港流傳最為普遍。

（7）1930年，邑人鄔慶時有志於地方史事，並發表所定寶安縣（民國後改新安縣為寶安縣）之寶安志例言，擬分縣地、縣民、縣官、縣政、縣事、縣文、縣物、縣志八綱。所收集資料不少，惜志未成而鄔氏病逝，而原稿亦於抗戰時遺失。

自1573年新安設治開始，至1842年成為英國殖民地，中間幾二百七十年，《新安縣志》所載香港的事蹟雖不多，但已是香港前代史最主要的根據。

萬曆元年以前，新安屬東莞縣。目前《東莞縣志》前後共有十二套：

（1）陳伯陶的《東莞縣志》102卷，另附沙田志4卷，1921年刊印，國內外藏本甚多。最近臺灣學生書局影印出版。

（2）彭仁傑的《東莞縣志》46卷，黃時沛輯，刊於嘉慶三年（1798）。今北大、中大、廣州中山圖書館所藏。

（3）范文安修的《東莞續志》二冊，嘉慶四年（1799）修，見於阮元《廣東通志》藝文略。今佚。

（4）周天成的《東莞縣志》14卷，雍正八年（1730）修。今祇有故宮博物院存一套。

（5）郭文炳的《東莞縣志》14卷，文起靈纂，康熙二十八年（1689）刊，今祇日本東洋文化研究所及內閣文庫有藏本。

（6）張二果輯的《東莞縣志》殘卷，崇禎十二年（1639）刊。（李景新之《廣東研究參考資料敘錄》，有《東莞縣志》，崇禎已巳（1629），郭文炳纂。疑有誤）。

（7）明黎弼撰的《東莞鹽場志》，雖以鹽課為主，而山川、人物、風土、藝文俱備，見於阮元《廣東通志》藝文略。此書今佚。

（8）喬浩修的《東莞縣志》，見於明黃泰泉文集，今佚。

（9）劉存業輯《東莞縣志》15卷，見於黃佐的《廣東通志》藝文略。今佚。

（10）盧祥輯的盧中丞《東莞舊志》殘卷，天順八年（1464）刊。今故宮博物院、東洋文庫、日本國會圖書館及美國國會圖書館均有藏本。

（11）明佚名的《東莞縣志》，輯於正統四年（1439）。今佚、僅存序文一篇。

（12）元郭應木的《東莞縣志》輯於皇慶二年（1313）。今佚、僅存序文一篇。

大概從明末至割讓於英國之前，香港前代的歷史，主要是載於《新安縣志》中。至於明及明代之前，香港當然是荒僻之海濱。不過在海防上的價值相當大，雖祇有一鱗半爪的記載，卻可窺知香港的本來面目。

按秦始皇平定南越，設南海郡，今日香港之地屬博羅縣之地，有無人居住，已不可考。漢代此地屬番禺縣，又置司鹽都尉於東官場，隸轄今日沙頭角至大鵬灣一帶鹽場。晉咸和三年（328），將東官場置東官郡；此地屬郡下之寶安縣。隋開皇九年（589）廢東官郡，以寶安縣通隸廣州，至南宋時始稱東莞。此時期廣東仍被中原人士視為蠻荒之地。而香港更是在廣東瀕海最僻地帶之一，除有若干地名與國防有關，略有記載外，仍是一片空白，無可稽考。宋明以後,今日香港地區始略有史事之記載。故研究香港前代史事可以用東莞、新安兩縣志為主,而不必上溯至番禺、博羅等方志。

二、香港的族譜

今日香港地區何時有人居住?若根據族譜記載,應始於趙宋時代。但趙宋以前,唐設有屯門鎮,玄宗時吳令光之亂,屯門鎮發兵討平之;當日屯門鎮轄地甚廣,由南頭至大鵬灣一帶均屬之。故知當時必有人在本區居住。再上溯漢末晉初,此地屬東官場,設有司鹽都尉府。當時之東官郡,據黃佐的《廣東通志》謂:治寶(新)安縣。那麼今日沙頭角至大鵬灣,南頭至后海灣一帶之鹽場均隸屬之。故推測當時亦有人居住,不過是時之居民多為漁夫、鹽丁、或蛋戶、輋(畲)人。由於他們本身知識低落,無族譜流傳而已。

香港之族譜搜集是近十年之事,由美國家譜學會委託香港大學轉請先師羅香林教授負責,所得均藏於馮平山圖書館中。大英博物館Mr. Howard Nelson根據馮平山圖書館所藏至1976年為止,共有族譜九十四種①。羅教授逝世後本人繼其工作,直至1982年9月底止,共搜集得族譜二百餘種,其中屬香港區域者有一百三十二種,幾四十三姓②,鄧姓、李姓族譜均佔十四種之多,以後順序為陳姓十二種,林姓七種,溫、黃、鍾姓各五種。若以時代分,則:

(1)宋代(七種):
侯氏(上水、河上鄉)
彭氏(龍山)
黃氏(南頭、雞栖、長州)
鄧氏(原村)
鄧師儉堂(錦田圭角山)
鄧氏完亮公家譜(錦田。其譜內又分宗仁房、宗和房二種)
鄧其璠家譜(錦田)

(2)元代(六種):
文氏(禾坑)
廖氏(上水樟木頭、烏溪沙)
廖氏(屯門、雙魚境內)
鄧氏(龍躍頭)
陶氏(屯門青磚圍)
陶氏松友祖家譜(屯門泥圍)

(3)明代(十種):
李氏(烏蛟騰)二種
吳氏(元朗大井、深井)
侯氏(上水金錢圍)
陳氏(社山)
陳氏(里山布堡)

彭氏（粉嶺）
鄧氏（屏山灰沙圍）
溫氏（粉嶺龍躍頭）
黎氏（大浪灣蠔涌、塔門）
（4）清代（107種）
刁氏（新村）
文氏（新田）
文氏（田寮、馬灣）
文氏（梧桐寮）
丘氏（荃灣）
河南丘氏（麻雀嶺）
朱氏（西貢）
朱氏（大磡村）
李氏（西貢）
李氏（荃灣大屋圍）
李氏（西貢北約十四鄉峯下）
李氏（掃桿笏）
李氏（新安圍、汀角頭）
李氏（深涌）
李氏（上水）
李氏（船灣涌尾）
禾坑李氏（烏蛟騰、禾坑、三擔籮）
烏蛟騰李氏（烏蛟騰）
李氏（錦田、蓮花地）
李氏（粉嶺）
成氏（西貢孟公屋）
成氏（西貢大水坑）
何氏（梅窩、大蠔）
何氏（大嶼山杯澳新村）
屯門林氏（屯門小坑、大嶼宴朗）
林氏（去凹尾、紅石門、牛角涌）
林氏（大浦坑下莆村）
林氏（祠屋村）
林氏（竹園浦岡村）
吳氏（沙頭角）
吳氏（九龍城東頭村）
吳氏重修族譜（九龍城衙前圍）
丙岡侯氏（十八世遷金錢村）

邱氏（林村、梧桐寮）
胡氏（錦田、馬鞍山）
胡氏（馬鞍岡）
俞氏（汀角黃麻布）
袁氏（梅窩）
徐氏（梅窩）
徐氏（石壁圍）
徐滿喜徐氏家族部（石壁圍）
徐氏（新安攸小村）
白沙澳翁氏（白沙澳、下洋、大草浦）
馬氏（大埔碗窯村）
陳氏（葵涌三棟屋）
陳氏（社山）
陳氏（鹽田角）
陳氏（粉嶺林村）
陳氏（馬灣田寮）
陳氏（青衣島）
陳餘慶堂（青衣島涌尾）
鹿頸陳氏（鹿頸、蠔涌、淺灣、馬鞍岡）
陳四必堂（荃灣三棟屋）
潁川堂陳氏（荃灣）
張氏（荃灣老圍）
張氏（杯澳老圍村）
張氏（杯澳咸田村）
大埔沙羅洞張氏（大埔沙羅洞）
郭氏（大嶼山白芒）
郭氏（大埔大麻鄉）
黃氏（沙田小瀝源）
黃氏（沙頭角鎖羅盤）
黃氏（西貢白沙灣）
黃氏（沙頭角）
懷南祖馮氏家譜（青龍頭東鄉村）
傅氏（深井）
傅氏（荃灣青快塘）
曾氏（西貢上麻嶺）
曾氏（荃灣九華徑）
曾氏（梅窩）
鄒氏（梅窩、大蠔）

葉氏（麻蓮坑）
葉氏（荃灣海壩村）
溫氏（沙頭角陶子峴村）
溫氏（柴灣角半山村）
溫氏（西貢蠔涌）
榕樹澳溫氏（井欄村、蠔涌）
楊氏（荃灣油柑頭）
楊紹金祖族譜（荃灣楊屋村）
廖氏（上水）
翟氏（馬頭圍）
趙氏（新田）
劉氏（吉澳）
劉氏（西貢大頭環）
粉嶺馬尾下簡頭村劉氏（麻蓮坑、禾徑山）
白沙圍劉氏開基族譜（屯門白沙圍）
鄧氏（荃灣石圍角）
鄧氏（橫台山）
鄧氏（大嶼山塘福村）
鄧氏（屯門望田村）
鄧氏（青衣島藍田）
鄧氏（葵涌和塘盟）
鄧氏總族譜（新界）
黎氏宗族譜（西貢坑口水邊村）
鄭氏（城門圍、官口、鹽田）
荃灣鄭氏（城門村）
蔡氏（田富子村）
鍾氏（西貢玉竹山）
潁川堂鍾氏（大埔大峯山村）
鍾氏（荃灣海壩村）
大旗嶺潁川鍾氏（元朗）
大埔林村鍾氏（林村坪朗）
藍氏（香港仔鴨脷洲）
藍氏（塔門）
謝氏（西貢沙涌尾）
羅氏（八鄉濱台山羅屋村）
顧氏（香港仔）

以上四十三姓一三二種族譜中：

（1）全部是香港地區的原居民為主（寄籍香港的未計算在內），其到達香港地區的時間是根據其族譜之記載，可能略有錯誤。

（2）以上一百三十二種族譜中，有宗譜、族譜、家譜，甚至有些表面大部分雷同，其實是同家族中的分支而已。

（3）以上所載的地域分佈，主要是該族聚居之地，或最初到達香港的居地。

香港六百多萬居民，即使原居民亦超過一百萬以上。但族譜的搜集頗為困難，原居民部份是水上人家，根本無族譜；有族譜留存者，經戰亂而喪失者頗多。近數十年來，工商業發達，而不重視譜系，加以青年往外地謀生，流動性大，族譜無繼續撰寫。至於由辛亥革命至1949 年間，移居本港的人，根本未携族譜前來。此外，仍有部份鄉人不肯輕易將族譜借出，故數年之間，僅能搜獲得百餘套而已。

三、香港地區族譜、方志中所具之“輋”

香港地區有以“輋”字作鄉村名稱的，據香港政府1975年出版的地名辭典（A Gazetteer of Places Names）有：

禾輋——內有上禾輋、下禾輋兩村（沙田區）

坪輋——（粉嶺區）

南輋（蛇）——（西貢區）

南輋頭——（西貢區）

輋頭——（大網仔）

輋腳下——（坪洲）

橫輋——（西貢蠔涌）

藍輋——（大嶼山東涌）

大芒輋——（在大帽山）

再上溯至1866年的新安縣全圖，除以上十處輋村外尚有：

南輋尖（即南輋頭）

上輋（在林村附近）

下輋（在林村附近）

大輋（在沙田附近）

此外，鄰近香港的有：

南輋（在大鵬灣的西貢附近）

輋下灣（在大鵬灣）

社輋（梧桐山北）

在1819年王崇熙的《新安縣志》卷3，官富司，所屬村莊，有：

上下輋

官富司管轄的客籍村莊有：

大輋尾

大芒輋

上下輋

1688年靳文謨的《新安縣志》卷36都（按當時五、六、七都轄地，在今香港區域內）有：

山嘴輋

七都有：

社（？）輋口

以上見於方志中的“輋”，都是村落名稱。但在族譜中記載其先人壙地，亦多有以“輋”為名的山嶺地帶。如：

青衣島陳氏族譜載：“十九世祖永亮陳公，與妻劉氏，合葬青衣盲婆輋”。

粉嶺林村陳氏族譜：“尚鳳公遺下烏浪頭輋壹所（此輋是指山嶺地，因另一頁寫作浪頭草嶺）”。

荃灣傅氏族譜：“十四世祖雲台公遷新安縣快塘，其妻邱氏葬大輋，十六世祖婆李氏葬新安縣滿江輋”。

掃桿笏李氏族譜：“十四世祖婆葬於九龍尖沙咀，同治八年改葬，土名下輋窩戍山”。

陳氏大宗譜：“十二世分房祖妣葬於黃泥輋”，“十五世分房祖容生公……妣葬於白沙灣輋面”。

馬尾下村鄧氏族譜：“六世祖文公葬在輋坑村”，“十七世祖啟珍公葬龍岡輋山後”。

粉嶺圍村彭氏族譜：“十五世祖新福公葬於坪輋”。

西貢壁屋村成氏族譜：“十四世祖崇科公妣黃妙一娘葬梅輋”。

此外，有若干地名如“蛇”與“輋”同音，未知是否相同，未敢決定，故不錄。此處所引之“輋”，非“村名”，而是“山嶺”的地名。如白沙灣輋面，便是面向白沙灣的山嶺等。此外，尚有多處。總之，族譜中的“輋”，非村落，乃是山嶺而已。

四、輋的含義

1. 輋村與輋氏

輋是廣東的俗字，正確應是“畲”，原是瑤（猺）族的分支，其所聚居的地方稱“輋”村。如“客家村”是客籍人居住的地方，“蛋家灣”是蜑民船隻停泊之所一樣。

輋字的記載，早在唐代或更前，但廣東的輋人，始於宋末，《文文山全集》有載潮州“輋”人。黃佐的《廣東通志》載潮州有畲猺。《廣東新語》記澄海有輋戶。徐松石牧師認為“輋”分佈在廣東東部最多；沈作乾認為在明代征西南部傜人後，部分東徙而至贛粵之間，南下折而東向，入閩、浙。其實，在宋末，廣東潮州已有輋民的記載，不過由粵東而入閩浙的推論，是合理的。

以輋作地名的例很多，如“楊海畲”、“麻畲”（廣西）、“畲田橋”（湖南），香港的輋族居住地方，與地理有關；如“坪輋”（平坦地方），上下禾輋（上下是指山腰及山麓，禾是指種稻的地方），南輋（是指居於南方，如是，附近應有輋村稱北輋或東輋等），或有以姓氏聚居的，如藍輋（按輋族以藍、雷、盤為大姓、鍾是女婿姓，後加胡、侯、林、李等姓）。至於大芒輋，則是居於大芒的輋民而命名。

2. 輋民與輋田

輋,除了表示民族外,同時亦可指"輋田"。《廣東新語》卷7:"澄海山中有輋戶,男女皆椎跣,持挾鎗弩,歲納皮張,不供賦。有輋官嶺其族……海豐之地有"羅輋",曰"葫蘆輋",曰"大溪輋",興寧有"大信輋",歸善有"窯輋"……潮州有"山輋",其種有二:曰平鬃、曰崎鬃"。阮元之《廣東通志》卷330,謂:"嶺海之畲,刀耕火種,近海則通番,人崗則通傜"。據《粉嶺林村陳氏族譜》:

"尚鳳公遺下烏浪頭輋一所,共三十二坵,俱照三房均耕"。此輋便是指"輋田"。

《西貢劉氏族譜》:"十二世祖諱壽略……輋三石"。此三石應是輋田之田租。按"輋田"有類梯田,又稱"旱田",較為瘦瘠。黃佐《香山縣志》"土田",謂橫琴附近有輋田,租率最低。此即所謂"輋糧"。據《粉嶺林村陳氏族譜》:

"尚鳳公......永和份下耕輋壹拾二坵,錦和份下耕輋壹拾壹坵,國和份下耕輋壹拾二塊(坵)……每年輋糧無歸尚鳳,租嘗完納"。

香港的族譜多於記載世系、葬地,衹有記載田產的始能窺知與輋田關係,而且據筆者調查,香港之輋村,衹承認是居於輋田之人,而非輋人。蓋輋人與漢人接觸日多,漸次漢化,與齊人無異。甚至有人學、取有功名者。如沙頭角陶子峴村溫氏族譜:"嘉慶十四年,丁輋(地名)有:庠生溫象德、監生溫肇熙"。故其後人恥於承認是輋人,但耕於輋田之人,多是貧窮的人。故香港輋村的居民,可能是輋人後裔,但耕於輋田的人,可能是貧窮的原居民而已。

3. 輋田與蛋民

蛋,一作"蜑",亦是猺人的另一支。唐時有"林蠻洞蜑"的記載,知是時的蜑是陸居。但自宋以後,始游居水上,以艇為家。有以漁爲業稱"蠔蛋",有以採珠為業稱"烏蜑戶"。郭棐之《廣東通志》卷70"蜑民":"東莞、增城、新會、香山、以致惠潮尤多"。香港四面環水,原是蛋民集居之地,靳文謨之《新安縣志》載明知縣周希曜條議:"照得新安造窨蛋,各事本業"。

按窨,是指煮海鹽為業,當時不少豪強,欺壓漁蛋。據前書:"新安一面負山,三面通海,民間以海為田,以漁為防"。香港東面有"蛋家灣",當然是蛋氏集散之地。彭人傑的《東莞縣志》卷8:"蛋社有十二,在新安省今有二"。

按《西貢濠涌大浪西灣黎氏族譜》曾自言是水船世系:

"塔門棑仔下蛋夫之祖墳,諱進祐公,原是陳村墟思橋水上人,由到新安塔門星公為業"。

又《西貢坑口水邊村黎氏族譜》亦載:

"(原居)東粵城府州(似是廣州府)潘偶縣(似是番禺縣)司(市)橋人,往新安縣九龍司塔門营謀,生意興盛,娶妻何氏,落航為蛋戶"。

此二譜是同源的分房譜。據前譜云:"請黎亞書抄此族譜",當然可能有誤。而且,蛋戶根本無族譜,衹有"紅布"。顯然此黎氏已是棄船登陸、居住已久之原居民,但自承是蛋戶之後,而即使是登陸之後,仍兼營漁鹽為業。如《粉嶺陳氏族族譜》尚鳳公,前引有輋田,同時:

"尚鳳公祖遺下船隻罟網"。

又《新安趙氏族譜》(趙國富族譜):

"十七世祖勝福、海業田園、可值七八仟元之數"。

"十八世祖冠發、經營海利"。

"十八世祖冠徒、海業田園,可值千兩"。

"海業",包括漁與鹽,香港前代居民多以漁鹽為生。在歷史上,宋高宗時大奚山(今大嶼山)島民以漁鹽為生,其酋長萬姓,其居住之地,後稱老萬山。按當時之大奚山,有三十六島嶼,除大嶼山外,兼包括萬山群島,島上居民稱島民,亦稱"傜人",也可稱"蛋民"。因政府有漁鹽之禁,居民無以為生,於是慶元三年(1197),島民叛變,曾擾及廣州,知廣州錢之望討平之,"盡殺島民無噍類","並於官富場屯兵戍守之"。明洪武十四年,蛋戶萬人,據海島為亂,政府招安為軍(郭文炳《東莞縣志》)。此海島顯然是大嶼山一帶。以後,水上蛋民常受欺凌,直至雍正七年(1729),仍有恩恤廣東蛋戶之上諭,載於《廣東通志》及《新安縣志》中。

"粵東地方,四民之外,另有一種名為蛋戶,即傜蠻之類。以船為家,以捕魚為業……粵民視蛋民為卑賤之流……并會特有司勸喻蛋戶,開墾荒地,播種力田"。

蛋民上岸,多居於港灣附近,港灣附近必無平原,其山地可耕種者多是輋田,故耕輋田者多是蛋民。何況輋,蛋、傜,均是同源,只是居地不同,職業不同而已。

蛋民另一職業則是採珠。五代南漢時,設有媚川都,即今日后海灣至大埔一帶。募兵能採珠者三千人,設於水中數十丈以下。珠之所在,必有水怪,而設於水中,往往未及採珠而已七竅流血、窒息致死。元張惟寅曾上書請廢之云:

"珠池本屬蛋蠻,日與珠居而饑寒藍縷,甚於他處……若用官司立為定額,歲時採撈,必須盡數拘制蛋蠻,俾其父兄子弟,皆就死地,人情豈堪?必相率逃去"。

可知,今日之后海灣附近,大埔及西貢,宋時已是蛋民居住的地方,而當時蛋民人數,在三千人以上,可謂眾多。而大埔附近林村一帶,清代仍有輋田、輋村,故推知蛋民登陸,可能無耕輋田,聚集而成輋村了。

總而言之,香港之"輋"字,包括輋民、輋田,並與蛋民有密切關係。輋本身無文字,一切記載,靠漢人代書,或其後代子孫而有知識者追記之,不無錯誤與可疑之處,僅提出以就教於高明之士。

Vol. No.	Village (and Gazetteer reference)	Surname
1.	Ping Shan (p.163) 屏山	Tang 鄧
2.	Tang Clan Association Handbook (Hong Kong Branch) 香港鄧氏宗親會特刊	Tang 鄧
3.	Ping Long (p.199) 坪朗	Chung鍾
4.	Sha Lo Tung (p.197) 沙螺洞	Cheung 張
5.	Economic Survey of Ping Shan (p.163) 屏山1956.	
6.	Chung Mei (p.193) 涌尾	Lei 李
7.	Siu Kau (p.194) 小滘	Lei 李
8.	Chung Pui (p.193) 涌背	Lei李

9.	Kam Chuk Pai (p.194) 金竹排	Wong 王
10.	Nai Tong Kok (p.193) 泥塘角	Lei 李
11.	Tai Kau (p.194) 大滘	Lei李
12.	Wang Leng Tau (p.193) 横嶺頭	Lei李
13.	Unidentified	Tang 鄧
14.	Sheung Shui Wa Shan (p.206) 上水華山	Liu廖
15.	Lung Yeuk Tau (p.209) 龍躍頭 Chau Wong Yee Yuen Temple Accounts 周王二院廟帳	
16.	Liu Clan Association Handbook (Hong Kong Branch) 香港廖氏宗親會特刊	
17.	San Tin (p.203) 新田Man文	
18.	Lung Yeuk Tau 龍躍頭 Chau Wong Yee Yuen Temple Accounts周王二院廟帳	
19.	Nga Tsin Wai (p.123) 衙前圍	Ng吳
20.	Sheung Shui (p.206) 上水	Liu 廖
21.	Liu Pok (p.205) 料壆	Fung馮
22.	Nga Tsin Wai (p.123) 衙前圍 [N.B. This is another copy of the last 1/3 of No. 19]	Ng 吳
23.	Ho Sheung Heung (p.205) 河上鄉	Hau侯
24.	Chuk Yuen (p.123) 竹園	Lam林
25.	Ha Tsuen (p.164) 廈村	Tang 鄧
26.	Kam Tin (p.172) 錦田	Tang 鄧
27.	Lung Yeuk Tau (p.209) 龍躍頭	Tang 鄧
28.	Ho Chung (p.139) 蠔涌	Wan溫
29.	Unidentified	Tang 鄧
30.	Unidentified	Tang 鄧
31.	Tai Hang (p.200) 大坑	Man 文
32.	and 34.Tong Fuk (p.78) 塘福	Tang 鄧
33.	Fan Pui (p.73) 墳背	Fung 馮
35.	San Shek Wan (p.80) 磧石灣	Mo毛
36.	Pak Sha Tsuen (p.166) 白沙村	Lau 劉
37.	Ma On Kong (p.172) 馬鞍崗	Wu 胡
NOTES AND QUERIES		
Vol. No.	Village (and Gazetteer reference)	Surname
41.	Tong To (p.217) 塘肚	Yau丘
42.	Shek Pik (p.73) 石壁	Tsui徐
43.	Tap Mun Sheung Wai (p.244) 塔門上圍	Lai 黎
44.	Ha Yau Tin (p.167) 下攸田	Tsui徐

45.	Sham Chung (p.192) 深涌	Lei 李
46.	Sham Chung (p.192) 深涌	Lei李
47.	Chung Mei (p.193) 涌尾	Lei李
48.	Kei Ling Ha San Wai (p.183) 企嶺下新圍	Ho 何
49.	Kei Ling Ha San Wai (p.183) 企嶺下新圍	Ho 何
50.	Pak Sha O Ha Yeung (p.189) 白沙澳下洋	Yung翁
51.	Lo Uk Tsuen (p.171) 羅屋村	Lo羅
52.	Chuk Hang (p.170) 竹坑	Tang鄧
53.	Shek Po Tsuen (p.163) (2 vols.) 石埗村	Lam林
54.	Kan Tau Tsuen (p.212) 簡頭村	Lau 劉
55.	So Lo Pun (p.219) 鎖羅盆	Wong黃
56.	Mong Tseng Wai (p.165) 輞井圍	Tang鄧
57.	Lo Shue Ling (p.215) 老鼠嶺	To陶
58.	Tai Po Tau (p.174) 大埔頭 (Tai Po Shui Wai (p.174)) 大埔水圍 (Not a genealogy: listing of ritual forms etc.)	Tang 鄧
59.	Kau Tam Tso (p.194) 九擔租	Lei李
60.	Heung Sai (not in New Territories)	Cheung張
61.	Lung Kwu Tan (p.160) 龍鼓灘	Lau劉
62.	San Tin (p.203) 新田	Man文
63.	Lau Clan Association Handbook (Hong Kong Branch) 香港劉氏宗親會特刊	Lau劉
64.	Sam Ah (p.221) (4 vols.) 三椏	Tang鄧
65.	Che Ha (p.183) 輋下	Lei李
66.	She Shan (p.200) 社山	Chan陳
67.	Kat O (p.221) 吉澳	Lau劉
68.	Yung Shue Au (p.219) 榕樹凹	Wan溫
69.	Hang Ha Po (p.200) 坑下莆	Lam林
70.	Fan Leng (p.208) 粉嶺	Pang彭
71.	Fan Leng (p.208) 粉嶺	Pang彭
72.	Wai Tau Tsuen (p.200) 圍頭村	Cheung張
73.	Tai Kei Leng (p.167) 大旗嶺	Chung鍾
74.	Tin Sam (p.171) 田心	Tsoi蔡
75.	Ha Wo Hang (p.216) 下禾坑	Lei李
75.	[Duplicate]	
76.	Kwu Tung (p.205) 古洞 [Moved from Sham Chun Area.]	Lei李
77.	Sha Lo Tung Lo Wei (p.198) 沙螺洞老圍	Lei李

78.	Lin O（Map ref. 070854）	Lei李
79.	Ha Tsuen（p.164）廈村	Tang鄧
80.	Kat Hing Wai（p.172）吉慶圍	Tang鄧
81.	Kat O Au Pui Tong（p.221）吉澳凹背塘	Lam林
82.	Sheung Tsuen（p.171）上村	Tse謝
83.	Nai Wai（p.162）（2 vols.）泥圍	To陶
84.	Ng Uk Tsuen（p.169）吳屋村	Ng吳
85.	Ping Yeung（p.214）坪洋	Chan陳
Later additions		
86.	San Tin（p.203） （Provided by Dr. James L. Watson）	Man文
87.	廣東番禺潭山許氏族誌	許
88.	Unidentified surname	Taam 潭
89.	Possibly from Kwan Mun Hau, Tsuen Wan （Courtesy of Dr. Graham E Johnson）（U.B.C.）	陳
90.	四必堂陳氏族譜誌（the same as 89）	
91.	A 1st generation Cheng Group now living in Hong Kong City （Received from Dr. H.D.R. Baker）	鄭
92.	賴氏族譜（Mainland China）	賴
93.	Sheung Tsuen（p.171）［黎氏族譜］	黎
94.	Census of Lin Fa Tei Village（p.171）drawn up for the Ta Chiu of 1967 （From Mr. H.G.H. Nelson）	

註　釋

①PRELIMINARY LIST OF THE BAKER COLLECTION OF NEW TERRITORIES GENEALOGIES IN THE BRITISH LIBRARY

②統計：鄧姓（十四套）、李姓（十四套）、陳姓（十二套）、林姓（七套）、黃姓溫姓鍾姓（五套），其餘四套的有文、吳、徐、劉四姓，三套的有曾、丘（邱）、廖、侯四姓，兩套的有彭、陶、黎、鄭、何、藍、郭、成、朱、楊、傅、胡、葉十三姓，此外蔡、羅、翁、馮、俞、顧、翟、刁、趙、馬、謝、袁、鄒均衹一套。

第六節　論少數族群中的母權問題

根據社會發展史，人類的家族演進先有母系社會Matrilineal Family or Matronymy，因為原始社會是亂婚的；"父"不可辨認，家族中自然以母為領袖①。但文化人類學家卻認為母系與母權有所分別，首領地位的承襲雖可由女姓繼承，但實際的權力卻不在女性手中。Matronymy（母系）與Leadership（權力）有所不同，因從來不曾有過婦女擔任過酋長，或列席部落會議②。並以印度卡西族Khasi為例，其世系遺產及繼位都是母系。酋長則由兄弟或長姐的兒子繼承，亦即所謂“舅父統治制” Avunculate，顯然的是受摩根Lewis Henry Morgan 的《古代社會》（Ancient Society, or Research in The Lines of Human Progress from Savagery through Barbarism to Civilization[3]）中第十四章 Change of Decent from the Female to Male Line 所影響，其中轉變的關鍵是：

1.從畜牧社會進至農耕社會。

2.婚姻進至配偶制，血源清楚，奠定父子的關係。

3.農業興起，男性的體力適宜於父子合作耕耘，取得財產較優的分配權。

4.女性的地位，漸漸為男性所代替[4]。

不過，不論是林惠祥抑或是摩根所引用的資料，都非中國的史料[5]。故中國的母系與母權社會是另一型式。

中國古代“知有母而不知有父”，那是母系社會，其特徵是：

A. 在母系社會中，一氏族的男子，必出嫁到別族作其女性的丈夫，故其家系的繼承以女系為主。如三代之前所有氏族領袖，其姓氏均與“女”字有關，如姚（舜）、姬（周）、姒（夏禹）、嬴（秦之始祖）、姜、姞、嫪等。

B. 男子出嫁（入贅），因嫁而得“姓”。歷史上傳說，黃帝有子二十五人，得“姓”者十四人（姬，酉，祁，己，滕，箴，任，荀，僖，姞，儇，依十二姓）。按：其中可能有二兄弟同入贅一氏族。舜子孫分十二姓。祝融之子也分八姓[6]。

大概中國古代社會“母系社會”未出現“母權社會”，戰爭時的領袖酋長固然以男性充當為主，甚至未有婦女列席“部落會議”（如林惠祥的文化人類學註2）[7]。

至周代，中國社會結構有一大轉變：

1.封國賜姓與配偶制的婚姻，於是產生以男子為主的“姓源”，有以“國”為氏（姓），以封地為氏，以官爵為氏，以王父之字為氏，遂奠定以男子的姓氏為主的社會。

2.宗法制度的推行，產生多妻制，繼承逐“嫡庶”之分，奠定男性為主的“嫡長子”地位，婦女地位因此低落。

3.家長制的形成奠定男性的地位，周代的家長有四種統治權：（一）嫡長子祭祖時的主祭，表彰在家族上的地位。（二）對子女有懲罰權。（三）財產的控制權。（四）妻妾為家庭中的附庸[8]。

至漢代“重儒術”產生了維持家庭中家長的專制權威，即“重男輕女”。家長除有經濟特權外，思想上有控制的特權，又有嚴格的“家規”、“家訓”及“尊卑之禮以維持其地位”[9]。

自漢以後，一家之家長，擴至一族之族長，擁有一家一族的特權。魏晉南北朝時之“世家大族”，主宰社會上的政治經濟的權力，甚至影響及倫理思想，是中國社會上一大特色[10]。

大概兩晉六朝，政府有“圖譜局”鑑定各家譜牒。言譜牒者，重選政（九品中正），志在分門第之高低。晉至唐，譜牒亦為門第婚姻之根據，對姓氏之由來，考訂特詳，故曰“大宗譜”時代。五代大亂，官譜散失，加上科舉制，打破以前的門第制度，言譜學者，以可見之世（始遷祖）為準，是為“小宗譜”時代。歐（陽修）、蘇（洵）倡為“宗譜之法”，以“宗法”治譜學，明清學者襲之[11]。所謂“宗法制”。其根本是重男權，加上宋明的理學觀念“男尊女卑",用倫理而規範社會風俗及個人的行為[12]。尤其是將女性的尊嚴、權利、自由加以極端之壓抑[13],自然不可能有"母權"的出現其中。雖然北魏的胡太后、唐之武后、清之西太后等少數例子,那根本是與胡族胡俗有關而已。

相反,在少數族群中,尤其是鮮受漢文化影響的時代,未具理學中"男重女輕"之薰陶,固然有女酋長存在,女權亦重,即使未能全面性的稱"母權社會"[14],至少亦可補充演進學派之説,母系中亦有"母權"的存在。試分論之:

一、隋唐時代

按漢時,據屈大均之《廣東新語》264條,有交趾女子"徵側,徵貳(女酋長)稱麋冷王,據女真、日南、合浦三郡",但事蹟不詳,六朝至唐時,廣東溪峒首領馮冼氏之事蹟最為明顯[15]。

按:隋唐時,廣東仍是蠻荒之地,為朝廷謫宦及罪犯流放之所[16]。當時廣東之溪洞勢力主要有:

(1)西江中游的陳氏(佛智、龍樹、集原)三代。

(2)西南欽廉一帶的寧氏(猛力、長真、寧宣、寧純、寧道明)。

(3)閩粵間的陳氏(陳政、元光、陳犴)[17]。

(4)粵西南部的馮冼氏。

按:冼氏(譙國夫人或誠敬夫人),是嶺南溪洞嶺袖,正史[18]、方志[19]、墓碑[20]均謂:"世為南越首領"。《廣東通志》更謂為"俚人",即土著之謂。雖然《嶺南冼氏宗譜》(冼寶幹纂)謂原是中原士族,殊不可靠[21]。冼氏自東晉至蕭梁百餘年間,均為嶺南溪洞的領袖,故夫人的本傳[22]謂"世為南越首領,然夫人之父為誰,正史、方志及墓碑,均未有明言[23],似乎仍屬於"民之有母而不知有父"的母系社會。

夫人年約二十[24],婚於另一溪洞領袖馮寶。按:馮寶似亦非漢人,據《新唐書》馮盎傳(夫人之孫)謂馮氏源出於北燕,馮宏(鮮卑族)之後,宏在高麗遇害後,其子業浮海至番禺。按:崔鴻《十六國春秋》載:高麗俘得馮宏時,連其妻女皆掠去,馮氏後裔鮮有漏網者,且馮業是否馮宏之子待証。業之孫為馮融,融之父為誰,又不可考[25]。融之子馮寶,即夫人之婿,其孫盎《舊唐書》本傳稱"累為本部大首領",《新唐書》則列盎於"諸夷番將傳",可知其祖馮寶與冼夫人之婚姻,乃"二大溪洞"的聯婚而已。

馮冼兩大溪洞的聯婚,其中以冼族勢力較大,地盤較廣,而且冼夫人在未婚之前有兄冼挺,但領導權卻在夫人手上[26]。故與《文化人類學》所言"中國未有握有實權的女酋長出現",有所不同。

夫人不單是握有實權的女酋長,且武功彪炳[27],如拒高州刺史李遷仕之陰謀叛變,夫人反而與陳霸先會合,平歐陽紇之亂[28](時夫人已屆六十餘高齡);陳亡,嶺南未有所附,數郡共奉夫人為聖母,保境安民。時夫人勢力已伸至廣州,隋因遣韋洸安撫嶺外,夫人之孫馮魂師眾迎至廣州,廣東始入版圖[29]。及後,番禺人王仲宣反,為夫人另一孫馮盎所討平[30]。於是夫人被冊封為"譙國夫人"。置幕府,沐邑1500户(在今海南,當時的振州),嶺表遂平。

夫人逝於隋文帝仁壽二年(602),年九十一歲,謚"誠敬夫人"。以後馮冼二溪洞發展各不同。馮族方面,馮僕(夫人之子)先於夫人卒(陳至德年間),孫馮魂亦先於夫人卒,馮暄在征王仲宣時,因貽誤軍機被夫人扣押,後平反任羅州刺史,子孫無大發展。另一支馮盎,繼承夫人之漢化政策[31],佐中央政府平定嶺南,故顧亭林謂:"隋唐之際,馮冼內屬,荒梗之俗,為之一變"[32]。而馮盎於討平王仲宣時,以功封高州刺史,隋煬帝時,潮州、成州(今開封)等五州"獠反",奉命討平之,這是"以夷制夷"之政策。不單如此,更隨煬帝出征遼東,深得中央的信任。煬帝被弒後,馮盎與子智戴從北方任所返回嶺南故里,討服當時的溪洞(俚帥楊世略林士弘高法澄冼寶徹),擴大地盤,佔有番禺、蒼梧、朱崖等地[33]。武德四年(621),唐已統一北方,派李靖為嶺南招撫大使。翌年,嶺南溪洞楊世略以循、潮二州降,寧長真、鄧文進以欽廉州降,馮盎亦以其屬地降,置八州為郡縣,封其子智戴為春州刺史,智彧為東合州(今雷州半島),智岱為潘州刺史(今高州),智戣為高州刺史[34],而智戴之子(或云乃智戣之子)君衡[35],孫元珪[36]亦有武功,因以追贈。按:武后臨朝時,誅滅豪族,因避禍,易姓高氏。又高力士雖是君衡之子,但君衡之次子元珪既易姓高,那麼,力士"少養于馮家",是否由兄撫養(或過繼),待考[37]。

按:馮氏數世均與中央(隋唐)合作,自然顯赫一時,此是冼夫人漢化之功。[38]相反,另一溪洞族群,即夫人娘家之冼氏卻走相反路線。夫人之兄冼挺,與夫人之政治意向不同,常"掠奪旁郡",經夫人勸止,於是走海南,"海南、儋耳歸附者千餘洞"[39]。

按夫人婚馮寶後,冼氏溪洞未能與中原政權合作,如隋亡時,冼寶徹及侄智臣附林士弘為馮盎所討平[40]。雖然馮盎之事唐,亦非真心,仍有矛盾[41]。

馮冼兩溪洞人物,於晚唐後日漸式微,其中馮氏人物較多。冼族人物,因漢化較淺,人物遜於馮氏,明凌迪知《萬姓統譜》載:宋代冼氏人物,著者有三,明代有十,加上《廣東通志》之數人,亦不外十餘人而已[42]。至於馮氏。因與中央政府合作,出仕者多,人物亦較盛,各種"姓氏書"均有載,可以檢視[43]。

二、五代

據屈大均《廣東新語》(1974,香港中華書局版),五代時,有李氏者,雷州人,時遭亂世,李氏勇敢有謀,眾皆信服,遂推之以為主帥,號寧國夫人。又有屈氏者,東安人李溙之妻,溙以總兵官戰歿,屈氏代領其眾,以功拜參將(卷八,264條)

以上二位女將,非溪洞人物,其居地,當時乃是蠻荒之地,漢文化不深,仍能率眾作戰,亦顯示"女(母)權"之旁証。

三、明代少數族群之女酋長

1. 貴州之奢香

元代四川永寧宣撫司之宣撫使(土司)奢氏之女(無父名),婚於貴州黔西黔部六十六世土司靄翠為妻,明建國後,升為貴州宣慰司使,位在宣慰使之上[44]。洪武十四年(1381),靄翠去世,奢香因其子年幼,代襲宣慰使,是為"女酋長",當時貴州都督馬煜(一作馬曄,漢人)壓抑土人,驅使土官,土兵開闢驛傳(道),欲使土著激怒,俟其反而加以兵,盡誅諸酋,代以流官,於是彝族四十六部,咸集於(奢)香軍門,願助香反[45]。此時,貴州宣慰司同知妻劉淑貞,一方面勸奢香不可妄動,一方面偕子上京師控告馬煜的罪惡與陰謀,並建議皇帝召見奢香。洪武十六年(1383),奢香偕土酋隨劉淑貞到金陵,揭發了馬煜的陰謀,結果馬被處死。奢香回貴州後,完成政府的志願,修築二條驛道,縱橫貴州,連接湘、川、滇三省,促進邊區政治、經濟、文化的發展。洪武廿九年(1396),奢香卒,誥封為"大明順德夫人"。清代於大定縣建"大明順德夫人之墓",以紀念其功蹟[46]。

2. 廣西的瓦氏夫人

夫人本姓岑,生於明弘治九年(1496),為歸順州(今廣西靖西)土官岑璋之女,婚於田州府同宗土官岑猛為妻,改姓瓦氏,通兵法。嘉靖六年(1527),岑猛被指叛亂,為明軍征討,岑猛父子(子邦彥,瓦氏之子)殉難,孫岑芝襲職,因年幼,由瓦氏代領其事(代行酋長職務),時年僅三十餘歲。在職期間,招集流亡人口,穩定社會,發展農業,修建義學教育子弟[47]。嘉靖29年(1550),岑芝被征調往海南討黎陣亡,瓦氏又撫育岑芝之子大壽,大壽死,再撫育其弟大祿。一切政務,由瓦氏主持,所謂"州之利弊,躬為規劃,內外凜然"[48],是握有實權而精明的女酋長。

時倭寇為患東南。嘉靖三十三年(1554),政府征調"俍"(狼兵)時,瓦氏年近花甲,以子死孫幼,請於督府,願以身代,督府壯之,授瓦氏女官參將,統兵南畿[49]。瓦氏治軍嚴明,所屬不犯民間一粒,軍門下檄,輒親視居亭民訴,部屬奪酒脯者,立捕殺之[50],而作戰時,身先士卒,常攜兩把大刀,位於前線。嘉靖三十四年(1555),三月至六月,大破倭軍[51],告捷後回鄉,僅一月病逝。清時建墓碑紀念之,尊之為"抗倭女英雄"。

在少數族裔中,握有實權的"女酋長"應不少,但能"立功、立名"後世者不多。此外如周去非《嶺外代答》卷二"海外群黎":

> "在宋代,如王二娘者,黎之酋也,夫之名不聞,家饒於財,善用其眾力,能制服群黎……瓊管有令於群黎,必先下達王宜人(王二娘賜封宜人),無不帖然。二娘死,女亦能繼承其業"。

而傜(猺)族,亦有女兵,其領袖未知即"女酋長"抑"女將",但能握有實權無疑。據《粵西叢載》卷廿四"䊢娘盛飾"條:

> "猺女握兵符者,得冠偏鬟之玉,披紫鳳之裘曳蝶綃,佩文犀之印,望之若神人焉"。

"雲䊢君兵法"條:

> 雲䊢娘相思寨,兵既能以少擊眾,部置之法,將千人者,得以軍令臨百人之將;將百人者,待以軍令臨十人之將;一人赴敵,則左右大呼夾擊,一伍爭救之;一人戰歿,左右不夾擊,立斬,一伍之眾皆論罪及截耳;一伍赴敵,則左右夾攻之,一隊爭救之;一伍戰歿,左右伍不夾擊者,即斬,一隊之眾皆論罪及截耳。

又如廣西儂智高之母呵儂,稱"大南國皇太后",表面上非"女酋長",但大南國一切雄謀大略,多出呵儂之謀[52]。

四、母系與母權

在社會發展史上，最早出現是“母系社會”（但未能與母權社會並論），以後發展至父系社會，繼而宗法制度，擴大父權，產生了“父系父權的社會”，是以漢文化為中心的“男尊女卑”產生的結果。但在少數族群中，漢文化影響未深，男女較為平等，女權未被壓抑，遂有握實權的“女酋長”出現。不過，未能發展成為“女系女權”社會。當然，也不能說並不存在，在現代的少數族群中，仍有若干例證：

1.黎慶長的《黎岐記聞》序：

> “其俗賤男重女，有事則女為政……遇有事，婦女主之，男不敢預也。
>
> “（黎人）言語不合，輒持弓矢標槍相向.......有婦人從中間之，即立解。
>
> “黎人有糾紛時，雙方和解，各派寡婦一人為代表而和解之。”

2.李霖燦的《麼些研究論文》（臺灣故宮博物院1984出版），在雲南永寧縣（號稱女兒國），是行母系社會。

（1）母系社會所生的孩子，知母而不知有父，小時靠母親，長大成人靠情婦，不能獨立成門戶。

（2）老百姓的家庭，是母女相傳（承）的，男孩子都附屬於自己的母親及姐妹，有時候也擔當一些事情，那是代理性質。

（3）財產繼承是母傳女。

（4）夫從妻居。

（5）男子成年後便離開家中找女朋友，生活在妻（或女朋友）家。死時，也由女朋友焚化，永不回到自己家中。即使回到出生的“家”中，也倚靠自己的母親與姐妹而已。父親不知自己的兒女，因他到處流浪，在一個女朋友家住，若過了一段時間，為女“遺棄”，又到另一家“上門”（入贅）。女方沒有一定的“男相好”，男的也沒有永恒的“女朋友”，所以永寧人的詞彙中，無“父親”一詞⑱。

由女系進至父系，再進至“父系父權”社會，以“家長制”為一大關鍵。另外，“入贅制”則為“母系”一些遺跡，在現代的《廣西風俗志》（1984年版）中：

> “入贅遺留”成員，改從妻姓，所生兒女，繼承女家宗祧。岳父死，則像其親生的兒女，披麻帶孝。
>
> “男入贅時，一切儀式或聘禮，均由女方準備。
>
> “1958年（西林縣）入贅佔當地婚姻50%。”

大概在少數族裔中，並不賤視女性，於是有才幹的女性，產生了“女酋長”並未喪失其地位。不過，是否“普遍化”“全面化”而構成“社會型”仍待考証。“禮失求諸野”在少數族裔群中，“父系、母權”仍是存在，此可補“社會發展史”論述的不足。

註　釋

①《白虎通》：古之時，未有三綱六紀，民知有其母，不知有父……伏羲為正五行，始定人倫。

②林惠祥《文化人類學》（商務印書館1934年初版，1991新華書店再版）第四篇原始社會組織，第五章，母系，母權，父系，父權。

③是書初版於1877World Publishing Co., Cleveland ,Ohio USA,至1963及1967由Meridian Printing USA再版,但反對摩根的梅因Henry Main 的《古代法》(Ancient Law),提出“父權家族”。後來演變成為“漸進學派”Evolutionary-School學者如波蘭特Post、麥克倫那McLennan及摩爾根等認為先有母系進而有父權。

④參考摩根的《古代社會》(1967年第十四章p.355)。

⑤林惠祥的資料:是易洛魁族Iroquois即印地安人,與印度的卡西族Khasi、希臘人Greek愛奧尼亞人Ionian Gnuke。

摩根的資料,來自羅馬帝國以東。而至印度,包括西亞、中東,至於印度、中國祇粗略的言,那是“亞細亞生產方式”,對“方式”的內容,卻無具體的述說。

⑥吳澤:《中國歷史簡編》(重慶峨嵋出版社,戰時版,1946上海再版)第二章“史前原始公社制的社會組織與家族形態”,及范文瀾的《中國通史簡編》(1965年人民出版社第四版)修訂本第一編p.88-92。

⑦另有陳子怡之《中華民族的女系時代》(收於李又寧、張玉法編《中國婦女史論文集》第二輯,臺灣商務印書館1988 年版)曾提出,伏羲、神農是男性抑女性,須加討論。因中國習慣,女主中饋,而庖犧之號,實司其職。其後一代,又有女媧,明是女性,其孫后炤,亦有女之嫌,因“后”古作“居”,乃女子生子之眾(p.6)。另具見解,僅錄予參考。

⑧楊亮功《中國家族制度與儒家思想》台北《食貨月刊》復刊十一卷四期。

⑨王玉波的《歷史上的家長制》(一九八八台北谷風出版社)。

⑩“中國譜學之源流及其分期試探與新譜學建立芻議”(見本書第二篇第一章)。

⑪潘光旦《宗譜與宗法》,轉引自刑永川編《中國宗譜縱橫談》廣西教育出版社1993版及《潘光旦的民族論文集》1995北京版。

⑫可參考龔鵬程:“唐宋族譜的變遷”(臺灣國學文獻社編《第一屆亞洲族譜學術研討會議紀錄》及“宋代譜學與理學”(第二屆的會議紀錄)。

⑬如:婦女有“七出之規範”、“女子無才便是德”、“餓死事小,失節事大”,正史中古代之列女傳,傳至宋以後改為“烈女傳”等顯示婦女的地位降低。

⑭巴霍芬Bachofen 之“母權論”Des Mutterecht反對非爾默氏Filmer的“父權論”Patriarchal (轉引自林著《文化人類學第四篇第五章》及後折衝而成的演進論派Evolutionary 認為先有母系,發展成為父系根本否認“母權”,且母權之重並非“全面”與“連續性”,未能構成系統的“社會”。

⑮拙著《隋譙國夫人事蹟質疑及其漢化之研究》(本書第四編人物專題甲)。

⑯《唐書地理志》:“嶺南道諸蠻州九十二,未能具名者達五十八。而武后前後,流放於嶺(廣東)多是宗室、外戚及宰相,本意在欲置於死地。宋代謫宦,流放於廣東者更多。可參考拙文“宋代廣州為對外貿易的轉運站”註34(見本書第四編史事研究甲)。

⑰陳集原事蹟見郭棐《粵大記》卷26“嶺外武”及民國修的《羅定志》,而《舊唐書》卷188更謂陳集原“世為嶺表酋長”。先師黃福鑾教授之《唐陳集原將軍及其先世與陳霸先關係》載廣東省立文理學院學報vol.1, no.1,可以參考。

⑱《北史》卷九十一《隋書》卷八十有傳。

⑲如明清二代六套《廣東通志》(戴璟、黃佐、郭棐、金光祖、郝玉麟、阮元)及《高州府志》(萬曆、康熙、乾隆、道光、光緒)、茂名縣志(康熙二套、雍正、嘉慶、光緒及民國)。

⑳唐張說之“譙國夫人玄孫君衡墓誌銘”(文苑英華卷950),明嘉靖“重修譙國夫人碑”,康熙《誠敬夫人傳記碑》,同治《冼太夫人記碑》(以上據張均韶《高州縣文物誌》稿本。

㉑見註15,始祖冼勁事蹟乃引自歐大任之《百越先賢志》卷四,但略去歐志云:“世為部曲,顯然是割據自雄的酋長,由東晉至蕭梁百餘年間,冼氏乃是嶺南大溪洞領袖”。

㉒《北史》及《隋書》本傳。

㉓據《嶺南冼氏宗譜》冼勁第七代德安（居高州）、德仁（居電白），其中之一為夫人之父，但仍未能確定（註15）。

㉔據王興瑞的《冼夫人與馮氏家族》（中華書局1984年版）附錄一，謂二十四歲婚於馮寶。

㉕北燕建國者馮跋《晉書》卷125，小字乞直伐（胡名），《魏書》卷97直稱"海夷馮跋"。跋之季弟為馮宏，宏之子未有名業者，業之孫為馮融（業之子為誰，缺），馮融於蕭梁時為羅州刺史，按：羅州乃馮盎降唐時始建，盎乃馮融之曾孫，相距超過百年，殊不可信，即使追贈，但馮融乃溪洞首領無疑。

㉖據《北史》及《隋書》本傳："夫人兄南梁州刺史挺，恃其富強，侵掠旁郡，夫人多所規勸"。

按：蕭梁時無"南梁州"疑是蕭梁時的"高涼"（羈縻州）之誤。又：夫人之堂（叔？）兄本琮、本琦、本璜遷海南另謀發展，可知在高涼附近的冼族，以夫人為領袖（酋長）。

㉗《隋唐》本傳云：李遷仕召馮寶欲作人質，為夫人所識破，而與陳霸先會合而平亂，而王興瑞所言更詳（見註24）。

㉘《隋書》本傳："廣州刺史歐陽紇謀反，召馮僕（夫人之子）誘為亂，僕遣侍歸告夫人，夫人曰：我為忠貞經二代，不能惜汝，輒負國家，遂發兵拒境帥百越酋長，迎章昭（陳將）內外逼之，紇遂潰散"。

㉙黃佐《廣東人物志》卷二，"馮融（曾）孫魂以所部八州降"。

㉚見《北史》、《隋書》本傳及《資治通鑑》：是役夫人親披甲，乘介馬，張錦傘，領彀騎。廣西各溪洞，如蒼梧首領陳坦、岡州馮岑翁、梁化、鄧馬頭、滕州李光略、羅州龐靖等，皆來參謁，嶺表遂平。

又：王興瑞（見註24）云：王仲宣其人"慕容三藏傳"稱"嶺南酋長"；《通鑑》則稱"番禺夷"；"裴矩傳"稱"俚人"，可知此役仍是"溪洞之戰"。

㉛參考註15。

㉜《新唐書》卷一百十，馮盎傳：

"（唐）高祖析為高（今茂名）、羅（今化縣）、春（今陽春）、白（今博白）、崖（今海南）、儋（今海南）、林（？）、振（今陵水）八州"。

按：《元和郡縣志》卷三十四，載今海南"崖、瓊、振、儋、萬安五州"，振州即隋之臨高，疑本傳之林、振二州，即臨高，而缺瓊州，因萬安州乃龍朔三年始析置。

㉝據光緒《高州府志》卷四十八。

㉞馮盎有子三十人，正史本傳無"智岱、智戣之名與封地，茲據大歷十二年之《高力士殘碑》（王昶之《金石萃編》卷一百補上），而高州與潘州，是同一地域，因時代而異名待考。

㉟據《隋唐墓碑百種》（1944上海書畫出版社）第七輯云：君衡似無大功蹟，因孫元珪之故，追贈"潘州刺史"。

㊱據上註（註35）"高元珪墓誌"云，本荊州都督智戣之孫，廣州都督君衡之子。

㊲王興瑞云（註24），馮盎尚有一子智式，其侄（猶子）子猷（傳附於盎傳）為一方豪強，子猷未知是否即子游。但以輩份而論，子猷乃馮暄之子，高力士與子游、子猷關係如何，待考。

㊳夫人拒與廣州刺史歐陽紇合作時，曾謂其子馮僕曰："我為忠貞歷二代"，所謂"忠貞"乃忠於漢文化而已，故被冊封為譙國夫人。敕書云："夫人以直道訓子孫，敦崇禮教，遵奉朝化，以副朕心"。

㊴見《北史》《隋書》本傳。

㊵見《新唐書》馮盎傳。

㊶王興瑞云：（註27）"馮兄弟與唐王朝之矛盾"條，述之頗詳。

㊷宋有冼積中、冼雲舉、冼一龍，明有冼用行、冼尚文、冼文淵、冼桂芳、冼桂彥、冼桂奇、冼思謙、冼喜謨、冼照、冼明任，加上《廣東通志》所舉明代之冼光、冼二等。

㊸甚至唐天寶中鑒真和尚遇風飄至海南，有州官馮崇債、馮若芳率甲兵迎送鑑真，南宋時有馮光地及其子馮細哥均馮盎後裔（海南大學唐玲之教授的《論海南馮氏族譜》補正史缺略的貢獻）手稿。

㊹引自《大定縣志》永西安氏本末條。
㊺引自謝啟晃、胡起望、莫俊卿之《中國少數族歷史人物集》（1983民族出版社）第二冊。
㊻《奉議縣志》瓦氏傳。
㊼據《廣西土官岑氏譜》。
㊽據嘉慶《廣西通志》瓦氏傳。
㊾據汪森《粵西叢載》卷二十四。
㊿同註49。
51見註45。
52《黎族簡史》（1982廣東人民出版社的《中國少數民族簡史叢編》）。
53《麼些研究論文集》十五："永寧麼些族的母系社會"。

伍　附録篇

History of Genealogy in America

Richard E. Turley Jr. and Craig L. Foster*

I. GENEALOGICAL AWARENESS IN EARLY AMERICAN CULTURE

Interest in genealogy and family history has been an integral part of American culture and history.① As the early immigrants stepped onto the shores of the New World, they brought with them a keen awareness of their ancestry. For those of noble lineage who settled Virginia, their genealogy was a mark of status. Most of the "ruling families" of this state were headed by younger sons of "eminent English families" who, having no hope of inheritance in the old world, set out to make their fortunes and create their own dynasties in the British colonies.②

New England settlers, on the other hand, viewed family and genealogy in religious terms. Much like the ancient Hebrews, Puritan settlers believed that they were God's chosen people, and their early ministers preached that the children of these believers would be blessed. Puritan minister William Stoughton, for example, proclaimed: "The Books that shall be opened at the last day will contain Genealogies among them. There shall then be brought forth a Register of the Genealogies of New-Englands sons and daughters."③

These intense Puritan interests in family and genealogy, with both moral and religious overtones, continued well into the nineteenth century. Harriet Beecher Stowe observed:

Among the peculiarly English ideas which the Colonists brought to Massachusetts, ... was that of family. Family feeling, family pride, family hope and fear and desire, were, ... strongly-marked traits. Genealogy was a thing at the tip of every person's tongue, and in every person's mind······ "Of a very respectable family", was a sentence so often repeated at the old fireside that its influence went in part to make up my character.④

Varying influences of spiritual and social standing prompted prominent families and people like George Washington and Benjamin Franklin to maintain an interest in genealogy. Moreover, organizations such as the American Antiquarian Society, founded in 1812, collected and studied genealogical records.⑤

During the 1820s and 1830s "a growing number of the prominent inhabitants of the old communities along the Atlantic coast devoted considerable time to genealogical investigation. Persons of local eminence turned to family history as a source of status and for evidence of ancestral heroism."⑥ New Hampshire printer and genealogist John Farmer wrote in 1829 that it was a "curiosity among many of the present generation to trace their progenitors, in an uninterrupted series, to those who first landed on the bleak and inhospitable shores of New England."⑦

With the significant increase of Irish and German immigrants in the early 1800s, native-born Americans of English extraction sought forms of Anglo-Saxon exclusiveness. These individuals relied on their genealogy to distinguish themselves from these "foreigners."⑧

Notwithstanding the notion among common eighteenth - and nineteenth -century Americans that genealogy carried the "aura of an aristocratic pastime" for people trying to separate themselves from newly arrived immigrants and the common people, genealogy continued to be an important part of life for a broad range of Americans. In 1771 the twenty-four pages Stebbins genealogy became America's first published genealogy. During much of the seventeenth, eighteenth, and nineteenth centuries, young American women " spent months documenting family members by producing samplers, painting mourning pictures, or creating needlepoint."⑨

Women in early America often assumed the role of passing on traditions, values, and mores, including preserving the "network of family ties, linking the past to the present." Such preservation efforts frequently entailed keeping family records in a Bible. Special events, names, and other information were often recorded in a Bible, which was then passed down, often to the eldest daughter, form one generation to another.⑩

II. PATRIOTIC AND HEREDITARY SOCIETIES

During the first few decades of the nineteenth century, America witnessed the "social , economic, and demographic changes associated with the shift from a largely rural, agricultural society to an urban industrial one." This change dramatically altered the work structure of a family. No longer did family members labor together to provide for themselves; instead the father worked outside of the home, and the mother and children were left to take care of the household duties.⑪

The real and perceived challenges posed by the Industrial Revolution prompted popular and religious writers to portray the home as a refuge from the problems and corruption of the outside world. The new emphasis on home and family, as well as distinction of gender roles, was in response to "anxieties generated in a period of chaotic change." The "sense of political and social crisis" prompted "a fear that the structure of social hierarchy and political order were in danger."⑫

The "tightly bound family culture of the Victorians was part of a quest for stability" in American life. This renewed emphasis on the family unit was often described in nostalgic and romantic terms. What is more, the efforts by an emerging middle class, with newly gained wealth and more leisure time, to reinforce accepted ideas of respectability, gentility, and family unity extended into the pursuit of genealogical activity through patriotic and hereditary societies.⑬

In 1844 the New England Historic Genealogical Society was founded by a group of Bostonians concerned about the destruction of public and family documents. The Massachusetts legislature "approved the society's incorporation and granted it a charter [in March 1845] 'for the purpose of collecting, preserving and occasionally publishing genealogical and historic matter relating to New England." Among the society's early members were former United States President John Quincy Adams and noted historian George Bancroft.⑭

In 1847 the New England Historic Genealogical Society began publishing the New England Historical and Genealogical Register, the first quarterly periodical featuring genealogical studies. This society collected and published information concerning some of the original New England families. In 1862 the society published A Handbook of American Genealogy, being a Catalogue of Family Histories and Publications containing Genealogical Information, the first bibliography devoted to genealogy. In 1870 the society finally acquired its own building and moved its ever-growing collection.⑮

The latter half of the nineteenth century witnessed the proliferation of genealogical, hereditary, and patriotic societies. Americans have long been complex and, quite often, contradictory in their apparent attitudes toward class and rank distinctions. On the one hand, they have expressed pride in their democratic roots and the so-called equality of the American frontier. On the other hand, they have been fascinated with the prestige and trappings of royalty and nobility.

One genealogist reflected on the absurdities of some Americans' paradoxical approach to genealogy:

> *Had the Mayflower really carried all the passengers that have been claimed as ancestors, it would of course have sunk within sight of England, and had as many colonial Americans possessed royal blood as has been claimed, surely we would not have fought the Revolution. Furthermore, if the claims of genealogists of the early 1900s could be believed, the officers considerably outnumbered the privates in the war for our independence.*⑯

Contradictory attitudes and pronouncements notwithstanding, Americans experienced a phase in which a number of organizations were created to commemorate their heritage.

Some of the hereditary societies formed in the United States reflected the "basic American penchant for proclaiming equality while practicing exclusiveness." These societies included the Order of the Crown in America (1898), consisting of descendants of royalty; the Baronical Order of Magna Carta (1898); and the National Society of Americans of Royal Descent (1908). As late as 1952, yet another hereditary society with connections to royalty was created–the inglorious Descendants of Royal Bastards.[17]

Some less "noble," but certainly just as hereditary and lineage–oriented, societies founded in the late nineteenth century were the Sons of the American Revolution (1889), National Society of Daughters of the American Revolution (1890), Sons of Union Veterans of the Civil War (1881), Daughters of Union Veterans of the Civil War (1885), Colonial Dames of America (1890), United Daughters of the Confederacy (1894), and General Society of the Mayflower Descendants (1897).[18]

The period between 1870 and 1900 has been referred to as the era of "the American joiner" as large numbers of Americans turned their interests to civic, religious, and other organizations. Joining organizations gave people feelings of belonging and purpose and provided a means of recapturing and retaining a part of an America that had disappeared or was in the process of doing so. Such was the case with the Daughters of the American Revolution, the Sons of Union Veterans of the Civil War, and both the Daughters of the Confederacy and the Daughters of Union Veterans, organizations created to remember fathers and grandfathers.

A number of people in the rising middle class were affected by this movement. In the process of capturing and honoring the past, enjoying more leisure time, and enhancing their respectability, these individuals proved to be helpful for genealogical research during this "joiner" phase of American history. Their renewed interest stimulated the publication of family and local histories, together with the collection and preservation of church, as well as government, records.[19]

The appreciation of the importance of government records and local histories was heightened during the re–emergence of nationalism occasioned by the observance of America's centennial. Prior to the centennial, published local histories had been virtually nonexistent. After the nation's centennial celebration, however, a renewed awareness of the country's founders prompted the preparing of a number of local and state histories. This was certainly true in New England and the southern states. Significantly, federal officials, recognizing the individuality of the country's various regions, encouraged state and local societies to celebrate the centennial by preparing local histories.[20]

Of special note were the writing activities of Massachusetts communities. Beginning as early as the 1820s in some communities and continuing throughout the period of the nation's renewed interest in its history, Massachusetts communities began the tedious task of recording and documenting their histories. By the 1930s "publications had appeared town–by–town, approaching a continuous basis across the state, with some communities the subject of a second or even a third book-length history."[21]

Although the centennial in 1876 was the catalyst for renewed interest in local and personal history, several factors during the next fifty-plus years added to the momentum of local history writing.

The first factor was the late nineteenth century perception of the death of the old life and the birth of modern times. This perception was enhanced by the fast-paced introduction of modern technology, as well as the turning of the century. New numbers appearing on the calendar combined with electricity and the combustion engine to help sound the death knell of a bygone era. Such momentous changes were causes of deep introspection about the past, as well as the future, and naturally resulted in the generation of local and personal histories.

Finally, the potentially devastating Great Depression proved to be a boon for the preservation of genealogically valuable records and the writing of local history. In the midst of the economic lethargy and social distress of the Depression, President Franklin D. Roosevelt introduced a number of programs to help put people back into jobs, allow them to regain their self-esteem, and revitalize a sagging economy. One of the programs he introduced was the Works Progress Administration (WPA).

One of the activities of the WPA was the Historical Records Survey. This project employed over three thousand persons who went to state archives, county courthouses, historical societies, and other records repositories to survey, evaluate, and list records. The impact of this project was substantial and long lasting.

Unfortunately, a number of counties had done little to take care of their vital documents, court files, and other records. These researchers found collections in various conditions and were able to transcribe records that were deteriorating. In some cases, original documents were later destroyed, and the only known copy of some records today is the transcription made during the time of the Historical Records Survey. By the time the survey work had been completed, ninety percent of the nation's counties had been visited, and over 682 volumes of inventories had been issued. [22] As vital record-keeping became more important to state and local governments, state and local historical societies entered an era of substantial collection growth and publication of genealogically oriented materials.

Perhaps the most significant contribution to government-sponsored record-keeping and protection of genealogical materials was the establishment of the National Archives of the United States in 1934. Often referred to as the "nation's memory," the National Archives collects and preserves federal government records. Admittedly, the National Archives serves the needs of the federal government, and the greater part of the vast collection consists of materials not specifically oriented toward genealogy. Among the more than one million cubic feet of records, however, exist documents of incredible genealogical worth, including the various national censuses, as well as military, homestead, ad other records.[23]

One of the first projects commenced by the National Archives was the microfilming of records. Microfilming was introduced in the 1930s as a means of preserving records that had been created on acidic paper. Numerous documents were literally self-destructing, thus losing important information. By 1941 the National Archives had recognized the preservation potential of what basically was a cost-and space-effective way for long-term storage of the voluminous records.[24]

III. ORGANIZATION OF GENEALOGICAL SOCIETY OF UTAH

Another organization that took microfilming to heart and has used the process extensively since the late 1930s is the Genealogical Society of Utah. Genealogical work is extremely important to members of The Church of Jesus Christ of Latter-day Saints (the Church) because of their theology, which teaches that the family unit can be together for eternity.Because the Church placed such emphasis on genealogical work, its members have naturally sought ways to meet their family history needs. The Church's emphasis on family history in the period surrounding the dedication of the Salt Lake Temple led to the creation of the Genealogical Society of Utah, officially organized on 13 November 1894. The first meeting of the society included seven Church members and was held in the Historian's Office of the Church. The society's articles of association announced three purposes of the organization: benevolent, educational, and religious.[25]

The benevolent goal of the society was to establish and maintain a genealogical library. The first library was located in the upstairs of the Church Historian's Office. Shortly after the library's establishment, three hundred volumes from the personal collection of the society's president were purchased by the Church for the new library. Despite the rather inauspicious beginning of the Family History Library's collection, the library has continued to grow to its current status as the world's largest genealogical library, with approximately three hundred thousand volumes and over two million rolls of microfilm presently in the library's collection.[26]

Although microfilming began in the 1930s for both the National Archives and the Genealogical Society of Utah, extensive microfilming of records did not commence until after World War II. This increased activity came about partly because developments in microfilm technology led to a shift from unstable and dangerous nitrate-based film to a safer type of microfilm. Also, state and local governments began to realize the potential benefits of microfilming records.[27]

In fact during the post-war period, the Genealogical Society of Utah commenced a popular and mutually beneficial policy of providing governments and record repositories with complimentary copies of microfilmed records. Within the first couple of decades following

World War II, the Genealogical Society of Utah had filmed in states such as Kentucky, Georgia, and Virginia. Forming strategic partnerships for acquiring filmed copies of records, the society was able to obtain access to a number of record repositories in the United States and other parts of the world.[28]

In 1938 the Genealogical Society of Utah had only twelve rolls of microfilm in its collection. At the end of 1945 the microfilm collection had grown to 2,076, and within one decade, that number increased to 128,270. This significant increase was the result of the society's continuing efforts to film not only within the United States but also worldwide. In 1945 the society expanded its filming operations beyond the borders of the United States to England. From there, filming operations spread to Denmark, Wales, the Netherlands, Norway, Italy, Ireland, Scotland, Iceland, Mexico, Canada, Belgium, France, and other parts of the world. The Genealogical Society of Utah has become a major provider of microfilmed records with genealogical value.[29]

IV. THE ROOTS EFFECT

In 1977 the Genealogical Society of Utah and its library, like other genealogical societies and repositories across the nation, felt the effects of a renewed and intense interest in family history. This renewed interest spread like wildfire, fueled by the publication of Alex Haley's book Roots and the subsequent eight-part television miniseries based on his work.[30]

Audiences throughout the United States watched transfixed as Haley's family history was reenacted on television. Shortly after the airing of Roots, thousands of people began searching their own "roots." The number of visitors to the Heritage Library in Glendale, California, increased 75%. The Family History Library in Salt Lake City had an average of 3,500 visitors a day during the airing of the series, and the National Archives registered almost 2,000 more genealogical mail requests the week after the series. Mr. Haley himself received "thousands upon thousands of letters" from individuals asking him to help them with their own genealogy.[31]

The renewed interest in genealogy was quite different from that expressed before Roots. This "plain-folks genealogy" appealed to the common people. No longer just for the rich and noble, genealogy was considered to be for everyone. What is more, genealogy was viewed as something possible, even reachable, for the common people. Michael Tepper, editor of Genealogical Publishing Company, explained, "Roots has shown that what seemed remote and mysterious is in fast knowable and within our grasp. It has awakened a smoldering awareness of facts we only thought were unknowable."[32]

Alex Haley's Roots not only attracted common people to genealogy but also encouraged ethnic genealogy. Irish, Welsh, Polish, Chinese, Cajun, Jewish, and Hispanic researchers created genealogical societies specifically to search their origins. In a country growing ever more ethnically and culturally diverse, genealogy helped build and reinforce cultural understanding and pride.

Ethnic groups that often felt excluded in an Anglo-Saxon-dominated society began to develop understanding and appreciation for their heritage. Before the 1960s, an emphasis on the "melting pot" theory of American culture demanded that various ethnic groups bend to the customs and language of the dominant culture. As a result of the tumultuous decade of the 1960s, however, a new awareness of racial and ethnic diversity was awakened.

V. ETHNIC-ORIENTED GENEALOGY

Genealogists sometimes say, "The grandson often wants to remember what the grandfather wants to forget." While the early immigrant ancestors turned away from their past as they embraced their new country and culture, their descendants have begun to turn back toward the native land of their fathers as a way of discovering an identity and pride in their uniqueness and individuality. In regard to ethnic-oriented genealogy, for years "too little attention has been given to their heritage and the search for their ancestors in published literature, in conferences, and in training sessions." That, however, is quickly changing.[33]

About a quarter of the three hundred thousand genealogists who visit the Denver Public Library each year are Hispanics. Julia Fong, a genealogist in Berkeley, California, after doing her genealogy and even visiting her family′s ancestral villages in China, stated, "It makes me glad that I am Chinese." Lloyd Washington, a member of the Afro-American Historical and Genealogical Society, said, "Genealogy is important---for black history in particular. It′s important to know that we′ve been in the country making great strides for 200 to 300 years."[34]

VI. COMPUTER TECHNOLOGY

The continuing development of computer technology has proven to be beneficial for genealogists searching their ancestors. Beginning in the late 1960s, a few genealogical organizations began working on ways to create name databases that would be helpful to people doing genealogical research. Naturally, the results of these early attempts proved to be time-consuming and somewhat cumbersome to use in comparison to the latest products now available. Over a period of three decades, however, significant technological contributions created an atmosphere that encouraged the development of genealogically oriented computer programs.

International Genealogical Index

Among the leaders in developing genealogical programs and name databases was the Genealogical Society of Utah. As early as 1969, a program was designed to organize names being researched. This program eventually developed into the International Genealogical Index (IGI). The IGI contained 81 million names at the time of its introduction. When it was produced on compact disks in 1988, this expansive index contained 147 million names. The ever-increasing database presently contains over 600 million names, making it perhaps the largest name database in existence.[35]

Ancestral File

Consistent with its goal to collect and make available as many names of individuals and family groups as possible, the Genealogical Society of Utah in 1981 announced work on the automated database called Ancestral File, which consisted of family groups and linkages from one generation to another. An innovative and gargantuan undertaking for its time, the Ancestral File benefited from the numerous technological achievements in the computer industry. In 1988 the eagerly anticipated Ancestral File was made available for the first time, and the file presently contains over 35.6 million lineage-linked names.[36]

Personal Ancestral File

In the 1980s the personal computer revolutionized data entry and processing. For the first time, people were able to perform computer-related tasks in their own homes. What is more, they were able to prepare charts, manuscripts, and other materials with an ease and air of professionalism never before realized on such a wide scale. In response to the personal computer revolution, the Genealogical Society of Utah produced the Personal Ancestral File program which, much like its parent of a similar name, was used to record the names and relationships of ancestors. By 1986, Personal Ancestral File was available in a workable format. Even more importantly, the program "introduced a genealogical communications format known as GEnealogical Data COMmunications (GEDCOM), the purpose of which was to establish a standard for sharing data between programs or computers or both. GEDCOM eventually became a standard for data communication of genealogical information in the genealogical community at large."[37]

GEDCOM

While Personal Ancestral File was created to serve the genealogical needs of members of the Church, several other computer genealogy programs were created by independent companies. These programs were created to serve the ever-increasing needs of the genealogical community. Various options, such as graphics capabilities (including the ability to download and manipulate photographs, as well as video and audio clips) and the capability to print numerous charts and forms, were included in these new programs. Within a few short years, a plethora of new programs emerged, such as Family Tree Maker, Family Origins, Ancestral Quest, legacy, and The Master Genealogist. The proliferation of such computer programs allowed genealogists to more freely share information, as they were able to send and receive information in GEDCOM format, making it possible for recipients to download information easily into their own databases.

Family Search

In the same spirit of sharing information, an important goal of the Genealogical Society of Utah was to combine the International Genealogical index, the Ancestral File, the automated Family History Library Catalog, and other databases into one system called Family Search. Introduced in 1989, this system has proven to be of great importance to the Genealogical Society of Utah as it has continued to find ways to disseminate the information it has collected and reproduced in database form.[38]

The Internet

These great strides in computer technology prepared the Genealogical Society of Utah for perhaps the most revolutionary computer-related invention --- the Internet. With the advent of Internet communication, genealogy has quickly spread as a popular pastime. For some, searching the Internet for genealogical information is almost an addiction, as fifth and sixth cousins stumble upon each other in genealogy chat rooms and Internet sites like GenForum and Ancestry.com. Stephen Kyner, editor of The Computer Genealogist magazine, observed that "the Internet has helped democratize genealogy."[39]

In March 1999 alone, over 160 million messages flowed through RootsWed, and approximately 1.3 million individuals logged into the three most popular genealogy web sites. A poll taken in the fall of 2000 showed that 60% of Americans are interested in genealogy, up from 45% only five years previous. The Internet offers thousands upon thousands of individual web sites dedicated to family names, genealogical documents, and other pertinent information. People who previously did not know how to make their research and family information available now create their own web sites.[40]

Probably one of the most influential individuals involved with Internet genealogy is Cyndi Howells. As a housewife in Washington State who was interested in her own genealogy, she participated in a local genealogical society and in 1996 decided to create her own web page. As an afterthought, she added links to 1,025 of her favorite Internet sites.

This list was so popular that she decided to add to it and treat the site as an electronic care catalog to assist researchers to access the numerous sites on the Internet. Thus began Cyndislist.com, which currently has over 90,000 links to genealogy-related sites.[41]

Among the thousands of genealogical sites on the Internet, many provide vital information. Ancestry.com offers free searchable databases like the Ancestry World Tree (which follows the same format as Ancestral File), the Social Security Death Index, and surname message boards. Genforum-genealogy.com allows people to search and leave message queries by surname or by locality. This site also offers tutorials on how to do genealogical research and contains links to over 72,000 other genealogical web site.

Like Ancestry.com and Genforum, Familytreemaker.com offers searchable databases, an Internet store where books and materials may be purchased on-line, and how-to articles and tutorials. Like Ancestry.com, Familytreemaker.com and other sites offer access to some databases for free but charge for others. FamilySearch.org, however, is completely free at present.

FamilySearch.org

In 1999 the Genealogical Society of Utah and The Church of Jesus Christ of Latter-day Saints introduced their web site, FamilySearch.org, to great publicity and an astounding number of hits per day. When the web site was first opened, it received on average seven million to eleven million hits per day and peaked at twenty million hits per day.[42]

FamilySearch.org offers free searchable name databases, such as the Ancestral File and the International Genealogical Index. Users are able to load their genealogical information on to the web site to share with other researchers. Collaboration lists allow researchers to coordinate research efforts with other genealogists. The Family History Library's catalog is a searchable option. The web site also offers research guidance, as well as links to other genealogical sites.

USGenWeb

Another completely free web site is USGenWeb.com. This web site is the result of a very ambitious undertaking by numerous volunteers across the country. The project began in 1996 as the KYGenWeb Project. The goal of the original volunteers was to create web sites and links for all of Kentucky's counties. Near the end of that project, volunteers were recruited to create web sites and links for all of the states at the county level. Although the success rate has varied from state to state and county to country, volunteers across the country have downloaded cemetery, probate, census, and other records, as well as additional important information, truly an outstanding accomplishment.[43]

The potential of these and other Internet web sites is almost unfathomable, particularly in light of the technological advancements that allow for original records to be scanned and uploaded on-line. Cyndi Howells believes that posting official records online is "the next great frontier of genealogy." The National Archives alone has more than 120,000 digitized documents available online. Ancestry.com has recently introduced Images Online, which is a site containing "images of everything from Civil War pension cards to U.S. Census schedules."[44]

VII. PUBLICATION OF FAMILY HISTORIES

The advent of the personal computer and the Internet has produced amazing results I n the area of personal publishing. Obviously, family histories were published before the introduction of personal computing. As noted previously in this article, the first family history was published in America in 1771, and at the turn of the nineteenth century as people became reflective, a number of family histories were published. But the introduction of the personal computer and the Internet has brought a veritable explosion of family histories.

An example helps illustrate the growth in the number of family histories published as a result of the introduction of personal computers. In the 1980s and early 1990s, the Family History Library received donations of ten to twenty family histories a month. By the late 1990s, that number had increased to over two hundred donations a month. Desktop publishing has, in a very real sense, completely changed the genealogical publishing industry. Moreover, with improved and less expensive computer programs available, publishing family histories on CD-ROM has increased significantly. In 1994 the Family History Library received twelve CDs containing family histories and genealogical information. In 2000 the library received over three hundred CDs.[45]

An interesting and constructive result of the Internet and its thousands of genealogically oriented web sites has been increased communication and a developing network of researchers willing to do limited searches and provide information on behalf of other genealogists. Because of the Internet and modern technology, records are more accessible and people are more willing to share their knowledge and time. David A. Fryxell, editorial director of Family Tree magazine, explained, "The Internet has fueled an explosion of volunteering because it makes sharing a wealth of information possible." He continued by stating that volunteering is "a powerful grass-roots [phenomenon], sort of an underground guerrilla effort."[46]

Brain Leverich, founder of the Internet web site RootsWeb, agreed that genealogical volunteering "is easily the largest collective project [he has] ever seen on the Net." Volunteers, usually working on their own computers a few hours a week, have researched and input information from census, birth, marriage, death, and other records. Moreover, numerous people have volunteered to travel to nearby cemeteries, courthouses, and archival repositories on behalf of other genealogists who live too far away to visit on their own. Ginny Crawford, a Carmel Valley, California, genealogy enthusiast, wrote about help she had received from fellow genealogists in Connecticut: "The genealogical community is a marvel, ... embracing .....folks who so willingly share their knowledge and expertise."[47]

Increased interest in genealogy and a willingness to reach out and help fellow enthusiasts is the result of more than just new technology and the Internet. It is not happenstance that genealogy has become what some believe to be the third most popular hobby in America and the second most popular subject found on the Internet. Very much as the generation living at the time of the American Industrial Revolution, people in the present have responded to "anxieties generated in a period of chaotic change."[48]

The 1960s and 1970s experienced a phase of turmoil brought on by "counter cultural challenge and rapid demographic change." These tumultuous decades introduced changing attitudes concerning the traditional family. By the mid-1970s, "the annual number of divorces exceeded one million for the first time." The climbing divorce rate, juxtaposed with the declining marriage and fertility rate of the late 1970s, encouraged a conservative backlash. Echoing the accusations and arguments of their nineteenth-century forbears, people decried real and perceived attacks on the traditional family. "Public discourse about the family came to be dominated by nostalgia and laments about narcissism and moral decay."[49]

In the closing decades of the twentieth century, the breakdown of the traditional family continued to be an issue of concern. Furthermore, social and cultural challenges continued to plague the country and the world. These various issues combined caused many people to seek firmer foundations. Noted anthropologist David M. Schneider has written that "the most rootless yearn for roots; the most mobile bemoan their placeless fate; the most isolated yearn for kin and community, for these represent the basic things that for many Americans make life worth living."[50]

Significantly affected by, and very much a catalyst to, the changing mores and concept of the modern family are the Baby Boomers. Born in the heady years immediately following World War II, members of the Baby Boom generation grew up in the conservative fifties and experienced the radical changes and upheaval of the sixties. In fact, many of these people instigated and participated in the tumult that greatly affected America's culture and their worldview.

As the graying of the Baby Boom generation has begun and its members have quickly approached retirement age, many of them have started to recognize their own mortality. This has caused a number of them to "look back and [attempt to] understand where they've come from." Recognizing the instability and changing definitions of the family, many Baby

Boomers have turned to genealogy, as Ralph Crandall, director of the New England Historic Genealogical Society explained, in "an attempt to reconstitute the family, at least symbolically."[51]

Baby Boomers have also realized that many of their own children and grandchildren, members of Generation X and now Generation Y, need a sense of place and purpose in an ever-changing, turbulent world. One newcomer to the world of genealogy explained why she was bringing her teenage daughter along to family history fairs and other genealogically oriented activities. "Her generation is confused," she said. "They need to know about their history."[52]

Perhaps as a reaction to the early excesses of the Baby Boomer generation and the restlessness of Generation Xers, those of Generation Y tend to be more conservative and family-oriented. This philosophy on life has spilled over into a pursuit of genealogy and family history to one degree or another. Much like today's maturing Baby Boomers and Generation Xers, members of Generation Y want stability and purpose in an ever more complex world. In other words, they seek their own raison d'être.[53]

This same search for place and meaning has encouraged adopted children to search out their natural parents and schools to create genealogy programs. Virgil Klunder wrote that people adopted as children who search for their heritage "will unlock the door to [their] past---and ultimately [their] future." [54]While that is not always the case, more people adopted as children are searching for their natural parents. Search options have been enhanced by the Internet. For example, Cyndislist alone has 137 links to adoption research-related web sites.

In a number of elementary and secondary schools across the country, the school curriculum includes aspects of genealogy and family history. School children are receiving assignments ranging from questioning parents and grandparents about their childhood and war experiences to filling out four-generation pedigree charts and performing primary research. School history fairs quite often encourage school children to perform and display genealogical research.

For pleasure, because of ethnic pride, out of curiosity, or to find comfort and stability in an ever complex and turbulent world, people have, since the beginnings of European settlement in America, searched out their heritage. From the pastime of the wealthy and would-be elite to the pursuit of the common people, genealogy has grown in popularity and importance in American culture. In the year 2000, pollsters announced that sixty percent of Americans were interested in their genealogy, and the number is steadily growing.[55]

Alex Haley aptly explained the reasons for genealogy's popularity: "In all of us there is a hunger, marrow deep, to know out heritage---to know who we are and where we have come from. Without this enriching knowledge, there is a hollow yearning. No matter what our attainments in life, there is still a vacuum, an emptiness, and the most disquieting loneliness." ㊱This yearning has prompted an increasing number of people to search for their ancestors and will continue to do so in the foreseeable future.

Notes

Richard E. Turley Jr. is the managing director of the Family and Church History Department of The Church of Jesus Christ of Latter-day Saints and president of the Genealogical Society of Utah. He wishes to thank his co-author for doing the bulk of the research and writing for this article. He also wishes to thank other colleagues who assisted, especially Kahlile Mehr, Tim Bingaman, and Grant Anderson.

Craig L. Foster is a research specialist for the Family History Library in Salt Lake City, Utah.

①Lester J. Cappon, "Genealogy, Handmaid of History," Special Publications of the National Genealogical Society, no. 17 (1957).

②David Hackett Fischer, Albino's Seed: Four British Folkways in America (New York: Oxford University Press, 1989), 212-15.

③William Stoughton, New England's True Interest, Not to Lie (Cambridge, 1670), 33.

④Harriet Beecher Stowe, Uncle Tom's Cabin or, Life among the Lowly; The Minister's Wooing; Oldtown Folks (New York: Library of America, 1982), 1102.

⑤James B. Allen, Jessie L. Embry, and Kahlile B. Mehr, Hearts Turned to the Fathers: A History of the Genealogical Society of Utah, 1894-1994 (Provo, Utah : BYU studies, Brigham Young University, 1995), 24

⑥David J. Russo, Keepers of Our Past: Local Historical Writing in the United States, 1820s-1930s (New York: Greenwood Press, 1988), 13.

⑦John Farmer, A Genealogical Register of the First Settlers of New England (1829;Baltimore: Genealogical Publishing Company, 1969), iii

⑧Russo, 13.

⑨Ibid.; Robert M. Taylor Jr. and Ralph J. Crandall, eds., Generations and Change: Genealogical Perspectives in Social History (Macon, Georgia: Mercer University Press, 1986), 4; Sandra Schoiock Roff, "Protectors of the Past: Women and Genealogy," Genealogical Journal 16 (fall/winter 1987): 181-82. While The Genealogy of the Family of Mr. Samuel Stebbins and Hannah His Wife from the Year 1701 and 1771 (Boston, 1771) was the first book dedicated completely to a personal genealogy, a book published forty years before contained a genealogical appendix. That publication was James Black, Jr.'s Memoirs of Roger Clap (Boston, 1731).

⑩Roff, 182. For more information on the role of women during the nineteenth century, see Barbara Welter, "The Cult of True Womanhood, 1820-1860," American Quarterly 18(1966): 151-74.

⑪Arlene Skolnick, Embattled Paradise" The American Family in an Age of Uncertainty (New York: Basic Books, 1991), 30.

⑫Ibid., 31, and Lawrence Stone, The Family, Sex, and Marriage in England 1500-1800 (New York: Harper & Row, 1977), 677. Stone suggests that the Industrial Revolution in England encouraged a revival of patriarchy and Puritanism for the same reasons that the original Puritan movement was created: the social and political crises that were changing the world as they knew it. These ideals of patriarchy and Puritanism then spread to America during their struggle with social changes caused by the Industrial Revolution.

⑬Skolnick, 31, 129; Roff, 186.

⑭Allen, Embry, and Mehr, 25.

⑮Taylor and Crandall, 5–7; Alexander J. Wall, American Genealogical Research, Its Beginning and Growth (n.p.: The Bibliographical Society of America, 1942), 2–3;John A Schutz Noble Pursuit: The Sesquicentennial History of the New England Historic Genealogical Society, 1845–1995 (Boston: New England Historic Genealogical Society, 1995), 228.

⑯Ressell E. Bidlack, "Librarians and Genealogical Research," in Ethnic Genealogy: A Research Guide, ed. Jessie Carney Smith (Westport, Connecticut: Greenwood Press, 1983), 10–11.

⑰Taylor and Crandall, 4–5; Allen, Embry, and Mehr, 25.

⑱Allen, Embry, and Mehr, 26; Roff, 187; Russo, 86.

⑲Allen, Embry, and Mehr, 26.

⑳Gilbert H. Doane and James B. Bell, Searching for Your Ancestors: The How and Why of Genealogy, 6th ed. (Minneapolis: University of Minnesota Press, 1992) ix; Russo, 80, 91.

㉑Russo, 91.

㉒H.G. Jones, Local Government Records: An Introduction to Their Management, Preservation, and Use (Nashville, Tennessee: American Association for State and Local History, 1980), 14; Loretta L. Hefner, The WPA Historical Records Survey: A Guide to the Unpublished Inventories, Indexes, and Transcripts (Chicago: Society of American Archivists, 1980).

㉓Loretto Dennis Szucs and Sandra Hargreaves Luebking, The Archives: A Guide to the National Archives Field Branches (Salt Lake City, Utah: Ancestry Publishing, 1988), 1–2; Guide to the National Archives of the United States (Washington, D.C.: National Archives and Records Administration, 1987), 191–335, 371–75, 465–69.

㉔Jones,65; Donald R. McCoy, The National Archives: America's Ministry of Documents, 1934–1968 (Chapel Hill: University of North Carolina Press, 1978), 90–91; National Archives Microfilm Resources for Research: A Comprehensive Catalog (Washington, D.C.: National Archives and Records Administration, 1986), xi.

㉕Allen, Embry and Mehr, 45–56.

㉖Ibid., 45–57; Family History Library Fact Sheet (Salt Lake City: Family History Library, May 2000). The Family History Library is a modern, five-story building located west of Temple Square in downtown Salt Lake City, Utah. The original educational goal of the Genealogical Society of Utah was to disseminate genealogical information to members of the Church and other interested people. The religious goal was to collect the names of deceased people in order to perform proxy saving ordinances (religious ceremonies), such as baptisms.

㉗Jones, 65.

㉘Walter Rundell Jr., In Pursuit of American History: Research and Training in the United States (Norman: University of Oklahoma Press, 1970), 137.

㉙Allen, Embry, and Mehr, 347, 351.

㉚"White Roots: Looking for Great-Grandpa," Time, 28 March 1977, 43–44. Haley published Roots in 1975, and the mini-series, filmed and edited in 1976, aired in 1977.

㉛Ibid.; Allen, Embry, and Mehr, 291; Alex Haley, "What Roots Means to Me," Reader's Digest, May 1977, 74.

㉜Time, 28 March 1977, 43.

㉝Bidlack, 4; Ethnic Genealogy, xvii, xxvii. An example of Americans who have focused attention on the land of their ancestors are members of the numerous Bygdelags in the United States that have been formed by Norwegian-Americans who, according to the brochure Explore Your Norwegian Roots, seek to "preserve and strengthen bonds with 〖their〗 home district or community-of-origin in Norway." Members of Bygdelags seek not only genealogical information but also strive to understand their heritage through cultural and educational activities such as art, music, dancing, tasting ethnic foods, learning the folklore, and other activities.

㉞Margot Hornblower, "Roots Mania: Spurred by New Resources on the Internet, the Ranks of Amateur Genealogists are Growing, and Millions of Family Trees are Flourishing," Time, 19 April 1999, 66; Farai Chideya, "Climbing the Family Tree: In an Age of Ethnic Strife, Genealogy is Booming," Newsweek, 28 December 1992, 65. Among the numerous ethnic-oriented genealogical societies in America are the Society of Acadian Descendants, the American Historical Society of Germans from Russia, the Hispanic Genealogical Society, the Society of Hispanic Historical and Ancestral Research, the Polish Genealogical Society of America, the Jewish Genealogical Society, and the Association of Jewish Genealogical Societies.

㉟Allen, Embry, and Mehr, 304-5, 308-11, 318-19; Family History Library Fact Sheet.

㊱Allen, Embry, and Mehr, 321-22.

㊲Ibid., 324-25; LDS Church's genealogical CD-ROMs were years in the making," Deseret News, 5 April 1998, A13.

㊳Allen, Embry, and Mehr, 329-30.

㊴Hornblower, 55. Jefferson Graham describes his research experience, as well as his experience creating a web site, in his article "Family trees blossom on Net's branches," USA Today, 12 August 1998, 5D.

㊵Hornblower, 55; Mary Kathleen Flynn, "CNNdotCOM Tools: Tracing your family cyber-tree," CNN.com (8 September 2000). In 1995, Jennifer Fulkerson wrote in her article "Climbing the Family Tree," American Demographics 17 (December 1995): 45, that sixty-four million Americans were involved with family history. That number has risen markedly since the publication of that article.

㊶Information obtained on Cyndislist.com.

㊷Steve Fidel, "Genealogy site is a hit-7 million times a day," Deseret News, 22 May 1999, E1-E8; Steve Fidel, "LDS Web site draws tidal wave of hits: New system gets about 400 to 500 visitors a second," Deseret News, 25 May 1999, B1-B2. When the web site formally launched, there were so many visitors to the site that it had to be taken down for a couple of hours to allow programmers to reconfigure the site to handle so many hits.

㊸Information obtained from USGenWeb.org.

㊹Douglas McDaniel, "Gateway to Generations Past: Searching for your roots becomes easier as more historical records appear online," Access Internet Magazine, 3 September 2000, 10.

㊺Based on interviews with Family History Library staff, 5 January 2001.

㊻Leah K. Glasheen, "Internet Volunteers: Genealogy needs you, regular folks become family-record sleuths," AARP Bulletin 42 (January 2001):4.

㊼Ibid., 4, 7.

㊽Chideya, 65; Skolnick, 31. The two hobbies that are more popular than genealogy are stamp and coin collecting.

㊾Skolnick, 128-29. The social-cultural fabric of the 1970s, 1980s, and 1990s has been complex.

Sociologists have identified a definite reaction to the perceived openness created by the tumult of the 1960s and earl 1970s. Even the television shows of the mid-1970s reflected this nostalgic look at what was believed to have been a simpler, purer time. Happy Days, The Waltons, and even Roots (which portrayed several generations of a black family) depicted times of stronger, more united families. The Reagan era of the 1980s has been described as a reaction to the problematic decade of the 1970s. One political analyst (quoted in Skolnick, 137) described Reagan as "a Norman Rockwell figure from the front cover of the Saturday Evening Post." However, the nineties appear to have seesawed back and forth between conservative and liberal social agendas.

㊿David M. Schneider, "Kinship, Community, and Locality in American Culture," in Allan J. Lichtman and Joan R. Challinor, eds., Kin and Communities: Families in America (Washington, D.C.,: Smithsonian Institution Press, 1979), 165.

(51)Emily Mitchell, "Growing Your Family Tree," Time.com, 13 July 1998.

(52)Chideya, 65. The Baby Boomer generation has been defined by sociologists to be people born between 1945 and 1964. Members of Generation X are those born between 1964 and 1977, while Generation Y are those born between 1978 and the mid-1980s. People in Generation Y are also called Echo Boomers and the Millennium Generation.

(53)Helene Stapinski, "Y Not Lover? " American Demographics (February 1999): 62-68.

(54)Virgil L. Klunder, Lifeline: The Action Guide to Adoption Search (Cape Coral, Florida" Caradium Publishing, 1991), xi.

(55)"Sixty Percent of Americans Intrigued by their Family Root," Maritz Poll, www.maritz.com, May 2000.

(56)Haley, "What Roots Means to Me," 73-74.

【中文摘要】

美國家譜工作的歷史

熱愛譜學和家庭歷史一直是美國歷史文化的主要部份,對那些殖民到維吉尼亞州的貴族, 譜系是高貴身份的標誌。早期在新英格蘭區的居民認為家庭和譜系与宗教有關。1880年代,當德國和愛爾蘭的移民開始來到美國時,英裔美人通過寫家譜來區別自己和那些“外國人”。

1880年代,工業革命造成社會、經濟和人口的改變,產生了中產階級,同時提高了對家庭傳統的重視。在此環境下,有許多基於愛國和世襲性質的學會就組成了。1844年,新英格蘭歷史家譜學會成立,於1847年開始發行美國第一本家譜期刊《新英格蘭歷史家譜評論》,1862年出版了第一本的家譜目錄。從1870年到1900年,學會的興起到了高潮,中產階級的興趣,加上 1876年美國慶祝百年紀念,激勵了歷史文獻的收藏保存,而更明顯地增加家譜和地方史的發行。

1930年代的經濟蕭條,對保存家譜和地方歷史資料也有益。由工作發展行政部門主持的歷史紀錄考察替美國百分之九十的縣出版了紀錄和文件的目錄。1934年成立的國家檔案處採用縮微攝影的技術來保存紀錄,給家譜研究者提供了珍貴的政府紀錄。

猶他家譜學會,是1894年由耶穌基督後期聖徒教會的領袖成立的一個私立的、非營利機構,很快就建立了一個現已發展為世界上最大的家譜圖書館。猶他家譜學會在1938年開始用縮微攝影來收集、保存并提供有家譜價值的歷史紀錄。

1977年出版,後來拍攝成電視短劇放映的“根”,造成了大眾對家譜的狂熱。一般人開始覺得做家譜是每個人都可以做的事。 一些不同種族的團體開始對尋根問祖有了興趣。

自從1960年代電腦技術的發展,革新也平民化了美國的家譜活動。使大型的電腦數據庫得以創立,例如:猶他家譜學會發行的 International Genealogical Index 國際家譜索引(六億個別的名字),以及Ancestral File 祖先檔案(三千五百六十萬世系相連的名字)。1980 年代個人電腦問世,家用的家譜電腦軟件成為事實,例如:猶他家譜學會在1986年發行的Personal Ancestral File個人祖先檔案,並設立一種傳送家譜資訊的標準,就是GEDCOM家譜資訊檔,讓程式和電腦之間能容易地分享家譜資料。

電腦對家譜工作最具革命性的影響是互連網的發明。據2000年秋季的一次普查,美國有百分之六十的人對家譜有興趣,比五年前統計的百分之四十五要多。Cyndislist.com 提供九萬個連接線來接互連網上的家譜網站。主要的有:Ancestry.com, Genforum.genealogy.com, FamilySearch.org, USGenWeb.com。經由這些網站的聊天室、討論場、合作表,便利了研究者互相交換意見,同時也能提供大眾使用姓名數據庫、圖書館目錄、文件正本的影像。

使用個人電腦和互連網上的資料造成很大的影響,不論是以紙張或是電子方式。它激增了家譜的出版發行,也促使了研究網和大的合作專案成立。這些專案用義務服務人員在家中爲出生、結婚、死亡及其他對家譜有價值的紀錄做索引。

當年長的和年輕的一代都轉向自己的根源,想在這動盪多變的世界尋得一份歸屬感時,家譜研究工作的前途必定光明。

Local History in the United States

Melvin P. Thatcher*

I. INTRODUCTION

This article provides a general introduction to local history writing in the United States, touching particularly on a few points that may be of interest to students and practitioners of local history in China. The meaning and usage of "local history" in the United States are problematic; so the first topic of concern is how "local history" has been defined in theory and in practice. In a brief overview of the history of local history writing in the United States, particular attention is paid to historical developments that motivated the writers of local history and to changes in format and content over time. With respect to format and content of state, county and town histories, Chinese readers will see some similarities with their own local histories. Publication statistics, especially for county histories, are explored in detail to show the geographic coverage, volume, and the ebb and flow of local history publishing. Local historical societies have been important contributors to the development of the field of local history; therefore, their rise and roles in the promotion, preservation, and publication of local history are briefly described. Finally attention is given to the ongoing tension between amateur and professional historians that characterized local history writing during the 20th century.

II. WHAT IS "LOCAL HISTORY"?

From the perspective of the personal background of authors, one can say that there have been two types of local histories in the United States, popular and academic. ① "Popular local history" refers to local historical works by authors who were either not trained in university or who worked outside of academia. Popular local history, which has been a distinguishing trait of American historiography since the 17th century, is often general in scope and stereotyped as being long on narrative and short on analysis. "Academic local history" refers to local historical works by history faculty and students. Academic local history, which is primarily a 20th century phenomenon, usually is narrowly focused, has a theoretical orientation, and tends to be long on analysis and short on narrative. ② If " popular" and "academic" are primarily indicators of the background of the author, what is " local history"?

While commenting on the imperative of defining local history "in terms of place or position in space" in his presidential address to the American Association of State and Local History in 1964, James C. Olson quoted the Oxford English Dictionary definition of "local," namely "Belonging to a town or some comparatively small district as distinct from the state or country as a whole." He suggested, however, that the definition may be too narrow and noted the views of those who say that a county´s history must be placed in the context of that of surrounding counties in every expanding circles. Thus, he argued that the "differences between local history and regional history……are primarily differences of degree."③

Despite a century long attempt by professional historians to expand the geographical or administrative scope and contexts of local history, David A. Gerber wrote in 1980,

"Today´s practitioners of popular local and community history……wish to write a history that is emphatically local–one which focuses on the smaller units of settlement. Regional, national, and international influences are more excluded from this view of the locality than in the popular local history of the past."④

This type of thinking is not, however, limited to the authors of popular local history. For example, academic historian and French scholar Pierre Goubert has said, "We shall call local history that which concerns a village or a few villages, a small or middle–sized town (a large harbor or a capital is beyond the scope), or a geographical area not greater than the common provincial unit (such as an English county……)"⑤ But historically, the concept and practice of local history in the United States have not been so narrowly defined.

A librarian from the United States remarked recently that after visiting local history collections in Europe, she had concluded that Americans do not have a well–defined concept of what constitutes "local history." This situation perhaps reflects the history of local history writing in the United States and the role of local historical societies that are discussed below. The original focus of local historical writing was on the colonies and their townships. Following independence in 1776, state, county and town histories appeared, but local historical societies also began publishing documentary collections, genealogies, biographies, personal diaries, private recollections, etc., thus enlarging the definition of "local history" in popular thinking. In the 20th century "local history" came to include ethnic group histories, institutional (e.g., churches, schools, and businesses) histories, and other topical local studies. Today the classification of publications as "local history" by historiographers and bibliographers in the United States takes into account all of this variety. ⑥ Consequently, " local history" does not have the precision of usage that is found in European countries or in

China with their well-defined genres of local historical writing.

III. THE HISTORY OF LOCAL HISTORY IN THE UNITED STATES: AN OVERVIEW

Colonial Period

Contrary to what one might expect, the antecedents of local history writing in the United States are not in found in the local historiographical traditions of England and France. Rather the precursors of local history writing are early 17th century travel accounts and promotional tracts by non-historians, who cast a wide net to gather and publish all of the information that they thought useful for encouraging settlement and investment in their colonies, defending colonial administration, and quenching the demand for information from the Old World.⑦ A Map of Virginia: With a Description of the Country, the Commodities, People, Government and Religion written by Captain John Smith and published in 1612 is a good example of this type of writing. The descriptive part of this work begins with lists of Indian words and numbers for the curious reader. The location, weather, topography, and local populations for Virginia are described. Observations about flora and fauna and their uses by the natives are offered. Separate sections on planted fruits and commodities produced by human labor are presented. The author concludes with descriptions of the social life and customs, religion, and government of "the natural inhabitants" of Virginia.⑧ Tracts such as this were clearly intended to peak interest in and attract settlers to the local area. The breadth of their coverage set a precedent for a general, or inclusive, approach that has characterized much of the subsequent writing of popular local history in the United States.

From the 1630s to the end of the 17th century, Puritan ministers and apologists in the New England colonies, especially Massachusetts, dominated historical writing as they sought to reclaim straying adherents and solidify their religious community by documenting and proving that the Puritan settlers were carrying out the will and work of God in the colonies.⑨ Of Plymouth Plantation, the journal written by Governor William Bradford between 1630 and 1646, is perhaps the best example of this type of local history. ⑩ Book 1 starts with a history of the Puritan reformation beginning in 1606, tracing its origins and vicissitudes in England and Holland. The author then recounts the decision of the pilgrims to relocate to the New World, their abortive first attempt to sail on the ship Speedwell, and their successful voyage on the Mayflower and the exploration of Cape Cod in 1620. Book 2 consists of an annalistic record of important events and developments in the colony such as changes of governors, Indian wars, internal intrigues, trade and commerce, etc. and related documents and correspondence from 1620-1646. Placing local history within the context of the religious movement that gave rise to the first settlers, in tone and content Bradford's journal is a religious history of the colony of Massachusetts that was intended to bolster the faith and resolve of those who would read it. During the century leading up to the Revolutionary War in and American independence from England in 1776, writers took a more secular approach to local history, focusing on the economic consequences of political acts by the Crown. Each of the colonies produced written histories supporting the supremacy of colonial rights in the face of tightening imperial controls.⑪

Post-Independence Period

In the first decades following independence, historical writing turned to the task of nation building through the publication of national histories that stressed a common heritage and political system. While these histories subordinated the colonies and the states to the nation, local historians wrote to secure the place of their localities in the nation's history. ⑫ For example, the introduction of Gathered Sketches from the Early History of New Hampshire and Vermont (1856) opens with the declaration that:

*No history is more interesting to a nation than the narrative of its own origins and progress. No events are more attractive to young and old than the incidents of varied suffering and prosperity, of romance and sturdy fact, which cluster around the beginning of their country's existence…… There is no nation indeed which has more reason to be proud of its founders than our own, and there are no states, within the broad boundaries of our country, whose early history is fraught with incidents so interesting, or so full of exciting adventure, as is that of New Hampshire and Vermont.*⑬

From 1815 onward a general reaction to the growth of nationalism arose and was reflected in local historical writing by a sharp increase in the number of state, county, and town histories. ⑭ This resurgence of localism is reflected in the preface to a History of the Town of Medford (1855) by Charles Brooks, who wrote:

*In writing this History, it has been my wish to secure Medford such territory in time as its acres are territory in space…… When the history of New England shall be written, the true data will be drawn from the records of its towns. Now, therefore in humble imitation of those States in our Union which have contributed each its block of granite, marble, or copper to the National Monument at Washington, I ask leave to offer Medford's historical contribution to the undecaying pyramidic monument which justice and genius will hereafter raise to the character and institutions of New England.*⑮

With the westward migration and increasing wealth in western regions, histories of local communities in states outside the East began appearing in the 1840s. Many of these histories promoted the primacy of the locality and told stories about the sacrifices and successes of early settlers in an effort to persuade the younger generation that they could stay home and prosper.[16]

Post–Civil War

Following the Civil War of 1862–1865, local history writing took the form of regimental histories, memorializing the contributions of states, counties, and towns whose citizens served in infantry regiments that were drawn from particular localities. [17] The patriotic claim of the authors of regimental histories and their localities to service of the greater cause of national unity is evident in the preface to the History of the First Regiment (Massachusetts Infantry) (1866) by Warren H. Cudworth, who wrote:

> *The author…… volunteered his services as chaplain in the First Regiment … simply because, with all his heart, he believed in "Liberty and the Union," and wished to cast his lot with those brave patriotic men who were willing to fight for "Liberty and the Union." ……this book has been written mostly from a sense of duty, and to supply members and friends of the First Regiment with a compact memorial of its glorious achievements.*[18]

In subsequent decades regimental history became an integral component of local histories that were general in scope.

Centennial Era

President Ulysses S. Grant boosted local history writing when he issued the following proclamation in May 1876 on the eve of the centennial celebration of independence from England:

> *Be it resolved by the Senate and House of Representatives of the United States of America in Congress assembled, that it be, and is hereby, recommended by the Senate and the House of Representatives to the people of the several States they assemble in their several counties or towns on the approaching centennial anniversary of our national independence, and that they cause to have delivered on such day an historical sketch of said county or town from its formation, and that a copy of said sketch may be filed, in print or manuscript, in the clerk's office of said county, and an additional copy, in print or manuscript, be field in the office of the Librarian of Congress, to the intent that the complete record may thus be obtained of the progress of our institutions during the first centennial of their existence.*[19]

In the words of Michael Kammen, "The next quarter–century witnessed the most extraordinary and creative outbursts of local history writing that this country has ever known ……In many communities the only full–scale history available dates back to the 1880s or 1890s."[20]

Perhaps spurred by the interest caused by the President's pronouncement, commercial publishers became one of the most important stimuli for writing local history at the end of the 19th century.[21] Some organized collaborative local history writing projects such as A Memorial History of Boston, which was edited by Justin Winthrop and published in 1880. This four-volume work in 73 chapters, each by a different author, is divided into six sections dealing with the history of Boston and its environment and social, political, economic, military, and religious institutions from prehistoric times to the last one hundred years and one section on special topics. The latter include education, libraries, philosophic thought, women, drama, fine arts, music, architecture, science, medicine, the legal profession, horticulture, and charities.[22]

Other commercial publishers provided writers with the forms and formats for writing local histories and raised publication funds through selling local subscriptions and/or obtaining government subsidies for their projects. [23] An example of a common type of format provided by a commercial publisher is found in the History of Posey County Indiana which was compiled in 1885 and published in 1886 by the Goodspeed Publishing Co. of Chicago. This two part work begins with a general history of Indiana that treats its ethnic groups, national policies that affected the territory, Indian wars, political organization and economic institutions in the territorial period, early political history of the state, the roles of soldiers and regiments from Indiana in the Civil War, and the affairs of post-war political, economic, and educational institutions. Part 2 gives the history of Posey County including its geological attributes, the settling of the county, county government and other institutions, histories of towns and their socio-political and religious institutions and activities, and the legal and military histories of the county. It concludes with sections providing brief biographical sketches of prominent persons in the townships, maps, photos of key buildings, and portraits of individuals.[24]

Early to Mid-20th Century Period

The first half of the 20th century, was a period of development which saw continuation of the traditional content of local histories and an elaboration of existing formats, the emergence of a populist style of writing, and the sprouting of academic local histories. The format of many local histories commissioned or compiled by major commercial publishers during this period evolved from the common format of the late 19th century described above. This is clearly evident in the two-volume format of Goodspeed's History of Dubuque County which appears to have been published in 1911. The first volume treats the county's history. It contains chapters on geology, the settlement of the county and its Indian wars, an extensive history of the city of Dubuque, and the county's transportation and communications system, politics and government, medical, dental, and legal professions, religions, townships, and education. The second volume is devoted to biographies.[25]

A new type of local history writing arose in the 1930s and 1940s. Under the influence of populist thinking and leftist political ideology, some writers abandoned the former core values of popular local history, namely individualism, acquisitiveness, and materialism, and focused on the common man, cooperation, and shared values. The major contributor to this development was the Federal Writers' Project (FWP), a relief project of the Works Progress Administration (WPA) that was designed to put unemployed writers back to work following the Great Depression.[26]

The FWP was launched in August 1935 with the allocation of U$6,288,000 by the US Congress. After running into major political opposition, five years later, in September 1939, the FWP was renamed the Writers' Project and passed by Congress from federal to state administration. By the time the project was terminated in February, 1943, $27,189,370 had been spent and over 10,000 local writers had been employed to produce more than 400 volumes of the American Guide Series. The series included guides for every state and many regions, cities, towns, and villages in the United States.[27] The central project office mandated the organization of the guides into three sections: 1) topical essays including local history and culture, geography and economics, etc.; 2) enumeration and descriptions of all cities and towns, and 3) detailed tours showing points of interest in the area covered by the guide.[28]

Despite the scale of this undertaking, in the view of one commentator, the impact of this populist approach to local history on the "popular historical consciousness" was short-lived in comparison to previous movements.[29] However, new forms of local history writing appeared in mid-century that have had a lasting impact to the present, namely the publication by professional historians of urban histories in the 1930s and new social histories, such as demographic studies, since the 1940s.30

Bicentennial Era

The American Revolution Bicentennial celebration produced a deluge of state, county, city, town, and neighborhood histories.[31] Commenting on this resurgence of interest in local history, David A. Gerber wrote in 1979, "Local and community history may well be one of the fastest growing popular intellectual pursuits in the United States today…… [M]any Americans are engaged in separate searches into their "roots"––writing histories on their towns, families, ethnic communities, and parish churches."[32] From the point of view of academic historians, the chief factors contributing to this development were a convergence of academic and popular interest in local and community history that was brought about by a shift of interest among academicians from the study of power elite to non-elite groups and by the adaptation of social science concepts and methods to the study of the latter.[33] But just as important, perhaps, from the perspective of the writers of popular local history was the reentry of commercial publishers into the field and the funding of the publication of histories for medium-sized and large cities by corporations and historical societies.[34]

III. PUBLICATION STATISTICS

Local History Publications in General

The total volume of local history monographs that have been published cannot be readily determined. Libraries have been able to acquire titles that were formally published and sold by publishing companies and booksellers. Privately published titles, which are numerous, have usually been produced in small quantities and have not been widely distributed; so they have been difficult to find and acquire. An indication of the quantity of publications can perhaps be found in the collection statistics of the American Antiquarian Society (AAS), which was organized in 1812, has been collecting on the national level and maintains one of the United States′ premier local history collections. The AAS holds 55,000 volumes of state, county, and town histories published between 1821 and 2000.[35] Unfortunately, there are no statistics available for its pre-1821 local history monographs.

Regional statistics for New England, which include books and articles written as local history or having local historical content, provide another view of the volume of local history publications in the United States. The Bibliographies of New England Series, published between 1976 and 1986, includes the following number of entries for the states, counties and towns in the region: Massachusetts, 13,520; Maine, 5,355; New Hampshire, 6,542; Vermont, 6,413; Rhode Island, 4,124; and Connecticut, 9,778. Taking a closer look at the Connecticut bibliography, which was published in 1986, the distribution of entries by administrative levels is as follows: state, 1901; county (8 units), 212; and city or town (169 units), 7,566. As noted at the outset of this article, the concept of "local history" in the United States is not clearly defined; so deciding which types of publications to include in the New England bibliographies was the biggest challenge faced by the compilation committee.[36] Thus, depending on one′s own view of what constitutes a local history publication, the figures here might be subject to a slight adjustment.

County Histories

With respect to county histories, national statistics can be extracted from P. William Filby′s A Bibliography of American County Histories (1985) which encompasses single county history monographs and histories in publications that treat multiple counties.

Based on the decades of publication in the selected states shown in Table 1, the publication of county histories is mainly a post-Civil War phenomenon. Filby says "American county histories reached their high-water mark in the 1880s and 1890s" and notes that the second great period of county history publishing occurred during the first two decades of the 20th century. One has to disagree, however, with his assertion that "the number of county histories of note……has increased little since 1919, [37] for publication continued at relatively high rates through the 1930s and surged in the 1960s and 1970s.

Table1 County Histories for Selected States by Decade of Publication Selected States

Decade	CT	PA	GA	FL	AL	AR	OH	IN	IL	AZ	ID	CA	Totals
1800							1						1
1810	1												1
1830		1											1
1840		37					1						38
1850	1	2			1		3	2	4			2	15
1860		4	1				4	2	5			5	21
1870		4				1	19	20	44			30	140
1880	9	69	1	2	3	25	69	91	71	3	2	34	377
1890	2	32	2		1	40	21	15	3	1	2	25	144
1900	1	38		1		5	56	28	56		5	9	199
1910	2	18	6	1		11	28	56	35	1	1	35	194
1920	4	21	9	9	3	3	16	21	5	1		34	126
1930	4	27	28	4	6	7	16	7	4		8	18	129
1940		28	12	2	7	7	7	9	6		6	13	97
1950		13	19	4	10	10	12	11	11		2	5	97
1960		10	15	4	12	6	10	9	19	3	8	18	114
1970		21	75	7	29	17	14	13	13	12	5	9	215

Source: Extracted from Filby, American County Histories, passim.

Legend: CT Connecticut, PA Pennsylvania, GA, Georgia, FL Florida, AL Alabama, AR Arkansas, OH Ohio, IN Indiana, IL Illinois, AZ Arizona, ID Idaho, CA California

As shown in Table 2 below, more than seventy-nine percent, or 2,432 of America's 3,033 counties (excluding Hawaii and Alaska), had histories published prior to 1985. The best represented states are primarily in the northeastern and north central regions and on the West Coast, while the most poorly represented states are mainly in the southeastern and western regions.

Table 2 Distribution of County Histories by State

State	Number	Counties With History	Percent	State	Number	Percent	Counties With History
Arkansas	75	75	100.0	Rhode Island	5	4	80.0
Connecticut	8	8	100.0	North Dakota	53	42	79.2
Delaware	3	3	100.0	Kansas	105	83	79.0
Maryland	23	23	100.0	Texas	254	199	78.3
New Hampshire	10	10	100.0	Wisconsin	71	55	77.5
New Jersey	21	21	100.0	Georgia	159	123	77.4
New York	62	62	100.0	North Carolina	100	76	76.0
Vermont	14	14	100.0	Oregon	36	27	75.0
Indiana	91	90	98.9	South Carolina	46	34	73.9
California	58	57	98.3	Mississippi	82	60	73.2
Washington	39	38	97.4	Wyoming	23	16	69.6
Pennsylvania	67	65	97.0	Montana	56	38	67.9
Iowa	99	96	97.0	Oklahoma	77	52	67.5
Ohio	88	85	96.6	Michigan	83	55	66.3
Illinois	102	97	95.1	Kentucky	120	73	60.8
Maine	16	15	93.8	Colorado	63	36	57.1
Utah	29	27	93.1	Idaho	44	25	56.8
Missouri	114	104	91.2	West Virginia	55	30	54.5
Virginia	96	83	86.5	Louisiana	64	34	53.1
Arizona	14	12	85.7	New Mexico	32	17	53.1
Massachusetts	14	12	85.7	Alabama	67	35	52.2
Nebraska	93	79	84.9	Nevada	16	8	50.0
Minnesota	83.9	73	87	Florida	67	27	40.3
Tennessee	95	79	83.2				
South Dakota	67	55	82.1	Totals	3063	2432	79.4

Sources: Number of counties from Kane, American Counties, 18; county history information tabulated from Filby, American County Histories, passim.

In terms of the quantity of county histories, Filby lists 5,573 histories published for 2,432 counties prior to 1984, or an average of 2.3 titles per county having a history. As shown in Table 3, the range of histories per county is from 1.0 to 5.2 titles.

Table 3 County history titles by state

State	Counties With History	Histories Titles	Histories Average	State	Counties With History	Histories Titles	Histories Average
Pennsylvania	65	341	5.2	Wyoming	16	30	1.9
New York	62	313	5.0	South Dakota	55	103	1.9
New Jersey	21	99	4.7	North Carolina	76	141	1.9
West Virginia	30	133	4.4	Arizona	12	22	1.8
Massachusetts	12	50	4.2	Maine	15	27	1.8
California	57	211	3.7	New Hampshire	10	18	1.8
Ohio	85	289	3.4	Kansas	83	148	1.8
Indiana	90	283	3.1	Arkansas	75	127	1.7
Connecticut	8	25	3.1	South Carolina	34	57	1.7
Wisconsin	55	171	3.1	Oregon	27	45	1.7
Vermont	14	37	2.6	Mississippi	60	99	1.7
Iowa	96	241	2.5	New Mexico	17	28	1.6
Illinois	97	231	2.4	Idaho	25	41	1.6
Delaware	3	7	2.3	North Dakota	42	67	1.6
Maryland	23	53	2.3	Kentucky	73	116	1.6
Alabama	35	76	2.2	Louisiana	34	54	1.6
Michigan	55	118	2.1	Oklahoma	52	82	1.6
Washington	38	79		Colorado	36	56	1.6
Utah	27	56	2.1	Georgia	123	186	1.5
Minnesota	73	149	2.0	Florida	27	35	1.3
Nebraska	79	160	2.0	Montana	38	48	1.3
Virginia	83	166	2.0	Nevada	8	10	1.3
Missouri	104	204	2.0	Rhode Island	4	4	1.0
Texas	199	388	1.9	Tennessee	79	149	1.9
				Totals/Averages	2432	5573	2.3

Source: Tabulated from Filby, American County Histories, passim.

IV. LOCAL HISTORICAL SOCIETIES

Local historical societies have played significant roles in preserving and promoting local history since independence. The Massachusetts Historical Society, the first local historical society in the United States, was founded in 1794. Positioning itself as the center for local history for the New England region, this society set high standards for those that were to follow in collecting manuscript materials and other forms of local historical information as well as serving as the publisher for most town histories that were published prior to 1815.[38] Seeking to secure and protect a place for their respective states in the writing of national history, private local historical societies began appearing along the East Coast during the early decades of the 19th century, then spreading inland to the "western territories" by the 1830s, and to the American South prior to the onset of the Civil War. Following the war, historical societies were established in the western states as the United States extended its territorial boundaries west of the Mississippi River.[39]

The number of local historical societies has grown at phenomenal rates since the end of the 18th century. One hundred three societies were founded between 1791 and 1859. By 1890 the number of societies had grown to 300.[40] During the 20th century, societies were founded at an even faster rate. The exact number of local historical societies extant today is difficult to determine. However, based on the Society Hill directory, there are at least 4,129 societies in the 50 states as shown in the following table:[41]

Table 4 Number of Local Historical Societies by State

State	Societies	State	Societies	State	Societies
Minnesota	293	North Carolina	72	South Carolina	42
Texas	281	Wisconsin	70	Wyoming	41
Michigan	269	Oklahoma	68	Connecticut	40
California	268	Pennsylvania	67	New Mexico	40
Indiana	232	Tennessee	66	Kentucky	39
Kansas	165	Georgia	65	Mississippi	39
Ohio	164	Alabama	64	West Virginia	37
Illinois	149	Iowa	63	South Dakota	24
New York	142	Oregon	61	New Hampshire	23
Massachusetts	110	Colorado	60	Nevada	16
New Jersey	108	Nebraska	58	North Dakota	13
Maine	106	Maryland	54	Rhode Island	12
Arkansas	102	Virginia	51	Delaware	11
Missouri	89	Washington	50	Alaska	7
Vermont	89	Arizona	49	Utah	7
Florida	80	Montana	48	Hawaii	4
Louisiana	75	Idaho	46	Total	4129

Source: Extracted from Society Hill, "Local Societies: United States," <http:daddezio.com/society/hill/index.html> (23 March 2001).

This growth has resulted in part from state historical societies encouraging the formation of local historical societies, particularly in the last century. Within a particular county, there may be many smaller historical societies. For example, in 1962 of the 34 towns and cities in Essex County, Massachusetts, only 7 did not have historical societies. Nine of the town and city societies were founded in the 19th century and the remainder in the 20th century.[42]

State, county, city, and town historical societies have played important roles in the field of local history through their many activities and services. Traditionally local historical societies have been the catalysts for collecting and preserving local documentation and artifacts. They have been the focal points of research in local history and facilitated its dissemination through the publication of periodicals and monographs. Many societies have established and maintained local historical museums. Some have actively promoted historic preservation projects in their communities even to the extent of purchasing and restoring of historic homes and buildings. Societies are involved in community outreach through adult education and programs for school children. They also promote awareness of local history and heritage through providing volunteer staff for tourist information centers in their states and communities.[43]

V. AMATEURS AND PROFESSIONALS

Focusing on the social and academic background of authors, Professor Higham has provided the following periodization of American historical writing in general:

Historical writing in America falls into three large periods. It began in the seventeenth century as a function of clergymen and of magistrates associated with them in executing the will of God; this was the period of Puritan history. From the early eighteenth to the late nineteenth century, the best history came from the pens of independent gentlemen. . . . Theirs was the period of patrician history. Around the end of the nineteenth century, gentlemen historians yielded predominance to the growing host of university professors, for whom historical activity became a corporate task and specialized career. These men made history once more an institutional product, and such it remains in this century of professional history.[44]

Historiographers of local historical writing generally couch their classifications of authors in terms of amateur (or non-professional) and professional historians with the turn of the 20th century as the watershed between the two types.[45] Higham's Puritan and patrician historians are considered amateurs because they did not derive their livelihood from writing history, and they lacked formal, academic training in the discipline of history. Prior to the 20th century, "amateur" historians included clergymen, politicians, patrician gentlemen of means and leisure, lawyers, doctors, journalists, printers, novelists, archivists, editors, and collectors.[46] *The return of history graduates from German universities and the creation of departments of history in universities in the closing decades of the 19th century marked the advent of professional history in the United States.*[47]

A concomitant of the rise of professional history is the tension that developed between amateur and professional historians. The early practitioners of professional history, who were interested in the big pictures of world and national government and politics, looked with disdain upon the works of amateur historians as unscientific, antiquarian, and inconsequential.[48] They moved quickly to assert dominance through the formation of the American Historical Association (AHA) in 1884 which was later incorporated by an act of Congress in 1889. Its purposes then and now were "for the promotion of historical studies, the collection and preservation of historical documents and artifacts, and the dissemination of historical research."[49] This had been precisely the domain of the amateur historians for more than two hundred years. The association, however, gave priority to the "new historical research" of professional historians through the paper sessions of its annual meetings and the publication of new historical research in its annual reports.[50] Commenting on the significance of the impact of this development, van Tassel concludes his seminal study on local historiography from the 17th to 19th century, saying with the formation of the AHA "the professional historians prepared to assume the task of recording the America's past. The long age of the amateur historian had ended."[51] Such, however, was not the case.

The AHA sought to further its agenda by bringing together amateurs and professional historians and giving direction to local historical societies. But, in early meetings, as one observer has noted:

The new professionals and the old amateurs tended to congregate in separate camps, which regarded each other with some degree of suspicion. Those in one group looked down their noses at anyone who was so bold as to write history without a Ph.D., preferably from a German university; those in the other regarded a Doctor of Philosophy as guilty until proved innocent.[52]

Seeking a better fit, the amateurs, who were interested mainly in local history, formed the Conference of State and Local History Societies in 1904 as an adjunct of the AHA. While the Conference continued to meet in conjunction with the latter, it organized programs and pursued agendas that addressed the needs of local historians.[53]

The American Association for State and Local History (AASLH) was formed by the Conference in 1940, "at a time when the major professional associations had little interest in the concerns of the non-academic historians," to facilitate communication and cooperation between amateurs and professionals who were engaged in writing local history.[54] The spirit and vision of the AASLH are manifest in the following statement from one of its technical leaflets, "The Gift of History":

History is the account of things said and done in the past. In this sense, each of us has a history–an account of where we come from and how we got to be who we are. Communities, likewise, each have a history. So, too, do nations, families, and human organizations of every sort.

History serves us in many ways. It can inspire us with stories of exemplary lives or caution us with tales of human folly and wickedness. History can inform and educate us by providing the context and perspective that allows us to make thoughtful decisions about the future. And history has the power to delight and enrich us, enlarging and intensifying the experience of being alive!

With a current membership of more than 5,000 institutions and individuals, the AASLH aspires "to provide leadership and support for its members who preserve and interpret state and local history in order make the past more meaningful to all Americans." The association performs its role through publications, such as the quarterly History News, an annual meeting, and occasional workshops and seminars. In addition, it is the publisher of books and other media and serves as a clearinghouse for sharing ideas and information in the field of local history.[55]

Mutual respect and collaboration between amateur and professional historians developed slowly in the 20th century. During the first half of the century, professional historians left local history to the amateur historians.[56] However, with the rise of local studies in academia in the form of urban history in the 1920s and local demographic regimes in the 1940s, professionals began to appreciate the prior historical work of amateur historians. Finally in the 1960s professional historians in the United States entered the field of local history in significant numbers under the influence of the interdisciplinary approach of professional historians in France and England, who in mid–century adopted an interdisciplinary approach to local social and demographic history with particular emphasis on non–elite groups.[57] Since the late 1970s great strides have been made in establishing collaboration between professional historians, who bring analytical skills to the task, and amateur local historians, who know their sources.[58] Today many academic historians value the variety and richness of the coverage of local histories, the documentary heritage that had been preserved and transmitted in them, and the wide range of sources employed by amateur local historians.

Despite these advances, the condescension of professional historians is still manifest in their writings and in the activities of the AHA. For example, a professional historian observed in 1980 that:

〖T〗he history of life at the local level emerged in the 1970s as one of the most lively and promising areas of historical inquiry in the United States. . . . It may also promise to provide, for the first time, the basis for a true local history of the United States–a local history resting on a coherent interpretation of the changing nature of life at the local level and the changing role of the local community in American

development.

Not that America has been without a local history tradition. Until very recently, however, it has not been an academic one. . . .[59]

The AHA still shows a weak commitment to improved relations between academic and non-academic historians in its website where, under the heading of "AHA: Who we serve," the hotlinks for history department chairs, history graduate students, K-12 history teachers, and part-time adjunct faculty are all active, while those for history researchers (i.e., amateurs) and public historians (professionals not working in academia) are not active.[60]

VI. SUMMARY

Local history in the United States is a loosely defined field of study. It encompasses the works of amateur and professional historians dealing with the general history of localities that range from state to county to town to neighborhoods. It includes genealogy and biography, institutional, military, and ethnic histories, as well as specialized community, demographic, and urban studies.

From its beginnings, the writing of local history in the United States has responded to political, social, and economic stimuli. Local histories were written to attract settlers to new colonies and to assert the rights of those colonies in the face of tightening imperial controls. After independence was won from England in 1776, local historians sought to memorialize the roles of their localities in the formation of the new nation. With the revival of localist sentiment after 1815, historians sought to reassert of the primacy of their localities within the federal system. In the wake of the Civil War, they wrote regimental histories to hail the contributions of local military conscripts in preserving the Union. The influx of new immigrants from Europe, westward expansion and development, and presidential encouragement during the centennial celebration of American independence, contributed to another upsurge of localism which was manifest in the proliferation of county histories in the 1870s and 1880s. These histories placed localities within their larger political context, while extolling local economic conditions, social and cultural amenities, and the contributions of pioneers and prominent residents. The 20th century witnessed the continuation of this trend, the appearance of a form of populist local history in the 1930s, and the rise of academic local histories focused on the study of non-elite groups thereafter. The bicentennial celebration of American independence in the 1970s gave a significant boost to the popularity of local history writing in the final quarter of the century.

The publication characteristics of local history is difficult to describe because of the lack of national level statistics that embrace all forms of local history writings. One can only observe that local history publications number in the tens of thousands nationally and in the thousands at state levels. With respect to county histories, for which statistical information is more readily available, statistics compiled through the 1970s show that the publication of county histories was primarily a post-Civil War phenomenon with the peak decades occurring in the 1880s, 1900s, 1930s, and 1970s. Seventy-nine percent of the counties in the United States had at least one history published prior to 1985. The number of titles per counties with published histories ranged from 1.0 to 5.2 titles.

Private and government subsidized local historical societies form an important part of the infrastructure supporting local history writing in the United States. Since the founding of the Massachusetts Historical Society in 1794, the number of local historical societies had grown to at least 4,129 by the year 2001. Local history societies exist at state, county, and town levels in every state where they have historically served as foci for collecting and preserving local documents and artifacts and for publishing and disseminating local history.

Since the advent of "professional history" in the closing decades of the 19th century, tension between amateur and professional historians has characterized the field of local history in the United States. This phenomenon has manifest itself institutionally in the formation of the American Historical Association by professional, academic historians in 1884 and the Conference of State and Local History Societies and its successor the American Association for State and Local History by the practitioners of local history, who were mainly amateur historians, in 1904 and 1940 respectively. Early professional historians, who generally paid little attention to local history, tended to hold the works of amateurs in low esteem as provincial in outlook, lacking theoretical basis, devoid of rigorous analysis, and insufficiently documented. Since the mid-20th century professional historians have become increasingly interested in pursuing studies in local history, often in collaboration with non-professionals, and in the process have gained an appreciation of the work of past and present amateur historians and their command of local historical sources. Nevertheless, entrenched attitudes are difficult to eradicate; so there is still a ways to go before parity is reached between amateur and professional local historians.

Notes

*Melvin P. Thatcher is the area manager for Asia/Pacific/Africa at the Genealogical Society of Utah.

①See Kathleen Neils Conzen, "Community Studies, Urban History, and American Local History," in The Past Before Us: Contemporary Historical Writing in the United States, ed. Michael Kammen, 270-291 (Ithaca: Cornell University Press, 1980). Richard Shyrock, "Changing Perspectives in Local History," New York History 30 (July 1950), 243-259 uses the rubric of "professional" and "non-professional" or " amateur."

②For examples, see Shyrock, "Changing Perspectives," 246-247 and Conzen, "Community Studies," 270-271.

③James C. Olson, The Role of Local History (〖Nashville〗: American Association for State and Local History, 1965), 2-3.

④David A. Gerber, "Local and Community History: Some Cautionary Remarks on an Idea Whose Time Has Returned." The History Teacher 13 (November, 1979), 17.

⑤Pierre Goubert, "Local History," Daedalus 100 (Winter 1971), 113.

⑥See for example the description of the local, county, and state histories collection of the American Antiquarian Society at <http://www.americanantiquarian.org/localhist.htm> (17 April 2001).

⑦David D. van Tassel, Recording America's Past: An Interpretation of the Development of Historical Studies in America, 1607-1884 (Chicago: University of Chicago Press, 1960), 1-3.

⑧Captain John Smith, A Map of Virginia. With a Description of the Countrey, the Commodities, People, Government and Religion. Whereunto is annexed the proceedings of those Colonies, since their first departure from England, with the discourses, Orations, and relations of the Salvages, and the accidents that befell them in all their Journies and discoveries (Oxford: Joseph Barnes, 612).

⑨van Tassel, Recording America's Past, 13; Carol Kammen, On Doing Local History: Reflections on What Local Historians Do, Why, and What It Means (Nashville, Tenn.: American Association for State and Local History, 1986; reprint, New York: Alta Mira Press, 1995), 13.

⑩William T. Davis, ed., Bradford's History of Plymouth Plantation, 1606-1646 (New York: Charles Scribner's Sons, 1908; reprint, New York: Barnes & Noble, Inc., 1964).

⑪van Tassel, Recording America's Past, 28-30. See the author's discussion of the History of Massachusetts Bay Colony which was authored by Thomas Hutchinson and published in 1763.

⑫van Tassel, Recording America's Past, 47.

⑬Francis Chase, Gathered Sketches from the Early History of New Hampshire and Vermont; containing Vivid and Interesting Accounts of a Great Variety of the Adventures of Our Forefathers, and Other Incidents of Olden Times (Claremont, N.H.: Tracy, Kenney & Co, 1856), 7-8.

⑭van Tassel, recording America's Past, 54-55.

⑮Charles Brooks, History of the Town of Medford, Middlesex County, Massachusetts, from Its First Settlement, in 1630, to the Present Time, 1855 (Boston: H. James Usher, 1855), v.

⑯C. Kammen, On Doing Local History, 14-16.

⑰van Tassel, Recording America's Past, 149-154.

⑱Warren H. Cudworth, History of the First Regiment (Massachusetts Infantry), from the 25th of May, 1861, to the 25th of May, 1864; including Brief References to the Operations of the Army of the Potomac. Boston: Walker, Fuller, and Company, 1866), 7-8.

⑲Quoted in Kammen, Michael, "The American Revolution Bicentennial and The Writing of Local History." History News 30 (August, 1975): 187.

⑳Ibid. See also P. William Filby, A Bibliography of American County Histories (Baltimore: Genealogical Publishing Company, Inc., 1985), ix; Gerber, "Local and Community History,"13.

㉑C. Kammen, On Doing Local History, 24.

㉒Justin Winsor, ed., The Memorial History of Boston, including Suffolk County, Massachusetts, 1630-1880. 4 vols. Boston: James R. Osgood and Company, 1880.

㉓van Tassel, Recording America's Past, 165, 168)

㉔History of Posey County Indiana: From the Earliest Time to the Present; with Biographical Sketcers, Reminiscences, Notes, Etc.; Together with an Extended History of the Northwest, the Indiana Territory, and the State Of Indiana (Chicago: The Goodspeed Publishing Company, 1886). For another example of this format, see The History of Clark County, Ohio, conatining a History of the County, its Cities and Towns, etc.; General and Local Statistics; Portraits of Early Settlers and Prominent Men; History of the Northwest Territory; History of Ohio; Map of Clark County; Constitution of the United States, Miscellaneous Matters, etc. etc. (Chicago: W.H. Beers & Co., 1881).

㉕Franklin T. Oldt and P.J. Quigley, ed., History of Dubuque County Iowa: Being a General Survey of Dubuque County History, including a History of the City of Dubuque and Special Account of Districts throughout the County, from the Earliest Settlement to the Present Time, 2 vols. (Chicago: Goodspeed Historical Association, 〖1911? 〗). For another example of this format see John Elmer Reed, History of Erie County Pennsylvania, 2 vols. (Topeka: Historical Publishing Company, 1925).

㉖Gerber, "Local and Community History," 14–15.

㉗Christine Bold, The WPA Guides: Mapping America (Jackson: University Press of Mississippi, 1999), xvi. See also Jerre Mangione, The Dream and the Deal: The Federal Writer's Project, 1935–1943 (Syracuse, NY: Syracuse University Press, 1996) for a look back at the project by one of the participants.

㉘Ibid., 27.

㉙Gerber, "Local and Community History," 27.

㉚C. Kammen, On Doing Local History, 33–35.

㉛Conzen, "Community Studies," 273.

㉜Gerber, "Local and Community History," 7.

㉝M. Kammen, "The American Revolution Bicentennial," 182; Gerber, "Local and Community History," 9–11. See Conzen, "Community Studies," 274ff for a bibliographic survey and critique of the published works of academic historians during this period. As to the latter, the author keenly observes that " the consequence thus far has been not so much a 'new local history' as a 'new urban history' and . . . a 'new rural history; . . .'"

㉞C. Kammen, On Doing Local History, NEED PAGE NO.

㉟ American Antiquarian Society, "Local, County, and State Histories," <http://www.americanantiquarian.org/localhist.htm> (17 April 2001).

㊱Roger Parks, ed., Connecticut: A Bibliography of Its History, prepared by the Committee for a New England Bibliography (Hanover, NH: University Press of New England, 1986), xvii–xviii.

㊲Filby, American County Histories ix and xi.

㊳van Tassel, Recording America's Past, 60–62.

㊴van Tassel, Recording America's Past, 95–98).

㊵See van Tassel, Recording America's Past, 181–190 for a list of historical societies that were founded from 1791–1890.

㊶The growth of institutional support for local history in North America during the 20th century is even more impressive when local historical societies, libraries, and other agencies with local history collections and services are all taken into account. According to Mary Bray Wheeler, ed., Directory of Historical Organizations in the United States and Canada, 14th ed. (Nashville Tennessee: AASLH Press, 1990), ix the number of institutions listed in the directory has grown from 583 in 1935 to ca. 13,000 in 1990.

㊷Whitehill, Independent Historical Societies, 352–361.

㊸Clement M. Silvestro, Organizing a Local Historical Society (Nashville: The American Association for State and Local History, 1959; Whitehill, Independent Historical Societies, passim.

㊹John Higham, The Reconstruction of American History. London: Hutchinson University Library, 1962), 10–11.

㊺Refer above, Note 1; also see Goubert, "Local History,"133–127 and Alan Rogers, "The Study of Local History–Opinion and Practice. 3. New Horizons in Local History," The Local Historian 12.1 (June, 1976), 67–73.

㊻Calcott 1970, 80–82.

㊼van Tassel 1960, 171–179.

㊽Shyrock, "Changing Perspectives," 247.

㊾American Historical Association, "About the AHA," <http://www.theaha.org/info/> (27 September 2001).

㊿ American Historical Association, "Brief History of the AHA," <http://www.theaha.org/info/AHA_History/History.htm> (27 September 2001).

(51)van Tassel 1960, 179.

(52)Whitehill 1962, 323.

(53)C. Kammen, 1986/1995, 22–23.

(54)Conzen, "Community Studies," 273–274; Larry E. Tise, "State and Local History: A Future from the Past,"The Public Historian 1.4 (Summer, 1979), 15.

(55)American Association for State and Local History, "Who We Are," <http://www.aaslh.org/whoweare.htm> (27 September 2001).

(56)Shyrock, "Changing Perspectives," 243; Conzen, "Community Studies," 270–271.

(57)M. Kammen, "The American Revolution Bicentennial," 182; Lawrence Stone, 1971. "English and United States Local History." Daedalus 100 (Winter, 1971), 131–132; Goubert, "Local History," passim.; Rogers, "New Horizons in Local History," 67–73; Tise, "State and Local History,"17.

(58)Louis Bisceglia, "'Writers of Small Histories': Local Historians in the United States and Britain," The Local Historian 14.1 (February, 1980), 4–7. For an earlier expression of similar conclusions, see Shyrock, "Changing Perspectives," 249–250.

(59)Conzen, "Community Studies," 270–271. Professional French and English historians manifest the same sort of attitude. For example, Goubert, "Local History," 121 comments on recent achievements in French local history saying, "It is quite certain, however, that without serious provincial monographs (written by professional historians and not by amateurs) a general revision of the kind suggested would not have been possible." And while discussing the latest trends in English local history, Rogers, "The Study of Local History," 71–72 raises the questions: "What place is there any longer for the amateur? What should he aim at? " To which he offers several suggestions: 1) "act as a source of labour for the academics, under their direction;" 2) produce "general views" because the "full–blown local history form A to Z is now a thing of the past"; and 3) (his recommendation) select one aspect of village or town history as building block to fuller local history–by a professional historian, implied).

(60)American Historical Association, "Who We Are," <http://www.theaha.org/info/> (27 September 2001).

【中文摘要】

美國的地方史

地方史在美國是一門還沒有定論的學術研究，包含業餘和專業的史學家從事於州、縣、鎮、里間的一般性歷史研究，概括譜學、傳記、社會、軍事和種族的歷史，同時也專攻社區，人口和都市的研究。

從開始時，美國地方史的著作是受了政治、社會和經濟的刺激。寫地方史最初是為吸引移民到新殖民地。新英格蘭清教徒殖民地的十七世紀史學家，想要團結宗教社區，就記載證明早期的殖民是順從上天的旨意。十八世紀初，史學家寫地方史是要維護那些受皇室牽制的殖民地的權益。1776年，美國獨立後，地方史學家從事寫作則是為了刻畫當地在建國工作上所擔任的角色。隨著1815年後的鄉土意識復甦，史學家又為維護地方在聯邦體制下的主要地位而提筆。在美國內戰的餘波下，他們寫軍團史來為保存聯邦有功的地方徵兵喝彩。歐洲新移民的加入，向西方的拓展，美國立國百年紀念時總統的號召，又一次激發了地方主義。這從1870年代和1880年代 縣史叢生的情形可以看出。這些地方史在歌頌地方上的經濟狀況，社交文化的建設以及先驅者名流輩的貢獻時，又將地方放在更大的政治圈內。二十世紀見證了這股潮持續。1930年代出現平民化的地方史，隨後，又興起了致力於非名流團體研究的學地方史。1970年代慶祝美國獨立兩百週年，更明顯的推助了二十世紀末期寫地方史的風氣。

很難描述地方史出版發行的特色，因為缺乏涵蓋各類型作品的全國性的統計。我們只 能看到全國 有上萬，全州有上千的地方史著作。至於縣史的統計資料還比較容易得到，編纂到1970年代的統計顯示出縣史的發行主要是內戰後的現象， 尤其在1880年代、1900年代、1930年代、1970年代是巔峰時期。在1985年之前，美國有百分之七十九的縣，至少出版過一本縣史。而每個縣所發行的縣史。 以題名來計從1.0到5.2本。

私人和政府資助的地方歷史學會在美國構成一個支持地方史寫作的重要部份。自從1794年麻薩諸塞歷史學會 成立後，到2001年，地方歷史學會的數目最少增加到4129個。在每個州裡，有州、縣、鎮級的地方歷史學會，它們曾經都是在歷史上收存地方文物，傳佈發行地方史的焦點。

從19 世紀末“專業歷史”出現的幾十年以來，業餘及專業史學家之間的壓力成了美國地方史這一行的特色。這現象本身就顯示於1884年由專業及學術史學家所組成的美國歷史協會。 1904年由業餘史學家組成的 州及地方學會研討會 以及後來在1940年承襲它的美國州及地方歷史協會。 一般來說，早期的專業史學家，很少注意地方史，他們輕視業餘史學家作品鄉氣，缺少理論上根據，缺乏嚴密分析以及引證不夠充份。自從二十世紀中期以來，專業史學家漸漸對研究地方史有了興趣，通常和業餘史學家合作，在這過程中，學到尊重以往的和現在的業餘史學家的工作，以及他們使用地方資料的方法。不過，戒備的態度一時不容易根除，業餘和專業史學家要達到同等的地位，還有一段距離。

Utah State Centennial History Project: A Report

CRAIG FULLER*

Utah was granted statehood by the United States Congress and President of the United States in 1896. A year later in 1897 and the five decades following the settlement of Utah by Mormon pioneers, the Utah State Historical Society was organized by group of leading civic leaders as well as state and city government officials. They were concerned that Utah´s pioneer history was being lost and, therefore, action had to be taken to preserve it. The stated purpose of the Utah State Historical Society then was:

> *The encouragement of historical research and inquiry, by the exploration and investigation of aboriginal monuments and remains; the collection of such material as may serve to illustrate the growth, development, and resources of Utah and the Inter-Mountain region; the preservation of manuscripts, papers, documents and tracts of value, especially, narratives of adventures of early explorers and pioneers, the establishment and maintenance of a public library and museum; the cultivation of science, literature and the liberal arts; the dissemination of information; and, the holding of meetings at stated intervals for the interchange of views and criticism."*[1]

Over the past century the purpose of the Utah State Historical Society has been refined and additional responsibilities added through state government legislation.

The Utah State Historical Society when first organized was strictly a civic organization. It received no public funds from city or state governments. However, the Utah State Historical Society was given office space in the state capital. In 1927 the Historical Society received its first state government appropriation of $1,500 for general operating expenses and to help publish a journal of Utah history. That same year, the Utah Historical Society launched the Utah Historical Quarterly and since 1927 it has been published continuously with the exception of several years in the 1930s when government and private funds were unavailable because of the Great Depression. The journal, the flagship of the Utah State Historical Society´s programs, is available to anyone who becomes a member of the Utah State Historical Society for a nominal fee.

In 1937 state government funds were once again appropriated to the Historical Society. A few years later state government officials assigned the Utah State Historical Society to be the official archives for state and local government documents. With that added responsibility came an increased interest in gathering and collecting personal and families histories as well as histories of organizations and communities. The archival function for state government continued to be an important program of the Utah State Historical Society until 1967 when state government was reorganized administratively. The Utah State Archives was established as a separate administrative organization from the Utah State Historical Society. The Utah State Historical Society continues to collect, preserve and make available to researchers, genealogists and historians non-governmental records such as diaries, journals, newspapers, photographs, as well as business records and papers of civic organizations.

For much of the Historical Society's early years, the Historical Society was managed on a day-to-day basis by people who were not trained as historians, genealogists or archivists. In 1950 the first trained historian was hired to serve as the Historical Society's director. Other trained staffs of historians, librarians, editors, archivists and others have been hired as circumstances have warranted and funds made available.

In 1957 the Utah Historical Society moved into its own building which was previously the official residence of the governor of the state of Utah. The Kearns Mansion as it is better known was originally built for a wealthy mine owner, Thomas Kearns. Upon his death he gave his mansion to the state of Utah for a residence of the state's governor. The Utah Historical Society occupied the Kearns mansion for the next several decades. Early in the 1980s when the Utah Historical Society's increased library holdings, added history programs and responsibilities, and additional staff of trained historians, librarians and others outgrew the Kearns Mansion. The Utah Historical Society moved to a restored early 20th century built railroad station that had been purchased and renovated with state funds.

The Utah State Historical Society and its professionally trained staff have long associated with other local, regional and national organizations that are involved in various ways in promoting, studying, preserving history, prehistory, and the records of families, individuals, businesses, and civic organizations. One very important national organization the Utah State Historical Society associates with is the American Association for State and Local History. This organization was founded in the late 1940s to encourage the study of state and local history through the establishment of history libraries, museums and history associations across the United States and Canada. Its goal is also to promote professionalism within state and local history organizations.

Within Utah several specialized history organizations have been organized with the encouragement and support of the Utah State Historical Society. In the late 1970s the Utah Oral History Association was organized to encourage the gathering of personal histories using the technology of the tape recorder. A second state and regional history organization is the Conference of Inter-mountain Archivists, which was organized in 1974. Its purpose is to promote professionalism and cooperation among archivists who work for state and local government archives, universities and colleges in Utah as well as in the states of Arizona,

Nevada, and Idaho. In the late 1950s the Utah Statewide Archaeology Society was organized to encourage amateurs to study and help preserve Utah's ancient history. A professional organization of archaeologists, the Utah Professional Archaeology Council, was formed in the early 1970s as a forum to exchange information among professional archaeologists.

There are a number of other statewide history organizations as well as county and community historical societies that have been organized over the years. The Daughters of Utah Pioneers, a women's organization, collects and preserves individuals' pioneer history, the period from 1847 to 1896–statehood for Utah. It also collects pioneer related artifacts and exhibits them in county and town museums owned and operated by the Daughters of Utah Pioneers as well as its own central museum located in Salt Lake City. Membership in this history organization of women numbers in the thousands.

Two male organizations, Sons of Utah Pioneers and the Mormon Battalion have been established to honor Mormon male pioneers. In addition, the Mormon Battalion honors the 500 men volunteer army that was organized by the United States to march to California from the mid–west during the Mexican War. Membership in these two organizations exceeds 3, 500.

There are dozens of town and county historical societies in Utah. They are loosely affiliated with the Utah State Historical Society. They have their own leaders and have similar objectives as that of the Utah State Historical Society: to preserve and perpetuate community and county histories. Several of these local history organizations have taken on projects to establish regional museums and archives as well as restoring and preserving parts of small villages and mining camps. These local and county historical societies are primarily funded through annual membership fees, usually between $5 and $10 annually. Some town historical societies receive small budgets from town governments to operate town museums. Cumulative membership number in these town and local history organizations approaches a thousand people.

In 1990 Mr. Joseph Francis, a founding member of the Morgan County Historical Society, approached the director of the Utah State Historical Society with the idea for each of the twenty–nine counties in the state to write their own histories as part of the state's centennial celebration of gaining statehood in 1896. In 1991 following a year of lobbying of the Utah State Legislature for funds to hire individuals to research and write each of the histories of the twenty–nine counties, the state legislature appropriated $290,000 to the Utah State Historical Society to administer the project. Each county received $10,000 to hire people to write the histories of the counties. Additional funds were later appropriated to publish the twenty–nine county histories. Each of the county governments was asked to appropriate funds to share in the expense of printing their histories.

In each county the elected county commissions helped to select the author or authors for their respective county's history. They were involved in designing the dust jacket and some read drafts of the histories before the manuscripts went to press. Each county decided on the number of books to be printed, generally between 1,500 and 3,000 volumes. The first 1,000 copies were distributed at no cost to all private and public school libraries throughout the state as well as to all academic and public libraries. The balance of the print run was then sold to the public at a set price of $19.96.

Two historians at the Utah State Historical Society were assigned to oversee the project and to be the general editors for each county history. Copy editors were also contracted to help complete the editing. A primary function of the two general editors was to insure a high degree of historical scholarship was produced. Thirty–five historians–professional and amateur–in all were involved in writing or co–writing the twenty–nine county histories. Local volunteer readers were also asked to review and make suggestions on drafts of the various manuscripts submitted and to locate appropriate photographs to illustrate their county's history.

An important issue soon arose over the format for the Utah Centennial County History Series. Some of the authors writing on the more urbanized counties in the state wanted unlimited number of pages for their histories. Some of the authors of the smaller populated counties yet having more square miles than other counties argued they should have equal number of pages for their histories. Some authors wanted many photographs in their county histories. The general series editors decided that each volume should have approximately the same number of pages–350 to 400 pages.

The series editors made their decision regarding the number of pages and photographs (between 30 and 50) for each history on several factors: the intent of the Utah State legislature to treat each county history equitably, and equally important was the overall project budget. More pages and more photographs greatly increased the printing cost per history. Although the number of pages was set, some of the histories were shorter and others were longer.

All of the histories included an index, a table of contents, a bibliography, and the authors were required to footnote appropriate historical information. Heretofore, most county histories in Utah neglected these critical elements, all of which make the histories more useful and more creditable.

Maps of each county were included in each volume. Each map included important roadways, topographical features, cities and towns in each county, and significant waterways, both artificial and natural. The Automated Geographic Reference Center, an agency of Utah State government, was contracted to generate maps for each of the twenty–nine counties.

Each county in Utah varies in geographical area, make up of population, and each is diverse in other ways as well. Since the organization of each of the counties, some as early as 1850, the last in 1917, their economic structures have undergone changes, generally from a strict self-sufficient agricultural economy to more diversified economies based on tourism and retirement, film making, higher education, manufacturing, mining, and others. The economic changes and diversification also impacted the politics of the different counties. And, the demography of each county has changed, some have grown significantly, others have lost population. Each of the county historians was asked to examine and explain these and other changes and developments as well as the prehistory and geography of their respective counties.

The project officially ended eight years after the first state funds were appropriated in 1991 when the last county history was printed and distributed.

The Native American population also wanted their history to be recorded and celebrated as part of Utah's centennial celebration. Leaders of the Indian population of the state lobbied members of the state legislature for funds to assist in writing and publishing a history of the contributions of the Native American population to Utah. Writers representing the various Indian tribes were selected to write a chapter. In year 2000, the project directed by the Office of Indian Affairs, a state government agency, in cooperation with the Utah State Historical Society was completed with 4,000 books printed.

Notes

Dr. Craig Fuller holds the position of historian at the Utah State Historical Society.

①Quoted in Glen Leonard, "Utah State Historical Society, 1897-1972", Utah State Historical Quarterly, Vol. 40 No. 4 (Fall 1972).

【中文摘要】

猶他州百年紀念歷史專案:一份報告

猶他州歷史學會是1897年，先驅者在猶他州定居了五十年之後所成立的一個民間機構。1927年,學會得到州政府的第一次撥款,就開始出版《猶他歷史季刊》。1939年,學會被任命為專門處理州和地方文件的官方檔案處。在1967年猶他州立檔案處設立之前,它一直擔任這個任務。學會到現在還不斷地收集保存和準備那些提供研究用的非官方紀錄,例如日記、雜誌、報紙、照片、商業紀錄和公文。

1991年時,猶他州歷史學會從州議會獲得二十九萬美元的經費來辦一項替州內的二十九個縣寫縣史的專案,以慶祝猶他州從1896年立州以來的百年紀念。每縣得款一萬美元來邀請作家。民選的縣委員幫助評選寫縣史的作家。由縣來決定要印行書冊的數量。大致上是1500到2000冊。

由學會指定的兩位史學家來監督這項專案,同時也擔任這些叢書的總編輯。一共有三十五位專業和業餘的史學家参與編寫這二十九縣縣史的工作。地方上的義務服務人員負責校閱初稿。所有的縣史包含索引、目次、書目和附註。還有每縣的地形圖和行政圖。每一位史學家需要描述該縣史前的歷史地理環境,並且解釋歷史上經濟和人口的轉變。

這項專案在1991年全部完成。

另一項百年紀念的歷史專案是美國印地安人社會編寫及出版他們的歷史,由州出經費挑選各部落的代表來寫一章自己的部落史。在2000年時,印地安人事務處和猶他州歷史學會合作發行了這部歷史,出版了4000本。

林著《方志學與地方史研究》序

我國歷史悠久，疆域廣闊。歷代行政區劃的演變，初由秦漢時代的郡、縣二級制到魏晉南北朝時代的州、郡、縣三級制，次由隋和唐前期的州、縣二級制到唐開元至五代時的道、州、縣三級制，再由兩宋時（包括金）的路、州、縣三級到元以後以省領道、路、府、州、縣多級制或省、府、縣三級制。演變的規律是政區越劃越多，越劃越小；最常用的是三級制，有時用實三級，有時用虛三級。因此地方志的纂修越後越多，以地區言，靠沿海且工商業比較發達的城市，資源富且人才多，所修地方志在質和量都比較佔優勢。處於以農業生產為主的社會發展地區則次之；以畜牧為主的西北地區又次之。

雖然清代學者章學誠認為"志乃史裁"、"志乃史體"，但是地方志與地方史是並行不悖而不能互相替代的。史以記敘過去為主，涵蓋時間為長，重在史料；志則以記敘現況為主，涵蓋時間為短，重在調查採訪。地方志每保存一些不見於其他記載如正史、政書等的原始史料，因此其不但對地方史的研究有十分重要的參考價值，就是對斷代的專史研究也應列為史料來源之一。

林教授天蔚兄大著《方志學與地方史研究》，內容分為三編，即"方志的源流與發展"、"方志理論與方志理論家"與"廣東方志研究"。就地方志與地方史的關係言，研究地方史，必須利用地方志的資料，至對地方志的資料之取捨與考證那是另一問題。我們不僅是研究宋史的同行，也是對方志學研究的同道。索序於我，樂而為之，特申述淺見如文。

宋　晞*
一九九五年三月三十日
於台北市陽明山華岡
中國文化大學文學院

*臺灣文化大學文學院退休院長及歷史研究所所長

林天蔚教授新著《方志學與地方史研究》書後

民國以來，中外學者研究中國歷史，不僅視野開闊，而且利用史料的範圍也日漸加廣。新史料的不斷發現，對舊史記載之證誤與補缺，貢獻最大。今日史家研究國史之成就，遠邁前人，除了善於利用新方法外，亦當歸功於大家都能知道廣泛搜輯各種新材料了。

我國是廣土衆民的國家，人民族姓衆多，全國行政區劃亦繁，一個家族或宗族，代代相繼，子孫繁衍，人才蔚起，撰有家譜或族譜，傳於後世，使奕葉子孫珍之寶之。國家因朝代遷革，舉凡戰亂時期的破壞，和平年代的建設，任何一個方域，歷數十或數百年，人文方面的變動很大，鄉之士紳以愛鄉之心，請於現任的地方首長，設局修志；或地方長吏欲留善政美俗於後世，謀於鄉之賢者，合力纂修志書；以宏揚聲教，垂範將來。家族譜修於私家，頌揚先德，有其難以盡信之處。惟地方志據諸官府案牘及本鄉前賢之撰著，轉較信實。明代名臣王珣於弘治十二年（1499）巡撫寧夏時，即禮聘郡人戶部郎中胡汝礪修志，並召諸生面諭說："地郡之有志，猶家之有譜系也，猶公曹之有案牘也。考興亡，辨是非，求隱賾，即小可以占大，據政可以知德，由紀載之遠近可以知窺性道之本根，是宜以易易視之哉！"苟能以誠敬之心修之，庶幾真切信實，以供史氏之採擇。

清代史學大家章學誠曾指出：行狀碑傳為一人之史，家乘族譜為一家之史，州縣志為一國之史，斷代史為天下之史。只要州縣志纂修的內容詳實，為史館所徵，藉以修天下史，便沒有遺憾了。他感嘆當時所修地方志多出文吏之手，不是清言叢說，就是隨俗應酬。國史館修史，不得已而下取於家譜狀誌或文集中之記述。然而私家傳記恐有失實，如無方志以為之佐證，則難以考信，所以方志有缺，國史便要受病了。

早在民國十年，梁啟超在天津南開大學講述中國歷史研究法，在說史料一章中強調別史雜記之屬，其價值與正史無異，而有時還過之。例如陳壽《三國志》諸葛亮傳記亮南征南蠻之事僅有二十字，然在常璩的《華陽國志》卷四南中志中則用七百餘字敘述其經過。這足以說明地方志的史料價值並不次於正史。三十三年前，張國淦撰《中國古方志考》，將一地的人物志、先賢傳贊、物產志、風土志、古跡志、山川志等，皆予以列入，並謂："方志之書，至趙宋而體例始備。舉凡輿圖、疆域、山川、名勝、建置、職官、賦稅、物產、鄉里、風俗、人物、方伎、金石、藝文、災異，無不彙於一編。隋唐以前則多分別單行，各自為書，其門類亦不過地圖、山川、風土、人物、物產而已！"同時朱士嘉編《宋元方志傳記索引》，其自序也說："宋代方志的體例比較完備，內容比較充實，這是與當時社會經濟的進一步發展，史學地理學的突飛猛進，有密切關聯的。在體例方面，宋志上承史、漢餘緒，下為後代方志編纂學打了良好的基礎。如果說漢以來修史者無不奉史、漢為圭臬，那末，宋以來修志者幾乎莫不以宋志為楷式了。"宋代的地方志偏重人文，記載到人物的，除專立的傳記一門外，職官、科第、學校等門中亦述及之，用以评定地方吏治的良否。如周應合纂《景定建康志》，人物志分十目，又有官守志、儒學志及歷代年表，所記載的都是本府的歷史。所以地方志就是地方史，為研究歷史的學者所必須考求的。

為了便於中外學者能廣泛利用中國各省的地方志，方志目錄的編輯與出版是最迫切的。朱士嘉最先編成《中國地方志綜錄》問世，政學商工各界人士都可查考。民國七十四年，德毅承漢學研究中心之邀，重編《中華民國臺灣地區公藏方志目錄》，以鉛字排印，也受到學者的歡迎。同年，漢學研究中心舉辦“方志學國際研討會”，會後刊行論文集兩冊，開創地方志研究的新風氣。然十年來，能孜孜鑽研撰成專著者則不多見，惟我至友茂名林天蔚教授於去年撰成《方志學與地方史研究》，即將於今春出版，大可彌補此一缺憾。

林教授是研究唐宋史的專家，三十五年前撰成《宋代香藥貿易史稿》，後又出版《隋唐史新編》，早已享譽史學界，在香港大學執教二十多年。近十餘年來，倡導研究地方史及家族譜，策劃舉辦學術會議，主編《地方史資料研究論文集》，於一九八五年由香港大學亞洲研究中心出版。去年十二月，在香港及廣州舉行“嶺南文化新探究國際學術研討會”，林教授的貢獻是有目共睹的。這部新著《方志學與地方史研究》共分三編，第一編縱論方志的源流與發展，首述方志的功用，除補史、證史外，特提出科技、地方吏事、藝文、宗教，以及中外交通、文化交流等項，並各舉數例以證明之，皆言之鑿鑿，讀之足以啟迪新知。在述及方志的發展一節中，也以宋代為關鍵，指出南方志書大量出現，與社會進步、經濟繁榮有密切的關係。其第三編為廣東方志研究，為本書的一大特點，介紹了明清人所修的六部《廣東通志》，為其他專著所沒有的。末附徵引書目，計古籍六十九種，方志三十三種，族譜五種，近人專著七十六種，期刊論文三十二種，可謂浩博，足以占林教授功力之深厚了。

林教授在本書的自序中稱讚大陸學者對方志研究的貢獻，並臚列近二十年內出版的專著十多種以為佐證，當然是值得肯定的。不過這些著作是否精審？尚沒有答案。就我所參閱的黃葦著《方志論集》一書而言，就頗有問題。如其“論宋元地方志書”一文，將鄭興裔修、鄭少魏纂的《廣陵志》列入北宋時修的方志，則大錯特錯。據陳振孫《書錄解題》卷八載：“廣陵志十二卷，教授三山鄭少魏、江都尉會稽姚一謙撰，紹熙元年，太守鄭興裔也。”乃是南宋光宗時所修者。按：少魏字良臣，福州長溪人，乾道八年（1172）進士，見之於梁克家《淳熙三山志》卷三十，足證其未查原始記載，可能誤用《中國古方志考》。經查該書之頁二三五，將纂者鄭少魏誤作“字明舉，成都人，元祐進士。”不知此乃鄭少薇之字貫。似乎亦未查考《書錄解題》。可見不徵引第一手史料，而直接參用他人著作，很可能產生同樣的錯誤。

我與林教授交遊三十餘年，蒙其不棄，常在宋史及方志之研究上互相切磋，獲益良多。今年春節過後，他囑我為他的新著撰一序文，愧不敢當，謹就閱讀心得綴述如上，姑稱“書後”，不知有當老友之意否？

一九九五年二月

豐縣　王德毅*　謹識

*臺灣大學歷史系退休教授

王爾敏序

學界同道知友林天蔚先生，生平研治唐宋史著聲士林，且長期主講香港大學及政治大學。惟林先生亦深研香港史、方志學及族譜學，皆具卓識，著作等身。

余與天蔚訂交二十餘載，經常拜讀其方志、族譜及香港史等論著，用增廣識見，備獲良益。抑且余在香港中文大學亦教方志學一課，與港大相對，學養不能匹稱，多承天蔚垂愛，鼓勵示教有加，幸得勉強附驥。回台之後，天蔚在政大講授方志學，余又在師大講授方志學。黌宮連衡，與天蔚更時相親接。所學相近，固乃針芥契合。天蔚愛人以德，交游多碩學宏儒。余在港承其多方護持，回台又相與呴濡，可謂氣味相投，患難相共，道義可相託也。

近二十年來，大陸輿地方志學相當興盛，決不下於上世紀二十年代《禹貢》半月刊創刊時代之輿地學研究。有三個範圍重大開拓，各自具有獨立領域規模。其一，歷史地理學，是禹貢學社一個沿承與開拓。大陸學者專家甚多，著作遠超過禹貢半月刊。其二，方志學，也是承禹貢半月刊風氣一個次要脈流而獨闢一系。近二十年大陸方志學尤著作鼎盛，遠邁前代。其三，地理遺址實察。此乃上承斯文海定（Seven Anders Hedin, 1865-1952）與斯坦因（Mark Aurel Stein, 1862-1943）之路徑，而由中國人繼續開拓之新學問，為成績輝煌、受人尊重之一大門類。大抵有絲道之重建，長城遺址之復原，綠洲之考察，運河之探索，乃至長安、洛陽、平城、邯鄲、臨淄等古都之考古重建，俱有重大成績，大抵為大陸學人努力之重大貢獻。相形之下，臺灣老輩張其昀、王益崖、沙學浚、鄭資約、王華隆巳凋落殆盡，新秀尚未起來。余在執教崗位，深覺有愧職守。同代同輩有成績者，則有嚴耕望、盛清沂、宋晞、程光裕以及天蔚為此中前驅。余只可謂附驥，差可維持研究局面。

今日學界於歷史地理、方志學，視為冷門學科，甚至連史學亦不重視，以為並無實用，只有少數學校講授歷史地理及方志學。今日學界不重學術，浮誇是尚，追逐新奇，務期驚世駭俗，一日突破前人，天下披靡，則可博取高名，領導學界，表率群倫。惟此類大聖大哲，須待海清河晏，十日並出。如今尚未降世。天蔚不甘同流，退而著書，欲以其生平所長，匯諸篇章，藏之名山，傳之其人。因乃有新著《方志學與地方史研究》一書問世。海嶠一隅，海外五洲，尚有方志學著作與大陸二三十種方志學著作爭一日之短長者，則只有天蔚一人。當今海外輿地史巨擘嚴耕望、章生道、宋晞、程光裕之外，不能不肯定天蔚一人之卓卓貢獻。且與諸先進並駕齊驅，有何愧色可言？若有人認為此話不公，即請其提出史地學著作來，俾使學界共觀，可以一見高下。

林著方志學分三個重點進行探討。第一部分可謂是中國地學史及方志學發展史之研究。所見仍以方志學為全部重心，史地學上之發展，則配合方志有關者而順便論及。天蔚定為全書第一篇。內容豐富，涉論廣闊，網羅周至，充分體現學術史規模。自上古通論至清代，層次分明，重點突出，使人易於洞觀全局。抑且各代資材，取用精當，具代表性，正見出作者功力深厚。

惟按中國地學史為一重大學術門類，歷代累積著作廣博而精深，多量且多樣。天蔚雖胸羅古今，目營四海，廣收並蓄，鉤深抉微，終亦不免使我搗瑕抵隙，攻伐其中一些破綻。但非辯論事實之是非，實表達所見之不同。

天蔚探討方志淵源，提出史地兩元論，並以《周禮》表史源，以《禹貢》表地源。自是一種高明指引。惟余之講授此課，並不分別史源地源。而認方志淵源有三：一即《禹貢》，表九州方物，屬貢賦之知識。二即《職方》，亦同天蔚書中之《周禮》，表土地之領屬。三即《世本》居篇，表族群之聚落，亦即都邑之史志。天蔚非不知《世本》，或以其書已亡，因不具論。但願以此質之天蔚。

本書第二個重點，是第二篇，介紹方志學理論與方志學家。自章學誠論起，直迄現代。章學誠自是創制大家，一代宗師，天蔚立專章論之，精覈深入，辨析畢盡，實所欽服。抑且並時大家，如顧炎武、顧祖禹、戴震、洪亮吉，以至近時之李泰棻、黎錦熙、唐祖培、張其昀等，亦俱詳加舉論。此中實包括方志學及歷史地理名家，並不限於方志學。然其考論主軸，仍全部置於方志理論，自是切合本書宗旨。天蔚在此方面貢獻甚大，蓋前人除介紹章學誠外，很少再提及其他；尤少論當代，而當代本有眾多名家以及新論層出，世人甚難獲致清楚概念，天蔚此書當可彌補此一缺憾。

我在講授方志學時，亦重方志學家。但只提當世名學者，且與天蔚不同，實不及此書之詳密宏肆。天蔚此作，理既醇正，且具特長，實所敬佩。天蔚網羅章氏以來方志理論，無不備集，幾無從補充。惟勉強一提，相信必須敘入最重要前輩朱士嘉。蓋當代學者之中，朱氏畢生專業作方志學研究，自三十年代直至九十年代，志節不渝，無人能望其項背，足為方志家典範。我輩後學應知尊敬予以表暴。此外，傅振倫自弱冠撰著方志，亦終身鑽研，至於耄耋。朱、傅二氏俱當特予標出，表率後學。

本書第三重點，乃專就廣東方志作研析論述。天蔚粵人，就地域之便，殊多所見聞，專精亦復深入。即以《廣東通志》而言，我只閱讀阮元所編之一種，而天蔚則於戴璟、黃佐、郭棐、金光祖、郝玉麟，以至於阮元無不廣加論述，實稱淵博。其他府州縣志，人物風俗，甚至香港地志，無不有所搜討。無論站在廣東地方史志以及香港史乘，天蔚自是專門名家，余少有探索，不敢置辭。甚望治方志同道有所資取。

近二十年來大陸方志學家輩出，專書甚多，不下二十餘種，期刊論文尤夥。港台兩地亦有論文可觀，而專書寥寥無幾。天蔚此書，正可彌此缺憾，當為學界所慶賀。余忝列知己，學且同好，冒昧申敘，聊抒數言。不足以當天蔚浩漢之學養，更不能盡本書之聲價。而敢於永負此言責者，則深信此書之完備，宗旨之醇正，取材之豐博，論斷之切當，與層次之分明。謹貢拙識，以博高明之雅賞；妄陳讕言，猶祈天蔚之原宥。

一九九五年元月二十一日
（甲戌歲除夕前十日）
淮陽 王爾敏*
草於台北之揮泥揮雨軒

*臺灣中央研究院近代史所退休研究員及臺灣師範大學歷史系教授

Preface

Professor T.W. Lin is a distinguished practitioner of Chinese local history, particularly of the Lingnan Region, who is uniquely qualified to introduce the reader to local historiography. In this three part work, he systematically shares his extensive knowledge of the compilation of local gazetteers and their application in the study of local history.

Part One, "The Origins and Development of Local Gazetteers," begins with a discussion of how local gazetteers can be used to supplement and correct standard dynastic histories and to provide information about science and technology, individuals and the arts, and religion and cultural exchange between East and West. It continues by tracing the evolution of local historical writing and geographical treatises beginning from pre-Han times through their confluence in works about historical geography during the T´ang dynasty, the subsequent emergence of the local gazetteer genre in the Sung dynasty, and its maturation during the Yuan, Ming and Ch´ing dynasties. Particular attention is paid to the contributions of influential works and the theoretical orientations of different schools of writers.

Part Two, "Local Gazetteer Theories and Theoreticians," reviews theoretical developments from the Ch´ing dynasty to our day. Professor Lin gives an overview of the ideas and works of great scholars of the Ch´ing dynasties including Chang Hsueh-ch´eng, Ku Yuan-wu, Ku Tsu-yu, Tai Chen, and Hung Liang-chi. He then presents new approaches to the compilation of local gazetteers which have arisen during the twentieth century, giving special attention to the theoretical views of researchers and compilers on both sides of the Taiwan Straits in recent years and concluding with his own ideas about compiling modern local gazetteers.

Part Three, "A Study of Kwangtung Local Gazetteers," starts with an evaluation of three Ming and three Ch´ing editions of the Kwangtung Provincial Gazetteer. It concludes with discourses on many topics in the local history of Kwangtung including biographical issues, problematic events, ethnic groups in Kwangtung and Hong Kong, and an example of what can be accomplished by using a local gazetteer in tandem with a lineage genealogy.

Professor T.W. Lin provides the reader with a comprehensive overview of the evolution and development of the contents and theory of a most important genre of historical writing in China. He also skillfully demonstrates how the local gazetteers can be used to enrich and deepen our understanding of local historical events, personalities, and populations. All students of Chinese history will profit by reading his book.

Melvin P. Thatcher*

*美國猶他州家譜學會遠東區負責人

地方史志的巨著

——評林著《方志學與地方史研究》

黄秀政*

《方志學與地方史研究》一書,是前香港大學中文系教授、前政治大學歷史研究所教授、現任加拿大英屬哥倫比亞大學亞洲中心研究員的林天蔚教授的大作,於一九九五年由台北南天書局發行。

本書共三九六本頁(十六開本),近五十萬言,是林教授研究方志學與廣東地方史數十年的心血結晶。林教授祖籍廣東省茂名縣,生於一九二七年,一九四八年畢業於廣東省立文理學院(今廣州華南師範大學)史地系。林教授曾執教於香港中文大學崇基學院,長期主講於香港大學及政治大學,並曾擔任美國哈佛燕京學社、法國巴黎第七大學訪問學者,生平專攻唐宋史,兼及香港史、方志學與族譜學。除本書之外,林教授尚著有《宋代香藥貿易史稿》、《隋唐史新編》、《隋唐史新論》、《宋史試析》、《香港前代史論集》(與蕭國健合著)、《宋代史事質疑》等專書;同時,他還主編數部學術論文集,是一位著作等身的學者。

本書共分參篇。第壹篇"方志的源流與發展",討論方志的功用、方志的起源與發展、方志的成熟階段(元、明、清三代的方志)三個主題。方志是地方歷史與人文地理、地文地理的綜合體。其主要內容是以敘述一地的政治、社會、經濟、軍事、文化、人物等為經;以地理環境、天然資源、自然現象為緯,進而分析該地發展過程的史實。方志的功用,前賢之論多矣,林教授綜合各家說法,指出方志有五項功能:一、可補正史之不足;二、可考訂正史錯誤;三、科技資料之增添;四、地方人物、史事與藝文之蒐集;五、有關宗教及中西文化交流史料的鉤尋。

關於方志的起源,有謂始於《周禮》①,有謂源於《禹貢》②,有謂《越絕書》、《吳越春秋》與《華陽國志》均是最早的方志③。林教授探討方志的淵源,提出史地兩元論,以《周禮》表史源,以《禹貢》表地源。他指出:"史"重"人"與"事"之記載;"地"重"物"與"地"之敘述。經過漫長的歲月,"史"部發展而有"國別史"、"耆舊傳"與"人物志";"地"則發展為"圖經"、"地志(記)"與"風俗志"。隋代的"地理書","地理"獨立於"歷史"的範疇之外,或名之曰"歷史地理",便是"史"、"地"的分途。至唐代,政府設局"官修"地理書,有《括地志》及《元和郡縣圖志》之出現④,成為全國性之志書,且創造方志若干體例,至宋代遂正式形成方志。

對於方志的成熟階段，亦即元、明、清三代的方志，林教授就量的發展指出，方志至明、清兩代，數量大增，除郡縣志外，更增加多種雜志，其發展可說已達到頂峰時期；而元、明、清“一統志”的纂修，實為促進方志發展的原因之一。至清代，因從事纂修方志者眾，於是產生不同的纂修方法，有所謂體例派、考證派（地理派）、史法派（歷史派）三派之說。林教授認為體例派係屬寫作的技術，不足以當方志論之一派；考證派着重地理考證，史法派着重文獻考訂，雖着重之點有別，均足以建立其方志理論，自成一說。

第貳篇“方志理論與方志理論家”，討論章學誠及其方志理論、兩顧暨戴震、洪亮吉、新方志學與方志新體例三個主題。章學誠所著《文史通義》一書，與唐代劉知幾的《史通》，並列為傳統中國史學理論的二大名著，章氏對史學理論有特殊貢獻，已為世人所肯定。惟章氏不僅對史學理論有貢獻，在方志學理論的建構方面，亦有獨特的見解。章氏曾參與纂修《永清縣志》等十部方志著作，他提出的方志學理論包括：述志之例（方志十議）、撰志之要（二便三長五難八忌）、論志之體（三書四體）、論文與史之關係（六經皆史、文人不可修志）、論“史”與“志”之不同、其他（志科志官傳、史德與史識）等，舉凡纂修方志所應具備的條件與修養，均有精闢的見解，足供參考。

江蘇兩顧——顧炎武與顧祖禹，均用考據方法，前者完成《天下郡國利病書》[⑤]，後者完成《讀史方輿紀要》[⑥]。雖有學者稱兩顧為“歷史地理學家”，但方志本有“史”、“地”兩源，先發展成“歷史地理”，再發展為方志，故林教授認為二書繼承一統志的體例，開方志中“考證派（地理派）”的先河。顧炎武曾參與纂修《鄒平縣志》與《德州志》，顧祖禹曾參與纂修《大清一統志》，兩人亦均為方志專家。兩顧之後的戴震，強調纂修方志應特重地理沿革、地方考據與地方實用價值，其參與纂修之方志計《金山志》等四種[⑦]。戴氏約與章學誠同時代，兩人參與纂修方志，其“經世致用”的目的相同，不過一從“史”之立場，一立在“地”之觀點而已。戴氏之後又有洪亮吉，洪氏曾參與纂修《澄城縣志》等九部府縣志，他強調方志乃“輿地之書”，首重沿革；他並將考據學帶入方志領域中，故“言必有據”、“信載籍而不信傳聞”、“貴因而不貴創”。林教授對洪氏之作法似不贊同，因此指出洪氏之方志著作，均沿襲體例派，“詳分細目”，但細目中頗多雷同，可知其刻板。

有關新方志學與方志新體例的討論，是林教授用力甚深的一個主題，為本書的重點之一。林教授指出所謂“新方志”，應有“新的內容”、“新的體例”、“新的方法”。“新方志”的內容，貴在“創”新，適合新的潮流、新的社會需要，以及地方的新特性。“新方志”的體例與內容，息息相關，有了新的內容，體例上自然或增或減，或強調某幾點。“新方志”的方法，多是指在舊的內容中，強調若干點，使適合潮流而已，亦即所謂“新觀點”、“新方法”。此外，配合強調某幾點，因而體裁上也作調整，而“志館”的組織亦不同於傳統，於是產生新的組織與新的體例，此種組織與體例，又顯出“新的內容”，三者互為影響。

第參篇“廣東方志研究”，評介明清兩代已刊的六套《廣東通志》；並分就人物研究、史事研究、民族史研究，以及方志族譜聯合研究四方面，探討廣東地方史事。在已刊的六套《廣東通志》中，刊行於明代者有戴璟之《廣東通志初稿》（刊於嘉靖十四年，即一五三五年，以下簡稱“戴志”）、黃佐之《廣東通志》（刊於嘉靖四十年，即一五六一年，以下簡稱“黃志”）、郭棐之《廣東通志》（刊於萬曆三十年，即一六〇二年，以下簡稱“郭志”）；

刊行於清代者有金光祖之《廣東通志》(刊於康熙三十六年，即一六九七年，以下簡稱"金志")、郝玉麟之《廣東通志》(刊於雍正九年,即一七三一年,以下簡稱"郝志")、阮元之《廣東通志》(刊於道光二年,即一八二二年,以下簡稱"阮志")。林教授認為此六套省志中,"黃志"、"郭志"是粵人主纂的"粵志"。而"黃志"、"郭志"、"阮志"均聘粵人助纂,如梁有譽、歐大任、黎民表之助修"黃志";王學曾、袁昌祚之助修"郭志";陳昌齊、劉彬華、謝蘭生之助修"阮志"。諸人不僅各有專長,且均有修志經驗,在人地相宜的配合下,"黃志"、"郭志"、"阮志"最為可觀。林教授同時指出,"黃志"是"文人之志",因黃佐固是學者,而梁有譽、歐大任、黎民表均以文學見長。"阮志"是"史家之志",因其沿襲舊例,慎於選擇史料及考證。"郭志"乃是"志家之志",因是書能重志書之"史"、"地"兩源,更能顯示地方特徵。"金志"與"郝志"蒐集資料,詳加整理。"戴志"雖雜紊無章,然係草創,當然亦有其參考價值。

林教授祖籍廣東,對廣東、香港史事素極關心。他在本書第參篇所收錄的廣東地方史研究專題,是他數十年來先後完成的相關論文,屬於人物研究方面的,有《隋譙國夫人事蹟及其漢化之研究》、《嶺南狀元莫宣卿考》、《范仲淹與余靖》、《郭棐考(事蹟考、著作考)》四篇;屬於史事研究方面的,有《宋代廣州為對外貿易的轉運港》、《葡萄牙人在香港的事蹟考》、《寶安縣宋帝陵質疑》三篇;屬於民族史研究方面的,有《唐宋時代廣東少數民族的分類及分家》、《明代廣東之傜區與傜亂》、《香港大嶼山為傜區之試證》、《香港之峯村與峯民》四篇。另有書評一篇,係林教授透過評介《新會潮連鄉盧鞭里盧氏族譜》,藉以說明方志族譜聯合研究之案例。

近二十年來,大陸的輿地方志學相當興盛,絕不下於民國二十年代《禹貢半月刊》創刊時代之輿地學研究。反觀臺灣學界,歷史地理、方志學被視為冷門學科,甚至連史學亦不重視,以為並無實用。林教授處此環境,不甘同流,退而著書,欲以其生平所長,匯諸篇章,藏之名山,傳之其人,乃有本書的問世。職是之故,王爾敏教授為本書作序時,嘆稱:"海嶠一隅,海外五洲,尚有方志學著作與大陸二、三十種方志學著作爭一日短長者,則只有天蔚一人。"[8]當非過譽之詞。

拜讀林著,本人認為本書值得稱道之處,至少有下列幾點:

首先是內容豐富,引證詳實。本書作者林教授曾於七十年代在香港大學中文系講授"方志研究",八十、九十年代又在政治大學歷史研究所講授"方志學"。由於長年講授方志學課程,涉獵極為廣博,對海峽兩岸及國外漢學重鎮的方志學研究動態有相當深入的了解。其撰述本書,參考資料極為豐富,計古籍六十九部、方志三十三部、族譜五部、近人專著七十六部、期刊論文三十三篇,引證詳實,實不可多得。例如第壹篇第一章討論方志的功用,大量使用廣東方志資料,並補以大陸最新資料,取材極為廣闊,指出方志除補史、證史外,特別提出科技、地方史事、藝文、宗教,以及中外交通、文化交流等項,並各舉數例證明,皆言之鑿鑿,內容豐富,有憑有據,讀後令人耳目一新(頁三一八)。又如他利用廣東方志及相關資料,研究唐宋時代廣東少數民族的分類及分家,誠極難得。少數民族本身並無文字,將南方少數民族分類,並不容易。宋代以前總稱曰"蠻",失之太廣;宋代以後,名稱甚多,同一類而時有不同名稱,又失之太雜,且所有稱號多是漢人所加,十分主觀,對其分支,亦鮮分析。林教授以歷史學方法,盡量利用當時人的著作及地方志的資料,將其分類，提出唐宋時代廣東之少數民族各可分四大類（唐代有蠻、僚、俚、峒四種名稱，宋代分成傜、畲、蜑、黎四支族），而狼僮則遲至明代始出現（頁二八九—二九三）。此外，林教授評介六套《廣東通志》，兼論明代後省通志產生的原因，亦充分顯示其涉獵廣博，學術訊息的充分掌握。在已刊的六套《廣東通志》中，學者們較熟悉者僅阮元所纂修之"阮志"一種而已，而林教授則於"戴志"、"黃志"、"郭志"、"金志"、"郝志"，以至於"阮志"，無不廣加論述，比較其體例之異同與纂修之特色。對各志的版本、校勘，以及海內外的流傳與典藏概況，亦瞭如指掌，而逐一加以評述（頁一四三——一七三），有助於吾人對廣東省通志全面而深入地瞭解。

其次是立論平允，見解精闢。本書作者林教授，是一位活躍於海峽兩岸方志學界的著名學者。在本書中，他對海峽兩岸的修志機構、修志現況與成果，有持平公允的評論。對於臺灣省文獻委員會出版的《臺灣省通志》（共一四六冊，計一千八百萬言），林教授評論為內容豐富，是我國第一部篇幅最鉅的省通志；他並引用大陸學者華呂貴對該部省通志的評論，特推崇該部省通志具有資料豐富、體例清晰、注重統計資料三個特點（頁一三二）。對於大陸的中國社會科學院所提出"新編方志"的一些意見，林教授則期期以為不可，強調方志不應"為政治而服務"。對於大陸方志學者史念海、曹爾琴主張方志的"創新"："第一：以馬克思主義、毛澤東思想為指導，用辯証唯物主義和歷史唯物主義進行科學分析。第二：新方志不是資料的堆積，而是通過資料的科學分析，得出事物發展變化的規律。第三：創新應該合理運用舊方志的資料。第四：創新就是要創新方志，那麼應棄舊方志從遠古寫起，就是從人能夠從事生產勞動時期寫起。"（頁一一八）林教授也認為新方志既是"為政治而服務"，其"價值"當然會引起爭論，而其"從人類從事生產勞動時期寫起"，那應是社會史的範圍，違背方志"詳今略古"的法則。對於林衍經主張的新舊方志有指導思想不同、研究範圍不同之兩項區分，以及林氏主張新方志有繼承性、科學性、階級性、實踐性四個特徵（頁一一九）。林教授亦批評其內容多屬空泛性。林教授對海峽兩岸修志相關規定的評論⑨，實本學術良知，其立論平允，值得吾人重視。

本書第貳篇第三章新方志學與方志新體例，林教授所提出的見解，極為精闢。他指出，目前"地方史"與"地方志"常混淆不清，故新方志首先應辨"史"與"地"之不同，始能擬目。"志"有"史"、"地"兩源，雖然章學誠曾言：志乃"史之裁"、"史之要"，然新方志中應重"史"？抑重"地"？必須分辨清楚，始能突破章學誠與戴震之爭而擬目。"史"重過去，引述以文獻為主；"地"重現狀，應兼用採訪。方志中談"史"部，應"略古詳今"；談"地"雖以採集現狀資料為主，但亦應"考証"及以"史法"而比較與分析，否則堆砌豐富的地理資料，祇是"百科全書"與"地方年鑑"，絕非方志。他同時強調，不論"史"或"地"的資料，均應重視現代性及地方特性，不能以傳統觀念及大一統的"中央"觀念處理資料；而且地方"通志"應以"通"為主，而非"專志"與"專論"，雖然"專志"與"專論"有其學術價值，然決非"方志"的體裁，否則何謂"一方之志"（頁一三三）？林教授對新方志的精闢見解，實兼具學術與實用價值，不僅可供方志學界的參考，亦為海峽兩岸的修志機構指出努力方向。

此外，本書第參篇第一章評介六套《廣東通志》，林教授指出："黃志"因纂修者多以文學見長，屬"文人之志"；"阮志"因係秉持史學方法而纂修，是"史家之志"；"郭志"

因係依志書成規而纂修，是“志家之志”；而“金志”與“郝志”，以及“戴志”，亦分別具有蒐集資料及草創之參考價值（頁一六八）。林教授這些鞭辟入裏的見解，充分顯示他對該六套省通志的深刻認識。

第三是史事考證，貢獻卓著。本書第參篇第二章為廣東地方史研究專題，計人物研究四篇、史事研究三篇、民族史研究四篇，另有書評一篇。這些論文都是林教授多年研究廣東、香港兩地歷史的成果，考證嚴謹，旁徵博引，對廣東方地方史的重建，貢獻卓著。玆試各舉一篇為例，以說明其貢獻。

人物研究如《范仲淹與余靖》一文，探討宋仁宗朝大臣范仲淹與余靖兩人的交誼與朋黨、范余對遼夏外交的不同對策、范余對狄青的不同評價。范仲淹為宋代名臣，余靖則為曲江人（今廣東省曲江縣），二人均為宋仁宗景祐、慶曆黨爭之關鍵人物，二人均因敢諫、直諫而負時譽，但亦因進諫而屢遭貶斥。林教授從本文考證得知，范、余二人並無特殊關係，兩人對時政、時人亦有不同對策及評價，景祐年間余氏聲援范氏，完全基於知識份子對長輩景仰的行為。余氏為諫官，曾力荐范氏有宰輔之才，但兩人僅屬神交而已。范、余雖同是仁宗朝名臣，但兩人之間，僅在景祐，慶曆年間有數事可加比較，無法在其文集中找尋其交往與情誼，若按歐陽修“朋黨論”之見，范、余二人是“朋”而非“黨”。

史事研究如《宋代廣州為對外貿易之轉運港》一文，討論宋代廣州對外貿易的轉運功能，以及其與地方繁榮之關係。廣州為中國最早對外交通的一個都市，在魏晉時代由廣州泛海的紀錄漸多，而波斯灣中亦有中國船寄泊的記載，因此廣州號稱富庶。唐代開始，廣州與阿拉伯貿易大盛，至宋代廣州對外貿易更盛，已發展成一大都會。惟林教授根據方志的記載考證得知，唐代之廣州，文化不高，開元年間人民始懂用陶瓦，宋代始以磚建城，其落後可知。而宋代廣州人口不足二十六萬，比不上泉州及杭州，並非較大的消費市場，所以當地人民並非富有，購買力弱，消費的腹地乃在北方，故即使當時的廣州貿易發達，亦衹是一轉運港口而已。本文正文僅約二千字，言簡意賅，提綱挈領，而注釋卻有四十六條，共約二萬二千字，是一篇考證相當深入的論文。

民族史研究如《香港之輋村與輋民》一文，探討香港的輋村之分佈、輋民的生活，以及輋民與蛋民的關係。香港之“輋”字，包括輋民、輋田，並與蛋民有密切關係（輋、蛋、傜，均是同源）。“輋”本身無文字，一切記載均靠漢人代書，或其後代子孫而有知識者追記之。林教授利用《廣東通志》、《廣東新語》、《文文山全集》等書，以及七版的《新安縣志》（一八四二年以前的香港，屬新安縣轄）、十二版的《東莞縣志》（一五七八年以前的新安，屬東莞縣轄）、一百三十二種族譜考證得知，今日香港之后海灣附近、大埔及西貢，在宋代已是蛋民居住的地方，而當時蛋民人數，在三千人以上，可謂眾多。而大埔附近的林村一帶，在清代仍有輋田、輋村，故推知蛋民登陸，可能務耕輋田，聚集而成輋村。至於輋民的生活，多以漁鹽為生，亦有採珠為業者。

作為方志學與地方史的重要著作，本書確有值得稱道之處，已如上述。惟另一方面，本書亦有若干錯誤或遺漏，而有待修正或商榷者。玆就閱讀所及，提出幾點淺見，以供林教授修訂之參考。

校對欠精，錯別字不少，是本書第一個疏失，亟待訂正。本書篇幅近五十萬言，皇皇巨製，錯別字原難以避免；但如校對不精，錯別字太多，則對本書的學術價值也不免有所傷害。例如本書第六十二頁是錯别字較多的一頁,該頁共有漏字及錯别字七處:第十一行的"歷文獻",應作"歷代文獻";第十四、十五行的"忌條理混染",應作"忌條理混雜";第十五行的"忌推翻舊案",應作"忌擅翻舊案";第十七行的"徐八忌",應作"除八忌";第二十一行"載東原",應作"戴東原";第二十五行的"時近時跡真,地近則易覆",應作"時近則跡真,地近則易覈"。其他各頁,亦屢有漏字或出現錯别字,確有精校訂正之必要。

史實敘述有誤,年代不確,是本書另一個疏失,亦有待修正。本書為方志學與地方史專書,相關史實的敘述雖非重點,仍宜力求正確,以免以訛傳訛,誤導讀者。茲舉數例說明如下:

例子之一是本書第二十三頁,敘述唐憲宗元和八年(西元八一三年),李吉甫為相……擒取強悍之吳元濟(淮西節度使),重振國威,史稱"元和中興"。此段敘述有誤,唐室擒吳元濟,平淮西,諸藩先後上表受命,號稱中興,係於元和十二年(西元八一七年),而非元和八年;且擒吳元濟者為宰相裴度,非李吉甫。本書頁四十五之註九七,引用《新唐書·李吉甫傳》,有關李吉甫的敘述,亦與原文有出入[10],有待修正。

例子之二是本書第一〇五頁,敘述洪亮吉五十一歲時,清高宗內禪,宣宗即位。此段敘述有誤,"宣宗"應作"仁宗",以符史實。

再者,本書第六十頁第二十、二十一行所敘:"康熙十一年(一六七二),保和殿大學士賈漢復奏請各省宜修通志,是《大清一統志》纂修之開始。"此段敘述疑為衍出文字,應予刪除。另保和殿大學士"賈漢復",應作"衛周祚"。

此外,本書的敘述與討論尚有兩點值得商榷之處。其一是敘述當代方志學者,遺漏朱士嘉等人。本書對當代方志學者李泰棻、黎錦熙、唐祖培、張其昀等,均詳加舉論(頁一一六 -- 一二六)。李、黎、唐、張諸位前輩,均對方志的"新內容"與"新體例",有相當的貢獻,確有論述的必要。但若以對新方志學的貢獻而言,首應補述朱士嘉。朱氏著有《中國地方志聯合目錄》、《中國地方志綜錄》、《宋元方志傳記索引》、《中國地方志淺說》等書,畢生專業作方志學研究,自三十年代直至九十年代,志節不渝,無人能望其項背,足為方志學者之典範。另有傅振倫,自弱冠撰著方志,著有《中國方志學通論》等書,亦終身鑽研,至於耄耋,也值得一敘。王爾敏教授為本書作序時,也提出此項建議,相信林教授應會鄭重考慮。又,抗戰勝利之初,《中華大辭典》總纂修楊家駱結合當時仍在四川北碚管理局的中央研究院、國民政府主計處、經濟部等學術單位及政府機構,為北碚管理局所纂修的《北碚志》,以科學論文方式撰寫方志之試驗[11],實為新方志學與方志新體例之一大突破,亦有闢專節論述之必要。

其二是對清代方志學者洪亮吉的批評,似失之嚴苛。洪亮吉認為方志是"輿地之書",首重沿革;他參與纂修方志,不惜筆墨,旁徵博引,言必有據,信載籍而不信傳聞,貴因而不貴創,原有其存在價值與貢獻。本書以洪亮吉之方志著作,均沿襲體例派,"詳分細目",但細目中頗多雷同,而批評洪氏刻板;並就洪氏所參與纂修之《澄城縣志》等九部府縣志,比較其體例之異同(頁一〇七——一〇九),以為洪氏刻板之佐證。洪氏之方志著作是否刻板,此為另一個值得探討之課題,惟若僅比較各志書之體例,而未對各志書之內容作深入之分析與比較,即遽下結論,似亦值得商榷。蓋因各志書體例之訂定,除取決於各志書所記載對象之個別情況以外，纂修經費之充裕與否，纂修者之專長等，亦為決定志書體例的重要因素。以筆者主持之《鹿港鎮志》為例，該鎮志計分地理篇、沿革篇、政事篇、經濟篇、交通篇、氏族篇、教育篇、宗教篇、藝文篇、人物篇，共十篇⑫。為考量鹿港為臺灣著名的古老市鎮，鎮內有多處古蹟，居民一口鹿港腔（泉州口音），在擬訂體例之初曾一度考慮增列古蹟、語言二篇，俾能對鹿港的古蹟詳予記載，並對鹿港居民的語言作深入的探討，惜因經費所限，不得不割愛，俟之來日。可見單就志書之體例，論斷纂修者是否刻板，確存有若干盲點，不可不慎。

綜括而言，本書確具內容豐富，引證詳實；立論平允，見解精闢；史事考證，貢獻卓著三項優點，實不愧為地方史志的巨著，值得稱道與推薦。惟本書亦有校對欠精，錯別字不少；史實敘述有誤，年代不確等疏失，有待修正。另外，本書敘述當代方志學者，遺漏朱士嘉等人；對清代方志學者洪亮吉的批評，失之嚴苛，亦值得商榷，有待再版時加以增補或刪訂。（本文撰寫期間，曾與鍾樞榮先生交換意見，承鍾先生惠提寶貴意見；初稿完成，又承曾鼎甲先生協助打字，特此一併致謝。）

註 釋

*臺灣中興大學文學院長、前歷史研究所長及歷史系主任

①主張方志始於《周禮》者認為，中國的學術多源於史，王守仁謂“五經皆史”，章學誠更進一步提出“六經皆史也”。六經中《周禮》的《春官·宗伯》有外史，掌書外令，掌四方之志；另《夏官·職方》掌天下之圖與天下之地，此皆與方志有關之資料；另《地官·土訓》《地官·誦訓》掌地圖及方志之事。故司馬光為宋敏求之《河南志》作序時，認為其源流即始於《周禮》。

②《禹貢》之成書，有謂是西周時代，有謂是戰國末年的作品。民國二十年代，《禹貢半月刊》對《禹貢》一書有詳細的探討。《禹貢》全文祇一千二百字，內容主要有五點：（一）九州的劃分；（二）夏禹治水的故事；（三）各地物產的分佈；（四）各地土壤及賦貢；（五）“服”的劃分。雖然其中值得爭論之處頗多，如九州的劃分未見於《詩經》及《尚書》等書加以佐證。至漢代流行的《周禮》，其“職方”的“九州”且與《禹貢》所載不同。但《禹貢》是中國最早記載各地的物產、土壤、貢賦的地理書，則無可懷疑。故若謂《禹貢》是方志之始，不若謂是方志中“地”之源。

③《越經書》為東漢袁康、吳平所輯，記春秋末期吳、越兩國之史事，應屬國別史之範疇。該書之內容，已包括方志“四要素”中之“人”、“事”、“地”三項（缺“物”一項）。《四庫全書》以《越經書》屬“載記類”，即是國別史。然其書有頗多地理資料，如記吳、越的山川、湖泊、都邑、城池等，故明代已有人認為該書乃“志”之祖；清洪亮吉云：“一方之志，始於《越經》”；近代學者如朱士嘉、傅振倫等，均以《越經書》為方志之源。

《吳越春秋》為東漢趙曄（煜）所撰，記吳國（自太伯至夫差）、越國（自無餘至勾踐）之史事，故有若干學者認為該書專敘本地掌故，開方志的先例。

《華陽國志》為東晉常璩所撰，記巴、漢中、蜀、南中四郡史地，是繼承《越經書》體例而增加大量地理資料，其具方志的“型式”更加明顯。《華陽國志》將歷史、地理、人物匯合成編，故洪亮吉云：“一方之志，始於《越經》；後有常璩之《華陽國志》。”近代學者如梁啟超、李泰棻等，均認為該書是“方志之祖”。

④《括地志》係於唐太宗貞觀年間，魏王泰於文學館內辟學士蕭德言等纂修，由衛尉供帳，光祿給食。該書纂修期間，曾向各州“披檢疏錄”，其所引用各地方之文獻，包括各州所上的地圖、地志及有關奏疏紀錄等直接資料（檔案）。故《括地志》是政府官員，利用政府經費與資料纂修而成，可稱為唐代官修

地理書之始。

《元和郡縣圖志》為唐憲宗朝宰相李吉甫所撰。李氏在德宗時久任江淮間地方官,平日留意地方文獻;及入朝為相,又利用史館的州縣廢置、番國朝貢、番夷入寇等檔案,資料堪稱豐富。其書除敘各郡縣沿革、形勢、物產、人物、古蹟外,兼附圖(但圖久佚)。因其資料以政府檔案為主,可稱之官修地理書。

⑤顧炎武撰《天下郡國利病書》,積二十年而成。顧氏撰該書,考證金石,並以方志、古蹟、遺文與之相校證。該書所引用的地方性資料,計包括地圖、軍事國防上的考證、農政、水利、工業五類,其所引用的志書、奏疏、文集,大多採自方志。該書開始於直隸(河北),向南述蘇、皖(均以府分),在北述豫、魯、晉、陝、川、浙、贛、鄂(湖廣)、閩、粵、滇、黔(均以省分),最後則述交阯、西南夷、九邊、四夷等,是繼承唐代《元和郡縣圖志》、宋代四大地理書(《太平寰宇記》、《元豐九域志》、《輿地廣記》、《輿地紀勝》)、《大元一統志》、《大明一統志》等全國性的志書。

⑥顧祖禹撰《讀史方輿紀要》,引用大量地理資料,並"採舊聞,旁搜記載,規之正史",其記載翔實正確。該書敘歷代州域形勢,考其沿革;述山川、河流、漕運、海道等;述分野,則引自《史記·天官書》、《漢書·天文志》等。該書按行政區域而分述,其次序是:先直隸(以京師為首),以尊王畿;繼而為江南、山東、山西、河南、陝西、四川、湖廣、江西、浙江、福建、廣東、廣西、雲南、貴州等省;省之下為府、州縣,每一府先敘其歷代沿革、府廓建置;以下則述其州與縣之山川、險要、城鎮、關隘、古蹟等。雲南、貴州則加敘羈縻州府。另附"方輿全圖總說",其中包括東西半球圖、地方輿圖、邊防輿圖、水道圖、藩屬圖等。該書是顧炎武《天下郡國利病書》之後,又一部全國性的志書。

⑦戴震以考據學的專長,從事纂修方志,故特重地理沿革。他所參與纂修的方志,除《金山志》以外,尚有《直隸河渠志》、《汾州府志》、《汾陽縣志》三部。戴震所纂修的方志,在體例上沿襲賈漢復《河南通志》舊規,惟特重地理沿革、地方考據與地方實用價值。例如其繪製汾州府縣地圖,"村鎮必分八到,注明距縣治里數,舖驛則注明某舖至某舖,某驛至某驛等",是上承《元和郡縣圖志》的遺風。

⑧近半世紀來,臺灣出版的方志學專著,就筆者聞見所及,除本書以外,尚有下列七種:一、唐祖培著,《新方志學》(台北:華國出版社,一九五五年七月);二、杜學知著,《方志學管窺》(台北:臺灣商務印書館,一九七三年十二月);三、毛一波著,《方志新論》(台北:正中書局,一九七四年十二月);四、宋晞著,《方志學研究論叢》(台北:臺灣商務印書館,一九九0年九月);五、來新夏著,《中國地方志》(台北:臺灣商務印書館,一九九五年九月);六、陳捷先著,《清代臺灣方志研究》(台北:臺灣學生書局,一九九六年八月);七、陳捷先著,《東亞古方志學探論》(台北:聯經出版公司,一九九八年一月)。以上七種方志學專著,第一、二、五種為方志學理論的探討,第三、四種為方志學論文結集,第六種為臺灣方志專題研究,第七種為東亞各國(中、日、韓、越、琉)古方志之探討,他們分從不同角度探討方志學,各有其貢獻。惟均不若本書之全面而有系統的探討方志學,旁徵博引,皇皇巨製。

⑨在臺灣,內政部亦訂有"地方志書纂修辦法",對省(院轄市)、縣(省轄市)志書的纂修及出版有所規範,本書並未提及。該項辦法,其原意僅在維持方志的水準而已,並未賦予"政治"任務。筆者曾多次應聘擔任審查委員,均未接獲任何指示。此外,地方志書送審單位如對內政部的審查意見有異議,除可依規定提出申覆外,亦可改以《OOO志稿》或《OOO史》的方式出版,以規避審查未通過,不得出版之規定。近年來,由於鄉鎮志的纂修蔚為風氣,內政部乃修訂"地方志書審查辦法",對鄉鎮志的纂修及出版,亦比照省(市)、縣(市)志書,加以規範。

⑩本書該註引《新唐書·李吉甫傳》稱,李吉甫於元和六年正月再相,至九年十一月病逝於任內,最主要之淮西戰役(擒吳元濟)乃任內之事,故本傳稱吉甫為"中興名臣"。事實上,李吉甫未及出兵擒吳元濟,已先暴卒。《新唐書·李吉甫傳》(卷一四六)記載該段史實云:"及元濟擅立,吉甫以內地無唇齒援,因時可取,不當用河朔故事,與帝意合。又請自往招元濟,苟逆志不悛,得指授群帥俘賊以獻天子。不許,固請至流涕,帝慰勉之。會暴疾卒,年五十七……吉甫圖淮西,未及上,帝敕其子獻之。"另外,細按李吉甫本傳,亦未稱李氏為"中興名臣"。

⑪《北碚志》一書根據楊家駱《以科學論文方式撰寫方志之試驗——北碚九志序》一文，該志原定計畫共五十餘篇，大致如下（原計畫曾印為專冊，惜已不存，下列篇名係楊家駱就記憶列出，自不能全，次序與原定者未必盡合）：

時	通紀（自梁時在縉雲山建相思寺起敘） 大事日誌（由北碚管理局就民國十二年起之“峽防團務局”等檔案編撰）
空	地理部份有：氣象志、地質志、地形志、水文志、土壤志、礦產志、土地利用志、植物志、動物志等篇
類	政治部份有：政制志、防衛志、政績志、人口志、戶役志等篇 經濟部份有：農業志、工業志、商業志、物價志、交通志、水利志、災害志等篇 文化部份有：語言志、教育志、學術志、圖書古物志、娛樂志等篇 社會部份有：聚落志、風俗志、醫藥衛生志、賑濟志等篇
名	傳記 社團公司行號名錄 索引

惟上述五十餘篇，因撰稿者服務單位紛紛遷離四川，歸建抗戰前原址，僅餘氣候志、地質志、地形志、土壤志、動物志、人口志、聚落志、農業志、土地利用志九篇，於民國三十七年九月由中國地理研究所主編之《地理雜誌》（第五卷第三、四期合刊），發行“北碚專號”問世。因“北碚專號”僅刊載九篇，故楊家駱乃輯為《北碚九志》，在臺灣刊行。見楊家駱主修，《以科學論文方式撰寫方志之試驗：北碚九志》（台北：鼎文書局，民國六十六年二月），序二。

⑫參閱黃秀政，《論臺灣鄉鎮志的纂修：以〈鹿港鎮志〉為例》（中國天津：天津市地方史志編修委員會主辦“海峽兩岸地方史志比較研究討論會”，1997年12月），頁1－10 。

士林著聲"史志譜"

——加拿大華裔著名歷史學家林天蔚學術成就評價

曾一民*　侯月祥**

1995年7月,臺灣省教育部出版了一部部編大學用書《方志學與地方史研究》,立刻在學術界引起強烈反響,不少著名學者紛紛評論,評價極高。臺灣學者認為:"海嶠一隅,海外五洲,尚有方志著作與大陸二三十種方志學著作爭一日之短長者,則只有天蔚一人"(王爾敏·序)

《方志學與地方史研究》一書,是積林天蔚先生幾十年研究成果的其中一部巨著。全書內容豐富,涉論廣闊,網羅周至,所論皆關宏旨,絕無浮詞,功力匪淺。全書共分三編。第一編《方志源流與發展》,首敘方志的功能、功用,列舉了多以廣東方志資料或補以中國大陸的最新資料,視野更為廣闊。除補史、證史外,特別提出科技、地方史事、藝文、宗教,以及中外交通、文化交流等項,並各舉數例證明,皆言之鑿鑿,根據富足,讀後令人耳目一新。對於方志的源流,林先生提出:(1)"方志二源"論,即史地兩源,《周禮》為史源,《禹貢》為地源;(2)首次提出《括地志》、《元和郡縣圖志》是"一統志"的最早形式;(3)對方志理論的流派,林先生不同意"三派說"(體例派、地理考證派、史法派),主張"兩派說"(史法派、地理考證派)。對廣東方志的發展階段,林先生認為宋代是關鍵。當時廣東出現大量志書,是與廣東社會進步、經濟發展密切相關的。

第二編《方志理論與方志理論家》。林先生對章學誠之方志理論的評價,以"史法觀"歸納為六點:(1)述志之例(方志十議);(2)撰志之要(二便三長五難八忌);(3)論志之體(三書四體);(4)論文與史之關係(六經皆史,文人不可修志);(5)論史與志之不同(國史與方志、地方史與地方志之異同);(6)其他(立志科、志官傳及史德與史識)。他的觀點,不同於傳統觀點,自有獨識。對"新方志學",林先生試圖容納兩岸方志學的意見,提出"新方志(省志)擬目芻議"五項:圖經、史表、史志、史傳、叢談。同時,林先生提出:新方志內容,應增加"家譜"一目,重視譜牒。此外,林先生除介紹章學誠方志學術成就之外,還介紹了不少其他學者,尤其是當代學者及其觀點,時代氣息濃厚,這也是林先生專著的一大特點(當然,由於林先生長期居住在港台地區及美加等國,所以,他對大陸修志工作的一些看法還可以商榷)。

第三編《廣東方志研究》。林先生是廣東茂名人,就地域之便,殊多見識。本編內容有二:(1)評價自明以後廣東成書的六套"通志";(2)廣東地方史專題研究,內分人物、史事、民族史、方志與族譜聯合研究之例等四類，共分十八篇，理論與實際結合盡然，見解專精深透，有不少觀點是新論。對明清六部《廣東通志》，林先生認為有三種類型：文人之志（黃佐志）、史家之志（阮元志）、志家之志（郭棐志）。觀點別異，令人側目深思。在廣東地方史專題研究中，對隋譙國夫人、莫宣卿、范仲淹、郭棐等人物，對廣州宋代對外貿易水平與規模、葡萄牙人在香港、寶安縣宋帝陵、唐宋時代廣東少數民族、明代廣東之傜區與傜亂、香港大嶼山傜區、香港之畬村與畬民等問題，林先生在史料考證上都有不少新發現、新觀點，擴大了人們的視野，澄清了不少廣東歷史問題，解決了不少研究疑點與學術之爭。

林天蔚先生生於1927年11月，祖籍廣東茂名。1948年畢業於廣東省立文理學院（今廣州華南師範大學）史地系，獲學士學位。曾先後執教於香港中文大學崇基學院和香港大學，任講師、高級講師。1966年在美國哈佛燕京學社作訪問學者，1973年在法國巴黎第七大學作訪問研究。1985年臺灣省"行政院國家科學委員會"聘為研究正教授；1988年任臺灣政治大學歷史研究所教授。1989年應美國楊伯翰大學之聘，擔任客座教授。直至現在，他仍應聘加拿大英屬哥倫比亞大學亞洲研究中心研究員。

林先生勤於著述，成績斐然，蜚聲學林，享譽海內外。他學問淵博，治學涉及面廣泛而深入，尤以唐宋史為著，也包括方志學、地方史、譜牒學、宗教學、民族學、民俗學、敦煌學、經濟學等。專著主要有《宋代香藥貿易史稿》（香港中國書社1960年出版，臺灣文化大學1987年增訂版）；《隋唐史新編》（香港現代教育研究社1968年出版）；《隋唐史新論》（臺灣東華書局1978年出版）；《宋史試析》（臺灣商務印書館1978年出版）；《香港前代史論集》（1985年與蕭國健合撰）；《宋代史事質疑》（臺灣商務印書館1988年出版）。同時，他還主編、合編了不少學術論著、論文集。如《地方史資料研究論文集》（1985年）、《中古史研討會論文集》（兩卷，與黃約瑟合編，1987年）、《亞太地方文獻研究論文集》（1991年）、《嶺南文化新探究論文集》（香港現代教育研究社出版，1996年初版）。

從50年代起，林先生先後發表了近百篇論文，不少論文立論新穎，有獨到研究發現，為學術界肯定與推崇。如：《南宋時之大嶼山疑是傜區之試證》（1964年香港中文大學崇基學報第3卷第2期）、《宋代傜亂紀事編年》（1970年香港大學羅香林教授榮休紀念論文集）、《隋譙國夫人事跡質疑及其嚮化影響》（臺灣中央研究院史語所集刊43本第二分冊，1972年）、《十六世紀葡萄牙人在香港事跡考》（1979年"台北黨史會"十周年紀念特刊）、《族譜與方志之關係及其聯合研究之價值》（1981年台北《中國文化復興月刊》第14卷第6期）、《明代廣東傜區與傜亂》（臺灣政治大學邊政研究所學報1983年第14期）、《唐代官修〈括地志〉〈元和郡縣志〉與方志學之成長》（1988年陶希聖先生九秩榮慶祝壽論文集下冊）、《論慶曆聖德詩與慶曆之治》（1988年臺灣政治大學歷史學報第6期）、《廣東許氏源流初探——並論在近代史上許氏發展的二種類型》（1994年臺灣政治大學歷史學報第11期）等論文。

林先生在學術研究上有一種學而不倦、攻而不懈的精神，學而教、教而學，學中教、教中學，鑽研不已，深造不輟，不斷開拓學術新境界。1966年，林先生任美國哈佛燕京學社訪問學者。當時，他已開始深入研究廣東歷史上少數民族的問題。他首先利用學校圖書館收藏的廣東方志資料，研究廣東少數民族（主要是傜族）的歷史與發展。傜人本身並無文字，所以有關傜族史料非常缺乏，給研究者造成一定困難。林先生經過深思熟慮，尋找到一條研究路子，就是利用方志資料中所記述的有關傜漢衝突資料，去分析研究。傜漢衝突的結果，將傜區開闢為郡縣，而傜民隨之遷徙，從漢文化之南遷及擴展了解到傜族之興衰。在這方面，林先生積累了大量資料，撰寫了不少專著、論文。

70年代，林先生在香港大學中文系講授"方志研究"，促使他對方志理論的研究進一步深化。他廣泛閱讀古今方志及理論研究專著，特別是閱讀、參考了大批中國大陸的新方志和理論研究著作，對提高他的方志理論水平和講授水平產生了明顯的促進作用。從1988年開始，林先生執教於台灣政治大學歷史研究所，主講"地方文獻研究"，以方志、家譜、族譜宗譜、大同譜、金石碑刻、古文書等內容為主。當時，台灣方志研究主要集中在台灣省內的史志，而對方志理論的研究之風未盛。為了擴大視野，從深層、綜合、多角度研究方志，林先生認為，必須加強對大陸方志、方志理論專著的研究。他設法請台灣有關部門幫忙，以"研究"為由，引入了大量當時難以跨過海峽的方志資料，"聲明《限閱》，不准外借"。林先生依靠這些來自大陸的豐富資料，開設了"方志學"、"族譜學"兩門課，還招收了不少研究生，培養了人才。

林先生對唐宋史及族譜學曾下了一番功夫從事研究。在隋唐史方面，如《隋唐史新編》，是林先生在香港中文大學崇基學院任教隋唐史課程的講義基礎上而撰寫的。他指出隋唐史有三大特點："開國規模宏遠"、"民族的協和"以及"制度的優美"，與秦漢、魏晉、宋元有別，作為本論。另以"武功"、"經濟"、"學藝"三綱輔之。蓋此三綱與三大特點有密切的關係，以此闡釋隋唐史發展之特異。其後進入香港大學中文系任教，仍開此課。經過多年的講授，又搜集了多方面的資料和各方面的意見，在師長及友好鼓勵之下，乃加以增訂，於1978年撰成《隋唐史新論》之作。全書分八章，20餘萬言。《新編》與《新論》不同的地方，《新論》雖仍以隋唐史三大特點為本論（第二章《隋唐史之特點》，把"規模宏遠"改為"亞洲盟主"，其餘二大特點綱目雖然仍舊），但是已補充了許多新資料。而增加《隋唐史參考資料及各國之隋唐史研究》一章為第一章，俾知近年中外學者研究隋唐史之近況與發展的方向。其中所列舉的隋唐史參考資料，不但對研究隋唐史的學者具有參考價值，甚至對從事隋唐史入門者也具有啟導作用。至於《新編》述多於論，而《新論》則論多於述，如第五章《隋唐制度之檢討》，指出隋唐三省制、科舉制、租庸調制、兩稅制、府兵制等，各有其優點，亦有其缺點，正反申論，不囿於一家之說，俾知其得失所在。又如第八章《隋唐之幾個轉折點》，指出隋之亡，亡於"國富民貧論"和"嚴刑峻法"。與論者以為煬帝荒淫無道不同。在"盛世"方面，則把"開皇、貞觀、開元之治"作一比較，並論述三個"盛世"的功過得失，均有不同之特性。對於"武韋亂政"之批評，認為由此造成政制、科舉制之變質，因此產生中唐後社會很大之變化。這些新見或有商榷的地方，但起碼表達了作者個人的學術觀點與新的看法。是近期一部體裁較新穎的隋唐史論著。

至於在宋史方面，有《宋代香藥貿易史稿》、《宋史試析》以及《宋代史事質疑》等。其中尤以《宋代香藥貿易史稿》最著，可以說是林先生早期成名的代表之作。全書20餘萬字，共分三篇：一、序論：說明宋代與南洋及阿拉伯國家間往來貿易的時代背景，及發達的因由；二、總論：論述香藥的種類和產地，以及海上運輸與宋代市舶司的關係；三、分論：闡釋各國香藥的朝貢、香藥之專賣和香藥的用途，及香藥貿易對各方面所產生的影響。香藥種類繁多，如龍涎香、龍腦香、沈香、乳香、木香、薰陸香、素馨花、薔薇露、麝香、白檀香、蘇合香、安息香、蒼糖香、甲香等等。它的用途很廣，可以防腐，可以治病，可以避垢，可以薰衣，可以焚香，可以飾物等。這些香藥以舶來品最名貴，最為當時高貴仕女所尚。故宋代香藥貿易對國庫收益甚大，同時對促進當代海上交通、貿易和促進邦交也有很大的影響。故是書"不僅宋代香藥貿易之專史"，而且"有宋一代社會史、經濟史、交通史，莫不因其所著而獲睹涯略，彌足稱也"（黃福鑾序）。這些學術研究的成果，並非一朝一夕所能得，此乃作者平日"尤悉究求，闡發特多"所致（羅香林序）。由此可見是書在學術上的地位。

《宋代史事質疑》，是作者應聘為台灣政治大學歷史研究所任教時出版之著作，全書約18萬餘字，分七章論述。對宋史可疑、謬誤、曲解之處，一一加以考證、辨釋。如有關宋代"公使庫、公使錢問題"、"君權與相權問題"、"王安石與司馬光之爭"、"強幹弱枝問題"、"和與戰問題"、"寶安縣赤灣宋帝陵質疑"等七大問題，作者都提出自己獨到的看法。茲舉第七章《寶安縣赤灣宋帝陵》問題為例加以說明。關於"寶安縣赤灣宋帝陵"的問題，因宋末二王南來而起。宋帝昺曾一度駐足香港一帶，今九龍尚有"宋王台"遺址。當元兵追至，帝昺（端宗）逃至新會崖山，為元將張弘範所破，陸秀夫負帝投海殉國。幾年前謂廣東發現宋帝昺陵墓，位於寶安縣赤灣西，近天后廟約一華里。墓碑楷書："大宋祥興少帝之陵"；時間為"辛亥歲趙氏三派裔孫重修"。作者根據地方史（《東莞縣志》、《寶安縣志》、《新安縣志》等），以及石刻、族譜等史料比對探究，均未見記載有關宋帝陵的事，疑非"帝昺陵"；或為"衣冠塚"，而為趙族之"紀念塚"。並分析它自元明以後傳說錯誤的問題所在。立論客觀中肯，據事實論之。又：是書之一大特色，於每章之前，列舉"提要"一綱目，以百餘字精簡地說明本章旨要所在，使閱者閱讀起來更感方便明瞭。

林先生對族譜學也有深入的研究。其事始於1969年參加"世界紀錄會議"（ WORLD RECORD CONFERENCE ）之機會，於翌年被美國猶他州家譜學會聘任，繼羅香林教授擔任港澳區地方文獻（含族譜、方志、金石碑刻、契約）收集工作。經此之後，得從事族譜學之研究。在80年代至90年代初，他先後撰成有關族譜學研究的論文計有：《第二屆世界紀錄會議紀實》（台北華學季刊第1卷第4期，1980年）、《族譜與方志之關係及其聯合研究之價值》（台北《中國文化復興月刊》第14卷第6期，1981年）、《中國文化中的族譜因子》（台北聯合報國學文獻館出版之亞洲族譜學術會議論文集，1983年）、《論香港地區的族譜與方志及其記載的峯字》（香港大學亞洲研究中心地方文獻資料論文集，1985年）、《香港所見幾種特殊族譜及問題》（台北聯合報國學文獻館出版之第三屆亞洲族譜學術會議論文集，1986年）、《論中國文化中的族譜學》（香港大學中文系集刊第1期，1986年）、《一本合方志與譜系為一的族譜》（台北聯合報國學文獻館出版之第五屆亞洲族譜學術會議論文集，1991年）、《從族譜資料論宋代中原士族入粵兩道及其史爭之探究》（台灣政治大學歷史學報第10期，1993年）、《廣東許氏源流初探——並論在近代史上發展的二種類型》（台灣政治大學歷史學報第11期，1994年）等論文。

林先生強調族譜學和方志學的重要性及其關係，認為族譜與方志均是研究地方史的主要資源，而地方志中亦有大量族譜的資料，兩者互補，與正史書互證，不但可補史之不足，而且還可以拓寬研究史學的範圍。歷年他發表有關"香港史"、"廣東史"研究的論文，與《宋史試析·第三章·民族的問題》，都是大量利用方志和族譜的資料與史書互證互補來完成的。在台灣時，林先生與宋晞、王爾敏等學者互唱。近年，在他們鼓勵和大力提倡之下,族譜學、方志學引起了學術界很大的注意和響應,下開研究族譜學和方志學的風氣。而林先生的貢獻是不少的。

林先生胸羅古今,目營四海,鈎深扶微,學養浩瀚,兼收並蓄。特別是他不囿於傳統結論,善於獨立思考,辨析畢盡,敢於提出自己獨有見解與結論。1997年3月8、9日,筆者陪同林先生到廣東珠海市南水鎮浪白滘進行田野調查。事因有史料載浪白滘曾是在澳門之前中國與外國進行貿易的地方。但林先生也找到一些相反的資料,對這一結論產生了懷疑。他決定到現場考察。進島後,他查勘了周圍的海域環境,先後訪問了6位當地土生土長的老者,聽他們介紹祖上傳下來的一些說法,取得不少寶貴資料。他認為:浪白滘周圍是淺灘,船隻進出非常不便,不可能成為對外貿易的港口。他更加堅定了自己的看法,準備作文予以論證。

林先生著述,有一個很典型的特點,就是旁徵博引,注意根據,以史料、事實說話,幾乎每句話都要有出處。《唐代官修〈括地志〉〈元和郡縣志〉與方志學之成長》一文,約有5700字,而注釋有87條,共約1.4萬字。《宋代廣州為對外貿易的轉運港》一文,林先生對"宋代廣州繁榮"這一傳統觀點提出質疑,認為:"宋時的廣州,是我國一大轉運港口,未必有實質上的繁榮。"全文約2000字,言簡意賅,提綱挈領,而注釋卻有46條,共約2.2萬字。《唐宋時代廣東少數民族的分類及分家》一文,全文約6000字,注釋有89條,約9000字。再如,《方志學與地方史研究》一書,全書引用資料、古籍69種、地方志33種、族譜5種、近人專著76種、期刊論文32種等。全書注釋1207條,約有12萬字。以上的論文、專著,都提出不少新論點,突破傳統觀念。他立論嚴謹,論據充分,以史料服人,以理服人,令人敬佩。儘管他一些論點還可以商榷,然而,他的科學態度是難能可貴的。

林先生又是溝通海峽兩岸、粵港澳台地區之間學術交流的熱心者、實踐者。自1987年以後,他不辭勞苦,頻繁來往於粵港澳台地區間,訪問學術機構、學者,參加或組織學術會,傳播學術信息,溝通聯繫。廣東省地方史志辦公室舉辦的三次粵(瓊)港澳台地區地方志學術研討會,他都應邀前來參加,並作學術報告。1994年12月,在林先生策劃下,在香港、廣州兩地,由香港大學亞洲研究中心、中山大學、廣東省地方史志辦公室聯合舉辦"嶺南文化新探究"學術研討會。這次盛會,林先生自始至終籌劃到底,一年中不下五六次穿梭於三地之間,而且均為自費,可見其投入與執著程度。會後,他染上了病,被迫要住院做了一次大手術。住院前,他將這次學術研討會的論文出版事宜安排得井井有條。甚至在病床上,也為出版一事,信件、電話不斷,心裡總掛記着。手術成功後,他稍事休息,又在手術後身體較虛弱的情況下投入了《嶺南文化新探究論文集》的出版工作,使由他主編的38萬字的論文集能得以快速出版面世,且質量上乘。同時,他一出院,又忙於籌備1996年8月在美國猶他州楊伯翰大學召開的"華南歷史與文化學術研討會",同樣頻繁來往於粵港澳台地區之間。他自1995年退休以後,即赴加拿大開展研究工作,退而不休。特別是迄今仍為兩岸三地籌備學術會議而奔波。這種為學術犧牲奉獻的精神尤為難得。

"謙謙然為人,兢兢然為業。"這就是林天蔚先生。

我們衷心祝願他身體健康,不斷取得學術新成就。

*台灣逢甲大學教授

**廣東省地方志辦副主任、研究員

喜讀林著《方志學與地方史研究》

韋慶遠*

一

林天蔚教授著《方志學與地方史研究》一書,自出版以來,受到海內外學術界的重視,大陸地區有些省市的方志辦選用之作為干部的學習教材;兩岸高等學校的文史學系亦有推荐其作為參考書的。究其原因,乃是因為這本書取材豐富而精加篩選,持論扎實而有創見,首先從縱的方面敘述方志的源流發展,分析其功能和貢獻,從原來作為史學、地學的分支,逐漸發展成為自成系統,自有專門研究對象的重要學科;其次,該書有重點地介紹自明清以來,即處在方志學漸趨成熟階段,已蔚然成為顯學之後,在理論方法,通過作品以品評作者,根據志書以探研志學,並將之與現代新的修志理論方法、新方志的體系觀點等作比較的研究。既指出其中有薪火相傳,從傳統修志工作中吸收和繼承的精華;又說明隨着時代的進步、科技的發展,現代修志工作必然具有新的開拓。林教授不但籍貫廣東,而且是著名的廣東史專家。以粵人治粵史,評粵志,更充份發揮出熟悉本地區域沿革、風土習慣和人物事跡的特長,寫來如數家珍,讀之更具有真實感和親切感。正是由於有以上特點,本書的體系,不論在論點或結構上,都能夠充份發揮作者的專長,提出獨到的見解。

二

林教授開宗明義指出,"方志"便是以當時人、當地人而修當地的歷史,故最堪徵信。他又特別強調方志"可補正史之不足"。這樣的看法是十分精確的。志書一般三十年一續修,所敘述的人物和事件,其可信性是較大的。至於"可補正史之不足",更是為大量事實所反覆証明了的。正史着眼於全國,概括二三百年一個朝代的史事,其紀、傳、志、表,難免有顧此失彼、偏頗不全之處。這是受其體裁和篇幅所限制的。地方志則與此迥異,其研究的對象僅為一定地區的一定階段,上有前志可循,當前的人、物、時、地亦歷歷有據,不論在空間或時限上都相對集中,且必須接受眾多有親身經歷的當事人的監督和制約,故較能求實求信求細,自然可以有效地補充甚至糾正正史的不足。筆者在自己的研究工作中,對林教授的論點深抱同感,在許多問題上,必須以有關方志與正史互相參詳比對,才可能勾勒出比較符合真實面貌的歷史。試以張居正主持的對全國土地田畝進行重新丈量,並推行一條鞭法一事為例,便可以明顯地反映出地方志書對於正史實具有不可缺的補充價值。

關於丈量田地,《明史》卷77《食貨志》1載:

"萬曆六年,帝用大學士張居正議,天下田賦通行丈量,限三載竣事。用開方法,以徑圍乘除,畸零截補。於是豪猾不得欺隱,里甲免賠累,而小民無虛糧……然居正尚綜核,頗以溢額為功。有司爭改小弓以求田多,或掊克見田以充虛額。北直隸、湖廣、大同、宣府,遂先後按溢額田增賦云。"

關於推行一條鞭法,《明史》卷78《食貨志》2載:

"隆、萬之世,增額既如故,又多無藝之徵,逋糧愈多,規避亦益巧。已鮮而愆限或至十餘年,未徵而報收,一縣有至十萬者。逋欠之多,縣各數十萬。賴行一條鞭法,無他科擾,民力不大絀。"

如果以各地地方志的有關記載,對上引《明史》的兩條記載加以檢核,就不難發現,《明史》所述,大體上是正確的。執行重新丈量田地和推行一條鞭法,曾有效地均平賦役負擔,解除民間疾苦,其大方向無疑是正確的。不少方志對此給予充份的肯定,也是反映出當時的實情:"均地畝,行條鞭,民享樂利者四十年。"①"往歲錢糧逐次派徵,民苦之,始立一條鞭,遂着為令,至今便之。"②許多縣志對推行上述改革以除弊興利,都根據本地和實際變化,給予贊許稱頌,"向乘缺額之無稽,與握算之庾匿者,廓清略盡。"③

但是,如果細讀其他一些地區的方志,則不難發現,在推行上述改革措置時,也存在過一些很值得注意的問題,諸如:

有為迎合上峰意圖,盲目追求增額,而加重民間痛苦的:

"時江陵柄政,有丈量之役,浦江山縣磽確,間有開墾,工倍於買,且沙礫之區,一遇旱乾,仍為赤土。今陞科無遺,於是民無隙地種桑麻矣。"④

"清丈之議,稽脫漏,懲欺隱,將以利民耳。乃梧郡屢經寇盗,民逃田荒,欲復舊額,將荒蕪不耕之地一概丈報,甚者逐畝加賦,有糧無田,非奉恩詔摘丈除豁,未知其所以終也。"⑤

甚至有庸官猾吏為謀奸私,不惜置民於死地的:

"萬曆九年清丈,〔縣〕令奉江陵相惟謹。編民黃儒立斃於箠杖之下:佐吏豪猾偵令意,遂將山崗、湖陂、右荒障、行魚之地一概丈量,則又出一千三百頃焉,而分注於二十六里之編民。嗚呼!民又復何堪此不毛之田地乎?"⑥

"萬曆九年,朝廷舉行清丈之法,吾湯之田縮而少,山增而多,重以里胥為奸,不得不酌盈濟虛,以補額數,而田賦益樊然殽亂矣。賦役繁簡一憑冊籍,而奸胥顛倒,播弄隱瞞那移,弊孔百端,蚩蚩之民,漫無憑據,聚訟盈廷矣。"⑦

"條鞭法行……顧編審未盡當,則宿弊未盡厘。何者?有司之耳目一卜,而造欺者千萬其耳目。彼豪有力者先操其贏,以神通於里魁胥吏之手而上下之。所欲輕則富可貧。所欲重則貧可富,有司拱手聽焉。"⑧

亦有田改行一條鞭法，由徵收實物稅改為徵收貨幣稅，對此金融財政稅制一大變，民間一時無法適應的：

“邇來行條編法，總徵其銀而條分解給，國家不缺正供，民間亦免偏累，至便矣。然舊法徵發有期，猶不失用一緩二遺意，而布帛菽粟俱得為工食之需，自條編法行，賦役併而徵亦併具……徵銀，小民亦有不便者。”⑨

上引這一組材料說的，歷史上任何一次變法維新，都不僅是一種治國方略的重新選擇，而且是重大利益關係的重新調整，是對原有傳統和習慣勢力的衝擊。丈量田畝和推行一條鞭制直接關涉到全國上下，以至每一家一戶，在取得重大成績的同時，存在一些負面的缺陋是可以理解的。以上引幾部地方志的內容對《明史》所載進行檢驗，則可以發現，《明史》所言雖基本正確，但不夠完整，不夠具體：一則，當時存在的浮誇溢額，庇富扼貧，除張居正的指導思想存在問題外，地方豪強和吏胥人等亦在鑽制度的空隙以牟取私利；二則，出問題的地區，並不於“北直隸、湖廣、大同、宣府”，南直隸、浙江、兩廣，也同樣存在着類似的偏差，可說是遍及全國的問題；三則，以自給自足小農經濟為基礎的中國農村，一時改為以銀兩繳納賦稅，在部份貧瘠而商品經濟不發達的地區，是存在困難的。凡此，都有力証明地方志“可補正史之不足”，實為定論。

三

林教授在著作中十分推崇章學誠（實齋）氏的方志學理論，突出地肯定其“州縣請立志科”的卓見，強調必應在修志工作中充份利用本地官府在日常政務活動中形成的各種檔案。設“州縣立志科”，實齋所謂“志科”，類似現代所謂“檔案局”，地方檔案是最基本的史料，由地方蒐集而上放中央。

林教授着重論述檔案文件作為第一手史料的特殊重要價值，無疑是正確的。因其原始性，可以參史之詳，補史之缺，當然比一般充斥溢美之詞的譜牒傳誌更為可靠，且集中保管於官府，已經過分類整理，亦可免臨時採訪的困難。地方歷史檔案與修撰地方志，實恍如鳥之兩翼，車之兩輪，是相互推進，相得益彰的。

其實，林教授在本書中論述近數十年來，我國編纂方志的組織結構，也充份反映出檔案工作與修志工作、檔案工作者與史學家的密切配合。兩岸在此一方面是有共識的。在大陸曾先後領導全國修志工作的組長、副組長曾三和韓譽虎先生，都先後擔任過國家檔案局的局長。各省、市、州、縣的方志辦，也必有當地檔案局的負責人參加主持。近年已出版的一些省志和市、州、縣志，無例外地都先經過較細心地利用有關檔案館館藏資料的階段，以之作為主要的史料來源。在臺灣方面，已將某些年限的民國檔案，分別交存於國史館和中研院近代史研究所檔案館，體現着檔與史的結合。可見，章學誠請立志科的建議，在當時雖未得准，但在今日，則已成為現實，這是我們都為之鼓舞的。

細讀林著，得到不少教益，謹將以上幾點不成熟的心得寫成小文，供林教授參考，並請師友們指正。

註 釋

*中國人民大學退休教授

①崇禎《歷城縣志》卷6,《職官》。
②萬曆《羅山縣志》卷1,《田賦》。
③〔清〕康熙《永康縣志》卷 3,《貢賦》。
④〔清〕康熙《浦江縣志》卷 4,《戶田》。
⑤崇禎《梧州府志》卷4,《郡事》。
⑥顧炎武:《天下郡國利病書》卷33,《江南》21。引《鳳陽府志》。
⑦萬曆《湯溪縣志》卷3,《田賦》。
⑧萬曆《承天府志》卷6,《徵役》。
⑨萬曆《廣德府志》卷3,《徭里》。

評介臺灣學者林天蔚新著《方志學與地方史研究》

張仲熒*

臺灣學者林天蔚教授乃唐宋史專家。六十年代出版《宋代香藥貿易史稿》,後又出版《隋唐史新論》而享譽史學界。林氏曾師從著名譜牒學家羅香林教授,近十餘年來,倡導研究地方志及家族譜。他多次倡導及支持有關地方史及地方文獻研究的國際學術會議,主編《地方史資料研究論文集》①,《亞太地方文獻研究論文集》②等。林氏在香港大學執教二十餘年,九零年後又在臺灣政治大學執教,講授方志學、譜牒學及典籍研究,著述等身。近年來,林氏致力於方志學及地方文獻研究,1995年,臺灣南天書局出版其專著《方志學與地方史研究》,在台、港學術界有相當影響。

臺灣地區自光復以後,纂修新方志之舉不斷,但理論研究之風不盛。學術界雖不乏關注方志學之士,但多將注意力放在舊方志之應用及研究上。臺灣各級文獻委員會諸專家則對各自地方的地情研究較為注重。王爾敏教授有曰:"海外臺灣老輩若張其昀、王益崖、沙學浚、鄭資約、王華隆已凋落殆盡,新秀尚未起來。"③嚴耕望、盛清沂、宋晞、程光裕諸人雖成就卓著,但研究方向多以舊方志之史料價值為重。各大學間有設置"地方文獻"一科,但獨立開設方志學課程者,似僅有宋晞(中國文化大學)、曾一民(東海大學)、王爾敏(臺灣師範大學)、林天蔚(政治大學)等。可參考之專著,除方志界老前輩李泰棻、傅振倫、毛一波、黎錦熙等外,只有唐祖培五十年代出版之《新方志學》,張其昀、杜學知等論著及其它學者的零星論文發表。涉及新編方志之理論專著並不多見。近年來,大陸學者在方志學研究上的成就,已引起臺灣學者的重視,臺灣學者王爾敏曰:"近二十年來大陸方志學家輩出,專書甚多,不下二十餘種,期刊論文尤夥。港台兩地亦有論文可觀,但專書寥寥無幾。"④王氏又曰:"海嶠一隅,海外五洲,尚有方志學著作與大陸二三十種方志學著作爭一日之短長者,則只有天蔚一人。"⑤可見林氏是著在臺灣的影響。

林氏是著凡三編,是為《方志源流與發展》;《方志學的理論與方志理論家》;《廣東方志研究》。以下分敘之:

其一,《方志源流與發展》。首敘方志功用,林氏將方志之功用歸納為四,是為"補正史之不足,訂正史之錯,添科技資料,蒐集地方人物、史事與藝文,鉤尋中西文化交流及宗教史料。"以開展了十幾年新方志學討論的大陸方志學界看來,林氏之論尚有可商榷之處,但林氏為論證其主張,所引用舉例又多為大陸近年來發表的新資料,這在台港及海外不能不給人耳目一新之感。關於新方志之源流,林氏主張史地兩源。"史源"始於《周禮》,"地源"始於《禹貢》。在發展過程中,史之源有《越絕書》、《吳越春秋》、《華陽國志》及《耆舊傳》、《人物傳》。地之源則為圖經、《山海經》、《水經注》、《地記(志)》、《風俗志》、《地理志》等。至於方志發展過程,林氏主張兩漢至魏晉南北朝仍是史地分途發展,至《隋書》立地理目,加上隋唐初著重邊疆地理,資料增多,初唐官修地理書開始逐漸發展成為歷史地理的新型式,其中《括地志》、《元和郡縣志》更是《一統志》的最早型式。由是,林氏綜理出中國方志的發展線索:漢代:史地兩源。魏晉南北朝:史地分途。隋唐:史地合一為歷史地理。宋:創新體裁而成方志。至於方志理論,林氏認為肇端於清代,分為二派,地理派起源為早,始於江蘇顧炎武、顧祖禹,戴震繼之,至洪亮吉始發揚光大。史法派始於章學誠,真正傳其學者並不多見。

其二,《方志學理論與方志理論家》。主要論述章學誠、兩顧(炎武、祖禹)、戴震及洪亮吉諸古方志學家之觀點,進而論及新方志學家與方志新體例。林氏將章學誠的方志理論歸納為六,是為述志之例;撰志之要;論志之體;論文與史之關係;論史與志之異及其它。在論及兩顧、戴震及洪亮吉之後,林氏認為:方志理論自章學誠提出,至今已二百餘年,梁啟超提出"方志學"一詞,至今幾達百餘年。潮流在變,社會在變,於是"新方志學"應運而生。林氏主張新方志學應由"內容"、"機構"、"方法"三個部份組成。對中國方志的內容,林氏歸納為"人"、"事"、"地"、"物"四個方面。與此同時,林氏較詳細的述介了海峽兩岸方志學者的觀點,海峽兩岸新修方志的主要異同、組織機構及修志方法。其中,對臺灣新修方志的組織、成果、理論研究介紹較詳。林氏提出了自己對新修方志的主要內容及體例的見解,其中,"新方志擬目芻議"頗有參考價值。

其三,《廣東方志研究》。是編對明清時期所修六種《廣東通志》分別加以評介,並以此論証林氏提出之方志學研究三目標:(甲)理論之探討;(乙)志書之纂修;(丙)地方史事之研究(這裡,林氏主要指的是方志史料的應用)。林氏此著三個部份,與他提出的方志學研究三目標大體吻合。大陸學者多將新方志學的構架,或稱之理論體系分成三個部份。一曰理論方志學,二曰應用方志學,三曰方志學史⑥。林氏將方志的編纂實踐與地情研究亦歸入方志學之列,實際上是將方志編纂實踐(地情研究,新方志編纂)與理論研究均視為方志學的組成部份,似乎範圍更為廣泛。以筆者近年所見之臺灣文獻委員會諸專家陸續發表之臺灣地情研究論著視之,林氏之說是有相當依據的⑦。

以上述內容看來,《方志學與地方史研究》事實上完全歸入了林氏所構築的方志學體系,完全可以視為方志學研究的專著,其特點是顯而易見的。主要體現在以下三個方面:

其一,網羅宏富,信息量大。林氏此著自序中開列近十年大陸出版之方志學著述二十餘種,書末附徵引書目,計古籍三十九種,方志三十三種,族譜五種,專著七十六種,期刊論文三十二種,可謂浩博。通過舉例,論述及評論,涉及眾多台港地區及大陸學者近幾十年來有關方志學研究的成果及觀點。林氏多將各種觀點加以比較之後,再闡述已見。對一個問題,林氏往往先理出一條較清晰的歷史發展線索,給人以事物發展的連續概念。如新方志的體例及內容,林氏不僅詳細地論述章學誠、戴震、兩顧及洪亮吉等人的主張及實踐,繼而論述近代學者李泰棻、黎錦熙、唐祖培、張其昀等人的觀點,並將他們對方志的擬目主張加以比較,最後再論述現代大陸學者意見。再如,林氏特設"海峽兩岸的修志機構"一節,不僅將海峽兩岸當代修志機構以圖表方式列出,而且詳述光復之後臺灣修志機構的沿革,不僅涉及名稱演變,而且將文獻委員會內機關之設置及其職掌演變列出。如臺灣各級文獻委員會,列出編輯組、採集組、整理組、總務室、專(兼)職委員及顧問委員等。大陸修志機構則列出中國地方志指導小組及省一級機構,同時列出中國地方志協會,此外,林氏還列出臺灣地區修志機構中各職務人選的標準,在註釋中,將歷屆臺灣省文獻委員會組成人員及中國地方志指導小組成員名單一一列出,由此可以窺見海峽兩岸新修地方志的組織方式及運作過程,這對兩岸的修志工作都很有參考價值。

其二,林氏在是著中提出的許多觀點有獨到之處。(甲)林氏認為,若以方志之歷史內涵,則以"物"與"地"為重;匯合"人"、"事"、"地"、"物"四者,便成為方志。若再加以縱橫敘述並注重地方特色,則體例與特色日漸完備。中國方志自宋以還,重史者人文奇重,如明代之方志。重地者則沿革為上,如戴震等人之主張與實踐。重人文則輕經濟,強調經濟者則人文、地理偏失。林氏將上述四項列為方志的必備要素,強調四項並重,見解深刻。(乙)林氏強調時代在變,潮流在變,因而新修方志應有"新的內容、新的體裁與組織"的三新,強調三者互相影響。對於新修方志的"創新",林氏提出"創新"與"新創"的不同內涵。林氏認為:"創新"是推陳出新,將舊志加以改良,而"新創"則需另創一種體裁。林氏謂應以新的編寫方法及新的史館組織撰寫新方志。值得指出的是,林氏注意到了新編方志的組織方法與方志內容與時代相適應的關係。林氏指出:臺灣由"通志館"進而至"文獻委員會",其目標除了修志外,更重視平日文獻之收集與整理。從其組織中,窺知其與舊的"通志館"已大不相同,其內容亦大有分別。

其三,林氏專設一節《新方志擬目芻議》以期將其理論落實於實踐。作為歷史學家,他感到目前"地方史"與"地方志"常常混淆不清,故新方志首先應辨"史"與"地"之不同,始能擬目,即發凡起例。林氏以為新編方志發凡起例應重視兩點。他說:"史"重過去,引述文獻為主,"地"重現狀,應兼用採訪。方志中談"史"部,應"詳古略今",談"地"部雖以採集現狀資料為主,但亦應"考証"及以"史法"而比較分析,否則堆砌豐富的地理資料,僅是"百科全書"與"地方年鑑"而非方志⑧。林氏亦認為:不論"史"或"地"的資料,應重視現代性及地方特性,不能以傳統觀念及大一統的"中央"觀念處理資料;地方"通志"以通為主,而非"專志"與"專論"⑨,根據這種理論,林氏設計出新編方志的體例。他將新編方志分為五項:(甲)圖經,以地理為方志之首。(乙)史表(沿革、大事、職官、人物等,並附以考辨)。(丙)史志。是為方志主體,分為政治、文化、經濟、社會四個部份。主張敘"源流"(史)後,繼之以"現狀",進而比較與分析,使之合符"史法"。(丁)史傳。(戊)叢談。可以看出,林氏設計的新編方志體例的特點是顯而易見的。首先,他設計的"圖經"以地理為首,圖分攝影(現狀)、圖片(歷史)、地圖三部份,"經"則指對上述各圖的文字解釋。就大陸目前出版的新編方志而言,圖固然不少,但絕大多數僅有攝影,即反映現狀的圖片,而歷史圖片、歷史地圖則多闕如。且照片的文字說明也十分簡略,完全失去古代圖經的優勢。這一不足應當在續修新方志時加以改進。

其次,林氏提出史表中增"考辨"一項。無論一個地區的"大事"、"人物"均不乏爭議或事有多說者,編纂者在沒有確鑿証據的情況下,應多說並存。如是,必要之考証不可少。至於"考辨"之形式,當然可以多樣,或附於文末,或採用註釋,或隨文。無論如何,林氏這一見解都是公允的。

對於方志之主體,即"史志"部份,林氏主張先敘"源流",而後"現狀"。"源流"部份應"詳古略今",敘"現狀"則考証並以史法比較與分析。這一看法,似與大陸方志學界近幾年來探討的方志"整體性"的問題有相似之處。林氏所謂"源流",大陸學者謂之"縱述",但方志正文中,大陸學者多主張"述而不作",不主張過多使用比較與分析。但許多新方志中,"綜述"、"綜說"、"概述"之類體裁則注重比較與分析。從字面上看,林氏主張"詳古略今",大陸學者提倡"詳今略古",但大陸學者主張的"詳今略古"與林氏主張的"詳古略今"並不截然相對。林氏僅主張在敘"源流"時"詳古略今",並未強調敘述現狀時亦用此原則。而大陸方志學界主張的"詳今略古"乃是指整部方志的內容而言,即敘"源流"略,記"現狀"詳。林氏在人物史傳中,亦主張"詳今略古"。他對此的解釋是:"舊志已載人物以簡述為主,並可注明'見舊志卷XX',但若有新評價則應詳述之"。林氏對地方志人物傳,不主張"生不立傳",他以為"若仍生存者,則着重在本地的事跡及貢獻者為主。"[10]臺灣與大陸一樣,並不從事新方志編纂的學者,與方志編纂的實際工作者,均從各自的角度探討新編方志的理論。特別對新編方志的體例及內容關注較多。總的傾向是,學者們提出的體例與對新編方志內容的要求學術性很強,但可操作性欠缺。而方志工作者們設計的體例及對新編方志內容的取捨,可操作性強,但尚未達到應有的學術水平。如何讓學者們與方志工作者結合,共同設計乃至完成新方志編纂,使之更符合科學性,如何作到"詳略得當",是一個值得進一步研究的課題。

其四,林氏是書在寫作方式上,正文言簡意賅,提綱挈領,註釋則旁徵博引,精細詳明,資料豐富。全書近400頁,註釋佔去110餘頁,四分之一強,且註釋用小於正文字號排印。如敘嘉慶《廣東通志》總纂之一謝蘭生,正文以12字敘及林氏認定的生卒年,但註釋凡324字,徵引書籍7種,採多家之說加以考訂而說明,可見其詳明。

林天蔚氏以一位長期生活在港台地區的歷史學家從事方志學研究,其研究視角新穎自不待言。如前所述,研究深度也令人感佩。也因為如此,研究者的局限也不可避免,是書也尚有可商榷之處。

首先,台港學者欲全面掌握大陸資料有一定難度。林氏在"自序"中言:"大陸之書籍,在戒嚴令下根本無法輸入,筆者憑政治大學國際關係研究中心幫忙,將大部份大陸的方志學書籍,以《研究》理由,申請攜入,聲明《限閱》,不准外借,"[11]方得接觸大陸學者的研究。由是,在一定程度上而局限了作者對大陸方志學研究的全面掌握。如林氏在第三章關於方志的起源研究中,列出學者們各自的主張,《周禮》、《禹貢》、《越絕書》、《華陽國志》、《吳越春秋》諸說俱備。但近年又有學者主張方志起源於人類社會初始之口耳相傳,刻劃圖繪之時[12]。此說筆者亦不敢苟同,但其作為一種主張而為著者漏列亦為憾事。林氏在"現代大陸學者意見"中,不少較有代表性的學者及其觀點未涉及。臺灣學者王爾敏亦指出:"相信必須敘入最重要的前輩朱士嘉、傅振倫,以表率後學"[13]。實際上,林氏所引個別大陸學者的主張,隨着研究的深入及新編方志實踐,有的對自己以往的觀點已有所揚拋,提出了新的認識。這方面似乎為林先生所未及。

其次,臺灣當代學者對新編方志的意見,特別是文獻委員會諸專家的觀點與實踐,書中比較薄弱,似可補充。

其三,西方學者對中國方志之研究,所論尚可充實,使之更為精當。如西方學者對方志性質之認識,林氏以為西方學者謂中國方志乃一地方百科全書[14],並據大陸學者薛虹、史念海、曹爾琴等人的著述,稱西方人對"方志"一詞之英譯有三:Local History, Local Encyclopedia, Regional Encyclopedia。其實,西方由於沒有與中國方志一致的文獻體裁,對中國方志的理解是多方面的。西人將中國方志理解成地方史,地方百科全書等是依據他們對西方文獻的理解。還有將中國方志譯為Local-Records者,直譯成中文,則為"地方記錄"。這種譯法,也收入臺灣版"漢英大辭典"。此外,美國學者沙其敏(Melvin P. Thatcher)在為林氏本書所作序中,也將"方志"譯為(Local Gazetteer),則理解為地名辭典、索引之類,則又是一例。順便指出,林氏主編的"亞太地方文獻研究論文集"亦將"地方文獻"譯成(Local History),如按中文意思理解則西方人又視之為中國地方史、地方志、地方文獻為一體。指出這些,似乎更能全面理解林氏所要論証的問題。

註 釋

*四川內江縣地方志辦主任、研究員

①1982年,香港大學與美國猶他家譜學會(Genealogical Society of Utah of Salt Lake City, Utah, USA)聯合舉辦"區域性研討國際學術會議"。主題為:族譜、方志、人物傳記之收集、保存及應用之價值。會後,林天蔚教授將各與會者宣讀之論文凡17篇結集,由香港大學出版。是為"地方史資料研究論文集"。

②1989年,林天蔚教授在香港大學策劃組織"亞太地方文獻研究國際學術會議"。來自十四個不同國家和地區的學者四十餘人與會。會議發表的論文主要分三個部份,即族譜研究、方志研究、華僑史研究。會後,林氏將與會學者發表之論文45篇結集出版,是為"亞太地方文獻研究論文集"(Collected Essays on Local History of the Asian-Pacific Region)

③出自臺灣師範大學教授王爾敏為《方志學與地方史研究》一書所作的序。

④同註三。

⑤王氏此說仍出自其序言。但臺灣近年來亦有另兩部方志學專著值得重視。

1982年,臺灣漢學研究中心舉辦"方志學國際研討會"。來自美國、法國、日本及台港地區學者多人與會並宣讀論文。會後,刊行會議論文集二冊。此外,中國文化大學教授兼文學院長宋晞著《方志學研究論叢》(臺灣商務印書館1990年出版)收著者論文九篇,書評一篇,主要論述地方志與歷史學的關係,地方志在史料學上的地位,以及中國地方志的流傳存藏等。其中以"七十年來的方志學研究"為題,對1949年以前中國大陸及1949年以後臺灣地區的新方志編纂、舊方志整理及方志理論研究作一綜述,但未涉及1949年以後中國大陸的情況。

⑥參見拙著《方志學理論研究的回顧》(載《史志文萃》1988年6期)及《關於理論方志學的內涵問題》(載《編輯學刊》1989年3期)。

⑦可參看近些年來臺灣省文獻委員會出版之《臺灣文獻》,至今已出版約50卷。

⑧《方志學與地方史研究》頁133。

⑨同註八。

⑩《方志學與地方史研究》頁136。

⑪《方志學與地方史研究》自序。

⑫彭靜中《中國方志學簡史》(四川大學出版社1990年版)。

⑬王爾敏《方志學與地方史研究》序言。

⑭《方志學與地方史研究》頁25、頁49。

以方志、族譜、金石碑刻爲内涵的"地方文獻"新概念的提出與運用

——評林天蔚教授新著《地方文獻論集》

馮爾康

（南開大學教授）

唐宋史、地方文獻學專家林天蔚教授，繼 1995 年梓行的《方志學與地方史研究》之後，今有新作《地方文獻論集》問世，提出以方志、族譜、金石碑刻爲内涵的地方文獻新概念，並對這三種文獻資料進行系統的研究，將此種學科的研討推向一種新境界，當然也存在着需要深入探討的問題。

一、内容簡介及諸家評介撮要

全書分五篇，爲方志篇、譜學篇、金石碑刻篇，專題研究篇及附録篇，有作者的《自序》，述其要旨，甚爲言簡意賅。五篇内容，大要爲：

方志篇，由六章構成，論述方志之源流、發展與功用；方志理論與方志理論家，主要是論述章學誠的方志史學論，兼及其對立面戴震"地理沿革"論；當代方志理論及方志體例；當代海峽兩岸的修志機構；評論來新夏、齊藤博主編的《中日地方史志比較研究》；"清代方志學名著知見録"，多達幾千項，故製成電腦光碟，附於書後，供讀者檢索。這一部分内容和觀點，基本上已在《方志學與地方史研究》一書中作了表達，然收入新作，增寫原作的 50%，故不是簡單的舊作的彙入。

譜學篇，亦爲六章，一二兩章論譜學源流、分期、新舊譜學的不同及建立新譜學構思；利用族譜資料論宋代中原人士移徙廣東的兩條路綫；論述綜合利用族譜、方志資料進行研究的價值；廣東許族源流及兩種發展類型；介紹《新會潮連鄉蘆鞭里盧氏族譜》，披露林氏撰寫的《湛江市博立村許國仁愛周公家譜》目録、凡例及撮要。

金石碑刻篇，計有四章，利用考古發現的碑刻金石經卷資料研究歷史，並對經卷本身進行探討。林氏爲研究唐代瓜沙史，在閱讀英國倫敦大英博物館所藏敦煌文書縮微膠卷基礎上，遠赴倫敦、巴黎閲覽敦煌文書，寫出有關敦煌土地制度的專章，認爲那里没有實行均田制，而是墾荒的屯田制；敦煌文書是最寶貴的資料，但並不是毫無保留的最可靠資

料，使用時須加校勘與辨別；使用碑刻和敦煌文書，研究敦煌土著大族索氏與歸義軍政權的關係；簡要介紹主要金石碑刻及其銘文，指出"金石學是研究地方文獻的'頭首資料，價值甚大'"。

專題研究篇，分四部分，一爲對六種《廣東通志》的評介；二爲人物研究，係對隋譙國冼夫人、莫宣卿、范仲淹與余靖、郭棐的分别評論，范仲淹除外，皆廣東人；三爲史事研究，所論及的皆與廣東有關的歷史，認爲宋代之廣州係轉運港口而非貿易港口，葡萄牙人初到的屯門島係香港的大嶼山，不是世傳的新會縣茜草灣，今在深圳市蛇口的南宋末帝趙昺陵係紀念陵墓，無遺骸、衣冠，考證葡萄牙人初期貿易地的浪白在香港，而非澳門；民族史研究，叙述唐宋以來廣東少數民族分類、變亂，特别論著少數族群中的母權問題，認爲中國的母系與母權社會同摩爾根的理論不是一個型式，從少數族裔可以看到"父系，母權"的存在。

附録篇，由十一篇特約稿集成，前三篇是英文稿，爲西方學者介紹美國有關地方文獻之作品，中間兩篇及後面六篇分别是方家爲林氏《地方學與地方史研究》所作的序言、書評，三篇西文的内容與林氏書的主題吻合，藉以融合中外學術，擴大中國讀者視野，書序和評論中有對林氏著作的批評，作者收入新著，在《自序》中作出回應。

五篇的内容大要如此，從第五篇的後八篇文章可知，學界對林氏新著的第一篇基本上有了較爲一致的見解，即謂其對方志學"孜孜鑽研撰成專著"，張仲熒認爲該書具有四個特點，可以説概括了衆家之意，這四點是：網羅宏富，信息量大；提出許多有獨到之處的觀點，如方志體例的"創新"與"新創"不同；爲新方志擬製類目（實即新體例），希望能對編寫新方志有所裨益；書寫方法上，正文言簡意賅，提綱挈領，注釋旁徵博引，精細詳明，資料豐富。新著《地方文獻論集》的邱樹森序，云林氏前後兩部著作，"爲當今海内外學者方志學研究最新最系統之果"。因此《地方文獻論集》的《方志篇》的評論無需筆者多事饒舌，惟對邱樹森系統之説補充一句：林氏對方志學確實進行了系統的研究，給人以系統的知識，他不僅一般性地描述方志學的發生、發展歷程，特别揭示這門學問理論的形成及其理論家，還如實地將她視作活的學問，以設計方志體例，親身參與，再則比較中外方志的異同，將研究深化，故可謂較爲深入系統的研究。有鑒於此，下面不再專門評述"方志篇"，而將注意力集中在該書的其他部分。

二、地方文獻新概念的提纂

就筆者的認識和對其他學者認知的感覺，方志和族譜是地方文獻。地方文書，如敦煌文書、徽州文書，也是地方文獻。碑刻，作爲地方文獻也没有疑义，如《江蘇省明清以來碑刻資料選編》、《上海碑刻資料選輯》、《明清佛山碑刻文獻經濟資料》等。鐘鼎銘文，作爲地方文獻，似乎没有想過，尤其是未曾將這些類别的文獻作爲一種學問加以思考和論证，如今林天蔚教授明確地把它們融合在一起進行研究，將研究成果命名爲《地方文獻論集》，並在《自序》及專題《方志與族譜之關係及其聯合研究之價值》中作出理論的闡述，試圖以理論上的建樹，增進同道的共識。現將其要點略陳於後：

地方文獻的内涵。《自序》云：地方史的資料，"多來自地方文獻，如族譜、方志、金石碑刻、文書契約、個人著作（如文集）等。文書契約及個人文集雜而無章，大致而言，研究地方史却以族譜、方志、金石碑刻等項爲主"。如此將族譜、方志、金石碑刻、文書、契約、個人文集（即清朝人所説的"别集"），規範在地方文獻裹，而以前三項爲主體。這就是林氏"地方文獻"的内涵，正是基於這樣的認識，才將關於方志學、族譜學、金石學的研究，結集在一起，命名爲《地方文獻論集》。

將方志與族譜進行綜合研究的建議和實踐。所謂地方文獻的組成部分，必然有其内在聯繫，否則不能組合，聯繫不起來。林氏有鑒於此，特地在《方志與族譜之關係及其聯合研究之價值》論述方志與族譜的關係，指出它們有個共同點——均是地方性資料，這是作地方史可以聯合運用的基礎；另一項基礎，是族譜所體現的家族組織與方志影響下的同鄉會是近代社會的重要結構；方志已經采取族譜的資料，比如方志中的傳記、碑刻、墳墓、廟宇、祠堂，有些採自於族譜；而它們的相異點：方志之研究重點在"地"，族譜則在"人"，因此綜合使用二者之資料，"所得更大"。他的結論是在綜合運用方志、族譜資料的實踐基礎上總結出來的。他查閲明清兩代的方志和香港現住居民的若干族譜，發現中葡首次戰争是在1521年而非《明史》所載之1523年；中葡首次之衝突地點是在香港，而不是描述所説的新會縣；十六世紀葡人在中國最大的商埠浪白，應在今日香港大嶼山之西部，因之寫成《十六世紀葡萄牙在香港事迹考》，從研究實踐中認識到"聯合'方志'與'族譜'是研究地方史之主要途徑"（上册第291頁）。

"地方文獻"新概念的提出，對地方史研究的價值是不難想見的。其實，在此以前，研究地方史，也會運用方志、族譜、金石各種銘文、各種契約文書，以及文集、筆記等文獻的資料，但那時對某些文獻的材料使用得不那麽自覺，或對某種文獻有所忽視。而林氏概念的提出，將有益於學界有意識地、自覺地全面利用上述各種文種的資料進行地方史的研究，乃至於對地方文獻自身的研究，在利用中發現各種地方文獻資料的特點和價值，因而會提升研究成果的品質。將方志、族譜、金石碑刻、地方文書定位爲地方文獻，用作地方史研究的素材，並不是將它們局限於此，這些文獻同樣是研究國史和各種專門史的史料，並不因此降低它們的全面史料價值，在認定"地方文獻"概念時，這一點無疑也是明確的。

三、幾點具體研究成果

如果説地方文獻新概念的提出是宏觀的思維，下面將要介紹的則是《地方文獻論集》所表現出的具體學術見解的成果，及作者可貴的治學精神。

（1）對譜牒學及其歷史的研究，《地方文獻論集》表現出其作者對新譜學的追求：内容之擴大，新目標之提出，方法之改良。

林氏對譜學的發生、發展，有所總結，前後的認識亦有所不同，然對近代以來新譜學的概括令人一新耳目：

及至近代西學東來，譜學脱離儒家的倫理學的束縛，以社會科學之基礎從事譜學之研究，因此産生了'新譜學'。新譜學以社會學、經濟學、統計學、生物學、地理學、文化歷史學爲基礎，以歸納法或演繹法而作譜學之研究，研究對象由個人爲主體的'家族'推廣至由'家族爲主體'而探究其對社會及國家之影響。（上册第249頁）

這裏有三點值得留意:新譜學的學科基礎來自有關的社會科學與自然科學;研究方法是歸納法、演繹法;所謂研究對象的轉變由個人爲主到家族爲主,其實歷來族譜都是以家族爲主,林氏所以作此區分,在於强調新譜學應更多地反映家族同社會的聯繫,是地方文獻的一部分,同其地方文獻學的主張一致。林氏進而論述新譜學的三家,即潘光旦從優生學研究家族活動和家譜;王栻用統計學方法解釋家族歷史:羅香林從社會文化方面研究家族史、族譜及其同社會的關係,指明他們的貢獻所在。

林氏本人以譜系學(新譜學)提出三項主張:(甲)、内容的擴大,有兩項内容,一爲與家族有關的材料,如户口、土地契約、婚約、出生死亡證明等,另一爲從父系擴展到母系、妻系、女系(女婿)的活動材料。(乙)、新的目標,新族譜不僅是爲慎終追遠,更要培養認同思想,認同同族、同宗之外,認同中華文化,在近百餘年來,國人對西方文化的迷信,失却民族自信心。應該在吸收西方家庭獨立精神同時,對我國的傳統倫理思想重新評價,輸入家庭生活。(丙)、改良方法,從觀念上認識到新譜學注意社會影響人物的成長、成敗,改變傳統譜學純以人物成敗看家族興衰;方法上留心紀録家族的文化因子與體質因子的兩種遺傳。在這三項主張中,林氏對於新目標的追求,可謂情有獨鐘,認爲新譜學"關乎文化的存亡","今天我中華民族正處於東西文化衝擊之中受到考驗,我們的人民,正處於濃厚的功利思想、道德淪亡的社會中,家庭觀念與倫理觀念日弱,筆者特提出建立譜系學,是理論建設的具體方法之一"。(上册第241)林氏新譜學的見解,改良傳統譜法,賦予其時代的科學精神,運用現代科學的方法,大大擴充其社會内容,使族譜由一族之族史文獻,演變爲社會歷史文獻,並爲建設現代倫理學一種具體方法,這對建設中的新譜學,無疑是極具參考價值的,將爲研究者所重視。

(2)對廣東史、香港史研究具有獨創之見。

在内容介紹中,讀者不難意識到林氏對廣東、香港地方文獻和歷史的關注。對六種《廣東通志》詳加評論,即使未讀過這些志書的筆者,亦認爲其言之鑿鑿,深中其的。林氏謂黄佐、郭棐、阮元分别主修的《廣東通志》"最爲可觀","黄志"是"文人之志";"阮志"是"史家之志",慎於選擇史料及考證;"郭志"乃是"志家之志",能够重視志書的"史地兩源",更加顯示地方特徵;金光祖、郝玉麟分别主修的志做到搜集資料,詳加整理;修得最早的戴璟之志,雖雜亂無章,然係草創,亦自有其參考價值(下册第509頁)。通論六部志書的特點,非方家何以能够做到!《廣東通志》,是廣東通省地方史的重要材料,必讀的參考文獻,精湛的評論,自然有益於廣東及廣東各地的地方史研究的參考。廣東人的族譜,林氏關切有加,專文評介《新會朝連鄉蘆鞭里盧氏族譜》,認爲它不單載一個家族的事情,"擴大而旁及地方社會,是合方志與家譜爲一的新'譜',且譜之體例亦有所'革新'"(上册第330頁)。並將其視爲由舊譜學蜕變成新譜學的一個例子,"是新譜學的雛形"(上册第259頁)。廣東方志、族譜的史料學分析,爲廣東史研究者對這些資料的價值判斷提供參考因素。

林氏對廣東少數民族及其首領的歷史活動,廣東歷史上的海外貿易,中葡關係中發生在廣東、香港的歷史事件,漢人家族史,廣東歷史上的名人,多所論及,不乏創見。對此,因在第一部分的内容簡介中已有説明,這裏不必贅言,但有一點要補充的,是如何看待林氏的某些創見,如其論述廣州歷史地位的《宋代廣州爲轉運港與貿易港有别》一文,認爲宋代，乃至唐代的廣州，"乃我國一大轉運港口，未必有實質上的繁榮"（下册第607頁），受到不同意見的批評，然而其説持之有故，言之成理，不失爲一家之言。林氏是廣東人，熱愛故鄉，但不佞僻，對夸大家鄉的溢美之詞，不敢"陶醉"（《自序》），惟其以嚴謹的學者之風，始能追求真知，發出獨創之論。

（3）視新譜學、新方志爲實用之學，並予提倡。

林氏自擬新方志體例：一、圖經：行政區劃圖、地形圖、地勢、地質及物産圖、氣候圖、交通圖、名勝古迹觀光圖、人口密度分佈圖、民族分佈圖；二、史表：沿革表、大事表、職官表、人物表；三、史志：政治志、文化志、經濟志、社會志；四、史傳：舊志人物，舊志未載人物；五、叢談：文獻、掌故、灾异（上册第162頁）。這是學者擬訂的新方志體例，有無可操作性，是兩回事，學者所思考的是科學性，實踐家所面對的是現實，不得不屈從於可操作性，重要的是林氏以其體例作理論上的探討，可供給修志者參考。

林氏自撰《湛江市博立村許國仁愛周公家譜》，係其新譜學理論的實踐。該譜的篇目：序編：圖片，大宗祠門聯，序：第一篇許氏源流；第二篇入粤之許族：中原士族南遷至福建，許天正爲閩粤許族之祖，許族入粤之兩途，粤省許族之分佈；第三篇博立村許族之入粤與考异；第四篇博立許族舊譜序及近代之世系；第五篇掌握時代脈搏之巨人——湛江、香港之發展與許國仁公之事業；第六篇許愛周公傳；第七篇克承箕裘者列傳；第八篇文獻：周興書室，順昌行業有限公司；附："譜傳"空白紙（節録，上册第338頁）。將家族企業和企業的重要人物書寫入譜，並給予顯要地位，體現了林氏新譜學加强其社會性的主張。

方志、族譜的興修，都有其連續性的特點，以致清代官方規定十年一修方志，民間則云"三世不修譜，是爲不孝"。修志、修譜爲後世官方和民間繼承下來，直至如今，海峽兩岸均在修志，民間亦修譜不輟。可知方志學、譜牒學實爲一種活的學問，是實踐之學，非純學理之學也。所以林氏的研究新方志、新譜學，與當今的修志、修譜密切相關，希望對實踐有益，提升新方志、新族譜的素質。他不僅是理論探索，還付諸實行，以求理論的完善化，同時也給理論研究者作出了表率。實踐之學的理論探討，尤其有必要。據筆者所知，民間修譜，渴望學者全給予理論的建設，學界似乎也需要回應這種要求，與譜學實行者爲友，共同爲新譜學做些有益的事情。

（4）探索精神，一絲不苟地開展學術討論

從數十萬字的巨著中，字裏行間無不反映林氏治學的嚴謹精神，孜孜以求真知真識，對人對己，莫不如此。他將八家對他的《方志學與地方史研究》的評論附録於《地方文獻論集》，這些評介褒揚多，批評亦有一些。如果我們不讀林氏《自序》中對他的批評的回應，世俗地看，或許會誤會林氏在用他人的話語讚揚自己，但打開一讀，發現他的着眼點在於繼續討論存疑問題：對他人指正，認爲正確的，承認有誤，乃"治學粗疏所致，除更正外謹此致謝及致歉"；有的則説明缺略或疏漏的原因，或因事物本身不明，不便深論，或因客觀環境造成對學術信息的不能及時把握。對嚴於批評的報之以喜，對不好意思多所指正的，則謂"輕描淡寫"，渴望進行學術討論的心情溢於言表。

將學術看作"天下之公器"，爲探討求真，林氏做到知無不言的境界。如對《中日地方史志比較研究》一書，首頁有介紹文字，曰該書"是中日兩國學者聯合研究成果的匯總"

云云,這不過是出版社爲推銷此書,帶有廣告性質的文字,不值得過於認真對待的。可是林氏本着求實的精神,予以矯正,謂其爲“兩國學者研究成果的彙編”,將“總匯”易爲“彙編”, 並申述其理由:“因全書未能標出聯合研究的具體事實, 而只是在同一主題之下,集 14 篇專文的論文集而已”(上册第 179 頁)。對當今大陸的修志,依據八十年代中前期的信息,謂突出强調爲政治服務,雖要建立新方志,而空乏之言太多,不足爲訓。如果僅就斯時而論,林氏所見甚有道理,而後來的實踐,情况有不少的變化,惜於林氏未再論及。

上述林氏《地方文獻論集》的學術成就,如果苛求的話,亦有不能令人惬意之處,就是對一些論點,如方志、族譜、金石碑刻者之間的内在聯繫,深入展開分析不足,使人有不够解渴之感。話説回來,每個學者有其治學的風格,林氏善於搜集、分析材料,不滿於空泛之論,可能因此不屑於某種説理之作,故而不致力於此。

(四)關於譜學一些問題的討論

林氏對於新譜學的概念、特點的論述,前面已作交待,筆者並無异義,惟對下列諸點有所探討或補充。

林氏論述“海峽兩岸之新舊譜學的剖析”,講兩個内容,一是修纂思想和體例,“五四運動”之後,從舊譜,粗略的發展成“兩派三家”(潘光旦、王栻、羅香林);二是“新譜學多是以專論式,探討社會上諸問題對宗族的影響”,如人口、宗族(及華僑史)、族譜人物及其他問題,並列舉若於篇論文篇目(上册第 255 頁)。就此,筆者感到林氏對二十世紀七十年代以來學術界對族譜新體例討論的忽視和缺乏瞭解。七十年代後期和八十年代初期,臺灣學術界擬制兩種新族譜的編寫方案,甲方案歸併、取舍傳統族譜的體例,將族譜書寫定爲四大項内容:(1)源流:含姓源、姓氏考、遷徙考、世紀源流考、沿革、公譜等;(2)世系表:融會傳統族譜的表圖爲直行左斜書寫的世系表;(3)傳;(4)記;包括禮俗、家訓、家規、家教、恩典、文獻、古董、第宅、塋墓、祀田、公益、義學等内容。在書法方面,采取秉筆直書法,不隱諱家族中的壞人壞事;妾、女均上譜,行文力求通俗易懂,去繁文及艱深文字。乙方案的擬訂遵循三項原則:一是采取傳統家譜的優點,二是使用現代人類學系譜符號以減省文字叙述,三是内容、方法要適合現代社會的需要。該方案的譜書體例也是四大類,即(1)源流方面,包括堂號、祖籍、昭穆(輩序);(2)世系表;(3)傳略;(4)雜記,包含家訓、祠堂、祖墳、祖業、家族通訊録、嫁女世系表等①。大陸學者對新族譜的體例有所論及,尚無完整方案的提出,惟於 1993 年四川成都有閻晋修宗源有限公司製作出表格式的“姓氏家譜”,供人填寫,其體例稱作“閻氏譜例”,包含十項内容,爲家族名册、世系表、傳記、親戚、家族影集等。其特點:一是表格化,便於填寫、續修;二是體現男女平等觀念,族女均上譜、作傳;三是紀録親屬關係;四是收集家族成員的影集;五是爲每一個成員制定編號,便於查找。此譜例未見有學術性的説明,但從譜例獲知,它同臺灣乙方案接近。

新族譜的設計情形如此,就筆者寓目的海峽兩岸近年編纂的數十種族譜,綜合其體例,區分其類目,傳統的世系表圖、傳記、家訓、祠堂、祖墳、餘慶録之外,新增或發展、豐富原有項目,大要爲:

地圖:家族村落圖、村落地區位置圖、族人遷徙圖;

圖像:祖先畫像、近年個人、集體攝影,村落面貌攝影,各種證書的圖片;

風雲、風情:所在地區的政治經濟文化的變化和風俗民情;

經濟、創業:家族及個人的事業、實業;

家族大事記:

家族通訊録:

親戚:書寫族人的重要親戚;

世系檢索表。

在寫作原則和方法,重大的變革在於:

男女並書,族女上譜,甚至族女之夫婿及他們的子女亦可上譜;

符號表達方法:利用符號表示男女性别,男女的夫妻關係,父母子女的譜系關係,頗爲節省文字和醒目;

秉筆直書的願望:對過去削譜不書的人考慮收入譜内,异姓、贅婿的承嗣上譜,有惡行族人事情的登録。

這些譜例的設計,以及新族譜的製作者創新方面的努力,向人們展示一種新族譜的藍圖和尚未達到規範的樣品,已讓我們預感到真正意義上的新族譜的問世,已經是可以期待的了,這比林氏所瞭解的情况和所設計的方案都要豐富得多,筆者僅補充於此。

至於利用族譜資料研究歷史問題,嚴格地説這不屬於譜學的直接内容。使用"二十五史"的"正史"材料研究通史、斷代史或專題史,成爲各自領域的專家,但若不對"二十五史"本身進行史料學的研究,不能稱之爲"正史",或這方面的專家,這是學界的共識。同理,僅利用族譜資料研究歷史,假如不對族譜學加以探討,也不能稱爲譜學研究,當然,利用族譜資料的學者,必然會對族譜學有所瞭解,如果他願意的話,會較容易地進入這一領域,並作出成績,不過領域族譜資料和譜學研究是兩回事,林氏在這裏的叙述就顯得簡單,並導致某種混淆。

林氏謂"方志之份量遠比族譜爲多",並分析造成這種情形的原因——有官修制度和人力、財力(上册第289頁)。方志、族譜孰多孰少,實際情形,正和林氏所説相左。方志的數量,就中國科學院北京天文臺等單位於七十年代後期調查所得編輯的《中國地方志聯合目録》所揭示,方志總數爲八千二百餘種①。八九十年代大陸各地編寫方志,陸續出版約在二千種左右,總計現有方志在一萬種至一萬一千種之間。那麽族譜呢?據趙振績等人編的《臺灣區族譜目録》②所載,族譜有一萬零六百餘種。筆者参加編制的《中國家譜綜合目録》著録一萬四千餘種族譜。③就筆者所知,江西有一個縣,該縣地名辦公室在調查地名時,一一登録了各村落居民所收藏的家譜,達一千零六十種,當九十年代初友人④給筆者這個族譜目録時,驚訝莫名,那裏會想到民間會有那麽多族譜,并且是我們編輯的《中國家譜綜合目録》裏所没有的。由此可知,在該書的一萬四千餘種族譜之外,還有不計其數的族譜爲我們缺載。及後去江西進行家族史的田野調查,見到許多新修的族譜,並承從事譜牒學研究之友人⑤見告,江西約有三萬種族譜。江西是修譜較多的省份之一,虽不能以此推算全國的族譜數量,然就此情形而言,全國究竟有多少家譜,用以萬計數,也許不爲過分。目前上海圖書館正在調查、編輯族譜總目,該館館藏族譜即多達萬餘種(林氏在書中亦提到),他們的調查,和我們當年所做的一樣,是通過各收藏單位進行的,而家譜藏在民間的甚多，不是那麼好調查清楚的，想來將來成書，所録之族譜，離民間實際所有，可能還會有距離，甚至不小的差距。筆者的意思，族譜民間藏量大，難於登録入册，萬勿因此忽視它的存在，家譜的數種，會比方誌大得多。方志雖然是官修，有保障，但是民間有“三世不修譜，是爲不孝”之説，利用己身之力，甘願修譜，這種活力，有時是難於想象的。當然，族譜的質量及其資料價值，很難同方志作類比，不過這已不是這裏所要討論的事情了。

林氏就南北朝及唐朝人所作的《姓氏録》、《氏族志》、《元和姓纂》等書，謂譜學“前期多是姓名之學”（上册第 248 頁）。是否如此，學界見解不一，這裏不作討論，然“姓名之學”的“姓名學”的表達，似可商榷。確切地説，使用“姓氏學”也許會更準確一些。姓名學是謂“姓”與“名”之學，而姓氏學則側重在“姓”與“氏”的研究方面。秦、漢以前，姓與氏有嚴格的區别。姓，基本上是天子和極其特殊的人物才有的，固定不變：氏，是天子、國君賜給下屬的美稱，其數量要比姓多的多，且可以變換。姓和氏，僅爲貴人所擁有。春秋戰國的社會大變動使得姓氏制度發生相應的變化，秦漢以後，姓與氏的差别消失，人們以氏爲姓，並簡單地以姓不是姓、氏，同時人們普遍地有了姓，使其書目大爲增加。族譜講得姓之由來，即姓源、族源，就屬於姓氏學範圍，所以筆者認爲使用“姓氏學”一名，比“姓名學”之稱可能更有益於譜牒學的研究。

筆者愚鈍，不知所云，謹求教於林教授及各位方家。

（作者附言：2002 年 10 月中旬，筆者出席臺北漢學研究中心舉辦的“地方文獻學術研討會”，會間承林天蔚教授贈宏著《地方文獻論集》，林教授是筆者夙所尊敬的學者，會後即敬謹拜讀《論集》，於暨南大學客齋寫此讀後感。11 月 6 日記）

注　釋

①中國科學院北京天文臺等編輯《中國地方志聯合目録》，北京，中華書局 1985 年。

②趙振績、陳美桂《臺灣區族譜目録》，臺灣省各姓歷史淵源發展研究學會 1987 年。

③國家檔案局二處、南開大學歷史系等《中國家譜綜合目録》，北京，中華書局 1987 年。

④安徽大學徽學研究中心卞利教授。

⑤江西師範大學歷史學梁洪生教授。

譜學與金石碑刻研究的創新

——評林著《地方文獻論集》

黄秀政
（臺灣中興大學文學院院長）

“地方文獻”紀録一地區的發展軌迹與歷史演變，可提供地方建設和行政當局施政的參考。地方文獻的蒐集、整理、研究與應用，不僅具有學術參考價值，同時具有實用價值。前香港大學中文系教授、臺灣政治大學歷史研究所教授，現任美國楊伯翰大學（Brigham Young University）訪問學人林天蔚教授最近出版《地方文獻論集》（中國海口市：南方出版社，2002 年 6 月初版），其研究方法創新，參考資料豐富，引证詳實，立論平允，兼具學術參考價值與實用價值。該書的出版，可説是 2002 年海峽兩岸歷史學界的盛事，值得重視。

本書分上、下册，共 957 頁、近壹佰萬言，計分《方志篇》、《譜學篇》、《金石碑刻篇》、《專題研究篇》四篇，另有《附録篇》一篇，是林教授繼 1995 年出版《方志學與地方史研究》巨著之後的另一力作，其博採群籍，取精用宏，對地方文獻學的貢獻，堪稱空前。林教授 1927 年出生，1948 年畢業於廣東省立文理學院（今廣州華南師範大學）史地系。林教授曾執教於香港中文大學崇基書院，長期在香港大學及政治大學講授“隋唐史”、宋史”，以及“方志研究”等課程，是一位中國中古史與地方文獻學的著名學者。除《方志學與地方史研究》與本書之外，林教授尚著有《宋代香藥貿易史稿》、《隋唐史新編》、《隋唐史新論》、《宋史試析》、《香港前代史論集》（與蕭國健合著）、《宋代史事質疑》等專書。多年以來，林教授倡導地方史與地方文獻的研究，不遺餘力。他於 1985 年及 1989 年兩度籌辦地方史與地方文獻的國際學術會議，會後並主編《地方史資料研究論文集》與《亞太地區地方文獻研討會論文集》，由香港大學亞洲研究中心刊行。其有功於地方史與地方文獻學，誠極難得。

本書的《方志篇》（上册，頁 1~223），其基本理論與《方志學與地方史研究》一書大致相同，如《方志之源流與功用》、《方志之體例及新方志之擬目》，以及《海峽兩岸之修志機關》等，雖略有增删，但多沿襲舊文，尤其是若干觀點如“方志二元論”、“方志之發展”等重覆申論，目的在引起廣泛之討論，以求得共識。另新增《清代方志學名著知見録》凡數千項，表示清代修志之盛；然目録繁雜，只宜檢索參考，不宜閲讀，故製成電腦光碟，使繁體簡體並列，以資參考。另作“分析”，附於本篇第六章之内；又增新作，評介南開大學來新夏教授與日本學者齊藤博所主編《中日地方史志之比較研究》（1996 年，南開大學出版社），强調此乃"中日兩國方志學者之匯編"而已。作者將每篇加以摘録，並予評論，藉此可瞭解兩國方志學之研究與成果。本篇雖多舊文，然新增文字約八萬言，約占舊文 50%。

《專題研究篇》（下册，頁 471~826）係廣東史事研究專題，新增四篇，全是應用方志、族譜、金石碑刻之史料而作研究。林教授强調以客觀史學考證真相，如《唐宋時代廣東少數民族的分類及分家》一文，指出唐宋時代廣東仍是蠻區。《宋代的廣州爲轉運港口與貿易港口有别》一文，認爲當時廣州所謂繁榮，乃是史書"夸大及溢美之詞"，林教授雖爲粤人，但並未"自我陶醉"、"夜郎自大"。至於"浪白滘再考"一文"實地考證"浪白"之所在，均與時論不同，極具參考價值。至於《論少數族群中的母權問題》，乃探討漢文化下某些蠻俗之遺迹，屬於學術上的假設推論。

以上《方志篇》與《專題研究篇》兩篇，數年前筆者曾撰文加以評介，並非此次本文評介的重點，兹不贅述。[①]以下僅就本文評介的《譜學篇》與《金石碑刻篇》加以論述。譜學是中國文化遺産中極爲寶貴的組成部分，其文獻價值不可忽視。誠如章學誠所説："有天下之史，有一國之史，有一家之史，有一人之史。傳狀志述，一人之史也；家乘譜牒，一家之史也；部府縣志，一國之史也；綜紀一朝，天下之史也。比人而後有家，比家而後有國，比國而後有天下。惟分者極其詳，然後合者能擇善而無憾也。"[②]由此可見，章學誠把家譜、方志、國史都看作同等重要的文獻。譜學對於吾人研究歷史上重要人物的生卒年、履歷、事件，對於歷代人口遷徙、民族分佈、民俗、地名，對於研究古代中國社會、封建宗族制度等，均有重大價值。[③]本書的《譜學篇》（上册，頁 225~382）共分六章，第一章爲"中國譜學之源流及其分期之試探與新譜學建立刍議"。在本章中，林教授指出中國文化有三特點，一爲農業社會，二爲儒家思想，三爲家庭觀念特强，此三特點互爲影響。按農業社會奠基於周代的封建制度，農業經濟産生了富於保守性的儒家思想。儒家思想在政治上吸取了農業社會的春耕、夏耘、秋收、冬藏之固定規律，而主張"君君、臣臣、父父、子子"，以維持既存的政治制度。在經濟上主張"有土斯有財，有財斯有用"，土是指耕地，故儒家强調"農本學説"。在倫理上，儒家主張"忠與孝"，"夫孝者，始於事親，中於事君，終於立身。"[④]治國者始於治家，求忠臣必出於孝子之門，故儒家的倫理建設首重家庭，因而培養了濃厚的"家庭觀念"；而家庭經濟又基於農業，耕讀是儒家的生活方式，同耕共産更促進了農業的發展。如是循環，互相影響，遂構成中國文化的三大特點。林教授同時指出，中國文化的三大特點又與譜系息息相關，他認爲中國譜系的發展可分三期：一爲形成期，是指周代的宗法制度中的氏族社會；二爲鼎盛期，是指漢至魏晋南北朝的世族社會；三爲蜕變期，是指隋唐至鴉片戰争前的家族社會。此後便是衰落期，是指海禁以後，受到歐風美雨的影響，中國家庭制度受到衝擊的時代，但又未能建立新的社會。

《譜學篇》第二章爲"新舊譜學之界别及新譜學之兩派三家之評議"。林教授認爲傳統譜學不論是族譜、宗譜、家譜，甚至家乘，都是源於血緣關係，並深受儒家倫理思想的影響。及至近代西學東來，譜學脱離儒家倫理思想的束縛，以社會科學之基礎從事譜學之研究，因此産生了"新譜學"。新譜學以社會學、經濟學、統計學、生物學、地理學、文化歷史學爲基礎，以歸納法或演繹法而作譜學之研究，研究對象由"個人爲主體"的家族，推廣至由"家族爲主體"而探究其對社會及國家之影響。在本章中，林教授同時比較新譜學之歸納法代表人物潘光旦(生物道傳學)、王栻(統計學),與演繹法代表人物羅香林(文化歷史學)等人的成就與貢獻:並對海峽兩岸新舊譜學的研究,加以比較剖析。第三章爲“從族譜資料中淺論宋代中原士族遷粤之兩道及其史事”,本章指出中原士族南下入粤,並非始於宋代,但以宋代南遷者較多。南遷士族亦非僅有東(福建寧化縣石壁鄉)及北(廣東南雄縣珠璣巷)兩道,但主要仍是以此二道爲主。而自此二道入粤諸族均來自北方的古漢語區域。但因受文化及地理的影響,形成客語(古吴語與楚語溶成)及廣府語(古越語與漢語溶成)兩大系統,並非巧合,而是客觀條件形成。至於由此兩道入粤之士族多沿古驛道或由水路;遷徙原因或由於政治上、經濟上,或因出仕於粤而長留南方,各族不同,其中有若干有關史事,值得加以探討。第四章爲“方志與族譜之關係及其聯合研究之價值”,林教授强調方志與族譜都是中國最具代表性之地方史料,同時均起源於距今二千五百年前左右,但族譜發展至兩晋南北朝已達最盛階段,唐以後族譜著作雖不絶,惟偏重於家譜,而且已不爲政府所重視,當然家譜仍有不少寶貴資料。相反地,二千五百年前已開始的地方性歷史,其後則發展成“國别史”與“圖經”。《越絶書》及《華陽國志》之出現,是地方性歷史書籍中滲進大量地理資料,所以隋書“經籍志”特創“地理門”以屬之。至宋代在大量地理著作中,創立了“方志”的體例;直至明清二代,方志之著述大盛,所以族譜與方志在隋唐時代爲一轉變關鍵,彼此互相繼承,爲研究中國歷史(特别是地方歷史)之重要資料,價值甚大。林教授同時指出,方志與族譜均是地方性之資料,各有其價值,方志之研究重點在“地”,族譜之研究重點在“人”,故聯合研究,所得更大。林教授曾撰《宋代傜亂紀事編年》(1970)、《譙國夫人事蹟質疑及其嚮化與影響》(1971)、《十六世紀葡萄牙在香港事蹟考》(1979)三篇論文,均是利用方志與族譜之資料作地方史之研究,其中第一、二兩篇可補充國史之不足,第三篇可糾正國史之錯誤。就不同區域的情况而言,凡是文化較低之區域,記載必簡,若聯合方志與族譜作深入研究,發現必多;至於高文化區域,亦有若干被人忽略之社會、經濟、地理等資料,可在方志與族譜中找到,方志與族譜之聯合研究,實爲研究地方史之主要途徑。第五章爲“廣東許族源流初探:並論許族發展之兩類型”,本章指出入粤的許族,從漳、泉入潮、梅爲一系,以操潮客語爲主,其中有因經商或他故遷至别處,而操該地方言者有之,如廣州高第街許族,原籍潮、梅系但現操廣州話。另一支自福建莆田縣經珠璣巷南下至珠江流域及粤西南部,以廣州白話爲主,但在欽、廉有操客語,在海南分支則用黎語等;亦有自粤中遷至粤東,自粤南遷至海南者。許族兩大支系爲廣州高第街許族與湛江市博立村許族,前者發足跡於清中葉的農業社會,其透過科舉而入仕途,在近代廣東政壇上具有舉足輕重之地位;後者發跡於二十世紀三〇年代,是時廣東的工商業由萌芽而繁榮,尤其是湛江、香港等港口因貿易與新興的工商業,産生了新興的豪族,其中湛江市博立村許族是沿此路綫而發展。廣州高第街許族置有“許地”,以維繫家族成員;湛江市博立村許族在香港的物業亦安置先人靈位,家族成員定期至“祖堂”聚會。此種倫理思想,是中國家族制度的功能與力量,但此二族因時代不同,社會環境不同,遂發展成不同的類型。第六章爲“兩本新譜之評介”,本章收録林教授評介兩部新譜之書評,前者爲“《新會潮連鄉蘆鞭里盧氏族譜》評介”,指出該部族譜之優點爲不單記載一家族之事,且擴大而旁及地方社會,是合方志與家族爲一的新譜;同時,該部族譜之體例亦有所“革新”。但該部族譜因受到時代背景所限,以致出現“新型式、舊内容”之缺失，誠爲可惜。後者爲“《湛江市博立村許國仁愛周公家譜》之凡例與撮要”，此爲林教授應博立村許氏家族之邀，“奔走海内外，勾尋古今典籍，博採父老傳聞，加以考異審訂，纂成此譜。”（上册，頁 381）是林教授“將自己的譜學理論應用於‘家譜’的撰寫”（上册，頁 338），親自投人之一例，極具參考價值。

金石碑刻是歷史的證物，爲重要的史料之一，值得海内外中國歷史研究者重視。廣州暨南大學邱樹森教授爲本書作序時指出：“近半個世紀以來，大陸發現和出土的金石碑刻資料十分豐富，以馬長壽所著《碑銘所見前秦至隋初的關中部族》所引二十五種碑記爲例，其中十三種爲前人所著録，但有兩種著録不全；不見前人著録者十二種。這些碑記對研究關中部族分佈與相互關係新添了重要史料。又如甘肅漳縣出土的汪古部首領汪氏家庭的十餘種墓碑，對研究汪氏家族的族源與活動至關重要。泉州、揚州是古代中西交通的重要港口，出土了大量伊斯蘭教、基督教碑刻，對於研究古代阿拉伯、波斯、歐洲人來華，外來宗教在華傳播，彌足珍貴。大陸學者利用這些新史料雖然十分便利，但未必普遍重視；海外學者利用這些新史料有較大困難，因而需要溝通信息，盡快掌握，以利於學術水平的提高”[5]由此可見，從事中國歷史研究必須重視金石碑刻資料。本書的《金石碑刻篇》（下册，頁 383~470）共分四章，第一章爲“索勳碑史事研究”。在本章中，林教授首先比較“索勳碑”[6]碑文的三種版本，就中央研究院傅斯年圖書館藏有“索勳紀德碑”之拓本（01150，僅能看出 266 字），以及流傳的兩種抄本，即張維之《隴右金石録》（録有 502 字）、徐松之《西域水道記》（卷三，共録 509 字，全文則有 605 字），不同版本所録碑文之出入，加以考訂。林教授指出，以上三種拓本，以時間而言，《西域水道記》最早，徐松自稱道光三年（1823）得之於“都門書肆”，故存字最多；張維之《隴右金石録》刻於 1938 年 5 月，兩书相差幾達百年。但徐松未至敦煌，張維於中日戰爭期間曾任甘肅省参議會議長，爲當地人，應曾到敦煌考察過，故有若干字可補《西域水道記》之不足。中央研究院之拓本不知拓於何時，祇知向達曾於 1943 年隨中研院及中央博物院合組的“西北科學考察團”的歷史考古組在敦煌工作兩年，曾拓有若干碑記；1944 年，“敦煌藝術研究所”（常書鴻主持）成立，亦曾拓有若干碑記。但上距張維的《隴右金石録》不足十年，而碑之拓本缺字特多，不可理解，疑是抗戰時期或戰後，曾遭破壞過的拓本而已。接着，林教授根據索勳碑之碑文及相關資料，以探討張義潮歸義軍政權的建立及其争奪原委。林教授推測，歸義軍政權之建立以張義潮及索琪（索勳之父）二人功勞最大；而此二姓，可能是“新來”的氏族與“土著”氏族的結合，亦可能是“文人”與“軍人”的結合。因爲張義潮是“新來敦煌”的文人家族，而索琪家族則是“久居敦煌”的將門世家，二族聯合，遂建立歸義軍政權，此爲歸義軍政權的第一代。其後，歸義軍政權第二代人物張淮深（張義潮之侄）、索勳及李明振（二人均爲張義潮之女婿）三人因争奪領導權而互相殘殺，先是索勳殺張淮深，接着李明振又殺索勳，而擁立其侄兒張承奉（時爲歸義軍副使），則又顯示“實力派”與“正統派”争奪之慘烈。此外，林教授亦利用索勳碑及相關文獻，以探討回鶻與張、索二氏的關係。林教授指出張義潮於唐宣宗大中二年（848），從吐蕃手中奪得沙州後，在歸義軍政權前期張義潮及張淮深均曾擊敗吐蕃及回鶻，掌握甘州、凉州。惟至唐懿宗咸通十四年（873）後，回鶻勢力大盛，張淮深已無力控制二地的回鶻，曾向回鶻稱臣於（刺史男），歸義軍的勢力因之日弱。而當時歸義軍第二代人物之間的互相殘殺，多援引回鶻相助，故歸義軍晚期不僅政權受制於回鶻,而且張、索二姓政權之争奪亦與回鶻有很大的關係。

《金石碑刻篇》第二章爲"敦煌寫卷 S.0514 與 P.3354 有關軍屯制與均田制之别"。《敦煌寫卷》中,有關户籍者約五十多卷,此等户籍寫卷可作研究唐宋間户籍、地理、田制等重要資料。而其中以《斯坦因編號 0514》(唐大曆四年沙州敦煌縣懸泉鄉宜禾里手抄)與《伯希和編號 3354》(唐天寶六載敦煌縣龍勒鄉都鄉里户籍殘卷)兩卷最爲完整,記載亦最爲詳細。林教授利用此二卷敦煌寫卷,並参证其他相關資料,以説明軍屯制與均田制的區别。第三章爲"敦煌寫卷之校勘問題",在本章中林教授指出敦煌寫卷爲研究中國中古時代文史等學問之寶貴新資料。然"敦煌資料"分散各國,學人研究不易,故早期學者多是編印部份目録及加以題跋而已。及至英、法等國所藏的敦煌目録次第出版,世人對敦煌所知漸多,於是始有專題之研究,此等專題多是根據已出版之目録、題跋或個人拍攝之影片或抄本鑽研而成。林教授强調,因敦煌資料豐富而範圍廣闊,"敦煌學"已成爲學術界之專有名詞,但敦煌資料却未必絶對可靠,引用時仍宜多加留意。第四章爲"金石與中國歷史文化",在本章中林教授指出,金(青銅)與石(刻)是中華文化中主要的史料。殷周之際,多以青銅鑄鐘鼎,上刻有文字,稱爲鐘鼎銘文,在歷史上僅次於甲骨文,爲中國最古文字之一,主要是記載王室的大事,是當時的歷史與制度的第一手資料。周以後,記事日繁,改用易刻之竹簡、帛書等,於是青銅器的歷史價值遂爲藝術價值所代替,縱使文字簡略,但其製作、造型、綫條等,却富有特殊的藝術價值。石刻起源甚早,但保存不易,而且風雨侵蝕,損字較多。最早的石碑録於史書之内,始於戰國與秦之間,較青銅器略遲。以後有石經、石鼓及種種石碑,而詩人墨客更有刻石題字、紀事之雅興,於是"無山不刻字",是以碑刻流傳比之鐘鼎爲多,而涵蓋之史料亦較鐘鼎爲豐富,"金石録"、"碑傳集"等均爲重要的地方史料。總括而言,金石是研究地方文獻的一手資料,在中國歷史文化的研究上,價值很大。

林教授祖籍廣東省茂名縣,對廣東、香港史事素極關心。本書《專題研究篇》係以六個版本的《廣東通志》,以及廣東、香港的人物、史事、民族史爲研究專題;惟本文評介重點的《譜學篇》與《金石碑刻篇》兩篇,探討課題則已不限於廣東、香港二地,其視野已擴大至中國歷史上的譜學發展與敦煌的金石碑刻等課題。這是相當可喜的現象。

以下試就閱讀所及,提出本書三點值得稱道之處。首先是比較研究,内容創新。比較研究是歷史研究相當重要的途徑,從事歷史研究時,史料時有矛盾牴牾之情形,必須透過比較研究,始有可能求得歷史真相,從而提出新的解釋。本書的《譜學篇》與《金石碑刻篇》兩篇,是林教授從事地方文獻考訂數十年的心血結晶,他以深厚的學養與廣博的見聞,孜孜不倦,發揮比較研究的長才,其内容的創新乃是有目共睹的。例如討論新舊譜學的界别,以及新譜學的兩派三家,他在文字論述,詳細剖析與比較之後,並精心繪製對照表(上册,頁 250)俾讀者能一目了然。(附表一)

在此值得一提的是,林教授在比較新譜學之兩派三家時,對新譜學歸納法學者之潘光旦(生物遺傳學)與王栻(統計學),以及演繹法學者之羅香林(文化歷史學)等人之成就與貢獻,均能摒除個人師承關係,持平客觀地加以比較。對其師羅香林教授在譜牒學、香港史、中西交通史、文化史等開闢新的研究領域,固然多所肯定,但對羅氏身爲傳統的儒家學者,其譜學研究難免隱惡揚善,爲親者諱的主觀,以及以中上層人物爲研究對象等缺失,亦不隱諱地予以指出,認爲不及潘光旦教授受過西洋科學的薰陶,著重於基層的分析。(上

表一：新舊譜學之界別及新譜學之兩派三家對照表

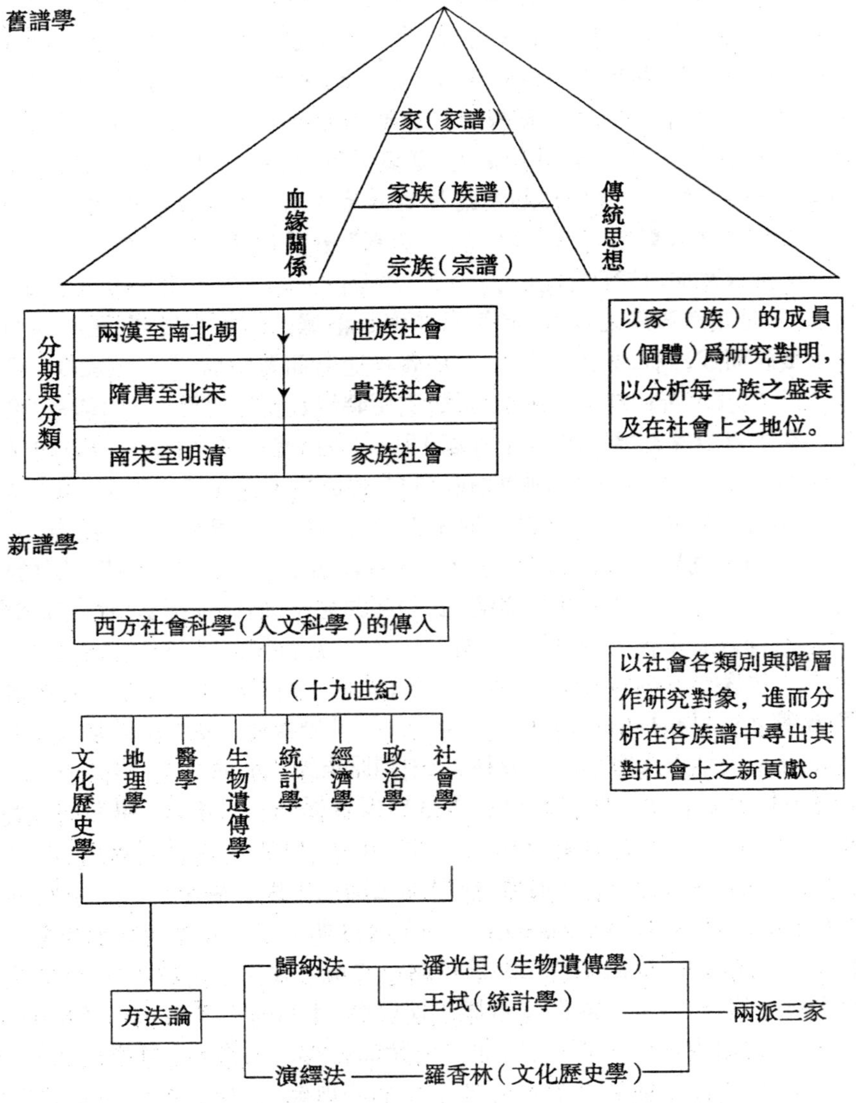

册，頁 254）客觀公正，是進行比較研究的基本要求，林教授追求真理的精神，值得效法。

對於廣東許族兩大支系發展的不同類型，林教授不但比較其所以異，亦比較其所以同。林教授對許族兩大支系入粵後的發展，一爲農業社會型的望族，一爲工商業社會型的望族，有深入的討論；對其形成的時代背景與社會環境，亦詳予比較，解釋其不同發展的原因。另對兩大家族均本諸中國的倫理思想，均置有祭祀公業，以維繫家族成員，亦加以比較與分析。（上册，頁 302~310）

此外，對於索勳碑碑文的三種版本，即臺灣中央研究院藏有的“索勳紀德碑”拓本，以及流傳的張維《隴右金石録》與徐松《西域水道記》兩種版本，林教授亦就三種版本碑文的完成年代、碑文存字與缺字、碑文版本作者之背景等，逐一加以比較，詳予参证，而提出其結論。（下册，頁 385~387）比較研究的運用，可説是本書的一大特色。

其次是參考資料豐富，引證詳實。本書作者林教授於二十世纪六〇、七〇年代長期在香港大學中文系講授“方志研究”，1966 年並曾擔任哈佛燕京學社訪問學者；二十世纪八〇、九〇年代又在政治大學歷史研究所主講“方志學”，1993 年且曾應聘擔任美國楊伯翰大學客座教授一年，講授“方志學”“族譜學”等課程。教職退休後，林教授定居於加拿大温哥華，並應聘兼任加拿大英屬哥倫比亞大學（University of British Columbia）亞洲研究中心研究員，專心從事研究工作。由於長年講授方志學、族譜學等課程，涉獵極爲廣博；加上林教授積極推動兩岸及國際學術交流，兩度籌辦地方史與地方文獻國際學術會議，對海峽兩岸及美國、加拿大等國漢學重鎮的方志學、族譜學、金石碑刻研究之動態，有相當深入的瞭解。因此，他撰寫本書《譜學篇》與《金石碑刻篇》兩篇，參考資料極爲豐富，計古籍、方志、族譜、近人專著各數十部，期刊論文達百篇以上，其引證詳實不可多得。值得一提的是，林教授撰寫《敦煌寫卷之校勘問題》一文時，曾爲探究唐末瓜沙與回鶻吐蕃之交替影響，專程遠赴倫敦、巴黎等地圖書館，就敦煌寫卷的顯徽影片中有關部份與原卷對照，就英、法兩國所藏寫卷互相對照，並就英、法兩國所藏寫卷與以前學者所發表之資料互相對照。結果有兩點發現：其一爲顯微影片未必“全真”，有若干部份照不出來，或模糊不清，故做成劉銘恕之目録中有若干錯誤。其中部份是寫卷的錯誤，經劉銘恕所更正的；亦有部份是影片與原卷不相符合。學者若僅根據顯微影片而作研究，可能引起若干錯誤。另一發現是，不少寫卷因當時抄録者的知識程度關係，重複者有之，不通者有之，故所謂“敦煌資料”固然是最實貴的原始資料，却未必是絶對可靠的資料，須加以校勘與辨别。（下册，頁 419，）本書參考資料豐富，引證詳實，誠非偶然。

第三是立論平允，見解精闢。本書作者林教授著作等身，史學根柢深厚，在唐史、宋史的研究領域，早已蜚聲國際。他以中國中古史的著名學者投身於譜學與金石碑刻的研究，其立論極有見地，甚爲難得。兹就《譜學篇》與《金石碑刻篇》各舉一例，加以説明。

《譜學篇》第一章論及新譜學的建立時指出，族譜與譜學不同，族譜是史料，經過整理後成爲譜學。建立新譜學，至少要注意内容的擴大、認同的思想，以及方法的改良三方面。就内容的擴大言，應擴大族譜的範圍，舉凡與家（宗）族活動有關的史料，如户口、户籍、土地契約、婚約、生死證明書、族與族問械鬥的碑記、祠堂内的功名碑等，均應在搜集範圍之内。家（宗）譜所叙世系，應由直屬的父系，擴大而至旁屬的母系、妻系、子（媳婦）、女（女婿）的活動事迹。家族的盛衰應就其家族人物與時代的背景，進而論其事業的成敗因果。就認同的思想而言，新譜學的目標，不光是叙述祖先來源，慎終追遠而已，主要是培養“認同”的思想。凡是同宗、同族、同文化系統的，都應加深聯繫與瞭解，因爲譜系是文化的一部份，目前中國的社會與文化，正受到西方社會與文化的極大衝擊，我們需要對舊的文化加以批判，融匯新的潮流，始能生存與發展。就方法的改良而言，舊的族譜，其撰寫的重點，在叙述源流及世系，墳墓的所在地，而略於事迹的叙述。新的譜學，世系只以表列，表之下只列生卒年月，另撰小傳。小傳不應只叙“人”的事蹟，應兼及其人生存的時代背景，尤忌避諱，而蒙蔽若干事實。新譜學應特别著重家族中的文化因子與體質因子。首先是撰寫族譜時，對每一家族的家訓，教育程度（包括妻族、媳婦的教育狀况），應特别詳細叙述，始可發現該族盛衰的關鍵。何者是優良的傳統，值得保存；何者是不合潮流，應予淘汰。其次，族人的體質遺傳，也應特別注意。例如體質、體能，若能紀録下來，可增加優生學不少資料，從而對促進家族的健康及國民健康，功勞甚大。换言之，舊的譜學重“人物”，人物的成敗是家族盛衰的關鍵，歷史的份量較大。新的譜學應從社會方面影響“人物”的成敗（包括教育的傳承），始是家庭盛衰的關鍵。（上册，頁239~241）林教授對新譜學的精闢見解，不僅指出新舊譜學的差异，而且點出新舊譜學的特色與價值，極有見地。

《金石碑刻篇》第二章林教授利用敦煌寫卷S.514與P.3354探討軍屯制與均田制之别時指出，均田制主要行於北魏，自太和五年（485）頒均田令後，根本未有徹底實行過。隋唐制度大致沿襲北朝，故雖屢頒均田之令，而實際上祇是有限度之推行。蓋隋唐時人丁滋長，而政府授於官吏之職官（分）田、公廨田、勳田又多，官無“閒田”，故唐代雖有均田之令，但却未徹底實行均田之制。所謂均田者，當時是占田或限田之意，而以租、庸、調爲均貧富之主要根據，在邊遠地區如敦煌一帶，地廣人稀，效均田之法，而行墾田（屯田）之實。（下册，頁405、410）在武后、開元之間，兼併之風已烈，户籍散失者衆，逃户日多，今在敦煌户籍卷中，雖發現有“給田”、“退田”等均田制遺風，實際上是墾荒之屯巴制而已。（下册，頁414）林教授爲唐史著名學者，他根據教煌寫卷以説明軍屯制與均田制之别，應具有學術參考價值。

作爲地方文獻的重要著作，本書確有值得稱道之處，已如上述。惟另一方面，本書亦有少許缺失，值得商榷與修正者、以嘉惠讀者。首先是本書未附“徵引書目”，不僅不符學術論著的出版規範，對讀者查证檢索，亦造成若干不便。就本書各篇内容自成單元，獨立成篇的情况而言，再版時似宜在各篇（附録篇除外）之後增附“徵引書目”，其次是出現若干錯别字，例如P257倒第5行，“顔惠敏”似爲“賴惠敏”之誤；P302最後1行，“喧赫人物”似爲“煊赫人物”之誤；P311第17行，“歷代職官長”似爲“歷代職官表”之誤；P387行第7行，“張淮”似爲“張維”之誤；P411第4行，“斯.3354”似爲“伯.3354”之誤。這些錯别字，均有待修正。

綜括而言，本書確具比較研究，内容創新；參考資料豐富，引证詳實；立論平允，見解精闢三項優點，值得稱道與推薦價值。惟本書未附“徵引書目”，並有若干錯别字，再版時均有待增訂，以提高本書的學術參考價值。

注　释

①黄秀政：《地方史志的巨著：評林著《方志學與地方史研究》，收入《臺灣史志論叢》（臺北市：五南圖書公司，民國八十九年三月初版二刷），頁357~379。

②（清）章學誠，《州縣請立志科議》，收入章氏著《文史通義·方志略例（三）》（臺北市華世出版社新編本，民國六十九年九月初版），頁395。

③邱樹森：《地方文獻論集·序》，頁2。

④《孝經》“開宗明義”章云：“鄭玄注：‘父母生之，是以事親爲始；四十强而仕’是以事君爲中；七十致仕，是以立身爲終也。”

⑤同③，頁3。

⑥“索勳碑”立甘肅省敦煌縣内覺舍欞星門内土壁，碑之上首共四行，書“大唐河口道歸義軍節度索公紀德之坤”，碑文共二十三行，每行二十四字至三十一字不等。見本書（下册），頁385。

跋

陳長琦

《地方文獻研究與分論》是林天蔚先生有關方志學與地方文獻研究的結集。正值本書編輯過程之中，先生在加拿大溫哥華的寓所里，不慎滑倒受傷，醫治乏效，竟致不治。噩耗傳來，令人十分悲痛！作爲後學及先生的友好，承蒙林太的囑託及出版社張愛芳博士的相約，爲先生著作的出版，完成未竟之事，乃義不容辭。

林先生是廣東高州人氏，是國際知名的歷史學家。先生早年畢業於華南師範大學的前身—廣東文理學院，生前先後任教於中國的香港中文大學、香港大學、（台灣）政治大學；加拿大的英屬哥倫比亞大學；美國的陽伯翰大學。晚年又受聘於母校—華南師範大學，擔任歷史系的客座教授。

我與先生相識於十年前，在一次學術會議上，經人介紹與林先生相識。先生知我任教於其早年畢業的母校，異常興奮，與我講起考入母校的經歷、學習與生活，眼中閃爍着光芒，深切懷念之情，溢於言表。彼此一見如故，相談甚歡，遂爲忘年之交。

先生非常關心母校的發展，他雖已年逾古稀，但卻有一顆同年轻人一樣火熱的心。他忘卻自己年邁、體弱，甚至還帶着心臟起搏器，多次回母校講學、參加學術會議、爲母校的國際學術交流，牽線搭橋。2003 年秋，受我之邀，先生從加拿大回到母校，專門給我的研究生們開了一個學期的課。先生講課深入淺出，語言詼諧幽默、妙語連珠，深受學生的愛戴，與學生結下了深厚的感情。

先生爲人寬厚仁慈、樂善好施，有一顆美好的心。在一次交談中，我給林先生介紹研究生們的情況，提起有位研究生家境貧寒。先生遂爲之動容，當即表示要資助這位學生，他馬上拿出 6000 元人民幣，要我轉交給那位學生。我推辭不過，只好收下，轉交給那位學生，學生們非常感動。

2001 年，先生主動與我相商，想拿出 20 萬元港幣，設立獎教獎學金，以獎助華南師範大學歷史系的教師與學生。我知先生已退休，平時積蓄，皆爲薪酬所得，不忍用其養老之金。我婉言謝絶，但先生執意不肯。其後，遂商定先由先生拿出 10 萬元港幣，設立“林天蔚獎教獎學金”，主要資助歷史系教師的科研項目與品學兼優的學生。先生要求每年用 2 萬元港幣，用完之後，再捐 10 萬港幣。但我沒有按照先生的要求去做，我堅持每年用 1 萬元港幣，希望這筆錢用的時間長一些，資助的人多一些。因爲先生不是企業家，也不是商人，先生是學者，他是在用自己晚年的養老金來資助母校的學術事業、資助母校的教育事業！去年春天，先生又從香港打電話給我，説他知道華南師範大學歷史文化學院還有許多貧困學生，想捐 5 萬元人民幣資助他們。我們之間又是一番爭執。先生説，他的兒女們都已學有所成，都有自己的事業，不需要花他的錢。因此，他要把自己的積蓄，捐給母校需要的師生們。其後，我離開廣州，到外地出差。先生又與華南師範大學的老校長管林教授聯繫，執意要捐這筆錢。隨後，先生自香港回廣州，親自將5萬元人民幣交到了管林教授手中。

我與先生的最後一面，是去年的夏天，先生的《地方文獻研究與分論》一書，由北京圖書館出版社排出清樣之後，需要校對。先生給我電話，説想讓我請幾個研究生幫一幫忙。由於先生的個别史料是靠記憶引證的，我考慮學生們對文獻不熟，怕誤事。就答應由我來幫他看一遍。先生非常高興。在回加拿大之前，他與林太特意由香港來廣州，邀我話别。沒有想到，這一别，竟是永别！先生的音容笑貌還歷歷在目，先生的偉大人格仍悠悠我心。

本書的内容結構主要由四部分組成，第一部分爲方志篇。這是本書的重要内容，它探討了中國古代方志的起源及發展的歷史，總結了中國古代的方志學理論，並提出了新方志的編撰構想，是林先生畢生研究中國方志學的心血凝結。第二部分爲譜學篇。記述了林先生對譜學研究的心得。既有對譜學理論的探討，亦包含了對譜學資料的個案研究。第三部分爲金石碑刻篇。收録了先生對中國古代金石碑刻資料的研究成果，同時還有先生對敦煌文獻的研究成果。第四部分爲專題研究篇。這是本書内容最重的一個部分。收録了先生對明清六部《廣東通志》的研究，對廣東的重要歷史人物、廣東及香港的歷史與文化、民族史研究的主要成果約四十萬字。字字留存着先生學術心血的凝結。本書的第五部分爲附録。收録了國際、國内學術界友好對先生學術成就、學術思想的介紹和評價。從這些評價中我們可以瞭解先生的學術貢獻及學術影響。

張愛芳博士邀我爲本書寫篇前言。作爲才疏學淺的晚輩，實不敢當。另外，林先生有舊序一篇，可以代替前言。我想在先生的書後寫下這些文字，以記述對先生的緬懷之情，願先生的學術與慈愛精神隨本書的刊布而永久留傳。

同時，我想也應該在此代林先生向北京圖書館出版社的領導、向本書的責任編輯張愛芳、廖生訓致敬，感謝他們爲本書出版所付出的辛勞。

是爲跋。

二〇〇六年三月
於廣州華南師範大學